हैरी पॉटर

और मायापंछी का समूह

AF891226

मंजुल पब्लिशिंग हाउस द्वारा हिन्दी में प्रकाशित
जे. के रोलिंग की अन्य पुस्तकें

हैरी पॉटर और पारस पत्थर
हॉगवर्ट्स में पहला वर्ष

हैरी पॉटर और रहस्यमयी तहख़ाना
हॉगवर्ट्स में दूसरा वर्ष

हैरी पॉटर और अज़्काबान का क़ैदी
हॉगवर्ट्स में तीसरा वर्ष

हैरी पॉटर और आग का प्याला
हॉगवर्ट्स में चौथा वर्ष

हैरी पॉटर और हाफ़-ब्लड प्रिंस
हॉगवर्ट्स में छटवाँ वर्ष

हैरी पॉटर और मौत के तोहफ़े
हॉगवर्ट्स में सातवाँ वर्ष

हैरी पॉटर

और मायापंछी का समूह

जे.के. रोलिंग

अनुवाद : डॉ. सुधीर दीक्षित

MANJUL
मंजुल पब्लिशिंग हाउस

MANJUL

मंजुल पब्लिशिंग हाउस

कॉरपोरेट एवं संपादकीय कार्यालय

• द्वितीय तल, उषा प्रीत कॉम्प्लेक्स, 42 मालवीय नगर, भोपाल-462 003

विक्रय एवं विपणन कार्यालय

• सी-16, सेक्टर 3, नोएडा, उत्तर प्रदेश, 201301

वेबसाइट : www.manjulindia.com

वितरण केन्द्र

अहमदाबाद, बेंगलुरू, कोच्चि, कोलकाता, चेन्नई,
हैदराबाद, मुम्बई, नई दिल्ली, पुणे

जे.के. रोलिंग द्वारा लिखित मूल अंग्रेजी पुस्तक
हैरी पॉटर ऐंड द ऑर्डर ऑफ़ द फ़ीनिक्स का हिन्दी अनुवाद

Harry Potter and the Order of the Phoenix by J. K. Rowling – Hindi edition

कॉपीराइट © जे.के. रोलिंग 2003

विज़ार्डिंग वर्ल्ड, वॉर्नर ब्रदर्स एंटरटेनमेंट इन्कॉर्पोरेटिड का ट्रेडमार्क है
विज़ार्डिंग वर्ल्ड पब्लिशिंग एंड थियेट्रिकल राइट्स © जे. के. रोलिंग

विज़ार्डिंग वर्ल्ड के चरित्र, नाम और संबन्धित चिन्ह के ट्रेडमार्क
एवं © वॉर्नर ब्रदर्स एंटरटेनमेंट इन्कॉर्पोरेटिड
सर्वाधिकार सुरक्षित

इस प्रकाशन के सभी चरित्र और घटनाएँ (जो सार्वजनिक क्षेत्र में आते हैं उन्हें छोड़कर) काल्पनिक हैं तथा उनकी किसी भी जीवित अथवा मृत व्यक्ति से समानता मात्र एक संयोग होगा

Illustrations by Mary GrandPré © 2003 by Warner Bros

यह हिन्दी संस्करण 2007 में पहली बार प्रकाशित
9वीं आवृत्ति 2025

ISBN 978-81-8322-071-2

अनुवाद : डॉ. सुधीर दीक्षित

मुद्रण व जिल्दसाज़ी : गोपसन्स पेपर्स प्रा. लि.

यह पुस्तक इस शर्त पर विक्रय की जा रही है कि प्रकाशक की लिखित पूर्वानुमति के बिना इसे या इसके किसी भी हिस्से को न तो पुनः प्रकाशित किया जा सकता है और न ही किसी भी अन्य तरीक़े से, किसी भी रूप में इसका व्यावसायिक उपयोग किया जा सकता है। यदि कोई व्यक्ति ऐसा करता है तो उसके विरुद्ध कानूनी कार्रवाई की जाएगी।

FSC
www.fsc.org
MIX
Paper | Supporting responsible forestry
FSC® C191020

नील, जेसिका और डेविड के लिए,
जो मेरी दुनिया को जादुई बनाते हैं।

अध्याय एक

डडली पर हमला

गर्मियों के मौसम का अब तक का सबसे गर्म दिन था। प्रिविट ड्राइव के बड़े चौकोर मकानों में उनींदी ख़ामोशी पसरी हुई थी। जो कारें आम तौर पर चमचमाती रहती थीं, वे इस समय पोर्च में धूल खा रही थीं। जो लॉन कभी हरे-भरे नज़र आते थे, वे इस वक़्त सूखे और पीले दिख रहे थे, क्योंकि सूखा पड़ने के कारण होज़पाइप के प्रयोग पर पाबंदी लगा दी गई थी। प्रिविट ड्राइव के निवासी आम तौर पर कार धोने और लॉन तराशने के काम में ही जुटे रहते थे। इन कामों से महरूम होने के कारण उन्होंने अपने ठंडे मकानों की छाया में शरण ले ली थी। हवा को आमंत्रित करने के लिए उन्होंने खिड़कियों के पल्ले पूरे खोल रखे थे, हालाँकि यह और बात थी कि हवा बिलकुल भी नहीं चल रही थी। सिर्फ़ एक ही व्यक्ति बाहर नज़र आ रहा था। वह एक किशोर था, जो चार नंबर के मकान के बगीचे की क्यारी में पीठ के बल लेटा हुआ था।

वह लड़का दुबला-पतला था। उसके बाल काले थे और उसने चश्मा लगा रखा था। उसका हुलिया अजीब सा था, जैसे वह बहुत ही कम समय में बहुत लंबा हो गया हो। उसकी जीन्स फटी हुई और गंदी थी। उसकी ढीली-ढाली टी-शर्ट का रंग उड़ चुका था और उसके जूतों के सोल उखड़ रहे थे। वह हैरी पॉटर था। उसका हुलिया पड़ोसियों को रास नहीं आता था, जो यह सोचते थे कि ख़राब हुलिए वालों को जेल में डाल देना चाहिए। लेकिन आज शाम को हैरी एक बड़ी झाड़ी के पीछे छिपा हुआ था, इसलिए मकान के सामने से गुज़रने वाले उसे नहीं देख सकते थे। सच तो यह था कि उसे सिर्फ़ तभी देखा जा सकता था, जब उसके वरनॉन अंकल या पेटूनिया आंटी अपने लिविंग रूम की खिड़की से सिर बाहर निकालकर नीचे क्यारी में झाँकें।

हैरी ख़ुद को शाबाशी दे रहा था कि उसके मन में यहाँ छिपने का बेहतरीन विचार आया। हालाँकि कड़क और तपती ज़मीन पर लेटना बहुत आरामदेह

नहीं था, लेकिन इससे फ़ायदा यह था कि कोई भी उसे ग़ुस्से से नहीं घूर रहा था और अपने दाँत इतनी ज़ोर से नहीं किटकिटा रहा था कि वह टी.वी. की न्यूज़ न सुन पाए। जब भी वह अपने अंकल-आंटी के साथ लिविंग रूम में बैठकर टी.वी. न्यूज़ सुनने की कोशिश करता था, तो वे उससे हमेशा भयानक सवाल पूछने लगते थे, लेकिन यहाँ लेटने का फ़ायदा यह था कि कोई भी उससे सवाल नहीं पूछ रहा था।

ऐसा लगा, जैसे उसके मन की बात खुली खिड़की में से फड़फड़ाती हुई अंदर घुस गई हो, क्योंकि उसी समय हैरी के अंकल वरनॉन डर्स्ली की आवाज़ अचानक सुनाई दी।

'यह देखकर अच्छा लगा कि अब लड़के ने यहाँ बैठना छोड़ दिया है। वैसे वह है कहाँ?'

'क्या पता,' पेटूनिया आंटी ने बिना किसी चिंता के कहा। 'घर में तो नहीं है।'

वरनॉन अंकल गुर्राने लगे।

उन्होंने ग़ुस्से से कहा, '*न्यूज़ देखने चला है* ... मैं जानना चाहता हूँ कि आख़िर वह चाहता क्या है? जैसे किसी सामान्य बच्चे को यह परवाह होगी कि न्यूज़ में क्या आ रहा है - डडली को तो पता ही नहीं है कि दुनिया में क्या हो रहा है। मुझे लगता है, वह तो यह भी नहीं जानता होगा कि हमारा प्रधानमंत्री कौन है! वैसे भी, *उसके जैसे लोगों* का *हमारी* न्यूज़ से क्या लेना-देना हो सकता है -'

'वरनॉन, *धीरे*!' पेटूनिया आंटी बोलीं। 'खिड़की खुली हुई है!'

'ओह - हाँ - सॉरी डियर।'

डर्स्ली दंपति ख़ामोश हो गए। हैरी ने नाश्ते के सामान का विज्ञापन सुनते हुए बाहर देखा कि पड़ोस के विस्टीरिया वॉक में रहने वाली बिल्ली-प्रेमी बुढ़िया मिसेज़ फ़िग धीरे-धीरे चलती हुई पास से गुज़र गईं। उनकी भ्रकुटियाँ चढ़ी हुई थीं और वे कुछ बुदबुदा रही थीं। हैरी बहुत ख़ुश हुआ कि वह झाड़ी के पीछे छिपा हुआ था, क्योंकि पिछले कुछ समय से मिसेज़ फ़िग जब भी उसे सड़क पर देखती थीं, उसे चाय पीने के लिए अपने घर बुलाने लगती थीं। वे गली के कोने पर मुड़ने के बाद ओझल हो गईं। तभी वरनॉन अंकल की आवाज़ खिड़की से दोबारा तैरती हुई बाहर आई।

'डडली चाय-नाश्ते के लिए बाहर गया है?'

'पोलकिस के यहाँ गया है,' पेटूनिया आंटी ने प्यार से कहा। 'उसके बहुत सारे दोस्त हैं! सभी उसे बहुत पसंद करते हैं ...'

हैरी बड़ी मुश्किल से अपनी हँसी रोक पाया। डडली अपने माता-पिता को ख़ूब बेवक़ूफ़ बना रहा था। उन्होंने डडली के इस सफ़ेद झूठ पर आसानी से यक़ीन कर लिया था कि वह गर्मी की छुट्टियों में हर शाम को अपने गैंग के अलग-अलग लड़कों के घर चाय-नाश्ते पर जाता है। हैरी अच्छी तरह जानता था कि डडली चाय-नाश्ते पर कहीं नहीं जाता था। इसके बजाय वह और उसका गैंग हर शाम को पार्क में तोड़-फोड़ करते थे, नुक्कड़ों पर सिगरेट पीते थे और वहाँ से गुज़रने वाली कारों तथा बच्चों पर पत्थर फेंकते थे। लिटिल व्हिंगिंग में शाम को घूमते समय हैरी ने उनकी यह कारस्तानी देखी थी। दरअसल, हैरी की ज़्यादातर छुट्टियाँ सड़कों की ख़ाक छानते हुए बीती थीं, क्योंकि वह रास्ते के कूड़ेदानों में अख़बार खोजता रहता था।

जब सात बजे की न्यूज़ के शुरू होने का संगीत हैरी के कानों में पहुँचा, तो उसके पेट में मरोड़ उठने लगी। शायद एक महीने के इंतज़ार के बाद आज रात को उसे सही ख़बर सुनने को मिल जाएगी।

'स्पेन के सामान ढोने वालों की हड़ताल दूसरे सप्ताह भी जारी है। इस वजह से बहुत सारे पर्यटक हवाई अड्डे पर फँसे हुए हैं –'

यह सुनते ही वरनॉन अंकल गुर्राकर बोले, 'मैं तो कहता हूँ, उन्हें ज़िंदगी भर घूमने दो।' लेकिन कोई बात नहीं : बाहर क्यारी में हैरी के पेट की मरोड़ ठीक हो गई। अगर कोई बड़ी घटना हुई होती, तो वह न्यूज़ में सबसे पहले आती। मौत और तबाही फँसे हुए पर्यटकों से ज़्यादा महत्वपूर्ण होती हैं।

उसने धीरे से एक लंबी साँस छोड़ी और चमकते हुए नीले आसमान को देखा। इस गर्मी में उसका हर दिन इसी तरह गुज़रा था : तनाव, आशंका, कुछ समय की राहत और फिर से तनाव ... उसे हर वक़्त यही सवाल परेशान करता रहता था कि आख़िर अब तक कुछ हुआ *क्यों* नहीं ?

वह न्यूज़ सुनता रहा। उसने सोचा कि शायद कहीं कोई छोटा सुराग़ छिपा हो, जिसके महत्व को मगलू पहचान न पाए हों – कोई अचानक ग़ायब हो गया हो या फिर कोई अजीब दुर्घटना हो गई हो ... लेकिन हड़ताल के बाद दक्षिण-पूर्व के सूखे की ख़बर आई (जिसे सुनकर वरनॉन अंकल बोले, 'मुझे उम्मीद है कि हमारा पड़ोसी यह सुन रहा होगा! वह सुबह तीन बजे उठकर पौधों को चोरी छिपे पानी देता है!')। फिर एक हेलिकॉप्टर की ख़बर आई, जो सरे के एक खेत में दुर्घटनाग्रस्त होते-होते बचा था। इसके बाद एक मशहूर अभिनेत्री के उसके मशहूर पति से तलाक़ की ख़बर आई ('जैसे हमें उनके घटिया मामलों में दिलचस्पी है,' पेटूनिया आंटी ने नाक चढ़ाते हुए कहा, जो हर पत्रिका में उनके तलाक़ के बारे में छपी ख़बरें चटखारे लेकर पढ़ती थीं)।

हैरी ने शाम के दहकते आसमान की तरफ़ से अपनी आँखें बंद कर लीं, जब समाचार पढ़ने वाली बोली, '*– और अंत में बंगी द बजी ने इस तपती गर्मी से राहत पाने का एक नया तरीक़ा खोज लिया है। बंगी बार्न्सले के फ़ाइव फ़ेदर्स में रहता है और उसने वाटर स्कीइंग सीख ली है! इस बारे में मैरी डोरकिन्स की रिपोर्ट।*'

हैरी ने अपनी आँखें खोल लीं। अगर ख़बरें वाटर-स्कीइंग तक पहुँच गई हैं, तो अब कोई महत्वपूर्ण ख़बर नहीं आ सकती। वह करवट बदलकर सावधानी से पेट के बल लेट गया। फिर खिड़की के नीचे से रेंगने के लिए वह घुटनों और कोहनियों के बल उठा।

वह अभी मुश्किल से दो इंच ही हिला होगा कि तभी एक साथ कई घटनाएँ हुईं।

ख़ामोशी में एक *तेज़ आवाज़* गूँजी, जैसे किसी बंदूक से गोली चली हो। पोर्च में खड़ी एक कार के नीचे से एक बिल्ली निकली और भागती हुई ओझल हो गई। डर्स्ली दंपति के लिविंग रूम में कोई चीख़ा, किसी ने ग़ुस्से में गाली दी और चीनी मिट्टी के किसी बर्तन के टूटने की आवाज़ आई। और जैसे हैरी इसी संकेत का इंतज़ार कर रहा था, वह तेज़ी से उछलकर खड़ा होने लगा और उसने अपनी जीन्स में से छड़ी इस तरह बाहर निकाल ली, जैसे म्यान में से तलवार निकाल रहा हो – लेकिन इससे पहले कि वह पूरी तरह खड़ा हो पाता, उसके सिर का ऊपरी हिस्सा डर्स्ली दंपति की खुली खिड़की से टकरा गया। इससे जो *धमाका* हुआ, उसे सुनकर पेटूनिया आंटी और ज़ोर से चीख़ने लगीं।

हैरी को ऐसा लगा, जैसे उसके सिर के दो टुकड़े हो गए हों। उसकी आँखों में आँसू आ गए। डगमगाते हुए उसने सड़क की तरफ़ देखा। वह जानना चाहता था कि वह आवाज़ कहाँ से आई है, लेकिन अभी वह ठीक से खड़ा भी नहीं हो पाया था कि तभी दो बड़े बैंगनी हाथ खुली खिड़की से बाहर निकले और उसके गले पर आकर जम गए।

'*उसे – छिपा – लो!*' वरनॉन अंकल हैरी के कान में गुर्राए। '*अभी! किसी – के – देखने – से – पहले!*'

'मुझे – छोड़ – दो!' हैरी ने हाँफते हुए कहा। कुछ पल तक वे दोनों जूझते रहे। हैरी ने बाएँ हाथ से अंकल की मोटी-मोटी उँगलियों को हटाने की कोशिश की। दाएँ हाथ में उसने अपनी छड़ी कसकर पकड़ रखी थी। फिर जब हैरी के सिर का दर्द बहुत तेज़ हो गया, तो वरनॉन अंकल ने चीख़कर हैरी को इस तरह छोड़ दिया, जैसे उन्हें बिजली का झटका लगा हो। उन्हें ऐसा लगा, जैसे उनके भांजे में से कोई अदृश्य शक्ति निकल रही हो, जिस वजह से उसे पकड़े रखना

संभव नहीं था।

हाँफता हुआ हैरी झाड़ी की तरफ़ गिरा, उठकर खड़ा हुआ और चारों तरफ़ घूरने लगा। वहाँ पर ऐसा कोई सुराग़ नहीं था, जिससे यह पता चल सके कि वह तेज़ आवाज़ क्यों हुई थी, लेकिन आस-पास के मकानों की खिड़कियों से कई चेहरे बाहर झाँकने लगे थे। हैरी ने जल्दी से छड़ी जीन्स में रख ली और मासूम दिखने की कोशिश करने लगा।

'कितनी प्यारी शाम है!' वरनॉन अंकल ने चिल्लाकर सात नंबर के मकान वाली महिला की तरफ हाथ हिलाया, जो अपने जालीदार पर्दों के पीछे से ग़ुस्से से घूर रही थी। 'क्या आपने किसी कार के बैकफ़ायर करने की आवाज़ सुनी थी ? उसे सुनकर मैं और पेटूनिया तो चौंक ही गए थे!'

वे भयानक तरीक़े से तब तक खीसें निपोरते रहे, जब तक कि सभी उत्सुक पड़ोसी अपनी खिड़कियों से ग़ायब नहीं हो गए। फिर उनके चेहरे पर मुस्कराहट की जगह ग़ुस्से की लकीरें आ गईं और उन्होंने हैरी को इशारे से अपने पास बुलाया।

हैरी कुछ क़दम पास गया, लेकिन वह जान-बूझकर उस जगह से थोड़ी दूर रुक गया, जहाँ वरनॉन अंकल के हाथ उसका गला दबाने का कार्यक्रम दोबारा शुरू कर सकें।

'इस *हरकत* से तुम्हारा क्या मतलब है, लड़के ?' वरनॉन अंकल ने ग़ुस्से से काँपती आवाज़ में पूछा।

'किस हरकत से ?' हैरी ने ठंडेपन से पूछा। वह सड़क पर दाएँ-बाएँ नज़र दौड़ा रहा था और अब भी आवाज़ करने वाले को देखने की उम्मीद कर रहा था।

'हमारे घर के ठीक बाहर गोली चलने जैसी आवाज़ क्यों की -'

'मैंने वह आवाज़ नहीं की,' हैरी ने दृढ़ता से कहा।

पेटूनिया आंटी का दुबला और घोड़ी जैसा चेहरा अब वरनॉन अंकल के चौड़े बैंगनी चेहरे के पास आ गया था। वे आगबबूला दिख रही थीं।

'तुम हमारी खिड़की के नीचे क्यों छिपे थे ?'

'हाँ - हाँ, बहुत बढ़िया बात कही, पेटूनिया! *लड़के, तुम हमारी खिड़की के नीचे क्या कर रहे थे ?*'

'न्यूज़ सुन रहा था,' हैरी ने सच्चाई बताते हुए कहा।

अंकल-आंटी हैरानी से एक-दूसरे को देखने लगे।

'न्यूज़ सुन रहे थे! *एक बार फिर ?*'

हैरी बोला, 'न्यूज़ हर दिन बदलती रहती है, है ना?'

'लड़के, मेरे सामने ज़्यादा होशियारी मत दिखाओ! मैं जानना चाहता हूँ कि तुम्हारे इरादे क्या हैं – और मुझे यह पुड़िया मत देना कि *तुम न्यूज़ सुन रहे थे*! तुम अच्छी तरह जानते हो कि *तुम्हारे जैसे लोगों* –'

'धीरे, वरनॉन!' पेटूनिया आंटी फुसफुसाईं। इसके बाद वरनॉन अंकल ने अपनी आवाज़ इतनी धीमी कर ली कि हैरी भी उनकी बात मुश्किल से सुन पाया '– कि *तुम्हारे जैसे लोगों की ख़बरें हमारी न्यूज़ में* नहीं आती हैं!'

हैरी ने कहा, 'आपको क्या पता?'

डर्स्ली दंपति कुछ पल तक उसे ग़ुस्से से घूरते रहे। फिर पेटूनिया आंटी बोलीं, 'तुम एक नंबर के झूठे हो।' उनकी आवाज़ इतनी धीमी थी कि हैरी को उनके होंठों से शब्दों का अंदाज़ा लगाना पड़ा, '– यहाँ मँडराने वाले उल्लू अगर तुम्हें ख़बर नहीं दे रहे हैं, तो क्या कर रहे हैं?'

'ओहो!' वरनॉन अंकल ने विजयी अंदाज़ में कहा। 'लड़के, इस सवाल का जवाब देकर बताओ! जैसे हमें यह पता ही नहीं है कि तुम्हें अपने मतलब की सारी ख़बरें उन बेहूदा पक्षियों से मिलती हैं!'

हैरी एक पल के लिए झिझका। इस बार सच बोलने में उसे बहुत कष्ट हो रहा था, हालाँकि उसके अंकल-आंटी को तो उसके कष्ट का अंदाज़ा भी नहीं हो सकता था।

उसने सपाट लहज़े में कहा, 'उल्लू ... मुझे कोई ख़बर नहीं दे रहे हैं।'

पेटूनिया आंटी तत्काल बोलीं, 'मुझे तो इस बात पर यक़ीन नहीं है।'

'मुझे भी नहीं है,' वरनॉन अंकल ने जोश से कहा।

फिर पेटूनिया आंटी बोलीं, 'हमें पता है कि तुम किसी अजीब गुनताड़े में लगे हो।'

वरनॉन अंकल ने उसे चमकाते हुए कहा, 'देखो, हम मूर्ख नहीं हैं।'

'लग तो *ऐसा ही* रहा है,' हैरी बोला। अब उसका पारा चढ़ने लगा था। और इससे पहले कि डर्स्ली दंपति उसे वापस बुलाएँ, वह मुड़कर मकान के सामने वाले लॉन के पार गया और बगीचे की नीची दीवार को फाँदकर सड़क पर पहुँच गया।

वह अच्छी तरह जानता था कि अब वह संकट में फँस चुका है। उसे बाद में अंकल-आंटी का सामना करना पड़ेगा और अपनी बदतमीज़ी की क़ीमत चुकानी पड़ेगी, लेकिन इस समय उसे इस बात की ज़रा भी परवाह नहीं थी। उसके दिमाग़ में इससे ज़्यादा महत्वपूर्ण बातें थीं।

हैरी को यक़ीन था कि वह आवाज़ ज़रूर किसी के अंतर्ध्यान या प्रकट होने की आवाज़ थी। डॉबी नाम का घरेलू जिन्न हवा में ग़ायब होते समय ऐसी ही आवाज़ करता था। कहीं डॉबी तो प्रिविट ड्राइव में नहीं आया था ? क्या डॉबी इस वक़्त भी उसका पीछा कर रहा होगा ? यह ख़्याल आते ही उसने मुड़कर प्रिविट ड्राइव की तरफ़ देखा, लेकिन वहाँ कोई नहीं दिख रहा था और हैरी को यक़ीन था कि डॉबी अदृश्य रहकर पीछा नहीं कर सकता है।

वह सड़क पर चलता रहा। उसे यह पता नहीं था कि वह किधर जा रहा था। बहरहाल, कुछ समय से वह इन सड़कों पर इतना ज़्यादा घूम रहा था कि उसके पैर ख़ुदबख़ुद उसके प्रिय ठिकानों की तरफ़ चले जा रहे थे। थोड़ी-थोड़ी देर बाद वह पलटकर देखता जा रहा था। उसे यक़ीन था कि जब वह पेटूनिया आंटी के बगीचे में लेटा हुआ था, तो कोई न कोई जादूगर या जादुई प्राणी उसके आस-पास ज़रूर था। अगर ऐसा था, तो उसने हैरी से बात क्यों नहीं की, संपर्क क्यों नहीं किया और वह चला क्यों गया ?

फिर उसकी कुंठा बढ़ने लगी और उसका यक़ीन कम होने लगा।

शायद वह आवाज़ जादुई न हो। शायद वह जादुई दुनिया से संपर्क करने के लिए इतना उतावला था कि सामान्य आवाज़ को भी जादुई मान बैठा था। क्या वह *यक़ीन* के साथ कह सकता था कि वह आवाज़ पड़ोस के किसी मकान में किसी चीज़ के टूटने की नहीं थी ?

हैरी को अपने पेट में एक बोझ सा महसूस हुआ और उसे पता चलने से पहले ही निराशा की भावना, जो गर्मियों भर उसे सताती रही थी, एक बार फिर उस पर हावी हो गई।

कल सुबह वह पाँच बजे के अलार्म से एक बार फिर उठेगा और *दैनिक जादूगर* लाने वाले उल्लू को नट देगा - लेकिन क्या अब अख़बार लेने से कोई फ़ायदा था ? हैरी इन दिनों बस पहले पन्ने पर सरसरी निगाह डालने के बाद ही अख़बार फेंक देता था। वह सोच रहा था कि मूर्ख अख़बार वालों को जब वोल्डेमॉर्ट के लौटने का पता चलेगा, तो वह ख़बर पहले पन्ने पर छपेगी और हैरी को उसी ख़बर का इंतज़ार था।

अगर उसकी क़िस्मत अच्छी हुई, तो उसके सबसे अच्छे दोस्तों रॉन और हर्माइनी की चिट्ठियाँ आ जाएँगी, हालाँकि उनकी चिट्ठियों से भी उसे कोई ख़ास जानकारी नहीं मिलती थी। उसने काफ़ी पहले यह उम्मीद छोड़ दी थी।

ज़ाहिर है, हम तुम-जानते-हो-कौन के बारे में ज़्यादा कुछ नहीं लिख सकते ... हमें महत्वपूर्ण बातें लिखने से मना कर दिया गया है, क्योंकि रास्ते में कोई भी इन चिट्ठियों को हथियाकर पढ़ सकता है ... हम काफ़ी व्यस्त हैं,

लेकिन हम तुम्हें विस्तार से कुछ नहीं बता सकते ... काफ़ी कुछ हो रहा है। मुलाक़ात होने पर सब कुछ बताएँगे ...

लेकिन उनसे मुलाक़ात आख़िर कब होगी? कोई भी उसे इसकी निश्चित तारीख़ नहीं बता रहा था। हर्माइनी ने हैरी के जन्मदिन पर भेजे कार्ड में लिखा था, *उम्मीद है कि हम तुमसे जल्दी ही मिलेंगे।* लेकिन वह जल्दी कितनी जल्दी आएगा? हैरी ने उनकी चिट्ठियों के अस्पष्ट संकेतों से इतना अंदाज़ा तो लगा लिया था कि हर्माइनी और रॉन एक ही जगह पर थे, शायद रॉन के मम्मी-डैडी के घर पर। उससे यह सहन नहीं हो रहा था कि वे दोनों रॉन के घर पर मज़े कर रहे होंगे, जबकि वह प्रिविट ड्राइव में फँसा हुआ था। दरअसल उसे उन पर इतना ग़ुस्सा आ रहा था कि उसने हनीड्यूक्स चॉकलेट के उन दोनों पैकेटों को बिना खोले ही फेंक दिया, जो उन्होंने उसके जन्मदिन पर भेजे थे। बाद में वह अपनी इस बेवक़ूफ़ी पर बड़ा पछताया था, क्योंकि उस रात पेटूनिया आंटी ने डिनर में उसे सिर्फ़ सूखा सलाद खिलाया था।

रॉन और हर्माइनी आख़िर किस काम में व्यस्त थे? हैरी क्यों व्यस्त नहीं था? क्या उसने यह साबित नहीं कर दिया था कि वह उनसे ज़्यादा बड़े काम कर सकता है? क्या वे लोग भूल गए थे कि उसने कितना कुछ किया है? *वही* तो क़ब्रिस्तान में गया था, उसी ने तो सेडरिक की हत्या होते देखी थी, उसी को तो क़ब्र के पत्थर से बाँधा गया था और वही तो वोल्डेमॉर्ट के हाथों मरते-मरते बचा था।

इस बारे में मत सोचो, हैरी ने इन गर्मियों में ख़ुद को सौवीं बार गंभीरता से याद दिलाया। रात को सपनों में वह बार-बार क़ब्रिस्तान में पहुँच जाता था ... बस इतना ही काफ़ी था, दिन में उस घटना को याद करने की कोई ज़रूरत नहीं थी।

वह मैग्नोलिया क्रेसेन्ट के पास पहुँचकर एक मोड़ पर मुड़ा। वह उस गैरेज के पास वाली सँकरी गली से गुज़रा, जहाँ उसने अपने गॉडफ़ादर सिरियस को पहली बार देखा था। कम से कम सिरियस तो हैरी के दिल की भावनाओं को समझता था। हालाँकि रॉन और हर्माइनी की चिट्ठियों की तरह ही उसकी चिट्ठियों में भी कोई महत्वपूर्ण जानकारी नहीं होती थी, लेकिन कम से कम उनमें चिढ़ाने वाले संकेतों के बजाय सावधानी और सांत्वना की बातें तो होती थीं : *मैं जानता हूँ कि इससे तुम्हें बेचैनी हो रही होगी ... अपने हाथ साफ़ रखना ... कुछ समय बाद सब कुछ* **ठीक** *हो जाएगा ... सावधान रहना और ग़ुस्से में कोई क़दम मत उठाना ...*

हैरी मैग्नोलिया क्रेसेन्ट पार करके मैग्नोलिया रोड पर मुड़ा और पार्क की

तरफ़ चल दिया। हैरी सोच रहा था कि वह काफ़ी हद तक सिरियस की सलाह पर ही चला था। उसने अपनी इस इच्छा को भी दबा लिया था कि वह जादुई झाड़ू पर संदूक बाँधकर रॉन के घर की तरफ़ उड़ जाए। वह सोच रहा था कि उसका व्यवहार क़ाबिलेतारीफ़ था, अगर इस बारे में सोचा जाए कि प्रिविट ड्राइव में इतने लंबे समय तक फँसे रहने के कारण वह कितना कुंठित और नाराज़ था। उसकी हालत तो इतनी ख़राब हो चुकी थी कि उसे क्यारियों में छिपकर न्यूज़ सुननी पड़ रही थी, ताकि किसी ख़बर से उसे यह पता चल सके कि लॉर्ड वोल्डेमॉर्ट क्या कर रहा था। चाहे जो हो, उसे यह बात चुभ रही थी कि उसे ग़ुस्से में कोई क़दम न उठाने की सलाह वह दे रहा था, जो बारह साल तक जादूगरों की जेल अज़्काबान में क़ैद रहा था। यह सलाह वह दे रहा था, जिसने वहाँ से भागने के बाद वह हत्या करने की कोशिश की थी, जिसके लिए उसे सज़ा हुई थी और जो चुराए हुए गरुड़अश्व पर बैठकर भाग गया था।

हैरी पार्क के बंद गेट को फाँदकर अंदर गया और मुरझाई हुई घास पर चलने लगा। पास की सड़कों की तरह ही पार्क भी सूना था। झूलों के पास पहुँचकर वह उस इकलौते सही-सलामत झूले पर बैठ गया, जो डडली और उसके दोस्तों के हाथों टूटने से अब तक बचा हुआ था। झूले की जंज़ीर पर एक हाथ रखकर वह एकटक ज़मीन की तरफ़ घूरने लगा। अब वह दोबारा डर्स्ली दंपति के बगीचे की क्यारी में नहीं छिप पाएगा। कल उसे न्यूज़ सुनने का कोई नया तरीक़ा सोचना पड़ेगा। लेकिन तब तक उसका समय बहुत ही बुरा गुज़रेगा। एक बार फिर उसकी रात बेचैनी में कटेगी, क्योंकि जब उसे सेडरिक के बुरे सपने नहीं आते थे, तब भी उसे लंबे अँधेरे गलियारे दिखते थे, जो बंद दीवारों और दरवाज़ों के सामने पहुँचकर ख़त्म हो जाते थे। उसे लगता था कि बंधन में रहने के कारण उसे ऐसे सपने दिखते होंगे। उसके माथे का पुराना निशान भी अब बार-बार दुखने लगा था, लेकिन वह अच्छी तरह जानता था कि अब रॉन, हर्माइनी या सिरियस इसमें कोई दिलचस्पी नहीं लेंगे। पहले तो निशान दुखने से यह चेतावनी मिल जाती थी कि वोल्डेमॉर्ट दोबारा ताक़तवर बन रहा है, लेकिन अब वे लोग शायद कहेंगे कि वोल्डेमॉर्ट की वापसी के बाद इसका बार-बार दुखना स्वाभाविक था ... चिंता की कोई बात नहीं है ... यह ख़बर पुरानी है ...

इस नाइंसाफ़ी से उसके मन में इतना आक्रोश भर गया कि वह ग़ुस्से से चिल्लाना चाहता था। अगर वह नहीं होता, तो किसी को भी वोल्डेमॉर्ट के लौटने का पता ही नहीं चलता! और उसे इसका इनाम यह मिला कि वह पूरे चार हफ़्तों से लिटिल व्हिंगिंग में फँसा हुआ है, जादुई दुनिया से पूरी तरह से कटा हुआ है और वाटर-स्कीइंग करने वालों की ख़बर सुनने के लिए सूखी क्यारियों में लोट

लगा रहा है! डम्बलडोर उसे इतनी आसानी से कैसे भूल गए? रॉन और हर्माइनी उसके बिना एक साथ कैसे रह रहे थे? उसे कब तक यह सहन करना पड़ेगा कि सिरियस उसे अच्छे बच्चे की तरह व्यवहार करने की सलाह दे? वह *दैनिक जादूगर* के मूर्खों को चिट्ठी लिखकर यह बताना चाहता था कि वोल्डेमॉर्ट लौट आया है। वह कब तक अपनी इस इच्छा को दबाए? ये ग़ुस्से भरे विचार हैरी के दिमाग़ में घुमड़ते रहे और उसके पेट में ग़ुस्से की मरोड़ें उठती रहीं। उमस भरी मख़मली रात का अँधेरा छाने लगा था। गर्म हवा में सूखी घास की गंध भरी थी और पार्क की रेलिंगों के पार सड़क पर जा रही कारों के अलावा किसी तरह की आवाज़ सुनाई नहीं दे रही थी।

उसे यह पता नहीं था कि वह कितनी देर झूले पर बैठा रहा। कुछ आवाज़ों से उसके विचारों का सिलसिला टूटा और उसने सिर उठाकर देखा। पास वाली सड़कों पर स्ट्रीटलैंप जल चुके थे। उनकी हल्की रोशनी में उसने कुछ लोगों को पार्क के पास से गुज़रते हुए देखा। उनमें से एक ज़ोर-ज़ोर से कोई भद्दा गाना गा रहा था। बाक़ी हँस रहे थे। कई महँगी रेसिंग बाइकों की आवाज़ें आ रही थीं, जिन्हें वे धीरे-धीरे चला रहे थे।

हैरी उन लोगों को जानता था। सबसे आगे वाला लड़का बेशक उसका मौसेरा भाई डडली डर्स्ली था, जो अपने वफ़ादार गैंग के साथ घर की तरफ़ जा रहा था।

डडली पहले जितना ही मोटा था, लेकिन एक साल की डाइटिंग और एक नई प्रतिभा के उदय के कारण उसके शरीर में काफ़ी बदलाव आ गया था। जैसा वरनॉन अंकल हर सुनने वाले को ख़ुशी-ख़ुशी बताते थे, डडली हाल ही में साउथईस्ट का जूनियर हैवीवेट इंटर-स्कूल बॉक्सिंग चैंपियन बन गया था। वरनॉन अंकल बॉक्सिंग को 'शानदार खेल' कहने लगे थे। इसकी वजह से डडली पुराने स्कूल के उन दिनों से भी भयानक दिखने लगा था, जब वह हैरी को अपने मुक्कों का निशाना बनाता था। अब हैरी को अपने कज़िन से ज़रा भी डर नहीं लगता था, लेकिन फिर भी वह डडली के बॉक्सिंग चैंपियन बनने की ख़बर सुनकर ख़ुश नहीं हुआ। पड़ोस के सभी बच्चे डडली से डरते थे। वे उससे 'पॉटर लड़के' से भी ज़्यादा डरते थे, जिसके बारे में उनके माता-पिता ने उन्हें चेतावनी दे दी थी कि वह पक्का गुंडा है और लाइलाज अपराधी बच्चों के लिए सुरक्षित सेंट ब्रूटस केंद्र में पढ़ता है।

घास के पार उन धुँधली आकृतियों को जाते देखकर हैरी सोचने लगा कि आज रात उन्होंने किसकी पिटाई की होगी। हैरी ने उन्हें *देखते* हुए मन ही मन सोचा : *ज़रा मुड़कर तो देखो ... मैं यहाँ अकेला बैठा हूँ ... आकर मुझे परेशान करो ...*

अगर डडली के दोस्त उसे वहाँ बैठा देख लेंगे, तो वे यक़ीनन उसकी तरफ़ आएँगे। तब डडली क्या करेगा? अपने गैंग के सामने झुकना उसे पसंद नहीं आएगा, लेकिन वह तो हैरी को चिढ़ाने की बात सोचकर ही दहशत में आ जाएगा ... डडली की दुविधा को देखने में सचमुच मज़ा आएगा, क्योंकि हैरी जानता था कि डडली को चिढ़ाने पर भी वह उसका कुछ नहीं बिगाड़ पाएगा ... और अगर उसके साथियों में से किसी ने हैरी को मारने की कोशिश की, तो वह तैयार था - उसके पास छड़ी थी। उन्हें कोशिश तो करने दो ... वह उन लड़कों पर अपनी भड़ास निकालेगा, जिन्होंने कभी उसकी ज़िंदगी को नर्क बनाया था।

लेकिन उन लोगों ने मुड़कर नहीं देखा। उन्हें हैरी नहीं दिखा। वे अब रेलिंग के पास पहुँच चुके थे। हैरी का मन हुआ कि वह उन्हें पीछे से आवाज़ देकर बुलाए, लेकिन उसने अपनी इच्छा दबा ली ... अपनी तरफ़ से झगड़ा मोल लेना समझदारी नहीं थी ... उसे जादू का इस्तेमाल नहीं करना चाहिए ... वरना उसे स्कूल से निकाल दिया जाएगा।

डडली के गैंग की आवाज़ें अब सुनाई नहीं दे रही थीं। वे ओझल हो गए थे और मैग्नोलिया रोड की तरफ़ जा रहे थे।

हैरी ने उदासी से सोचा, *यह लो सिरियस। ग़ुस्से को दबा लिया। अपने हाथ और नाक-कान साफ़ रखे। तुम होते, तो इतना संयम नहीं रख पाते।*

उसने खड़े होकर अँगड़ाई ली। पेटूनिया आंटी और वरनॉन अंकल को लगता था कि डडली शाम को जब भी घर लौटता था, वह घर लौटने का सही समय होता था और उसके बाद बहुत देर हो जाती थी। वरनॉन अंकल ने हैरी को धमकी दे रखी थी कि अगर वह डडली के आने के बाद घर लौटा, तो वे उसे शेड में बंद कर देंगे, इसलिए अपनी जम्हाई दबाते हुए और त्योरियाँ चढ़ाते हुए हैरी पार्क के गेट की तरफ़ बढ़ा।

प्रिविट ड्राइव की तरह ही मैग्नोलिया रोड पर भी सुंदर लॉन वाले बहुत सारे बड़े और चौकोर मकान थे। इन मकानों के मालिक भी उतने ही बड़े तथा चौकोर थे और वरनॉन अंकल जैसी साफ़-सुथरी कारें चलाते थे। हैरी को लिटिल व्हिंगिंग रात में ज़्यादा अच्छा लगता था, जब पर्दे लगी खिड़कियाँ अँधेरे में रत्नों की तरह चमकती थीं और उनके पास से गुज़रते समय उसे अपने 'आवारा' जैसे हुलिए के बारे में ताने नहीं सुनने पड़ते थे। वह तेज़-तेज़ क़दमों से चल रहा था, इसलिए मैग्नोलिया रोड के आधे रास्ते पर ही उसे डडली का गैंग दोबारा दिखाई दे गया। वे मैग्नोलिया क्रेसेन्ट के छोर पर एक-दूसरे से विदा ले रहे थे। हैरी एक बड़े पेड़ की छाया में खड़े होकर इंतज़ार करने लगा।

'... वह सुअर की तरह चिंघाड़ा था, है ना?' मैल्कम दूसरों के हँसते समय

कह रहा था।

पियर्स ने कहा, 'डडली दादा, आपने सीधे हाथ से बहुत बढ़िया पंच मारा।'

डडली बोला, 'कल ठीक उसी समय ?'

गॉर्डन ने कहा, 'मेरे घर पर। कल मेरे मम्मी-डैडी बाहर जा रहे हैं।'

'मिलते हैं,' डडली ने कहा।

'बाय, डड!'

'मिलते हैं, डडली दादा!'

हैरी ने गैंग के बाक़ी लड़कों के जाने का इंतज़ार किया। जब उनकी आवाज़ें आना बंद हो गईं, तो वह मैग्नोलिया क्रेसेन्ट के मोड़ पर मुड़कर जल्दी-जल्दी चला और डडली के पास पहुँच गया, जो गुनगुनाता हुआ आराम से चला जा रहा था।

'हाय, डडली दादा!'

डडली ने पलटकर देखा।

'ओह,' उसने बुदबुदाकर कहा। 'तो तुम हो!'

हैरी ने उसे चिढ़ाते हुए पूछा, 'तुम "डडली दादा" कब से बन गए ?'

डडली ने मुड़कर गुर्राते हुए कहा, 'चुप रहो।'

'बढ़िया नाम है,' हैरी ने मुस्कराकर अपने कज़िन के साथ चलते हुए कहा। 'लेकिन मेरे लिए तो तुम हमेशा "राजदुलारे" ही रहोगे।'

'मैंने कहा, **चुप रहो!**' डडली ने कहा, जिसके मोटे हाथ अब मुक्के के आकार में बँध गए थे।

'क्या तुम्हारे दोस्तों को पता नहीं है कि तुम्हारी मम्मी तुम्हें क्या कहकर पुकारती हैं ?'

'अपना मुँह बंद रखो।'

'तुम अपनी *मम्मी* से तो मुँह बंद रखने को नहीं कहते हो ? "लाड़ले मुन्नू" और "राजा बेटा" कैसे नाम हैं? क्या मैं तुम्हें इन नामों से पुकार सकता हूँ?'

डडली कुछ नहीं बोला। वह हैरी का मुँह तोड़ना चाहता था और ख़ुद को रोकने के लिए उसे बहुत संयम रखना पड़ रहा था।

'तो तुमने आज रात को फिर किसी की पिटाई कर दी ?' हैरी ने कहा। 'दस साल के लड़के की ? मैं जानता हूँ कि दो दिन पहले तुमने मार्क इवान्स की पिटाई की थी –'

डडली ने गुर्राकर कहा, 'उसने हरकत ही ऐसी की थी।'

'अच्छा ?'

'उसने मेरा मज़ाक़ उड़ाया था।'

'अच्छा ? क्या उसने यह कहा था कि तुम एक ऐसे सुअर की तरह दिखते हो, जो अपने पिछले पैरों पर चलना सीख चुका है ? लेकिन डडली, यह मज़ाक़ नहीं है, यह तो सच है।'

यह सुनकर डडली के जबड़े की एक मांसपेशी फड़कने लगी। हैरी को यह जानकर बड़ा संतोष हुआ कि वह डडली को इतना ताव दिला रहा था। उसे ऐसा लगा, जैसे वह अपनी कुंठा अपने कज़िन में भर रहा है, क्योंकि वह सिर्फ़ उसी पर तो अपनी भड़ास निकाल सकता था।

वे उस सँकरी गली में मुड़े, जहाँ हैरी ने सिरियस को पहली बार देखा था। वह गली मैग्नोलिया क्रेसेन्ट और विस्टीरिया वॉक के बीच का शॉर्टकट थी। स्ट्रीटलैंप न होने की वजह से उस गली में बाक़ी सड़कों से कम ट्रैफ़िक रहता था और इस वक़्त वह बिलकुल ख़ाली थी। एक तरफ़ बने गैरेज की दीवारों और दूसरी तरफ़ की ऊँची फ़ेंस के कारण उनके क़दमों की आवाज़ दब गई थी।

डडली ने कुछ पल बाद कहा, 'तुम उस चीज़ के कारण ख़ुद को तीसमारखाँ समझते हो, है ना ?'

'कौन सी चीज़ ?'

'वही, जिसे तुम छिपाए हुए हो।'

हैरी एक बार फिर मुस्कराया।

'डडली, तुम उतने मूर्ख नहीं हो, जितने दिखते हो! लेकिन मुझे लगता है, अगर तुम उतने मूर्ख होते, तो तुम एक साथ चल और बोल नहीं सकते थे।'

हैरी ने अपनी छड़ी बाहर निकाली। डडली ने उसकी तरफ़ कनखियों से देखा।

डडली ने फ़ौरन कहा, 'तुम्हें इसकी इजाज़त नहीं है। मैं जानता हूँ कि तुम्हें इसकी इजाज़त नहीं है। तुम्हें उस बेहूदा स्कूल से निकाल दिया जाएगा।'

'डडली दादा, तुम्हें यह बात कैसे मालूम कि स्कूल वालों ने नियम नहीं बदले हैं ?'

'उन्होंने नहीं बदले हैं,' डडली ने कहा, हालाँकि उसकी आवाज़ में संदेह झलक रहा था।

हैरी धीरे से हँसा।

डडली गुर्राकर बोला, 'इस चीज़ के बिना तुममें मेरा सामना करने की हिम्मत नहीं है, है ना?'

'और तुम्हें तो दस साल के लड़के से भिड़ने के लिए अपने साथ चार दोस्तों की ज़रूरत पड़ती है। तुम उस बॉक्सिंग चैंपियनशिप की डींगें हाँकते रहते हो। तुम्हारा विरोधी कितना बड़ा था? सात साल का? आठ साल का?'

डडली ने कहा, 'तुम्हारी जानकारी के लिए बता दूँ कि वह सोलह साल का था। यही नहीं, मुझसे मुक़ाबला करने के बाद वह बीस मिनट तक बेहोश पड़ा रहा और उसका वज़न तुमसे दुगुना होगा। तुम रुको तो सही, मैं डैडी को बताता हूँ कि तुमने वह चीज़ बाहर निकाली थी –'

'अच्छा, अब डैडी के पास भाग रहे हो? क्या छोटा बॉक्सिंग चैंपियन बुरे हैरी की छड़ी से डर गया?'

डडली ने व्यंग्य करते हुए कहा, 'रात को तुम्हारी बहादुरी कहाँ चली जाती है?'

'इस समय रात है, लाड़ले मुन्नू। जब चारों तरफ़ इस तरह अँधेरा छा जाता है, तो लोग-बाग इसे रात कहते हैं।'

डडली ने गुर्राकर कहा, 'मेरा मतलब है, सोने के बाद!'

डडली ने चलना बंद कर दिया। हैरी भी रुककर अपने कज़िन को घूरने लगा। उसे डडली के बड़े थोबड़े की जितनी भी झलक दिख रही थी, उससे यह साफ़ ज़ाहिर था कि उस पर अजीब सा विजयी अंदाज़ था।

हैरी ने हैरानी से पूछा, 'तुम्हारा क्या मतलब है, सोते समय मेरी बहादुरी कहाँ चली जाती है? मैं किस चीज़ से डरूँगा, तकियों से?'

डडली हाँफते हुए बोला, 'मैंने कल रात को तुम्हारी आवाज़ सुनी थी। तुम नींद में *बड़बड़ा* रहे थे और *सिसक रहे थे।*'

'तुम्हारा क्या मतलब है?' हैरी ने दोबारा पूछा, लेकिन उसके पेट में एक ठंडी लहर दौड़ गई। पिछली रात को उसे फिर से क़ब्रिस्तान का सपना दिखा था।

डडली ने कुत्ते की तरह कर्कशता से हँसने के बाद तीखी सुबकती आवाज़ में हैरी की नक़ल करते हुए कहा।

'"सेडरिक को मत मारो! सेडरिक को मत मारो!" यह सेडरिक कौन है – तुम्हारा बॉयफ्रेंड?'

'मैं – तुम झूठ बोल रहे हो,' हैरी ने कहने को कह तो दिया, लेकिन उसका मुँह सूख गया। वह जानता था कि डडली झूठ नहीं बोल रहा था – उसे सेडरिक के बारे में पता कैसे चल सकता था?

'"डैडी! मेरी मदद करो, डैडी! वह मुझे मारने वाला है, डैडी! बचाओ!"'

'चुप रहो,' हैरी ने धीरे से कहा। 'डडली, मैं तुम्हें चेतावनी दे रहा हूँ, चुप हो जाओ!'

'"मेरी मदद करो, डैडी! मम्मी, मेरी मदद करो! उसने सेडरिक को मार डाला है! डैडी, मेरी मदद करो! वह मुझे भी –" *तुम उस चीज़ को मेरी तरफ़ मत तानो!'*

डडली गली की दीवार से सट गया। हैरी की छड़ी डडली के सीने की तरफ़ तनी हुई थी। हैरी के ख़ून में डडली के प्रति चौदह साल की नफ़रत उबलने लगी – इस वक़्त वह डडली पर प्रहार करना चाहता था, उस पर किसी मंत्र से वार करना चाहता था, ताकि वह कीड़े-मकोड़े की तरह रेंगता हुआ घर जाए, वह गूँगा हो जाए, उसके चेहरे पर मुँहासे उग आएँ ...

'इस बात का ज़िक्र दोबारा कभी मत करना,' हैरी गुर्राया। 'तुम मेरी बात समझ गए ?'

'उस चीज़ को दूसरी तरफ़ करो!'

'मैंने पूछा, *तुम मेरी बात समझ गए ?'*

'उस चीज़ को दूसरी तरफ़ करो!'

'तुम मेरी बात समझ गए ?'

'उस चीज़ को दूसरी तरफ़ –'

डडली की साँस अजीब तरीक़े से टूट गई, जैसे किसी ने उस पर अचानक ठंडा पानी डाल दिया हो।

रात को कुछ हो गया था। सितारों से भरा नीला आसमान अचानक काला हो गया था – सितारे, चाँद और गली के दोनों सिरों के धुँधले स्ट्रीटलैंप अब ग़ायब हो गए थे। पेड़ों की सरसराहट और कारों की दूर से आती आवाज़ें भी अब सुनाई नहीं दे रही थीं। अचानक बहुत ठंडक हो गई थी। अब उनके चारों तरफ़ अँधेरा और सन्नाटा छा गया था, जैसे किसी भीमकाय हाथ ने पूरी गली पर मोटी, बर्फ़ीली चादर डालकर उन्हें अंधा कर दिया हो।

एक पल के लिए तो हैरी ने सोचा कि उसने अनजाने में ही जादू कर दिया था, हालाँकि वह ऐसा न करने के लिए पूरी शक्ति से संघर्ष कर रहा था। फिर उसके दिमाग़ में एक तर्कपूर्ण विचार आया, जिससे वह होश में आ गया – उसके पास सितारों को ग़ायब करने की शक्ति नहीं थी। उसने अपना सिर घुमाकर देखने की कोशिश की, लेकिन अँधेरा चारों तरफ़ किसी पर्दे की तरह क़ायम था।

हैरी को डडली की दहशत भरी आवाज़ सुनाई दी।

'तुम यह – यह क्-क्या क-कर रहे हो ? इसे बं-बंद करो!'

'मैं कुछ नहीं कर रहा हूँ! चुप रहो और हिलना मत!'

'मुझे कुछ नहीं – नहीं दिख रहा है! मैं अंधा – अंधा हो गया हूँ! मैं –'

'मैंने कहा, चुप रहो!'

हैरी ने उसी जगह खड़े-खड़े अपनी आँखें दाएँ-बाएँ घुमाईं। ठंड इतनी ज़्यादा थी कि वह ऊपर से नीचे तक काँपने लगा। उसके हाथों के रोएँ खड़े हो गए और उसकी गर्दन के पीछे के बाल भी। उसने अपनी आँखें फाड़-फाड़कर चारों तरफ़ देखा, लेकिन उसे कुछ नज़र नहीं आया।

यह असंभव था ... वे यहाँ नहीं आ सकते ... लिटिल व्हिंगिंग में तो नहीं ... उसने अपने कानों पर ज़ोर डाला ... दिखने से पहले उसे उनकी आवाज़ सुनाई दे जाएगी ...

'मैं डैडी को बताऊँगा!' डडली सुबकते हुए बोला। 'तुम कहाँ – कहाँ हो ? तुम क्–क्या कर रहे – रहे – ?'

'ज़रा चुप तो रहो ?' हैरी फुसफुसाकर बोला। 'मैं सुनने की कोशिश –'

लेकिन वह चुप हो गया। उसे वह चीज़ सुनाई दे गई थी, जिसका उसे डर था।

उनके अलावा भी उस गली में कोई था, जो लंबी, घरघराती, खड़खड़ाती साँस अंदर खींच रहा था। हैरी को दहशत का भयानक झटका लगा और वह ठंडी हवा में काँपने लगा।

'इसे बंद करो! इसे बंद करो! मैं तुम्हें मुक्का मार दूँगा! मैं सच कहता हूँ, मुक्का मार दूँगा!'

'डडली, चुप –'

धम्म।

हैरी के सिर पर एक मुक्का पड़ा और उसके पैर ज़मीन से उठ गए। उसकी आँखों के सामने तारे चमकने लगे। एक घंटे में दूसरी बार हैरी को ऐसा लगा, जैसे उसके सिर के दो टुकड़े हो गए हों। अगले ही पल वह धड़ाम से ज़मीन पर गिर गया और छड़ी उसके हाथ से छूट गई।

हैरी चिल्लाया, 'डडली! बेवकूफ़ कहीं के!' दर्द के कारण उसकी आँखों में आँसू आ गए, लेकिन वह अपने हाथ-पैर के बल चलते हुए अँधेरे में अपनी छड़ी ढूँढ़ने की कोशिश करने लगा। उसे डडली के चलने की आवाज़ आ रही थी, जो लड़खड़ाता हुआ गली में आगे जा रहा था।

'डडली, लौट आओ! तुम सीधे उसी की तरफ़ जा रहे हो!'

एक भयानक चीख़ सुनाई दी और डडली के क़दमों की आहट रुक गई। उसी पल हैरी को पीछे से भी तेज़ ठंडक का एहसास हुआ। इसका एक ही मतलब हो सकता था: वे एक से ज़्यादा हैं।

'डडली, अपना मुँह बंद रखना! तुम चाहे जो भी करो, अपना मुँह कसकर बंद रखना! छड़ी!' हैरी दहशत में बुदबुदाया और उसने अपने हाथ मकड़ियों की तरह ज़मीन पर घुमाए। 'छड़ी - कहाँ - है - *प्रकाशित भव!'*

मंत्र उसके मुँह से अपने आप निकल गया, क्योंकि वह छड़ी खोजने में रोशनी के लिए छटपटा रहा था। उसे यह देखकर राहत मिली कि उसके दाएँ हाथ से कुछ इंच दूर रोशनी हो गई - छड़ी की नोक पर रोशनी हो चुकी थी। हैरी ने लपककर छड़ी उठाई, खड़ा हुआ और पलटा।

उसके पेट में मरोड़ उठने लगी।

एक लंबी, नक़ाबपोश आकृति उसकी तरफ़ लहराती हुई चली आ रही थी। उसके पैर ज़मीन से ऊपर थे। उसके दुशालों के नीचे उसका चेहरा या पैर नहीं दिख रहे थे। पास आते समय वह आकृति ज़ोर-ज़ोर से साँस खींच रही थी।

पीछे की तरफ़ लड़खड़ाते हुए हैरी ने अपनी छड़ी उठाई।

'पितृदेव संरक्षणम्!'

उसकी छड़ी से सफ़ेद धुएँ की एक लहर निकली, जिससे दमपिशाच धीमा हो गया, लेकिन मंत्र ने पूरी तरह से काम नहीं किया था। दमपिशाच हैरी की तरफ़ बढ़ने लगा और हैरी लड़खड़ाते हुए पीछे हटा। उसके दिमाग़ में दहशत छा रही थी - *ध्यान केंद्रित करो* -

दमपिशाच के दुशाले के नीचे से भूरे, गंदे तथा पपड़ीदार हाथ निकलकर उसकी तरफ़ बढ़े। हैरी के कान सुन्न होने लगे।

'पितृदेव संरक्षणम्!'

उसे अपनी आवाज़ धीमी और दूर से आती लग रही थी। उसकी छड़ी से सफ़ेद धुएँ की एक और लहर निकली, जो पिछली से भी कमज़ोर थी - अब वह कुछ नहीं कर सकता था; वह उस मंत्र को ठीक से नहीं पढ़ पाया था।

उसे अपने दिमाग़ में तीखी हँसी सुनाई दे रही थी ... दमपिशाच की बर्फ़ीली साँस की बदबू उसके फेफड़ों में भर रही थी, उसे डुबा रही थी - *सोचो ... कोई ख़ुशी भरा विचार सोचो ...*

लेकिन उसके अंदर ख़ुशी का नामोनिशान तक नहीं था ... दमपिशाच की बर्फ़ीली उँगलियाँ उसके गले पर कसने लगीं – तीखी हँसी अब तेज़ होती जा रही थी और उसके दिमाग़ में एक आवाज़ गूँज रही थी : *'मौत के सामने सिर झुकाओ, हैरी ... हो सकता है इसमें दर्द न हो ... मुझे नहीं पता ... मैं कभी मरा ही नहीं हूँ ...'*

वह दोबारा रॉन और हर्माइनी को कभी नहीं देख पाएगा –

और जब वह साँस लेने के लिए छटपटाया, तो उसके दिमाग़ में उन दोनों के चेहरे स्पष्टता से उभर आए।

'पितृदेव संरक्षणम्!'

हैरी की छड़ी के सिरे से एक बड़ा सफ़ेद मृग निकला और उसने अपने सींगों से दमपिशाच को सीने से उठाकर पीछे फेंक दिया। दमपिशाच परास्त होकर चमगादड़ की तरह उड़कर दूर चला गया।

'इस तरफ़!' हैरी ने मृग से चिल्लाकर कहा। अपनी प्रकाशित छड़ी को ऊपर थामकर वह गली में आगे की तरफ़ भागा। **'डडली? डडली!'**

मुश्किल से दस-बारह क़दम भागते ही वह उसके पास पहुँच गया : डडली ज़मीन पर पड़ा हुआ था और उसने दोनों हाथों से अपना मुँह कसकर ढँक रखा था। दूसरा दमपिशाच उस पर झुका हुआ था और अपने चिपचिपे हाथों से डडली की कलाइयों को जकड़े हुए था। वह धीरे-धीरे प्यार से डडली के हाथों को हटा रहा था और अपने नक़ाब वाले सिर को डडली के चेहरे की तरफ़ इस तरह झुका रहा था, जैसे उसे चूमने वाला हो।

हैरी गरजा, **'उस पर हमला करो!'** सफ़ेद मृग तेज़ी से झपटकर उस तरफ़ चल दिया। जब दमपिशाच का आँखविहीन चेहरा डडली के चेहरे से बस इंच भर दूर था, तभी मृग ने अपने सींगों से दमपिशाच पर हमला कर दिया और पहले वाले दमपिशाच की तरह उसे भी हवा में उछाल दिया। यह दमपिशाच भी उड़कर अँधेरे में ओझल हो गया। सफ़ेद मृग गली के सिरे तक पहुँचकर सफ़ेद धुंध में खो गया।

चाँद, सितारे और स्ट्रीटलैंप दोबारा नज़र आने लगे। गली में गर्म हवा फिर से बहने लगी। एक बार फिर पास वाले बगीचों में लगे पेड़ सरसराने लगे और मैग्नोलिया क्रेसेन्ट में चलने वाली कारों की धीमी आवाज़ें सुनाई देने लगीं। हैरी अब भी स्तब्ध खड़ा था। सामान्य स्थिति में लौटते समय उसकी सभी इंद्रियाँ फड़क रही थीं। एक पल बाद उसे यह महसूस हुआ कि उसकी टी-शर्ट उसके शरीर से चिपकी हुई थी। वह पसीने में नहा गया था।

अभी-अभी जो हुआ था, उसे उस पर यक़ीन नहीं हो रहा था। दमपिशाच *यहाँ* आए थे - लिटिल व्हिंगिंग में।

डडली सुबकता और काँपता हुआ ज़मीन पर लेटा रहा। हैरी झुककर देखने लगा कि क्या डडली उठकर खड़ा हो सकता है, लेकिन तभी उसे पीछे से भागते हुए क़दमों की आवाज़ आई। बिना सोचे-समझे उसने अपनी छड़ी दोबारा उठा ली और मुक़ाबला करने के लिए तैयार हो गया।

सामने से सिरफिरी बूढ़ी पड़ोसन मिसेज़ फ़िग हाँफती हुई आ रही थीं। उनके उलझे हुए सफ़ेद बाल उनके जूड़े से निकलकर बिखर गए थे। उनके हाथ में शॉपिंग बैग झूल रहा था और उनके पैर उनकी स्लिपर्स में से आधे बाहर निकल रहे थे। हैरी ने जल्दी से अपनी छड़ी छिपाने की कोशिश की, लेकिन -

'मूर्ख लड़के, उसे अंदर मत रखो!' वे चिल्लाईं। 'आस-पास और भी तो हो सकते हैं! ओह, मैं मंडंगस फ़्लेचर को जान से *मार* डालूँगी!'

अध्याय दो

बहुत सारे उल्लू

'क्या ?' हैरी ने सूनेपन से कहा।

'मंडंगस चला गया!' मिसेज़ फ़िग अपने हाथ मलते हुए बोलीं। 'वह किसी की झाड़ू के पीछे से गिरी कड़ाहियों का सौदा करने चला गया! मैंने उससे साफ़-साफ़ कह दिया था कि अगर वह गया, तो मैं उसे ज़िंदा नहीं छोड़ूँगी, लेकिन फिर भी उसने मेरी बात नहीं मानी! दमपिशाच! वह तो क़िस्मत अच्छी थी, जो मैं अपने बिल्ले मिस्टर टिबल्स को निगरानी के लिए छोड़ गई थी! लेकिन अब हमें यहाँ ज़्यादा देर नहीं रुकना चाहिए! जल्दी करो, तुम्हें जल्दी से जल्दी घर पहुँचना चाहिए! ओह, इससे मुसीबतों का पहाड़ खड़ा हो जाएगा! मैं उसे *मार* डालूँगी!'

गली में दमपिशाचों को देखकर हैरी को जितना सदमा लगा था, उतना ही सदमा उसे यह जानकर लगा कि बिल्लियों के पीछे दीवानी यह पगली सी पड़ोसन दमपिशाचों के बारे में जानती थी। 'तो क्या आप – *जादूगरनी* हैं ?'

'मैं नाकारा हूँ और मंडंगस यह बात बहुत अच्छी तरह से जानता है। इसलिए दमपिशाचों से लड़ने में मैं तुम्हारी मदद कैसे कर सकती थी ? लेकिन मेरी *चेतावनी* के बाद भी वह तुम्हारी निगरानी का काम छोड़कर चला गया –'

'अच्छा तो मंडंगस मेरी निगरानी कर रहा था ? अच्छा – तो यह *उसी* की आवाज़ रही होगी! वही मेरे मकान के सामने से अदृश्य हुआ होगा!'

'हाँ, हाँ, *हाँ,* लेकिन क़िस्मत से मैं एहतियात के तौर पर मिस्टर टिबल्स को कार के नीचे छोड़ गई थी। मिस्टर टिबल्स ने आकर मुझे मंडंगस के जाने की चेतावनी दे दी, लेकिन जब तक मैं तुम्हारे मकान के सामने पहुँची, तुम वहाँ से निकल चुके थे – और अब – ओह, डम्बलडोर *क्या कहेंगे ?* तुम!' वे डडली की तरफ़ देखकर चिल्लाईं, जो अब भी ज़मीन पर पड़ा हुआ था। 'अपने थुलथुल

शरीर को उठाओ, जल्दी!'

हैरी ने उन्हें घूरते हुए पूछा, 'आप डम्बलडोर को जानती हैं?'

'ज़ाहिर है, मैं डम्बलडोर को जानती हूँ। डम्बलडोर को कौन नहीं जानता? लेकिन *सुनो* - अगर दमपिशाच वापस आ गए, तो मैं तुम्हारी ज़रा भी मदद नहीं कर पाऊँगी। मैं तो जादू से टीबैग का भी रूपांतरण नहीं कर सकती।'

वे नीचे झुकीं और अपने झुर्रीदार हाथों से डडली की एक विशाल बाँह पकड़कर खींचने लगीं।

'उठो, मुर्दा पहाड़, *उठो!*'

लेकिन डडली या तो उठ नहीं सकता था या फिर उठना नहीं चाहता था। उसका चेहरा पीला पड़ चुका था और वह ज़मीन पर ही पड़ा-पड़ा काँपता रहा। उसने अपना मुँह कसकर बंद कर रखा था।

'मैं उसे उठाता हूँ।' हैरी ने डडली का हाथ पकड़कर खींचा। बहुत कोशिश के बाद वह उसे खड़ा कर पाया। डडली बेहोश होने की कगार पर था। उसकी छोटी-छोटी पुतलियाँ कोटरों में गोल-गोल घूम रही थीं और उसके चेहरे पर पसीने की बूँदें छलछला रही थीं। जैसे ही हैरी ने उसे छोड़ा, वह ख़तरनाक अंदाज़ में लहराया।

मिसेज़ फ़िग दहशत में बोलीं, 'जल्दी करो!'

हैरी ने डडली की एक भारी-भरकम बाँह अपने कंधे पर रखी और उसे सड़क की तरफ़ खींचने लगा। वह उसके बोझ तले दबा जा रहा था। मिसेज़ फ़िग उनके आगे-आगे चल रही थीं और चिंता भरी नज़रों से आगे वाले मोड़ की तरफ़ देख रही थीं।

जब वे लोग विस्टीरिया वॉक में दाख़िल हुए, तो मिसेज़ फ़िग हैरी से बोलीं, 'अपनी छड़ी बाहर ही रखना। अब गोपनीयता क़ानून की परवाह मत करो। वैसे भी बहुत मुसीबत खड़ी होनी है। हमें ड्रैगन के लिए भी उतनी ही बड़ी सज़ा मिलेगी, जितनी कि अंडे के लिए। नाबालिग़ जादूगरी तार्किक प्रतिबंध अधिनियम के बारे में सोचने से कोई फ़ायदा नहीं है ... डम्बलडोर को *इसी* बात का डर था - सड़क के छोर पर कौन है? ओह, ये तो मिस्टर प्रेंटिस हैं ... अपनी छड़ी अंदर मत रखो लड़के, मैंने तुमसे कहा ना, मैं किसी काम की नहीं हूँ!'

एक साथ छड़ी को पकड़ना और डडली का वज़न सहन करना आसान काम नहीं था। हैरी ने अपने कज़िन की पसलियों में कोहनी चुभाई, लेकिन लगता था कि डडली की अपने आप चलने की ज़रा भी इच्छा नहीं थी। वह तो बस हैरी के कंधे पर टिका हुआ था और उसके बड़े पैर ज़मीन पर घिसट रहे थे।

हैरी ने चलने की कोशिश में हाँफते हुए पूछा, 'मिसेज़ फ़िग, आप नाकारा हैं, यह बात आपने मुझे पहले क्यों नहीं बताई? मैं आपके घर इतनी बार आया था, आपने तब इस बारे में कुछ क्यों नहीं बताया?'

'डम्बलडोर का आदेश था। मुझे तुम पर नज़र रखनी थी, लेकिन कुछ बताना नहीं था। तुम बहुत छोटे थे। हैरी, मुझे अफ़सोस है कि तुम जब मेरे घर आते थे, तो मैं तुम्हें परेशान करती थी, लेकिन डर्स्ली दंपति को अगर यह पता चल जाता कि तुम्हें मेरे यहाँ अच्छा लगता है, तो वे तुम्हें कभी मेरे घर नहीं आने देते। तुम्हें पता है, यह आसान नहीं था ... लेकिन ओह,' उन्होंने दुखी होकर एक बार फिर हाथ मलते हुए कहा, 'जब डम्बलडोर को पता चलेगा, तो क्या होगा - मंडंगस को आधी रात तक पहरा देना था, फिर वह बीच में कैसे चला गया - *वह है कहाँ*? मैं डम्बलडोर को इस घटना की जानकारी कैसे दूँ? मैं तो अंतर्ध्यान भी नहीं हो सकती।'

'मेरे पास उल्लू है। आप उसका इस्तेमाल कर सकती हैं,' हैरी ने कराहते हुए कहा और यह सोचने लगा कि कहीं डडली के वज़न से उसकी रीढ़ की हड्डी तो नहीं टूट जाएगी।

'हैरी, तुम समझते नहीं हो! डम्बलडोर को बहुत फ़ुर्ती से काम करना पड़ेगा। मंत्रालय वालों को नाबालिग़ जादूगरी का पता लग जाता है। तुम अच्छी तरह से गाँठ बाँध लो, उन्हें अब तक इसका पता चल चुका होगा।'

'लेकिन मैं तो दमपिशाचों से बच रहा था। मैंने जादू का इस्तेमाल मजबूरी में किया था, क्योंकि और कोई रास्ता नहीं था। उन्हें तो इस बात की ज़्यादा चिंता होनी चाहिए कि दमपिशाच विस्टीरिया वॉक में क्यों मँडरा रहे थे?'

'ओह मेरे बच्चे, काश ऐसा होता, लेकिन मुझे डर है - **मंडंगस फ़्लेचर, मैं तुम्हें जान से मार डालूँगी!**'

एक तेज़ *कड़ाक* की आवाज़ हुई और शराब तथा तंबाकू की मिली-जुली बदबू हवा में भर गई। उसी समय फटा ओवरकोट पहने एक गोल-मटोल, दढ़ियल आदमी उनके सामने प्रकट हो गया। उसकी छोटी टाँगें धनुष जैसी थीं। उसके लंबे बाल नारंगी-भूरे थे और उसकी लाल-लाल आँखें फूली हुई थीं, जिससे वह बैसेट हाउंड जितना दुखी दिख रहा था। उसके हाथ में एक सफ़ेद चीज़ भी थी, जिसे देखते ही हैरी फ़ौरन पहचान गया कि यह अदृश्य चोगा है।

मंडंगस ने मिसेज़ फ़िग, हैरी और डडली को हैरानी से घूरते हुए कहा, 'क्या हुआ, फ़िग? तुम्हें तो छिपे रहना था?'

'मैं तुम्हें *छिपाती* हूँ!' मिसेज़ फ़िग चिल्लाईं। '*दमपिशाच* यहाँ आए थे,

घटिया, भगोड़े, बदमाश चोर!'

'दमपिशाच ?' मंडंगस ने हैरानी से दोहराया। 'दमपिशाच, यहाँ ?'

'हाँ यहाँ, उल्लू की औलाद, यहाँ!' मिसेज़ फ़िग चीख़ीं। 'जिस लड़के की तुम्हें निगरानी करनी थी, दमपिशाच उसी पर हमला करने आए थे।'

'ओह,' मंडंगस ने धीरे से कहा। वह कभी मिसेज़ फ़िग को, तो कभी हैरी को देखता रहा और फिर बोला, 'ओह, मैं -'

'और तुम चोरी की कड़ाहियाँ ख़रीदने चले गए थे! मैंने तुमसे कहा था ना कि वहाँ मत जाना ? *मैंने तुमसे कहा था ना ?*'

'मैं, मैं -' मंडंगस बहुत परेशान दिखने लगा। 'यह - यह पैसे कमाने का बहुत अच्छा मौक़ा था -'

मिसेज़ फ़िग ने अपना हाथ उठाया। उनके हाथ का बैग मंडंगस के चेहरे और गले पर ज़ोर से पड़ा। आवाज़ से ऐसा लगा कि उसमें बिल्लियों के खाने के सामान के डिब्बे भरे हुए थे।

'आउच - पागल बुढ़िया, दूर हटो - दूर हटो! किसी को डम्बलडोर को ख़बर करनी होगी!'

'हाँ - करनी - होगी!' मिसेज़ फ़िग चिल्लाईं। उन्होंने अपने बैग को दोबारा लहराते हुए मंडंगस को मारने की कोशिश की। 'और - बेहतर - होगा - कि - यह - ख़बर - तुम - दो - और - उन्हें - बताओ - कि - तुम - वहाँ - पर - मदद - करने - के - लिए - क्यों - नहीं - थे!'

'इतना मत भड़को!' मंडंगस बोला और अपने सिर पर हाथ रखकर उसे बचाता रहा। 'मैं जा रहा हूँ। मैं जा रहा हूँ!'

फिर एक तेज़ *कड़ाक* की आवाज़ के साथ वह अंतर्ध्यान हो गया।

'मुझे उम्मीद है कि डम्बलडोर उसका *ख़ून* कर देंगे!' मिसेज़ फ़िग ने ग़ुस्से में कहा। 'अब *चलो* हैरी, तुम किसका इंतज़ार कर रहे हो ?'

हैरी ने फ़ैसला किया कि वह मिसेज़ फ़िग को यह बताने में अपनी बची-खुची साँस बर्बाद नहीं करेगा कि डडली के भारी-भरकम वज़न को उठाकर चलना बड़ा मुश्किल काम था। उसने आधे बेहोश डडली को झटका दिया और लड़खड़ाते हुए आगे बढ़ा।

जब वे प्रिविट ड्राइव में दाख़िल हुए, तो मिसेज़ फ़िग बोलीं, 'मैं तुम्हें घर के दरवाज़े तक ले चलती हूँ। कहीं आस-पास और दमपिशाच न हों ... ओह, कितना बुरा हुआ ... और तुम्हें उनसे ख़ुद लड़ना पड़ा ... जबकि डम्बलडोर ने

कहा था कि तुम्हें किसी भी क़ीमत पर जादू करने से रोकना था ... लेकिन अब क्या हो सकता है, फटे जादुई काढ़े पर रोने से क्या फ़ायदा ... अब तो बिल्ली जाल में फँस ही चुकी है!'

हैरी ने हाँफते हुए पूछा, 'तो डम्बलडोर ... मेरी ... निगरानी करवा रहे थे?'

मिसेज़ फ़िग अधीरता से बोलीं, 'और क्या? तुम्हें क्या लगता था कि जून की घटना के बाद वे तुम्हें तुम्हारे हाल पर छोड़ देंगे? हे भगवान, लोग तुम्हें समझदार मानते हैं, लेकिन तुम इतना भी नहीं समझ पाए ...।' चार नंबर के मकान के सामने पहुँचकर उन्होंने आगे कहा, 'अच्छा तो ... अब अंदर जाओ और वहीं रहना। मुझे उम्मीद है कि कोई न कोई जल्दी ही तुमसे संपर्क करेगा।'

हैरी ने जल्दी से पूछा, 'आप लोग अब क्या करेंगे?'

मिसेज़ फ़िग ने काँपते हुए अँधेरी सड़क की तरफ़ देखा और बोलीं, 'मैं तो सीधे घर जा रही हूँ। मैं अगले आदेश का इंतज़ार करूँगी। अच्छा तो अब घर के अंदर ही रहना। गुड नाइट।'

'ज़रा ठहरिए, अभी मत जाइए! मुझे आपसे बहुत सी बातें पूछनी हैं -'

लेकिन मिसेज़ फ़िग उसका वाक्य ख़त्म होने के पहले ही जा चुकी थीं। उनकी स्लिपर्स ठक-ठक की आवाज़ कर रही थीं और उनके बैग से डिब्बों के टकराने की आवाज़ आ रही थी।

'ठहरिए!' हैरी पीछे से चिल्लाया। डम्बलडोर के संपर्क में रहने वाले किसी भी व्यक्ति से उसे लाखों सवाल पूछने थे, लेकिन कुछ ही पल में मिसेज़ फ़िग अँधेरे में खो गईं। त्योरियाँ चढ़ाकर हैरी ने अपने कंधे पर डडली को सँभाला और चार नंबर के मकान के बगीचे के रास्ते पर मुश्किल से, धीरे-धीरे चलने लगा।

हॉल की लाइट जल रही थी। हैरी ने अपनी छड़ी जीन्स में पीछे की तरफ़ खोंसकर घंटी बजाई। सामने वाले दरवाज़े के लेंस में से उसे पेटूनिया आंटी की अजीब सी विकृत छवि धीरे-धीरे बड़ी होती दिखी।

'डिडी! आज बहुत देर लगा दी। मैं तो चिंता करने - *डिडी, मेरे बच्चे, क्या हुआ?'*

हैरी ने डडली को कनखियों से देखा और समय रहते उसके हाथ के नीचे से झुककर निकल गया। डडली एक पल के लिए उसी जगह पर लहराया। उसका चेहरा हरा पड़ गया था ... फिर उसने अपना मुँह खोला और डोरमैट पर उल्टी कर दी।

'**डिडी!** डिडी, मेरे बच्चे, तुम्हें क्या हुआ? वरनॉन? **वरनॉन!**'

हैरी के अंकल लपकते हुए लिविंग रूम से बाहर निकले। जब भी वे परेशान होते थे, तो उनकी मोटी मूँछ इधर-उधर लहराने लगती थी और इस समय भी ऐसा ही हो रहा था। वे भागकर पेटूनिया आंटी की मदद करने पहुँच गए, जो उल्टी के ढेर से बचती हुई डडली को अंदर लाने की कोशिश कर रही थीं।

'वरनॉन, डडली बीमार है!'

'क्या हुआ, बेटे? क्या हुआ? क्या मिसेज़ पोलकिस ने नाश्ते में तुम्हें कोई गड़बड़ चीज़ खिला दी?'

'तुम्हारे कपड़ों पर इतनी धूल क्यों है, बेटा? क्या तुम ज़मीन पर गिर गए थे?'

'ज़रा ठहरो - बेटे, तुम्हें किसी ने पीटा तो नहीं?'

पेटूनिया आंटी की चीख़ निकल गई।

'पुलिस को फ़ोन करो, वरनॉन! पुलिस को फ़ोन करो! डिडी बेटा, मम्मी को बताओ! किसने तुम्हारे साथ क्या किया?'

इस हंगामे में किसी का भी ध्यान हैरी की तरफ़ नहीं गया। इस बात से वह काफ़ी ख़ुश था। वरनॉन अंकल के धड़ाम से दरवाज़ा बंद करने से पहले वह अंदर घुसने में कामयाब हो गया था। जब डर्स्ली दंपति हॉल से होते हुए किचन की तरफ़ जाने लगे, तो हैरी चुपचाप सीढ़ियों की तरफ़ बढ़ने लगा।

'यह किसने किया, बेटा? हमें उसका नाम बताओ। चिंता मत करो, हम उसकी अच्छी ख़बर लेंगे।'

'श्श्श! वरनॉन, वह कुछ कहने की कोशिश कर रहा है! वह कौन था, डिडी? मम्मी को बताओ!'

जब हैरी का पैर पहली सीढ़ी पर था, तभी डडली के मुँह से आवाज़ निकली।

'वह।'

हैरी का पैर सीढ़ी पर ही जम गया। उसने अपना चेहरा सिकोड़ लिया और विस्फोट के लिए तैयार हो गया।

'लड़के! यहाँ आओ!'

दहशत और ग़ुस्से के भाव लिए हैरी ने अपना पैर धीरे से सीढ़ी से हटाया और डर्स्ली दंपति के पीछे-पीछे चलने लगा।

बाहर के अँधेरे के बाद पेटूनिया आंटी के साफ़ किचन की चमक अजीब लग रही थी। पेटूनिया आंटी डडली को एक कुर्सी पर बैठा रही थीं। वह अब भी बहुत हरा और चिपचिपा दिख रहा था। वरनॉन अंकल सिंक के सामने खड़े होकर अपनी छोटी-छोटी, सिकुड़ी हुई आँखों से हैरी को घूर रहे थे।

उन्होंने गुर्राकर पूछा, 'तुमने मेरे बेटे के साथ क्या किया?'

'कुछ नहीं,' हैरी ने कहा, हालाँकि वह अच्छी तरह जानता था कि वरनॉन अंकल उसकी बात पर यक़ीन नहीं करेंगे।

'उसने तुम्हारे साथ क्या किया, डिडी?' पेटूनिया आंटी ने काँपती हुई आवाज़ में पूछा, जो अब डडली की लेदर जैकेट के सामने लगी उल्टी साफ़ कर रही थीं। 'बेटा, क्या उसने – वह काम किया था? क्या उसने उस *चीज़* का इस्तेमाल किया था?'

काँपते हुए डडली ने धीरे से हाँ में सिर हिला दिया।

पेटूनिया आंटी दहाड़ मारकर रोने लगीं और वरनॉन अंकल ने मुक्का तान लिया। हैरी तीखी आवाज़ में बोला, 'मैंने नहीं किया! मैंने उसके साथ कुछ नहीं किया, यह काम मैंने नहीं किया, यह काम तो –'

लेकिन ठीक उसी समय किचन की खिड़की से एक उल्लू अंदर आ गया और वरनॉन अंकल के सिर से टकराते-टकराते बचा। वह किचन में उड़ने लगा और उसने अपनी चोंच में दबा लिफ़ाफ़ा हैरी के पैर पर टपका दिया। इसके बाद वह उल्लू शान से मुड़ा और अपने पंखों से फ्रिज के ऊपरी हिस्से को छूते हुए बाहर उड़कर बगीचे के पार निकल गया।

'**उल्लू!**' वरनॉन अंकल दहाड़े। उनकी कनपटी की नस ग़ुस्से से फड़क रही थी। उन्होंने किचन की खिड़की धड़ाम से बंद कर दी। '**एक बार फिर उल्लू! मैं अपने घर में उल्लुओं को नहीं घुसने दूँगा!**'

लेकिन हैरी तो उस वक़्त लिफ़ाफ़े को खोलकर अंदर की चिट्ठी निकाल रहा था। उसका दिल अब उसके गले में धड़कने लगा था।

प्रिय मिस्टर पॉटर,

हमें सूचना मिली है कि आपने आज रात को नौ बजकर तेईस मिनट पर मगलू इलाक़े में एक मगलू की मौजूदगी में पितृदेव सम्मोहन का प्रयोग किया है।

नाबालिग़ जादूगरी तार्किक प्रतिबंध अधिनियम की

इस अवहेलना के कारण आपको हॉगवर्ट्स जादूगरी और तंत्र विद्यालय से निष्कासित किया जाता है। मंत्रालय के प्रतिनिधि आपकी छड़ी तोड़ने के लिए आपके निवास पर जल्द ही पहुँचेंगे।

चूँकि आपको पहले भी अंतर्राष्ट्रीय जादूगर महासंघ के गोपनीयता क़ानून के अनुच्छेद 13 के अंतर्गत एक आधिकारिक चेतावनी दी जा चुकी है, इसलिए हमें आपको सूचित करते हुए अफ़सोस हो रहा है कि आपको 12 अगस्त को सुबह 9 बजे जादू मंत्रालय में अनुशासनात्मक सुनवाई के लिए उपस्थित होना पड़ेगा।

आशा है कि आप ठीक होंगे,

आपकी
माफ़ाल्डा हॉपकर्क
अनुचित जादू प्रयोग कार्यालय
जादू मंत्रालय

हैरी ने चिट्ठी दो बार पढ़ी। वरनॉन अंकल और पेटूनिया आंटी की बातें उसे अस्पष्टता से सुनाई दे रही थीं। उसका दिमाग़ सुन्न हो गया था। उसकी चेतना में एक बात ज़हर बुझे तीर की तरह धँस चुकी थी। उसे हॉगवर्ट्स से निकाल दिया गया था। अब सब कुछ ख़त्म हो चुका था। अब वह कभी वहाँ लौटकर नहीं जा पाएगा।

उसने डर्स्ली परिवार की तरफ़ देखा। वरनॉन अंकल का बैंगनी चेहरा चिल्ला रहा था और उनके हाथ अब भी मुक्कों में तने हुए थे। पेटूनिया आंटी डडली के कंधे पर हाथ रखे हुए थीं। डडली एक बार फिर उल्टी करने लगा था।

हैरी का सुन्न दिमाग़ दोबारा जागने लगा। *मंत्रालय के प्रतिनिधि आपकी छड़ी तोड़ने के लिए आपके निवास पर जल्द ही पहुँचेंगे।* अब बस एक ही रास्ता बचा था। उसे भागना होगा - अभी। हैरी यह बात नहीं जानता था कि वह कहाँ जाएगा। उसे तो बस एक ही बात मालूम थी। वह हॉगवर्ट्स में रहे या कहीं और, उसे अपनी छड़ी की ज़रूरत थी। सदमे की हालत में उसने अपनी छड़ी निकाली और किचन से बाहर निकलने के लिए मुड़ा।

पीछे से वरनॉन अंकल चिल्लाए, 'कहाँ चल दिए?' जब हैरी ने कोई

जवाब नहीं दिया, तो वे तेज़ी से चलकर हॉल की तरफ़ जाने वाले दरवाज़े के सामने खड़े हो गए। 'अभी मेरी पूछताछ पूरी नहीं हुई है, लड़के!'

हैरी धीरे से बोला, 'मेरे रास्ते से हट जाइए।'

'तुम यहीं ठहरो। पहले मेरे इस सवाल का जवाब दो कि मेरे बेटे की यह हालत –'

हैरी ने अपनी छड़ी उठाकर कहा, 'अगर आप मेरे रास्ते से नहीं हटे, तो मैं आप पर जादू कर दूँगा।'

वरनॉन अंकल गुर्राकर बोले, 'तुम अब इस बात से मुझे बेवकूफ़ नहीं बना सकते! मैं जानता हूँ कि तुम्हें उस पागलख़ाने जैसे स्कूल के बाहर इसका इस्तेमाल करने की इजाज़त नहीं है!'

हैरी ने कहा, 'मुझे उस पागलख़ाने से निकाल दिया गया है। इसलिए अब मैं जो चाहूँ, कर सकता हूँ। आपके पास तीन सेकंड हैं। एक – दो –'

तभी किचन में एक **तेज़ आवाज़** गूँजी। पेटूनिया आंटी चीख़ीं। वरनॉन अंकल चिल्लाए और झुके, लेकिन उस रात को तीसरी बार हैरी उस आवाज़ के स्रोत की तलाश करने लगा, जो उसके कारण नहीं हुई थी। उसे यह तत्काल दिख गया : एक परेशान सा करैल उल्लू बाहर किचन की खिड़की की चौखट पर बैठा हुआ था और बंद खिड़की से उसके टकराने के कारण ही वह आवाज़ हुई थी।

वरनॉन अंकल कराहते हुए बोले, **'उल्लू!'** लेकिन उनकी बात को नज़रअंदाज़ करते हुए हैरी ने भागकर खिड़की खोल दी। उल्लू ने अपना पैर अंदर डाला, जिस पर एक छोटा सा चर्मपत्र बँधा हुआ था। जैसे ही हैरी ने चिट्ठी निकाली, उसी पल उल्लू पंख फड़फड़ाकर तेज़ी से उड़ गया। काँपते हाथों से हैरी ने चिट्ठी खोली, जो जल्दबाज़ी में काली स्याही से लिखी गई थी।

हैरी–

डम्बलडोर अभी–अभी मंत्रालय पहुँचे हैं और मामले को सुलझाने की कोशिश कर रहे हैं। अपने अंकल–आंटी का घर मत छोड़ना। अब बिलकुल जादू मत करना। अपनी छड़ी उनके हवाले मत करना।

आर्थर वीज़्ली

डम्बलडोर मामले को सुलझाने की कोशिश कर रहे हैं ... इस बात का क्या मतलब है? डम्बलडोर में जादू मंत्रालय के फ़ैसलों को पलटने की कितनी शक्ति है? क्या इस बात की संभावना है कि उसे फिर हॉगवर्ट्स लौटने की इजाज़त मिल जाए? हैरी के सीने में आशा का एक छोटा सा अंकुर फूटा, लेकिन तत्काल ही दहशत ने उसका गला दबा दिया - वह जादू का इस्तेमाल किए बिना अपनी छड़ी उनके हवाले करने से कैसे बच सकता है? उसे मंत्रालय के प्रतिनिधियों का मुक़ाबला करना होगा, लेकिन अगर उसने ऐसा किया, तो स्कूल से निकलने की बात तो रहने ही दें, उसे अज़्काबान भी भेजा जा सकता है।

उसका दिमाग़ सरपट भाग रहा था ... वह कहीं छिप जाए और मंत्रालय की पकड़ से बच जाए, या फिर यहीं पर रुका रहे और उनके द्वारा पकड़े जाने का इंतज़ार करे। उसकी इच्छा हो रही थी कि वह पहले वाला क़दम उठाए, लेकिन वह जानता था कि मिस्टर वीज़्ली उसका भला चाहते हैं ... आख़िर डम्बलडोर ने इससे भी बड़ी समस्याएँ सुलझाई हैं।

'ठीक है,' हैरी ने कहा। 'मैंने अपना इरादा बदल लिया है। मैं अब यहीं रुक रहा हूँ।'

वह झटके से किचन की टेबल पर डडली तथा पेटूनिया आंटी के सामने पहुँच गया। उसके अचानक इरादा बदलने से डर्स्ली दंपति हैरान थे। पेटूनिया आंटी ने वरनॉन अंकल की तरफ़ निराशा से देखा। उनकी बैंगनी कनपटी की नस अब पहले से ज़्यादा फड़कने लगी थी।

उन्होंने गुर्राकर पूछा, 'ये उल्लू कहाँ से आए थे?'

'पहला उल्लू जादू मंत्रालय से आया था, जिसने मुझे हॉगवर्ट्स स्कूल से निकाल दिया था,' हैरी ने शांति से कहा। वह अपने कान चौकन्ने रखकर बाहर की आवाज़ें भी सुन रहा था कि कहीं मंत्रालय के प्रतिनिधि तो नहीं आ रहे हैं। वरनॉन अंकल के गरजने और बरसने की आवाज़ों के बजाय उनके सवालों के जवाब देना ज़्यादा आसान था और यह काम ज़्यादा शांति से हो सकता था। 'दूसरा उल्लू मेरे दोस्त रॉन के डैडी ने भेजा था, जो जादू मंत्रालय में काम करते हैं।'

'जादू मंत्रालय?' वरनॉन अंकल गरजे। 'तुम जैसे लोग *सरकार* में भी हैं? ओह, अब सब समझ में आ गया। कोई हैरानी की बात नहीं कि यह देश रसातल में जा रहा है।'

जब हैरी ने कोई जवाब नहीं दिया, तो वरनॉन अंकल उसकी तरफ़ ग़ुस्से से घूरते हुए बोले, 'तुम्हें स्कूल से क्यों निकाला गया?'

'क्योंकि मैंने जादू किया था।'

'आहा!' वरनॉन अंकल गुर्राए और उन्होंने फ्रिज के ऊपर मुक्का मारा, जिससे वह खुल गया और डडली के लो-फ़ैट नाश्ते के पैकेट भड़ाभड़ फ़र्श पर गिर गए। 'तो तुम यह बात मानते हो! *तुमने डडली के साथ क्या किया था?'*

'कुछ नहीं,' हैरी ने थोड़ा उत्तेजित होकर कहा। 'वह मैंने नहीं किया था –'

'इसी ने किया था,' डडली अप्रत्याशित रूप से बुदबुदाया। वरनॉन अंकल और पेटूनिया आंटी ने हैरी को चुप रहने का इशारा किया तथा डडली की बात सुनने के लिए नीचे झुक गए।

वरनॉन अंकल बोले, 'बताओ बेटा, इसने क्या किया था?'

पेटूनिया आंटी फुसफुसाईं, 'राजा बेटे, हमें कुछ तो बताओ।'

डडली बुदबुदाया, 'इसने मुझ पर छड़ी तानी थी।'

'हाँ, मैंने छड़ी तानी थी, लेकिन मैंने उसका इस्तेमाल नहीं किया था –' हैरी ने ग़ुस्से में कहना शुरू किया, लेकिन –

'चुप रहो!' वरनॉन अंकल और पेटूनिया आंटी एक साथ दहाड़े।

'आगे बताओ बेटे,' वरनॉन अंकल ने कहा और अपनी मूँछों पर तेज़ी से फूँक मारी।

'घुप्प अँधेरा छा गया,' डडली ने काँपते हुए कहा। 'हर चीज़ अँधेरे में डूब गई। और फिर मुझे ... कुछ *आवाज़ें* सुनाई दीं। मेरे दिमाग़ के भीतर।'

वरनॉन अंकल और पेटूनिया आंटी ने दहशत से एक-दूसरे को देखा। दुनिया में उन्हें जादू से सबसे ज़्यादा नफ़रत थी – इसके बाद उन पड़ोसियों का नंबर आता था, जो होज़पाइप पर लगी पाबंदी में उनसे ज़्यादा धोखा देते थे – लेकिन काल्पनिक आवाज़ें सुनने वाले लोग भी इस सूची में निश्चित रूप से काफ़ी ऊपर आते थे। उन्हें लगा कि डडली का मानसिक संतुलन गड़बड़ा गया था, जो पागलपन की पहली निशानी थी।

पेटूनिया आंटी का चेहरा सफ़ेद पड़ गया और उन्होंने आँखों में आँसू भरकर पूछा, 'लाड़ले, तुम्हें क्या सुनाई दिया?'

लेकिन डडली कुछ बोल नहीं पा रहा था। दोबारा काँपते हुए उसने अपना सुनहरे बालों वाला बड़ा सा सिर हिला दिया। पहले उल्लू के आने के बाद से हैरी दहशत में था, लेकिन इसके बावजूद उसकी जिज्ञासा जाग गई। दमपिशाचों के सामने ज़िंदगी के सबसे बुरे पल याद आते हैं। बिगड़े, लाड़-प्यार में पले और गुंडागर्दी करने वाले डडली को आख़िर क्या याद आया होगा?

'तुम गिर कैसे गए, बेटा?' वरनॉन अंकल ने परेशान और धीमी आवाज़ में पूछा। यह आवाज़ वैसी ही थी, जैसे वे किसी बहुत बीमार व्यक्ति के पलंग के पास हों।

'मैं उलझकर गिर गया था,' डडली ने काँपते हुए कहा। 'और फिर –'

उसने अपने विशाल सीने की तरफ़ इशारा किया। हैरी समझ गया। डडली को ज़रूर फेफड़ों में ठंड का जकड़न भरा एहसास याद आ रहा होगा, जब दमपिशाच आशा और ख़ुशी चूस रहे थे।

'भयानक,' डडली ने टूटी आवाज़ में कहा। 'ठंड। बहुत ठंड।'

'**अच्छा**,' वरनॉन अंकल ने संयत होकर कहा, जबकि पेटूनिया आंटी ने चिंता से डडली का माथा छूकर देखा कि उसे बुखार तो नहीं है। 'फिर क्या हुआ, डडर्स?'

'ऐसा लगा ... ऐसा लगा ... ऐसा लगा ... जैसे ... जैसे ...'

'जैसे तुम दोबारा कभी ख़ुश नहीं हो पाओगे,' हैरी ने उसकी बात को पूरा कर दिया।

'हाँ,' डडली फुसफुसाया और काँपने लगा।

'अच्छा!' वरनॉन अंकल बोले। वे तनकर खड़े हो चुके थे और उनकी आवाज़ भी पूरी ऊँचाई पर पहुँच गई थी। 'तुमने मेरे बेटे पर कोई चकराने वाला जादू कर दिया, ताकि वह आवाज़ें सुने और यह सोचे कि वह हमेशा दुखी रहेगा, है ना?'

'मुझे आपको कितनी बार बताना पड़ेगा?' हैरी ने कहा, जिसका ग़ुस्सा और आवाज़ दोनों ही सातवें आसमान पर पहुँच गए थे। '*यह मैंने नहीं किया!* यह तो दो दमपिशाचों ने किया था!'

'दो – यह क्या बकवास नाम है?'

'दम – पिशाच,' हैरी ने धीरे-धीरे स्पष्टता से कहा। 'वे दो थे।'

'और ये कमबख़्त दमपिशाच कौन हैं?'

'वे जादूगरों की जेल अज़्काबान के पहरेदार हैं,' अचानक पेटूनिया आंटी बोल पड़ीं।

इन शब्दों के बाद दो पल तक आश्चर्यजनक ख़ामोशी छाई रही। फिर पेटूनिया आंटी ने अपने मुँह पर इस तरह हाथ रख लिया, जैसे उन्होंने कोई गंदी बात बोल दी हो। वरनॉन अंकल उन्हें आँखें फाड़-फाड़कर देख रहे थे। हैरी का दिमाग़ चकरा रहा था। मिसेज़ फ़िग तो ठीक हैं – लेकिन *पेटूनिया आंटी?*

हैरी ने हैरानी से उनसे पूछा, 'आप यह कैसे जानती हैं ?'

पेटूनिया आंटी ख़ुद हैरान थीं। उन्होंने डरकर माफ़ी माँगने के अंदाज़ में वरनॉन अंकल की तरफ़ देखा, फिर अपना सिर थोड़ा झुकाकर घोड़ी जैसे दाँत दिखाने लगीं।

वे अटकते-अटकते बोलीं, 'मैंने उस भयानक लड़के और मेरी बहन की बातें सुनी थीं - बरसों पहले।'

'अगर आप मेरे मम्मी-डैडी के बारे में बोल रही हैं, तो आप उनका नाम क्यों नहीं लेती हैं ?' हैरी ने ज़ोर से कहा, लेकिन पेटूनिया आंटी ने उसकी बात अनसुनी कर दी। वे बहुत परेशान दिख रही थीं।

हैरी स्तब्ध रह गया। बरसों पहले एक बार ग़ुस्से में पेटूनिया आंटी ने चिल्लाकर कहा था कि हैरी की माँ जादूगरनी थीं, लेकिन इसके अलावा उन्होंने उसके सामने कभी अपनी बहन का ज़िक्र नहीं किया था। वह हैरान था कि इतने अरसे बाद भी उन्हें जादुई दुनिया के बारे में यह बात याद थी, वरना आम तौर पर तो वे अपनी पूरी शक्ति से यह नाटक करती थीं कि जादुई दुनिया का अस्तित्व ही नहीं है।

वरनॉन अंकल ने अपना मुँह खोला, फिर बंद कर लिया। उन्होंने उसे दोबारा खोला और एक बार फिर बंद कर लिया। फिर उन्होंने बोलने की कोशिश में तीसरी बार मुँह खोला और अटकते हुए बोले, 'तो - तो - वे - वे सचमुच होते हैं, यानी कि - बमपिशाच ?'

पेटूनिया आंटी ने सिर हिलाया।

वरनॉन अंकल ने पहले पेटूनिया आंटी, फिर डडली और फिर हैरी को देखा, जैसे वे यह उम्मीद कर रहे हों कि कोई चिल्लाकर कहेगा 'अप्रैल फूल!' जब कोई यह नहीं बोला, तो उन्होंने एक बार फिर अपना मुँह खोला, लेकिन उन्हें कुछ कहने की ज़हमत नहीं उठानी पड़ी, क्योंकि तभी उस शाम का तीसरा उल्लू आ धमका। खिड़की अब भी खुली थी और वह उल्लू उसमें से तोप के गोले की तरह धड़धड़ाता हुआ आया तथा धड़ाम से किचन की टेबल पर उतर गया। डर्स्ली परिवार के तीनों लोग डर के मारे उछल पड़े। हैरी ने जैसे ही उल्लू की चोंच से एक आधिकारिक सा दिखने वाला लिफ़ाफ़ा लेकर खोला, उल्लू वापस उड़कर रात के अँधेरे में खो गया।

'आज - बहुत - ज़्यादा उल्लू आ चुके हैं,' वरनॉन अंकल बुदबुदाए और उन्होंने खिड़की के पास जाकर उसे दोबारा बंद कर दिया।

प्रिय मिस्टर पॉटर,

लगभग बाईस मिनट पहले आपको लिखे गए हमारे पत्र के संदर्भ में आपको सूचित किया जाता है कि जादू मंत्रालय ने फ़ौरन आपकी छड़ी तोड़ने के अपने निर्णय को बदल लिया है। 12 अगस्त को होने वाली अनुशासनात्मक सुनवाई तक आप अपनी छड़ी अपने पास रख सकते हैं, जिस समय इस बारे में आधिकारिक निर्णय लिया जाएगा।

हॉगवर्ट्स जादूगरी और तंत्र विद्यालय के हेडमास्टर के साथ हुई बातचीत के पश्चात् मंत्रालय इस नतीजे पर पहुँचा है कि स्कूल से आपके निष्कासन का फ़ैसला भी उसी समय किया जाएगा। इसलिए आगामी सुनवाई तक आप ख़ुद को स्कूल से निलंबित मानें।

शुभकामनाओं सहित,
आपकी,
माफ़ाल्डा हॉपकर्क
अनुचित जादू प्रयोग कार्यालय
जादू मंत्रालय

हैरी ने इस चिट्ठी को लगातार तीन बार पढ़ा। उसके सीने की दुख भरी गाँठ थोड़ी ढीली हो गई। उसे यह जानकर राहत मिली कि उसे अभी स्कूल से पूरी तरह नहीं निकाला गया था, हालाँकि उसका डर अब भी बरक़रार था। सब कुछ बारह अगस्त को होने वाली सुनवाई पर निर्भर करता था।

'तो?' वरनॉन अंकल ने हैरी को उसके आस-पास के माहौल में खींचते हुए कहा। 'अब क्या हुआ? उन्होंने तुम्हें कोई सज़ा दे दी? क्या तुम लोगों के यहाँ मौत की सज़ा मिलती है?' उन्होंने बाद में यह सुखद कल्पना जोड़ते हुए कहा।

हैरी बोला, 'मुझे एक सुनवाई में जाना होगा।'

'और वे लोग तुम्हें वहाँ सज़ा देंगे?'

'ऐसा ही लगता है।'

वरनॉन अंकल ने दुष्ट अंदाज़ में कहा, 'इसका मतलब यह है कि मुझे उम्मीद नहीं छोड़नी चाहिए।'

हैरी ने उठकर खड़े होते हुए कहा, 'अच्छा, अब अगर आपकी इजाज़त हो ...' वह अकेले में सोच-विचार करने और शायद रॉन, हर्माइनी या सिरियस को चिट्ठी भेजने के लिए छटपटा रहा था।

'नहीं, मैं अभी इजाज़त नहीं दे रहा हूँ!' वरनॉन अंकल दहाड़े। **'बैठ जाओ!'**

हैरी ने बेसब्री से पूछा, '*अब* क्या हुआ ?'

'डडली!' वरनॉन अंकल गरजे। 'मैं पूरी बात जानना चाहता हूँ कि मेरे बेटे के साथ क्या हुआ है!'

'ठीक है!' हैरी चिल्लाया। उसकी छड़ी अब भी उसके हाथ में थी और ग़ुस्से के कारण उसकी नोक से लाल-सुनहरी चिंगारियाँ निकलने लगीं। डर्स्ली परिवार के तीनों लोग दहशत में आ गए।

अपने ग़ुस्से को क़ाबू में रखने की कोशिश करते हुए हैरी जल्दी-जल्दी बोला, 'डडली और मैं मैग्नोलिया क्रेसेन्ट और विस्टीरिया वॉक के बीच वाली गली से आ रहे थे। डडली मेरा मज़ाक़ उड़ाने लगा। मैंने अपनी छड़ी बाहर निकाली, लेकिन उसका इस्तेमाल नहीं किया। फिर दो दमपिशाच वहाँ आ गए -'

वरनॉन अंकल ने आवेश में पूछा, 'लेकिन बमपिशाच **क्या हैं ?** वे **करते क्या हैं ?**'

'मैंने आपको बताया तो था - वे इंसान के अंदर की सारी ख़ुशी चूस लेते हैं,' हैरी ने कहा। 'और अगर उन्हें मौक़ा मिलता है, तो वे चूम भी लेते हैं -'

'चूम लेते हैं ?' वरनॉन अंकल ने कहा, जिनकी आँखें बाहर निकली पड़ रही थीं। '*चूम लेते हैं ?*'

'चूमने का मतलब यह है कि वे इंसान के मुँह से उसकी आत्मा खींचकर बाहर निकाल लेते हैं।'

पेटूनिया आंटी की चीख़ निकल गई।

'उसकी *आत्मा* ? उन्होंने उसकी आत्मा तो - उसकी आत्मा तो अब भी उसके अंदर -'

उन्होंने डडली के कंधे पकड़कर हिलाए, जैसे सुनना चाहती हों कि उसके भीतर उसकी आत्मा खड़खड़ा रही है या नहीं।

हैरी ने चिढ़कर कहा, 'ज़ाहिर है, वे उसकी आत्मा नहीं चूस पाए। अगर ऐसा हुआ होता, तो आपको पता चल जाता।'

'बेटे, तुमने मुक़ाबला करके उन्हें हरा दिया होगा ?' वरनॉन अंकल ने

ज़ोर से कहा। वे बातचीत को अपनी समझ के दायरे में लाने के लिए छटपटा रहे थे। 'उन्हें ज़ोरदार पंच मारा होगा, है ना?'

हैरी ने दाँत भींचकर कहा, 'आप दमपिशाच को *ज़ोरदार पंच* नहीं मार सकते।'

वरनॉन अंकल ने शान झाड़ते हुए कहा, 'तो फिर वह सही-सलामत क्यों है? उसकी आत्मा उसके अंदर क्यों बची हुई है?'

'क्योंकि मैंने पितृदेव सम्मोहन का इस्तेमाल किया था –'

शाँय। खटपट, पंखों की आवाज़ और राख गिरने के साथ एक चौथा उल्लू किचन की अँगीठी में से बाहर निकला।

'भगवान के लिए!' वरनॉन अंकल गरजे। फिर उन्होंने ग़ुस्से में अपनी मूँछ से बहुत सारे बालों का गुच्छा उखाड़ लिया, जो उन्होंने काफ़ी समय बाद किया था। **'मैं इन उल्लुओं को अब यहाँ बर्दाश्त नहीं करूँगा। मैं बताए देता हूँ, मैं यह बर्दाश्त नहीं करूँगा!'**

लेकिन हैरी उल्लू के पैर से चर्मपत्र खींच चुका था। उसे विश्वास था कि यह चिट्ठी डम्बलडोर की होगी, जिसमें उन्होंने सब कुछ स्पष्ट कर दिया होगा – दमपिशाच, मिसेज़ फ़िग, मंत्रालय के इरादे और यह भी कि वे इस मामले को कैसे सुलझाना चाहते हैं। लेकिन जीवन में पहली बार उसे सिरियस की लिखावट देखकर निराशा हुई। वरनॉन अंकल के उल्लुओं के कोसने को नज़रअंदाज़ करते हुए और अपनी आँखों को सिकोड़ते हुए हैरी ने सिरियस का संदेश पढ़ा। इस दौरान उल्लू फिर से राख उड़ाता हुआ चिमनी से ऊपर चला गया।

आर्थर ने हमें अभी-अभी सारी घटना बताई है। तुम चाहे जो भी करो, घर मत छोड़ना।

हैरी को यह चिट्ठी बहुत छोटी और अधूरी लगी। इसमें उसे घटनाओं का कोई स्पष्टीकरण नहीं मिला, इसलिए उसने चर्मपत्र को पलटकर देखा कि शायद बाक़ी का संदेश पीछे लिखा होगा, लेकिन वहाँ कुछ भी नहीं था।

अब उसका पारा दोबारा चढ़ने लगा। क्या *कोई* इस बात के लिए उसे 'शाबाशी' नहीं देगा कि उसने अकेले ही दो दमपिशाचों का मुक़ाबला करके उन्हें हरा दिया था? मिस्टर वीज़्ली और सिरियस की चिट्ठियों से तो ऐसा लग रहा था, जैसे उसने कोई ग़लत काम कर दिया हो और वे नुक़सान का अंदाज़ा लगने तक अपनी डाँट-फटकार बचाकर रख रहे हों।

'... मेरे घर में उल्लुओं का जमघट लगा हुआ है। लड़के, मैं यह बर्दाश्त

नहीं करूँगा, हर्गिज़ नहीं करूँगा –'

हैरी ने सिरियस की चिट्ठी को अपनी मुट्ठी में भींचते हुए कहा, 'मैं उल्लुओं को आने से तो नहीं रोक सकता।'

'मैं आज रात की घटना के बारे में सच्चाई जानना चाहता हूँ!' वरनॉन अंकल गरजे। 'अगर बमपिशाचों ने डडली पर हमला किया है, तो तुम्हें स्कूल से क्यों निकाला गया? तुमने ख़ुद यह माना है कि तुमने जादू किया था!'

हैरी ने एक गहरी साँस ली। उसका सिर दोबारा दर्द से फटा जा रहा था। अब वह बस इतना ही चाहता था कि किचन से बाहर निकले और डर्स्ली दंपति से दूर अपने कमरे में पहुँच जाए।

उसने बड़ी मुश्किल से शांत रहते हुए कहा, 'मैंने दमपिशाचों से छुटकारा पाने के लिए पितृदेव सम्मोहन का प्रयोग किया था। उन्हें भगाने का सिर्फ़ यही एक उपाय है।'

वरनॉन अंकल ने बौखलाकर पूछा, 'लेकिन बमपिशाच लिटिल व्हिंगिंग में *क्या कर रहे थे?*'

हैरी ने थके अंदाज़ में कहा, 'यह मैं आपको नहीं बता सकता। मुझे ख़ुद ही पता नहीं है।'

उसका सिर अब बुरी तरह दुख रहा था। उसका ग़ुस्सा कम होने लगा था और उसे थकान महसूस हो रही थी। डर्स्ली परिवार उसे घूरे जा रहा था।

'यह सारा बखेड़ा तुम्हारी वजह से ही हुआ है,' वरनॉन अंकल ज़ोर से बोले। 'लड़के, मैं यह बात जानता हूँ कि इसका ज़रूर तुम्हीं से कोई लेना-देना है। वरना वे यहाँ क्यों आते? वरना वे उस गली में क्यों आते? यहाँ आस-पास *तुम ही तो* अकेले – अकेले –' ज़ाहिर है, वे 'जादूगर' शब्द बोलने की हिम्मत नहीं जुटा पा रहे थे। '*अकेले – अजीब – व्यक्ति हो।*'

'मैं नहीं जानता कि वे यहाँ क्यों आए थे।'

लेकिन वरनॉन अंकल की बात सुनकर हैरी का थका हुआ दिमाग़ दोबारा सक्रिय हो गया। दमपिशाच लिटिल व्हिंगिंग में क्यों आए *थे? क्या यह सिर्फ़ संयोग था* कि वे उसी गली में आए थे, जहाँ हैरी था? या फिर उन्हें भेजा गया था? क्या अब दमपिशाचों पर जादू मंत्रालय का नियंत्रण नहीं रहा था? क्या वे अज़्काबान की पहरेदारी छोड़कर वोल्डेमॉर्ट के दल में शामिल हो गए थे, जैसी कि डम्बलडोर ने भविष्यवाणी की थी?

वरनॉन अंकल ने हैरी के विचारों की दिशा में आगे बढ़ते हुए कहा, 'ये बमपिशाच किसी जादूगरों की जेल की पहरेदारी करते हैं ना?'

'हाँ,' हैरी ने जवाब दिया।

काश उसका सिर दुखना बंद हो जाए ... काश वह किचन से बाहर निकल जाए और अपने अँधेरे बेडरूम में पहुँचकर *सोच* सके ...

'ओहो! ज़रूर वे तुम्हें गिरफ़्तार करने आए होंगे!' वरनॉन अंकल ने उस व्यक्ति की विजयी मुस्कान से कहा, जो किसी पक्के नतीजे पर पहुँच चुका था। 'ठीक है ना, लड़के? तुम क़ानून से भाग रहे हो!'

'ज़ाहिर है, मैं ऐसा नहीं कर रहा हूँ,' हैरी ने अपना सिर इस तरह हिलाया, जैसे कोई मक्खी उड़ा रहा हो। उसका दिमाग़ अब सरपट भाग रहा था।

'फिर क्यों?'

हैरी ने धीरे से कहा, 'उसने उन्हें भेजा होगा।' उसने यह बात वरनॉन अंकल से कम, ख़ुद से ज़्यादा कही थी।

'वह कौन? किसने उन्हें भेजा होगा?'

हैरी ने कहा, 'लॉर्ड वोल्डेमॉर्ट ने।'

उसे यह बात अजीब लगी कि डर्स्ली दंपति 'जादूगर,' 'जादू' या 'छड़ी' जैसे शब्द सुनकर चौंक जाते थे, चिढ़ जाते थे और घबरा जाते थे, लेकिन दुनिया के सबसे बुरे जादूगर का नाम सुनकर उनके चेहरे पर शिकन तक नहीं आई।

'लॉर्ड - ज़रा ठहरो,' वरनॉन अंकल ने कहा। उनका चेहरा तन गया और उनकी सुअर जैसी आँखों में समझ का भाव तैरने लगा। 'मैंने यह नाम पहले भी सुना है ... यह वही है ना, जिसने –'

'हाँ, मेरे माता-पिता को मार डाला था,' हैरी ने कहा।

वरनॉन अंकल के चेहरे पर ऐसा कोई भाव नहीं आया कि हैरी के माता-पिता की हत्या दुखद विषय हो। इसके बजाय वे अधीरता से बोले, 'लेकिन वह तो चला गया था। उस दैत्याकार आदमी ने यही बताया था। वह चला गया था।'

हैरी ने भारी मन से कहा, 'लेकिन अब वह वापस लौट आया है।'

उसे यह बात बहुत अजीब लग रही थी कि वह पेटूनिया आंटी के चमचमाते किचन में, शानदार फ्रिज और चौड़ी स्क्रीन के टेलीविज़न के पास वरनॉन अंकल से लॉर्ड वोल्डेमॉर्ट के बारे में बातें कर रहा था। ऐसा लग रहा था, जैसे लिटिल व्हिंगिंग में दमपिशाचों के आने से वह बड़ी अदृश्य दीवार ढह गई हो, जो प्रिविट ड्राइव के ग़ैर-जादुई संसार और जादुई संसार के बीच खड़ी थी। हैरी की दोनों ज़िंदगियाँ अब आपस में मिल गई थीं और हर चीज़ उलट-पुलट

हो गई थी। डर्स्ली दंपति जादुई दुनिया के बारे में सवाल पूछ रहे थे, मिसेज़ फ़िग एल्बस डम्बलडोर को जानती थीं, दमपिशाच लिटिल व्हिंगिंग के चारों तरफ़ मँडरा रहे थे और हो सकता है कि वह कभी हॉगवर्ट्स न लौट पाए। हैरी का सिर दर्द तेज़ी से बढ़ने लगा।

'लौट आया?' पेटूनिया आंटी फुसफुसाईं।

वे इस वक़्त हैरी की तरफ़ जिस अंदाज़ में देख रही थीं, उस तरह उन्होंने पहले कभी नहीं देखा था। अचानक ज़िंदगी में पहली बार हैरी को इस बात का पूरी तरह एहसास हुआ कि पेटूनिया आंटी उसकी माँ की बहन थीं। वह यह तो नहीं बता सकता था कि उसे उस समय इस बात का इतनी शिद्दत से एहसास क्यों हुआ। वह तो बस इतना जानता था कि उस कमरे में वही अकेला नहीं था, जिसे यह समझ में आ रहा था कि लॉर्ड वोल्डेमॉर्ट के लौटने का क्या मतलब था। पेटूनिया आंटी ने ज़िंदगी में पहले कभी उसे इस तरह से नहीं देखा था। उनकी बड़ी-बड़ी पीली आँखें (जो उनकी बहन से बहुत अलग थीं) नापसंदगी या ग़ुस्से में सिकुड़ी हुई नहीं थीं, बल्कि फैली और डरी हुई थीं। पेटूनिया आंटी ने हैरी के सामने पूरी ज़िंदगी जो नाटक किया था, वह अब ढह चुका था। अब तक वे यही कहती थीं कि जादू जैसी कोई चीज़ नहीं होती और वे वरनॉन अंकल के साथ जिस दुनिया में रहती हैं, उसके अलावा कोई दूसरी दुनिया नहीं होती है।

'हाँ,' हैरी ने कहा, जो अब सीधे पेटूनिया आंटी से बात कर रहा था। 'वह एक महीने पहले लौटा था। मैंने उसे देखा था।'

पेटूनिया आंटी के हाथों ने डडली के विशाल कंधों को जकड़ लिया।

'ज़रा ठहरो,' वरनॉन अंकल ने कहा, जो कभी अपनी पत्नी को, तो कभी हैरी को देख रहे थे। वे इस बात पर पूरी तरह से हैरान और दुविधाग्रस्त थे कि ज़िंदगी में पहली बार उन दोनों के बीच आपसी समझ दिख रही थी। 'ज़रा ठहरो। तुम कहते हो, यह लॉर्ड वॉल्डी लौट आया है।'

'हाँ।'

'वही, जिसने तुम्हारे माता-पिता की हत्या की थी?'

'हाँ।'

'और अब वह बमपिशाचों को तुम्हारे पीछे भेज रहा है?'

'लगता तो ऐसा ही है,' हैरी ने कहा।

'अच्छा,' वरनॉन अंकल ने अपनी पत्नी के फ़क़ चेहरे को देखने के बाद हैरी की तरफ़ दोबारा देखा और अपना पैंट ऊपर खिसकाया। वे फूलते दिख रहे थे। उनका बड़ा बैंगनी चेहरा हैरी की आँखों के सामने चौड़ा हो रहा था। उन्होंने

अपना सीना फुलाया, जिससे उनकी शर्ट कस गई, 'तो फ़ैसला हो गया। *लड़के, तुम इस घर से निकल जाओ!'*

'क्या?' हैरी ने हैरानी से कहा।

'तुमने मेरी बात सुन ली - **बाहर निकल जाओ!**' वरनॉन अंकल दहाड़े, जिसे सुनकर पेटूनिया आंटी और डडली भी उछल पड़े। '**बाहर! बाहर!** मुझे यह काम बरसों पहले कर देना चाहिए था! उल्लुओं ने यहाँ डेरा डाल रखा है, पुडिंग में विस्फोट हो गया, मेरा आधा ड्राइंग रूम बर्बाद हो गया, डडली की पूँछ उग आई, मार्ज छत के पास हवा में तैरती रही और वह उड़ने वाली फ़ोर्ड एंग्लिया - **बाहर! बाहर!** तुमने सुन लिया! अब तुम्हारा-हमारा रिश्ता ख़त्म! अगर कोई सिरफिरा तुम्हारे पीछे हाथ धोकर पड़ा है, तो तुम यहाँ नहीं रुक सकते। तुम मेरी पत्नी और बेटे की ज़िंदगी ख़तरे में नहीं डाल सकते। तुम हम पर अपनी मुसीबतें नहीं थोप सकते। अगर तुम अपने घटिया माता-पिता के नक़्शेक़दम पर ही चलना चाहते हो, तो बहुत हो चुका! यहाँ से **बाहर निकल जाओ!**'

हैरी अपनी जगह पर बुत बना खड़ा रहा। मंत्रालय, मिस्टर वीज़्ली और सिरियस की चिट्ठियाँ उसके बाएँ हाथ में दबी हुई थीं। *तुम चाहे जो भी करो, घर मत छोड़ना।* ***अपने अंकल-आंटी का घर मत छोड़ना।***

'तुमने मेरी बात सुन ली!' वरनॉन अंकल ने आगे झुकते हुए कहा। उनका विशाल बैंगनी चेहरा अब हैरी के इतना क़रीब था कि बोलते समय उनका थूक हैरी के चेहरे पर उड़ रहा था। 'यहाँ से दफ़ा हो जाओ! अभी आधे घंटे पहले तुम यहाँ से जाने के लिए उतावले थे! अब मैं भी यही चाहता हूँ! बाहर चले जाओ और दोबारा कभी हमारी चौखट गंदी मत करना! मैं नहीं जानता कि हमने तुम्हें अपने घर में रखा ही क्यों था? मार्ज सही कहती थी, तुम्हें तो अनाथालय भेज देना चाहिए था। हमारी दरियादिली के कारण हमें ही नुक़सान उठाना पड़ा। हमने सोचा था कि हम तुम्हारे अंदर का कचरा साफ़ कर सकते हैं। हमने सोचा था कि हम तुम्हें सामान्य आदमी बना सकते हैं, लेकिन तुम तो शुरू से ही गड़बड़ हो और अब मुझसे सहन नहीं हो रहा है - एक और *उल्लू!'*

पाँचवाँ उल्लू चिमनी से इतनी तेज़ी से नीचे आया कि सीधे फ़र्श से टकरा गया। फिर वह तेज़ी से चीख़ता हुआ हवा में उड़ने लगा। हैरी ने चिट्ठी पकड़ने के लिए अपना हाथ उठाया। वह एक लाल लिफ़ाफ़ा था। लेकिन उल्लू उसके सिर के ऊपर से उड़कर पेटूनिया आंटी की तरफ़ चला गया, जो चीख़ती हुई झुकीं और उन्होंने अपने हाथों से चेहरा ढँक लिया। उल्लू ने उनके सिर पर लाल लिफ़ाफ़ा टपका दिया। फिर वह चिमनी के रास्ते से ही ऊपर उड़ गया।

हैरी चिट्ठी उठाने के लिए आगे झपटा, लेकिन पेटूनिया आंटी उस तक

पहले पहुँच गईं।

हैरी ने कहा, 'आप चाहें, तो इसे खोल सकती है, लेकिन इसके अंदर की बात मैं वैसे भी सुन लूँगा। यह भोंपू है।'

वरनॉन अंकल गरजे, 'पेटूनिया, उसे फेंक दो। उसे मत छूना। वह ख़तरनाक हो सकता है!'

'इस पर मेरा नाम लिखा है,' पेटूनिया आंटी ने काँपती आवाज़ में कहा। 'वरनॉन, यह *चिट्ठी मेरे नाम* है, देखो! *मिसेज़ पेटूनिया डर्स्ली, किचन, नंबर चार, प्रिविट ड्राइव* –'

उन्होंने दहशत में साँस खींची, क्योंकि लाल लिफ़ाफ़े से धुआँ निकलने लगा था।

'इसे खोल लीजिए!' हैरी ने उन्हें उकसाया। 'मामला ख़त्म कर दीजिए! वैसे भी यह हो ही जाएगा।'

'नहीं।'

पेटूनिया आंटी का हाथ काँप रहा था। उन्होंने किचन में चारों तरफ़ देखा, जैसे बचाव का कोई रास्ता खोज रही हों, लेकिन तब तक बहुत देर हो चुकी थी – लिफ़ाफ़े से आग की लपटें निकलने लगीं। पेटूनिया आंटी ने चीख़कर लिफ़ाफ़े को छोड़ दिया।

टेबल पर जल रहे लिफ़ाफ़े में से एक तेज़ आवाज़ निकली और किचन में गूँजने लगी।

'पेटूनिया, मेरी आख़िरी बात याद रखना।'

पेटूनिया आंटी को देखकर ऐसा लग रहा था, जैसे वे बेहोश होने वाली हों। वे डडली के पास कुर्सी में धँस गईं और उन्होंने अपना चेहरा दोनों हाथों में छिपा लिया। लिफ़ाफ़े का बचा हुआ हिस्सा धीरे-धीरे राख बन गया।

'यह क्या है ?' वरनॉन अंकल ने रुँधे गले से पूछा। 'क्या – मुझे कुछ – पेटूनिया ?'

पेटूनिया आंटी कुछ नहीं बोलीं। डडली अपनी माँ को मुँह फाड़कर मूर्खतापूर्ण ढंग से देखे जा रहा था। बहुत भयानक ख़ामोशी छा गई थी। हैरी ने पूरी तरह चकराकर अपनी आंटी को देखा और उसका सिर इतनी ज़ोर से दुखने लगा, जैसे फटने वाला हो।

'पेटूनिया ?' वरनॉन अंकल ने डरते-डरते कहा। 'पे-पेटूनिया ?'

आंटी ने अपना सिर उठाया। वे अब भी काँप रही थीं। उन्होंने थूक गटका।

फिर वे धीरे से बोलीं, 'लड़का - लड़का कहीं नहीं जाएगा, वरनॉन।'

'क-क्या ?'

'वह यहीं रुकेगा,' उन्होंने हैरी की तरफ़ बिना देखे कहा और खड़ी हो गईं।

'वह ... लेकिन पेटूनिया ...'

पेटूनिया आंटी ने कहा, 'अगर हम उसे बाहर निकाल देंगे, तो पड़ोसी अनाप-शनाप बकेंगे।' पेटूनिया आंटी सामान्य अंदाज़ में बात करने की कोशिश कर रही थीं, हालाँकि उनका चेहरा अब भी काफ़ी पीला था। 'वे अजीब सवाल पूछेंगे। वे यह जानना चाहेंगे कि वह कहाँ गया है। हमें उसे रखना ही पड़ेगा।'

वरनॉन अंकल पुराने टायर की तरह पिचके हुए दिख रहे थे।

'लेकिन पेटूनिया डार्लिंग –'

पेटूनिया आंटी ने उनकी बात अनसुनी कर दी और हैरी की तरफ़ मुड़ीं।

उन्होंने कहा, 'तुम अपने कमरे में ही रहोगे। तुम घर से बाहर नहीं निकलोगे। इसी समय अपने कमरे में जाओ।'

हैरी हिला तक नहीं।

'वह भोंपू किसने भेजा था ?'

पेटूनिया आंटी ने उसे झिड़कते हुए कहा, 'सवाल मत पूछो।'

'क्या आप भी जादूगरों के संपर्क में हैं ?'

'मैंने तुमसे क्या कहा, अपने कमरे में जाओ!'

'इसका क्या मतलब था ? कौन सी आख़िरी बात याद रखनी थी ?'

'कमरे में जाओ!'

'लेकिन यह तो बताइए - ?'

'अपनी आंटी का कहना मानो! सीधे अपने कमरे में जाओ!'

अध्याय तीन

पहरेदार

जैसे ही हैरी अपने अँधेरे बेडरूम की डेस्क तक पहुँचा, उसने तीन अलग-अलग चर्मपत्रों पर ये शब्द लिखे।

मुझ पर अभी-अभी दमपिशाचों ने हमला किया है और मुझे हॉगवर्ट्स से निकाला जा सकता है। मैं जानना चाहता हूँ कि क्या हो रहा है और मैं यहाँ से कब बाहर निकलूँगा।

फिर उसने पहले चर्मपत्र पर सिरियस का, दूसरे पर रॉन का और तीसरे पर हर्माइनी का नाम लिखा। उसकी उल्लू हेडविग शिकार करने गई थी और उसका ख़ाली पिंजरा डेस्क पर पड़ा था। हैरी बेडरूम में टहलकर उसके लौटने का इंतज़ार करने लगा। उसका सिर दुख रहा था। उसकी आँखें जल रही थीं और थकान के मारे बंद हुई जा रही थीं, लेकिन उसके दिमाग़ में इतनी खलबली मची हुई थी कि उसे नींद नहीं आ सकती थी। डडली को सहारा देकर घर तक लाने के कारण उसकी पीठ में दर्द हो रहा था। इसके अलावा, खिड़की और डडली का मुक्का उसके सिर पर जहाँ टकराए थे, वहाँ दो गूमड़ उभर आए थे।

वह चहलक़दमी करता रहा। उसके अंदर ग़ुस्सा और कुंठा भरी थी। वह दाँत किटकिटा रहा था और मुक्का तान रहा था। जब भी वह खिड़की के पास से गुज़रता था, तो सितारों से भरे आसमान की तरफ़ ग़ुस्से से देखने लगता था। दमपिशाचों को उस पर हमला करने के लिए भेजा गया था। मिसेज़ फ़िग और मंडंगस फ़्लेचर चोरी छिपे उसकी निगरानी कर रहे थे। उसे हॉगवर्ट्स से निकाल दिया गया था और उसे सुनवाई के लिए जादू मंत्रालय में उपस्थित होना था लेकिन इसके बावजूद कोई उसे यह बताने को तैयार नहीं था कि क्या हो रहा था।

और *वह* भोंपू *किस* बारे में था ? किसकी आवाज़ इतने भयंकर तरीक़े से किचन में गूँजी थी ?

बिना किसी जानकारी के वह यहाँ अब भी क्यों फँसा हुआ था ? सभी लोग उसे किसी शरारती बच्चे की तरह क्यों समझा रहे थे ? *जादू मत करना, घर के भीतर ही रहना ...*

उसने अपने स्कूल वाले संदूक के पास से गुज़रते समय ग़ुस्से में उसमें लात मारी। इससे उसका ग़ुस्सा तो कम नहीं हुआ, अलबत्ता उसकी हालत और ख़राब हो गई, क्योंकि अब बाक़ी शरीर के साथ-साथ उसके अँगूठे में भी तेज़ दर्द होने लगा।

जब वह लँगड़ाता हुआ खिड़की के पास से गुज़रा, तो हेडविग उसमें से अंदर आई। वह धीरे-धीरे पंख फड़फड़ा रही थी और छोटे सफ़ेद भूत जैसी दिख रही थी।

जब वह अपने पिंजरे के ऊपर आकर बैठ गई, तो हैरी गुर्राया, 'बहुत देर लगा दी! उसे नीचे रख दो। मैं तुम्हें काम के लिए बाहर भेजना चाहता हूँ!'

हेडविग की चोंच में मरा हुआ मेंढक दबा था। उसने मेंढक के ऊपर से हैरी को अपनी बड़ी-बड़ी, गोल आँखों से चिढ़कर घूरा।

'यहाँ आओ,' हैरी ने तीनों चर्मपत्र उठाते हुए और चमड़े के पट्टे से उसके पपड़ीदार पैरों में बाँधते हुए कहा। 'इन्हें फ़ौरन सिरियस, रॉन और हर्माइनी के पास ले जाओ। अच्छे लंबे जवाबों के बिना मत लौटना। ज़रूरत पड़े, तो उन्हें तब तक चोंच मारना, जब तक कि वे लंबे जवाब न लिख दें। समझ गईं ?'

हेडविग ने एक दबी हुई आवाज़ निकाली। उसकी चोंच में मेंढक अब भी दबा हुआ था।

हैरी ने कहा, 'तो फिर जाओ।'

वह तत्काल उड़ गई। उसके जाते ही हैरी बग़ैर कपड़े बदले अपने बिस्तर पर लुढ़क गया और अँधेरी छत को एकटक देखने लगा। बाक़ी बातों पर दुखी होने के अलावा अब उसे इस बात पर भी अफ़सोस हो रहा था कि उसने हेडविग के साथ चिड़चिड़ा व्यवहार किया था। प्रिविट ड्राइव के मकान नंबर चार में वही तो उसकी इकलौती दोस्त थी। लेकिन कोई बात नहीं, जब वह सिरियस, रॉन और हर्माइनी के जवाब लेकर लौटेगी, तो वह उसे मना लेगा।

उन्हें जल्दी जवाब देना ही पड़ेगा। वे दमपिशाचों के हमले को नज़रअंदाज़ नहीं कर सकते। शायद कल सुबह उसे सहानुभूति भरी तीन मोटी चिट्ठियाँ

मिलेंगी, जिनमें यह लिखा होगा कि उसे तत्काल रॉन के घर पहुँचाने की क्या व्यवस्था की जा रही है। इस राहत भरे विचार से उसे नींद आ गई, इसलिए वह आगे कुछ नहीं सोच पाया।

*

लेकिन हेडविग अगली सुबह नहीं लौटी। हैरी पूरे दिन अपने बेडरूम में ही रहा और सिर्फ़ बाथरूम जाने के लिए बाहर निकला। उस दिन पेटूनिया आंटी ने उसके कमरे में उस कैट-फ़्लैप से तीन बार खाना सरकाया, जिसे वरनॉन अंकल ने तीन साल पहले लगाया था। जब भी हैरी पेटूनिया आंटी के क़दमों की आहट सुनता था, वह हर बार उनसे भोंपू के बारे में सवाल पूछता था। लेकिन उसे कोई जवाब नहीं मिला। उनसे बात करने से उतना ही फ़ायदा हुआ, जितना बेज़ुबान दरवाज़े से करने से होता। इसके अलावा डर्स्ली परिवार उसके बेडरूम से दूर ही रहा। हैरी भी उनके पास नहीं जाना चाहता था। उनसे दोबारा टकराने से कोई फ़ायदा नहीं होना था। उल्टे इस बात का डर था कि उसे शायद फिर ग़ुस्सा आ जाएगा और वह ग़ैर-क़ानूनी जादू कर बैठेगा।

यह सिलसिला पूरे तीन दिन तक चलता रहा। बीच-बीच में हैरी निठल्लेपन से बेचैन होकर कभी-कभार अपने बेडरूम में घूमने लगता था और उन सभी लोगों पर ग़ुस्सा होता रहता था, जिनकी वजह से उसे यहाँ क़ैद रहना पड़ रहा था। लेकिन आम तौर पर वह घंटों अपने बिस्तर पर लेटा-लेटा शून्य में ताकता रहता था और मंत्रालय की सुनवाई के बारे में सोच-सोचकर दहशत में आ जाता था।

अगर फ़ैसला उसके ख़िलाफ़ हुआ, तो क्या होगा? अगर उसे स्कूल से निकाल दिया *गया* और उसकी छड़ी के दो टुकड़े कर दिए गए, तो क्या होगा? वह क्या करेगा? वह कहाँ जाएगा? वह हमेशा तो डर्स्ली परिवार के साथ नहीं रह सकता, क्योंकि अब उसे जादू की दुनिया के बारे में मालूम चल चुका था, जो उसकी असली दुनिया थी। क्या वह सिरियस के घर में रह सकता है, जैसा सिरियस ने एक साल पहले मंत्रालय की पकड़ से फ़रार होने से पहले सुझाव दिया था? क्या नाबालिग़ हैरी को वहाँ अकेले रहने की इजाज़त मिल जाएगी? या फिर इसका फ़ैसला कोई और करेगा कि वह कहाँ रहेगा? क्या अंतर्राष्ट्रीय जादूगर महासंघ के गोपनीयता क़ानून को तोड़ना इतना गंभीर अपराध था कि उसे अज़्काबान की जेल में क़ैद कर दिया जाएगा? जब भी उसके मन में यह विचार आता था, वह हमेशा अपने पलंग से उतरकर चहलक़दमी करने लगता था।

हेडविग के जाने के बाद चौथी रात को हैरी अपने बिस्तर पर सुस्त

पड़ा-पड़ा छत को घूर रहा था। उसका दिमाग़ पूरी तरह ख़ाली था। तभी वरनॉन अंकल उसके बेडरूम में दाख़िल हुए। हैरी ने धीरे-धीरे मुड़कर उन्हें देखा। वरनॉन अंकल अपना सबसे अच्छा सूट पहने हुए थे और उनके चेहरे पर गर्व का भाव था।

उन्होंने कहा, 'हम बाहर जा रहे हैं।'

'क्या ?'

'हम - यानी तुम्हारी आंटी, डडली और मैं - बाहर जा रहे हैं।'

हैरी ने दोबारा छत की तरफ़ देखते हुए भावहीन अंदाज़ में कहा, 'अच्छा।'

'हमारी ग़ैर-हाज़िरी में तुम अपने बेडरूम से बाहर नहीं निकलोगे।'

'ठीक है।'

'तुम टी.वी., स्टीरियो या हमारा कोई और सामान नहीं छुओगे।'

'ठीक है।'

'तुम हमारे फ्रिज से खाने-पीने का सामान निकालकर नहीं खाओगे।'

'ठीक है।'

'मैं तुम्हारे दरवाज़े पर ताला लगाकर जा रहा हूँ।'

'ठीक है, लगा दीजिए।'

वरनॉन अंकल ने हैरी को घूरकर देखा। वे इस बात पर हैरान थे कि वह बहस क्यों नहीं कर रहा था। फिर वे बेडरूम से बाहर निकले और उन्होंने दरवाज़ा बंद कर दिया। हैरी को चाबी घूमने की आवाज़ सुनाई दी और फिर वरनॉन अंकल के तेज़ी से सीढ़ियाँ उतरने की आवाज़ आई। कुछ मिनट बाद उसने कार के दरवाज़ों के बंद होने, इंजन के चालू होने और कार के ड्राइव से बाहर निकलने की आवाज़ें सुनीं।

डर्स्ली परिवार के जाने से हैरी के मन में कोई भावना नहीं जगी थी। उनके घर पर रहने या न रहने से उसे कोई फ़र्क़ नहीं पड़ता था। वह तो इतनी भी शक्ति नहीं बटोर पा रहा था कि उठकर अपने बेडरूम की लाइट जला ले। कमरा अँधेरे में डूबता गया और वह लेटा-लेटा खिड़की से रात की आवाज़ें सुनता रहा। उसकी खिड़की चौबीसों घंटे खुली रहती थी। वह हेडविग की वापसी के सुखद पल का इंतज़ार कर रहा था।

ख़ाली घर में चरमराने और पाइप में पानी बहने की आवाज़ें आ रही थीं। हैरी उनींदी अवस्था में लेटा रहा। वह दुख में डूबा हुआ था, लेकिन किसी

ख़ास चीज़ के बारे में नहीं सोच रहा था।

तभी उसे नीचे किचन में किसी चीज़ के टूटने की आवाज़ आई।

वह उठकर बैठ गया और ग़ौर से सुनने लगा। डर्स्ली दंपति इतनी जल्दी नहीं लौट सकते थे। वे अभी तो गए ही थे और वैसे भी उसने उनकी कार के आने की आवाज़ नहीं सुनी थी।

कुछ पल तक सन्नाटा छाया रहा और फिर लोगों के बात करने की आवाज़ें आने लगीं।

उसने अपने पलंग से उतरकर खड़े होते हुए सोचा, *चोर* होंगे। लेकिन एक पल बाद ही उसने सोचा कि चोर अपनी आवाज़ों को दबाने की कोशिश करेंगे, लेकिन जो भी किचन में घूम रहा था, वह तो अपनी आवाज़ दबाने की ज़हमत ही नहीं उठा रहा था।

उसने अपने पलंग के पास वाली टेबल से छड़ी उठाई और बेडरूम के दरवाज़े के सामने खड़े होकर सुनने की पूरी कोशिश करने लगा। अगले ही पल उसके होश उड़ गए, क्योंकि ताले में ज़ोरदार क्लिक की आवाज़ हुई और दरवाज़ा खुल गया।

हैरी किसी बुत की तरह खड़ा रहा और खुले दरवाज़े से अँधेरी सीढ़ियों की तरफ़ घूरता रहा। वह आवाज़ें सुनने के लिए अपने कान लगाए था, लेकिन उसे तिनका गिरने तक की आवाज़ नहीं आई। वह एक पल के लिए झिझका, फिर तेज़ क़दमों से चुपचाप बेडरूम से बाहर निकलकर सीढ़ियों के पास पहुँच गया।

उसका दिल उछलकर उसके गले तक आ गया। नीचे अँधेरे हॉल में कुछ लोग खड़े हुए थे। उनकी आकृतियाँ काँच के दरवाज़े के बाहर चमक रहे स्ट्रीटलैंप में दिख रही थीं। जहाँ तक वह देख सकता था, वे आठ-नौ लोग थे और वे सभी उसी की तरफ़ देख रहे थे।

फिर एक धीमी, गुर्राती आवाज़ आई, 'अपनी छड़ी नीचे कर लो, लड़के, वरना तुम किसी की आँख फोड़ दोगे।'

हैरी का दिल बेतहाशा धड़कने लगा। वह उस आवाज़ को पहचानता था, लेकिन उसने अपनी छड़ी नीचे नहीं की।

उसने अनिश्चितता से कहा, 'प्रोफ़ेसर मूडी ?'

उस आवाज़ ने दोबारा गुर्राकर कहा, 'मैं "प्रोफ़ेसर" के बारे में तो ज़्यादा नहीं जानता। ज़्यादा पढ़ा नहीं पाया, है ना ? तुम नीचे उतरकर यहाँ आ जाओ। हम तुम्हें ठीक से देखना चाहते हैं।'

हैरी ने अपनी छड़ी थोड़ी झुका ली, लेकिन वह उसे अब भी मज़बूती से पकड़े रहा और हिला तक नहीं। उसके पास शक करने का बहुत अच्छा कारण था। नौ महीने तक वह जिसे बावरे-नैन मूडी मानता रहा था, बाद में यह पता चला था कि वह मूडी नहीं, बल्कि एक बहुरूपिया था, जिसने भंडाफोड़ होने से पहले हैरी की जान लेने की कोशिश की थी। लेकिन इससे पहले कि वह कुछ करने का निर्णय ले पाता, नीचे से दूसरी भर्राई हुई आवाज़ आई।

'सब ठीक है, हैरी। हम तुम्हें यहाँ से ले जाने आए हैं।'

हैरी का दिल बल्लियों उछलने लगा। वह उस आवाज़ को भी पहचानता था, हालाँकि उसे सुने हुए एक साल से भी ज़्यादा अरसा हो चुका था।

'प्रोफ़ेसर ल्यूपिन?' उसने अविश्वास से कहा। 'क्या आप हैं?'

'हम अँधेरे में क्यों खड़े हैं?' किसी महिला की आवाज़ आई, जो हैरी ने पहले कभी नहीं सुनी थी। *'प्रकाशित भव।'*

छड़ी की नोक से रोशनी हुई और पूरे हॉल में जादू से रोशनी हो गई। हैरी ने पलकें मिचमिचाईं। नीचे खड़े लोग सीढ़ियों के किनारे से उसे घूर रहे थे और ज़्यादा अच्छी तरह से देखने के लिए अपनी गर्दन भी उचका रहे थे।

रीमस ल्यूपिन उसके सबसे क़रीब खड़े थे। हालाँकि ल्यूपिन की उम्र कम थी, लेकिन वे थके हुए और थोड़े बीमार दिख रहे थे। जब हैरी ने आख़िरी बार उनसे विदा ली थी, उसके बाद से उनके बाल ज़्यादा सफ़ेद हो चुके थे। उनके कपड़े भी पहले से ज़्यादा पैबंद लगे और फटे-पुराने दिख रहे थे। बहरहाल, वे हैरी की तरफ़ देखकर मुस्करा रहे थे, इसलिए उसने भी सदमे के बावजूद मुस्कराने की भरपूर कोशिश की।

'अरे, मुझे जैसी उम्मीद थी, यह तो वैसा ही दिखता है,' वह जादूगरनी बोली, जिसने रोशनी वाली छड़ी को पकड़ रखा था। वह बाक़ी सबसे कम उम्र की लग रही थी। उसका पीला मुँह दिल के आकार का था। उसकी काली आँखें चमकदार थीं और उसके छोटे बाल बैंगनी रंग के थे। 'हैलो, हैरी!'

'हाँ, मैं तुम्हारी बात का मतलब समझ गया, रीमस,' सबसे पीछे खड़े एक गंजे काले जादूगर ने कहा। उसकी आवाज़ भारी तथा धीमी थी और वह अपने कान में सोने की बाली पहने था - 'वह बिलकुल जेम्स जैसा दिखता है।'

'आँखों को छोड़कर,' घरघराती आवाज़ और सफ़ेद बालों वाले एक जादूगर ने पीछे से कहा। 'उसकी आँखें लिली जैसी हैं।'

सफ़ेद, लंबे और खिचड़ीदार बालों वाले बावरे-नैन मूडी, जिनकी नाक का एक बड़ा टुकड़ा ग़ायब था, हैरी को शक भरी निगाह से देख रहे थे। उनकी

एक आँख छोटी, काली और मनकेदार थी, जबकि दूसरी आँख बड़ी, नीली और गोल थी - यह जादुई आँख थी, जो दीवारों और दरवाज़ों के पार तो देख ही सकती थी, मूडी के सिर के पीछे भी देख सकती थी।

वे गुर्राकर बोले, 'ल्यूपिन, क्या तुम्हें पूरा यक़ीन है कि यह हैरी ही है? कहीं हम उसके भेस में छिपे किसी प्राणभक्षी को तो नहीं ले जा रहे हैं? हमें उससे कोई ऐसा सवाल पूछना चाहिए, जिसका जवाब सिर्फ़ असली पॉटर ही दे सकता हो, जब तक कि कोई सत्यद्रव न लाया हो?'

ल्यूपिन ने पूछा, 'हैरी, तुम्हारा पितृदेव कौन सा रूप धारण करता है?'

'मृग का,' हैरी ने घबराकर कहा।

ल्यूपिन बोले, 'बावरे-नैन, यह हैरी ही है।'

हैरी को पता था कि सभी उसे घूर रहे हैं। वह सीढ़ियाँ उतरा और उसने अपनी छड़ी जीन्स की पीछे वाली जेब में खोंस ली।

मूडी गरजकर बोले, 'अपनी छड़ी वहाँ मत रखो, लड़के! अगर यह जल गई, तो क्या होगा? तुम्हें पता है, ऐसा करते समय तुमसे बेहतर जादूगरों के पुट्ठे जल चुके हैं!'

बैंगनी बालों वाली औरत ने बावरे-नैन को दिलचस्पी से देखते हुए पूछा, 'आप ऐसे कितने जादूगरों को जानते हैं, जिनके पुट्ठे जल चुके हैं?'

'तुम्हें उससे मतलब! हैरी, तुम तो बस अपनी छड़ी अपनी पीछे वाली जेब से बाहर रखो!' बावरे-नैन ने गुर्राते हुए कहा। 'यह छड़ी की सुरक्षा का प्रारंभिक नियम है, लेकिन दुर्भाग्य से अब कोई इस तरफ़ ध्यान नहीं देता है।' फिर वे किचन की तरफ़ बढ़ने लगे। जब उस औरत ने छत की तरफ़ देखकर आँखें चढ़ाईं, तो मूडी ने चिढ़कर आगे कहा, 'तुम्हारी हरकत मैंने देख ली है।'

ल्यूपिन ने अपना हाथ आगे बढ़ाकर हैरी से हाथ मिलाया।

उन्होंने हैरी को पास से देखते हुए पूछा, 'तुम कैसे हो?'

'अ-अच्छा ...'

हैरी को यक़ीन ही नहीं हो रहा था कि यह सच है। चार हफ़्ते तक कुछ नहीं हुआ था। उसे प्रिविट ड्राइव से निकालने की योजना की ज़रा सी भी भनक नहीं लगी थी और अचानक बहुत सारे जादूगर उस मकान में ऐसे खड़े थे, जैसे यह बहुत पुरानी योजना हो। उसने ल्यूपिन के आस-पास खड़े जादूगरों की तरफ़ देखा, जो उसे अब भी कौतूहल से देख रहे थे। अब उसका ध्यान इस तरफ़ गया कि उसने चार दिन से अपने बाल तक नहीं काढ़े थे।

उसने बुदबुदाकर कहा, 'मैं - आप लोग सचमुच ख़ुशक़िस्मत हैं कि डर्स्ली परिवार आज बाहर गया है ...'

'ख़ुशक़िस्मत, आ-हा!' बैंगनी बालों वाली महिला बोली। 'मैंने ही तो उन्हें लालच देकर बाहर भेजा है। उन्हें मगलुओं की डाक से एक चिट्ठी भेजी थी, जिसमें उन्हें बताया था कि उन्होंने इंग्लैंड की सर्वश्रेष्ठ उपनगरीय लॉन प्रतियोगिता का इनाम जीत लिया है। वे लोग इस समय पुरस्कार-वितरण समारोह में पुरस्कार लेने जा रहे हैं ... कम से कम उन्हें लग तो यही रहा है।'

हैरी कल्पना करने लगा कि जब वरनॉन अंकल को यह पता चलेगा कि इंग्लैंड की सर्वश्रेष्ठ उपनगरीय लॉन प्रतियोगिता जैसी कोई चीज़ नहीं हुई थी, तो उनका चेहरा कैसा दिखेगा।

उसने पूछा, 'हम लोग चल रहे हैं, है ना ? जल्दी ?'

'बस तुरंत ही,' ल्यूपिन ने कहा, 'बस रास्ता साफ़ होने के संकेत का इंतज़ार है।'

हैरी ने आशा से पूछा, 'हम कहाँ जा रहे हैं ? रॉन के घर ?'

'नहीं, नहीं, रॉन के घर नहीं,' ल्यूपिन ने हैरी को किचन की तरफ़ आने का इशारा करते हुए कहा। बाक़ी जादूगर भी पीछे-पीछे आ गए। वे अब भी हैरी को कौतूहल से देख रहे थे। 'वहाँ रहना बहुत ख़तरनाक है। हमने किसी अज्ञात जगह पर मुख्यालय बनाया है। इसमें थोड़ा समय ज़रूर लग गया ...'

बावरे-नैन मूडी अब किचन की टेबल पर बैठकर अपने थर्मस से कुछ पी रहे थे। उनकी जादुई आँख सभी दिशाओं में घूम रही थी और डर्स्ली दंपति के मेहनत बचाने वाले कई उपकरणों को देख रही थी।

ल्यूपिन ने मूडी की तरफ़ इशारा करते हुए कहा, 'हैरी, ये अलैस्टर मूडी हैं।'

'हाँ, मैं जानता हूँ,' हैरी ने अचकचाते हुए कहा। उसे यह अजीब लग रहा था कि उसका परिचय एक ऐसे व्यक्ति से कराया जा रहा है, जिसे वह एक साल से जानता था, या कम से कम उसे लगता तो ऐसा ही था।

'और यह निम्फ़ैडोरा है -'

'मुझे निम्फ़ैडोरा *मत* कहो, रीमस,' युवा जादूगरनी ने काँपते हुए कहा, 'मेरा नाम टौंक्स है।'

'निम्फ़ैडोरा टौंक्स, जो सिर्फ़ अपने सरनेम से ही पहचानी जाना पसंद करती है।'

टौंक्स बुदबुदाई, 'अगर तुम्हारी मूर्ख माँ ने तुम्हारा नाम *निम्फ़ैडोरा* रखा होता, तो तुम भी ऐसा ही करते।'

'और यह किंग्सले शैकलबोल्ट है,' उन्होंने लंबे काले जादूगर की तरफ़ इशारा किया, जिसने सिर झुकाकर अभिवादन किया। 'एल्फ़ियास डोज़।' घरघराती आवाज़ वाले जादूगर ने सिर झुकाया। 'डीडेलस डिगल -'

'हम पहले भी मिल चुके हैं,' रोमांचित डिगल ने चीख़ते हुए कहा और अपना बैंगनी रंग का हैट गिरा दिया।

'एमेलिन वैन्स।' हरी शॉल वाली एक गरिमामयी जादूगरनी ने अपना सिर झुकाया। 'स्टर्गिस पोडमोर।' तिनके के रंग के मोटे बालों और चौकोर जबड़े वाले जादूगर ने हैरी की तरफ़ देखकर आँख मारी। 'और हेस्टिया जोन्स।' गुलाबी गालों और काले बालों वाली जादूगरनी ने टोस्टर के पास से हाथ हिलाया।

परिचय के दौरान हैरी उन सभी की तरफ़ अजीब तरीक़े से सिर झुकाता रहा। वह सोच रहा था कि काश वे लोग उसे देखने के बजाय कहीं और देखें। उसे ऐसा लग रहा था, जैसे उसे किसी मंच पर खड़ा कर दिया गया हो। वह यह भी सोच रहा था कि इतने सारे जादूगर वहाँ पर क्यों थे।

ऐसा लगा जैसे ल्यूपिन ने हैरी के मन की बात समझ ली हो, क्योंकि वे उसी समय मुस्कराते हुए बोले, 'बहुत से लोग तुम्हें ले जाने के लिए आतुर थे।'

मूडी ने कहा, 'हाँ, जितने ज़्यादा हों, उतना अच्छा है। पॉटर, हम तुम्हारे पहरेदार हैं।'

ल्यूपिन ने किचन की खिड़की से बाहर झाँकते हुए कहा, 'हम लोग बस उस संकेत का इंतज़ार कर रहे हैं, जो हमें बताएगा कि जाने के लिए रास्ता साफ़ है। अभी हमारे पास लगभग पंद्रह मिनट का समय है।'

'ये मगलू बहुत *साफ़-सफ़ाई* से रहते हैं, है ना?' टौंक्स नाम की जादूगरनी ने कहा, जो किचन को बड़ी दिलचस्पी से देख रही थी। 'मेरे डैडी मगलू परिवार में जन्मे थे, लेकिन वे आलसी थे। मुझे लगता है कि जादूगरों की तरह ही मगलुओं का भी स्वभाव अलग-अलग होता होगा?'

'हाँ,' हैरी ने कहा। 'देखिए -' उसने ल्यूपिन की ओर मुड़कर पूछा, 'क्या हो रहा है? मुझे किसी ने कोई ख़बर नहीं दी है। वोल्डे - ?'

यह सुनकर कई जादूगरों और जादूगरनियों ने अजीब सी आवाज़ें निकालीं। डीडेलस डिगल का हैट एक बार फिर उसके हाथ से छूट गया और मूडी गुर्राकर बोले, *'ख़ामोश!'*

'क्या?' हैरी ने पूछा।

'हम यहाँ पर कोई बात नहीं करेंगे। यह बहुत ख़तरनाक है,' मूडी ने

अपनी सामान्य आँख हैरी की तरफ़ घुमाते हुए कहा। उनकी जादुई आँख अब भी छत पर टिकी थी। *'सत्यानाश,'* उन्होंने ग़ुस्से से अपना हाथ जादुई आँख पर रखते हुए कहा, 'जब से उस बेहूदा आदमी ने इसे लगाया है, तब से यह बार-बार अटकने लगी है।'

फिर सिंक से कचरा खींचने जैसी बुरी सी पचर-पचर आवाज़ के साथ उन्होंने अपनी जादुई आँख बाहर निकाल ली।

टौंक्स बातचीत को बढ़ाने के लिए बोली, 'बावरे-नैन, आप जानते हैं, यह बहुत ही वीभत्स लगता है, है ना?'

मूडी ने आग्रह किया, 'हैरी, एक गिलास पानी मिल सकता है?'

हैरी ने डिशवॉशर के पास जाकर एक साफ़ गिलास निकाला और सिंक तक जाकर उसमें पानी भरा। अब भी जादूगरों का समूह उसे कौतूहल से देख रहा था। उनके लगातार घूरने से उसे चिढ़ होने लगी थी।

जब हैरी ने मूडी को गिलास दिया, तो वे बोले, 'वाह!' उन्होंने अपनी जादुई आँख पानी में डाल दी और उसे ऊपर-नीचे करते रहे। आँख चारों तरफ़ घूमने लगी और बारी-बारी से सभी को घूरने लगी। 'मैं चाहता हूँ कि वापसी की यात्रा में मेरे पास पूरे तीन सौ साठ डिग्री की दृष्टि रहे।'

हैरी ने पूछा, 'हम जहाँ भी जा रहे हैं, कैसे जा रहे हैं?'

ल्यूपिन बोले, 'झाड़ुओं से। हमारे पास इसके अलावा कोई चारा नहीं है। अभी तुम्हारी उम्र इतनी कम है कि तुम अंतर्ध्यान नहीं हो सकते। छू नेटवर्क की निगरानी हो रही है और हम अनाधिकृत आवागमन-कुंजी बनाने का जोखिम नहीं ले सकते।'

किंग्सले शैकलबोल्ट ने अपनी भारी आवाज़ में कहा, 'रीमस कहता है कि तुम बहुत अच्छा उड़ लेते हो।'

'हाँ, यह बहुत अच्छा उड़ लेता है,' ल्यूपिन ने अपनी घड़ी देखते हुए कहा। 'अच्छा हैरी, अब तुम जाकर अपना सामान पैक कर लो। हमें पूरी तरह तैयार रहना चाहिए, ताकि संकेत मिलते ही चल सकें।'

टौंक्स उत्साह से बोली, 'मैं चलकर तुम्हारी मदद करती हूँ।'

वह हैरी के पीछे-पीछे हॉल से होती हुई सीढ़ियों से ऊपर गई। चलते-चलते वह काफ़ी उत्सुकता और दिलचस्पी से चारों तरफ़ देखती रही।

उसने कहा, 'अजीब जगह है। मेरा मतलब है, कुछ *ज़्यादा ही* साफ़ है, है ना? थोड़ा अजीब लगता है। ओह, यह ज़्यादा अच्छा है,' उसने आगे कहा, जब वे हैरी के बेडरूम में दाख़िल हुए और हैरी ने लाइट जलाई।

उसका कमरा निश्चित रूप से बाक़ी घर से ज़्यादा अस्त-व्यस्त था। चार दिनों तक बहुत बुरे मूड में रहने के कारण हैरी ने इसे ख़ुद साफ़ करने का कष्ट नहीं किया था। उसकी ज़्यादातर पुस्तकें फ़र्श पर बिखरी पड़ी थीं, क्योंकि उसने मन बहलाने के लिए इन्हें पढ़ने की कोशिश की थी, लेकिन बाद में उठाकर इधर-उधर फेंक दिया था। हेडविग के पिंजरे में से भी बदबू आने लगी थी और साफ़ लग रहा था कि इसे सफ़ाई की ज़रूरत थी। उसका संदूक खुला हुआ था और उसके आस-पास फ़र्श पर बिखरे मगलू कपड़ों तथा जादूगरों के दुशालों का अजीब सा घालमेल दिख रहा था।

हैरी पुस्तकें उठाकर जल्दी-जल्दी अपने संदूक में फेंकने लगा। टौंक्स उसकी खुली अलमारी के पास रुक गई और दरवाज़े के भीतर वाले आईने में अपना प्रतिबिंब देखने लगी।

'मुझे लगता है कि बैंगनी रंग मुझ पर नहीं जमता है,' उसने सोचते हुए कहा और अपने बालों के एक गुच्छे को खींचा। 'तुम्हें क्या लगता है, इससे मैं थोड़ी भड़कीली दिखती हूँ?'

'अर -' हैरी ने कहा और *ब्रिटेन तथा आयरलैंड की क्विडिच टीम* नाम की पुस्तक के ऊपर से उसे देखा।

'हाँ, ऐसा ही है,' टौंक्स ने ख़ुद ही फ़ैसला करते हुए कहा। फिर उसने अपनी आँखें तनाव भरे अंदाज़ में सिकोड़ लीं, जैसे कुछ याद करने की कोशिश कर रही हो। एक पल बाद उसके बाल बबलगम की तरह गुलाबी हो गए।

'आपने यह कैसे किया?' हैरी ने उसकी तरफ़ मुँह फाड़कर पूछा, जब उसने अपनी आँखें दोबारा खोलीं।

'मैं जादूरूपांतरकारी हूँ,' टौंक्स ने आईने में अपनी शक्ल निहारते हुए कहा। फिर उसने अपने सिर को घुमाया, ताकि बालों को सभी दिशाओं से देख सके। 'इसका मतलब यह है कि मैं इच्छानुसार अपना रूप बदल सकती हूँ,' उसने आईने में हैरी को आश्चर्यचकित देखते हुए कहा। 'मैं जन्म से ही ऐसी हूँ। ऑरर के प्रशिक्षण के दौरान मैं छिपने और वेश बदलने के विषयों में अव्वल आई थी, हालाँकि मैंने इन विषयों की ज़रा भी पढ़ाई नहीं की थी। यह बहुत अच्छा था।'

'आप ऑरर हैं?' हैरी ने प्रभावित होकर कहा। उसने हॉगवर्ट्स में जब भी कैरियर के बारे में सोचा था, तो शैतानी जादूगरों को पकड़ने वाला ऑरर बनने के बारे में ही सोचा था।

'हाँ,' टौंक्स ने गर्व से कहा। 'किंग्सले भी है। वह मुझसे थोड़ा सीनियर है। मैं तो एक साल पहले ही ऑरर बनी हूँ। चोरी और पीछा करने के विषयों में तो मैं फ़ेल होते-होते बची थी। मैं बहुत फूहड़ हूँ। जब हम नीचे आए थे, तो तुमने

प्लेट टूटने की आवाज़ सुनी होगी। वह प्लेट मैंने ही तोड़ी थी।'

'क्या कोई जादूरूपांतरकारी बनना सीख सकता है?' हैरी ने सीधे खड़े होते हुए पूछा। अब वह सामान पैक करने के बारे में पूरी तरह से भूल चुका था।

टौंक्स हँस दी।

'शर्त लगाती हूँ कि तुम कभी-कभार अपने निशान को छिपाना चाहोगे, है ना?'

उसकी आँखें हैरी के माथे पर बने बिजली गिरने के आकार के निशान पर पड़ीं।

'हाँ, ज़रूर,' हैरी बुदबुदाया और मुड़ गया। जब लोग उसके निशान को घूरते थे, तो उसे अच्छा नहीं लगता था।

'मुझे डर है कि तुम्हें यह चीज़ बहुत मुश्किल से सीखनी होगी,' टौंक्स बोली। 'जादूरूपांतरकारी सचमुच दुर्लभ होते हैं। वे बनते नहीं हैं, जन्मजात होते हैं। ज़्यादातर जादूगरों को अपना हुलिया बदलने के लिए छड़ी या काढ़े की ज़रूरत पड़ती है। लेकिन हमें चलना है, हैरी। हमें सामान पैक करना है।' उसने झेंपकर फ़र्श पर बिखरे सामान को देखते हुए कहा।

'ओह - हाँ,' हैरी ने कुछ पुस्तकें उठाते हुए कहा।

'बेवकूफ़ी मत करो। अगर मैं *पैक* करूँगी, तो काम जल्दी हो जाएगा!' टौंक्स चिल्लाई और उसने पूरे फ़र्श पर अपनी छड़ी घुमाई।

पुस्तकें, कपड़े, टेलीस्कोप और तराजू हवा में उड़कर संदूक में गिर गए।

'बहुत सफ़ाई से पैकिंग नहीं हुई है,' टौंक्स ने संदूक के पास जाकर अंदर के सामान को देखते हुए कहा। 'मेरी माँ हर चीज़ को बहुत सफ़ाई से पैक कर लेती हैं - वे तो मोज़ों को भी अपने आप तह कर देती हैं - लेकिन मैं उनकी कला में कभी निपुण नहीं हो पाई - ऐसा एक तरह के झटके से होता है -' उसने अपनी छड़ी उम्मीद से झटकी।

हैरी का एक मोज़ा हल्के से हिला और संदूक के सारे सामान के ऊपर गिर गया।

'बहुत अच्छा,' टौंक्स ने संदूक का ढक्कन लगाते हुए कहा, 'चलो, कम से कम सब कुछ अंदर तो चला गया। वैसे उस पिंजरे को भी सफ़ाई की ज़रूरत है।' उसने अपनी छड़ी हेडविग के पिंजरे की तरफ़ करते हुए कहा, *'स्वच्छो।'* वहाँ लगे कुछ पंख और बीट ग़ायब हो गई। 'चलो, अब यह *थोड़ा* ठीक है - मैं इन घरेलू मंत्रों में कभी महारत हासिल नहीं कर पाई। ठीक है - हर चीज़ है? कड़ाही? झाड़ू? अरे वाह! - *फ़ायरबोल्ट?*'

हैरी के दाहिने हाथ की झाड़ू देखकर टौंक्स की आँखें फैल गईं। यह अंतर्राष्ट्रीय स्तर की जादुई झाड़ू सिरियस ने तोहफ़े में दी थी और हैरी को इस पर बहुत गर्व था।

'और मैं अब भी कॉमेट टू सिक्स्टी पर सवारी कर रही हूँ,' टौंक्स ने ईर्ष्या से कहा। 'अच्छी बात है ... छड़ी अब भी तुम्हारी जीन्स में है? दोनों पुट्ठे अब भी सही-सलामत हैं? **ठीक है**, तो अब हम चलते हैं। *चलितो संदूक।*'

हैरी का संदूक हवा में कुछ इंच ऊपर उठा। ऑर्केस्ट्रा के निर्देशक की तरह टौंक्स अपनी छड़ी के संकेत से संदूक को कमरे के पार दरवाज़े के बाहर ले गई। हेडविग का पिंजरा उसके बाएँ हाथ में था। हैरी अपनी झाड़ू उठाकर सीढ़ियों पर उसके पीछे-पीछे उतरा।

किचन में पहुँचकर उसने देखा कि मूडी ने अपनी आँख दोबारा लगा ली थी। सफ़ाई हो जाने के बाद अब यह इतनी तेज़ घूम रही थी कि हैरी को इसकी तरफ़ देखकर अजीब सा एहसास होने लगा। किंग्स्ले शैकलबोल्ट और स्टर्गिस पोडमोर माइक्रोवेव को देख रहे थे, जबकि हेस्टिया जोन्स आलू छीलने वाली मशीन को देखकर हँस रही थी, जो उसे दराज़ खँगालने के दौरान मिली थी। ल्यूपिन डर्स्ली दंपति को एक पत्र लिखने के बाद सील कर रहे थे।

जब टौंक्स और हैरी किचन में दाख़िल हुए, तो ल्यूपिन ने ऊपर देखकर कहा, 'बहुत बढ़िया। मुझे लगता है कि हमारे पास एक मिनट का समय है। अब हमें बाहर बगीचे में पहुँच जाना चाहिए, ताकि हम चलने के लिए पूरी तरह से तैयार रहें। हैरी, मैंने चिट्ठी में तुम्हारे अंकल-आंटी को बता दिया है कि वे चिंता न करें -'

'वे करेंगे भी नहीं,' हैरी ने कहा।

'- कि तुम सुरक्षित हो -'

'इससे वे निराश हो जाएँगे।'

'- और तुम उनसे अगली गर्मियों में मिलोगे।'

'क्या ऐसा करना ज़रूरी है?'

ल्यूपिन मुस्कराए, लेकिन उन्होंने कोई जवाब नहीं दिया।

'यहाँ आओ, लड़के,' मूडी ने अपनी छड़ी से हैरी को पास आने का इशारा किया। 'मुझे तुम पर विभ्रम सम्मोहन करना है।'

हैरी ने घबराकर पूछा, 'आपको क्या करना है?'

'विभ्रम सम्मोहन,' मूडी ने अपनी छड़ी उठाते हुए कहा। 'ल्यूपिन ने

बताया है कि तुम्हारे पास अदृश्य चोगा है, लेकिन उड़ते समय वह तुम्हें नहीं ढँक पाएगा। इस सम्मोहन से तुम ज़्यादा अच्छी तरह छिपे रहोगे। यह लो –'

उन्होंने हैरी के सिर पर छड़ी ठोंकी। उसे एक अजीब सा एहसास हुआ। उसे लगा, जैसे मूडी ने उसके सिर पर अंडा फोड़ दिया हो। जहाँ मूडी की छड़ी टकराई थी, वहाँ से उसके शरीर में अजीब सी ठंडक रिसने लगी।

टौंक्स ने हैरी के शरीर को घूरते हुए कहा, 'बहुत बढ़िया, बावरे-नैन।'

हैरी ने अपने शरीर की तरफ़ देखा। अब यह उसके शरीर जैसा नहीं दिख रहा था। उसका शरीर अदृश्य नहीं था, लेकिन यह पीछे के किचन जैसे रंग का हो गया था। अब वह एक इंसानी गिरगिट बन गया था।

मूडी ने अपनी छड़ी से पीछे वाले दरवाज़े का ताला खोलते हुए कहा, 'चलो।'

वे सब वरनॉन अंकल के सुंदर लॉन में आ गए।

मूडी ने अपनी जादुई आँख से आसमान का मुआयना करते हुए कहा, 'आज रात को आसमान साफ़ है। अगर बादल होते, तो छिपने में आसानी होती। ठीक है, तुम ध्यान से सुनो,' उन्होंने हैरी से कहा, 'हम आस-पास उड़ेंगे। टौंक्स तुम्हारे आगे रहेगी। उसके पीछे-पीछे उड़ना। ल्यूपिन नीचे से तुम्हारी रखवाली करेंगे। मैं तुम्हारे ठीक पीछे रहूँगा। बाक़ी लोग तुम्हारे आस-पास गोल घेरे में उड़ेंगे। हम किसी भी स्थिति में रखवाली के काम को नहीं छोड़ेंगे, सब मेरी बात समझ गए? अगर हममें से कोई मर जाता है –'

'क्या ऐसा हो सकता है?' हैरी ने डरकर पूछा, लेकिन मूडी ने उसके सवाल को नज़रअंदाज़ कर दिया।

'तब भी बाक़ी लोग उड़ते रहेंगे। रुकना मत, अपनी जगह मत छोड़ना। हैरी, अगर वे हम सबको मार डालें और सिर्फ़ तुम बचे रहो, तो भी चिंता मत करना। आगे तुम्हारी रखवाली करने के लिए और पहरेदार तैनात हैं। पूर्व दिशा में उड़ते रहना, तुम सही-सलामत पहुँच जाओगे।'

'इतनी सुखद भविष्यवाणियाँ मत करो, बावरे-नैन। हैरी सोचेगा कि हम इस काम को गंभीरता से नहीं ले रहे हैं,' टौंक्स ने कहा, जब उसने हैरी के संदूक और हेडविग के पिंजरे को अपनी झाड़ू से बाँधा।

'मैं तो बस लड़के को योजना बता रहा हूँ,' मूडी ने गुर्राकर कहा। 'हमारा काम उसे मुख्यालय तक सुरक्षित पहुँचाना है और अगर इस कोशिश में हमारी जान भी चली जाए, तो –'

'किसी की भी जान नहीं जाएगी,' किंग्सले शैकलबोल्ट ने अपनी भारी

और शांत आवाज़ में कहा।

'वह देखो, पहला संकेत हो गया। अब अपनी-अपनी झाडुओं पर चढ़ जाओ!' ल्यूपिन ने तीखी आवाज़ में आसमान की तरफ़ इशारा करते हुए कहा।

उनके बहुत ऊपर सितारों के बीच में चमकीली लाल चिंगारियों की रोशनी दिख रही थी। उन्हें देखते ही हैरी पहचान गया कि वे छड़ी की चिंगारियाँ थीं। उसने अपनी फ़ायरबोल्ट के ऊपर दाहिना पैर डाला, इसके हत्थे को कसकर पकड़ा और महसूस किया कि यह हल्के से थरथरा रही थी। ऐसा लग रहा था कि यह भी एक बार फिर हवा में उड़ने के लिए उतावली हो रही थी।

तभी आसमान में इस बार हरी चिंगारियों का विस्फोट हुआ और उसे देखते ही ल्यूपिन तेज़ी से बोले, 'दूसरा संकेत भी हो गया। अब चलो!'

हैरी ने ज़मीन पर कसकर पैर मारे। रात की ठंडी हवा उसके बालों को बिखेरने लगी और प्रिविट ड्राइव के साफ़ चौकोर बगीचे दूर होने लगे तथा गहरे हरे व काले टुकड़ों में तेज़ी से सिकुड़ने लगे। जब हवा के थपेड़े उसके चेहरे पर तेज़ी से पड़े, तो मंत्रालय की सुनवाई का ख़्याल उसके दिमाग़ से निकल गया। उसे लगा, जैसे ख़ुशी के मारे उसका दिल फट जाएगा। वह दोबारा उड़ रहा था। वह प्रिविट ड्राइव से दूर उड़ रहा था, जिसका उसने पूरी गर्मियों में सपना देखा था। वह अपने असली घर जा रहा था ... कुछ समय के लिए उसकी सारी परेशानियाँ ख़त्म हो गईं और वह असीम उल्लास से सितारों भरे विशाल आसमान में खो गया।

'बाईं तरफ़ चलो, बाईं तरफ़ चलो, एक मगलू ऊपर देख रहा है!' मूडी ने उसके पीछे से चिल्लाकर कहा। टोंक्स ने दिशा बदली और हैरी ने भी उसके पीछे-पीछे अपनी दिशा बदल ली। हैरी टोंक्स की झाडू से बँधे अपने संदूक को लटकते और हवा में लहराते देख रहा था। 'हमें और ऊँचाई पर उड़ना है ... चौथाई मील तक!'

ऊपर की तरफ़ उड़ते समय ठंड के कारण हैरी की आँखों में पानी आ गया। उसे नीचे कुछ नज़र नहीं आ रहा था। सिर्फ़ चींटी जैसी रोशनियाँ दिख रही थीं, जो कारों की हेडलाइटों और स्ट्रीटलैंपों की थीं। उनमें से दो छोटी रोशनियाँ वरनॉन अंकल की कार की भी हो सकती थीं ... इस वक़्त डर्स्ली परिवार अपने ख़ाली घर की तरफ़ लौटकर आ रहा होगा और लॉन प्रतियोगिता के न होने के कारण आगबबूला होगा ... यह सोचकर हैरी ज़ोर से हँसा, हालाँकि उसकी आवाज़ दूसरों के सरसराते दुशालों की आवाज़ों, उसके संदूक और पिंजरे की खड़खड़ तथा हवा की गरज में डूब गई। अब वे हवा में तेज़ी से उड़ रहे थे और हैरी एक महीने बाद ख़ुद को इतना जीवंत तथा ख़ुश महसूस कर रहा था।

'दक्षिण दिशा में चलो!' बावरे-नैन चिल्लाकर बोले। 'आगे शहर है!'

वे नीचे फैली मकड़ी के जाल जैसी रोशनियों की चमक से बचने के लिए दाईं तरफ़ उड़ने लगे।

मूडी ने कहा, 'दक्षिण-पूर्व दिशा में चलो और ऊपर उड़ते रहो। आगे कुछ बादल हैं, जिनमें हम आराम से ओझल हो सकते हैं!'

टौंक्स ग़ुस्से से चिल्लाकर बोली, 'हम बादलों के बीच से नहीं उड़ेंगे! बावरे-नैन, हम भीग जाएँगे!'

हैरी को उसकी बात सुनकर राहत मिली। फ़ायरबोल्ट के हैंडल पर उसके हाथ सुन्न हो रहे थे और वह काँपने लगा था। वह सोच रहा था कि काश वह कोट पहनकर आया होता।

बावरे-नैन के निर्देशों के अनुसार वे समय-समय पर अपनी दिशा बदलते रहे। बर्फ़ीली हवा के कारण हैरी की आँखें सिकुड़ गई थीं। हवा के कारण उसके कान भी दुखने लगे थे। उसे याद आया कि पहले सिर्फ़ एक बार ही उसे झाड़ू पर इतनी ठंड लगी थी। ऐसा तब हुआ था, जब उसने अपने थर्ड ईयर में तूफ़ानी मौसम में मेहनतकश के ख़िलाफ़ क्विडिच मैच खेला था। उसके चारों तरफ़ उसके पहरेदार विशाल गिद्धों की तरह मँडरा रहे थे। हैरी को समय का अंदाज़ा नहीं रहा। उसे ज़रा भी पता नहीं था कि वे कितने समय से उड़ रहे थे, वैसे उसे लग रहा था कि कम से कम एक घंटा तो हो गया होगा।

'दक्षिण-पश्चिम की तरफ़ मुड़ो!' मूडी ने चिल्लाकर कहा। 'हमें राजमार्ग से बचकर चलना है!'

हैरी का शरीर अब इतना ठंडा हो चुका था कि वह नीचे जा रही कारों के भीतर के सूखे, आरामदेह माहौल के बारे में हसरत से सोचने लगा। फिर वह छू पाउडर से यात्रा करने के बारे में और भी हसरत से सोचने लगा। हालाँकि अँगीठियों के बीच घूमना कष्टदायक था, लेकिन लपटों के कारण कम से कम गर्मी तो रहती थी ... किंग्सले शैकलबोल्ट ने हैरी के चारों तरफ़ चक्कर लगाया। उसका गंजा सिर और बाली चाँदनी में चमक रहे थे ... अब उसकी दाहिनी तरफ़ एमेलिन वैन्स थीं, जिनकी छड़ी बाहर निकली हुई थी और जिनका सिर दाएँ-बाएँ हो रहा था ... फिर वे भी उसके ऊपर से होते हुए निकल गईं, जिसके बाद स्टर्गिस पोडमोर की बारी आई ...

मूडी ने चिल्लाकर कहा, 'हम यह सुनिश्चित करने के लिए पलट लेते हैं कि कोई हमारा पीछा तो नहीं कर रहा है!'

सबसे आगे उड़ रही टौंक्स चिल्लाई, '**मूडी, क्या आप पागल हो गए**

हैं? हम सबकी कुल्फ़ी जम चुकी है! अगर हम इसी तरह पीछे पलटते रहे, तो हम वहाँ अगले हफ़्ते तक नहीं पहुँच पाएँगे! हम अपनी मंज़िल के बहुत क़रीब हैं!'

'अब नीचे उतरने का समय है!' ल्यूपिन की आवाज़ आई। 'हैरी, टौंक्स के पीछे उतरो!'

हैरी ने टौंक्स के पीछे गोता लगा दिया। वे बहुत सारी रोशनियों के जमघट की तरफ़ जा रहे थे। वे नीचे उतरते गए। हैरी को हेडलाइटें, स्ट्रीटलैंप्स, चिमनियाँ और टेलीविज़न एरियल्स दिख रहे थे। वह जल्दी से जल्दी ज़मीन पर उतरना चाहता था, हालाँकि उसे यह लग रहा था कि वह अपनी झाड़ू पर जम चुका होगा और किसी को उसे उतारने में मदद करनी होगी।

'यह लो!' टौंक्स ने कुछ सेकंड बाद नीचे उतरते हुए कहा।

हैरी उसके पीछे-पीछे एक छोटे चौक के बीच में घास पर उतरा। टौंक्स हैरी का संदूक खोलने लगी। हैरी ने काँपते हुए चारों तरफ़ देखा। पास वाले गंदे मकान बहुत आकर्षक नहीं लग रहे थे। उनमें से कुछ की खिड़कियाँ टूटी हुई थीं, जो स्ट्रीटलैंपों की रोशनी में हल्के से चमक रही थीं। कुछ दरवाज़ों का रंग उखड़ गया था और कई मकानों के सामने कचरे का ढेर लगा हुआ था।

'हम कहाँ हैं?' हैरी ने पूछा, लेकिन ल्यूपिन धीरे से बोले, 'एक मिनट रुको।'

मूडी अपने चोगे में कुछ खोज रहे थे। ठंड के कारण उनके गाँठदार हाथ सही तरीके से काम नहीं कर पा रहे थे।

वे बुदबुदाकर बोले, 'मिल गया।' फिर उन्होंने एक सफ़ेद सिगरेट लाइटर बाहर निकालकर क्लिक की।

सबसे पास वाला स्ट्रीटलैंप एक झटके से बंद हो गया। उन्होंने लाइटर को दोबारा क्लिक किया; अगला लैंप भी बुझ गया। वे तब तक क्लिक करते रहे, जब तक कि उस चौक के सारे लैंप नहीं बुझ गए। अब सिर्फ़ पर्दे लगी खिड़कियों और हँसिएदार चाँद से ही रोशनी आ रही थी।

मूडी ने लैंप बुझाने वाले लाइटर को जेब में रखते हुए गुर्राकर कहा, 'इसे डम्बलडोर से उधार लिया था। अगर कोई मगलू खिड़की में से बाहर झाँक रहा होगा, तो अब वह कुछ नहीं देख पाएगा। जल्दी चलो।'

उन्होंने हैरी का हाथ पकड़ा और उसे घास से सड़क के पार फ़ुटपाथ पर ले गए। ल्यूपिन और टौंक्स हैरी का संदूक पकड़कर पीछे-पीछे आ रहे थे। बाक़ी के पहरेदार अपनी छड़ियाँ बाहर निकालकर उनके आजू-बाजू चल रहे थे।

सबसे पास वाले मकान की ऊपर वाली खिड़की से एक स्टीरियो की धमधम सुनाई दे रही थी। उसके टूटे हुए गेट के भीतर कचरे से भरे थैलों से सड़ने

की तेज़ बदबू आ रही थी।

'रुको,' मूडी बुदबुदाए और हैरी के हाथ की तरफ़ एक चर्मपत्र का टुकड़ा बढ़ाया। उन्होंने अपनी चमकती छड़ी भी इसके क़रीब रखी, ताकि हैरी उसे पढ़ सके। 'इसे जल्दी से पढ़ लो और याद कर लो।'

हैरी ने उस चर्मपत्र की तरफ़ देखा। सँकरी लिखावट थोड़ी जानी-पहचानी लग रही थी। उस पर लिखा था :

मायापंछी के समूह का मुख्यालय बारह नंबर, ग्रिमॉल्ड चौक, लंदन में है।

अध्याय चार

बारह नंबर, ग्रिमॉल्ड चौक

हैरी ने पूछा, 'मायापंछी का समूह क्या है?'

मूडी ने गुर्राकर कहा, 'यहाँ कुछ मत पूछो, लड़के! अंदर पहुँचने तक सब्र करो!'

उन्होंने हैरी के हाथ से चर्मपत्र वापस लिया और अपनी छड़ी की नोक से उसमें आग लगा दी। जब चर्मपत्र लपटों में राख होकर ज़मीन पर गिरा, तो हैरी ने दोबारा आस-पास के मकानों को देखा। वे ग्यारह नंबर के मकान के बाहर खड़े हुए थे। उसने जब बाईं तरफ़ देखा, तो वहाँ उसे दस नंबर का मकान दिखा। बहरहाल, दाईं तरफ़ तेरह नंबर डला था।

'लेकिन बारह नंबर कहाँ है - ?'

ल्यूपिन ने धीरे से कहा, 'अभी-अभी तुमने जो पता याद किया है, उसके बारे में सोचो।'

हैरी चर्मपत्र के बारे में सोचने लगा और जैसे ही वह बारह नंबर वाले हिस्से में पहुँचा, ग्यारह और तेरह नंबर के मकानों के बीच एक पुराना सा दरवाज़ा प्रकट हो गया। इसके बाद गंदी दीवारें और मैली-कुचैली खिड़कियाँ भी तेज़ी से प्रकट हुईं। ऐसा लग रहा था, जैसे एक अतिरिक्त मकान वहाँ पर आ गया हो और उसने आस-पास के दोनों मकानों को थोड़ा-थोड़ा खिसका दिया हो। हैरी मुँह फाड़कर उसे घूरता रहा। ग्यारह नंबर के मकान में स्टीरियो पहले की तरह ही धमधम कर रहा था। ज़ाहिर है, उसके अंदर रहने वाले मगलुओं को कुछ पता नहीं चला था।

मूडी ने हैरी की पीठ पर छड़ी चुभाते हुए कहा, 'चलो, हैरी।'

हैरी पत्थर की पुरानी सीढ़ियाँ चढ़ने लगा। वह अचानक सामने आए दरवाज़े को घूरकर देख रहा था। इसका काला पेंट पुराना हो चला था और इसमें

दरारें पड़ गई थीं। इसकी सफ़ेद कुंडी कुंडली मारकर बैठे साँप जैसी घुमावदार थी। दरवाज़े में कोई कीहोल या लेटरबॉक्स नहीं था।

ल्यूपिन ने अपनी छड़ी बाहर निकालकर दरवाज़े को एक बार ठोंका। हैरी को कई आवाज़ें सुनाई दीं। कोई ताले और जंज़ीरें खोल रहा था। फिर दरवाज़ा चरमराकर खुल गया।

ल्यूपिन फुसफुसाकर बोले, 'हैरी, जल्दी से अंदर चले जाओ, लेकिन ज़्यादा अंदर मत जाना और किसी चीज़ को हाथ मत लगाना।'

हैरी चौखट लाँधकर अँधेरे हॉल में दाख़िल हो गया। उसे नमी, धूल और सड़न की हल्की बदबू आ रही थी। ऐसा लग रहा था, जैसे वह किसी वीरान और उजाड़ इमारत में घुस रहा हो। उसने पीछे देखा, बाक़ी लोग भी उसके पीछे-पीछे आ रहे थे। ल्यूपिन और टौंक्स उसका संदूक तथा हेडविग का पिंजरा ला रहे थे। मूडी सबसे ऊपर वाली सीढ़ी पर खड़े होकर लाइटर से स्ट्रीटलैंपों की रोशनियाँ लौटा रहे थे। रोशनियाँ अपने बल्ब तक उड़कर गईं और चौक एक बार फिर नारंगी रोशनी में नहा गया। इसके बाद मूडी लँगड़ाते हुए अंदर घुसे और उन्होंने सामने वाला दरवाज़ा लगा लिया, जिससे हॉल में घुप्प अँधेरा हो गया।

'यह लो -'

उन्होंने अपनी छड़ी हैरी के सिर पर कसकर ठोंकी। इस बार उसे ऐसा लगा, जैसे उसकी पीठ पर कोई गर्म चीज़ रिसकर बह रही हो। वह समझ गया कि उन्होंने विभ्रम सम्मोहन ख़त्म कर दिया होगा।

मूडी ने फुसफुसाकर कहा, 'अब सभी लोग जहाँ हो, वहीं खड़े रहना। मैं थोड़ी रोशनी करता हूँ।'

बाक़ी लोगों की खुसुर-पुसुर से हैरी को बुरा एहसास हो रहा था। ऐसा लग रहा था, जैसे वे किसी मरणासन्न व्यक्ति के मकान में घुस आए हों। तभी एक धीमी आवाज़ हुई और दीवारों पर लगे पुराने ज़माने के गैस लैंप जल उठे। उनकी हल्की टिमटिमाती रोशनी में एक लंबे, बोझिल हॉल के रास्ते में बिछे उधड़ते कारपेट और उखड़ते वॉलपेपर दिखने लगे। ऊपर मकड़ी के जालों से ढँका एक झाड़फानूस चमकने लगा और उसकी रोशनी में दीवारों पर कुछ व्यक्तियों की तस्वीरें नज़र आने लगीं, जो सदियों की धूल से काली पड़ गई थीं। हैरी ने हलचल सुनकर इधर-उधर देखा। पास की जर्जर टेबल पर रखे झाड़फानूस और मोमबत्ती स्टैंड सर्पाकार थे।

तभी उसे तेज़ क़दमों की आहट सुनाई दी और रॉन की मम्मी मिसेज़ वीज़्ली हॉल के दूर वाले दरवाज़े से आती दिखीं। वे तेज़ी से उनके पास आ रही थीं और मुस्कराकर उनका स्वागत कर रही थीं। हैरी ने देखा कि वे पहले से

थोड़ी दुबली और मुरझाई हुई दिख रही थीं।

'ओह हैरी, तुम्हें देखकर अच्छा लगा!' उन्होंने फुसफुसाकर कहा और उसे इतनी कसकर गले लगाया कि उसकी हड्डियाँ टूटते-टूटते बचीं। फिर उन्होंने उसे थोड़ी दूर करके ग़ौर से देखा। 'तुम थोड़े दुबले दिख रहे हो। तुम्हें जमकर खिलाना पड़ेगा, लेकिन डिनर के लिए अभी थोड़ा इंतज़ार करना पड़ेगा।'

वे हैरी के पीछे खड़े जादूगरों के समूह की तरफ़ मुड़ीं और फुसफुसाकर बोलीं, 'वे अभी-अभी आए हैं। मीटिंग शुरू हो चुकी है।'

हैरी के पीछे खड़े जादूगरों के मुँह से दिलचस्पी और रोमांच की आवाज़ें निकलीं। वे हैरी के पास से होकर उस दरवाज़े की तरफ़ जाने लगे, जिसमें से मिसेज़ वीज़्ली अभी-अभी आई थीं। हैरी भी ल्यूपिन के पीछे-पीछे जाने लगा, लेकिन मिसेज़ वीज़्ली ने उसे वहीं रोक दिया।

'नहीं हैरी, मीटिंग में सिर्फ़ समूह के सदस्य ही भाग ले सकते हैं। रॉन और हर्माइनी ऊपर हैं। जब तक मीटिंग ख़त्म नहीं हो जाती, तब तक तुम उनके साथ इंतज़ार करो। फिर हम डिनर करेंगे। और हॉल में अपनी आवाज़ नीची रखना।'

'क्यों ?'

'मैं नहीं चाहती कि कोई जाग जाए।'

'आप यह क्या – ?'

'मैं बाद में समझाऊँगी। अभी मुझे जल्दी है। मुझे मीटिंग में पहुँचना है – मैं तुम्हें बस इतना बता देती हूँ कि तुम्हें कहाँ सोना है।'

होंठों पर उँगली रखकर वे दबे पाँव दीमक खाए लंबे पर्दों के पास से गुज़रीं। हैरी को लगा कि इनके पीछे एक और दरवाज़ा होगा। फिर वे एक बड़े छाता स्टैंड के पास से गुज़रीं, जिसे देखकर ऐसा लग रहा था, जैसे उसे किसी दैत्य के पैर से बनाया गया होगा। फिर वे अँधेरी सीढ़ियों पर चढ़ने लगे। वहाँ दीवार पर कुछ पटिए लगे थे, जिन पर कटे हुए सिर क़तार में रखे हुए थे। क़रीब से देखने पर हैरी को पता चला कि ये सिर घरेलू जिन्नों के हैं। उन सभी की नाक थूथन जैसी दिख रही थी।

हर क़दम के साथ हैरी की हैरानी बढ़ती गई। वे लोग इस मकान में क्या कर रहे थे, जो किसी बड़े शैतानी जादूगर का मकान लग रहा था!

'मिसेज़ वीज़्ली – आख़िर – ?'

'रॉन और हर्माइनी तुम्हें हर बात समझा देंगे। मुझे मीटिंग में जल्दी पहुँचना है,' मिसेज़ वीज़्ली ने फुसफुसाकर कहा। सीढ़ियों के ऊपर पहुँचने के बाद

वे बोलीं, 'तुम्हारा कमरा दाहिनी तरफ़ वाला है। मीटिंग ख़त्म होते ही मैं तुम्हें आवाज़ दे दूँगी।'

इसके बाद वे तेज़ी से सीढ़ियाँ उतर गईं।

हैरी ने ऊपर जाकर बेडरूम का हैंडल घुमाया, जो साँप के सिर के आकार का था।

दरवाज़ा खुलते ही उसे कमरे की ऊँची छत और दो पलंग दिखे। फिर किसी उल्लू की तेज़ आवाज़ सुनाई दी। इसके बाद किसी के ज़ोर से चीख़ने की आवाज़ आई। उसकी आँखों के सामने बहुत से झबरीले बाल आ गए, जिससे उसे दिखाई देना बंद हो गया। हर्माइनी ने उस पर छलाँग लगा दी थी और इस कारण वह गिरते-गिरते बचा था। रॉन का छोटा उल्लू पिगविजियन रोमांच से उनके सिर के ऊपर मँडरा रहा था।

'**हैरी!** रॉन, वह आ गया है, हैरी यहाँ आ गया है! हमें तुम्हारे आने की आवाज़ सुनाई नहीं दी! ओह, तुम *कैसे* हो? तुम ठीक तो हो? क्या तुम्हें हम पर ग़ुस्सा आया? मैं शर्त लगाती हूँ कि तुम्हें आया होगा। मैं जानती हूँ कि हमारी चिट्ठियाँ बकवास थीं - लेकिन हम तुम्हें कुछ नहीं बता सकते थे। डम्बलडोर ने हमसे वादा ले लिया था कि हम ऐसा नहीं करेंगे। ओह, हमारे पास तुम्हें बताने के लिए बहुत सारी बातें हैं और तुम्हारे पास भी तो हैं - दमपिशाच! जब हमने सुना - और मंत्रालय की सुनवाई - यह बहुत बुरा हुआ। मैंने किताबों में इस बारे में छानबीन की थी। वे तुम्हें स्कूल से नहीं निकाल सकते, वे ऐसा कर ही नहीं सकते। नाबालिग़ जादूगरी तार्किक प्रतिबंध अधिनियम के अनुच्छेद के मुताबिक प्राणघातक स्थितियों में जादू का इस्तेमाल किया जा सकता है -'

'उसे साँस तो लेने दो, हर्माइनी,' रॉन ने हैरी के पीछे का दरवाज़ा बंद करते हुए मुस्कराकर कहा। एक महीने में ही वह कुछ इंच लंबा हो चुका था, हालाँकि उसकी लंबी नाक, चमकीले लाल बाल और चकत्ते पहले जैसे ही थे।

मुस्कराती हुई हर्माइनी ने हैरी को छोड़ दिया, लेकिन इससे पहले कि वह कुछ और कह पाती, एक धीमी आवाज़ हुई और कोई सफ़ेद चीज़ गहरे रंग की अलमारी के ऊपर से उतरकर हैरी के कंधे पर बैठ गई।

'हेडविग!'

जब हैरी ने उसके पंख सहलाए, तो सफ़ेद उल्लू ने अपनी चोंच कुटकुटाई और प्यार से उसके कान कुतरे।

'इसने तो मुसीबत खड़ी कर दी थी,' रॉन बोला। 'जब वह तुम्हारी आख़िरी चिट्ठी लेकर आई, तो उसने चोंच मार-मारकर हमारा दम निकाल

दिया। यह देखो -'

उसने हैरी को अपने दाएँ हाथ की तर्जनी दिखाई, जिस पर एक गहरा घाव साफ़ दिख रहा था।

हैरी बोला, 'ओह हाँ। मुझे अफ़सोस है, लेकिन मुझे जवाब चाहिए था, तुम समझ सकते हो -'

रॉन ने कहा, 'और हम तुम्हें जवाब देना चाहते थे, दोस्त। हर्माइनी तो बहुत लंबी चिट्ठी लिखना चाहती थी। वह बार-बार कह रही थी कि अगर तुम बिना किसी जानकारी के वहाँ पर फँसे रहोगे, तो कोई न कोई मूर्खतापूर्ण काम कर बैठोगे, लेकिन डम्बलडोर ने हमसे -'

'वादा ले लिया था कि तुम मुझे कुछ नहीं बताओगे,' हैरी ने कहा। 'हाँ, हर्माइनी मुझे पहले ही यह बात बता चुकी है।'

अपने दोनों सबसे अच्छे दोस्तों को देखकर उसके मन में ख़ुशी की जो तपिश महसूस हुई थी, वह अब ठंडी हो चुकी थी। उसे लगा, जैसे उसके पेट में कोई बर्फ़ीली चीज़ भर गई हो। वह एक महीने से उनकी एक झलक देखने के लिए बेकरार था, लेकिन अब अचानक उसे महसूस हुआ कि रॉन और हर्माइनी उसे अकेला छोड़ दें, तो ज़्यादा अच्छा रहेगा।

तनाव भरी ख़ामोशी छा गई, जिसमें हैरी हेडविग को थपथपाता रहा। वह उन दोनों से नज़रें चुरा रहा था।

हर्माइनी ने थोड़ा हाँफते हुए कहा, 'डम्बलडोर का कहना था कि यही सबसे अच्छा रहेगा।'

हैरी बोला, 'ठीक है।' तभी उसका ध्यान इस तरफ़ गया कि हर्माइनी के हाथों पर भी हेडविग की चोंच के निशान थे, लेकिन उसे अब इस बात पर ज़रा भी अफ़सोस नहीं हो रहा था।

रॉन ने कहा, 'शायद उन्हें लगा होगा कि तुम मगलुओं के बीच ज़्यादा सुरक्षित रहोगे -'

'हाँ?' हैरी ने अपनी भौंहें उठाते हुए कहा। 'लेकिन फिर भी मुझ पर दमपिशाचों ने हमला कर दिया। क्या गर्मियों की छुट्टियों में *तुम* दोनों में से किसी पर दमपिशाचों ने हमला किया था?'

'नहीं - लेकिन इसीलिए तो उन्होंने मायापंछी के समूह के सदस्यों को तुम्हारी निगरानी के लिए नियुक्त किया था -'

हैरी के पेट में ज़ोरदार झटका लगा, जैसे वह सीढ़ियाँ उतरते समय एक पायदान चूक गया हो। तो इसका मतलब है कि उसके अलावा सभी को यह बात

मालूम थी कि उसकी निगरानी की जा रही थी।

हैरी ने अपनी आवाज़ को सामान्य बनाने की पूरी कोशिश करते हुए कहा, 'उससे ज़्यादा फ़ायदा नहीं हुआ, है ना? आख़िर मुझे अपना बचाव ख़ुद ही करना पड़ा, है ना?'

हर्माइनी ने थोड़ी हैरानी से कहा, 'डम्बलडोर बहुत ग़ुस्सा हुए थे। जब उन्हें पता चला कि मंडंगस पहरेदारी छोड़कर कहीं चला गया था, तो वे आगबबूला हो गए। हमने उन्हें देखा था।'

हैरी ने ठंडेपन से कहा, 'अच्छा हुआ कि वह चला गया। अगर वह नहीं गया होता, तो मैं जादू करके दमपिशाचों को नहीं भगा पाता और शायद डम्बलडोर पूरी गर्मियों में मुझे प्रिविट ड्राइव में ही छोड़ देते।'

हर्माइनी ने धीरे से पूछा, 'क्या तुम्हें ... क्या तुम्हें जादू मंत्रालय की सुनवाई की चिंता नहीं है?'

'नहीं,' हैरी ने आवेश में झूठ बोल दिया। वह चारों तरफ़ देखता हुआ उनसे दूर चला गया। हेडविग उसके कंधे पर आराम से बैठी थी, लेकिन हैरी को इस कमरे का माहौल अच्छा नहीं लग रहा था। यहाँ नमी और अँधेरा था। एक सजी हुई तस्वीर के फ़्रेम में ख़ाली कैनवास दिख रहा था, जिससे उखड़ती दीवारों का सूनापन कम हो रहा था। जब हैरी उस तस्वीर के पास से गुज़रा, तो उसे किसी व्यक्ति के व्यंग्य से हँसने की आवाज़ सुनाई दी, लेकिन वहाँ कोई नज़र नहीं आया।

हैरी ने अब भी अपनी आवाज़ को सामान्य रखने की कोशिश करते हुए पूछा, 'डम्बलडोर मुझे अँधेरे में रखने के लिए इतने उत्सुक क्यों हैं? क्या तुम लोगों ने उनसे यह पूछने की ज़हमत उठाई?'

उसने नज़रें उठाकर उनकी तरफ़ देखा। वे दोनों एक-दूसरे की तरफ़ ऐसे देख रहे थे, जैसे उन्हें उससे इसी तरह के व्यवहार का अंदेशा था। लेकिन इससे उसका गर्म मिज़ाज ठंडा नहीं हुआ।

'हमने डम्बलडोर से कहा था कि हम तुम्हें सारी बातें बताना चाहते हैं,' रॉन बोला। 'हमने सचमुच कहा था, दोस्त। लेकिन इस वक़्त वे सचमुच व्यस्त हैं। जब से हम यहाँ आए हैं, तब से हमने उन्हें सिर्फ़ दो बार देखा है और वह भी ज़रा सी देर के लिए। उन्होंने हमसे वादा ले लिया कि तुम्हें चिट्ठी लिखते समय हम कोई महत्वपूर्ण बात नहीं बताएँगे। उन्होंने कहा कि कोई उल्लुओं को बीच में पकड़ सकता है।'

हैरी ने तपाक से कहा, 'अगर वे चाहते, तो किसी दूसरे तरीक़े से मुझे

जानकारी दे सकते थे। मुझसे यह मत कहना कि वे उल्लुओं के बिना संदेश नहीं पहुँचा सकते थे।'

हर्माइनी ने रॉन की तरफ़ देखते हुए कहा, 'मैंने भी इस बारे में सोचा था। लेकिन वे तुम्हें *कुछ भी* बताना नहीं चाहते थे।'

हैरी ने उनके भाव देखकर कहा, 'शायद उन्हें मुझ पर भरोसा नहीं होगा।'

'पागल मत बनो,' रॉन ने काफ़ी परेशान दिखते हुए कहा।

'या फिर उन्हें लग रहा होगा कि मैं अपना ध्यान ख़ुद नहीं रख सकता।'

'ज़ाहिर है, डम्बलडोर को ऐसा कुछ नहीं लग रहा था!' हर्माइनी ने चिंता से कहा।

'तो फिर मुझे डर्स्ली परिवार के पास क्यों रहना पड़ा, जबकि तुम दोनों यहाँ की हर चीज़ में शामिल थे?' हैरी ने कहा। उसकी आवाज़ हर शब्द के साथ ऊँची होती जा रही थी। 'तुम दोनों को यहाँ होने वाली हर चीज़ की जानकारी क्यों है और मुझे क्यों नहीं है?'

'यह ग़लत है!' रॉन ने उसकी बात काटते हुए कहा। 'मम्मी हमें मीटिंगों में नहीं जाने देती हैं। वे कहती हैं कि हम अभी बहुत छोटे हैं -'

लेकिन तभी हैरी अनजाने में ही चिल्लाने लगा था।

'तुम मीटिंगों में नहीं जा पाए, उससे क्या फ़र्क़ पड़ता है? फिर भी तुम यहाँ तो हो, क्या यह काफ़ी नहीं है? तुम कम से कम एक साथ तो हो! मैं तो महीने भर से डर्स्ली परिवार के साथ फँसा हुआ था! जबकि मैंने तुम दोनों से ज़्यादा बड़े काम किए हैं और डम्बलडोर यह बात अच्छी तरह से जानते हैं - पारस पत्थर को किसने बचाया था? रिडल से छुटकारा किसने दिलाया था? तुम दोनों को दमपिशाचों से किसने बचाया था?'

पिछले एक महीने से जो कटु और द्वेषपूर्ण बातें हैरी को परेशान कर रही थीं, उन सबका गुबार अब बाहर निकल रहा था। उसे इस बात का मलाल था कि उसे किसी ने कोई जानकारी नहीं दी थी। उसे इस बात से चोट पहुँची थी कि वे दोनों उसके बिना एक साथ थे। वह इस बात पर नाराज़ था कि उसकी निगरानी की जा रही थी और उसे यह बात बताई नहीं गई थी - जिन भावनाओं पर वह आधा शर्मिंदा था, वे आख़िरकार सीमाएँ लाँघकर सामने आ गईं। हेडविग उसके चिल्लाने से इतनी डर गई कि दोबारा उड़कर अलमारी के ऊपर बैठ गई। पिगविजियन दहशत में उनके सिर के ऊपर ज़्यादा तेज़ी से मँडराने लगा।

'ड्रैगन और स्फ़िंक्स और हर बुरी चीज़ को पिछले साल किसने पार किया था? किसने *वोल्डेमॉर्ट* को वापस लौटते देखा था? कौन उसके

चंगुल से बाल-बाल बचा था? मैं!'

रॉन का मुँह खुला रह गया था। वह सदमे में था और उसके मुँह से बोल नहीं फूट रहे थे। दूसरी तरफ़, हर्माइनी रोने की कगार पर थी।

'लेकिन मुझे क्यों पता होना चाहिए कि क्या हो रहा है? कोई मुझे सारी बातें बताने का कष्ट क्यों करे?'

'हैरी, हम तुम्हें बताना चाहते थे, हम तुम्हें सचमुच बताना चाहते थे -' हर्माइनी ने कहना शुरू किया।

'इतना ज़्यादा तो नहीं चाहते होगे, है ना, वरना तुम मुझे उल्लू से ख़बर करवा देतीं, *लेकिन हाँ, डम्बलडोर ने तुमसे वादा करवा लिया था* -'

'उन्होंने ऐसा ही किया था -'

'चार हफ़्ते से मैं प्रिविट ड्राइव में फँसा हुआ था, कचरे में से अख़बार बीन रहा था, ताकि यह पता लगा सकूँ कि क्या हो रहा है?'

'हम चाहते थे -'

'मुझे लगता है कि तुम सब मिलकर मुझ पर हँस रहे होगे -'

'नहीं, सच्ची -'

'हैरी, हमें सचमुच अफ़सोस है!' हर्माइनी ने हताशा से कहा और उसकी आँखों में अब आँसू चमक रहे थे। 'तुम बिलकुल ठीक कह रहे हो, हैरी - अगर मैं तुम्हारी जगह होती, तो मुझे भी इतना ही ग़ुस्सा आता!'

हैरी ने उसे ग़ुस्से से घूरकर देखा। वह अब भी गहरी साँसें ले रहा था। फिर वह चहलक़दमी करता हुआ उनसे दूर चला गया। हेडविग अलमारी के ऊपर कर्कश आवाज़ें निकालने लगी। थोड़ी देर ख़ामोशी छाई रही। सिर्फ़ हैरी के क़दमों के नीचे पटियों के चरमराने की आवाज़ आ रही थी।

उसने रॉन और हर्माइनी से पूछा, 'वैसे यह जगह कौन *सी* है?'

रॉन ने तत्काल कहा, 'मायापंछी के समूह का मुख्यालय।'

'क्या कोई मुझे यह बताने का कष्ट करेगा कि मायापंछी के समूह का क्या मतलब है?'

हर्माइनी ने जल्दी से जवाब दिया, 'यह एक ख़ुफ़िया दल है। डम्बलडोर इसके मुखिया हैं। उन्होंने इसे बनाया था। इसमें वे जादूगर हैं, जिन्होंने पिछली बार तुम-जानते-हो-कौन से मुक़ाबला किया था।'

हैरी ने अपनी जेब में हाथ डालकर रुकते हुए पूछा, 'इसमें कौन-कौन है?'

'काफ़ी लोग हैं -'

'हम लगभग बीस सदस्यों से मिल चुके हैं,' रॉन ने कहा, 'लेकिन हमें लगता है कि इसमें और लोग भी होंगे।'

हैरी ने उन्हें घूरकर देखा।

फिर उसने कहा, *'तो ?'*

रॉन ने पूछा, 'तो क्या ?'

'वोल्डेमॉर्ट!' हैरी ने ग़ुस्से से कहा, जिससे रॉन और हर्माइनी चौंक गए। 'क्या हो रहा है ? वह क्या कर रहा है ? वह कहाँ है ? हम उसे रोकने के लिए क्या कर रहे हैं ?'

हर्माइनी ने घबराकर जवाब दिया, 'हमने तुम्हें *बताया* तो था, समूह के सदस्य हमें अपनी मीटिंगों में शामिल नहीं होने देते हैं। इसलिए हम ज़्यादा कुछ तो नहीं जानते हैं – लेकिन हाँ, हमें मोटी-मोटी बातें पता हैं,' उसने हैरी के चेहरे का भाव देखकर जल्दी से जोड़ दिया।

'तुम्हें पता है, फ्रेड और जॉर्ज ने विस्तारित-कानों का आविष्कार कर लिया है,' रॉन ने कहा। 'वे सचमुच उपयोगी हैं।'

'विस्तारित – ?'

'कान, हाँ। लेकिन हम कुछ समय से उनका इस्तेमाल नहीं कर पा रहे हैं, क्योंकि मम्मी को पता चल गया और उन्होंने तूफ़ान खड़ा कर दिया। फ्रेड और जॉर्ज को सभी कान छिपाने पड़े, ताकि मम्मी उन्हें छीन न पाएँ। लेकिन मम्मी को पता चलने से पहले हमने उनका अच्छा इस्तेमाल किया था। हम जानते हैं कि समूह के कुछ सदस्य प्राणभक्षियों के पीछे लगे हैं –'

हर्माइनी ने कहा, 'कुछ सदस्य समूह में नए लोगों को शामिल करने के काम में जुटे हैं –'

'और उनमें से कुछ किसी पर पहरा दे रहे हैं,' रॉन बोला। 'वे हमेशा किसी पहरे की ड्यूटी के बारे में बात करते रहते हैं।'

हैरी ने व्यंग्य से कहा, 'कहीं मुझ पर तो नहीं ?'

'ओह हाँ,' रॉन ने कहा, जिसके चेहरे से ऐसा लग रहा था, जैसे अब वह पूरी बात समझ गया था।

हैरी व्यंग्य से हँसा। वह कमरे में दोबारा चहलक़दमी करने लगा और रॉन व हर्माइनी से नज़रें चुराकर दूसरी तरफ़ देखने लगा। फिर उसने पूछा, 'अगर तुम दोनों को मीटिंगों में शामिल नहीं होने दिया जाता, तो तुम यहाँ क्या कर रहे हो ? तुमने तो चिट्ठियों में लिखा था कि तुम व्यस्त हो।'

हर्माइनी तपाक से बोली, 'हमने सच लिखा था। हम इस मकान की सफ़ाई में जुटे हुए हैं। यह कई सालों से ख़ाली पड़ा था और यहाँ बहुत सी चीज़ें उग आई थीं। हम किचन और ज़्यादातर बेडरूमों की सफ़ाई कर चुके हैं और मुझे लगता है कि हम कल ड्रॉइंग रूम की सफ़ाई करने वाले – **आह!**'

कड़ाक की दो आवाज़ें आईं। रॉन के बड़े जुड़वाँ भाई फ्रेड और जॉर्ज हवा से कमरे के बीच में प्रकट हो गए। पिगविजियन अब ज़्यादा तेज़ी से चीख़ने लगा और अलमारी के ऊपर हेडविग के पास बैठने चला गया।

'ऐसा मत *किया करो!*' हर्माइनी ने धीरे से जुड़वाँ भाइयों से कहा, जिनके बाल भी रॉन जितने ही लाल थे, हालाँकि वे उससे थोड़े मोटे और ठिगने थे।

'हैलो हैरी,' जॉर्ज ने उसकी तरफ़ मुस्कराते हुए कहा। 'हमें तुम्हारी मधुर आवाज़ सुनाई दे गई थी।'

फ्रेड ने भी मुस्कराते हुए कहा, 'हैरी, अपना ग़ुस्सा दिल की बोतल में बंद मत रखो। उसे पूरी तरह बाहर निकलने दो। शायद पचास मील दूर खड़े लोग तुम्हारी बात नहीं सुन पाए होंगे।'

हैरी ने चिढ़ते हुए पूछा, 'तुम दोनों ने अंतर्ध्यान होने की परीक्षा पास कर ली?'

'विशेष योग्यता के साथ,' फ्रेड बोला, जो अपने हाथ में मांस के रंग का बहुत लंबा धागा पकड़े हुए था।

रॉन ने कहा, 'सीढ़ियों से आने में तुम्हें सिर्फ़ आधा मिनट ज़्यादा लगता।'

'समय ही धन है, छोटे भाई,' फ्रेड ने कहा। 'अच्छा हैरी, तुम हमारे काम में रुकावट डाल रहे हो। विस्तारित कान,' उसने हैरी की उठी हुई भौंहों को देखकर कहा और वह धागा उठाया, जो अब नीचे जा रहा था। 'हम मीटिंग में होने वाली बातों को सुनने की कोशिश कर रहे हैं।'

'सावधान रहना,' रॉन ने विस्तारित कान को देखते हुए कहा, 'अगर मम्मी ने देख लिया तो ...'

फ्रेड बोला, 'यह जोखिम तो लेना ही पड़ेगा। आज बहुत महत्वपूर्ण मीटिंग चल रही है।'

दरवाज़ा खुला और लाल बालों की लंबी चोटी दिखी।

'ओह, हैलो हैरी!' रॉन की छोटी बहन जिनी की उत्साह भरी आवाज़ आई। 'मैंने तुम्हारी आवाज़ सुन ली थी।'

फिर वह फ्रेड और जॉर्ज की तरफ़ मुड़ते हुए बोली, 'विस्तारित कानों से कोई फ़ायदा नहीं होगा। मम्मी ने किचन के दरवाज़े पर अभेद्य सम्मोहन

कर रखा है।'

'तुम्हें कैसे पता?' जॉर्ज ने निराशा से पूछा।

जिनी बोली, 'टौंक्स ने मुझे इसका पता लगाने का रास्ता बताया था। दरवाज़े पर कोई भी चीज़ फेंककर देखो। अगर वह दरवाज़े को न छू पाए, तो इसका मतलब है कि दरवाज़ा अभेद्य है। मैं सीढ़ियों के ऊपर से दरवाज़े पर गोबरबम फेंक रही थी, लेकिन वे दूर छिटक गए। विस्तारित कान भी दरवाज़े के नीचे से नहीं घुस पाएँगे।'

फ़्रेड ने गहरी आह भरी।

'बहुत बुरी बात है। मैं तो यह पता लगाने के लिए उतावला था कि स्नेप के क्या इरादे हैं।'

'स्नेप!' हैरी ने जल्दी से कहा। 'वे यहीं हैं?'

'हाँ,' जॉर्ज ने सावधानी से दरवाज़ा बंद किया और एक पलंग पर बैठ गया। फ़्रेड और जिनी भी बैठ गए। 'अपनी रिपोर्ट दे रहे हैं। बहुत ही ख़ुफ़िया।'

फ़्रेड ने कहा, 'मूर्ख कहीं का।'

हर्माइनी उसे झिड़कते हुए बोली, 'अब वे हमारी तरफ़ हैं!'

रॉन ने व्यंग्य से कहा, 'इस बात से वे कम मूर्ख नहीं हो जाते। तुमने देखा है, हमें देखते समय उनके चेहरे पर कैसा भाव रहता है?'

'बिल को भी वे पसंद नहीं हैं,' जिनी ने कहा, जैसे इससे फ़ैसला हो गया हो।

हैरी को भरोसा नहीं था कि उसका ग़ुस्सा अब शांत हो चुका था, लेकिन जानकारी हासिल करने की उत्सुकता अब चिल्लाने की इच्छा पर हावी हो रही थी। वह उन लोगों के सामने पलंग पर बैठ गया।

उसने पूछा, 'बिल भी यहीं है? मुझे तो लगा था कि वह मिस्र में काम कर रहा होगा?'

फ़्रेड बोला, 'उसने यहाँ ऑफ़िस में आने के लिए आवेदन दे दिया था, ताकि वह समूह का काम कर सके। उसे अब भी मक़बरों की याद आती है,' फिर फ़्रेड ने मुस्कराकर कहा, 'लेकिन यहाँ उसे तसल्ली देने वाली दूसरी चीज़ें भी हैं।'

'तुम्हारा क्या मतलब है?'

'तुम्हें फ़्लर डेलाकोर याद है?' जॉर्ज ने कहा। 'उसने अपनी *अँग्रेजी सुधारने* के लिए ग्रिनगॉट में नौकरी कर ली है –'

फ़्रेड हँसते हुए बोला, 'और बिल उसे काफ़ी कुछ सिखा रहा है।'

जॉर्ज बोला, 'चार्ली भी समूह में है। लेकिन वह अब भी रोमानिया में ही है। डम्बलडोर समूह में ज़्यादा से ज़्यादा विदेशी जादूगरों को शामिल करना चाहते हैं, इसलिए चार्ली छुट्टियों के दिन उनसे संपर्क कर रहा है।'

हैरी ने पूछा, 'क्या पर्सी यह काम नहीं कर सकता?' उसे जो आख़िरी ख़बर मिली थी, उस समय तीसरे नंबर का वीज़्ली भाई पर्सी जादू मंत्रालय के अंतर्राष्ट्रीय जादूगरी सौहार्द्र विभाग में काम कर रहा था।

हैरी की बात सुनकर वीज़्ली भाई-बहनों और हर्माइनी ने एक-दूसरे को ग़ौर से देखा।

रॉन ने तनाव भरी आवाज़ में हैरी से कहा, 'तुम चाहे जो करो, मम्मी-डैडी के सामने पर्सी का ज़िक्र मत छेड़ना।'

'क्यों?'

फ्रेड बोला, 'क्योंकि जब भी पर्सी का नाम लिया जाता है, डैडी हाथ की हर चीज़ तोड़ देते हैं और मम्मी रोने लगती हैं!'

जिनी ने अफ़सोस के साथ कहा, 'यह भयानक है।'

जॉर्ज ने बुरा सा मुँह बनाते हुए कहा, 'अच्छा हुआ! हमें उससे छुटकारा मिल गया।'

हैरी ने पूछा, 'क्या हुआ?'

फ्रेड बोला, 'पर्सी और डैडी में झगड़ा हो गया। मैंने डैडी को कभी किसी से इस तरह झगड़ते नहीं सुना। आम तौर पर मम्मी ही चिल्लाती हैं।'

'यह बात स्कूल की छुट्टियाँ शुरू होने के बाद वाले हफ़्ते की है,' रॉन ने कहा। 'हम समूह के इस मुख्यालय में रहने आने ही वाले थे। तभी पर्सी ने घर आकर हमें बताया कि उसका प्रमोशन हो गया है।'

'तुम मज़ाक़ कर रहे हो?' हैरी के मुँह से निकल गया।

हालाँकि हैरी अच्छी तरह जानता था कि पर्सी बहुत महत्वाकांक्षी है, लेकिन उसे यह लगता था कि पर्सी ने जादू मंत्रालय की नौकरी में अब तक सफलता के झंडे नहीं गाड़े थे। पर्सी ने एक बहुत बड़ी ग़लती कर दी थी। उसने इस तरफ़ ध्यान ही नहीं दिया था कि लॉर्ड वोल्डेमॉर्ट उसके बॉस को नियंत्रित कर रहा था (वैसे मंत्रालय को भी इस बात का पता नहीं था - वे सब तो यही सोच रहे थे कि मिस्टर क्राउच पागल हो गए थे)।

जॉर्ज ने कहा, 'हाँ, यह सुनकर हम सभी हैरान रह गए थे, क्योंकि क्राउच वाले मामले में पर्सी काफ़ी मुश्किल में पड़ गया था। उसकी जाँच भी हुई थी। जाँच दल ने अपनी रिपोर्ट में लिखा था कि पर्सी को इस बात का एहसास

हो जाना चाहिए था कि क्राउच का दिमाग़ सरक गया है और उसे किसी वरिष्ठ अधिकारी को इस बात की जानकारी दे देनी चाहिए थी। लेकिन तुम तो पर्सी को जानते ही हो। क्राउच ने पूरी ज़िम्मेदारी उसे सौंप दी थी। वह क्यों शिकायत करता ?'

'तो फिर उसकी तरक्की कैसे हो गई ?'

'हम भी तो इसी बात पर हैरान थे,' रॉन ने कहा, जो अब सामान्य चर्चा जारी रखना चाहता था, ताकि हैरी कहीं फिर से चिल्लाने न लगे। 'वह उछलता हुआ घर आया। उसने डैडी को ख़ुशी-ख़ुशी बताया कि उसे फ़ज के ऑफ़िस में नियुक्ति मिलने वाली है। हॉगवर्ट्स से निकलने के एक साल के भीतर इतना बड़ा पद मिलना गौरव की बात है - मंत्री के जूनियर असिस्टेंट का पद। उसे उम्मीद थी कि डैडी यह सुनकर बहुत प्रभावित होंगे।'

फ्रेड ने गंभीरता से कहा, 'लेकिन डैडी प्रभावित नहीं हुए।'

हैरी ने पूछा, 'क्यों नहीं ?'

जॉर्ज बोला, 'देखो, फ़ज मंत्रालय में यह निगरानी कर रहे हैं कि कोई डम्बलडोर के संपर्क में तो नहीं है।'

'मंत्रालय में डम्बलडोर का नाम इन दिनों मिट्टी जैसा माना जाता है,' फ्रेड ने कहा। 'मंत्रालय वालों को लगता है कि डम्बलडोर तुम-जानते-हो-कौन के लौटने की ख़बर फैलाकर मुश्किलें खड़ी कर रहे हैं।'

जॉर्ज बोला, 'डैडी ने बताया था, फ़ज ने साफ़ कह दिया है कि जो भी डम्बलडोर के साथ है, वह अपनी नौकरी छोड़ दे।'

'मुश्किल यह है कि फ़ज डैडी पर शक करते हैं। वे जानते हैं कि डैडी की डम्बलडोर से दोस्ती है। इसके अलावा मगलुओं की दीवानगी के कारण उन्हें डैडी हमेशा से अजीब लगते हैं।'

हैरी ने दुविधा में पूछा, 'लेकिन इसका पर्सी से क्या लेना-देना है ?'

'मैं उसी बात पर आ रहा हूँ। डैडी का मानना है कि फ़ज पर्सी को अपने ऑफ़िस में सिर्फ़ इसलिए रखना चाहते हैं, क्योंकि वे उससे परिवार - और डम्बलडोर - पर जासूसी करवाना चाहते हैं।'

हैरी के मुँह से धीमी सीटी निकल गई।

'पर्सी को तो यह सुनकर मज़ा आ गया होगा।'

रॉन हँसा।

'वह तो पगला गया। उसने बहुत बुरी-बुरी बातें कहीं। उसने कहा कि

जब से वह मंत्रालय में नौकरी कर रहा है, तभी से उसे डैडी की बुरी छवि से जूझना पड़ रहा है। उसने कहा कि डैडी में कोई महत्वाकांक्षा नहीं है और इसीलिए हम लोग हमेशा से – तुम जानते हो – हमारे पास ज़्यादा पैसा नहीं रहता है –'

'क्या ?' हैरी ने अविश्वास में कहा और जिनी ने ग़ुस्सैल बिल्ली जैसी आवाज़ निकाली।

रॉन ने धीमी आवाज़ में कहा, 'यही नहीं, उसने इससे भी बुरी बातें बोलीं। उसने कहा कि डैडी मूर्ख हैं, जो डम्बलडोर के आगे-पीछे घूम रहे हैं। उसने कहा कि डम्बलडोर बहुत बड़े संकट में फँसने वाले हैं और उनके साथ ही डैडी भी मुसीबत में फँस जाएँगे। उसने कहा कि उसे मालूम है, उसे किसके प्रति वफ़ादार होना चाहिए। उसने कहा कि वह मंत्रालय के प्रति वफ़ादार रहेगा और अगर मम्मी-डैडी मंत्रालय के ख़िलाफ़ गद्दारी करेंगे, तो वह उनसे अपना नाता तोड़ लेगा, ताकि सबको पता चल जाए कि वह अब इस परिवार का सदस्य नहीं है। वह उसी रात अपना सामान उठाकर घर से निकल गया। वह अब यहीं लंदन में रह रहा है।'

हैरी ने धीरे से गाली दी। रॉन के भाइयों में पर्सी उसे सबसे कम पसंद था, लेकिन उसने कभी कल्पना भी नहीं की थी कि वह मिस्टर वीज़्ली से ऐसी बातें कहेगा।

रॉन धीरे से बोला, 'मम्मी की हालत ख़राब है। वे रोती रहती हैं। वे पर्सी को मनाने के लिए लंदन भी गईं, लेकिन उन्हें देखते ही उसने दरवाज़ा धड़ाम से बंद कर दिया। मैं नहीं जानता कि ऑफ़िस में डैडी के सामने पड़ने पर वह क्या करता होगा – मुझे लगता है, नज़रअंदाज़ कर देता होगा।'

हैरी ने धीरे से कहा, 'लेकिन पर्सी *इतना* तो समझ गया होगा कि वोल्डेमॉर्ट लौट आया है। उसमें इतनी अक़्ल तो है। उसे यह पता होना चाहिए कि बिना किसी सबूत के तुम्हारे मम्मी-डैडी इतना बड़ा जोखिम नहीं लेंगे।'

'देखो, झगड़े में तुम्हारा नाम भी आया था,' रॉन ने चोरी से हैरी को देखते हुए कहा। 'पर्सी ने कहा था कि तुम-जानते-हो-कौन के लौटने का सबूत सिर्फ़ तुम्हारी बात है ... और उसके हिसाब से यह सबूत पर्याप्त नहीं था।'

हर्माइनी ने व्यंग्य से कहा, 'पर्सी *दैनिक जादूगर* की बातों को बहुत गंभीरता से लेता है।' उसकी बात सुनकर बाक़ी सभी लोग सिर हिलाने लगे।

हैरी ने उन सभी की तरफ़ देखते हुए कहा, 'तुम्हारे कहने का क्या मतलब है ?' वे लोग सावधानी से उसे देख रहे थे।

हर्माइनी ने थोड़े घबराए अंदाज़ में पूछा, 'क्या तुम्हारे यहाँ *दैनिक जादूगर*

नहीं आ रहा था?'

हैरी ने जवाब दिया, 'आ तो रहा था!'

हर्माइनी ने और ज़्यादा चिंता से पूछा, 'तुम उसे पूरा पढ़ रहे थे?'

हैरी ने सुरक्षात्मक अंदाज़ में कहा, 'नहीं, पूरा तो नहीं पढ़ रहा था, लेकिन अगर वोल्डेमॉर्ट की कोई ख़बर होती, तो वह पहले पन्ने पर ही छपती, है ना?'

बाक़ी लोग वोल्डेमॉर्ट का नाम सुनकर चौंक गए। हर्माइनी जल्दी से बोली, 'इसे समझने के लिए पूरा अख़बार पढ़ना ज़रूरी था। अख़बार में हफ़्ते में दो-तीन बार तुम्हारा ज़िक्र होता है।'

'लेकिन मुझे दिखाई क्यों नहीं दिया –'

हर्माइनी ने अपना सिर हिलाते हुए कहा, 'अगर तुम सिर्फ़ पहला पन्ना पढ़ रहे थे, तो वह तुम्हें दिखाई नहीं दे सकता था। मैं बड़े लेखों की बात नहीं कर रही हूँ। वे तो दूसरे लेखों में तुम्हारा नाम इस तरह डाल देते हैं, जैसे तुम्हारी कही बातें मज़ाक़ हों।'

'तुम क्या – ?'

हर्माइनी ने शांत लहज़े में बोलने की कोशिश की, 'यह बहुत बुरा है। वे रीटा स्कीटर के लेखों का फ़ायदा उठा रहे हैं।'

'लेकिन उसने तो लिखना बंद कर दिया, है ना?'

'हाँ, उसने अपना वादा निभाया है – वैसे उसके पास और कोई चारा भी नहीं था,' हर्माइनी ने संतुष्टि के साथ कहा। 'लेकिन उसने वह नींव डाल दी थी, जिस पर *दैनिक जादूगर* वाले यह काम कर सकते हैं।'

'क्या?' हैरी ने अधीरता से पूछा।

'**देखो**, तुम तो जानते ही हो, रीटा ने लिखा था कि तुम बेहोश होते रहते हो और अपने निशान के दुखने की शिकायत करते रहते हो?'

'हाँ, मुझे पता है' हैरी ने कहा, जो रीटा स्कीटर के लेखों को जल्दी भूलने वाला नहीं था।

'देखो, वे लोग इस तरह लिख रहे हैं, जैसे तुम लोकप्रियता पाने के चक्कर में अफ़वाहें फैलाते हो और ख़ुद को बहुत बड़ा हीरो मानते हो,' हर्माइनी ने बहुत तेज़ी से कहा, जैसे जल्दी बोलने से हैरी को ये बातें कम बुरी लगेंगी। 'वे तुम्हारे बारे में ताने मारते रहते हैं। अगर कोई अतिशयोक्तिपूर्ण कहानी छपती है, तो वे लिखते हैं, "यह कहानी तो हैरी पॉटर के लायक है।" अगर कोई

मज़ेदार दुर्घटना होती है, तो वे लिखते हैं, "हम आशा करते हैं कि उसके माथे पर निशान न बन जाए, वरना हमसे उसकी पूजा करने को कहा जाएगा"-'

हैरी ने ताव खाते हुए कहा, 'मैं नहीं चाहता कि कोई मेरी पूजा करे -'

हर्माइनी सहमते हुए जल्दी से बोली, 'मैं जानती हूँ कि तुम ऐसा नहीं चाहते। *मैं जानती* हूँ, हैरी। लेकिन तुम्हें समझ में आ रहा है कि वे क्या कर रहे हैं? वे तुम्हारी ऐसी छवि बनाना चाहते हैं, ताकि कोई तुम्हारी बात पर यक़ीन न करे। मुझे पूरा यक़ीन है कि इसके पीछे फ़ज का हाथ है। वे चाहते हैं कि आम जादूगर यह सोचें कि तुम मूर्ख हो, झूठे हो और मशहूर बने रहने के लिए मूर्खतापूर्ण काल्पनिक कहानियाँ गढ़ते रहते हो।'

'मैं ऐसा कभी नहीं चाहता था - *वोल्डेमॉर्ट ने मेरे मम्मी-डैडी को मार डाला था!'* हैरी ने कहा। 'मैं इसलिए मशहूर हुआ क्योंकि उसने मेरे परिवार को मार डाला, लेकिन मुझे नहीं मार पाया! इस बात के लिए कौन मशहूर होना चाहेगा? क्या उन्हें नहीं लगता कि मैं ऐसा कभी नहीं चाहूँगा -'

जिनी गंभीरता से बोली, 'हम *जानते हैं*, हैरी।'

'और ज़ाहिर है, उन्होंने इस बारे में एक शब्द भी नहीं छापा कि दमपिशाचों ने तुम पर हमला कर दिया है,' हर्माइनी ने कहा। 'किसी ने उन्हें इस बारे में ख़ामोश रहने को कहा होगा। अगर बेक़ाबू दमपिशाचों के बारे में कुछ छपता, तो यह सचमुच बड़ी ख़बर होती। इसके अलावा उन्होंने यह ख़बर भी नहीं छापी कि तुमने अंतर्राष्ट्रीय गोपनीयता क़ानून तोड़ दिया है। हमें लग रहा था कि वे इसे ज़रूर छापेंगे। यह ख़बर लोकप्रियता पाने के कामों की तुम्हारी छवि के साथ बहुत अच्छी तरह मेल खाती। लगता है, वे तुम्हारे स्कूल से निष्कासित होने की राह देख रहे हैं, फिर वे धमाका करेंगे - मेरा मतलब है, *अगर* तुम स्कूल से निष्कासित होते हो तो,' उसने जल्दी से बात सँभालते हुए कहा। 'वैसे सच तो यह है कि तुम्हें स्कूल से नहीं निकाला जाना चाहिए। अगर वे अपने बनाए नियमों पर चलते हैं, तो तुम्हारे ख़िलाफ़ कोई मामला ही नहीं बनता है।'

वे वापस सुनवाई के विषय पर आ गए थे और हैरी उस बारे में सोचना भी नहीं चाहता था। वह विषय बदलने के लिए सोचने लगा, लेकिन उसे अपने दिमाग़ पर ज़ोर डालने की ज़रूरत नहीं पड़ी, क्योंकि तभी सीढ़ियों पर क़दमों की आहट सुनाई देने लगी।

'ओह।'

फ्रेड ने विस्तारित कान को जमकर खींचा। एक ज़ोरदार खट्ट की आवाज़ आई और वह तथा जॉर्ज ग़ायब हो गए। कुछ पल बाद मिसेज़ वीज़्ली

बेडरूम के दरवाज़े पर दिखाई दीं।

'मीटिंग ख़त्म हो चुकी है। अब तुम लोग नीचे आकर डिनर कर सकते हो। हैरी, सभी लोग तुमसे मिलने के लिए बेताब हो रहे हैं। और किचन के दरवाज़े के बाहर इतने सारे गोबरबम किसने फेंके हैं?'

'क्रुकशैंक्स ने,' जिनी ने बिना शरमाए झूठ बोल दिया। 'उसे इनसे खेलना अच्छा लगता है।'

'ओह,' मिसेज़ वीज़्ली बोलीं। 'मुझे लग रहा था कि यह क्रीचर का काम होगा। वह इसी तरह की अजीब हरकतें करता रहता है। तुम लोग हॉल में अपनी आवाज़ नीची रखना मत भूलना। जिनी, तुम क्या कर रही थीं? तुम्हारे हाथ बहुत गंदे हैं। डिनर से पहले उन्हें धो लेना।'

जिनी बाक़ी लोगों की तरफ़ मुस्कराती हुई अपनी माँ के पीछे-पीछे कमरे से बाहर चली गई। कमरे में हैरी रॉन और हर्माइनी के साथ रह गया। वे दोनों उसे सहमकर देख रहे थे, जैसे उन्हें डर हो कि बाक़ी लोगों के जाने के बाद वह फिर से चिल्लाना शुरू कर देगा। उन्हें इतना घबराया देखकर उसे थोड़ी शर्म आने लगी।

'देखो ...' वह बुदबुदाया, लेकिन रॉन ने अपना सिर हिलाया और हर्माइनी धीरे से बोली, 'हैरी, हम जानते थे कि तुम्हें ग़ुस्सा आएगा। हम दरअसल तुम्हें दोष नहीं दे रहे हैं, लेकिन तुम्हें भी बात को समझना चाहिए। हमने डम्बलडोर को मनाने की कोशिश *की थी* –'

हैरी बोला, 'हाँ, मैं जानता हूँ।'

उसने डम्बलडोर से हटकर किसी दूसरे विषय को खोजने की कोशिश की, क्योंकि उनके बारे में सोचते ही हैरी को ग़ुस्सा आने लगता था।

उसने पूछा, 'क्रीचर कौन है?'

'यहाँ का घरेलू जिन्न,' रॉन ने कहा। 'पागल है। कभी इतना पागल घरेलू जिन्न नहीं देखा।'

हर्माइनी ने रॉन को त्योरियाँ चढ़ाकर देखा।

'वह *पागल* नहीं है, रॉन।'

रॉन चिढ़कर बोला, 'उसकी महत्वाकांक्षा यह है कि उसका सिर भी उसकी माँ की तरह काटकर पटिए पर रख दिया जाए। यह पागलपन नहीं तो और क्या है, हर्माइनी?'

'देखो, अगर वह थोड़ा अजीब है, तो इसमें उसकी कोई ग़लती नहीं है।'

रॉन ने हैरी की तरफ़ नज़रें घुमाकर देखा।

'हर्माइनी ने अब भी **स्प्यू** को नहीं छोड़ा है।'

हर्माइनी ने गर्मजोशी से कहा, 'इसका नाम **स्प्यू** नहीं है! यह तो एस.पी. ई.डब्ल्यू. यानी सोसायटी फ़ॉर द प्रमोशन ऑफ़ एल्फ़िश वेलफ़ेयर है। और ऐसा सिर्फ़ मैं ही नहीं कह रही हूँ। डम्बलडोर भी कहते हैं कि हमें क्रीचर के प्रति दयालुता दिखानी चाहिए।'

'हाँ, हाँ,' रॉन ने कहा। 'चलो, मुझे बहुत तेज़ भूख लग रही है।'

वह दरवाज़े से सबसे आगे गया, लेकिन इससे पहले कि वे सीढ़ियाँ उतर पाते -

'ज़रा ठहरो!' रॉन ने हैरी और हर्माइनी को रोकने के लिए अपना हाथ बढ़ाया। 'वे लोग अब भी हॉल में हैं। शायद हम उनकी बातें सुन सकते हैं।'

वे तीनों सावधानी से जंगले के ऊपर गए। नीचे हॉल के रास्ते में जादूगर और जादूगरनी खड़े थे, जिनमें हैरी के पहरेदार भी थे। वे सभी रोमांचित थे और फुसफुसाकर बातें कर रहे थे। समूह के बीच में हैरी को हॉगवर्ट्स में अपने सबसे कम प्रिय टीचर यानी प्रोफ़ेसर स्नेप का चिपचिपे और काले बालों वाला सिर तथा मुड़ी हुई नाक दिखी। हैरी जंगले पर और आगे झुक गया। वह यह जानने के लिए बहुत उत्सुक था कि स्नेप आख़िर मायापंछी के समूह में क्या कर रहे थे ...

मांस के रंग का एक धागा हैरी की आँखों के सामने नीचे जाने लगा। उसने ऊपर देखा। फ्रेड और जॉर्ज ऊपर की सीढ़ियों पर खड़े होकर अपने विस्तारित कान नीचे खड़े लोगों की तरफ़ लटका रहे थे। बहरहाल, एक पल बाद सभी जादूगर सामने वाले दरवाज़े की तरफ़ चले गए और ओझल हो गए।

हैरी को फ्रेड के फुसफुसाने की आवाज़ आई, 'सत्यानाश।' इसके साथ ही उसने विस्तारित कान को दोबारा ऊपर खींच लिया।

उन्हें सामने वाले दरवाज़े के खुलने और बंद होने की आवाज़ सुनाई दी।

रॉन ने हैरी से धीरे से कहा, 'स्नेप यहाँ कभी डिनर नहीं करते हैं। भगवान का शुक्र है। चलो।'

हर्माइनी फुसफुसाकर बोली, 'हैरी, हॉल में अपनी आवाज़ नीची रखना मत भूलना।'

जब वे पटिए पर रखे घरेलू जिन्नों के सिरों की क़तार के पास से गुज़रे, तो उन्होंने देखा कि ल्यूपिन, मिसेज़ वीज़्ली और टौंक्स सामने वाले दरवाज़े पर जादू से कई ताले और साँकलें लगा रहे थे।

जब वे सीढ़ियों से नीचे पहुँचे, तो मिसेज़ वीज़्ली फुसफुसाकर बोलीं, 'हम किचन में डिनर करेंगे। हैरी बेटा, तुम धीरे से हॉल के पार इस दरवाज़े से चलो –'

धाड़।

'टौंक्स!' मिसेज़ वीज़्ली ने चिढ़कर पीछे देखते हुए कहा।

'मुझे अफ़सोस है!' फ़र्श पर गिरी हुई टौंक्स कराहते हुए बोली। 'यह उस घटिया छाता स्टैंड के कारण हुआ है। मैं दूसरी बार इससे टकराकर गिरी हूँ –'

लेकिन उसके बाक़ी शब्द एक भयानक, कानफोड़ू, दिल दहला देने वाली चीख़ के नीचे दब गए।

हैरी जिस दीमक खाए मख़मली पर्दे के सामने से पहले गुज़रा था, अब वह उड़कर खुल चुका था। लेकिन उसके पीछे कोई दरवाज़ा नहीं था, जैसा उसने सोचा था। एक पल के लिए तो हैरी को लगा कि वह किसी खिड़की में से देख रहा है, जिसके पीछे काली टोपी वाली एक बूढ़ी औरत इस तरह चीख़ रही थी, जैसे उसे यातना दी जा रही हो। फिर उसे एहसास हुआ कि यह आदमक़द तस्वीर है। बहरहाल, यह तस्वीर बहुत सजीव लेकिन बुरी थी। हैरी ने अपनी ज़िंदगी में इतनी बुरी तस्वीर कभी नहीं देखी थी।

बूढ़ी औरत लार टपका रही थी और आँखें घुमा रही थी। चीख़ते समय उसके चेहरे की पीली चमड़ी खिंच रही थी। हॉल में उसके पीछे लगी बाक़ी तस्वीरों के जादूगर भी जाग गए और चिल्लाचोट करने लगे। इस पर हैरी ने अपनी आँखें सिकोड़ लीं और कानों पर हाथ रख लिए।

ल्यूपिन और मिसेज़ वीज़्ली ने लपककर बूढ़ी औरत की तस्वीर के सामने पर्दा डालने की कोशिश की, लेकिन पर्दा बंद नहीं हुआ। बूढ़ी औरत पहले से भी ज़्यादा ज़ोर से चीख़ने लगी और अपने हाथों को इस तरह लहराने लगी, जैसे वह उनके चेहरों को नोचना चाहती हो।

'गंदे! बदमाश! गंदगी और दुष्टता की औलादो! बदज़ातो, संकर जाति के लोगो, यहाँ से दफ़ा हो जाओ! तुम्हारी हिम्मत कैसे हुई कि हमारे इस पुश्तैनी मकान को गंदा करो –'

टौंक्स ने बार-बार माफ़ी माँगी और दैत्य के विशाल पैर को फ़र्श से उठाया। मिसेज़ वीज़्ली ने पर्दा लगाने की कोशिश छोड़ दी। वे जल्दी से हॉल में जाकर अपनी छड़ी से बाक़ी तस्वीरों को स्तब्ध करने लगीं। तभी लंबे काले बालों वाला एक आदमी हैरी के सामने वाले दरवाज़े से लपकता हुआ आया।

उसने उस पर्दे को पकड़ते हुए कहा, 'चुप हो जाओ, भयंकर औरत, चुप हो जाओ!'

बूढ़ी औरत का चेहरा पीला पड़ गया।

'तुतुतुम!' वह उस आदमी को देखकर गरजी और उसकी आँखें बाहर निकल आईं। *'ख़ून के दुश्मन, गद्दार, मेरी कोख़ के नेवले!'*

वह आदमी गरजा, 'मैंने कहा - चुप - हो - **जाओ!**' फिर एक ज़ोरदार झटके के साथ उसने और ल्यूपिन ने पर्दे लगा दिए।

बूढ़ी औरत की चीख़ें बंद हो गईं और ख़ामोशी छा गई।

थोड़ा हाँफते हुए और अपनी आँखों के सामने से लंबे काले बाल हटाते हुए हैरी का गॉडफ़ादर सिरियस मुड़ा।

उसने कहा, 'हैलो हैरी। तुमने अभी-अभी मेरी माँ की झलक देख ली है।'

अध्याय पाँच

मायापंछी का समूह

'तुम्हारी माँ – ?'

सिरियस ने कहा, 'हाँ, वह बूढ़ी औरत मेरी माँ है। हम एक महीने से उनकी तस्वीर उतारने की कोशिश कर रहे हैं, लेकिन लगता है कि उन्होंने कैनवास के पिछले हिस्से को स्थायी सम्मोहन से चिपका रखा है। चलो, उन लोगों के दोबारा जागने से पहले जल्दी से नीचे चलते हैं।'

'लेकिन तुम्हारी माँ की तस्वीर यहाँ क्या कर रही है?' हैरी ने हैरान होकर पूछा, जब वे हॉल के दरवाज़े से बाहर निकलकर पत्थर की सँकरी सीढ़ियों पर नीचे उतरने लगे। बाक़ी लोग उनके पीछे थे।

सिरियस ने कहा, 'क्या किसी ने तुम्हें यह नहीं बताया कि यह मकान मेरे माता-पिता का है? ब्लैक ख़ानदान का आख़िरी वारिस होने के नाते अब यह मकान मेरा है। मैंने मुख्यालय बनाने के लिए इसे डम्बलडोर को सौंप दिया है – मैं यही एक उपयोगी काम कर सकता था।'

हैरी को इससे बेहतर स्वागत की उम्मीद थी। उसका ध्यान इस तरफ़ गया कि सिरियस की आवाज़ कितनी सख़्त और कटु थी। वह अपने गॉडफ़ादर के पीछे-पीछे सीढ़ियाँ उतरा और एक दरवाज़े से होकर तलघर में बने किचन में पहुँच गया।

यहाँ भी ऊपर के हॉल जितना ही अँधेरा था। यह एक गुफा जैसा कमरा था, जिसमें खुरदुरे पत्थर की दीवारें थीं। ज़्यादातर रोशनी कमरे के दूर वाले कोने पर बनी बड़ी अँगीठी की आग से आ रही थी। पाइप का धुआँ हवा में लहरा रहा था, जिसके बीच से छत से लटकते लोहे के भारी बर्तन दिख रहे थे। मीटिंग के लिए कमरे में बहुत सारी कुर्सियाँ ठूँस दी गई थीं और उनके बीच लकड़ी की एक बड़ी टेबल रखी हुई थी। टेबल पर बहुत से चर्मपत्र, प्याले, शराब

की ख़ाली बोतलें और चिथड़े के ढेर जैसी कोई चीज़ पड़ी हुई थी। टेबल के एक कोने पर मिस्टर वीज़्ली और उनका सबसे बड़ा बेटा बिल सिर सटाकर धीरे-धीरे बातें कर रहे थे। दुबले और लाल बालों वाले मिस्टर वीज़्ली गंजे हो चले थे और उन्होंने सींग के फ़्रेम वाला चश्मा पहन रखा था।

मिसेज़ वीज़्ली ने अपना गला खँखारा, जिससे उनके पति चौंक गए। उन्होंने मुड़कर देखा और उछलकर खड़े हो गए।

'हैरी!' उसका स्वागत करने के लिए मिस्टर वीज़्ली ने जल्दी से आगे आते हुए कहा और उससे कसकर हाथ मिलाया। 'तुम्हें देखकर अच्छा लगा!'

उनके कंधे के ऊपर से हैरी ने देखा कि बिल के लंबे बाल अब भी पोनीटेल में बँधे थे और वह टेबल से चर्मपत्रों को जल्दी-जल्दी समेट रहा था।

बिल ने एक साथ बारह चर्मपत्रों को उठाने की कोशिश करते हुए कहा, 'सफ़र ठीक रहा, हैरी? बावरे-नैन तुम्हें ग्रीनलैंड तक घुमाकर तो यहाँ नहीं लाए?'

'उन्होंने कोशिश तो की थी,' टौंक्स ने कहा, जो बिल की मदद करने के लिए आगे आ गई और इस कोशिश में उसने आख़िरी चर्मपत्र पर एक मोमबत्ती गिरा दी। 'ओह नहीं – *माफ़ करना* –'

'ओह डियर,' मिसेज़ वीज़्ली ने चिढ़ते हुए कहा। फिर उन्होंने अपनी छड़ी लहराकर चर्मपत्र को ठीक कर दिया। मिसेज़ वीज़्ली की छड़ी की चमक में हैरी को दिख गया कि उस चर्मपत्र पर किसी इमारत का नक़्शा बना था।

मिसेज़ वीज़्ली ने उसे नक़्शा देखते हुए देख लिया। उन्होंने टेबल पर से नक़्शा उठाकर बिल के हाथों में लदे सामान पर रख दिया।

फिर वे बोलीं, 'मीटिंग ख़त्म होने के बाद इस तरह की चीज़ों को तत्काल हटा लेना चाहिए।' इसके बाद वे पुराने ड्रेसर में से डिनर की प्लेटें निकालने लगीं।

बिल अपनी छड़ी बाहर निकालकर बुदबुदाया, *'लुप्तो!'* चर्मपत्र फ़ौरन ग़ायब हो गए।

'बैठ जाओ, हैरी,' सिरियस ने कहा। 'तुम मंडंगस को तो जानते ही होगे, है ना?'

हैरी जिसे चिथड़ों का ढेर समझ रहा था, उसने खर्राटा लिया और एक झटके से जाग गया।

'किसी ने मेरा नाम लिया?' मंडंगस नींद में बोला। 'मैं सिरियस की बात से सहमत हूँ ...' उसने एक बहुत मटमैला हाथ हवा में उठा दिया, जैसे वोट दे रहा

हो। उसकी उनींदी आँखें ठीक से देख नहीं पा रही थीं।

जिनी हँस पड़ी।

जब सभी टेबल के चारों तरफ़ बैठ गए, तो सिरियस बोला, 'मंडंगस, मीटिंग तो ख़त्म हो चुकी है। हैरी आ गया है।'

'अच्छा?' मंडंगस ने अपने बिखरे बालों के बीच से हैरी को देखते हुए कहा। 'ओह हाँ, सचमुच आ गया है ... तुम ठीक हो, हैरी?'

'हाँ,' हैरी ने कहा।

मंडंगस ने हैरी को एकटक देखते समय अपनी जेब टटोली और उसमें से एक गंदा सा काला पाइप बाहर निकाला। उसने पाइप को मुँह में फँसाया, छड़ी से उसे सुलगाया और साँस खींची। कुछ ही सेकंड में वह हरे धुएँ के बड़े-बड़े बादलों में घिर गया।

बादलों के बीच से वह बोला, 'माफ़ी चाहता हूँ।'

मिसेज़ वीज़्ली ग़ुस्से में बोलीं, 'मंडंगस, मैं तुम्हें आख़िरी बार चेतावनी दे रही हूँ कि मेरे किचन में पाइप *मत* पिया करो, ख़ासकर जब हम खाना खाने वाले हों!'

'ओह,' मंडंगस ने कहा। 'ठीक है। माफ़ करना, मॉली।'

जब मंडंगस ने पाइप दोबारा जेब में रख लिया, तो धुएँ का बादल ग़ायब हो गया, लेकिन इसके बाद भी जलते मोज़ों जैसी तीखी बदबू आती रही।

'और अगर आधी रात से पहले डिनर चाहिए, तो किसी को मेरी मदद करनी पड़ेगी,' मिसेज़ वीज़्ली ने सभी की तरफ़ देखते हुए कहा। 'नहीं हैरी, तुम जहाँ हो, वहीं बैठे रहो। तुम काफ़ी लंबा सफ़र करके आ रहे हो।'

टौंक्स ने उत्साह से आगे बढ़ते हुए कहा, 'मैं कौन सा काम करूँ, मॉली?'

मिसेज़ वीज़्ली भयभीत दिखने लगीं और झिझकते हुए बोलीं, 'ओह – नहीं, तुम भी रहने दो, टौंक्स। तुम्हें भी आराम की ज़रूरत है, तुमने आज काफ़ी काम कर लिया है।'

'नहीं, नहीं, मैं मदद करना चाहती हूँ!' टौंक्स ने उत्साह से कहा और ड्रेसर की तरफ़ बढ़ते समय रास्ते की एक कुर्सी गिरा दी। जिनी ड्रेसर से छुरी-काँटे निकाल रही थी।

कुछ ही समय में मिस्टर वीज़्ली की निगरानी में भारी-भरकम चाकू अपने आप मीट और सब्ज़ी काटने लगे। मिसेज़ वीज़्ली आग के ऊपर रखी देगची में चम्मच को चला रही थीं। बाक़ी सभी लोगों ने पैंट्री से प्लेटें, प्याले और खाना

निकाला। हैरी टेबल पर सिरियस और मंडंगस के साथ बैठा हुआ था। मंडंगस अब भी पलकें झपकाते हुए अफ़सोस से उसकी तरफ़ ताक रहा था।

उसने पूछा, 'उसके बाद मिसेज़ फ़िग से मिले थे?'

'नहीं,' हैरी ने कहा। 'उसके बाद मैं किसी से भी नहीं मिला।'

मंडंगस ने आगे झुकते हुए सफ़ाई देने के अंदाज़ में कहा, 'देखो, मुझे तुम्हें छोड़कर नहीं जाना चाहिए था, लेकिन पैसे कमाने का इतना सुनहरा अवसर आ गया कि –'

तभी हैरी के घुटनों से कोई चीज़ टकराई, जिससे वह चौंक गया। यह हर्माइनी की छोटे पैरों वाली बिल्ली क्रुकशैंक्स थी। वह पहले तो हैरी के पैरों के चारों तरफ़ मँडराकर घुरघुराते हुए अपने प्यार का इज़हार करती रही, फिर उछलकर सिरियस की गोद में चढ़ी और वहीं बैठ गई। सिरियस ने बेध्यानी से उसके कान के पीछे खुजाया और गंभीर चेहरे के साथ हैरी की तरफ़ मुड़ा।

'छुट्टियाँ अच्छी बीतीं?'

हैरी ने कहा, 'नहीं, बेकार बीतीं।'

पहली बार सिरियस के चेहरे पर मुस्कान दिखी।

'क्या पता तुम किस बारे में शिकायत कर रहे हो? मेरे हिसाब से तो तुम्हारी छुट्टियाँ ठीक ही थीं।'

'क्या?' हैरी ने अविश्वास से कहा।

'तुम्हारी जगह मैं होता, तो दमपिशाचों के हमले का स्वागत करता। अपनी आत्मा के लिए आर-पार के संघर्ष से मेरी बोरियत तो दूर हो जाती। तुम्हें लग रहा होगा कि तुमने बहुत कुछ झेला है, लेकिन कम से कम तुम बाहर तो घूम-फिर रहे थे, अपने हाथ-पैर तो सीधे कर रहे थे, दमपिशाचों से मुक़ाबला तो कर रहे थे ... मैं तो एक महीने से इस मकान में क़ैद हूँ।'

हैरी ने त्योरियाँ चढ़ाकर पूछा, 'क्यों?'

'क्योंकि जादू मंत्रालय अब भी मेरे पीछे पड़ा हुआ है और वोल्डेमॉर्ट को अब तक यह पता चल गया होगा कि मैं इच्छाधारी नरपशु हूँ। वर्मटेल ने उसे बता दिया होगा, इसलिए मेरे वेश बदलने से अब कोई फ़ायदा नहीं होगा। मैं मायापंछी के समूह के लिए ज़्यादा कुछ नहीं कर सकता ... कम से कम डम्बलडोर को तो यही लगता है।'

सिरियस ने जिस तरह से डम्बलडोर का नाम लिया, उससे हैरी समझ गया कि वह भी उनसे ख़ास ख़ुश नहीं था। हैरी अपने गॉडफ़ादर के प्रति अचानक ज़्यादा प्रेम महसूस करने लगा।

उसने उत्साह बढ़ाते हुए कहा, 'कम से कम तुम्हें यह तो पता है कि क्या हो रहा है?'

'ओह हाँ,' सिरियस व्यंग्य से बोला। 'मैं स्नेप की रिपोर्ट सुनता हूँ। मैं उसके ताने सुनता हूँ कि वह अपनी जान जोखिम में डाल रहा है, जबकि मैं कुर्सी पर बैठकर मज़े कर रहा हूँ ... वह मुझसे पूछता रहता है कि सफ़ाई का काम कैसा चल रहा है -'

हैरी ने पूछा, 'कौन सी सफ़ाई?'

सिरियस ने हाथ हिलाकर किचन की तरफ़ इशारा करते हुए कहा, 'हम इस जगह को रहने लायक बनाने की कोशिश कर रहे हैं। जब से मेरी माँ की मौत हुई है, उसके बाद से यहाँ कोई नहीं रहता है। दस साल से यहाँ सिर्फ़ एक बूढ़ा घरेलू जिन्न रह रहा है, लेकिन वह आलसी हो चुका है - उसने तब से साफ़-सफ़ाई का कोई काम नहीं किया है।'

'सिरियस,' मंडंगस ने कहा, जो बातचीत की तरफ़ ज़रा भी ध्यान नहीं दे रहा था, बल्कि एक ख़ाली प्याले को ग़ौर से देख रहा था। 'यह ठोस चाँदी का है ना, दोस्त?'

'हाँ,' सिरियस ने कहा और प्याले को नापसंदगी के भाव से देखा। 'पंद्रहवीं सदी में पिशाचों द्वारा शुद्ध चाँदी से बनाया गया, जिस पर ब्लैक ख़ानदान की मोहर लगी है।'

'मोहर तो हट भी सकती है,' मंडंगस बुदबुदाया और प्याले को अपनी आस्तीन से पोंछने लगा।

तभी मिसेज़ वीज़्ली चीख़ उठीं, 'फ़्रेड - जॉर्ज - **नहीं, इन्हें उठाकर ले जाओ!'**

हैरी, सिरियस और मंडंगस ने मुड़कर देखा तथा फ़ौरन टेबल से दूर छलाँग लगा दी। फ़्रेड और जॉर्ज शोरबे की बड़ी क़ड़ाही, बटरबियर की लोहे की सुराही और चाक़ू सहित लकड़ी के भारी ब्रेडबोर्ड को जादू से उड़ाकर टेबल तक लाने की कोशिश कर रहे थे। लेकिन बीच में गड़बड़ हो गई और शोरबा टेबल पर फैलता हुआ एकदम कोने के पास आकर ठहरा, जिससे टेबल की सतह पर एक लंबा काला निशान बन गया। बटरबियर की सुराही एक धमाके के साथ गिरी और बटरबियर हर तरफ़ छलक गई। ब्रेडबोर्ड का चाक़ू भी गिर गया। इसकी नोक टेबल पर ठीक उसी जगह धँस गई, जहाँ कुछ पल पहले सिरियस का दाहिना हाथ था।

मिसेज़ वीज़्ली चिल्लाईं, **'इसकी कोई ज़रूरत नहीं थी - अब मुझसे**

बर्दाश्त नहीं होता है – अब तुम्हें जादू करने की इजाज़त मिल गई है, इसका यह मतलब नहीं है कि हर छोटे-छोटे काम के लिए तुम अपनी छड़ियाँ लहराते फिरो!'

'हम तो बस समय बचाने की कोशिश कर रहे थे!' फ्रेड ने टेबल से चाकू को जल्दी से निकालते हुए कहा। 'माफ़ करना, सिरियस – हम ऐसा नहीं करना चाहते थे –'

हैरी और सिरियस दोनों ही हँसने लगे। बहरहाल, मंडंगस हटने की कोशिश में अपनी कुर्सी पर पीछे की तरफ़ गिर गया था और उठते समय गालियाँ बक रहा था। क्रुकशैंक्स ग़ुस्से से फुफकारती हुई अलमारी के नीचे चली गई, जहाँ से उसकी बड़ी-बड़ी पीली आँखें अँधेरे में चमकती रहीं।

'लड़को,' मिस्टर वीज़्ली ने शोरबे की कड़ाही को टेबल के बीच में रखते हुए कहा, 'तुम्हारी मम्मी सही कह रही हैं। अब तुम बालिग़ हो चुके हो, तुम्हें ज़िम्मेदारी का एहसास होना चाहिए –'

'तुम्हारे किसी भाई ने हमें इतना परेशान नहीं किया!' मिसेज़ वीज़्ली जुड़वाँ भाइयों से ग़ुस्से में बोलीं और उन्होंने टेबल पर बटरबियर की दूसरी सुराही इतनी ज़ोर से पटकी कि उससे भी पहले वाली सुराही जितनी ही बटरबियर छलक गई। 'बिल को कुछ क़दम दूर जाने के लिए कभी अंतर्ध्यान होने की ज़रूरत महसूस नहीं हुई! चार्ली ने सामने दिखने वाली हर चीज़ पर जादू नहीं किया! पर्सी –'

वे अचानक रुक गईं। उन्होंने घबराकर अपने पति की तरफ़ देखा, जिनके चेहरे का भाव अचानक सख़्त हो गया था।

बिल ने जल्दी से कहा, 'चलो, खाना खाते हैं।'

'यह बहुत अच्छा दिख रहा है, मॉली,' ल्यूपिन ने एक प्लेट में शोरबा डालकर टेबल के पार बैठी मिसेज़ वीज़्ली को देते हुए कहा।

कुछ पल तक ख़ामोशी छाई रही। जब सभी लोगों ने खाना शुरू कर दिया, तो सिर्फ़ प्लेटों, छुरी-काँटों और कुर्सियों की आवाज़ें आती रहीं। फिर मिसेज़ वीज़्ली सिरियस की तरफ़ मुड़ीं।

'सिरियस, मैं तुम्हें बताना चाहती हूँ कि ड्रॉइंग रूम की डेस्क में कोई चीज़ बंद है। यह खड़खड़ करती है और हिलती रहती है। लगता है बहुरूपिया होगा, लेकिन मुझे लगता है कि उसे बाहर निकालने से पहले हमें अलैस्टर से अंदर देखने के लिए कहना चाहिए।'

सिरियस ने उदासीनता से कहा, 'जैसा आप चाहें।'

मिसेज़ वीज़्ली ने आगे कहा, 'वहाँ के पर्दों में डॉक्सी भरे हुए हैं। मैं सोच रही हूँ कि हम कल उन्हें निकालने की कोशिश करें।'

'मैं इसके लिए बहुत उत्सुक हूँ,' सिरियस ने कहा। हैरी को उसकी आवाज़ में व्यंग्य का पुट सुनाई दे गया, लेकिन बाक़ी किसी को सुनाई नहीं दिया।

हैरी के सामने बैठी टौंक्स अपनी नाक का रूप-रंग बदलकर हर्माइनी और जिनी का मनोरंजन कर रही थी। हर बार वह अपनी आँखें सिकोड़ लेती थी और उसके चेहरे पर दर्द का वैसा ही भाव आ जाता था, जैसा हैरी के बेडरूम में आया था। उसकी नाक चोंच जैसे आकार में फूली और स्नेप की नाक जैसी दिखने लगी। फिर यह सिकुड़कर बटन मशरूम के आकार की हो गई और फिर दोनों नथुनों से बहुत से बाल निकल आए। स्पष्ट रूप से मनोरंजन का यह कार्यक्रम हर दिन चलता था, क्योंकि हर्माइनी और जिनी अपनी पसंदीदा नाकों का आग्रह कर रही थीं।

'टौंक्स, सुअर जैसी बनाओ।'

टौंक्स ने ऐसा ही किया और हैरी को ऊपर देखते समय ऐसा लगा, जैसे डडली लड़की के वेश में टेबल के पार बैठकर मुस्करा रहा है।

मिस्टर वीज़्ली, बिल और ल्यूपिन पिशाचों के बारे में गहन चर्चा में डूबे थे।

बिल ने कहा, 'उन लोगों ने अभी तक कोई जवाब नहीं दिया है। मुझे अब तक समझ में नहीं आया है कि उन्हें उसके लौटने पर यक़ीन है भी या नहीं। ज़ाहिर है, हो सकता है कि वे किसी का पक्ष न लें। हो सकता है, वे इस झमेले से दूर ही रहें।'

'मुझे लगता है कि वे तुम-जानते-हो-कौन की तरफ़ कभी नहीं जाएँगे,' मिस्टर वीज़्ली ने अपना सिर हिलाते हुए कहा। 'उसके कारण उन्होंने काफ़ी दुख उठाए हैं। वह पिशाच परिवार याद है, जिसकी उसने पिछली बार नॉटिंघम के पास हत्या कर दी थी?'

ल्यूपिन बोले, 'मुझे लगता है सब कुछ इस बात पर निर्भर करता है कि वह उन्हें क्या देने का प्रस्ताव रखता है। और मैं सिर्फ़ सोने-चाँदी की बात नहीं कर रहा हूँ। हमने उन्हें सदियों से स्वतंत्रता नहीं दी है। अगर वोल्डेमॉर्ट ने उनके सामने स्वतंत्रता देने का प्रस्ताव रखा, तो हो सकता है कि वे इस लालच में फँस जाएँ। बिल, क्या तुम रैगनॉक को अपनी तरफ़ करने में कामयाब हुए?'

'वह इस वक़्त जादूगरों का विरोधी है,' बिल ने कहा। 'वह बैगमैन के कारण ग़ुस्सा है। उसे लगता है कि मंत्रालय ने उसे बचाया है। पिशाचों ने उसे जो सोना उधार दिया था, वह उन्हें अभी तक वापस नहीं मिला है -'

बिल के बाक़ी के शब्द टेबल के बीच से उठने वाले ठहाके में डूब गए। फ्रेड, जॉर्ज, रॉन और मंडंगस अपनी कुर्सियों पर हँसी के मारे लोटपोट हो रहे थे।

मंडंगस के चेहरे पर आँसू बह रहे थे और वह बोल रहा था, 'और फिर, तुम यक़ीन करोगे, उसने मुझसे कहा, "बताओ मंडंगस, तुम ये मेंढक कहाँ से लाए? क्योंकि किसी बदमाश ने मेरे मेंढक चुरा लिए हैं!" इस पर मैंने कहा, "अच्छा विल, तुम्हारे सभी मेंढक चुरा लिए? तब तो तुम्हें और मेंढक चाहिए होंगे?" और लड़को, मेरी बात का यक़ीन करो, उस मूर्ख आदमी ने अपने ही सारे मेंढक मुझसे दोबारा ख़रीद लिए और उसके बदले में मुझे इतने पैसे दिए, जितने पहली बार ख़रीदने पर भी नहीं दिए थे –'

जब रॉन टेबल पर हँसी से दोहरा हो गया, तो मिसेज़ वीज़्ली तीखी आवाज़ में बोलीं, 'मंडंगस, मुझे नहीं लगता कि हमें तुम्हारे बिज़नेस के बारे में और कुछ सुनने की ज़रूरत है।'

'मॉली,' मंडंगस ने फटाफट अपनी आँखें पोंछते हुए हैरी को आँख मारी। 'लेकिन तुम जानती हो, विल ने उन मेंढकों को वार्टी हैरिस से चुराया था, इसलिए मैं दरअसल कोई ग़लत काम नहीं कर रहा था।'

मिसेज़ वीज़्ली ने ठंडेपन से कहा, 'मुझे नहीं मालूम कि तुमने सही और ग़लत की परिभाषा कहाँ सीखी है मंडंगस, लेकिन लगता है तुम कुछ महत्वपूर्ण सबक़ पढ़ना भूल गए हो!'

फ्रेड और जॉर्ज ने अपने चेहरे बटरबियर के प्यालों में छिपा लिए। जॉर्ज हिचकियाँ लेने लगा। न जाने क्यों मिसेज़ वीज़्ली ने सिरियस को क़हर ढाती नज़रों से देखा और फिर उठकर पुडिंग लाने चली गईं। हैरी ने मुड़कर अपने गॉडफ़ादर को देखा।

सिरियस धीरे से बोला, 'मॉली को मंडंगस पसंद नहीं है।'

हैरी ने बहुत धीरे से पूछा, 'वह समूह में कैसे है?'

'वह काम का है,' सिरियस बुदबुदाया। 'वह सारे बदमाशों को जानता है – जो स्वाभाविक है, क्योंकि वह ख़ुद भी बदमाश है। लेकिन डम्बलडोर ने एक बार उसे मुश्किल से बचाया था, इसलिए वह उनके प्रति बहुत वफ़ादार है। मंडंगस जैसे बदमाश के समूह में रहने के अपने फ़ायदे हैं। वह ऐसी बातें सुन लेता है, जो हम नहीं सुन पाते। लेकिन मॉली सोचती है कि उसे डिनर के लिए नहीं रोकना चाहिए। उसने तुम्हारी निगरानी में लापरवाही की थी और इस बात के लिए मॉली ने उसे अब तक माफ़ नहीं किया है।'

बाद में हैरी ने खाना और कस्टर्ड इतनी जमकर खाया कि उसकी जीन्स

कमर पर कसने लगी (जो बहुत बड़ी बात थी, क्योंकि यह जीन्स पहले डडली पहनता था)। जब उसने अपनी चम्मच नीचे रखी, तब तक बातचीत बंद हो चुकी थी। मिस्टर वीज़्ली कुर्सी से टिककर बैठे थे और उनके चेहरे के संतुष्टि के भाव बता रहे थे कि उन्होंने छककर खा लिया था। टौंक्स हाथ-पैर फैलाते हुए जम्हाई ले रही थी। उसकी नाक अब दोबारा सामान्य हो चुकी थी। जिनी ने क्रुकशैंक्स को अलमारी के नीचे से बुला लिया था और अब वह फ़र्श पर आलथी-पालथी मारकर बटरबियर की बोतलों के ढक्कन लुढ़का रही थी, ताकि क्रुकशैंक्स उनका पीछा करे।

मिसेज़ वीज़्ली ने जम्हाई लेते हुए कहा, 'मुझे लगता है, अब सोने का समय हो गया है।'

'अभी नहीं, मॉली,' सिरियस ने अपनी ख़ाली प्लेट दूर खिसकाई और हैरी की तरफ़ देखने लगा। 'मैं तुम पर हैरान हूँ। मैंने सोचा था कि आते ही तुम सबसे पहला काम यह करोगे कि वोल्डेमॉर्ट के बारे में सवाल पूछने लगोगे।'

कमरे का माहौल इतनी तेज़ी से बदल गया, जैसे वहाँ पर दमपिशाच आ गए हों। कुछ सेकंड पहले सभी सुस्त और उनींदे दिख रहे थे, लेकिन अब सभी चौकस, यहाँ तक कि तनावपूर्ण हो गए थे। वोल्डेमॉर्ट के नाम से टेबल के चारों तरफ़ जैसे दहशत का माहौल बन गया था। ल्यूपिन शराब की चुस्की लेने वाले थे, लेकिन उन्होंने अपना प्याला धीरे-धीरे नीचे रख दिया और सावधानी से देखने लगे।

हैरी ने ग़ुस्से से कहा, 'मैंने पूछा था! मैंने रॉन और हर्माइनी से पूछा था, लेकिन उन्होंने कहा कि हमें समूह में शामिल होने की इजाज़त नहीं है, इसलिए –'

'और उन्होंने सही कहा था,' मिसेज़ वीज़्ली बोलीं। 'तुम अभी बहुत छोटे हो।'

वे अपनी कुर्सी पर तनकर बैठी हुई थीं। उनके बँधे हुए हाथों की मुट्ठियाँ भी बँध चुकी थीं। उनके चेहरे पर अब आलस का नामोनिशान भी नहीं था।

सिरियस ने पूछा, 'सवाल पूछने के लिए मायापंछी के समूह में शामिल होना कब से ज़रूरी हो गया? हैरी उस मगलू घर में एक महीने से क़ैद रहा है। उसे यह जानने का हक़ है कि जादूगरों की दुनिया में क्या हो रहा है –'

'ज़रा ठहरो!' जॉर्ज ने ज़ोर से बीच में टोका।

फ्रेड ने ग़ुस्से से पूछा, 'हैरी के सवालों के जवाब कौन देगा?'

जॉर्ज ने कहा, '*हम* आपसे एक महीने से कुछ उगलवाने की कोशिश कर रहे हैं, लेकिन आपने हमें अब तक एक भी बेहूदा चीज़ नहीं बताई है!'

'तुम लोग अभी बहुत छोटे हो, तुम लोग समूह में नहीं हो,' फ्रेड ने अपनी मम्मी की तीखी आवाज़ की नक़ल करते हुए कहा। 'हैरी तो अभी नाबालिग़ है!'

सिरियस ने शांति से कहा, 'अगर तुम्हें यह नहीं बताया गया है कि समूह क्या कर रहा है, तो इसमें मेरी कोई ग़लती नहीं है। यह तुम्हारे मम्मी-डैडी का फ़ैसला है। दूसरी तरफ़ हैरी -'

'तुम्हें यह फ़ैसला करने का हक़ नहीं है कि हैरी के लिए क्या अच्छा है!' मिसेज़ वीज़्ली ने तीखेपन से कहा। आम तौर पर दयालु दिखने वाला उनका चेहरा इस वक़्त ख़तरनाक दिख रहा था। 'मुझे लगता है कि तुम डम्बलडोर की बात तो नहीं भूले होगे?'

'कौन सी बात?' सिरियस ने विनम्रता से कहा, लेकिन उसे देखकर ऐसा लगा कि वह ख़ुद को लड़ाई के लिए तैयार कर रहा था।

'वह वाली बात कि हैरी को जितना *जानने की ज़रूरत है*, उससे ज़्यादा कुछ नहीं बताया जाए,' मिसेज़ वीज़्ली ने *ज़रूरत* शब्द पर ज़ोर देते हुए कहा।

रॉन, हर्माइनी, फ्रेड और जॉर्ज के सिर कभी सिरियस, तो कभी मिसेज़ वीज़्ली की तरफ़ मुड़ते रहे। ऐसा लग रहा था, जैसे वे टेनिस मैच की रैली देख रहे हों। जिनी घुटनों के बल झुकी हुई थी और उसके आस-पास बटरबियर की बोतलों के कई कॉर्क पड़े हुए थे। वह अपना मुँह खोलकर इस मुठभेड़ को देख रही थी। ल्यूपिन की आँखें सिरियस पर जमी हुई थीं।

सिरियस ने कहा, 'मॉली, उसे *जितना जानने की ज़रूरत है*, उससे ज़्यादा मैं उसे बताना भी नहीं चाहता हूँ। लेकिन चूँकि उसी ने वोल्डेमॉर्ट को लौटते देखा है,' (वोल्डेमॉर्ट का नाम सुनकर टेबल के आस-पास बैठे लोग एक बार फिर काँप गए) 'इसलिए उसे बाक़ी लोगों से ज़्यादा जानने का हक़ है -'

मिसेज़ वीज़्ली ने सिरियस की बात काटते हुए कहा, 'वह मायापंछी के समूह का सदस्य नहीं है! वह सिर्फ़ पंद्रह साल का है और -'

'और वह समूह के ज़्यादातर लोगों के बराबर बहादुरी दिखा चुका है,' सिरियस ने कहा, 'और उसने कई लोगों से तो ज़्यादा बहादुरी दिखाई है।'

'कोई भी उसकी बहादुरी से इंकार नहीं कर रहा है!' मिसेज़ वीज़्ली ने कहा। अब उनकी आवाज़ ऊँची हो गई थी और उनकी मुट्ठियाँ कुर्सी के हत्थों पर काँपने लगी थीं। 'लेकिन वह अब भी -'

'वह बच्चा नहीं है!' सिरियस ने अधीरता से कहा।

'वह बालिग़ भी नहीं है!' मिसेज़ वीज़्ली ने कहा और उनके गाल लाल होने लगे। 'सिरियस, वह *जेम्स* नहीं है!'

सिरियस ने ठंडे लहज़े में कहा, 'मॉली, मुझे अच्छी तरह मालूम है कि वह कौन है।'

मिसेज़ वीज़्ली बोलीं, 'मुझे नहीं लगता कि तुम्हें मालूम है! जब तुम उसके बारे में बातें करते हो, तो कई बार ऐसा लगता है, जैसे तुम यह समझ रहे हो कि तुम्हें अपना सबसे अच्छा दोस्त वापस मिल गया है!'

हैरी ने कहा, 'तो इसमें ग़लत क्या है?'

'हैरी, इसमें ग़लत यह है कि तुम्हारी शक्ल भले ही जेम्स जैसी हो, लेकिन तुम जेम्स नहीं हो!' मिसेज़ वीज़्ली ने कहा और उनकी आँखें अब भी सिरियस पर गड़ी हुई थीं। 'तुम अब भी स्कूल में पढ़ते हो और तुम्हारे लिए ज़िम्मेदार वयस्कों को यह बात नहीं भूलनी चाहिए!'

'इसका मतलब यह है कि मैं ग़ैर-ज़िम्मेदार गॉडफ़ादर हूँ?' सिरियस ने तेज़ आवाज़ में पूछा।

'इसका मतलब यह है सिरियस कि तुम जल्दबाज़ी में काम करने के लिए मशहूर हो, इसीलिए तो डम्बलडोर तुम्हें बार-बार घर के अंदर रहने की याद दिलाते हैं और –'

सिरियस ने ज़ोर से कहा, 'बेहतर होगा कि आप इस मामले से डम्बलडोर को दूर ही रखें।'

'आर्थर!' मिसेज़ वीज़्ली अपने पति की तरफ़ मुड़ते हुए बोलीं। 'आर्थर, मेरी मदद करो!'

मिस्टर वीज़्ली तत्काल कुछ नहीं बोले। उन्होंने अपना चश्मा उतारकर धीरे से दुशाले से साफ़ किया, लेकिन अपनी पत्नी की तरफ़ नहीं देखा। चश्मे को सावधानी से अपनी नाक पर चढ़ाने के बाद ही उन्होंने जवाब दिया।

'मॉली, डम्बलडोर भी जानते हैं कि अब स्थिति बदल गई है। वे मानते हैं कि चूँकि अब हैरी मुख्यालय में रहने वाला है, इसलिए उसे कुछ हद तक जानकारी दे देनी चाहिए।'

'हाँ, लेकिन इसका मतलब यह तो नहीं है कि वह जो भी सवाल पूछेगा, उसका जवाब देना ज़रूरी है!'

'व्यक्तिगत रूप से,' ल्यूपिन ने आख़िर सिरियस से नज़रें हटाकर धीमे से कहा। मिसेज़ वीज़्ली इस आशा से उनकी तरफ़ मुड़ीं कि आख़िर अब उन्हें एक समर्थक मिल गया है, 'मुझे लगता है कि हैरी को सच्चाई बता देनी चाहिए – सारी सच्चाई नहीं मॉली, बल्कि मोटी-मोटी बातें। यह अच्छा रहेगा कि वह दूसरों की ग़लत और गड़बड़ जानकारी के बजाय हमसे सच्चाई जान ले।'

हैरी समझ गया कि कम से कम ल्यूपिन तो यह बात जानते थे कि कुछ विस्तारित कान मिसेज़ वीज़्ली की पकड़ में नहीं आ पाए थे।

'अच्छी बात है,' मिसेज़ वीज़्ली ने गहरी साँस लेते हुए इस उम्मीद में चारों तरफ़ देखा कि कोई तो उनकी हाँ में हाँ मिलाएगा, लेकिन जब किसी ने भी ऐसा नहीं किया, तो वे आगे बोलीं, 'अच्छी बात है ... मैं देख रही हूँ कि मेरी बात से कोई सहमत नहीं है। मैं तो बस इतना ही कहना चाहती हूँ : डम्बलडोर के पास कोई तो कारण होगा, जो वे हैरी को ज़्यादा कुछ नहीं बताना चाहते होंगे। मैं तो हैरी का भला चाहती हूँ –'

'वह तुम्हारा बेटा नहीं है,' सिरियस ने धीरे से कहा।

'वह बेटे जैसा ही है,' मिसेज़ वीज़्ली ने आक्रोश से कहा। 'उसके पास और कौन है?'

'उसके पास मैं हूँ!'

'हाँ,' मिसेज़ वीज़्ली ने अपना होंठ सिकोड़कर कहा, 'दिक्क़त यह है कि जब तुम अज़्काबान में क़ैद थे, तो उसकी देखभाल करना तुम्हारे लिए मुश्किल था, है ना?'

सिरियस अपनी कुर्सी से उठने लगा।

'मॉली, इस टेबल पर सिर्फ़ तुम्हीं नहीं हो, जिसे हैरी की चिंता है,' ल्यूपिन ने तीखी आवाज़ में कहा। 'सिरियस, *बैठ जाओ।*'

मिसेज़ वीज़्ली का निचला होंठ काँपने लगा। सिरियस धीरे से अपनी कुर्सी में दोबारा धँस गया। उसका चेहरा सफ़ेद हो गया था।

'मुझे लगता है कि इस बारे में हैरी की राय जान लेनी चाहिए,' ल्यूपिन ने कहा, 'वह इतना बड़ा हो चुका है कि अपने निर्णय खुद ले सके।'

हैरी ने तपाक से कहा, 'मैं जानना चाहता हूँ कि क्या हो रहा है।'

उसने मिसेज़ वीज़्ली की तरफ़ नहीं देखा। उनकी यह बात उसके दिल को छू गई थी कि वे उसे अपने बेटे जैसा मानती थीं, लेकिन वह उनके अति-संरक्षणवादी तरीक़े से बेचैन हो उठा था। सिरियस ने सही कहा था, वह अब बच्चा *नहीं* है।

मिसेज़ वीज़्ली ने टूटती आवाज़ में कहा, 'बहुत बढ़िया। जिनी – रॉन – हर्माइनी – फ़्रेड – जॉर्ज – मैं चाहती हूँ कि तुम लोग इस किचन से बाहर चले जाओ, अभी।'

तत्काल कोहराम मच गया।

फ़्रेड और जॉर्ज एक साथ चिल्लाए, 'हम बालिग़ हैं!'

रॉन चिल्लाया, 'अगर हैरी सुन सकता है, तो मैं क्यों नहीं?'

जिनी ने सुबकते हुए कहा, 'मम्मी, मैं भी सुनना *चाहती हूँ!'*

'नहीं!' मिसेज़ वीज़्ली खड़े होकर चिल्लाईं और उनकी आँखें पहले से ज़्यादा चमकने लगीं। 'मैं तुम लोगों को ऐसा नहीं करने दूँगी –'

'मॉली, तुम फ्रेड और जॉर्ज को नहीं रोक सकतीं,' मिस्टर वीज़्ली ने थके अंदाज़ में कहा। '*वे लोग* बालिग़ हो चुके हैं।'

'वे अब भी स्कूल में पढ़ते हैं।'

'लेकिन क़ानूनन अब वे बालिग़ हैं,' मिस्टर वीज़्ली ने उसी थके अंदाज़ में जवाब दिया।

मिसेज़ वीज़्ली का चेहरा लाल सुर्ख़ हो गया।

'मैं – अच्छा, ठीक है, फ्रेड और जॉर्ज यहाँ रुक सकते हैं, लेकिन रॉन –'

'हैरी वैसे भी मुझे और हर्माइनी को सारी बात बता देगा!' रॉन ने जोश से कहा। 'है ना – है ना, हैरी?' उसने हैरी की तरफ़ अनिश्चितता से देखते हुए कहा।

एक पल के लिए तो हैरी के मन में आया कि वह रॉन से कह दे कि वह उसे एक शब्द भी नहीं बताएगा और उसे भी उसी तरह अँधेरे में रखेगा, जैसा उसने हैरी के साथ किया था। लेकिन रॉन से नज़रें मिलते ही उसके मन से यह दुष्ट भाव ग़ायब हो गया।

हैरी ने कहा, 'और क्या, मैं तुम्हें सब कुछ बता दूँगा।'

रॉन और हर्माइनी के चेहरे खिल उठे।

'अच्छी बात है!' मिसेज़ वीज़्ली चिल्लाईं। 'ठीक है! जिनी – तुम तो अपने **बिस्तर पर चलो!'**

जिनी शांति से नहीं गई। सीढ़ियाँ चढ़ते समय वह ग़ुस्से से भन्नाती रही और अपनी माँ पर भड़ास निकालती रही। जब वह हॉल में पहुँची, तो मिसेज़ ब्लैक की कानफोड़ू चीख़ों ने कोलाहल को बढ़ा दिया। शांति क़ायम करने के लिए ल्यूपिन जल्दी से उस तस्वीर के पास गए। जब वे लौटकर किचन का दरवाज़ा बंद करके अपनी कुर्सी पर बैठ गए, तब सिरियस बोला।

'**ठीक है**, हैरी ... तुम क्या जानना चाहते हो?'

हैरी ने एक गहरी साँस ली और वह सवाल पूछा, जो उसके दिमाग़ में एक महीने से कुलबुला रहा था।

'वोल्डेमॉर्ट कहाँ है?' उसने पूछा और उस नाम को सुनकर सबके काँपने

और चौंकने को नज़रअंदाज़ कर दिया। 'वह क्या कर रहा है? मैं मगलुओं की न्यूज़ देख रहा हूँ और अब तक उसके आने का एक भी संकेत नहीं मिला है। किसी अजीब मौत की ख़बर नहीं मिली है।'

सिरियस ने कहा, 'ऐसा इसलिए है, क्योंकि कोई अजीब मौत अब तक हुई ही नहीं है, जहाँ तक हम जानते हैं ... और हम काफ़ी कुछ जानते हैं।'

ल्यूपिन बोला, 'उसे जितना लगता है, हम उससे ज़्यादा जानते हैं।'

'ऐसा कैसे हो गया कि वह लोगों को नहीं मार रहा है?' हैरी ने पूछा। वह जानता था कि वोल्डेमॉर्ट ने पिछले साल ही एक से ज़्यादा लोगों की हत्या की थी।

सिरियस ने कहा, 'क्योंकि वह लोगों का ध्यान आकर्षित नहीं करना चाहता। यह उसके लिए ख़तरनाक साबित होगा। उसकी वापसी वैसी नहीं हो पाई, जैसी वह चाहता था। उसने गड़बड़ कर दी।'

'या यूँ कहें कि तुमने गड़बड़ कर दी,' ल्यूपिन ने संतोष से मुस्कराते हुए कहा।

हैरी ने चकराते हुए पूछा, 'कैसे?'

सिरियस ने कहा, 'वह नहीं चाहता था कि तुम ज़िंदा बच जाओ! अपने प्राणभक्षियों को छोड़कर वह किसी को अपने लौटने की भनक नहीं लगने देना चाहता था। लेकिन तुम बच गए और तुमने उसके आने की बात फैला दी।'

'और अपनी वापसी की जानकारी वह जिस व्यक्ति को सबसे आख़िर में देना चाहता था, वह डम्बलडोर थे,' ल्यूपिन ने कहा। 'और तुमने डम्बलडोर को सबसे पहले बता दिया।'

हैरी ने पूछा, 'इससे क्या फ़ायदा हुआ?'

'क्या तुम पागल हो गए हो?' बिल ने हैरानी से कहा। 'तुम-जानते-हो-कौन सिर्फ़ डम्बलडोर से ही तो डरता था!'

सिरियस बोला, 'तुम्हारी बदौलत डम्बलडोर ने वोल्डेमॉर्ट के लौटने के एक घंटे के भीतर ही मायापंछी के समूह को पुनर्जीवित कर दिया।'

हैरी ने उन सभी की तरफ़ देखते हुए पूछा, 'समूह कर क्या रहा है?'

सिरियस ने जवाब दिया, 'पूरी कोशिश कर रहा है कि वोल्डेमॉर्ट अपने इरादों में कामयाब न हो पाए।'

हैरी ने जल्दी से पूछा, 'तुम्हें कैसे पता कि उसके इरादे क्या हैं?'

'डम्बलडोर को अंदाज़ा है,' ल्यूपिन ने कहा, 'और डम्बलडोर के अंदाज़े

आम तौर पर सही साबित होते हैं।'

'तो डम्बलडोर के हिसाब से उसके इरादे क्या हैं?'

'सबसे पहले तो वह अपने समूह को दोबारा खड़ा करना चाहता है,' सिरियस ने कहा। 'पुराने दिनों में उसके पास बहुत सारे लोग थे, जो उसके इशारे पर काम करते थे : जादूगर और जादूगरनियाँ, जिन्हें उसने जादू से या डरा-धमकाकर अपना आदेश मानने के लिए मजबूर किया था, उसके वफ़ादार प्राणभक्षी और बहुत सारे अन्य जादुई प्राणी। तुमने क़ब्रिस्तान में सुना था कि वह दानवों को भी अपने दल में शामिल करने की योजना बना रहा था। वे उन कई समूहों में से एक हैं, जिन्हें वह अपने दल में शामिल करना चाहता है। सिर्फ़ एक दर्जन प्राणभक्षियों के दम पर वह जादू मंत्रालय पर क़ब्ज़ा जमाने के बारे में नहीं सोचेगा।'

'तो आप लोग उसे ज़्यादा समर्थक जुटाने से रोकने की कोशिश कर रहे हैं?'

'हम अपनी पूरी कोशिश कर रहे हैं,' ल्यूपिन ने कहा।

'कैसे?'

बिल बोला, 'सबसे बड़ी बात यह है कि हम ज़्यादा से ज़्यादा लोगों को यह यक़ीन दिलाने की कोशिश कर रहे हैं कि तुम-जानते-हो-कौन लौट आया है। हम उन्हें सतर्क करना चाहते हैं, लेकिन यह काफ़ी मुश्किल साबित हो रहा है।'

'क्यों?'

'मंत्रालय के रवैये के कारण,' टोंक्स ने कहा। 'हैरी, तुम-जानते-हो-कौन की वापसी के बाद तुमने कॉर्नेलियस फ़ज को देखा था ना? देखो, वह अपनी बात से ज़रा भी टस से मस नहीं हुआ है। वह यह मानने के लिए तैयार ही नहीं है कि तुम-जानते-हो-कौन लौट आया है।'

'लेकिन क्यों?' हैरी ने हताशा से कहा। 'वे इतनी बड़ी मूर्खता कैसे कर रहे हैं? अगर डम्बलडोर –'

'ओह, अब तुमने सही जगह पर उँगली रखी है,' मिस्टर वीज़्ली ने मुस्कराते हुए कहा। *'डम्बलडोर।'*

टोंक्स ने दुखी होकर कहा, 'फ़ज उनसे डर रहे हैं।'

हैरी ने हैरानी से पूछा, 'डम्बलडोर से डर रहे हैं?'

मिस्टर वीज़्ली बोले, 'उनके इरादों से डर रहे हैं। फ़ज को लगता है कि डम्बलडोर उन्हें मंत्री पद से हटाने की साज़िश रच रहे हैं, क्योंकि वे खुद जादू मंत्री बनना चाहते हैं।'

'लेकिन डम्बलडोर ऐसा नहीं चाहते हैं –'

'ज़ाहिर है, वे ऐसा नहीं चाहते हैं,' मिस्टर वीज़्ली ने कहा। 'वे मंत्री बनना ही नहीं चाहते थे, हालाँकि मिलिसेंट बैगनोल्ड के रिटायर होने के बाद बहुत से जादूगर उन्हें मंत्री बनाना चाहते थे। डम्बलडोर के पद ठुकराने के बाद फ़ज मंत्री बन गए, लेकिन वे यह बात कभी नहीं भूले कि मंत्री बनने के लिए आवेदन न करने के बावजूद डम्बलडोर कितने लोकप्रिय थे और उन्हें जनता का कितना समर्थन मिला था।'

ल्यूपिन बोले, 'मन ही मन फ़ज जानते हैं कि डम्बलडोर उनसे ज़्यादा चतुर हैं, उनसे ज़्यादा शक्तिशाली जादूगर हैं। मंत्री बनने के बाद शुरुआती दिनों में वे हमेशा डम्बलडोर से मदद तथा सलाह माँगते रहते थे। लेकिन ऐसा लगता है कि उन्हें सत्ता का चस्का लग गया है और वे अति-आत्मविश्वास के शिकार हो गए हैं। उन्हें जादू मंत्री पद से मोह हो गया है और उन्होंने ख़ुद को यह विश्वास दिला दिया है कि वे चतुर हैं तथा डम्बलडोर उनके लिए मुश्किलें खड़ी कर रहे हैं।'

'वे ऐसा कैसे सोच सकते हैं?' हैरी ग़ुस्से से बोला। 'वे ऐसा कैसे सोच सकते हैं कि डम्बलडोर इस बारे में झूठ बोल सकते हैं – या मैं इस बारे में झूठ बोल *सकता हूँ?*'

सिरियस ने कटुता से कहा, 'क्योंकि वोल्डेमॉर्ट के वापस लौटने से एक बड़ा संकट आ जाएगा, जिससे मंत्रालय पिछले चौदह सालों से बच रहा था। फ़ज इसका सामना करने के लिए तैयार नहीं है। इसके बजाय यह मुग़ालता ज़्यादा अच्छा है कि डम्बलडोर उनकी गद्दी छीनने के लिए झूठ बोल रहे हैं।'

ल्यूपिन ने कहा, 'अब तुम हमारी मुश्किल को समझ गए होगे। अगर मंत्रालय इस बात पर ज़ोर देता है कि वोल्डेमॉर्ट से डरने की कोई बात नहीं है, तो लोगों को उसकी वापसी का यक़ीन दिलाना बहुत मुश्किल काम है, ख़ास तौर पर इसलिए क्योंकि वे इस बारे में यक़ीन करना भी नहीं चाहते हैं। यही नहीं, मंत्रालय अब *दैनिक जादूगर* का सहारा भी ले रहा है कि वह डम्बलडोर की अफ़वाहों को न छापे। इसी कारण जादूगर समुदाय के ज़्यादातर लोगों को इस बात की ज़रा भी जानकारी नहीं है कि क्या हुआ है। इस तरह वे प्राणभक्षियों के सम्मोहन शाप के आसान निशाने बन जाते हैं।'

'लेकिन आप सभी तो लोगों को सच्चाई बता रहे हैं, है ना?' हैरी ने मिस्टर वीज़्ली, सिरियस, बिल, मंडंगस, ल्यूपिन और टौंक्स की तरफ़ देखते हुए कहा। 'आप लोग तो बता रहे हैं ना कि वह लौट आया है?'

वे सब ठंडे अंदाज़ में मुस्कराए।

सिरियस बेचैनी से बोला, 'चूँकि हर व्यक्ति सोचता है कि मैं सामूहिक हत्यारा हूँ, सिरफिरा हूँ और मंत्रालय ने मेरे सिर पर दस हज़ार गैलियन का इनाम रखा है, इसलिए मैं सड़क पर जाकर पर्चे तो नहीं बाँट सकता, है ना?'

'और ज़्यादातर जादूगर मुझे डिनर पर मेहमान के रूप में नहीं बुलाना चाहेंगे,' ल्यूपिन ने कहा। 'यह नरभेड़िया होने का नुक़सान है।'

सिरियस ने कहा, 'अगर टौंक्स और आर्थर अपना मुँह खोलेंगे, तो उनकी नौकरी चली जाएगी। और हमारे लिए यह बहुत महत्वपूर्ण है कि मंत्रालय के भीतर हमारे जासूस रहें, क्योंकि हमें यक़ीन है कि वोल्डेमॉर्ट के जासूस वहाँ पहले से ही होंगे।'

'हम कुछ लोगों को यक़ीन दिलाने में सफल हुए हैं,' मिस्टर वीज़्ली ने कहा। 'टौंक्स को ही देख लो – वह इतनी छोटी है कि पिछली बार मायापंछी के समूह में नहीं थी और हमारे दल में ऑरर्स को शामिल करना बहुत फ़ायदेमंद है – किंग्सले शैकलबोल्ट भी बहुत काम का है। वह सिरियस को पकड़ने के अभियान का मुखिया है और वह मंत्रालय को यह जानकारी दे रहा है कि सिरियस तिब्बत में है।'

'लेकिन अगर आपमें से कोई भी यह ख़बर नहीं फैला रहा है कि वोल्डेमॉर्ट लौट आया है –' हैरी ने बोलना शुरू किया।

'किसने कहा कि हममें से कोई भी ख़बर नहीं फैला रहा है?' सिरियस ने कहा। 'तुम्हें क्या लगता है कि डम्बलडोर इतनी मुश्किल में क्यों हैं?'

हैरी ने पूछा, 'आपका क्या मतलब है?'

'वे लोग डम्बलडोर की प्रतिष्ठा को धूमिल करने की कोशिश कर रहे हैं,' ल्यूपिन ने कहा। 'क्या तुमने पिछले हफ़्ते का *दैनिक जादूगर* नहीं पढ़ा? उसमें यह ख़बर छपी थी कि डम्बलडोर के बुढ़ापे और मानसिक अस्थिरता के कारण उन्हें अंतर्राष्ट्रीय जादूगर महासंघ के चेयरमैन पद से हटा दिया गया है, लेकिन यह सच नहीं था। उन्हें इसलिए हटाया गया, क्योंकि उन्होंने अपने भाषण में वोल्डेमॉर्ट की वापसी का ऐलान कर दिया था। उन्हें वाइज़नगैमट यानी जादूगर न्यायसभा के प्रमुख जादूगर के पद से भी हटा दिया गया है। और लोग तो यह भी कह रहे हैं कि उनका ऑर्डर ऑफ़ मर्लिन, फ़र्स्ट क्लास भी छीन लिया जाएगा।'

बिल ने मुस्कराते हुए कहा, 'लेकिन डम्बलडोर कहते हैं कि जब तक उन्हें चॉकलेट मेंढक के कार्डों से नहीं हटाया जाता, तब तक उन्हें किसी बात की परवाह नहीं है।'

'यह हँसने की बात नहीं है,' मिस्टर वीज़्ली ने तीखी आवाज़ में कहा। 'अगर वे इसी तरह मंत्रालय की अवहेलना करते रहे, तो उन्हें अज़्काबान भी भेजा जा सकता है और हम कभी नहीं चाहेंगे कि उन्हें क़ैद कर लिया जाए। जब तक तुम-जानते-हो-कौन को यह पता है कि डम्बलडोर हैं और उसके इरादों को भाँप सकते हैं, तब तक वह सावधानी से क़दम उठाएगा। लेकिन अगर डम्बलडोर रास्ते से हट जाते हैं - तो फिर, तुम-जानते-हो-कौन के सामने ख़ाली मैदान होगा।'

हैरी ने हताशा में पूछा, 'लेकिन अगर वोल्डेमॉर्ट जादूगरों को प्राणभक्षी बनाने की कोशिश कर रहा है, तो सबको उसके लौटने का पता चल जाएगा, है ना?'

'हैरी, वोल्डेमॉर्ट लोगों के घर जाकर उनके दरवाज़े नहीं खटखटाता है,' सिरियस ने कहा। 'उसके पास कई चालें तथा मंत्र हैं और वह लोगों को ब्लैकमेल करता है। वह छिपकर काम करने में माहिर है। चाहे जो हो, समर्थक जुटाना तो सिर्फ़ एक काम है, जिसमें उसकी दिलचस्पी है। उसकी दूसरी योजनाएँ भी हैं। ऐसी योजनाएँ, जिन पर वह चुपचाप अमल कर सकता है और इस वक़्त वह उन्हीं पर अपना ध्यान केंद्रित कर रहा है।'

हैरी ने जल्दी से पूछा, 'समर्थक जुटाने के अलावा उसकी क्या योजना है?' उसे दिख गया कि सिरियस ने जवाब देने से पहले ल्यूपिन की तरफ़ देखा।

'वह चोरी से कोई सामान हथियाना चाहता है।'

जब हैरी उलझन में दिखा, तो सिरियस ने आगे कहा, 'जैसे कोई हथियार। एक ऐसी चीज़, जो पिछली बार उसके पास नहीं थी।'

'जब वह बहुत शक्तिशाली था?'

'हाँ।'

'किस तरह का हथियार?' हैरी ने पूछा। '*मृत्युदंशम्* से भी ज़्यादा बुरा -'

'अब बहुत हो गया!'

मिसेज़ वीज़्ली ने दरवाज़े के पास की छाया में खड़े होकर कहा। हैरी का ध्यान इस तरफ़ नहीं गया था कि वे जिनी को ऊपर की मंज़िल पर छोड़ने के बाद नीचे आ गई थीं। उनके हाथ बँधे हुए थे और वे बहुत ग़ुस्से में लग रही थीं।

उन्होंने फ़्रेड, जॉर्ज, रॉन और हर्माइनी की तरफ़ देखते हुए कहा, 'मैं चाहती हूँ कि तुम सभी अपने-अपने बिस्तर पर जाओ। तुम सभी।'

फ़्रेड ने कहा, 'आप हमसे ज़बर्दस्ती नहीं कर सकतीं -'

'क्यों नहीं कर सकती,' मिसेज़ वीज़्ली गुर्राईं। फिर उन्होंने सिरियस की तरफ़ देखते हुए कहा, 'तुमने हैरी को काफ़ी जानकारी दे दी है। अब अगर तुमने उसे और जानकारी दी, तो वह सीधे समूह में शामिल हो जाएगा।'

'क्यों नहीं?' हैरी ने जल्दी से कहा। 'मैं शामिल हो जाऊँगा, मैं शामिल होना चाहता हूँ, मैं लड़ना चाहता हूँ।'

'नहीं।'

यह आवाज़ मिसेज़ वीज़्ली की नहीं, बल्कि ल्यूपिन की थी।

वे बोले, 'समूह में सिर्फ़ बालिग़ जादूगर ही शामिल हो सकते हैं। ऐसे जादूगर, जिन्होंने स्कूल की पढ़ाई पूरी कर ली है,' उन्होंने आगे कहा, जब फ्रेड और जॉर्ज ने बोलने के लिए अपने मुँह खोले। 'इस काम में ऐसे ख़तरे हैं, जिनके बारे में तुम लोगों को ज़रा भी अंदाज़ा नहीं है ... सिरियस, मुझे लगता है, मॉली की बात सही है। हमने काफ़ी कुछ बता दिया है।'

सिरियस ने कंधे उचका दिए, लेकिन बहस नहीं की। मिसेज़ वीज़्ली ने अपने बेटों और हर्माइनी को इशारा किया। एक-एक करके वे सब उठकर खड़े हुए और हैरी भी मन मारकर उनके पीछे-पीछे चल दिया।

अध्याय छह

ब्लैक ख़ानदान का पुश्तैनी मकान

मिसेज़ वीज़्ली गंभीर दिखती हुई फ्रेड, जॉर्ज, रॉन और हर्माइनी के पीछे-पीछे ऊपर की सीढ़ियाँ चढ़ने लगीं।

उन्होंने कहा, 'मैं चाहती हूँ कि तुम लोग अब सीधे अपने बिस्तर पर जाओ। बातचीत मत करना। कल हमें बहुत सारी सफ़ाई करनी है। मुझे लगता है, जिनी सो चुकी होगी,' उन्होंने हर्माइनी से कहा, 'इसलिए उसे जगाना मत।'

'सो चुकी होगी, अच्छा,' फ्रेड ने धीरे से कहा, जब हर्माइनी उन्हें गुड नाइट करके चली गई और वे लोग अगली मंज़िल पर चढ़ने लगे। 'अगर जिनी हर्माइनी से सारी बातें जानने के लिए अब तक नहीं जाग रही हो, तो मेरा नाम फ़्लॉबरवर्म रख देना ...'

'अच्छा रॉन और हैरी,' मिसेज़ वीज़्ली ने दूसरी मंज़िल पर पहुँचकर उनके बेडरूम की तरफ़ इशारा करते हुए कहा। 'अपने बिस्तर पर जाओ।'

'गुड नाइट,' हैरी और रॉन ने जुड़वाँ भाइयों से कहा।

फ्रेड ने आँख मारते हुए कहा, 'गहरी नींद में सोना।'

मिसेज़ वीज़्ली ने हैरी के अंदर घुसते ही दरवाज़ा बंद कर दिया। बेडरूम अब पहले से ज़्यादा सीलन भरा और उदास दिख रहा था। दीवार की ख़ाली तस्वीर अब धीरे-धीरे गहरी साँसें ले रही थी। ऐसा लग रहा था, जैसे इसमें रहने वाला अदृश्य निवासी सो रहा हो। हैरी ने अपना पायजामा पहना, चश्मा उतारा और ठंडे पलंग पर चढ़ गया। हेडविग और पिगविजियन बेचैनी से मँडरा रहे थे तथा शोर मचा रहे थे, इसलिए उन्हें शांत करने के लिए रॉन ने उल्लुओं की टॉफ़ी अलमारी के ऊपर उछाल दी।

रॉन ने अपना मेहरून पायजामा पहनते हुए कहा, 'हम उन्हें हर रात को शिकार करने के लिए बाहर नहीं निकाल सकते हैं। डम्बलडोर नहीं चाहते हैं कि

इस चौक के आस-पास ज़्यादा उल्लू मँडराएँ। उन्हें लगता है कि इससे लोगों को शक हो जाएगा। अरे ... मैं तो भूल ही गया था ...'

फिर उसने दरवाज़े के पास जाकर कुंडी लगा दी।

'तुमने ऐसा क्यों किया?'

'क्रीचर के कारण,' रॉन ने बत्ती बुझाते हुए कहा। 'जिस दिन मैं यहाँ आया था, उस रात को तीन बजे वह भटकता हुआ यहाँ आ गया था। यक़ीन करो, कोई भी नहीं चाहेगा कि नींद खुलने पर वह उसे अपने कमरे में मँडराता हुआ देखे। ख़ैर ...' वह अपने पलंग पर चढ़ गया और चादर के नीचे से अँधेरे में हैरी की तरफ़ देखने लगा। हैरी को गंदी खिड़की से आ रही चाँदनी में उसकी छाया दिख रही थी, *'तुम्हें क्या लगता है?'*

हैरी को यह पूछने की ज़रूरत नहीं थी कि रॉन के इस सवाल का क्या मतलब था।

उसने नीचे हुई बातों के बारे में सोचते हुए कहा, 'देखो, उन्होंने हमें कोई नई बात तो नहीं बताई, है ना? मेरा मतलब है, उन्होंने हमें यही तो बताया है कि समूह लोगों को वोल्डे-'

रॉन ने यह नाम सुनकर तेज़ी से साँस खींची।

'-मॉर्ट के दल में शामिल होने से रोकने की कोशिश कर रहा है,' हैरी ने दृढ़ता से कहा। 'तुम उसका नाम कब लेना शुरू करोगे? सिरियस और ल्यूपिन भी तो लेते हैं।'

रॉन ने आख़िरी वाक्य को अनसुना कर दिया।

उसने कहा, 'हाँ, तुम ठीक कहते हो। उन्होंने हमें जो बातें बताई हैं, उनमें से ज़्यादातर तो हमें विस्तारित कानों से पहले ही पता चल चुकी थीं। नई जानकारी तो सिर्फ़ यह थी -'

कड़ाक!

'आउच!'

'रॉन, अपनी आवाज़ नीची रखो, वरना मम्मी आ जाएँगी।'

'तुम दोनों मेरे घुटनों पर प्रकट हुए हो!'

'अँधेरे में यह काम ज़रा मुश्किल होता है।'

हैरी ने देखा कि फ्रेड और जॉर्ज की धुंधली आकृतियाँ रॉन के पलंग से नीचे कूद गईं। जॉर्ज हैरी के पलंग पर उसके पैरों के पास बैठ गया, जिससे पलंग की स्प्रिंग की आवाज़ आई और हैरी का गद्दा थोड़ा धँस गया।

जॉर्ज ने उत्सुकता से पूछा, 'तो कहाँ तक पहुँचे?'

हैरी ने जवाब दिया, 'उस हथियार तक, जिसका सिरियस ने ज़िक्र किया था?'

फ्रेड ने रॉन की बग़ल में बैठते हुए मज़े से कहा, 'ऐसा लगता है कि यह बात उसके मुँह से फिसल गई थी। विस्तारित कानों से हमें यह जानकारी पता नहीं चल पाई थी, है ना?'

हैरी ने कहा, 'तुम्हें क्या लगता है, यह कैसा हथियार होगा?'

'कुछ भी हो सकता है,' फ्रेड ने अंदाज़ा लगाते हुए कहा।

'लेकिन मृत्युदंशम् शाप से ज़्यादा बुरा क्या हो सकता है?' रॉन ने कहा। 'मौत से ज़्यादा बुरा क्या हो सकता है?'

जॉर्ज ने सुझाव दिया, 'शायद कोई ऐसी चीज़ होगी, जो बहुत सारे लोगों को एक साथ मार सकती हो।'

रॉन डरते हुए बोला, 'शायद यह लोगों को मारने का कोई ख़ास दर्दनाक तरीक़ा होगा।'

'पीड़ीकृत शाप से ज़्यादा दर्दनाक क्या हो सकता है?' हैरी ने कहा। 'उसे इससे ज़्यादा अच्छी चीज़ की ज़रूरत नहीं है।'

एक पल के लिए ख़ामोशी छाई रही। हैरी जानता था कि बाक़ी लोग भी उसी की तरह यह सोच रहे होंगे कि वह हथियार कौन सा भयानक काम कर सकता होगा।

आख़िर जॉर्ज ने पूछा, 'तुम्हें क्या लगता है, वह हथियार किसके पास होगा?'

रॉन ने थोड़ा घबराकर कहा, 'उम्मीद है कि हमारे ही दल के पास होगा।'

फ्रेड बोला, 'अगर वह हथियार हमारे दल के पास है, तो शायद डम्बलडोर ने उसे कहीं छिपाकर रखा होगा।'

'कहाँ?' रॉन ने जल्दी से पूछा। 'हॉगवर्ट्स में?'

'और क्या?' जॉर्ज ने कहा। 'वहीं तो उन्होंने पारस पत्थर को छिपाया था।'

'हथियार पत्थर से काफ़ी बड़ा होगा!' रॉन बोला।

फ्रेड ने कहा, 'ज़रूरी नहीं है।'

'हाँ, आकार शक्ति की गारंटी नहीं है,' जॉर्ज ने कहा। 'ज़िनी को ही देख लो।'

'तुम्हारा क्या मतलब है?' हैरी ने पूछा।

'तुम अभी तक उसके बैट-बोगी हेक्स के शिकार नहीं हुए हो, इसलिए ऐसा बोल रहे हो!'

'श्श्श!' फ्रेड ने पलंग से आधा उठते हुए कहा। 'सुनो!'

वे ख़ामोश हो गए। सीढ़ियों पर क़दमों की आहट आ रही थी।

'मम्मी आ रही हैं,' जॉर्ज ने कहा और बिना कुछ बोले अंतर्ध्यान हो गया। *कड़ाक* की आवाज़ हुई और हैरी को अपना पलंग हल्का लगने लगा। कुछ पल बाद उन्हें दरवाज़े के बाहर पटियों के चरमराने की आवाज़ सुनाई दी। मिसेज़ वीज़्ली यह जाँच करने आई थीं कि कहीं बच्चे बातचीत तो नहीं कर रहे हैं।

हेडविग और पिगविजियन दुख भरी आवाज़ में कुटुर-कुटुर कर रहे थे। पटिए दोबारा चरमराए और इस आवाज़ से उन्हें पता चल गया कि मिसेज़ वीज़्ली फ्रेड और जॉर्ज के कमरे की जाँच करने के लिए ऊपर की मंज़िल पर जा रही हैं।

रॉन ने अफ़सोस के साथ कहा, 'उन्हें हम पर ज़रा भी भरोसा नहीं है।'

हैरी को यक़ीन था कि उसे नींद नहीं आएगी। शाम को इतनी सारी महत्वपूर्ण बातें हुई थीं कि उसे लग रहा था, वह घंटों तक जागकर उनके बारे में सोचता रहेगा। वह रॉन से बातें करना चाहता था, लेकिन मिसेज़ वीज़्ली अब एक बार फिर नीचे आ रही थीं। उनके जाने के बाद दूसरे लोगों के ऊपरी मंज़िल पर आने की आवाज़ें सुनाई दी ... दरअसल उसके बेडरूम के दरवाज़े पर कई पैरों वाले प्राणी धीरे-धीरे ऊपर-नीचे हो रहे थे और जादुई प्राणियों की देखभाल विषय का टीचर हैग्रिड कह रहा था, '*कितने सुंदर हैं, है ना, हैरी? हम इस साल हथियारों के बारे में पढ़ेंगे ...*' और हैरी ने देखा कि इन प्राणियों के सिर की जगह तोप के गोले लगे हैं और वे उसके सामने आ रहे हैं ... वह झुक गया ...

अगले ही पल वह अपनी चादर के नीचे गुड़ी-मुड़ी लेटा था और कमरे में जॉर्ज की तेज़ आवाज़ गूँज रही थी।

'मम्मी ने सबको उठने को कहा है। तुम लोगों का नाश्ता किचन में रखा है। नाश्ता करने के बाद उन्होंने सबको ड्रॉइंग रूम में बुलाया है। डॉक्सी उनकी उम्मीद से ज़्यादा हैं और उन्हें सोफ़े के नीचे मरे हुए पफ़स्कीन्स का घोंसला भी मिल गया है।'

हैरी और रॉन ने फटाफट कपड़े पहनकर नाश्ता किया। आधे घंटे बाद वे ड्रॉइंग रूम में पहुँच गए। यह पहली मंज़िल पर एक लंबा कमरा था। इसकी छत ऊँची थी, दीवारें हरी थीं और गंदे पर्दों से ढँकी थीं। जब भी कोई गलीचे पर पैर

रखता था, तो धूल उड़ने लगती थी। लंबे, हरे मख़मली पर्दे इस तरह लहरा रहे थे, जैसे उनमें अदृश्य मधुमक्खियाँ भनभना रही हों। मिसेज़ वीज़्ली, हर्माइनी, जिनी, फ़्रेड और जॉर्ज इन्हीं पर्दों के पास खड़े थे। वे थोड़े अजीब दिख रहे थे, क्योंकि उन सभी की नाक और मुँह पर कपड़ा बँधा था। हर एक के हाथ में काले द्रव की एक बड़ी बोतल थी, जिसके सिरे पर स्प्रे करने के लिए नोज़ल लगा था।

हैरी और रॉन को देखते ही मिसेज़ वीज़्ली ने काले द्रव की दो बोतलों की तरफ़ इशारा किया, जो पतले पायों वाली टेबल पर रखी थीं, 'अपने चेहरे ढँककर स्प्रे करना। यह डॉक्सीसाइड है। मैंने इतना बुरा संक्रमण पहले कभी नहीं देखा – वह घरेलू जिन्न पिछले दस सालों से *क्या* कर रहा था –'.

हर्माइनी का चेहरा एक तौलिए से आधा ढँका हुआ था, लेकिन हैरी ने देखा कि वह मिसेज़ वीज़्ली की तरफ़ थोड़ी अप्रसन्नता से देख रही थी।

'क्रीचर दरअसल बूढ़ा हो चुका है। वह शायद इतना काम नहीं कर सकता –'

'जब क्रीचर की इच्छा होती है, तो वह इतना सारा काम कर सकता है कि तुम देखकर हैरान रह जाओगी, हर्माइनी,' सिरियस ने कहा, जो अभी-अभी कमरे में आया था। उसके हाथ में एक झोला था, जो मरे हुए चूहों के ख़ून से सना था। उसने हैरी की आँखों में सवाल का भाव देखकर कहा, 'मैं बकबीक को खाना खिला रहा था। मैंने उसे ऊपर वाली मंज़िल पर अपनी माँ के बेडरूम में रखा है। ख़ैर ... यह डेस्क ...'

सिरियस ने चूहों का झोला एक कुर्सी पर रख दिया, फिर वह तालाबंद डेस्क की जाँच करने के लिए झुका। हैरी का ध्यान पहली बार इस तरफ़ गया कि वह डेस्क थोड़ी हिल रही थी।

सिरियस ने कीहोल में से झाँकते हुए कहा, 'मॉली, मुझे लगता है कि यह बहुरूपिया ही होगा, लेकिन शायद हमें इसे तब तक नहीं खोलना चाहिए, जब तक कि बावरे-नैन इसके अंदर झाँककर न देख लें – मेरी माँ को तो आप जानती ही हैं, यह बहुरूपिए से ज़्यादा ख़तरनाक चीज़ भी हो सकती है।'

मिसेज़ वीज़्ली बोलीं, 'तुमने बिलकुल ठीक कहा, सिरियस।'

वे दोनों इतनी सावधानी और विनम्रता से बातें कर रहे थे कि हैरी समझ गया कि वे पिछली रात की बहस को नहीं भूले थे।

तभी नीचे की मंज़िल से घंटी बजने की ज़ोरदार आवाज़ सुनाई दी। इसके बाद चीख़ने-चिल्लाने का वही दौर शुरू हो गया, जो पिछली रात को टौंक्स के छाता स्टैंड को गिराने के बाद हुआ था।

'मैंने सबसे कह रखा है कि घंटी मत बजाया करो!' सिरियस चिढ़कर बोला और जल्दी से कमरे से बाहर निकल गया। उन्हें उसके धड़ाधड़ सीढ़ियाँ उतरने की आवाज़ आई। मिसेज़ ब्लैक की चीख़ें पूरे घर में एक बार फिर गूँजने लगीं :

'पाप की निशानी, गंदे बदज़ातो, ख़ून के दुश्मन, गंदगी की औलादो...'

मिसेज़ वीज़्ली बोलीं, 'हैरी, दरवाज़ा बंद कर लो।'

ड्रॉइंग रूम का दरवाज़ा बंद करने में हैरी ने बहुत समय लगाया। वह यह सुनना चाहता था कि नीचे की मंज़िल पर आख़िर क्या हो रहा था। उसका अंदाज़ा था कि सिरियस अपनी माँ की तस्वीर पर पर्दा डालने में सफल हो गया होगा, क्योंकि अब उनकी चीख़ें सुनाई नहीं दे रही थीं। उसे हॉल में सिरियस के चलने की आवाज़ सुनाई दी। फिर सामने वाले दरवाज़े की जंज़ीर खुलने की आवाज़ आई और इसके बाद एक भारी आवाज़ आई, जिसे हैरी पहचान गया। यह किंग्सले शैकलबोल्ट की आवाज़ थी, जो कह रहा था, 'हेस्टिया ने अभी-अभी मुझे ड्यूटी पर से छोड़ा है, इसलिए अब मूडी का चोगा उसके पास है। मैंने सोचा कि डम्बलडोर के लिए रिपोर्ट छोड़ दूँ ...'

तभी हैरी को महसूस हुआ कि पीछे से मिसेज़ वीज़्ली उसे घूर रही थीं, इसलिए उसने अफ़सोस के साथ ड्रॉइंग रूम का दरवाज़ा बंद कर दिया और सफ़ाई दल में शामिल हो गया।

गिल्ड्रॉय लॉकहार्ट की घरेलू कीटों की मार्गदर्शिका नाम की पुस्तक सोफ़े पर खुली हुई थी और मिसेज़ वीज़्ली झुककर उसमें डॉक्सी वाले पेज को पढ़ रही थीं।

'ठीक है, तुम सभी सावधान रहना, क्योंकि डॉक्सी काटते हैं और उनके दाँत ज़हरीले होते हैं। मेरे पास उनका ज़हर उतारने की दवा है, लेकिन मैं नहीं चाहती कि किसी को उसकी ज़रूरत पड़े।'

वे तनकर खड़ी हो गईं और पर्दे के सामने खड़े होकर उन्होंने सभी को आगे बढ़ने का इशारा किया।

'मेरे कहते ही तुरंत स्प्रे करने लगना,' उन्होंने कहा। 'मुझे उम्मीद है कि वे हमारी तरफ़ उड़ते हुए आएँगे, लेकिन स्प्रे की शीशी पर लिखा है कि एक बार छिड़कने से ही वे बेहोश हो जाएँगे। जब वे बेहोश हो जाएँ, तो उन्हें इस बाल्टी में डाल देना।'

वे उनके स्प्रे की पहुँच से दूर जाकर खड़ी हो गईं और उन्होंने अपना स्प्रे उठा लिया।

'ठीक है – *छिड़को!*'

हैरी के छिड़काव शुरू करने के कुछ सेकंड बाद एक बड़ा डॉक्सी पर्दे में से उड़ता हुआ बाहर आया। उसके चमकते बीटल जैसे पंख फड़फड़ा रहे थे और सुई जैसे पैने छोटे-छोटे दाँत बाहर निकले हुए थे। उसका शरीर काले घने बालों से ढँका था और उसने ग़ुस्से में चार छोटे-छोटे मुक्के बाँध रखे थे। हैरी ने सीधे उसके मुँह पर डॉक्सीसाइड का स्प्रे छिड़क दिया। वह बीच हवा में जम गया और ज़ोरदार *धम्म* के साथ गलीचे पर गिर गया। हैरी ने उसे उठाकर बाल्टी में डाल दिया।

'फ्रेड, तुम क्या कर रहे हो?' मिसेज़ वीज़्ली ने तीखी आवाज़ में पूछा। 'उस पर तत्काल स्प्रे करो और बाल्टी में डाल दो!'

हैरी ने पलटकर देखा। फ्रेड एक छटपटाते डॉक्सी को अपने अँगूठे और तर्जनी के बीच में पकड़े हुए था।

'ठीक है,' फ्रेड ने उत्साह से डॉक्सी के चेहरे पर स्प्रे कर दिया, जिससे वह बेहोश हो गया, लेकिन मिसेज़ वीज़्ली की पीठ मुड़ते ही उसने आँख मारकर उसे जेब में रख लिया।

जॉर्ज ने धीरे से हैरी को बताया, 'हम अपनी गोतामार टॉफ़ियों के लिए डॉक्सी के ज़हर पर प्रयोग करना चाहते हैं।'

दो डॉक्सी एक साथ हैरी की नाक की तरफ़ आए, लेकिन उसने एक ही स्प्रे से उनका काम तमाम कर दिया। फिर उसने जॉर्ज के पास आकर बुदबुदाकर पूछा, 'गोतामार टॉफ़ियाँ क्या हैं?'

'ऐसी टॉफ़ियाँ, जिन्हें खाते ही बीमार हो जाते हैं,' जॉर्ज ने मिसेज़ वीज़्ली की पीठ की तरफ़ सावधानी से देखते हुए कहा। 'ज़्यादा बीमार नहीं पड़ते हैं, लेकिन इतने ज़रूर पड़ जाते हैं कि क्लास से छुट्टी मिल सकती है यानी जब चाहे, क्लास से गोता मार सकते हैं। फ्रेड और मैं पूरी गर्मियों में इन टॉफ़ियों के आविष्कार में ही जुटे हुए थे। ये दो-मुँही हैं और रंगों से इन्हें आसानी से पहचाना जा सकता है। वमनकारी टॉफ़ी का आधा हिस्सा नारंगी है। इसे खाते ही उल्टी आने लगेगी। लेकिन जैसे ही आप अस्पताल जाने के लिए क्लास से गोता मारने में कामयाब हो जाओ, वैसे ही बैंगनी वाला आधा हिस्सा खा लो –'

'– जो आपको फिर से पूरी तरह स्वस्थ कर देता है और आप पढ़ाई की बोरियत से बचकर एक घंटे तक मज़े कर सकते हो। हम अपने विज्ञापन में यही लिख रहे हैं,' फ्रेड फुसफुसाया, जो मिसेज़ वीज़्ली की निगाह से दूर आ गया था और इस समय फ़र्श पर पड़े कुछ बेहोश डॉक्सियों को उठाकर अपनी जेब में डाल रहा था। 'लेकिन उनमें अब भी कुछ काम बाक़ी है। इस समय हमारे परीक्षकों को

थोड़ी दिक्क़त आ रही है। उन्हें लगातार उल्टी हो रही है, जिस कारण उन्हें बैंगनी वाला आधा हिस्सा निगलने का मौक़ा ही नहीं मिल पाता है।'

'परीक्षक ?'

'हम दोनों,' फ़्रेड ने कहा। 'हम बारी-बारी से परीक्षण करते हैं। जॉर्ज ने मूर्च्छा-आकांक्षा टॉफ़ी का परीक्षण किया था – हम दोनों ने नासिका-रक्तप्रवाह टॉफ़ी का परीक्षण किया था –'

'मम्मी को लगा था कि हममें घूँसेबाज़ी हुई थी,' जॉर्ज ने कहा।

'तो अब भी जोक शॉप खोलने का इरादा है ?' हैरी बुदबुदाया और अपने स्प्रे की नोज़ल ठीक करने का नाटक करने लगा।

'हमें अब तक दुकान लेने का मौक़ा नहीं मिला है,' फ़्रेड ने अपनी आवाज़ नीची कर ली, जब मिसेज़ वीज़्ली ने अपने स्कार्फ़ से अपनी भौंह का पसीना पोंछा और दोबारा हमले में जुट गईं, 'इसलिए हम इस समय मेल-ऑर्डर से सामान बेच रहे हैं। हमने पिछले हफ़्ते ही *दैनिक जादूगर* में विज्ञापन दिया था।'

'सब तुम्हारी बदौलत है, दोस्त,' जॉर्ज ने कहा। 'लेकिन चिंता मत करो ... मम्मी को ज़रा भी पता नहीं चला। वे अब कभी *दैनिक जादूगर* नहीं पढ़ेंगी, क्योंकि यह तुम्हारे और डम्बलडोर के बारे में झूठी ख़बरें छापता है।'

हैरी मुस्कराया। उसने त्रिकोणीय टूर्नामेंट में जीती एक हज़ार गैलियन की पुरस्कार राशि वीज़्ली भाइयों को ज़बर्दस्ती दे दी थी, ताकि वे जोक शॉप खोलने की अपनी महत्वाकांक्षा पूरी कर सकें। बहरहाल, उसे ख़ुशी हुई कि मिसेज़ वीज़्ली को इस बात का पता नहीं चल पाया है, क्योंकि मिसेज़ वीज़्ली जोक शॉप को अपने बेटों के लिए अच्छा कैरियर नहीं मानती थीं।

पर्दों से डॉक्सियों की सफ़ाई में पूरी सुबह लग गई। आख़िरकार दोपहर के बाद मिसेज़ वीज़्ली ने अपने मुँह पर बँधा स्कार्फ़ हटाया और एक कुर्सी में धँस गईं। लेकिन वे दहशत से चीख़ती हुई दोबारा उछलकर खड़ी हो गईं, क्योंकि वे मरे हुए चूहों के झोले के ऊपर बैठ गई थीं। पर्दे अब नहीं हिल रहे थे। इतने सारे छिड़काव के कारण वे भीग चुके थे। उनके नीचे रखी बाल्टी में बेहोश डॉक्सी भरे हुए थे। नज़दीक ही एक प्याले में उनके काले अंडे थे, जिन्हें क्रुकशैंक्स सूँघ रही थी तथा जिन्हें फ़्रेड और जॉर्ज हसरत भरी निगाहों से देख रहे थे।

'मुझे लगता है कि हम *उनसे* लंच के बाद निबटेंगे।' मिसेज़ वीज़्ली ने मैंटलपीस के दोनों तरफ़ लगी धूल भरी अलमारियों की तरफ़ इशारा किया। इनमें काँच लगे थे और इनके भीतर बहुत सी अजीब चीज़ें दिख रही थीं : जंग लगे खंजर, पंजे, कुंडलीदार केंचुली, चाँदी के डिब्बे – जिन पर ऐसी भाषा में कुछ

लिखा था, जिसे हैरी नहीं पढ़ सकता था। एक काँच की बोतल सबसे बुरी दिख रही थी। उसमें ढक्कन की जगह पर एक बड़ा दूधिया रत्न लगा था। हैरी को पूरा यक़ीन था कि इस बोतल में ख़ून भरा था।

दरवाज़े की घंटी एक बार फिर बजी। सबने मिसेज़ वीज़्ली की तरफ़ देखा।

'यहीं रुको,' उन्होंने दृढ़ता से कहा और चूहों का झोला उठाया। नीचे से मिसेज़ ब्लैक की चीख़ें एक बार फिर शुरू हो गईं। 'मैं कुछ सैंडविच लेकर आती हूँ।'

वे सावधानी से दरवाज़ा बंद करके कमरे से चली गईं। सभी फ़ौरन खिड़की से झाँककर नीचे देखने लगे। वहाँ उन्हें एक बिखरे बालों वाला सिर और उस पर ख़तरनाक ढंग से रखी कड़ाहियाँ दिखीं।

'मंडंगस है!' हर्माइनी ने कहा। 'लेकिन वह इतनी सारी कड़ाहियाँ क्यों लाया है?'

'शायद उन्हें सुरक्षित जगह पर रखना चाहता होगा,' हैरी ने कहा। 'इसीलिए तो वह उस रात को मेरी निगरानी छोड़कर चला गया था। कड़ाहियों का सौदा करने?'

'हाँ, तुमने सही कहा!' फ़्रेड ने कहा, जब सामने वाला दरवाज़ा खुला। मंडंगस अपनी कड़ाहियाँ लेकर अंदर घुस गया और ओझल हो गया। 'हे भगवान, मम्मी को यह अच्छा नहीं लगेगा ...'

वह तथा जॉर्ज दरवाज़े तक गए और कान लगाकर ग़ौर से सुनने लगे। मिसेज़ ब्लैक की चीख़ें अब रुक गई थीं।

'मंडंगस सिरियस और किंग्सले से बातचीत कर रहा है,' फ़्रेड एकाग्रता में त्योरियाँ चढ़ाते हुए बुदबुदाया। 'ठीक से सुनाई नहीं दे रहा है ... विस्तारित कानों का जोखिम लें?'

'क्यों नहीं!' जॉर्ज ने कहा। 'मैं चोरी से ऊपर जाकर उन्हें ले आता हूँ –'

लेकिन उसी समय नीचे से एक ज़ोरदार आवाज़ किसी धमाके की तरह गूँजी, जिससे विस्तारित कानों की कोई ज़रूरत नहीं रह गई। मिसेज़ वीज़्ली अपनी पूरी ताक़त से चिल्ला रही थीं और सभी को उनकी बात अच्छी तरह सुनाई दे रही थी।

'हम चोरी के सामान को छिपाने का काम नहीं कर रहे हैं!'

'जब मम्मी किसी दूसरे पर चिल्लाती हैं, तो मुझे बड़ा मज़ा आता है,' फ़्रेड ने संतोष भरी मुस्कान के साथ कहा। फिर उसने दरवाज़ा एकाध इंच खोल दिया,

ताकि मिसेज़ वीज़्ली की आवाज़ कमरे में ज़्यादा अच्छी तरह से सुनाई दे सके, 'इससे अच्छा बदलाव हो जाता है।'

'– बिलकुल ग़ैर-ज़िम्मेदार हो। जैसे हमारे पास चिंताएँ कम हों। ऊपर से तुम यहाँ चोरी की कड़ाहियाँ उठा लाए –'

'वे मूर्ख उन्हें जोश में आने दे रहे हैं,' जॉर्ज ने अपना सिर हिलाते हुए कहा। 'मम्मी को तो शुरू में ही रोक देना चाहिए, वरना वे रफ़्तार पकड़ लेती हैं और फिर घंटों तक रुकने का नाम नहीं लेती हैं। हैरी, वैसे भी वे मंडंगस पर बरसने के लिए तभी से बेताब थीं, जब से उसने तुम्हारी निगरानी में लापरवाही की थी – और यह लो, सिरियस की मम्मी भी शुरू हो गईं।'

मिसेज़ वीज़्ली की आवाज़ हॉल की तस्वीरों के चीख़ने-चिल्लाने के शोर में दब गई।

जॉर्ज ने शोर कम करने के लिए दरवाज़ा बंद करने की कोशिश की, लेकिन उसके ऐसा करने से पहले ही एक घरेलू जिन्न कमरे में आ गया।

उसने अपनी कमर पर गमछे जैसा गंदा चिथड़ा लपेट रखा था। उसके बाक़ी शरीर पर और कोई कपड़ा नहीं था। वह बहुत बूढ़ा दिख रहा था और उसकी चमड़ी झुर्रीदार थी। हालाँकि सभी घरेलू जिन्नों की तरह वह भी गंजा था, लेकिन उसके बड़े-बड़े, चमगादड़ जैसे कानों में बहुत सारे सफ़ेद बाल उग रहे थे। उसकी लाल आँखें पानीदार थीं और उसकी बड़ी नाक थूथन जैसी थी।

घरेलू जिन्न ने हैरी और बाक़ी लोगों पर कोई ध्यान नहीं दिया। उसने इस तरह नाटक किया, जैसे उन्हें देखा ही न हो। वह धीरे-धीरे चलकर कमरे के दूसरे सिरे तक गया और पूरे रास्ते मेंढक जैसी घरघराती, गहरी आवाज़ में बड़बड़ाता रहा।

'... उसके पास से गंदी नाली की बदबू आती है और वह एक नंबर का चोर है, लेकिन वह भी बुरी है, गंदे ख़ून की गद्दार। उसकी औलादें मेरी मालकिन के घर को गंदा कर रही हैं ... ओह, बेचारी मेरी मालकिन, अगर वे जानतीं, अगर वे जानतीं कि उनके घर में कितनी गंदगी इकट्ठी होने वाली है, तो वे बूढ़े क्रीचर से क्या कहतीं? ओह, कितनी शर्मनाक बात है! बदज़ात, नरभेड़िए, गद्दार और चोर, बेचारा क्रीचर, वह क्या कर सकता है ...'

'हैलो क्रीचर,' फ़्रेड ने ज़ोर से कहा और दरवाज़े को धड़ाम से बंद कर दिया।

घरेलू जिन्न रुक गया। उसने बड़बड़ाना बंद कर दिया और आश्चर्य से उछलने का नाटक किया।

'क्रीचर ने छोटे मालिक को देखा नहीं था,' उसने कहा और मुड़कर फ्रेड के सामने सिर झुका दिया। गलीचे की तरफ़ मुँह करके उसने काफ़ी ज़ोर से बुदबुदाकर कहा, 'यह भी गंदे ख़ून वाले गद्दार की घटिया औलाद है।'

'क्या बोले?' जॉर्ज ने कहा। 'आख़िरी बात नहीं सुन पाया।'

'क्रीचर कुछ नहीं बोला,' घरेलू जिन्न ने जॉर्ज की तरफ़ सिर झुकाते हुए कहा और साफ़ आवाज़ में बुदबुदाया, 'यह उसका जुड़वाँ भाई है। दोनों के दोनों हैवान हैं।'

हैरी को समझ में नहीं आया कि वह हँसे या न हँसे। घरेलू जिन्न सीधा खड़ा होकर उन्हें दुष्ट अंदाज़ में देखता रहा। ज़ाहिर है, उसे लग रहा था कि वे लोग उसकी बुदबुदाहट नहीं सुन सकते हैं।

'... और वह बदज़ात किसी सैनिक जितनी बहादुरी से खड़ी है! ओह, अगर मेरी मालकिन को पता चल जाए, तो वे कितना रोएँगी और एक नया लड़का भी आ गया है। क्रीचर को उसका नाम नहीं पता। वह यहाँ क्या कर रहा है? क्रीचर को पता नहीं है ...'

'यह हैरी है, क्रीचर,' हर्माइनी बोली। 'हैरी पॉटर।'

क्रीचर की पीली आँखें चौड़ी हो गईं और वह ज़्यादा तेज़ी तथा आवेश में बुदबुदाने लगा।

'यह बदज़ात तो क्रीचर से इस तरह बात कर रही है, जैसे उसकी दोस्त हो। अगर क्रीचर की मालकिन उसे ऐसे लोगों के बीच देख लें, ओह, तो वे क्या कहेंगी –'

'उसे बदज़ात मत कहो!' रॉन और जिनी बहुत ग़ुस्से से एक साथ बोले।

'उससे कोई फ़र्क़ नहीं पड़ता है,' हर्माइनी फुसफुसाकर बोली, 'उसकी दिमाग़ी हालत ठीक नहीं है। वह नहीं जानता कि वह क्या कह रहा है –'

'बेवकूफ़ मत बनो हर्माइनी, वह *अच्छी तरह* जानता है कि वह क्या कह रहा है,' फ्रेड ने क्रीचर को गहरी नापसंदगी के भाव से देखते हुए कहा।

क्रीचर अब भी बुदबुदा रहा था, लेकिन उसकी नज़रें हैरी पर टिकी हुई थीं।

'क्या यह सच है? क्या यही हैरी पॉटर है? क्रीचर को निशान तो दिख रहा है, यही होगा। यही वह लड़का है, जिसने शैतानी सम्राट को रोका था। क्रीचर इस बात पर हैरान है कि उसने यह कैसे किया होगा –'

फ्रेड बोला, 'क्रीचर, इस बात पर तो हम सभी हैरान हैं।'

'वैसे तुम क्या चाहते हो?' जॉर्ज ने पूछा।

क्रीचर की बड़ी-बड़ी आँखें जॉर्ज की तरफ़ घूमीं।

'क्रीचर सफ़ाई कर रहा है,' उसने बहाना बनाते हुए कहा।

'झूठ क्यों बोल रहे हो?' हैरी के पीछे से एक आवाज़ आई।

सिरियस लौट आया था। वह दरवाज़े पर खड़े होकर घरेलू जिन्न को ग़ुस्से से देख रहा था। हॉल का शोर कम हो गया था। शायद मिसेज़ वीज़्ली और मंडंगस अब किचन में बहस कर रहे थे। सिरियस को देखते ही क्रीचर सलाम करने के लिए इतना नीचे झुक गया कि उसकी थूथन जैसी नाक फ़र्श से टिक गई।

'सीधे खड़े हो जाओ,' सिरियस ने बेचैनी से कहा। 'अब, तुम्हारे इरादे क्या हैं?'

'क्रीचर सफ़ाई कर रहा है,' जिन्न ने दोहराया। 'क्रीचर ब्लैक ख़ानदान के पुश्तैनी मकान की सेवा करने के लिए ज़िंदा है -'

सिरियस बोला, 'लेकिन यह हर दिन गंदा होता जा रहा है। यह बहुत गंदा हो चुका है।'

'मालिक हमेशा मज़ाक़ करते रहते हैं,' क्रीचर एक बार फिर झुका और बड़बड़ाने लगा, 'मालिक बहुत ही नमकहराम सुअर हैं, जिन्होंने अपनी माँ का दिल तोड़ा था -'

'मेरी माँ का दिल था ही नहीं, क्रीचर,' सिरियस ने कहा। 'वे तो बस नफ़रत के दम पर ज़िंदा थीं।'

क्रीचर एक बार फिर झुक गया।

वह आवेश में बड़बड़ाता रहा, 'मालिक चाहे जो भी कहें, वे अपनी माँ की जूतियाँ साफ़ करने के लायक भी नहीं हैं। ओह, बेचारी मेरी मालकिन, अगर उन्होंने क्रीचर को इस आदमी की सेवा करते हुए देख लिया, तो वे क्या कहेंगी! वे उससे कितनी नफ़रत करती थीं, वे उसकी करतूतों से कितनी निराश थीं -'

'मैंने तुमसे पूछा था कि तुम्हारे इरादे क्या हैं,' सिरियस ने ठंडेपन से कहा। 'जब भी तुम सफ़ाई का नाटक करते हो, तो हर बार तुम यहाँ से कोई न कोई चीज़ उठाकर अपने कमरे में ले जाते हो, ताकि हम उसे बाहर न फेंक पाएँ।'

'क्रीचर मालिक के घर में कभी किसी चीज़ को उसकी सही जगह से नहीं हटाएगा,' जिन्न ने कहा, फिर वह बहुत तेज़ी से बड़बड़ाने लगा, 'अगर दीवारदरी बाहर फेंक दी गई, तो मालकिन क्रीचर को कभी माफ़ नहीं करेंगी। यह सात सदियों से इस परिवार में है। क्रीचर को इसे बचाना ही होगा। क्रीचर अपने मालिक, ख़ून के गद्दारों और बदज़ातों को इसे फेंकने नहीं देगा -'

'मैं सोच रहा था कि ऐसा ही होगा,' सिरियस ने सामने वाली दीवार को हिक़ारत से देखते हुए कहा। 'इसमें कोई शक नहीं है कि उन्होंने इसके पीछे चिपकाने वाला स्थायी सम्मोहन कर रखा होगा, लेकिन अगर मैं इसे फेंक सका, तो ज़रूर फेंक दूँगा। अब जाओ, क्रीचर।'

ऐसा लगा, जैसे क्रीचर सीधे आदेश को मानने से इंकार नहीं कर सकता था। बहरहाल, जाते समय उसने सिरियस को गहरी नफ़रत से देखा और कमरे से बाहर जाते समय बड़बड़ाने लगा।

'– वह अज़्काबान से आकर क्रीचर को आदेश देता रहता है। ओह, बेचारी मालकिन, अगर वे घर को इस समय देखतीं, तो क्या कहतीं? इसमें घटिया लोग रहने लगे हैं, उनका क़ीमती सामान बाहर फेंका जा रहा है। उन्होंने क़सम खाकर कहा था कि वह उनका बेटा नहीं है, लेकिन वह लौट आया है। लोग कहते हैं कि वह ख़ूनी भी है –'.

'इसी तरह बुदबुदाते रहे, तो मैं तुम्हारी हत्या करके सचमुच ख़ूनी बन जाऊँगा!' सिरियस ने चिढ़कर कहा और जिन्न के जाने के बाद दरवाज़ा धड़ाम से बंद कर लिया।

'सिरियस, उसका दिमाग़ सही नहीं है,' हर्माइनी ने आग्रह किया, 'शायद उसे यह एहसास ही नहीं है कि हम उसकी बात सुन सकते हैं।'

'वह काफ़ी समय अकेला रहा है,' सिरियस ने कहा। 'वह मेरी माँ की तस्वीर से पागलपन भरे आदेश लेता रहता था और ख़ुद से बातें करता रहता था, लेकिन वह हमेशा एक घटिया –'

'अगर तुम उसे आज़ाद कर दो,' हर्माइनी ने आशा से कहा, 'तो शायद –'

'हम उसे आज़ाद नहीं कर सकते। वह हमारे समूह के बारे में बहुत कुछ जानता है,' सिरियस ने कहा। 'और वैसे भी, वह सदमे से मर जाएगा। तुम उसे घर से जाने का सुझाव देकर तो देखो। तुम उसकी हालत देखना।'

सिरियस कमरे से चलकर दीवारदरी के पास तक गया, जिसे क्रीचर बचाने की कोशिश कर रहा था। हैरी और बाक़ी लोग भी उसके पीछे-पीछे दीवार पर लटकी हुई दरी के पास पहुँच गए।

दीवारदरी बहुत पुरानी दिख रही थी। इसका रंग उड़ गया था और ऐसा लग रहा था, जैसे डॉक्सियों ने इसे कई जगहों से कुतर भी लिया था। बहरहाल, जिस सुनहरे धागे से इस पर कढ़ाई की गई थी, वह अब भी चमक रहा था और उन्हें एक विशाल वंश-वृक्ष दिखा रहा था (कम से कम हैरी को तो यही लगा था), जो मध्य युग तक जाता था। दीवारदरी के ऊपर बड़े-बड़े अक्षरों

में लिखा था :

ब्लैक ख़ानदान का वंश-वृक्ष

'इसमें तो तुम्हारा नाम ही नहीं है!' हैरी ने वंश-वृक्ष के निचले हिस्से को ग़ौर से देखते हुए कहा।

'मेरा नाम वहाँ हुआ करता था,' सिरियस ने दीवारदरी के एक छोटे से गोल, जले हुए छेद की तरफ़ इशारा किया, जो सिगरेट के जलने के निशान की तरह था। 'मेरे घर से भागने के बाद मेरी प्यारी माँ ने मेरा नाम वहाँ से मिटा दिया - क्रीचर को उस कहानी के बारे में बड़बड़ाने में बड़ा मज़ा आता है।'

'तुम घर से भाग गए थे?'

'जब मैं सोलह साल का था,' सिरियस ने कहा। 'मुझसे बर्दाश्त नहीं हुआ।'

हैरी ने उसे घूरते हुए पूछा, 'तुम कहाँ गए थे?'

'तुम्हारे डैडी के घर,' सिरियस ने कहा। 'तुम्हारे दादा-दादी मेरे वहाँ रहने से ख़ुश थे। उन्होंने एक तरह से मुझे दूसरे बेटे के रूप में पाला। मैं स्कूल की छुट्टियों में तुम्हारे डैडी के घर रहता था, लेकिन जब मैं सत्रह साल का हुआ, तो मैंने ख़ुद का मकान ले लिया। मेरे अंकल अल्फ़ार्ड ने मेरे नाम पर काफ़ी संपत्ति छोड़ी थी - शायद इसीलिए उनका नाम भी इस वंश-वृक्ष से मिटा दिया गया है - चाहे जो हो, उसके बाद मैंने अपनी ज़िम्मेदारी ख़ुद सँभाल ली। वैसे रविवार को पॉटर परिवार में लंच पर मेरा हमेशा स्वागत होता था।'

'लेकिन ... तुमने घर क्यों ...?'

'छोड़ा?' सिरियस कटुता से मुस्कराया और उसने लंबे, बिखरे हुए बालों में उँगलियाँ फेरीं। 'क्योंकि मुझे उन सबसे नफ़रत थी : मेरे माता-पिता से, उनके शुद्ध ख़ून के पागलपन से, इस विश्वास से कि ब्लैक ख़ानदान में पैदा होने से आप शहंशाह बन जाते हैं ... मेरा बेवकूफ़ भाई, जिसने मूर्खतावश इस बात पर यक़ीन कर लिया ... वह यहाँ है।'

सिरियस ने वृक्ष के सबसे नीचे की तरफ़ एक उँगली टिकाई, जहाँ 'रेग्युलस ब्लैक' नाम लिखा था। जन्म की तारीख़ के साथ ही मौत की तारीख़ भी लिखी थी, जो पंद्रह साल पहले की थी।

'वह मुझसे छोटा था,' सिरियस ने कहा, 'और ज़्यादा अच्छा बेटा था, जैसा मुझे बार-बार याद दिलाया जाता था।'

'लेकिन वह मर गया,' हैरी बोला।

'हाँ,' सिरियस ने कहा। 'मूर्ख कहीं का ... वह प्राणभक्षियों के दल में

शामिल हो गया था।'

'तुम मज़ाक़ कर रहे हो!'

सिरियस ने व्यंग्य से कहा, 'हैरी, क्या तुम्हें इस घर को देखकर यह समझ में नहीं आता है कि मेरे परिवार में किस तरह के जादूगर रहे होंगे ?'

'क्या - क्या तुम्हारे माता-पिता भी प्राणभक्षी थे ?'

'नहीं, नहीं, लेकिन मेरा यक़ीन मानो, वे वोल्डेमॉर्ट के विचारों को सही मानते थे। मेरे माता-पिता जादूगर प्रजाति के ख़ून की शुद्धि के पक्षधर थे। वे मगलुओं की संतानों से छुटकारा पाकर शुद्ध ख़ून वालों को सत्ता सौंपने के पक्षधर थे। वे अकेले ही नहीं थे, ऐसे काफ़ी लोग थे। वोल्डेमॉर्ट के असली रंग दिखाने से पहले बहुत से जादूगर सोचते थे कि इस बारे में उसके विचार सही थे ... लेकिन जब उन्होंने देखा कि शक्ति पाने के लिए वह कितना कुछ करने के लिए तैयार है, तो उनके होश ठिकाने आ गए। लेकिन मैं शर्त लगाता हूँ कि जब रेग्युलस प्राणभक्षियों के दल में शामिल हुआ था, तो मेरे माता-पिता ने उसे हीरो माना होगा।'

हैरी ने यूँ ही पूछ लिया, 'क्या उसे किसी ऑरर ने मारा था ?'

'ओह नहीं,' सिरियस ने कहा। 'नहीं, उसकी हत्या वोल्डेमॉर्ट ने की थी। वैसे इस बात की ज़्यादा संभावना है कि उसकी हत्या वोल्डेमॉर्ट के आदेश पर किसी प्राणभक्षी ने की होगी। मुझे नहीं लगता कि रेग्युलस इतना महत्वपूर्ण था कि वोल्डेमॉर्ट उसे ख़ुद मारता। उसके मरने के बाद मुझे मालूम हुआ कि वह प्राणभक्षियों के दल में शामिल तो हो गया था, लेकिन जब उसे पता चला कि उसे कितने बुरे काम करने पड़ेंगे, तो वह दहशत में आ गया और उसने बाहर निकलने की कोशिश की। लेकिन आप वोल्डेमॉर्ट को इस्तीफ़ा थमाकर तो बाहर नहीं निकल सकते। उसके यहाँ या तो आजीवन सेवा या फिर मौत वाला हिसाब चलता है।'

'लंच,' मिसेज़ वीज़्ली की आवाज़ आई।

वे अपनी छड़ी को अपने सामने ऊँचा थामे थीं। वे एक बड़ी ट्रे ला रही थीं, जिसमें बहुत सारे सैंडविच रखे थे और एक कोने पर केक भी रखे थे। उनका चेहरा बहुत लाल था और वे अब भी काफ़ी ग़ुस्से में दिख रही थीं। खाने के लिए लालायित बाक़ी लोग उनके पास पहुँच गए, लेकिन हैरी सिरियस के पास ही रहा, जो दीवारदरी के क़रीब पहुँचकर झुक गया था।

'मैंने बरसों से इसे नहीं देखा है। यह फ़िनीज़ नाइज़ेलस हैं ... मेरे पर-पर-दादा ... हॉगवर्ट्स के सबसे कम लोकप्रिय हेडमास्टर ... और अरामिन्टा

मेलिफ़्लुआ ... मेरी माँ की कज़िन ... उन्होंने मगलू-शिकार को वैध घोषित कराने के लिए मंत्रालय में एक विधेयक पारित करवाने की कोशिश की थी ... और प्यारी आंटी एलाडोरा ... उन्होंने परिवार में यह परंपरा शुरू की थी कि जब घरेलू जिन्न इतने बूढ़े हो जाएँ कि चाय की ट्रे न उठा पाएँ, तो उनका सिर काटकर पटियों पर सजा दिया जाए ... बहरहाल, हमारे ख़ानदान में जब भी कोई ठीक-ठाक जादूगर हुआ, तो उसे वंश-वृक्ष से बाहर निकाल दिया गया। मुझे दिख रहा है कि टौंक्स का नाम भी यहाँ नहीं है। शायद इसीलिए क्रीचर उसके आदेश नहीं मानता है – वह परिवार के किसी भी व्यक्ति के आदेश मानने के लिए बाध्य है –'

हैरी ने हैरानी से पूछा, 'तो तुम और टौंक्स रिश्तेदार हो?'

'और क्या, उसकी माँ एंड्रोमीडा मेरी प्रिय कज़िन थीं,' सिरियस ने दीवारदरी को ग़ौर से देखते हुए कहा। 'नहीं, एंड्रोमीडा भी यहाँ नहीं हैं, देखो–'

उसने एक और जले हुए छोटे गोल निशान की तरफ़ इशारा किया, जो बेलाट्रिक्स और नार्सिसा के बीच था।

'एंड्रोमीडा की बहनें अब भी यहाँ हैं, क्योंकि उन्होंने शुद्ध-ख़ून वाले सम्मानित परिवारों में शादी की थी, लेकिन एंड्रोमीडा ने टेड टौंक्स नाम के मगलू से शादी की थी, इसलिए –'

सिरियस ने दीवारदरी में छड़ी से विस्फोट करने का अभिनय किया और व्यंग्य से हँसा। बहरहाल, हैरी नहीं हँसा। वह एंड्रोमीडा के जले हुए निशान के दाहिनी तरफ़ के नामों को घूरे जा रहा था। सोने की दोहरी कढ़ाई नार्सिसा ब्लैक के नाम को लूसियस मैल्फ़ॉय से जोड़ रही थी और उनके नाम से एक सोने का तार ड्रेको नाम की तरफ़ जा रहा था।

'तो मैल्फ़ॉय परिवार तुम्हारे रिश्ते में है!'

'शुद्ध-ख़ून वाले सभी परिवार आपस में रिश्तेदार हैं,' सिरियस ने कहा। 'अगर आप अपने बेटे-बेटियों की शादी सिर्फ़ शुद्ध-ख़ून वाले परिवारों में करना चाहते हैं, तो आपके पास बहुत सीमित विकल्प होते हैं। बहुत कम शुद्ध-ख़ून वाले जादूगर बचे हैं। मॉली और मैं शादी के बाद कज़िन हैं और आर्थर मेरा सेकंड कज़िन है। लेकिन यहाँ पर उनके नाम खोजना बेकार है – अगर कोई परिवार ख़ून का गद्दार है, तो वह वीज़्ली परिवार ही है।'

लेकिन हैरी अब एंड्रोमीडा के जले हुए निशान के बाईं तरफ़ देख रहा था: बेलाट्रिक्स ब्लैक, जो एक दोहरी लाइन से रोडोल्फ़स लेस्ट्रेंज से जुड़ी हुई थी।

'लेस्ट्रेंज ...' हैरी ने ज़ोर से कहा। इस नाम से उसके दिमाग़ में एक याद लहराई। वह जानता था कि उसने यह नाम कहीं सुना था, लेकिन एक पल के

लिए उसे कुछ याद नहीं आया, हालाँकि इससे उसे पेट में एक अजीब सी हलचल ज़रूर महसूस हुई।

सिरियस ने कहा, 'वे दोनों अज़्काबान में हैं।'

हैरी ने उसकी तरफ़ जिज्ञासा से देखा।

'बेलाट्रिक्स और उसका पति रोडोल्फ़स बार्टी क्राउच जूनियर के साथ अज़्काबान गए थे,' सिरियस ने कहा। 'रोडोल्फ़स का भाई रैबेस्टन भी उनके साथ था।'

तब जाकर हैरी को याद आया। उसने बेलाट्रिक्स लेस्ट्रेंज को डम्बलडोर के अजीब से स्मृति-पात्र के भीतर देखा था, जिसमें यादें और विचार इकट्ठे करके रखे जा सकते थे। वह भारी पलकों वाली लंबी साँवली औरत थी, जिसने अपने मुकदमे में लॉर्ड वोल्डेमॉर्ट के प्रति अपनी सतत निष्ठा का ऐलान किया था। उसे गर्व था कि उसने उनके पतन के बाद उन्हें खोजने की कोशिश की थी और उसे यक़ीन था कि एक न एक दिन उसे उसकी वफ़ादारी का इनाम मिलेगा।

'तुमने कभी नहीं बताया कि वह तुम्हारी –'

'इससे क्या फ़र्क़ पड़ता है कि वह मेरी कज़िन है?' सिरियस ने कहा। 'जहाँ तक मेरा सवाल है, मैं उसे अपने परिवार का हिस्सा नहीं मानता। वह निश्चित रूप से मेरे परिवार का हिस्सा नहीं है। जब मैं तुम्हारी उम्र का था, तब से मैंने उसे नहीं देखा है। बस अज़्काबान में उसके आते समय उसकी एक झलक देखी थी। क्या तुम्हें लगता है कि उस जैसी रिश्तेदार पर मुझे गर्व होगा?'

'माफ़ करना,' हैरी ने जल्दी से कहा। 'मेरा यह मतलब नहीं था – मैं तो बस हैरान था।'

'कोई बात नहीं, माफ़ी माँगने की ज़रूरत नहीं है,' सिरियस बुदबुदाया। वह दीवारदरी से दूर पहुँचा और उसने अपनी जेब में हाथ डाल लिए। उसने ड्रॉइंग रूम के पार घूरते हुए कहा, 'मुझे यहाँ लौटना अच्छा नहीं लगा। मैंने कभी सोचा भी नहीं था कि मैं इस घर में दोबारा क़ैद रहूँगा।'

हैरी पूरी तरह से समझ गया। वह जानता था कि बड़े होने और प्रिविट ड्राइव से मुक्ति पाने के बाद अगर उसे फिर से प्रिविट ड्राइव के चार नंबर मकान में रहना पड़े, तो उसे कैसा महसूस होगा।

'यह मकान मुख्यालय के लिए आदर्श जगह है,' सिरियस ने कहा। 'मेरे पिता ने इस पर हर सुरक्षात्मक उपाय का इस्तेमाल किया था। यह अदृश्य है, इसलिए मगलू यहाँ नहीं आ सकते – वैसे कौन मगलू यहाँ आना चाहेगा – और डम्बलडोर ने अब इसमें अपने सुरक्षात्मक उपाय भी जोड़ दिए हैं। इससे ज़्यादा

सुरक्षित मकान मिलना असंभव है। डम्बलडोर समूह के रहस्य-रक्षक हैं - जब तक डम्बलडोर ख़ुद यह न बता दें कि यह मकान यहाँ है, तब तक कोई भी मुख्यालय का पता नहीं जान सकता - जो काग़ज़ मूडी ने तुम्हें कल रात को दिखाया था, उस पर डम्बलडोर ने लिखा था ...' सिरियस भौंकने के अंदाज़ में हँसा। 'अगर मेरे माता-पिता देख लें कि उनके मकान का अब क्या इस्तेमाल हो रहा है ... मेरी माँ की तस्वीर से शायद तुम्हें इस बात का थोड़ा अंदाज़ा हो गया होगा ...'

उसने एक पल के लिए त्योरियाँ चढ़ाईं और फिर आह भरी।

'अगर मैं कभी-कभार बाहर निकलकर कोई उपयोगी काम कर सकूँ, तो मुझे इतना बुरा नहीं लगेगा। मैंने डम्बलडोर से पूछा था कि क्या मैं तुम्हारी सुनवाई के समय तुम्हारे साथ जा सकता हूँ - स्नफ़ल्स के रूप में - सिर्फ़ तुम्हारी हिम्मत बढ़ाने के लिए! तुम्हें क्या लगता है?'

हैरी को ऐसा लगा, जैसे उसका पेट गलीचे पर गिर गया हो। पिछली शाम के डिनर के बाद उसने सुनवाई के बारे में सोचा भी नहीं था। अपने प्रिय लोगों के पास दोबारा लौटने के रोमांच में और सारी बातें सुनने के बाद यह बात उसके दिमाग़ से बिलकुल ही निकल गई थी। बहरहाल, सिरियस के शब्दों को सुनकर दहशत की भावना दोबारा लौट आई। उसने हर्माइनी और वीज़्ली परिवार को सैंडविच खाते देखा तथा सोचा कि अगर वे लोग उसके बिना हॉगवर्ट्स चले गए, तो उसे कैसा महसूस होगा।

'चिंता मत करो,' सिरियस ने कहा। हैरी ने ऊपर देखा और उसे एहसास हुआ कि सिरियस उसे देख रहा था। 'मुझे यक़ीन है कि वे तुम्हें छोड़ देंगे। अंतर्राष्ट्रीय गोपनीयता अधिनियम में निश्चित रूप से यह बात लिखी है कि अपनी ज़िंदगी बचाने के लिए जादू का इस्तेमाल किया जा सकता है।'

'लेकिन अगर उन्होंने मुझे स्कूल से निकाल दिया,' हैरी ने धीरे से कहा, 'तो क्या मैं यहाँ पर आकर तुम्हारे साथ रह सकता हूँ?'

सिरियस दुख से मुस्कराया।

'हम देखेंगे।'

हैरी ने उस पर दबाव डालते हुए कहा, 'अगर मुझे यह पहले से पता चल जाए कि मुझे डर्स्ली परिवार के पास नहीं लौटना होगा, तो सुनवाई के समय मुझमें ज़्यादा हिम्मत रहेगी।'

सिरियस ने उदासी से कहा, 'अगर तुम इस जगह पर रहना चाहते हो, तो इसका मतलब है, वे लोग बहुत बुरे होंगे।'

मिसेज़ वीज़्ली बोल पड़ीं, 'तुम दोनों जल्दी करो, वरना खाना नहीं

बचेगा।'

सिरियस ने एक और आह भरकर दीवारदरी को हिक़ारत से देखा। इसके बाद वह और हैरी बाक़ी लोगों के पास चले गए।

जब उस दोपहर को वे अलमारियाँ ख़ाली कर रहे थे, तो हैरी ने सुनवाई के बारे में न सोचने की पूरी कोशिश की। सौभाग्य से इस काम में बहुत एकाग्रता की ज़रूरत थी, क्योंकि वहाँ रखी बहुत सी चीज़ें अपने धूल भरे शेल्फ़ से हटने को तैयार नहीं थीं। सिरियस को सुँघनी की चाँदी की डिब्बी ने बुरी तरह काट लिया। कुछ ही पल में उसके कटे हुए हाथ पर भूरे दस्ताने जैसी सख़्त परत दिखने लगी।

'**ठीक है**,' उसने अपने हाथ को दिलचस्पी से देखा और उस पर छड़ी ठोंककर त्वचा को सामान्य किया, 'उसमें वार्टकैप पाउडर होगा।'

उसने डिब्बी को उस बोरे में भर दिया, जिसमें वे अलमारियों से निकले अटाले को रख रहे थे। हैरी ने देखा कि जॉर्ज ने कुछ पल बाद अपने हाथ को कपड़ों में लपेटा और उस डिब्बी को अपनी जेब में रख लिया, जहाँ पहले से ही डॉक्सी भरे हुए थे।

अलमारी में से एक बुरा सा दिखने वाला चाँदी का यंत्र निकला, जिसमें चिमटी जैसे कई पैर थे। जब हैरी ने उसे उठाया, तो वह अपने पैरों से मकड़ी की तरह हैरी के हाथ पर चलने लगा और उसकी चमड़ी में छेद करने की कोशिश करने लगा। सिरियस ने उस यंत्र को पकड़ लिया और उस पर एक भारी पुस्तक *नेचर्स नोबिलिटी : ए विजार्डिंग जीनियोलॉजी* दे मारी। फिर एक म्यूज़िकल बॉक्स मिला, जिसमें चाबी भरने पर एक कर्कश धुन निकली, जिसे सुनने के बाद वे कमज़ोर और उनींदे हो गए। जिनी ने समझदारी दिखाते हुए धुन बंद करने वाला बटन दबा दिया। फिर एक भारी लॉकेट मिला, जिसे बहुत कोशिश के बाद भी कोई नहीं खोल पाया। कुछ पुरानी सीलें थीं और एक धूल भरे बॉक्स में एक ऑर्डर ऑफ़ मर्लिन, फ़र्स्ट क्लास था, जो सिरियस के दादाजी को 'मंत्रालय की सेवाओं' के लिए दिया गया था।

सिरियस ने हिक़ारत से मेडल को कचरे के बोरे में फेंकते हुए कहा, 'इसका मतलब यह है कि उन्होंने मंत्रालय को बहुत सा सोना दान दिया होगा।'

बीच-बीच में क्रीचर कई बार कमरे में आया और उसने कुछ सामान अपने गमछे के नीचे छिपाकर ले जाने की कोशिश की। जब भी वे उसे पकड़ लेते थे, तो वह भयानक शाप बड़बड़ाने लगता था। जब सिरियस ने उसके हाथ से ब्लैक ख़ानदान की मोहर वाली एक बड़ी सुनहरी अँगूठी छीनी, तो वह रोने लगा और सुबकता हुआ चला गया। वह सिरियस को बुरी-बुरी गालियाँ देता जा रहा

था, जो हैरी ने इससे पहले कभी नहीं सुनी थीं।

'यह मेरे पिता की है,' सिरियस ने अँगूठी को बोरे में फेंकते हुए कहा। 'क्रीचर मेरे पिता के प्रति *उतना* वफ़ादार नहीं था, जितना मेरी माँ के प्रति था, लेकिन इसके बावजूद पिछले सप्ताह मैंने उसे अपने पिता के पुराने पैंट चोरी से ले जाते देखा था।'

*

मिसेज़ वीज़्ली ने अगले कुछ दिनों तक उन सबसे जमकर मेहनत करवाई। ड्रॉइंग रूम की सफ़ाई में पूरे तीन दिन लग गए। जब सफ़ाई का काम ख़त्म हुआ, तो इसमें सिर्फ़ ब्लैक ख़ानदान के वंश-वृक्ष की दीवारदरी के अलावा कोई अनचाही चीज़ नहीं बची थी, जिसे दीवार से हटाने की सारी कोशिशें नाकाम रही थीं। इसके अलावा सिर्फ़ खड़खड़ाने वाली डेस्क बची थी। मूडी अब तक दोबारा मुख्यालय नहीं आए थे, इसलिए उन्हें यह पक्का पता नहीं चल पाया था कि इसके भीतर क्या है।

वे ड्रॉइंग रूम से भूतल वाले डाइनिंग रूम की तरफ़ पहुँचे। वहाँ उन्हें अलमारी में तश्तरियों जितनी बड़ी मकड़ियाँ मिलीं (रॉन चाय बनाने का कहकर जल्दी से कमरे से बाहर चला गया और डेढ़ घंटे तक नहीं लौटा)। सिरियस ने चीनी मिट्टी के बर्तन बोरे में फेंक दिए, जिन पर ब्लैक ख़ानदान की मोहर लगी थी। यही हाल चाँदी के गंदे फ्रेमों में लगी पुरानी तस्वीरों का हुआ, जिनमें रहने वाले जादूगर ऊपर ढँके काँच के टूटने पर चीख़ने लगे।

स्नेप भले ही उनके काम को 'सफ़ाई' का नाम देते थे, लेकिन हैरी की राय में वे मकान से युद्ध कर रहे थे, जो उनसे जमकर संघर्ष कर रहा था और इस काम में क्रीचर उसकी मदद कर रहा था। जहाँ भी वे इकट्ठे होते थे, घरेलू जिन्न वहीं पहुँच जाता था। वह कचरे के बोरों से ज़्यादा से ज़्यादा सामान बाहर निकालने की कोशिश करता था तथा उसकी बड़बड़ाहटें अब और बुरी होती जा रही थीं। सिरियस ने तो उसे घर से निकालने तक की धमकी दे डाली, लेकिन क्रीचर ने उसे आँसू भरी निगाहों से घूरकर कहा, 'मालिक जैसा चाहें, वैसा कर सकते हैं।' लेकिन मुड़ने से पहले वह ज़ोर से बुदबुदाया, 'लेकिन मालिक क्रीचर को नहीं निकालेंगे, क्योंकि क्रीचर उनके इरादे जानता है। ओह हाँ, क्रीचर जानता है कि उसका घटिया मालिक इन बदज़ातों, गद्दारों और घटिया लोगों के साथ मिलकर शैतानी सम्राट के ख़िलाफ़ साज़िश कर रहा है ...'

यह सुनकर सिरियस ने हर्माइनी के विरोध के बावजूद क्रीचर को उठाकर कमरे के बाहर फेंक दिया।

दरवाज़े की घंटी दिन में कई बार बजी, जिसे सुनकर सिरियस की माँ हर

बार चीख़ने लगती थीं। हैरी और बाक़ी लोगों ने आने वालों की बातें चोरी छिपे सुनने की कोशिश कीं, लेकिन उन्हें थोड़ी सी झलक ही दिख पाई और कुछ शब्द ही सुनाई दे पाए, क्योंकि मिसेज़ वीज़्ली जल्दी ही उन्हें काम करने के लिए बुला लेती थीं। स्नेप कई बार मकान में आए, हालाँकि हैरी को इस बात से बड़ी राहत मिली कि उनका आमना-सामना नहीं हुआ। हैरी ने अपनी रूपांतरण की टीचर प्रोफ़ेसर मैक्गॉनेगल को भी देखा, जो मगलू पोशाक और कोट में बड़ी अजीब दिख रही थीं। वे भी इतनी व्यस्त थीं कि उनके पास रुकने की फ़ुरसत नहीं थी। बहरहाल, कई बार आगंतुक मदद करने के लिए रुक गए। एक यादगार दोपहर को टौंक्स आई, जब उन्हें ऊपर की मंज़िल के टॉयलेट में एक बूढ़ा ख़ूनी पिशाच छिपा मिला। और ल्यूपिन भी समूह के लिए गोपनीय काम करने के बाद मकान में आकर ठहर गए। ल्यूपिन ने एक दीवार घड़ी को ठीक करने में उनकी मदद की, जो आस-पास से गुज़रने वालों पर वार करती थी। मिसेज़ वीज़्ली की नज़रों में मंडंगस की छवि भी थोड़ी सुधर गई, क्योंकि उसने रॉन को उन पुराने बैंगनी दुशालों से बचाया था, जो वार्डरोब से हटाते समय उसका गला दबाने की कोशिश कर रहे थे।

हालाँकि हैरी को ठीक से नींद नहीं आ रही थी और उसे अब भी गलियारों तथा बंद दरवाज़ों के सपने दिख रहे थे, जिनसे उसका निशान दुखने लगता था, लेकिन फिर भी हैरी को गर्मियों में पहली बार मज़ा आया। व्यस्त रहते समय वह ख़ुश रहता था, लेकिन जब उसके पास कोई काम नहीं होता था या जब वह बिस्तर पर लेटकर धुँधली छायाओं को छत के पार हिलते देखता था, तो मंत्रालय की सुनवाई का विचार लौट आता था। उसके भीतर डर काँटे की तरह चुभता रहा, जब वह यह सोचने लगा कि अगर उसे निकाल दिया गया, तो उसका क्या होगा। यह विचार इतना भयंकर था कि वह इसे ज़ोर से बोलने की हिम्मत नहीं कर सकता था, रॉन और हर्माइनी से भी नहीं, जो अक्सर एक-दूसरे से फ़ुसफ़ुसाकर बातें करते थे और उसकी तरफ़ चिंता से देखते रहते थे। रॉन और हर्माइनी भी उसकी देखादेखी कुछ नहीं बोले। कई बार तो उसके मन में यह कल्पना आ जाती थी कि बिना चेहरे का एक मंत्रालय अधिकारी उसकी छड़ी के दो टुकड़े कर रहा था और उसे डर्स्ली परिवार के यहाँ लौटने का आदेश दे रहा था ... लेकिन वह नहीं जाएगा। उसने यह संकल्प कर लिया था। वह यहीं ग्रिमॉल्ड चौक में लौट आएगा और सिरियस के साथ रहेगा।

बुधवार की शाम को डिनर के दौरान मिसेज़ वीज़्ली उसकी तरफ़ मुड़ीं और धीरे से बोलीं, 'हैरी, मैंने तुम्हारे सबसे अच्छे कपड़ों पर कल सुबह के लिए प्रेस कर दी है। मैं चाहती हूँ कि तुम आज रात को अपने बाल धो लो। अच्छी छवि से अच्छा असर होता है।' यह सुनकर उसे ऐसा महसूस हुआ, जैसे उसके पेट

में एक ईंट गिर गई हो।

रॉन, हर्माइनी, फ़्रेड, जॉर्ज और जिनी बातचीत बंद करके उसकी तरफ़ देखने लगे। हैरी ने सिर हिलाया और अपने चॉप को खाने की कोशिश की, लेकिन उसका मुँह इतना सूख गया था कि वह कुछ नहीं चबा सकता था।

उसने मिसेज़ वीज़्ली को देखकर पूछा, 'मैं वहाँ कैसे जाऊँगा?'

मिसेज़ वीज़्ली ने धीरे से कहा, 'आर्थर ऑफ़िस जाते समय तुम्हें अपने साथ ले जाएँगे।'

मिस्टर वीज़्ली टेबल के दूसरे सिरे से हैरी का उत्साह बढ़ाते हुए मुस्कराए।

उन्होंने कहा, 'सुनवाई का समय होने तक तुम मेरे ऑफ़िस में इंतज़ार करना।'

हैरी ने सिरियस की तरफ़ देखा, लेकिन इससे पहले कि वह सवाल पूछ पाए, मिसेज़ वीज़्ली ने उसका जवाब दे दिया।

'प्रोफ़ेसर डम्बलडोर को नहीं लगता है कि सिरियस को तुम्हारे साथ जाना चाहिए और मुझे कहना होगा कि वे –'

'– कि वे *बिलकुल सही* कहते हैं,' सिरियस ने भिंचे दाँतों के बीच से कहा।

मिसेज़ वीज़्ली ने अपने होंठ सिकोड़ लिए।

हैरी ने सिरियस को घूरते हुए कहा, 'डम्बलडोर ने तुमसे यह बात कब कही?'

मिस्टर वीज़्ली ने हैरी के सवाल का जवाब देते हुए कहा, 'वे कल रात को तुम्हारे सोने के बाद आए थे।'

सिरियस ने अपने काँटे से एक आलू को भेदा। हैरी अपनी प्लेट को देखने लगा। उसे यह जानकर बहुत बुरा लगा कि डम्बलडोर सुनवाई से पहले वहाँ आए थे, लेकिन उससे नहीं मिले थे।

अध्याय सात

जादू मंत्रालय

अगली सुबह साढ़े पाँच बजे हैरी हड़बड़ाकर जागा। उसे ऐसा लगा, जैसे कोई उसके कान में जमकर चीख़ा हो। कुछ पल तक तो वह स्थिर लेटा रहा, क्योंकि अनुशासनात्मक सुनवाई की आशंका उसके दिमाग़ के कोने-कोने में भरी हुई थी। फिर जब उससे सहन नहीं हुआ, तो वह उछलकर पलंग से उतर गया और उसने अपना चश्मा पहन लिया। मिसेज़ वीज़्ली ने उसकी धुली और प्रेस की हुई जीन्स तथा टी-शर्ट पलंग के नीचे वाले हिस्से पर रख दी थीं। जब हैरी ने उन्हें पहना, तो दीवार पर लगी ख़ाली तस्वीर खी-खी करने लगी।

रॉन गहरी नींद में मुँह खोले कमर के बल सो रहा था। जब हैरी कमरे के पार गया और उसने धीरे से दरवाज़ा बंद किया, तो रॉन हिला तक नहीं। हैरी के मन में आया कि अगर उसे हॉगवर्ट्स से निकाल दिया गया, तो न जाने वह रॉन को अगली बार कब देख पाएगा। हैरी चुपचाप सीढ़ियों से नीचे उतरा और क्रीचर के पूर्वजों के सिर के पास से गुज़रते हुए नीचे किचन में पहुँच गया।

उसे किचन के ख़ाली मिलने की उम्मीद थी, लेकिन जब वह दरवाज़े तक पहुँचा, तो उसे दूसरी तरफ़ से धीमी-धीमी आवाज़ें सुनाई दीं। उसने दरवाज़े को धकेलकर खोला और देखा कि मिस्टर और मिसेज़ वीज़्ली, सिरियस, ल्यूपिन तथा टौंक्स वहाँ बैठे थे। वे शायद उसी का इंतज़ार कर रहे थे। सभी ने बाहर जाने वाले कपड़े पहन रखे थे। सिवाय मिसेज़ वीज़्ली के, जो बैंगनी ऊनी ड्रेसिंग गाउन में थीं। जिस पल हैरी अंदर दाख़िल हुआ, वे उछलकर खड़ी हो गईं।

उन्होंने अपनी छड़ी निकालकर जल्दी से आग के पास जाते हुए कहा, 'नाश्ता।'

'गु - गु - गुड मॉर्निंग, हैरी,' टौंक्स ने जम्हाई लेते हुए कहा। उसके बाल आज सुनहरे और घुँघराले थे। 'अच्छी नींद आई ?'

'हाँ,' हैरी ने कहा।

'मैं तो पूरी रात जागती रही,' उसने एक और लंबी जम्हाई लेते हुए कहा। 'आओ, बैठ जाओ ...'

टौंक्स ने एक कुर्सी खींची और इस प्रक्रिया में उसके बग़ल वाली कुर्सी गिरा दी।

'तुम क्या लोगे, हैरी?' मिसेज़ वीज़्ली ने पूछा। 'दलिया? स्वीट ब्रेड? सूखी हिलसा मछली? बेकन और अंडे? टोस्ट?'

हैरी ने कहा, 'बस - बस टोस्ट।'

ल्यूपिन ने हैरी की तरफ़ देखा और टौंक्स से कहा, 'तुम स्क्रिमग्योर के बारे में क्या कह रही थीं?'

'ओह ... हाँ ... देखो, हमें थोड़ा सावधान रहना होगा। वह किंग्सले और मुझसे अजीब से सवाल पूछ रहा था ...'

हैरी बहुत कृतज्ञ हुआ कि उन लोगों ने उससे बातचीत में शामिल होने की उम्मीद नहीं की। उसके अंदर उथलपुथल मची हुई थी। मिसेज़ वीज़्ली ने उसके सामने टोस्ट और मुरब्बा रख दिया। उसने टोस्ट खाने की कोशिश की, लेकिन ऐसा लगा जैसे वह कारपेट चबा रहा हो। मिसेज़ वीज़्ली उसके पास बैठकर उसकी टीशर्ट ठीक करने लगीं। वे लेबल अंदर करने लगीं और कंधों पर से सलवटें ठीक करने लगीं। वह सोच रहा था कि काश वे ऐसा न करें।

'... और मुझे डम्बलडोर को बताना पड़ेगा कि मैं कल रात की ड्यूटी नहीं कर पाऊँगी। मैं ब-ब-बहुत थकी हुई हूँ,' टौंक्स ने एक बार फिर लंबी जम्हाई लेते हुए कहा।

'तुम्हारी जगह मैं ड्यूटी कर लूँगा,' मिस्टर वीज़्ली ने कहा। 'मुझे कोई दिक्क़त नहीं है। मुझे वैसे भी एक रिपोर्ट तैयार करनी है ...'

मिस्टर वीज़्ली जादूगरों के दुशाले नहीं पहने थे, बल्कि धारियों वाला पैंट और एक पुरानी जैकेट पहने थे। वे हैरी की तरफ़ मुड़े।

'तुम्हें कैसा लग रहा है?'

हैरी ने कंधे उचका दिए।

मिस्टर वीज़्ली उसका उत्साह बढ़ाते हुए बोले, 'जल्दी ही सब कुछ ठीक हो जाएगा। कुछ ही घंटों में तुम्हें छोड़ दिया जाएगा।'

हैरी कुछ नहीं बोला।

'सुनवाई अमेलिया बोन्स के ऑफ़िस में है, जो मेरी ही मंज़िल पर है। वे

जादुई क़ानून पालन विभाग की प्रमुख हैं और वही तुमसे सवाल पूछेंगी।'

'हैरी, अमेलिया बोन्स **ठीक** हैं,' टौंक्स ने गंभीरता से कहा। 'वे निष्पक्ष हैं। वे तुम्हारी बात सुनेंगी।'

हैरी ने सिर हिलाया, लेकिन अब भी उससे कुछ बोलते नहीं बना।

सिरियस अचानक बोला, 'बस अपना दिमाग़ी संतुलन मत खोना। विनम्र रहना और तथ्यों तक सीमित रहना।'

हैरी ने एक बार फिर अपना सिर हिलाया।

'क़ानून तुम्हारे साथ है,' ल्यूपिन ने धीरे से कहा। 'ज़िंदगी को ख़तरे में डालने वाली परिस्थितियों में नाबालिग़ जादूगरों को भी जादू करने की इजाज़त होती है।'

हैरी के गले पर कोई बहुत ठंडी चीज़ बहने लगी। एक पल के लिए तो उसे लगा कि किसी ने उस पर विभ्रम सम्मोहन कर दिया है, लेकिन फिर उसे एहसास हुआ कि मिसेज़ वीज़्ली गीली कंघी से उसके बालों पर धावा बोल रही हैं। उन्होंने उसके सिर के ऊपरी हिस्से को कसकर दबाया।

उन्होंने हताशा में पूछा, 'क्या ये बाल कभी नीचे नहीं होते हैं?'

हैरी ने अपना सिर हिला दिया।

मिस्टर वीज़्ली ने अपनी घड़ी देखकर हैरी की तरफ़ निगाह डाली।

'मुझे लगता है कि अब हमें चल देना चाहिए,' उन्होंने कहा। 'हम थोड़ी जल्दी पहुँच जाएँगे, लेकिन मुझे लगता है कि यहाँ के बजाय मंत्रालय में होना ज़्यादा अच्छा है।'

'**ठीक है**,' हैरी ने कहा और अपना टोस्ट नीचे रखकर खड़ा हो गया।

टौंक्स ने तसल्ली देते हुए उसका हाथ थपथपाया और बोली, 'सब ठीक हो जाएगा, हैरी।'

'गुड लक,' ल्यूपिन ने कहा। 'मुझे यक़ीन है कि सब कुछ ठीक हो जाएगा।'

'और अगर ठीक नहीं हुआ,' सिरियस ने गंभीरता से कहा, 'तो मैं अमेलिया बोन्स को देख लूँगा ...'

हैरी हल्के से मुस्कराया। मिसेज़ वीज़्ली ने उसे गले लगा लिया।

उन्होंने कहा, 'हम सभी तुम्हारे लिए प्रार्थना करेंगे।'

हैरी ने कहा, 'ठीक है ... तो बाद में मिलते हैं।'

वह मिस्टर वीज़्ली के पीछे-पीछे सीढ़ियाँ चढ़कर ऊपर हॉल में पहुँच गया। उसे पर्दे के पीछे से सिरियस की माँ के नींद में बड़बड़ाने की आवाज़ आ रही थी। मिस्टर वीज़्ली ने दरवाज़े का ताला खोला और फिर उन दोनों ने ठंडी, भूरी सुबह में बाहर क़दम रख दिया।

जब वे चौक में तेज़ी से चलने लगे, तो हैरी ने उनसे पूछा, 'आप आम तौर पर पैदल ऑफ़िस नहीं जाते हैं, है ना?'

'नहीं, मैं आम तौर पर अंतर्ध्यान होकर जाता हूँ,' मिस्टर वीज़्ली ने कहा, 'लेकिन ज़ाहिर है, तुम अंतर्ध्यान नहीं हो सकते हो। वैसे भी मुझे लगता है कि बिना जादू के वहाँ पहुँचना सबसे अच्छा रहेगा ... इससे अच्छा प्रभाव पड़ेगा, ख़ासकर तब जब अनुशासन तोड़ने के लिए सुनवाई हो रही हो ...'

चलते समय मिस्टर वीज़्ली का हाथ जैकेट के भीतर था। हैरी जानता था कि उन्होंने अपनी छड़ी पकड़ रखी होगी। सड़कें लगभग सुनसान थीं, लेकिन जब वे छोटे से अंडरग्राउंड स्टेशन पर पहुँचे, तो वहाँ पर सुबह यात्रा करने वाले लोगों की अच्छी-ख़ासी चहल-पहल थी। हमेशा की तरह इस बार भी मगलुओं की दिनचर्या देखकर मिस्टर वीज़्ली का उत्साह देखने क़ाबिल था।

'बहुत ही बढ़िया,' उन्होंने फुसफुसाकर ऑटोमैटिक टिकट मशीनों की तरफ़ इशारा करते हुए कहा। 'सचमुच अद्भुत।'

'वे ख़राब हैं,' हैरी ने साइन बोर्ड की तरफ़ इशारा करते हुए कहा।

'हाँ, लेकिन फिर भी ...' वे उनकी तरफ़ अब भी हसरत से देख रहे थे।

उन्होंने एक उनींदे क्लर्क से टिकट ख़रीदे (हैरी ने नोट देने का काम किया, क्योंकि मिस्टर वीज़्ली मगलुओं के नोट ठीक से नहीं गिन पाते थे) और पाँच मिनट बाद वे एक अंडरग्राउंड ट्रेन में बैठे थे, जो धड़धड़ाती हुई उन्हें लंदन के बीच वाले हिस्से की ओर ले जा रही थी। मिस्टर वीज़्ली चिंता से खिड़कियों के ऊपर लगे नक़्शे की बार-बार जाँच करते जा रहे थे।

'हैरी, चार स्टॉप और बचे हैं ... अब तीन बचे हैं ... हैरी, अब दो बचे हैं ...'

वे लंदन के बीच में एक स्टेशन पर उतरे। सूट पहने लोग अपने ब्रीफ़केस उठाकर जल्दी से जल्दी उतरने की कोशिश कर रहे थे और उन्हें धक्का मारते जा रहे थे। वे लोग एस्केलेटर पर खड़े होकर ऊपर गए और टिकट बैरियर से गुज़रे (मिस्टर वीज़्ली इस बात पर बहुत ख़ुश हुए कि मशीन ने उनका टिकट निगल लिया)। फिर वे बाहर की चौड़ी सड़क पर पहुँच गए, जिसके दोनों तरफ़ बड़ी-बड़ी इमारतें थीं। सड़क पर काफ़ी ट्रैफ़िक था।

मिस्टर वीज़्ली ने सूनेपन से कहा, 'हम कहाँ हैं?' एक पल के लिए तो हैरी का दिल धक्क रह गया। उसे लगा कि बार-बार नक़्शा देखने के बावजूद मिस्टर वीज़्ली ग़लत स्टेशन पर उतर गए हैं। लेकिन एक पल बाद मिस्टर वीज़्ली बोले, 'ओह हाँ ... इस रास्ते से आओ, हैरी।' फिर वे उसे बग़ल वाली सड़क पर ले गए।

'सॉरी,' उन्होंने कहा, 'लेकिन मैं ट्रेन से ऑफ़िस नहीं आता हूँ। मगलुओं के नज़रिये से रास्ता बहुत अलग दिखता है। सच तो यह है कि मैं ट्रेन से पहले कभी ऑफ़िस आया ही नहीं हूँ।'

वे जितना आगे चलते गए, इमारतें उतनी ही छोटी होती गईं। आख़िर वे एक ऐसी सड़क पर पहुँच गए, जहाँ बहुत ही गंदे ऑफ़िस दिख रहे थे। इनके अलावा वहाँ एक शराबख़ाना और एक कूड़ेदान था, जिसमें इतना ज़्यादा कचरा भरा हुआ था कि आस-पास फैलने लगा था। हैरी को जादू मंत्रालय के ज़्यादा अच्छी जगह पर होने की उम्मीद थी।

'लो, पहुँच गए,' मिस्टर वीज़्ली ने उत्साह से एक पुराने लाल टेलीफ़ोन बूथ की तरफ़ इशारा करते हुए कहा। इसके कई काँच ग़ायब थे और इसकी दीवार पोस्टरों से ढँकी हुई थी। 'पहले तुम अंदर जाओ, हैरी।'

उन्होंने टेलीफ़ोन बूथ का दरवाज़ा खोल दिया।

हैरी ने अंदर क़दम रखा और सोचने लगा कि यह क्या झमेला है। मिस्टर वीज़्ली भी सिकुड़कर हैरी के पास आकर खड़े हो गए और उन्होंने दरवाज़ा बंद कर लिया। वे ठसाठस खड़े थे। हैरी टेलीफ़ोन से टकरा रहा था, जो दीवार पर इस तरह से टँगा था, जैसे किसी उपद्रवी ने उसे खींचकर उखाड़ने की कोशिश की हो। मिस्टर वीज़्ली ने हैरी के पास से हाथ बढ़ाकर रिसीवर उठा लिया।

हैरी ने कहा, 'मिस्टर वीज़्ली, मुझे लगता है कि यह ख़राब है।'

'नहीं, नहीं, मुझे पता है कि यह ठीक है,' मिस्टर वीज़्ली ने रिसीवर को अपने सिर के ऊपर उठाया और डायल की तरफ़ घूरा। 'देखो ... छह ...' उन्होंने नंबर डायल किया, 'दो ... चार ... दूसरा चार ... और फिर से दो ...'

जब डायल घूमकर दोबारा जगह पर आ गया, तो टेलीफ़ोन बूथ में एक महिला की आवाज़ आई। यह आवाज़ मिस्टर वीज़्ली के हाथ के रिसीवर में से नहीं आ रही थी, बल्कि इतनी तेज़ थी, जैसे कोई अदृश्य महिला उनके पास ही खड़ी होकर बोल रही हो।

'जादू मंत्रालय में आपका स्वागत है। कृपया अपना नाम और काम बताएँ।'

'अर ...' मिस्टर वीज़्ली ने कहा, जो यह तय नहीं कर पा रहे थे कि उन्हें रिसीवर में बोलना चाहिए या नहीं। बाद में उन्होंने माउथपीस को कान में लगाते हुए कहा, 'मगलू वस्तु दुरुपयोग विभाग का आर्थर वीज़्ली हैरी पॉटर के साथ यहाँ आया है, जिसे अनुशासनात्मक सुनवाई में उपस्थित होना है ...'

'धन्यवाद,' महिला की शांत आवाज़ आई। 'आगंतुक, कृपया बैज उठाकर अपने दुशाले के सामने लगा लें।'

एक क्लिक की आवाज़ आई और हैरी ने देखा कि जिस जगह से आम तौर पर सिक्के वापस आते हैं, उस जगह पर कोई चीज़ टकराई। उसने वह चीज़ उठा ली। वह एक चौकोर सफ़ेद बैज था, जिस पर लिखा था, *हैरी पॉटर, अनुशासनात्मक सुनवाई।* उसने बैज अपनी टी-शर्ट के सामने पिन से लगा लिया। फिर उसी महिला की आवाज़ दोबारा आई।

'मंत्रालय में आने वाले आगंतुक, सुरक्षा डेस्क पर आपकी तलाशी ली जाएगी और आपकी छड़ी का रजिस्ट्रेशन होगा। सुरक्षा डेस्क प्रवेश के दूर वाले छोर पर है।'

टेलीफ़ोन बूथ का फ़र्श हिलने लगा और वे धीरे-धीरे ज़मीन में उतरने लगे। हैरी ने घबराकर देखा कि टेलीफ़ोन बूथ की काँच की खिड़कियों के पार फ़ुटपाथ ऊपर उठता हुआ दिख रहा था। कुछ ही देर में उनके सिरों के ऊपर अँधेरा हो गया और उसे दिखाई देना बंद हो गया। टेलीफ़ोन बूथ के नीचे उतरते समय उसे बस एक हल्की सी घरघराती आवाज़ सुनाई दे रही थी। लगभग एक मिनट बाद, हालाँकि हैरी को यह ज़्यादा लंबा समय लगा था, उसके पैरों पर एक सुनहरी रोशनी पड़ी, जो धीरे-धीरे चौड़ी हुई और कुछ समय बाद उसकी आँखों तक आ गई। आँखों में पानी न आए, इसके लिए उसे पलकें झपकानी पड़ीं।

फिर उसी महिला की आवाज़ एक बार फिर सुनाई दी, 'जादू मंत्रालय आपका स्वागत करता है।'

टेलीफ़ोन बूथ का दरवाज़ा खुल गया और मिस्टर वीज़्ली उसके बाहर निकल गए। हैरी भी उनके पीछे-पीछे चल दिया। सामने का दृश्य देखकर उसका मुँह खुला रह गया।

वे लोग एक बहुत लंबे और भव्य हॉल के एक सिरे पर खड़े थे। यहाँ गहरे रंग की लकड़ी का चमकदार फ़र्श था। मोर के पंखों जैसी नीली छत पर चमकते हुए सुनहरे प्रतीक लगे थे, जो किसी बड़े आकाशीय नोटिस बोर्ड की तरह हिलते और बदलते रहते थे। दोनों तरफ़ की दीवारों पर गहरे रंग की लकड़ी के पटिए लगे थे और कई मुलम्मेदार अँगीठियाँ बनी हुई थीं। हर कुछ पल बाद कोई जादूगरनी या जादूगर *शाँय* की आवाज़ के साथ बाएँ हाथ की तरफ़ बनी किसी

अँगीठी से प्रकट होता था। दाएँ हाथ की तरफ़ वाली अँगीठियों के सामने जाने वाले लोगों की छोटी-छोटी क़तारें लगी थीं।

हॉल में आधी दूर पर एक फव्वारा था। उसमें सोने की मूर्तियाँ लगी थीं, जो इंसानों से बड़े आकार की थीं। ये मूर्तियाँ एक गोलाकार कुंड के बीच में खड़ी थीं। सबसे लंबी मूर्ति एक कुलीन जादूगर की थी, जिसने अपनी छड़ी हवा में उठा रखी थी। उसके आस-पास एक सुंदर जादूगरनी, एक सेनटॉर, एक पिशाच और एक घरेलू जिन्न खड़े थे। आख़िरी की तीन मूर्तियाँ जादूगर और जादूगरनी को तारीफ़ भरी नज़रों से निहार रही थीं। जादूगर और जादूगरनी की छड़ियों से पानी की धाराएँ निकल रही थीं। इसी तरह सेनटॉर के तीर के सिरे, पिशाच के हैट की नोक और घरेलू जिन्न के दोनों कानों से पानी की धाराएँ निकल रही थीं। अंतर्ध्यान होते लोगों की *कड़ाक* की आवाज़ों और आते-जाते सैकड़ों जादूगरों व जादूगरनियों के चलने की आवाज़ों के साथ ही पानी गिरने की आवाज़ भी आ रही थी। ज़्यादातर जादूगरों के चेहरे पर सुबह रहने वाला उदास भाव था और वे हॉल के सिरे पर लगे सुनहरे दरवाज़ों की तरफ़ जा रहे थे।

'इस तरफ़,' मिस्टर वीज़्ली ने कहा।

वे भीड़ में शामिल हो गए और मंत्रालय के कर्मचारियों के बीच से होकर चलने लगे। कुछ कर्मचारी चर्मपत्रों का ढेर उठाकर ले जा रहे थे, कुछ पुराने ब्रीफ़केस लेकर चल रहे थे और कुछ चलते-चलते *दैनिक जादूगर* पढ़ रहे थे। फव्वारे के पास से गुज़रते समय हैरी ने देखा कि कुंड की तली में कुछ चाँदी के सिकल और काँसे के नट चमक रहे थे। पास लगे एक छोटे साइनबोर्ड पर लिखा था :

इस फव्वारे में जादूगर भाई-बहनों द्वारा डाले गए सभी सिक्के सेंट मंगोज़ जादुई रोग एवं दुर्घटना अस्पताल को दान में दिए जाएँगे।

हैरी ने हताशा में सोचा, अगर मुझे हॉगवर्ट्स से नहीं निकाला गया, तो मैं इसमें दस गैलियन डालूँगा।

'इधर चलो, हैरी,' मिस्टर वीज़्ली ने कहा। इसके बाद वे सुनहरे दरवाज़ों की तरफ़ जाने वाले मंत्रालय के कर्मचारियों की भीड़ से निकलकर बाईं तरफ़ चल दिए, जहाँ एक साइनबोर्ड लगा था : *सुरक्षा डेस्क*। इसके नीचे मोर जैसे रंग के नीले दुशाले में एक जादूगर बैठा था, जिसकी दाढ़ी ठीक से नहीं बनी थी। उनके पास आने पर उसने ऊपर देखा और अपना *दैनिक जादूगर* अख़बार नीचे रख दिया।

मिस्टर वीज़्ली ने हैरी की तरफ़ इशारा करते हुए कहा, 'मेरे साथ एक आगंतुक आया है।'

जादूगर ने बोरियत भरी आवाज़ में कहा, 'इधर आओ।'

जैसे ही हैरी उसके क़रीब पहुँचा, जादूगर ने एक लंबा सुनहरा यंत्र निकाला, जो किसी कार के एरियल की तरह पतला और लचीला था। उसने इसे हैरी के सामने और पीछे हवा में फेरा।

'छड़ी,' सुरक्षा प्रभारी जादूगर ने अपने सुनहरे यंत्र को नीचे रखते हुए हैरी से कहा और अपना हाथ आगे बढ़ा दिया।

हैरी ने उसे अपनी छड़ी दे दी। जादूगर ने उसे एक अजीब से काँसे के यंत्र पर रखा, जो तराज़ू जैसा दिख रहा था, लेकिन इसमें एक ही पलड़ा था। यह हिलने लगा। चर्मपत्र की एक छोटी पर्ची नीचे के छेद से तेज़ी से बाहर निकली। जादूगर ने उसे फाड़कर उस पर लिखे शब्द पढ़े।

'ग्यारह इंच, मायापंछी के पंख की, चार साल से इस्तेमाल हो रही है। ठीक है?'

'हाँ,' हैरी ने घबराते हुए कहा।

'मैं इसका रिकॉर्ड रख लेता हूँ,' जादूगर ने चर्मपत्र की पर्ची को काँसे के एक छोटे से तार में फँसाते हुए कहा। फिर उसने हैरी को छड़ी देते हुए कहा, 'अपनी छड़ी वापस ले लो।'

'धन्यवाद।'

'ज़रा ठहरो ...' जादूगर ने धीरे से कहा।

उसकी आँखें हैरी के आगंतुक वाले सफ़ेद बैज पर पड़ीं और फिर उसके माथे पर पहुँच गईं।

'धन्यवाद एरिक,' मिस्टर वीज़्ली ने थोड़े सख़्त लहज़े में कहा और हैरी का कंधा पकड़कर उसे वहाँ से दूर ले गए। अब वे उन जादूगरनियों और जादूगरों के रेले की तरफ़ जा रहे थे, जो सुनहरे दरवाज़ों की ओर जा रहे थे।

भीड़ की धक्का-मुक्की के बीच हैरी मिस्टर वीज़्ली के पीछे-पीछे दरवाज़े से बाहर निकलकर एक छोटे हॉल में पहुँचा। वहाँ सुनहरी ग्रिल के पीछे कम से कम बीस लिफ़्ट थीं। हैरी और मिस्टर वीज़्ली उनमें से एक के पीछे लगी लाइन में खड़े हो गए। पास ही में लंबी दाढ़ी वाला एक जादूगर खड़ा था, जिसके हाथ में एक बड़ा कार्डबोर्ड बॉक्स था और उसमें से खड़खड़ की तेज़ आवाज़ें आ रही थीं।

उस जादूगर ने मिस्टर वीज़्ली का अभिवादन करते हुए पूछा, 'सब ठीक है, आर्थर?'

मिस्टर वीज़्ली ने बॉक्स की तरफ़ देखते हुए उससे पूछा, 'बॉब, उसमें क्या है?'

'हमें पक्का पता नहीं है,' जादूगर ने गंभीरता से कहा। 'हमने उसे मुर्गा समझा था, लेकिन वह तो आग उगलने लगा। ग़ैर-क़ानूनी संकर प्रजाति का मामला लगता है। यह प्रयोगशील प्रजनन पर प्रतिबंध का गंभीर उल्लंघन है।'

एक ज़ोरदार धमाके और खड़खड़ की आवाज़ के साथ एक लिफ़्ट उनके सामने उतरी। सुनहरी ग्रिल सरकी और बाक़ी लोगों के साथ हैरी तथा मिस्टर वीज़्ली भी लिफ़्ट में दाख़िल हो गए। हैरी पीछे की दीवार से चिपककर खड़ा हो गया। कई जादूगर और जादूगरनियाँ उसकी तरफ़ कौतूहल से देख रहे थे। वह किसी से नज़रें नहीं मिलाना चाहता था, इसलिए वह अपने पैरों की तरफ़ घूरता रहा और माथे के निशान को छिपाने के लिए अपनी लट को नीचे करता रहा। ग्रिल धमाके के साथ बंद हुई और लिफ़्ट धीरे-धीरे ऊपर चढ़ने लगी। फिर एक महिला की आवाज़ सुनाई दी। यह वही आवाज़ थी, जो हैरी ने टेलीफ़ोन बूथ में सुनी थी।

'सातवाँ गलियारा, जादुई खेल विभाग, जिसमें ब्रिटिश और आइरिश क्विडिच लीग मुख्यालय, ऑफ़ीशियल गॉबस्टोन्स क्लब और बेतुका पेटेन्ट्स ऑफ़िस हैं।'

जैसे ही लिफ़्ट का दरवाज़ा खुला, हैरी को एक गंदा सा गलियारा दिखा, जिसकी दीवारों पर क्विडिच टीमों के कई पोस्टर लगे थे। लिफ़्ट में से एक जादूगर बड़ी मुश्किल से बाहर निकल पाया, क्योंकि उसने बहुत सारी जादुई झाड़ुएँ उठा रखी थीं। उसके बाहर निकलते ही दरवाज़ा बंद हो गया और लिफ़्ट एक बार फिर ऊपर जाने लगी। महिला की आवाज़ ने घोषणा की :

'छठा गलियारा, जादुई आवागमन विभाग, जिसमें छू नेटवर्क प्राधिकरण, झाड़ू नियामक नियंत्रण, आवागमन-कुंजी दफ़्तर और अंतर्ध्यान परीक्षण केंद्र हैं।'

एक बार फिर लिफ़्ट का दरवाज़ा खुला। चार-पाँच जादूगरनियाँ और जादूगर बाहर निकल गए। उसी समय काग़ज़ों के कई हवाई जहाज़ उड़कर लिफ़्ट में घुस आए और अंदर खड़े लोगों के सिर के ऊपर मँडराने लगे। हैरी ने उनकी तरफ़ देखा। वे पीले बैंगनी रंग के थे और उनके पंखों के किनारों पर *जादू मंत्रालय* लिखा हुआ था।

'ऑफ़िस के अंतर्विभागीय मेमो हैं,' मिस्टर वीज़्ली बुदबुदाए। 'हम पहले उल्लू भेजते थे, लेकिन उनकी वजह से बहुत कचरा हो जाता था ... पूरी डेस्क पर बीट बिखरी रहती थी ...'

जब वे दोबारा ऊपर चले, तो मेमो लिफ़्ट की छत से लटकते लैंप के

चारों तरफ़ मँडराने लगे।

'पाँचवाँ गलियारा, अंतर्राष्ट्रीय जादूगर सौहार्द्र विभाग, जिसमें अंतर्राष्ट्रीय जादुई व्यापार मानदंड संस्था, अंतर्राष्ट्रीय जादूगर क़ानून विभाग और अंतर्राष्ट्रीय जादूगर महासंघ का ब्रिटिश कार्यालय हैं।'

दरवाज़ा खुलते ही दो मेमो बाहर चले गए। उनके पीछे-पीछे कुछ जादूगर और जादूगरनियाँ भी बाहर निकल गए। लेकिन कुछ और मेमो उड़कर अंदर आ गए। जब वे लैंप के चारों तरफ़ मँडराने लगे, तो उसकी रोशनी हिलती दिखाई देने लगीं।

'चौथा गलियारा, जादुई प्राणी नियमन एवं नियंत्रण विभाग, जिसमें जानवर, प्राणी और भूत-प्रेत प्रभाग, पिशाच संपर्क कार्यालय और पीड़क जंतु परामर्श कार्यालय हैं।'

'माफ़ कीजिए,' आग उगलने वाले मुर्गे को ले जा रहे जादूगर ने कहा और लिफ़्ट से बाहर निकल गया। कई मेमो भी उसके पीछे-पीछे चल दिए। दरवाज़ा एक बार फिर बंद हो गया।

'तीसरा गलियारा, जादुई दुर्घटना एवं विपत्ति विभाग, जिसमें दुर्घटना जादुई विपरीतीकरण दस्ता, विस्मृति मुख्यालय और मगलू-उपयुक्त क्षमा समिति हैं।'

मिस्टर वीज़्ली, हैरी और एक जादूगरनी के अलावा बाक़ी सभी लोग इस मंज़िल पर लिफ़्ट से बाहर निकल गए। जादूगरनी एक बहुत ही लंबे चर्मपत्र को पढ़ रही थी, जो फ़र्श तक लटका हुआ था। जब लिफ़्ट ऊपर की तरफ़ चलने लगी, तो बचे हुए मेमो लैंप के चारों तरफ़ उड़ने लगे। एक बार फिर दरवाज़ा खुला और आवाज़ ने घोषणा की।

'दूसरा गलियारा, जादुई क़ानून पालन विभाग, जिसमें जादू का अनुचित प्रयोग विभाग, ऑरर मुख्यालय और जादूगर न्यायसभा प्रशासनिक सेवाएँ हैं।'

मिस्टर वीज़्ली ने कहा, 'हमें यहीं उतरना है, हैरी।' वे उस जादूगरनी के पीछे-पीछे लिफ़्ट से उतर गए और दरवाज़ों की क़तार वाले एक गलियारे में पहुँच गए। मिस्टर वीज़्ली बोले, 'मेरा ऑफ़िस इस मंज़िल की दूसरी तरफ़ है।'

जब वे एक खिड़की के पास से गुज़रे, जिसमें से धूप आ रही थी, तो हैरी ने पूछा, 'मिस्टर वीज़्ली, क्या हम अब भी ज़मीन के नीचे हैं?'

'हाँ,' मिस्टर वीज़्ली ने कहा। 'ये खिड़कियाँ जादुई हैं। जादुई रखरखाव विभाग हर दिन यह निर्णय लेता है कि हमें कैसा मौसम दिया जाए। जब वे अपनी तनख़्वाह बढ़वाने की कोशिश कर रहे थे, तो हमें दो महीने तक तूफ़ानी मौसम

झेलना पड़ा था ... यहाँ से मुड़ जाओ, हैरी।'

वे एक मोड़ पर मुड़ गए। फिर वे बलूत के भारी दरवाज़ों से गुज़रे और एक ख़ाली जगह पर पहुँचे, जो केबिनों में बँटी थी, जहाँ से बातों और हँसी की आवाज़ें आ रही थीं। मेमो छोटे रॉकेटों की तरह केबिनों के अंदर-बाहर उड़ रहे थे। सबसे पास वाले केबिन पर लिखा था : *ऑरर मुख्यालय।*

जब वे उस केबिन के पास से गुज़रे, तो हैरी ने चुपके से दरवाज़े से अंदर झाँका। ऑरर ने अपने केबिनों की दीवारों पर बहुत कुछ चिपका रखा था। वहाँ अपराधी जादूगरों की तस्वीरें, ऑरर्स के परिवारों की तस्वीरें, ऑरर की प्रिय क्विडिच टीमों के पोस्टर और *दैनिक जादूगर* के लेख लगे हुए थे। लाल दुशाले वाले एक जादूगर की पोनीटेल तो बिल से भी लंबी थी। वह अपने जूते डेस्क पर रखकर बैठा हुआ था और बोल रहा था; उसकी पंखों वाली क़लम अपने आप रिपोर्ट लिख रही थी। थोड़ी दूरी पर एक जादूगरनी थी, जिसकी एक आँख पर एक फाहा लगा हुआ था और वह अपने केबिन की दीवार के ऊपर से किंग्सले शैकलबोल्ट से बतिया रही थी।

जब वे पास पहुँचे, तो किंग्सले ने सामान्य अंदाज़ में कहा, 'गुड मॉर्निंग, वीज़्ली। मुझे तुमसे एक बात कहनी है। क्या तुम्हारे पास एक सेकंड का समय है?'

'हाँ, अगर बात सचमुच एक सेकंड में ही पूरी हो जाए,' मिस्टर वीज़्ली ने कहा। 'मैं बहुत जल्दी में हूँ।'

वे दोनों इस तरह बातें कर रहे थे, जैसे वे एक-दूसरे को अच्छी तरह से जानते ही न हों। जब हैरी ने किंग्सले से हैलो कहने के लिए अपना मुँह खोला, तो मिस्टर वीज़्ली ने उसके पैर पर अपना पैर रख दिया। वे किंग्सले के पीछे-पीछे चले और आख़िरी केबिन में पहुँच गए।

वहाँ पहुँचकर हैरी को थोड़ा सदमा लगा। हर तरफ़ सिरियस का चेहरा लगा था और उसकी तरफ़ झाँक रहा था। अख़बारों के लेख और पुरानी तस्वीरें – पॉटर दंपति की शादी में सिरियस के बेस्ट मैन की तस्वीर भी – दीवारों पर लगी हुई थी। सिर्फ़ एक ही जगह पर सिरियस नहीं था – वह दुनिया का एक नक़्शा था, जिसमें छोटी-छोटी लाल पिनें रत्नों की तरह चमक रही थीं।

'यह लो,' किंग्सले ने मिस्टर वीज़्ली के हाथ में चर्मपत्रों का ढेर थमाते हुए कहा। 'मुझे पिछले बारह महीने में उड़ने वाले मगलू वाहनों के बारे में ज़्यादा से ज़्यादा जानकारी चाहिए। हमें ख़बर मिली है कि शायद ब्लैक अपनी पुरानी मोटरसाइकल का इस्तेमाल कर रहा है।'

किंग्सले ने हैरी की तरफ़ जमकर आँख मारी और फिर धीरे से फुसफुसाकर कहा, 'उसे पत्रिका दे देना। उसे यह दिलचस्प लगेगी।' फिर उसने

सामान्य लहज़े में कहा, 'और वीज़्ली, ज़्यादा देर मत लगाना। हाथयारों वाली रिपोर्ट में देरी के कारण हमारी जाँच एक महीने तक रुकी रही थी।'

'अगर तुमने मेरी रिपोर्ट पढ़ी हो, तो तुम्हें पता होना चाहिए कि उन्हें हाथयार नहीं, बल्कि *हथियार* कहा जाता है,' मिस्टर वीज़्ली ने कहा। 'और मुझे लगता है कि तुम्हें मोटरसाइकलों की जानकारी के लिए थोड़ा इंतज़ार करना पड़ेगा। हम इस वक़्त बहुत व्यस्त हैं।' उन्होंने अपनी आवाज़ दबाकर कहा, 'अगर तुम सात बजे से पहले निकल सको, तो मॉली आज मीट के कोफ़्ते बना रही है।'

उन्होंने हैरी को इशारा किया और उसे किंग्सले के केबिन से बाहर ले गए। वे बलूत की लकड़ी के एक और दरवाज़े से होकर दूसरे गलियारे में पहुँचे। वहाँ जाकर वे बाईं ओर मुड़े, एक और गलियारे में गए, फिर दाईं तरफ़ मुड़कर एक कम रोशनी वाले गंदे से गलियारे में पहुँच गए और आख़िर में दीवार के सामने रुक गए। वहाँ बाईं तरफ़ एक दरवाज़ा थोड़ा सा खुला था। अंदर झाड़ू की अलमारी दिख रही थी और दाहिनी तरफ़ के दरवाज़े पर काँसे की गंदी सी तख़्ती लगी थी, जिस पर लिखा था : *मगलू वस्तु दुरुपयोग विभाग।*

मिस्टर वीज़्ली का गंदा ऑफ़िस झाड़ू की अलमारी से भी थोड़ा छोटा दिख रहा था। उसके भीतर दो डेस्कें ठूँस दी गई थीं। डेस्कों के आस-पास चलने की जगह नहीं थी, क्योंकि फ़ाइल रखने वाली बहुत सारी अलमारियाँ दीवार से टिकी हुई थीं, जिन पर फ़ाइलों के ढेर लगे थे। दीवार की बची-खुची जगह मिस्टर वीज़्ली की दीवानगी का सबूत दे रही थी : वहाँ कारों के कई पोस्टर लगे थे, जिनमें से एक खुले हुए इंजन का था; दो पोस्टबॉक्सों की तस्वीरें थीं, जो उन्होंने मगलू बच्चों की किताबों से काटी होंगी और एक चित्र था, जिसमें प्लग में तार लगाने का तरीक़ा बताया गया था।

मिस्टर वीज़्ली की टेबल पर लबालब भरी इन-ट्रे में सबसे ऊपर एक पुराना टोस्टर रखा था, जो हिचकियाँ ले रहा था। इसके अलावा वहाँ पर चमड़े के दस्ताने रखे हुए थे, जो अपने अँगूठे हिला रहे थे। इन-ट्रे के पास वीज़्ली परिवार की एक तस्वीर रखी थी। हैरी ने देखा कि पर्सी इसमें से बाहर चला गया था।

'यहाँ खिड़की नहीं है,' मिस्टर वीज़्ली ने माफ़ी माँगने वाले अंदाज़ में कहा और अपनी जैकेट उतारकर कुर्सी पर टाँग ली। 'हमने माँग की थी, लेकिन उन्हें लगा कि हमें इसकी ज़रूरत नहीं है। बैठ जाओ हैरी, ऐसा लगता है पर्किन्स अभी तक नहीं आया है।'

हैरी पर्किन्स की डेस्क के पीछे वाली कुर्सी में मुश्किल से सिकुड़कर बैठा। मिस्टर वीज़्ली चर्मपत्रों के उस ढेर को सरसरी तौर पर देखते रहे, जो किंग्सले

शैकलबोल्ट ने उन्हें दिया था।

'ओह,' उन्होंने मुस्कराते हुए कहा, जब उन्होंने ढेर के बीच से द *क्विबलर* नाम की पत्रिका निकाली, 'हाँ ...' उन्होंने इसे उलट-पलट कर देखा। 'हाँ, उसकी बात सही है, मुझे यक़ीन है कि सिरियस को यह बहुत दिलचस्प लगेगी - हे भगवान, अब यह क्या है?'

खुले दरवाज़े से एक मेमो उड़कर अंदर आया और हिचकियाँ ले रहे टोस्टर के ऊपर गिर गया। मिस्टर वीज़्ली ने उसे खोलकर ज़ोर से पढ़ा।

'"बेथनाल ग्रीन में तीसरा सार्वजनिक निष्कासन टॉयलेट पाया गया है। कृपया तत्काल जाँच करें।" यह तो मूर्खतापूर्ण होता जा रहा है ...'

'निष्कासन टॉयलेट?'

'मगलू-विरोधी मसखरी है,' मिस्टर वीज़्ली ने त्योरियाँ चढ़ाकर कहा। 'पिछले हफ़्ते हमें दो टॉयलेट मिल चुके हैं, एक विम्बलडन में, एक एलिफ़ैन्ट एंड कैसल में। मगलू जब फ़्लश खींचते हैं, तो मलबा ग़ायब होने के बजाय बाहर निकल आता है - ख़ैर, तुम कल्पना कर सकते हो कि क्या हाल होता होगा। बेचारे मगलू उन लोगों को बुलाते हैं, जिनका नाम शायद *हल वाले* है - वे लोग, *जो पाइप वगैरह ठीक करते हैं।*'

'नल वाले?'

'हाँ, वही, लेकिन ज़ाहिर है वे कुछ नहीं कर पाते। मुझे उम्मीद है कि जो भी यह काम कर रहा है, हम उसे पकड़ लेंगे।'

'क्या उन्हें ऑररर्स पकड़ेंगे?'

'अरे नहीं, यह ऑररर्स जितना बड़ा काम नहीं है। यह तो साधारण जादुई क़ानून पालन दस्ते का काम है - ओह हैरी, यह लो, पर्किन्स भी आ गया।'

झुकी कमर वाला एक संकोची बूढ़ा जादूगर हाँफता हुआ अंदर आया, जिसके बाल सफ़ेद थे।

'ओह आर्थर!' उसने हताशा से हैरी की तरफ़ देखे बिना कहा, 'शुक्र है तुम मिल गए! मैं नहीं जानता था कि क्या करूँ, यहीं पर तुम्हारा इंतज़ार करूँ या न करूँ। मैंने तुम्हारे घर पर अभी-अभी एक उल्लू भेजा है, लेकिन वह तुम्हें नहीं मिल पाया होगा - अभी दस मिनट पहले एक बहुत महत्वपूर्ण संदेश आया था -'

मिस्टर वीज़्ली ने कहा, 'मुझे निष्कासन टॉयलेट के बारे में पता चल चुका है।'

'नहीं, नहीं, संदेश टॉयलेट के बारे में नहीं, बल्कि पॉटर की सुनवाई के बारे में है - उन्होंने जगह और समय दोनों बदल दिए हैं - सुनवाई अब आठ बजे

दस नंबर की पुरानी अदालत में होगी –'

'पुरानी अदालत – लेकिन उन्होंने तो मुझे बताया था – बेड़ा गर्क हो!'

मिस्टर वीज़्ली ने जैसे ही अपनी घड़ी देखी, उनकी चीख़ निकल गई और वे अपनी कुर्सी से उछलकर खड़े हो गए।

'जल्दी करो हैरी, हमें वहाँ पाँच मिनट पहले पहुँच जाना चाहिए था!'

पर्किन्स अलमारियों से चिपककर खड़ा हो गया, जब मिस्टर वीज़्ली ऑफ़िस से बाहर को लपके। हैरी उनके ठीक पीछे दौड़ रहा था।

जब वे ऑरर्स के केबिनों के पास से गुज़रे, तो हैरी ने हाँफते हुए पूछा, 'उन्होंने समय क्यों बदल दिया?' ऑरर्स बाहर झाँककर उन्हें भागते हुए देख रहे थे। हैरी को महसूस हुआ, जैसे उसका दिल पर्किन्स की डेस्क पर ही रह गया था।

'मुझे कुछ समझ में नहीं आ रहा है, लेकिन शुक्र है कि हम यहाँ जल्दी आ गए थे। अगर तुम सुनवाई में नहीं पहुँच पाते, तो बहुत बुरा होता!'

मिस्टर वीज़्ली लिफ़्ट के पास रुक गए और अधीरता से 'नीचे' वाला बटन दबाने लगे।

'आ – जा!'

खड़खड़ करती लिफ़्ट नज़र आने लगी और वे जल्दी से लिफ़्ट के अंदर चले गए। जब भी यह रुकती थी, तो मिस्टर वीज़्ली आवेश में गाली देने लगते थे और नौ नंबर का बटन दबाने लगते थे।

'उन अदालतों का इस्तेमाल बरसों से नहीं हुआ है,' मिस्टर वीज़्ली ने ग़ुस्से से कहा। 'मुझे समझ में नहीं आता कि वे वहाँ सुनवाई क्यों कर रहे हैं – जब तक कि – लेकिन नहीं –'

तभी मिस्टर वीज़्ली चुप हो गए, क्योंकि एक मोटी जादूगरनी लिफ़्ट में दाख़िल हो गई थी। उसके हाथ में एक प्याला था, जिसमें से धुआँ निकल रहा था।

'एट्रियम,' महिला की आवाज़ ने घोषणा की और सुनहरी ग्रिल सरक गई। हैरी को दूर फव्वारे में लगी सोने की मूर्तियों की झलक दिखाई दी। मोटी जादूगरनी बाहर निकल गई और बहुत दुखी चेहरे तथा पीली चमड़ी वाला एक जादूगर अंदर आ गया।

जब लिफ़्ट दोबारा नीचे जाने लगी, तो उसने मुर्दा आवाज़ में कहा, 'गुड मॉर्निंग, आर्थर। तुम आम तौर पर इतनी नीचे तो नहीं दिखते हो।'

'बहुत ज़रूरी काम है, बोड,' मिस्टर वीज़्ली ने कहा, जो अपने पैरों पर उछल रहे थे और हैरी को चिंता से देख रहे थे।

'ओह हाँ,' बोड ने बिना पलक झपकाए हैरी को देखते हुए कहा। 'ज़ाहिर है।'

हैरी के पास इतनी फ़ुरसत नहीं थी कि वह बोड की तरफ़ ध्यान दे, लेकिन उसके लगातार घूरने से वह अटपटा महसूस करने लगा।

'रहस्य विभाग,' महिला की भावहीन आवाज़ आई।

जब लिफ़्ट का दरवाज़ा खुला, तो मिस्टर वीज़्ली बोले, 'जल्दी करो, हैरी।' वे एक गलियारे में भागने लगे, जो ऊपर वाले गलियारों से बहुत अलग था। यहाँ की दीवारें सूनी थीं। यहाँ खिड़कियाँ और दरवाज़े भी नहीं थे। बस गलियारे के आख़िरी छोर पर एक काला दरवाज़ा नज़र आ रहा था। हैरी को लग रहा था कि वे उसी दरवाज़े से जाएँगे, लेकिन इसके बजाय मिस्टर वीज़्ली उसका हाथ पकड़कर उसे बाईं तरफ़ ले गए, जहाँ सीढ़ियाँ थीं।

'नीचे चलो, नीचे चलो,' मिस्टर वीज़्ली ने हाँफते हुए एक साथ दो-दो सीढ़ियाँ उतरते हुए कहा। 'लिफ़्ट इतनी नीचे तक नहीं आती है ... वे लोग यहाँ सुनवाई *क्यों* कर रहे हैं, यह मेरी समझ ...'

वे लोग सीढ़ियों के नीचे पहुँचकर एक और गलियारे में भागने लगे। यह गलियारा हॉगवर्ट्स में स्नेप के तहख़ाने तक जाने वाले गलियारे से काफ़ी मिलता-जुलता था। इसकी दीवारें पत्थर की थीं और यहाँ मशालें जल रही थीं। यहाँ जो लकड़ी के भारी दरवाज़े लगे थे, उनमें लोहे की साँकलें तथा कीहोल थे।

'अदालत ... दस ... मैं सोचता हूँ ... हम लोग वहाँ पहुँचने ही वाले हैं ... हाँ।'

मिस्टर वीज़्ली एक गंदे से दरवाज़े के सामने रुक गए, जिस पर लोहे का एक बड़ा सा ताला लटका था। उन्होंने दीवार से टिककर अपने सीने पर हाथ रख लिया।

'अंदर चले जाओ,' हाँफते हुए उन्होंने अपने अँगूठे से दरवाज़े की तरफ़ इशारा किया। 'इसके अंदर चले जाओ।'

'क्या आप - क्या आप नहीं चलेंगे - ?'

'नहीं, नहीं, मुझे आने की इजाज़त नहीं है। गुड लक!'

हैरी का दिल उछलकर उसके गले तक आ गया। उसने थूक निगला और लोहे का भारी हैंडल घुमाकर अदालत के भीतर चला गया।

अध्याय आठ

सुनवाई

हैरी की साँस अटक गई। वह हैरान था। जिस बड़े तहख़ाने में वह घुसा था, वह जाना-पहचाना लग रहा था। उसने न सिर्फ़ इसे पहले देखा था, बल्कि वह यहाँ *आया* भी था। इस जगह को उसने डम्बलडोर के स्मृति-पात्र में देखा था और इसमें वह बैठा भी था। इसी जगह पर उसने लेस्ट्रेंज दंपति को अज़्काबान में उम्रक़ैद की सज़ा होते देखी थी।

यहाँ की पत्थर की दीवारें गहरे रंग की थीं और मशालों से हल्की रोशनी हो रही थी। उसके दोनों तरफ़ ख़ाली बेंचें ढलवाँ शैली में लगी थीं और आगे सबसे ऊँची बेंचों पर कई छायादार आकृतियाँ बैठी थीं। लोग-बाग धीमी आवाज़ में बातें कर रहे थे, लेकिन जैसे ही हैरी ने भारी दरवाज़े को बंद किया, एक भयंकर ख़ामोशी छा गई।

एक पुरुष की ठंडी आवाज़ अदालत में गूँजी।

'तुम्हें देर हो गई!'

'सॉरी,' हैरी ने घबराकर कहा। 'मुझे – मुझे पता नहीं था कि समय बदल दिया गया है।'

'यह जादूगर न्यायसभा की ग़लती नहीं है,' उस आवाज़ ने कहा। 'हमने आज सुबह तुम्हारे पास एक उल्लू भेज दिया था। अपनी कुर्सी पर बैठ जाओ।'

हैरी ने कमरे के बीच में रखी कुर्सी पर निगाह डाली, जिसके हत्थों पर जंज़ीरें लिपटी थीं। वह देख चुका था कि ये जंज़ीरें अचानक उछलकर कुर्सी पर बैठने वाले को बाँध देती थीं। जब वह पत्थर के फ़र्श पर चलकर कुर्सी की तरफ़ बढ़ने लगा, तो क़दमों की आवाज़ गूँजने लगी। वह घबराता हुआ कुर्सी के कोने पर बैठ गया। जंज़ीरें ख़तरनाक तरीक़े से खड़खड़ाईं, लेकिन उन्होंने उसे बाँधा नहीं। थोड़ा बीमार महसूस करते हुए उसने ऊपर बेंच पर बैठे लोगों की

तरफ़ देखा।

जहाँ तक वह देख सकता था, वहाँ लगभग पचास लोग बैठे थे। वे सभी आलूबुखारे के रंग के दुशाले पहने थे और उनके सीने के बाएँ हिस्से पर सफ़ेद **'डब्ल्यू'** कढ़ा हुआ था। वे सभी नाक नीची करके उसे घूर रहे थे, हालाँकि कुछ लोग ऐसा उत्सुकता से कर रहे थे और कुछ निष्ठुरता से।

सामने वाली क़तार के बीचोबीच जादू मंत्री कॉर्नेलियस फ़ज बैठे थे। वे थुलथुल शरीर वाले आदमी थे, जिनके पास अक्सर एक पीला-हरा हैट रहता था। आज उनका हैट नज़र नहीं आ रहा था। आज उनकी वह मुस्कान भी नज़र नहीं आ रही थी, जो हैरी से बातें करते समय अक्सर उनके चेहरे पर रहती थी। फ़ज की बाईं तरफ़ एक मोटी और चौकोर जबड़े वाली जादूगरनी बैठी थी, जिसके बाल भूरे और छोटे थे। उसने एक आँख पर लेंस लगा रखा था और वह डरावनी दिख रही थी। फ़ज की दाहिनी तरफ़ एक और जादूगरनी बैठी थी, लेकिन वह बेंच पर इतनी पीछे थी कि उसका चेहरा छाया में छिप गया था।

'बहुत अच्छा,' फ़ज ने कहा। 'आरोपी आख़िर उपस्थित हो चुका है - अब हमें कार्यवाही शुरू करनी चाहिए। क्या सभी लोग तैयार हैं?' उन्होंने सबसे पूछा।

'जी, सर,' एक उत्सुक आवाज़ आई। हैरी इस आवाज़ को पहचानता था। रॉन का भाई पर्सी सामने वाली बेंच के बिलकुल आख़िर में बैठा हुआ था। हैरी ने पर्सी की तरफ़ देखा और यह उम्मीद की कि वह उसे पहचानने का कोई तो संकेत देगा, लेकिन ऐसा नहीं हुआ। पर्सी अपने सींग की किनारी वाले चश्मे के पीछे से चर्मपत्र पर आँखें गड़ाए था और उसने अपने हाथ में पंखों वाली क़लम पकड़ रखी थी।

'बारह अगस्त की अनुशासनात्मक सुनवाई,' फ़ज तेज़ आवाज़ में बोलने लगे और पर्सी तत्काल उनकी बातें लिखने लगा। 'नाबालिग़ जादूगरी तार्किक प्रतिबंध अधिनियम और अंतर्राष्ट्रीय गोपनीयता क़ानून के उल्लंघन संबंधी अपराध, हैरी जेम्स पॉटर द्वारा, जो चार नंबर, प्रिविट ड्राइव, लिटिल व्हिंगिंग, सरे का निवासी है।

'प्रश्नकर्ता : कॉर्नेलियस ओसवाल्ड फ़ज, जादू मंत्री; अमेलिया सूज़न बोन्स, जादुई क़ानून पालन विभाग की प्रमुख; डोलोरेस जेन अंबरिज, मंत्री की सीनियर अंडरसेक्रेटरी। कार्यवाही-लेखक, पर्सी इग्नेशियस वीज़्ली -'

तभी हैरी के पीछे से एक आवाज़ आई, 'बचाव पक्ष का मुवक्किल, एल्बस पर्सिवल वुलफ्रिक ब्रायन डम्बलडोर।' हैरी ने अपना सिर इतनी तेज़ी से घुमाया कि उसकी गर्दन से चटाक की आवाज़ आई।

डम्बलडोर शांत भाव से कमरे के पार आ रहे थे। उन्होंने लंबा नीला दुशाला पहन रखा था और उनका चेहरा शांत था। जब वे हैरी के पास आए, तो मशाल की रोशनी में उनकी लंबी सफ़ेद दाढ़ी और बाल चमकने लगे। उन्होंने अपने आधे चाँद के आकार के चश्मे से फ़ज की तरफ़ देखा, जो उनकी बहुत मुड़ी हुई नाक के आधे हिस्से पर टिका हुआ था।

जादूगर न्यायसभा के सदस्य खुसुर-पुसुर करने लगे। अब सभी निगाहें डम्बलडोर पर टिकी हुई थीं। कुछ सदस्य चिड़चिड़े दिख रहे थे, तो बाक़ी थोड़े डरे हुए नज़र आ रहे थे। बहरहाल, पीछे की क़तार में बैठी दो बूढ़ी जादूगरनियों ने हाथ हिलाकर डम्बलडोर का स्वागत किया।

डम्बलडोर को देखकर हैरी का मनोबल बढ़ गया। उसके मन में आशा और सुरक्षा का वैसा ही भाव जाग गया, जैसा ज्वाला के गीत को सुनकर जागा था। वह डम्बलडोर से नज़रें मिलाना चाहता था, लेकिन वे उसकी तरफ़ नहीं देख रहे थे। वे तो खिसियाए हुए फ़ज को एकटक देख रहे थे।

'ओह,' फ़ज ने बहुत विचलित दिखते हुए कहा। 'डम्बलडोर। हाँ। आपको - अर - हमारा - अर - संदेश मिल गया कि हमने - अर - सुनवाई का समय और - अर - जगह बदल ली है?'

'संदेश तो नहीं मिला,' डम्बलडोर ने ख़ुशी से कहा। 'बहरहाल, संयोग से हुई ग़लती के कारण मैं तीन घंटे पहले ही मंत्रालय पहुँच गया, इसलिए कोई नुक़सान नहीं हुआ।'

'हाँ - अच्छा - मुझे लगता है कि हमें एक और कुर्सी की ज़रूरत पड़ेगी - मैं - वीज़्ली, क्या तुम - ?'

'चिंता की कोई बात नहीं है, चिंता की कोई बात नहीं है,' डम्बलडोर ने चहकते हुए कहा। उन्होंने अपनी छड़ी निकालकर हल्के से लहराई और एक गद्दीदार कुर्सी हवा में से प्रकट होकर हैरी की कुर्सी के पास जम गई। डम्बलडोर उस कुर्सी पर बैठ गए। उन्होंने अपनी लंबी उँगलियों को आपस में जोड़ लिया और उनके ऊपर से फ़ज को विनम्र दिलचस्पी के भाव से देखने लगे। जादूगर न्यायसभा के सदस्य अब भी खुसुर-पुसुर कर रहे थे और बेचैनी से पहलू बदल रहे थे। वे तभी ख़ामोश हुए, जब फ़ज ने दोबारा बोलना शुरू किया।

'हाँ,' फ़ज ने दोबारा अपने काग़ज़ों को टटोलते हुए कहा। 'हाँ। तो। आरोप। हाँ।'

उन्होंने अपने सामने रखे ढेर से एक चर्मपत्र निकाला और एक गहरी साँस खींचकर उसे पढ़ने लगे, 'आरोपी के ख़िलाफ़ ये इल्ज़ाम हैं :

'कि उसे पहले भी इसी तरह के आरोप के बारे में जादू मंत्रालय की लिखित चेतावनी मिली थी। बहरहाल, इस चेतावनी के बावजूद तथा अपनी हरकत के ग़ैर-क़ानूनी होने की जानकारी के बावजूद इसने मगलुओं वाले इलाक़े में एक मगलू के सामने दो अगस्त को नौ बजकर तेईस मिनट पर जान-बूझकर पितृदेव सम्मोहन का प्रयोग किया, जो नाबालिग़ जादूगरी तार्किक प्रतिबंध अधिनियम, 1875 के पैरेग्राफ़ सी के अंतर्गत एक अपराध है। इसके अलावा यह अंतर्राष्ट्रीय जादूगर महासंघ के गोपनीयता क़ानून के अनुच्छेद 13 के अंतर्गत भी अपराध है।

'तुम हैरी जेम्स पॉटर हो, जो चार नंबर, प्रिविट ड्राइव, लिटिल व्हिंगिंग, सरे में रहते हो?' फ़ज ने चर्मपत्र के ऊपर से हैरी को ग़ुस्से से देखते हुए पूछा।

'हाँ,' हैरी ने कहा।

'तुम्हें तीन साल पहले ग़ैर-क़ानूनी जादू करने पर मंत्रालय की आधिकारिक चेतावनी मिली थी, है ना?'

'हाँ, लेकिन –'

'और इसके बाद भी तुमने दो अगस्त की रात को पितृदेव उत्पन्न किया?' फ़ज ने पूछा।

'हाँ,' हैरी ने कहा, 'लेकिन –'

'यह जानते हुए भी कि सत्रह साल से कम उम्र होने के कारण तुम्हें स्कूल के बाहर जादू करने की इजाज़त नहीं है?'

'हाँ, लेकिन –'

'यह जानते हुए भी कि तुम मगलुओं से भरे इलाक़े में थे?'

'हाँ, लेकिन –'

'यह जानते हुए भी कि उस समय एक मगलू तुम्हारे साथ था?'

'*हाँ*,' हैरी को ताव आ गया, 'लेकिन मैंने उसका इस्तेमाल इसलिए किया, क्योंकि हम पर –'

जिस जादूगरनी ने एक आँख पर लेंस लगा रखा था, उसने तेज़ आवाज़ में उसकी बात काट दी।

'तुमने स्पष्ट पितृदेव उत्पन्न किया?'

'*हाँ*,' हैरी ने कहा, 'क्योंकि –'

'पूरे शरीर वाला?'

'क्या?' हैरी ने हैरानी से पूछा।

'तुम्हारे पितृदेव का आकार स्पष्ट था? मेरा मतलब है, यह धुआँ नहीं था?'

'हाँ,' हैरी ने अधीरता और हताशा की मिली-जुली भावना से कहा, 'यह मृग था, यह हमेशा मृग रहता है।'

'हमेशा?' मैडम बोन्स ने कहा। 'यानी कि तुम पहले भी पितृदेव उत्पन्न कर चुके हो?'

'हाँ,' हैरी ने कहा, 'मैं एक साल से भी ज़्यादा समय से ऐसा कर रहा हूँ।'

'और तुम पंद्रह साल के हो?'

'हाँ, और –'

'यह तुमने स्कूल में सीखा है?'

'हाँ, प्रोफ़ेसर ल्यूपिन ने मुझे थर्ड ईयर में सिखाया था, क्योंकि –'

'बहुत प्रभावशाली,' मैडम बोन्स ने उसे घूरते हुए कहा, 'इतनी कम उम्र में सचमुच का पितृदेव ... वास्तव में बहुत ही प्रभावशाली।'

उनके आस-पास के कुछ जादूगर और जादूगरनियाँ दोबारा खुसुर-पुसुर करने लगे थे, लेकिन बाक़ी जादूगर त्योरियाँ चढ़ाकर सिर हिला रहे थे।

'सवाल इस बात का नहीं है कि जादू कितना प्रभावशाली था,' फ़ज ने चिढ़ाते हुए कहा। 'दरअसल, जादू जितना ज़्यादा प्रभावशाली था, यह उतना ही ज़्यादा बुरा था, क्योंकि इस लड़के ने यह काम एक मगलू के सामने किया था!'

जो लोग त्योरियाँ चढ़ा रहे थे, वे सहमति में बड़बड़ाने लगे, लेकिन पर्सी का सिर हिलता देखकर हैरी के मुँह से शब्द फूट पड़े।

'मैंने ऐसा दमपिशाचों के कारण किया था!' उसने किसी के बीच में बाधा डालने से पहले ही ज़ोर से बोल दिया।

उसे और बुदबुदाहटों की उम्मीद थी, लेकिन उसके शब्दों से ख़ामोशी छा गई, जो पहले से भी गहरी थी।

'दमपिशाच?' मैडम बोन्स एक पल बाद बोलीं और उन्होंने अपनी मोटी भौंहें चढ़ाईं, जब तक कि उनके लेंस के गिरने का ख़तरा नहीं हो गया। 'तुम्हारा क्या मतलब है, लड़के?'

'मेरा मतलब है कि उस गली में दो दमपिशाचों ने मुझ पर और मेरे कज़िन पर हमला कर दिया था!'

'ओह,' फ़ज ने दोबारा कहा और जादूगर न्यायसभा की तरफ़ देखकर अप्रिय ढंग से मुस्कराए, जैसे उनसे भी हँसने को कह रहे हों। 'हाँ। हाँ, मैंने सोचा

था कि हमें ऐसी ही कोई कहानी सुनने को मिलेगी।'

'दमपिशाच लिटिल व्हिंगिंग में आए थे?' मैडम बोन्स ने बहुत हैरानी से कहा। 'मुझे तो कुछ समझ में नहीं आ रहा है –'

'आपको क्या समझ में नहीं आ रहा है, अमेलिया?' फ़ज ने अब भी मुस्कराते हुए कहा। 'मैं आपको पूरी बात समझाता हूँ। उसने इस बारे में सोचा होगा और यह फ़ैसला किया होगा कि दमपिशाचों का बहाना बहुत अच्छी तरह से सफल हो सकता है। मगलू दमपिशाचों को नहीं देख सकते, है ना लड़के? बहुत ही बढ़िया बहाना है, बहुत ही बढ़िया ... लेकिन इस घटना का कोई गवाह नहीं है ...'

'मैं झूठ नहीं बोल रहा हूँ!' हैरी ने ज़ोर से कहा और अदालत में एक बार फिर बुदबुदाहट शुरू हो गई। 'दमपिशाच दो थे और वे गली के दोनों छोरों से आए थे। हर चीज़ अँधेरे में डूब गई थी और ठंडी हो गई थी। मेरे कज़िन को उनकी मौजूदगी का एहसास हो गया और वह भागने लगा –'

'बहुत हो गया!' फ़ज ने अपने चेहरे पर बहुत उपेक्षा का भाव लाते हुए कहा। 'मुझे एक बहुत अच्छी तरह तैयार की गई कहानी के बीच में बाधा डालते हुए अफ़सोस हो रहा है –'

डम्बलडोर ने अपना गला साफ़ किया। जादूगर न्यायसभा दोबारा शांत हो गई।

'दरअसल हमारे पास उस गली में दमपिशाचों के आने का गवाह है,' उन्होंने कहा, 'मेरा मतलब है, डडली डर्स्ली के अलावा।'

फ़ज का मोटा चेहरा इस तरह लटक गया, जैसे किसी ने हवा निकाल दी हो। उन्होंने एक-दो पल तक डम्बलडोर को घूरा। फिर वे हिम्मत बटोरकर बोले, 'डम्बलडोर, हमारे पास ज़्यादा बकवास सुनने का समय नहीं है। मैं इस मामले को जल्दी से जल्दी निबटाना चाहता हूँ –'

'शायद मैं ग़लत हूँ,' डम्बलडोर ने ख़ुशी से कहा, 'लेकिन मुझे यक़ीन है कि न्यायसभा अधिकार सूची के अंतर्गत आरोपी को अपने मामले में गवाह पेश करने का अधिकार है? मैडम बोन्स, क्या यह जादुई क़ानून पालन विभाग की नीति नहीं है?' उन्होंने लेंस वाली जादूगरनी से पूछा।

'सही है,' मैडम बोन्स ने कहा। 'बिलकुल सही है।'

'ठीक है, ठीक है,' फ़ज बोले। 'वह गवाह कौन है?'

'मैं उन्हें अपने साथ लाया हूँ,' डम्बलडोर ने कहा। 'वे दरवाज़े के बाहर खड़ी हुई हैं। क्या मैं जाकर – ?'

'नहीं – वीज़्ली, तुम जाओ,' फ़ज ने पर्सी से कहा, जो तत्काल उठकर खड़ा हो गया। पर्सी भागते हुए पत्थर की सीढ़ियाँ उतरा और डम्बलडोर या हैरी की तरफ़ देखे बिना उनके पास से गुज़र गया।

एक पल बाद पर्सी लौट आया। उसके पीछे मिसेज़ फ़िग थीं। वे पहले से ज़्यादा डरी हुई और असंतुलित दिख रही थीं। हैरी सोच रहा था कि काश वे अपनी स्लिपर्स घर छोड़कर आई होतीं।

डम्बलडोर उठकर खड़े हुए। उन्होंने अपनी कुर्सी मिसेज़ फ़िग को दे दी और अपने लिए हवा से एक और कुर्सी उत्पन्न कर ली।

जब मिसेज़ फ़िग घबराती हुई कुर्सी के कोने पर बैठ गईं, तो फ़ज ने ज़ोर से पूछा, 'पूरा नाम ?'

'अराबेला डोरीन फ़िग,' मिसेज़ फ़िग ने काँपती हुई आवाज़ में कहा।

फ़ज ने चिढ़कर पूछा, 'और तुम हो कौन ?'

मिसेज़ फ़िग ने जवाब दिया, 'मैं लिटिल व्हिंगिंग की निवासी हूँ, जहाँ हैरी पॉटर रहता है।'

'हमारे पास इस बात का रिकॉर्ड नहीं है कि लिटिल व्हिंगिंग में हैरी पॉटर के सिवा कोई और जादूगरनी या जादूगर रहता है,' मैडम बोन्स ने तत्काल कहा। 'इस बारे में हमेशा से क़रीबी नज़र रखी जा रही है ... अतीत की घटनाओं के कारण।'

'मैं एक नाकारा हूँ,' मिसेज़ फ़िग ने कहा। 'इसलिए आपने मेरे नाम का रिकॉर्ड नहीं रखा होगा, है ना ?'

'नाकारा, ओह ?' फ़ज ने उन्हें शक से देखते हुए कहा। 'हम इसकी जाँच करेंगे। आप मेरे सहयोगी वीज़्ली के पास अपने माता-पिता के बारे में जानकारी छोड़ जाएँ। वैसे क्या नाकारा लोग दमपिशाचों को देख सकते हैं ?' उन्होंने बेंच पर दाएँ-बाएँ देखते हुए पूछा।

मिसेज़ फ़िग ग़ुस्से से बोलीं, 'हाँ, हम देख सकते हैं!'

फ़ज ने उनकी तरफ़ भौंहें उठाकर देखा और कहा, 'बहुत अच्छा। आपकी कहानी क्या है ?'

'मैं दो अगस्त की शाम को लगभग नौ बजे विस्टीरिया वॉक के कोने वाली दुकान से बिल्लियों का खाना ख़रीदने गई थी,' मिसेज़ फ़िग फ़ौरन बोलने लगीं, जैसे वे रटी-रटाई बात सुना रही हों, 'तभी मैंने मैग्नोलिया क्रेसेन्ट और विस्टीरिया वॉक के बीच की गली में हलचल सुनी। गली के कोने पर आकर मैंने दमपिशाचों को भागते देखा –'

'भागते?' मैडम बोन्स ने तीखे स्वर में कहा। 'दमपिशाच भागते नहीं, उड़ते हैं।'

'मेरे कहने का यही मतलब था,' मिसेज़ फ़िग ने जल्दी से कहा और उनके झुर्रीदार गालों के कुछ हिस्से गुलाबी हो गए। 'वे उड़कर गली में दो लड़कों की तरफ़ जा रहे थे।'

'वे कैसे दिख रहे थे?' मैडम बोन्स ने यह पूछते हुए अपनी आँखें इतनी सिकोड़ लीं कि उनके लेंस के किनारे मांस में धँसकर ग़ायब हो गए।

'एक तो बहुत मोटा था और दूसरा थोड़ा दुबला था -'

'नहीं, नहीं,' मैडम बोन्स ने अधीरता से कहा। 'दमपिशाच कैसे थे ... दमपिशाचों के बारे में बताओ।'

'ओह,' मिसेज़ फ़िग ने कहा। गुलाबी चमक अब उनके गले तक आ गई थी। 'वे बड़े थे और चोगा पहने थे।'

हैरी के पेट में भयंकर उथलपुथल मच गई। मिसेज़ फ़िग चाहे जो भी कहें, उसे ऐसा लग रहा था जैसे उन्होंने दमपिशाचों की सिर्फ़ तस्वीर ही देखी थी और तस्वीर कभी उन जीवों की सच्चाई बयान नहीं कर सकती थी : जिस डरावने तरीक़े से वे ज़मीन से कुछ इंच ऊपर उड़ते थे या उनकी सड़ी हुई बदबू या आस-पास की हवा को चूसते समय खड़खड़ जैसी उनकी भयंकर आवाज़...

दूसरी क़तार में बड़ी काली मूँछों वाला एक गोलमटोल जादूगर अपने पड़ोस में बैठी घुँघराले बालों वाली जादूगरनी के कान में फुसफुसाने के लिए झुका। वह बनावटीपन से मुस्कराई और सिर हिलाने लगी।

'बड़े और चोगा पहने,' मैडम बोन्स ने दोहराया, जबकि फ़ज व्यंग्य से मुस्कराए। 'अच्छा। और कुछ?'

'हाँ,' मिसेज़ फ़िग ने कहा। 'मैंने उन्हें महसूस किया। सारा माहौल बहुत ठंडा हो गया, जबकि यह गर्मी की गर्म रात थी। और मुझे महसूस हुआ ... जैसे दुनिया से सारी ख़ुशी चली गई है ... और मुझे भयानक बातें याद आने लगीं ...'

उनकी आवाज़ काँपी और थम गई।

मैडम बोन्स की आँखें थोड़ी फैल गईं। हैरी देख सकता था कि जहाँ लेंस धँसा था, वहाँ पर उनकी भौंह के नीचे लाल निशान पड़ गए थे।

'दमपिशाचों ने क्या किया?' उन्होंने पूछा और हैरी के दिल में आशा की किरण जाग गई।

'वे लड़कों की तरफ़ गए,' मिसेज़ फ़िग ने आगे कहा। उनकी आवाज़ अब ज़्यादा तेज़ और विश्वास से भरी थी। उनके चेहरे की गुलाबी रंगत अब

कम होने लगी थी। 'उनमें से एक लड़का गिर गया था। दूसरा पीछे हट रहा था और दमपिशाच को भगाने की कोशिश कर रहा था। वह हैरी था। उसने दो बार कोशिश की, लेकिन उसकी छड़ी से सिर्फ़ चमकीला धुआँ ही निकला। तीसरी कोशिश में उसने पितृदेव उत्पन्न कर दिया, जिसने पहले दमपिशाच पर हमला करके उसे भगा दिया। उसके प्रोत्साहन पर पितृदेव ने उसके कज़िन के पास वाले दमपिशाच पर भी हमला करके उसे भगा दिया। और यही हुआ था,' मिसेज़ फ़िग ने कमज़ोर अंदाज़ में अपना बयान ख़त्म किया।

मैडम बोन्स मिसेज़ फ़िग को ख़ामोशी से देखती रहीं। फ़ज उनकी तरफ़ ज़रा भी नहीं देख रहे थे, बल्कि अपने काग़ज़ों को इधर-उधर कर रहे थे। आख़िर उन्होंने अपनी नज़रें उठाकर थोड़े आक्रामक अंदाज़ में कहा, 'तो आपने यह देखा था?'

'यही हुआ था,' मिसेज़ फ़िग ने दोहराया।

'बहुत अच्छा,' फ़ज ने कहा। 'अब आप जा सकती हैं।'

मिसेज़ फ़िग ने डरी हुई निगाह से फ़ज और डम्बलडोर को देखा तथा उठकर दरवाज़े की तरफ़ चल दीं। हैरी को उनके पीछे दरवाज़ा बंद होने की आवाज़ सुनाई दी।

फ़ज ने कहा, 'ज़्यादा विश्वसनीय गवाह नहीं थी।'

मैडम बोन्स ने ज़ोर से कहा, 'क्या पता? वैसे उसने दमपिशाच के प्रभावों को तो बिलकुल सही-सही बताया है। अगर दमपिशाच वहाँ नहीं होते, तो वह ऐसा क्यों कहती?'

फ़ज बोले, 'लेकिन यह *कैसे हो सकता है* कि दमपिशाच मगलू इलाक़े में घूम रहे थे और वहाँ उनका सामना एक जादूगर से हो गया? इस बात की बहुत कम संभावना है, बहुत ही कम। यहाँ तक कि बैगमैन भी इसकी शर्त नहीं लगा सकता था –'

डम्बलडोर ने हल्के से कहा, 'ओह, शायद दमपिशाच वहाँ पर संयोग से नहीं थे।'

फ़ज की दाहिनी तरफ़ बैठी जादूगरनी, जिसका चेहरा छाया में था, थोड़ी सी हिली, लेकिन बाक़ी सभी शांत और ख़ामोश थे।

फ़ज ने ठंडे लहज़े में पूछा, 'इसका क्या मतलब है?'

डम्बलडोर ने कहा, 'इसका मतलब है कि किसी ने उन्हें वहाँ जाने का आदेश दिया होगा।'

फ़ज गरजे, 'अगर किसी ने दमपिशाचों को लिटिल व्हिंगिंग जाने का

आदेश दिया होगा, तो हमारे पास उसका रिकॉर्ड होगा!'

'अगर दमपिशाच इन दिनों जादू मंत्रालय के अलावा किसी दूसरे जादूगर से आदेश ले रहे होंगे, तो ऐसा कोई रिकॉर्ड नहीं होगा,' डम्बलडोर ने शांत भाव से कहा। 'मैं पहले ही इस मामले में आपको अपने विचार बता चुका हूँ, कॉर्नेलियस।'

'हाँ, आप मुझे बता चुके हैं,' फ़ज ने ज़ोर से कहा, 'और डम्बलडोर, मैं अब भी यही मानता हूँ कि आपके विचार बकवास के सिवाय और कुछ नहीं हैं। दमपिशाच अज़्काबान में अपनी जगह तैनात हैं और हमारे आदेशों का पालन कर रहे हैं।'

डम्बलडोर ने धीरे से लेकिन स्पष्टता से कहा, 'फिर तो हमें यह छानबीन करनी चाहिए कि मंत्रालय में किसी ने दमपिशाचों को दो अगस्त को उस गली में जाने का आदेश क्यों दिया था?'

इन शब्दों से गहरी ख़ामोशी छा गई। फ़ज की दाहिनी तरफ़ बैठी जादूगरनी आगे की तरफ़ झुकी और हैरी को पहली बार उसका चेहरा दिखा।

वह किसी बड़ी पीली मेंढकी जैसी दिख रही थी। वह थोड़ी गोल-मटोल थी। उसका चेहरा चौड़ा और मोटा था। वरनॉन अंकल की तरह ही उसकी गर्दन भी नहीं के बराबर थी। उसका मुँह बहुत चौड़ा और ढीला था। उसकी बड़ी-बड़ी गोल आँखें बाहर निकल रही थीं। उसके छोटे घुँघराले बालों के ऊपर लगा छोटा काला मख़मली बो एक बड़ी मक्खी की याद दिला रहा था, जिसे वह लंबी चिपचिपी जीभ से पकड़ने वाली हो।

फ़ज ने कहा, 'डोलोरेस जेन अंबरिज, मंत्री की सीनियर अंडरसेक्रेटरी।'

वह जादूगरनी लड़कियों जैसी ऊँची, तीखी आवाज़ में बोली, जिसे सुनकर हैरी हैरान रह गया। उसे मेंढक के टर्राने जैसी आवाज़ की उम्मीद थी।

'मुझे यक़ीन है कि मैं आपकी बात ग़लत समझी हूँ, प्रोफ़ेसर डम्बलडोर,' उसने मुस्कराते हुए कहा, लेकिन उसकी बड़ी-बड़ी गोल आँखें अब भी भावहीन थीं। 'मैं भी कितनी मूर्ख हूँ! लेकिन एक पल के लिए तो मुझे ऐसा लगा, जैसे आप यह सुझाव दे रहे हों कि जादू मंत्रालय ने इस लड़के पर हमला करने का आदेश दिया है!'

वह हँसी, जिससे हैरी की गर्दन के पीछे के बाल खड़े हो गए। जादूगर न्यायसभा के कुछ सदस्य भी उसके साथ हँसे। यह स्पष्ट था कि उन्हें यह सुनकर मज़ा नहीं आया था।

डम्बलडोर ने विनम्रता से कहा, 'अगर यह सच है कि दमपिशाच सिर्फ़

जादू मंत्रालय के आदेशों का पालन कर रहे हैं और अगर यह भी सच है कि दो दमपिशाचों ने एक सप्ताह पहले हैरी तथा उसके कज़िन पर हमला किया है, तो यह निष्कर्ष तर्कपूर्ण है कि मंत्रालय के ही किसी अधिकारी ने उन्हें हमला करने का आदेश दिया होगा। वैसे यह भी हो सकता है कि ये ख़ास दमपिशाच मंत्रालय के नियंत्रण के बाहर हों –'

'एक भी दमपिशाच मंत्रालय के नियंत्रण के बाहर नहीं है!' फ़ज ने चीख़ते हुए कहा, जिनका चेहरा ईंट की तरह लाल हो गया था।

डम्बलडोर ने अपना सिर थोड़ा झुकाया।

'तो फिर मंत्रालय बेशक इस मामले की पूरी जाँच करेगा कि दो दमपिशाच अज़्काबान से इतनी दूर क्यों गए और उन्होंने बिना आदेश के हमला क्यों किया।'

'मंत्रालय क्या करे, क्या न करे, यह निर्णय लेना आपका काम नहीं है, डम्बलडोर!' फ़ज ने कहा, जिनका चेहरा अब इतना गुलाबी हो गया था कि इस पर वरनॉन अंकल को गर्व होता।

'ज़ाहिर है, यह मेरा काम नहीं है,' डम्बलडोर ने धीरे से कहा। 'मैं तो सिर्फ़ अपना विश्वास व्यक्त कर रहा था कि इस मामले की पूरी जाँच होगी।'

उन्होंने मैडम बोन्स की तरफ़ देखा, जिन्होंने अपना लेंस ठीक किया और उनकी तरफ़ त्योरियाँ चढ़ाकर देखा।

'मैं सबको याद दिलाना चाहूँगा कि अगर ये दमपिशाच इस लड़के की कल्पना नहीं हैं, तो भी दमपिशाचों का व्यवहार इस सुनवाई का विषय नहीं है!' फ़ज ने कहा। 'हम यहाँ पर नाबालिग़ जादूगरी तार्किक प्रतिबंध अधिनियम के तहत हैरी पॉटर पर लगाए गए आरोपों की जाँच करने के लिए इकट्ठे हुए हैं!'

'ज़ाहिर है, आपने सही कहा,' डम्बलडोर ने कहा, 'लेकिन गली में दमपिशाचों की उपस्थिति बहुत ही महत्वपूर्ण है। अधिनियम के अनुच्छेद सात में लिखा है कि असाधारण परिस्थितियों में मगलुओं के सामने जादू का प्रयोग किया जा सकता है। इन असाधारण परिस्थितियों में वे स्थितियाँ शामिल हैं, जिनमें किसी जादूगर या जादूगरनी को अपनी जान का ख़तरा हो या वहाँ पर उपस्थित किसी दूसरे जादूगर, जादूगरनी या मगलू की जान को ख़तरा हो –'

फ़ज ने गुर्राकर कहा, 'हमें अनुच्छेद सात मालूम है, आपको बहुत-बहुत धन्यवाद!'

'ज़ाहिर है, आपको मालूम होगा,' डम्बलडोर ने विनम्रता से कहा। 'तो हम लोग अब इस बात पर एकमत हैं कि जिन परिस्थितियों में हैरी ने पितृदेव

सम्मोहन का प्रयोग किया था, वे उन्हीं असाधारण परिस्थितियों की श्रेणी में आती हैं, जिनका वर्णन उस अनुच्छेद में किया गया है?'

'लेकिन मुझे नहीं लगता कि वहाँ पर दमपिशाच सचमुच थे।'

'आपने यह बात एक चश्मदीद गवाह के मुँह से सुनी है,' डम्बलडोर ने बीच में कहा। 'अगर आपको उनकी सच्चाई पर संदेह हो, तो उन्हें दोबारा बुलाकर पूछताछ कर लें। मुझे यक़ीन है कि उन्हें कोई आपत्ति नहीं होगी।'

'मैं - वह - नहीं -' फ़ज अटकते हुए बोले और अपने सामने रखे काग़ज़ों से खेलने लगे। 'मैं तो - मैं तो चाहता हूँ कि यह मामला आज ही ख़त्म हो जाए, डम्बलडोर!'

डम्बलडोर ने कहा, 'लेकिन अगर न्याय की गंभीर अवहेलना का अंदेशा हो, तो आपको गवाह से बार-बार पूछताछ करने से नहीं कतराना चाहिए।'

'गंभीर अवहेलना, मेरा खोपड़ा!' फ़ज ने पूरी तेज़ी से कहा। 'डम्बलडोर, आप स्कूल के बाहर इस लड़के के जादू के दुरुपयोग का बचाव कर रहे हैं, लेकिन क्या आपने कभी इसकी काल्पनिक और अतिशयोक्तिपूर्ण कहानियों की संख्या गिनी है? मुझे लगता है कि आप उस वायु-विचरण मंत्र को भूल गए हैं, जिसका प्रयोग इसने तीन साल पहले किया था -'

'वह मैंने नहीं, एक घरेलू जिन्न ने किया था!' हैरी ने बीच में कहा।

'देखा?' फ़ज हैरी की दिशा में हाथ लहराते हुए गरजे। 'घरेलू जिन्न! एक मगलू मकान में! मैं आपसे पूछता हूँ, क्या यह सच हो सकता है?'

'जिस घरेलू जिन्न का ज़िक्र हो रहा है, वह इस वक़्त हॉगवर्ट्स स्कूल में काम कर रहा है,' डम्बलडोर ने कहा। 'अगर आप चाहें, तो मैं उसे एक पल में यहाँ गवाही देने के लिए बुलवा सकता हूँ।'

'मैं - नहीं - मेरे पास घरेलू जिन्नों की बातें सुनने का समय नहीं है! वैसे भी, यह एकमात्र मामला नहीं है - उसने अपनी आंटी पर फूलन मंत्र का इस्तेमाल किया था!' फ़ज चिल्लाए और बेंच पर मुक्का मारा, जिससे स्याही की एक बोतल लुढ़क गई।

'और आपने बहुत दयालुतापूर्वक उस पर कोई आरोप नहीं लगाया था। मेरे ख़्याल से आपने कहा था कि बड़े-बड़े जादूगर भी कई बार अपनी भावनाओं पर क़ाबू नहीं रख पाते हैं,' डम्बलडोर ने शांति से कहा, जब फ़ज ने अपने नोट्स पर से स्याही साफ़ करने की कोशिश की।

'और मैंने अभी यह तो बताया ही नहीं है कि वह स्कूल में क्या-क्या करता है।'

'लेकिन हॉगवर्ट्स के विद्यार्थियों के स्कूल में किए गए कामों के लिए मंत्रालय को सज़ा देने का अधिकार नहीं है, इसलिए वहाँ पर हैरी का व्यवहार इस सुनवाई के लिए प्रासंगिक नहीं है,' डम्बलडोर ने विनम्रता से कहा, हालाँकि उनके शब्दों के पीछे ठंडापन साफ़ झलक रहा था।

'ओहो!' फ़ज ने कहा। 'वह स्कूल में क्या करता है, इससे हमें कोई मतलब नहीं होना चाहिए। क्या आपको ऐसा लगता है?'

'कॉर्नेलियस, मंत्रालय को हॉगवर्ट्स के विद्यार्थियों को स्कूल से निकालने का कोई अधिकार नहीं है, जैसा मैंने आपको दो अगस्त की रात को याद दिलाया था,' डम्बलडोर ने कहा। 'न ही इसे आरोप साबित होने तक उनकी छड़ियाँ तोड़ने का अधिकार है। यह भी मैंने आपको दो अगस्त की रात को याद दिलाया था। क़ानून के पालन को सुनिश्चित करने की जल्दबाज़ी में आप ख़ुद ही अपने बनाए कई क़ानून भूल रहे हैं।'

'क़ानून बदले जा सकते हैं,' फ़ज ने आवेश में कहा।

'ज़ाहिर है, वे बदले जा सकते हैं,' डम्बलडोर ने अपना सिर झुकाते हुए कहा। 'और आप निश्चित रूप से बहुत से क़ानून बदल रहे हैं, कॉर्नेलियस। जादूगर न्यायसभा से मुझे निकाले जाने के कुछ सप्ताह बाद ही मैं देख रहा हूँ कि नाबालिग़ जादूगरी के सामान्य मामले के लिए पूर्ण आपराधिक मुकदमा चलाया जा रहा है!'

ऊपर की तरफ़ बैठे कुछ जादूगर अपनी जगह पर कसमसाए। फ़ज का चेहरा गहरा बैंगनी हो गया। बहरहाल, उनकी दाहिनी तरफ़ बैठी मेंढकी जैसी जादूगरनी भावहीन अंदाज़ में डम्बलडोर की तरफ़ देखती रही।

'जहाँ तक मैं जानता हूँ,' डम्बलडोर ने आगे कहा, 'अब तक ऐसा कोई क़ानून नहीं बना है, जो यह कहता हो कि इस अदालत का काम हैरी को उसके किए हर जादू के लिए सज़ा देना है। उस पर एक विशेष आरोप लगाया गया है और उसने अपना बचाव पेश कर दिया है। उसे और मुझे बस आपके फ़ैसले का इंतज़ार है।'

डम्बलडोर ख़ामोश हो गए और उन्होंने अपनी उँगलियों के पोर दोबारा जोड़ लिए। फ़ज बहुत ग़ुस्से से उन्हें घूरते रहे। हैरी ने तसल्ली की उम्मीद में डम्बलडोर की तरफ़ कनखियों से देखा। उसे पूरी तरह विश्वास नहीं था कि डम्बलडोर ने न्यायसभा से इतनी जल्दी फ़ैसला करने का आग्रह करके सही काम किया था। बहरहाल, एक बार फिर डम्बलडोर ने हैरी से निगाह मिलाने की कोई कोशिश नहीं की। वे उन बेंचों की तरफ़ देखते रहे, जहाँ न्यायसभा के सदस्य फुसफुसाकर बातचीत करने में लगे थे।

हैरी ने अपने पैरों की तरफ़ देखा। उसका दिल उसकी पसलियों के नीचे बहुत तेज़ी से धड़क रहा था। उसे सुनवाई के ज़्यादा समय तक चलने की उम्मीद थी। उसे पूरा यक़ीन नहीं था कि उसका अच्छा प्रभाव पड़ा था। उसने दरअसल ज़्यादा कुछ कहा ही नहीं था। उसे दमपिशाचों के बारे में ज़्यादा बताना चाहिए था, यह बताना चाहिए था कि वह किस तरह गिरा था, किस तरह दमपिशाच उसे और डडली को चूमने वाले थे ...

दो बार उसने फ़ज की तरफ़ ऊपर देखा और अपना मुँह खोलकर बोलने की कोशिश की, लेकिन उसका तेज़ी से धड़कता हुआ दिल उसके गले में अटक गया और दोनों ही बार वह सिर्फ़ गहरी साँस खींचकर अपने जूतों की तरफ़ देखने लगा।

फिर फुसफुसाहट ख़त्म हो गई। हैरी निर्णायकों की तरफ़ देखना चाहता था, लेकिन उसने पाया कि अपने जूते के फीतों की जाँच करना ज़्यादा आसान काम था।

मैडम बोन्स की ज़ोरदार आवाज़ आई, 'आरोपी को बाइज़्ज़त बरी करने के पक्ष में कितने लोग हैं ?'

हैरी का सिर झटके से ऊपर उठ गया। हवा में बहुत से हाथ थे ... आधे से ज़्यादा! बहुत तेज़ी से साँस लेते हुए उसने गिनने की कोशिश की, लेकिन इससे पहले कि वह यह काम पूरा कर पाता, मैडम बोन्स ने पूछा, 'और सज़ा देने के पक्ष में कितने लोग हैं ?'

फ़ज ने अपना हाथ उठा दिया। उनके अलावा आधा दर्जन लोगों ने भी अपने हाथ उठा दिए, जिनमें फ़ज की दाहिनी तरफ़ बैठी जादूगरनी, दूसरी क़तार में बैठा घनी मूँछों वाला जादूगर और उसके पास बैठी घुँघराले बालों वाली जादूगरनी थी।

फ़ज ने उन सबकी तरफ़ ऐसे देखा, जैसे उनके गले में कोई बड़ी चीज़ अटक गई हो। फिर उन्होंने अपना हाथ नीचे कर लिया। उन्होंने दो गहरी साँसें लीं और दबे हुए ग़ुस्से से विकृत आवाज़ में बोले, 'ठीक है, ठीक है ... बाइज़्ज़त बरी।'

'बहुत बढ़िया,' डम्बलडोर ने तेज़ी से कहा। वे उठकर खड़े हो गए। फिर उन्होंने अपनी छड़ी बाहर निकालकर दोनों कुर्सियों को ग़ायब किया और बोले, 'अच्छा, तो अब मैं चलता हूँ। आप सभी का दिन अच्छा रहे।'

फिर हैरी की तरफ़ एक बार भी देखे बिना वे तहख़ाने से बाहर निकल गए।

अध्याय नौ

मिसेज़ वीज़्ली की चिंताएँ

डम्बलडोर के अचानक चले जाने से हैरी को बहुत हैरानी हुई। वह जंज़ीरों वाली कुर्सी पर बैठा-बैठा सदमे और राहत की मिली-जुली भावनाओं से जूझता रहा। न्यायसभा के सभी सदस्य अब खड़े होकर बातें कर रहे थे और अपने काग़ज़ात समेटकर फ़ाइलों में रख रहे थे। हैरी खड़ा हो गया। अब उसकी तरफ़ कोई ध्यान नहीं दे रहा था, सिवाय फ़ज की दाहिनी तरफ़ बैठी मेंढकी जैसी जादूगरनी के, जो अब डम्बलडोर के बजाय उसे घूरे जा रही थी। उसे नज़रअंदाज़ करते हुए हैरी ने फ़ज या मैडम बोन्स से निगाह मिलाने की कोशिश की, ताकि उनसे पूछ सके कि क्या वह अब जा सकता है। बहरहाल, फ़ज ने तो जैसे यह ठान लिया था कि वे हैरी की तरफ़ नहीं देखेंगे। उधर मैडम बोन्स अपने ब्रीफ़केस में उलझी हुई थीं, इसलिए हैरी ने बाहर के दरवाज़े की तरफ़ धीरे-धीरे कुछ क़दम बढ़ाए और जब किसी ने उसे नहीं रोका, तो वह तेज़ी से क़दम बढ़ाने लगा।

दरवाज़े से थोड़ी दूर रहने पर तो उसने दौड़ लगा दी। उसने लपककर दरवाज़ा खोला और मिस्टर वीज़्ली से टकराते-टकराते बचा, जो ठीक बाहर खड़े हुए थे। उनका चेहरा पीला और भयभीत दिख रहा था।

'डम्बलडोर ने यह नहीं बताया -'

'बाइज़्ज़त बरी,' हैरी ने अपने पीछे दरवाज़ा बंद करते हुए कहा, 'सभी आरोपों से!'

मुस्कराते हुए मिस्टर वीज़्ली ने हैरी के कंधे पकड़ लिए।

'हैरी, यह तो बहुत बढ़िया हुआ! ज़ाहिर है, सबूत को देखते हुए वे तुम्हें दोषी नहीं ठहरा सकते थे, लेकिन इसके बावजूद मैं यह नाटक नहीं करूँगा कि मुझे राहत -'

लेकिन मिस्टर वीज़्ली की बात अधूरी रह गई, क्योंकि अदालत का

दरवाज़ा उसी समय दोबारा खुल गया था। न्यायसभा के सदस्य बाहर निकल रहे थे।

'यह क्या ?' मिस्टर वीज़्ली ने हैरानी से कहा और दूसरों को रास्ता देने के लिए हैरी को एक तरफ़ खींच लिया। 'तुम्हारी पेशी पूरी अदालत के सामने हुई थी ?'

'हाँ, ऐसा ही लगता है,' हैरी ने धीमे से कहा।

हैरी के पास से गुज़रते समय एक-दो जादूगरों ने सिर हिलाया और मैडम बोन्स सहित कुछ ने मिस्टर वीज़्ली से कहा, 'गुड मॉर्निंग, आर्थर,' लेकिन ज़्यादातर अपनी नज़रें फेरकर चले गए। कॉर्नेलियस फ़ज और मेंढकी जैसी जादूगरनी तहख़ाने से सबसे आख़िर में निकले। फ़ज ने इस तरह नाटक किया, जैसे मिस्टर वीज़्ली और हैरी दीवार का ही हिस्सा हों, लेकिन जादूगरनी ने एक बार फिर हैरी को घूरकर देखा। पर्सी सबके बाद निकला। फ़ज की तरह ही उसने भी अपने पिता और हैरी को पूरी तरह नज़रअंदाज़ कर दिया। वह चर्मपत्र का एक बड़ा रोल और पंख वाली कई क़लमें लेकर पास से निकल गया। उसने सीना तान रखा था और नाक ऊँची उठा रखी थी। मिस्टर वीज़्ली के चेहरे की लकीरें थोड़ी सख़्त हो गईं, लेकिन इसके अलावा उन्होंने ऐसा कोई संकेत नहीं दिया, जिससे यह पता चले कि उन्होंने अपने तीसरे बेटे को देखा था।

जब पर्सी नवें तल की सीढ़ियों की तरफ़ जाकर ओझल हो गया, तो मिस्टर वीज़्ली ने हैरी को आगे की तरफ़ चलने का इशारा करते हुए कहा, 'मैं तुम्हें सीधे घर ले चलता हूँ, ताकि तुम दूसरों को यह ख़ुशख़बरी सुना सको। मुझे बेथनाल ग्रीन के टॉयलेट की तरफ़ जाना है। मैं तुम्हें रास्ते में घर छोड़ दूँगा। चलो ...'

हैरी ने मुस्कराते हुए पूछा, 'टॉयलेट के बारे में आप क्या करेंगे ?' अब अचानक हर चीज़ उसे सामान्य से पाँच गुना ज़्यादा मज़ेदार लगने लगी थी। अब उसे गहरी राहत का एहसास हो रहा था : वह बाइज़्ज़त बरी हो गया है, *वह हॉगवर्ट्स लौट रहा है।*

मिस्टर वीज़्ली ने सीढ़ियाँ चढ़ते हुए कहा, 'अरे, यह एक आसान सा प्रतिकारक मंत्र है। लेकिन नुक़सान को ठीक करना ही काफ़ी नहीं है। हैरी, असली बात तो इस हरकत के पीछे का दृष्टिकोण है। मगलुओं के साथ शरारत करना कुछ जादूगरों को मज़ेदार लग सकता है, लेकिन यह किसी ज़्यादा गहरी और बुरी चीज़ का संकेत है। और मैं तो -'

मिस्टर वीज़्ली का वाक्य अधूरा रह गया। वे नवें तल के गलियारे में पहुँच गए थे, जहाँ कॉर्नेलियस फ़ज उनसे कुछ ही फ़ुट की दूरी पर एक लंबे

आदमी से धीरे-धीरे बातें कर रहे थे, जिसके बाल सुनहरे थे और चेहरा नुकीला तथा पीला था।

लंबा आदमी उनके क़दमों की आहट सुनकर पलटा। उसका भी वाक्य अधूरा रह गया और उसकी ठंडी भूरी आँखें सिकुड़कर हैरी के चेहरे पर जम गईं।

'ओह, ओह, ओह ... पितृदेव पॉटर,' लूसियस मैल्फ़ॉय ठंडेपन से बोला।

हैरी को ऐसा लगा, जैसे वह किसी ठोस चीज़ से टकरा गया हो। उसने जब इन ठंडी भूरी आँखों को आख़िरी बार देखा था, तो वे प्राणभक्षी के नक़ाब के छेदों से झाँक रही थीं। उसने जब इस आदमी की मखौल उड़ाती आवाज़ आख़िरी बार सुनी थी, तब हैरी अँधेरे क़ब्रिस्तान में था और लॉर्ड वोल्डेमॉर्ट उसे सता रहा था। हैरी को यक़ीन नहीं हो रहा था कि लूसियस मैल्फ़ॉय उससे नज़रें मिलाने की हिम्मत कर सकता था। उसे यक़ीन नहीं हो रहा था कि वह यहाँ जादू मंत्रालय में था और कॉर्नेलियस फ़ज उससे बातें कर रहे थे, जबकि हैरी ने कुछ हफ़्ते पहले ही फ़ज को बता दिया था कि मैल्फ़ॉय प्राणभक्षी है।

मिस्टर मैल्फ़ॉय ने धीरे से कहा, 'पॉटर, मंत्रीजी ने अभी-अभी मुझे बताया कि तुम ख़ुशक़िस्मती से बच निकले हो। बड़ी हैरानी की बात है कि तुम हर बार बिलकुल ज़रा सी जगह से रेंगकर बच निकलते हो ... *किसी साँप की तरह।*'

मिस्टर वीज़्ली ने चेतावनी देते हुए हैरी का कंधा पकड़ लिया।

'हाँ,' हैरी ने कहा, 'हाँ, मैं बच निकलने में माहिर हूँ।'

लूसियस मैल्फ़ॉय ने अपनी नज़रें मिस्टर वीज़्ली के चेहरे की तरफ़ घुमाईं।

'और आर्थर वीज़्ली भी है! आर्थर, तुम यहाँ क्या कर रहे हो?'

मिस्टर वीज़्ली ने रूखेपन से कहा, 'मैं यहाँ काम करता हूँ।'

'निश्चित रूप से *यहाँ* तो नहीं?' मिस्टर मैल्फ़ॉय ने अपनी भौंहें चढ़ाकर मिस्टर वीज़्ली के पीछे वाले दरवाज़े को देखते हुए कहा। 'मुझे तो लगता था कि तुम दूसरे तल पर काम करते हो ... तुम तो शायद ऐसा काम करते हो, जिसमें तुम मगलुओं का सामान घर ले जाकर उन पर जादू कर सको?'

'नहीं,' मिस्टर वीज़्ली ने झटके से कहा। अब उनकी उँगलियाँ हैरी के कंधे में धँसी जा रही थीं।

हैरी ने लूसियस मैल्फ़ॉय से पूछ लिया, 'वैसे *आप* यहाँ क्या कर रहे हैं?'

'पॉटर, मुझे नहीं लगता कि तुम्हें मेरे और मंत्रीजी के बीच के निजी मामलों की जानकारी देनी चाहिए,' मैल्फ़ॉय ने अपने दुशाले के सामने वाले हिस्से

को ठीक करते हुए कहा और हैरी को उसकी जेब से सोने के सिक्के खनखनाने की आवाज़ सुनाई दी। 'तुम डम्बलडोर के ख़ास हो, इसका यह मतलब नहीं है कि तुम दूसरों से भी इसी मेहरबानी की उम्मीद करो। मंत्रीजी, अब हम आपके ऑफ़िस में चलें?'

'बिलकुल,' फ़ज ने हैरी और मिस्टर वीज़्ली की तरफ़ अपनी पीठ घुमाते हुए कहा। 'इधर से, लूसियस।'

वे धीरे-धीरे बातें करते हुए चले गए। जब तक वे लिफ़्ट में घुसकर ओझल नहीं हो गए, तब तक मिस्टर वीज़्ली ने हैरी का कंधा नहीं छोड़ा।

'अगर उसे फ़ज से कोई काम था, तो वह उनके ऑफ़िस के बाहर उनका इंतज़ार क्यों नहीं कर रहा था?' हैरी ने आवेश में कहा। 'वह यहाँ नीचे क्या कर रहा था?'

'मुझे तो लगता है कि वह चोरी से अदालत में ताका-झाँकी की कोशिश कर रहा होगा,' मिस्टर वीज़्ली ने कहा। वे भयंकर तनाव में लग रहे थे और मुड़-मुड़कर देख रहे थे कि कहीं कोई उनकी बातें तो नहीं सुन रहा है। 'वह यह पता लगाने की कोशिश कर रहा होगा कि तुम्हें हॉगवर्ट्स से निकाला जाता है या नहीं। तुम्हें छोड़ने के बाद मैं डम्बलडोर को इस बात की ख़बर कर दूँगा। उन्हें पता होना चाहिए कि मैल्फ़ॉय एक बार फिर फ़ज से मेल-जोल बढ़ा रहा है।'

'वैसे उन लोगों का निजी मामला क्या हो सकता है?'

'मुझे लगता है, चंदा दे रहा होगा,' मिस्टर वीज़्ली ने ग़ुस्से से कहा। 'मैल्फ़ॉय बरसों से हर तरह के काम के लिए हाथ खोलकर चंदा देता आ रहा है ... इससे वह महत्वपूर्ण लोगों से संबंध बना लेता है ... फिर वह उनसे बदले में अपने काम करवाता है ... उन क़ानूनों के पारित होने में देर करवाता है, जिन्हें वह पारित नहीं होने देना चाहता ... ओह, लूसियस मैल्फ़ॉय के संपर्क सभी महत्वपूर्ण लोगों से हैं।'

लिफ़्ट आ गई। यह ख़ाली थी। इसमें सिर्फ़ मेमो भरे थे, जो मिस्टर वीज़्ली के सिर के पास फड़फड़ाए, जब उन्होंने एट्रियम का बटन दबाया और ग्रिल तेज़ आवाज़ करती हुई बंद हो गई। उन्होंने चिढ़कर हाथ हिलाते हुए मेमोज़ को दूर हटाया।

'मिस्टर वीज़्ली,' हैरी ने धीरे से कहा, 'अगर फ़ज मैल्फ़ॉय जैसे प्राणभक्षियों से मिल रहे हैं ... अगर वे उससे अकेले में मिल रहे हैं, तो हम यह कैसे जान सकते हैं कि उसने फ़ज पर सम्मोहन शाप का इस्तेमाल नहीं किया होगा?'

मिस्टर वीज़्ली ने धीरे से कहा, 'हैरी, ऐसा नहीं है कि हमारे मन में यह

बात नहीं आई थी। लेकिन डम्बलडोर को लगता है कि इस वक़्त फ़ज खुद के ही दिमाग़ से काम कर रहा है – डम्बलडोर यह भी कहते हैं कि यह कोई बहुत राहत की बात नहीं है। हैरी, अच्छा यही रहेगा कि फिलहाल हम इस बारे में बात न करें।'

ग्रिल सरक गई और वे लिफ़्ट से बाहर निकल आए। एट्रियम अब लगभग सुनसान था। एरिक नाम का रक्षक जादूगर एक बार फिर अपने *दैनिक जादूगर* अख़बार के पीछे छिपा था। वे सुनहरे फव्वारे को पार करके सीधे निकल गए, लेकिन तभी हैरी को कुछ याद आया।

'ज़रा ठहरें ...' उसने मिस्टर वीज़्ली से कहा और अपनी जेब से पर्स निकालकर वह फव्वारे की तरफ़ वापस लौटा।

हैरी ने आकर्षक जादूगर के चेहरे को देखा, लेकिन क़रीब से देखने पर वह उसे थोड़ा कमज़ोर और मूर्ख लगा। जादूगरनी किसी सौंदर्य प्रतियोगिता में भाग लेने वाली सुंदरी की तरह भावहीन तरीक़े से मुस्करा रही थी। और हैरी जहाँ तक पिशाचों तथा सेनटॉर्स के बारे में जानता था, इस बात की बहुत कम संभावना थी कि वे किसी भी जादूगर के प्रति सम्मान में इतने मूर्खतापूर्ण तरीक़े से घूरते होंगे। सिर्फ़ घरेलू जिन्न का ग़ुलामी का नज़रिया ही विश्वसनीय लग रहा था। हैरी के होंठों पर हँसी आ गई, जब उसने सोचा कि हर्माइनी घरेलू जिन्न की इस मूर्ति को देखकर क्या कहेगी। फिर उसने अपना पर्स पलटा और फव्वारे में सिर्फ़ दस गैलियन ही नहीं, बल्कि पर्स में रखे सारे गैलियन उड़ेल दिए।

*

'मैं जानता था!' रॉन हवा में मुक्का मारते हुए चीख़ा। 'तुम हर बार बच निकलते हो!'

'वे तुम्हें सज़ा दे ही नहीं सकते थे,' हर्माइनी ने कहा, जो तनाव से बेहोश होती दिख रही थी, जब हैरी किचन में दाख़िल हुआ था और अब वह अपनी आँखों पर एक काँपता हुआ हाथ रखे थी, 'तुम्हारे ख़िलाफ़ मामला था ही नहीं, ज़रा भी नहीं।'

हैरी ने हँसते हुए कहा, 'जब तुम सभी को मेरे बचने पर पूरा भरोसा था, तो फिर इतनी राहत में क्यों लग रहे हो?'

मिसेज़ वीज़्ली एप्रन से अपना मुँह पोंछ रही थीं और फ़्रेड, जॉर्ज तथा जिनी नाचते हुए गा रहे थे, '*वह बच गया, वह बच गया, वह बच गया ...*'

'बहुत हो गया! अब ख़ामोश हो जाओ!' मिस्टर वीज़्ली ज़ोर से बोले, हालाँकि वे भी मुस्करा रहे थे। 'सुनो सिरियस, लूसियस मैल्फ़ॉय मंत्रालय में था –'

'क्या ?' सिरियस ने तीखे स्वर में पूछा।

'वह बच गया, वह बच गया, वह बच गया ...'

'तुम तीनों चुप होते हो या नहीं! हाँ, हमने उसे नवें तल पर फ़ज से बातचीत करते देखा था। फिर वे दोनों फ़ज के ऑफ़िस की तरफ़ चले गए। डम्बलडोर को यह बात पता होनी चाहिए।'

'बिल्कुल,' सिरियस ने कहा। 'चिंता मत करो, हम उन्हें बता देंगे।'

'ठीक है, तो अब मैं चलता हूँ। बेथनाल ग्रीन में एक निष्कासन टॉयलेट मेरा इंतज़ार कर रहा है। मॉली, मुझे देर हो जाएगी, मुझे टौंक्स की जगह पर पहरा देना पड़ेगा, लेकिन किंग्सले डिनर पर आ सकता है –'

'वह बच गया, वह बच गया, वह बच गया ...'

'फ्रेड – जॉर्ज – जिनी – बहुत हो गया!' मिसेज़ वीज़्ली बोलीं, जब मिस्टर वीज़्ली किचन से बाहर निकले। 'हैरी बेटा, यहाँ आकर बैठ जाओ और थोड़ा लंच कर लो। तुमने नाश्ता भी तो ठीक से नहीं किया था।'

रॉन और हर्माइनी उसके सामने बैठ गए। इस वक़्त वे बहुत ख़ुश नज़र आ रहे थे। जब से हैरी ग्रिमॉल्ड चौक में आया था, तब से वे इतने ख़ुश पहले कभी नहीं दिखे थे। हैरी भी बहुत राहत महसूस कर रहा था। हालाँकि लूसियस मैल्फ़ॉय से हुई मुठभेड़ के कारण उसकी ख़ुशी थोड़ी कम हो गई थी, लेकिन अब एक बार फिर उसका उत्साह बढ़ रहा था। अँधेरा मकान अचानक थोड़ा ख़ुशनुमा और अच्छा लगने लगा। यहाँ तक कि क्रीचर भी थोड़ा कम बदसूरत लगा, जब उसने अपनी थूथन जैसी नाक किचन में घुसाकर देखी कि इतना शोर क्यों हो रहा है।

'ज़ाहिर है, अगर डम्बलडोर तुम्हारी तरफ़ से पैरवी कर रहे थे, तो फिर तुम्हें सज़ा हो ही नहीं सकती थी,' रॉन ने ख़ुशी से कहा और सबकी प्लेट में बहुत सारे मसले हुए आलू डालने लगा।

'हाँ, उन्होंने मुझे बचा लिया,' हैरी ने कहा। उसे लगा कि यह कहना बहुत कृतघ्नतापूर्ण और बचकाना लगेगा, 'काश उन्होंने मुझसे बात की होती! या मेरी तरफ़ *देखा* होता!'

और जैसे ही उसने यह सोचा, उसके माथे का निशान इतनी बुरी तरह जलने लगा कि उसे उस पर हाथ रखना पड़ा।

हर्माइनी ने दहशत में आते हुए पूछा, 'क्या हुआ ?'

'निशान,' हैरी बुदबुदाया। 'लेकिन कोई बात नहीं ... अब तो ऐसा अक्सर होता रहता है ...'

बाक़ी किसी का ध्यान इस तरफ़ नहीं गया था। वे सभी इस वक़्त खाने में लगे थे और हैरी के छूटने पर ख़ुश हो रहे थे। फ्रेड, जॉर्ज और जिनी अब भी गा रहे थे। हर्माइनी थोड़ी चिंतित लग रही थी, लेकिन इससे पहले कि वह कुछ कह पाती, रॉन ख़ुशी से बोला, 'मैं शर्त लगाता हूँ कि डम्बलडोर शाम को आएँगे और हमारे साथ जश्न मनाएँगे।'

'रॉन, मुझे नहीं लगता कि वे ऐसा कर पाएँगे,' मिसेज़ वीज़्ली ने कहा और हैरी के सामने तंदूरी चिकन की एक बड़ी प्लेट रख दी। 'वे इस समय बहुत ज़्यादा व्यस्त हैं।'

'वह बच गया, वह बच गया, वह बच गया ...'

'चुप रहो!' मिसेज़ वीज़्ली गरजीं।

*

अगले कुछ दिन तक हैरी यह एहसास किए बिना नहीं रह सका कि बारह नंबर, ग्रिमॉल्ड चौक में एक व्यक्ति ऐसा था, जो उसके हॉगवर्ट्स लौटने की बात से पूरी तरह ख़ुश नहीं था। सिरियस ने उसके बाइज़्ज़त बरी होने की ख़बर पहली बार सुनते समय ख़ुशी का बहुत अच्छा नाटक किया था। उसने हैरी से हाथ मिलाया था और बाक़ी सबकी तरह खुलकर मुस्कराया था। बहरहाल, जल्दी ही वह तुनकमिजाज़ और चिड़चिड़ा हो गया। वह कम बोलने लगा, हैरी से भी। ज़्यादातर समय वह बकबीक के साथ अपनी माँ के कमरे में रहने लगा।

हैरी ने कुछ दिनों बाद तीसरी मंज़िल पर एक गंदी अलमारी की सफ़ाई करते वक़्त अपने मन की बात रॉन और हर्माइनी को बताई। हर्माइनी ने सख़्त लहज़े में कहा, 'तुम इसके लिए ख़ुद को दोष मत दो! तुम्हारी जगह हॉगवर्ट्स में है और सिरियस यह बात अच्छी तरह से जानता है। मैं तो मानती हूँ कि वह स्वार्थी होता जा रहा है।'

'यह थोड़ी ज़्यादती है, हर्माइनी,' रॉन ने त्योरियाँ चढ़ाकर कहा, जब वह अपनी उँगली पर कसकर चिपकी हुई फफूँदी हटाने की कोशिश कर रहा था। 'तुम भी इस घर में अकेले नहीं रहना चाहोगी।'

'लेकिन वह अकेला कहाँ है?' हर्माइनी ने कहा। 'यह मायापंछी के समूह का मुख्यालय है, है ना? उसने तो कुछ ज़्यादा ही उम्मीद लगा ली थी कि हैरी यहाँ पर उसके साथ रहने आ जाएगा।'

'मुझे नहीं लगता कि यह सच है,' हैरी ने अपने सफ़ाई के कपड़े को बाहर निकालते हुए कहा। 'जब मैंने उससे पूछा था कि क्या मैं यहाँ आकर उसके साथ रह सकता हूँ, तो उसने कोई सीधा जवाब नहीं दिया था।'

'वह अपनी उम्मीदों को बढ़ाना नहीं चाहता होगा,' हर्माइनी ने समझदारी से कहा। 'और उसे शायद थोड़ा अपराधबोध भी हो रहा होगा, क्योंकि मुझे लगता है, उसके दिल का एक हिस्सा दरअसल यह उम्मीद लगा बैठा था कि तुम्हें स्कूल से निकाल दिया जाएगा, जिसके बाद तुम दोनों एक साथ निर्वासित जीवन जी सकोगे।'

'छोड़ो भी!' हैरी और रॉन ने एक साथ कहा, लेकिन हर्माइनी ने अपने कंधे उचका दिए।

'तुम्हें जैसा ठीक लगे, वैसा सोचो। लेकिन मुझे कई बार लगता है कि रॉन की मम्मी सही कहती हैं। हैरी, सिरियस तुममें और तुम्हारे डैडी में फ़र्क़ नहीं कर पाता है।'

हैरी ने ताव में कहा, 'तो तुम्हें लगता है कि उसका दिमाग़ सरक गया है?'

हर्माइनी बोली, 'नहीं, मुझे तो बस यह लगता है कि वह काफ़ी समय से बहुत अकेला है।'

तभी मिसेज़ वीज़्ली उनके पीछे से बेडरूम में आ गईं।

उन्होंने अलमारी में अपना सिर डालते हुए कहा, 'अभी तक काम पूरा नहीं हुआ?'

'मुझे लगा था कि आप यहाँ पर हमें छुट्टी देने आई होंगी!' रॉन ने कटुता से कहा। 'क्या आप जानती हैं कि यहाँ आने के बाद से हम अब तक कितनी गंदगी साफ़ कर चुके हैं?'

'तुम्हीं तो समूह की मदद करने के लिए इतने उतावले थे,' मिसेज़ वीज़्ली ने कहा। 'तुम कम से कम मुख्यालय को रहने क़ाबिल बनाने का काम तो कर ही सकते हो।'

रॉन ने बुदबुदाते हुए कहा, 'मुझे तो लगता है कि मैं घरेलू जिन्न बनकर रह गया हूँ।'

जब मिसेज़ वीज़्ली उन्हें वहीं छोड़कर चली गईं, तो हर्माइनी उम्मीद भरी आवाज़ में बोली, 'अच्छा हुआ, अब तुम्हें पता चला कि उनकी ज़िंदगी कितनी भयंकर होती है। अब शायद तुम **एस.पी.ई.डब्ल्यू.** में ज़्यादा सक्रिय हो जाओगे! देखो, शायद लोगों को यह दिखाना अच्छा रहेगा कि हर वक़्त साफ़-सफ़ाई करना कितना भयंकर काम होता है – हम गरुड़द्वार के हॉल की सफ़ाई को प्रायोजित कर सकते हैं। उससे होने वाली आमदनी **एस.पी.ई.डब्ल्यू.** में जाएगी, ताकि इससे जागरूकता और धनराशि दोनों ही बढ़ जाएँ।'

'मैं **एस.पी.ई.डब्ल्यू.** के बारे में तुम्हारा मुँह बंद रखने को प्रायोजित

करना चाहता हूँ,' रॉन चिढ़कर बुदबुदाया, लेकिन इतनी धीरे से, ताकि सिर्फ़ हैरी ही उसकी बात सुन सके।

*

जैसे-जैसे छुट्टियाँ ख़त्म होने की तारीख़ क़रीब आने लगी, हैरी ने पाया कि वह हॉगवर्ट्स जाने के बारे में कुछ ज़्यादा ही सपने देखने लगा था। हैग्रिड से दोबारा मिलने, क्विडिच खेलने और जड़ी-बूटी विज्ञान की तरफ़ जाने वाली सब्ज़ियों की क्यारी से गुज़रने के लिए वह बहुत बेताब था। इस धूल भरे, गंदे घर को छोड़ना ही बहुत अच्छी बात रहेगी, जहाँ आधी अलमारियाँ अब भी बंद थीं और क्रीचर अँधेरे में उनके पास से गुज़रते समय अपमानजनक बातें कहता था, हालाँकि हैरी ने सिरियस को यह नहीं बताया।

सच तो यह था कि वोल्डेमॉर्ट-विरोधी मुहिम के मुख्यालय में रहना उतना रोचक या रोमांचक नहीं था, जितनी हैरी को पहले उम्मीद थी। मायापंछी के समूह के सदस्य नियमित रूप से वहाँ आते-जाते थे। कई बार वे डिनर के लिए रुकते थे और कई बार वे फुसफुसाकर कुछ मिनट बातचीत करने के बाद ही चले जाते थे। बहरहाल मिसेज़ वीज़्ली ने यह सुनिश्चित कर लिया था कि हैरी और बाक़ी लोग उनकी बातचीत न सुन पाएँ (विस्तारित कानों से भी नहीं)। किसी को भी, यहाँ तक कि सिरियस को भी, यह नहीं लगता था कि हैरी को पहली रात को जितना बताया गया था, उससे ज़्यादा कुछ बताया जाना चाहिए।

छुट्टियों के आख़िरी दिन जब हैरी कपड़ों की अलमारी के ऊपर से हेडविग के पिंजरे की गंदगी साफ़ कर रहा था, तभी रॉन दो लिफ़ाफ़े लेकर बेडरूम में आया।

'पुस्तकों की सूची आ गई है,' उसने कहा और कुर्सी पर खड़े हैरी की तरफ़ एक लिफ़ाफ़ा उछाल दिया। 'समय भी हो गया था। मुझे तो लग रहा था कि इस बार वे लोग भूल गए होंगे, क्योंकि हमेशा तो यह जल्दी आ जाती थी ...'

हैरी ने गंदगी के आख़िरी टुकड़े कचरे की थैली में भरे और थैली को रॉन के सिर के ऊपर से उछालकर कोने में रखी वेस्टपेपर बास्केट में फेंक दिया। बास्केट ने थैली निगल ली और ज़ोर से डकार ली। फिर उसने अपना लिफ़ाफ़ा खोला, जिसमें दो चर्मपत्र थे। एक में तो हमेशा ही तरह यह याद दिलाया गया था कि सत्र पहली सितंबर को शुरू होगा। दूसरे चर्मपत्र में यह बताया गया था कि उसे इस साल किन पुस्तकों की ज़रूरत होगी।

'सिर्फ़ दो ही नई पुस्तकें हैं,' उसने सूची पढ़ते हुए कहा, 'मिरान्डा गोशाक

की *मंत्रों की मानक पुस्तक, भाग 5* और विलबर्ट स्लिंकहार्ड की *रक्षात्मक जादुई सिद्धांत*।'

कड़ाक।

फ्रेड और जॉर्ज हैरी के पास दाहिनी तरफ़ प्रकट हो गए थे। अब उसे इन लोगों के अचानक प्रकट होने की इतनी आदत पड़ चुकी थी कि वह कुर्सी से गिरा तक नहीं।

फ्रेड ने बातचीत शुरू करते हुए कहा, 'हम इस बात पर हैरान हो रहे थे कि कोर्स में स्लिंकहार्ड की किताब किसने रखी होगी ?'

'क्योंकि इसका मतलब यह है कि डम्बलडोर को गुप्त कलाओं से रक्षा का नया टीचर मिल गया है,' जॉर्ज बोला।

फ्रेड ने बातचीत शुरू करते हुए कहा, 'वैसे इसमें काफ़ी समय लग गया।'

'तुम कहना क्या चाहते हो ?' हैरी ने कूदकर उनके पास पहुँचते हुए पूछा।

फ्रेड बोला, 'हमने कुछ हफ़्तों पहले विस्तारित कानों से मम्मी-डैडी की बातें सुनी थीं। उनकी बातों से लग रहा था कि इस साल डम्बलडोर को इस विषय का टीचर खोजने में बहुत मुश्किल आ रही थी।'

जॉर्ज बोला, 'इसमें हैरानी की क्या बात है ? देखो तो सही, पिछले चार टीचर्स का क्या हाल हुआ है ?'

'एक को नौकरी से निकाल दिया गया, एक मर गया, एक की याददाश्त चली गई और एक नौ महीने तक संदूक में बंद रहा,' हैरी ने उनके नाम अपनी उँगलियों पर गिनते हुए कहा। 'हाँ, मैं तुम्हारा मतलब समझ गया।'

तभी फ्रेड ने अचानक पूछा, 'तुम्हें क्या हुआ, रॉन ?'

रॉन ने कोई जवाब नहीं दिया। हैरी ने मुड़कर देखा। रॉन किसी मूर्ति की तरह बैठा था। उसका मुँह थोड़ा खुला हुआ था और वह हॉगवर्ट्स से आई अपनी चिट्ठी को एकटक देख रहा था।

'क्या हुआ ?' फ्रेड ने अधीरता से पूछा और रॉन के कंधे के ऊपर से झाँककर उसका चर्मपत्र देखने लगा।

फ्रेड का मुँह भी खुला रह गया।

'प्रिफ़ेक्ट ?' उसने चर्मपत्र को अविश्वास से घूरते हुए कहा। '*प्रिफ़ेक्ट ?*'

जॉर्ज उछलकर क़रीब आ गया। उसने रॉन के हाथ से लिफ़ाफ़ा लेकर उसे उलट दिया। हैरी ने देखा कि उसमें से कोई लाल और सुनहरी चीज़ निकलकर जॉर्ज की हथेली में गिर गई।

'ऐसा नहीं हो सकता,' जॉर्ज ने सदमे भरी आवाज़ में कहा।

'लगता है, कोई ग़लती हो गई है,' फ्रेड ने रॉन से चिट्ठी छुड़ाते हुए कहा और उसे रोशनी के सामने रखकर देखने लगा, जैसे वाटरमार्क की जाँच कर रहा हो। 'जिसका दिमाग़ सही तरीक़े से काम करता होगा, वह रॉन को प्रिफ़ेक्ट नहीं बना सकता।'

जुड़वाँ भाइयों के सिर एक साथ घूमे और दोनों ने ही हैरी को घूरकर देखा।

'हमें तो लग रहा था कि प्रिफ़ेक्ट तुम बनोगे!' फ्रेड ने ऐसे अंदाज़ में कहा, जैसे हैरी ने उन्हें किसी तरीक़े से मूर्ख बना दिया हो।

जॉर्ज आवेश में बोला, 'हमें लग रहा था कि डम्बलडोर तुम्हें ही चुनेंगे!'

फ्रेड ने कहा, 'तुमने जादूगरी का त्रिकोणीय टूर्नामेंट जीता था और बाक़ी काम भी किए थे!'

जॉर्ज ने फ्रेड से कहा, 'मुझे लगता है कि उसके कारनामे उसके ख़िलाफ़ गए होंगे।'

'हाँ,' फ्रेड ने धीरे से कहा। 'हाँ दोस्त, तुमने बहुत ज़्यादा मुश्किलें पैदा की हैं। चलो अच्छा है, कम से कम तुममें से एक की प्राथमिकताएँ तो सही हैं।'

वह हैरी के पास आया और उसकी पीठ पर धौल जमा दी, जबकि उसने रॉन को ग़ुस्से से देखा।

'*प्रिफ़ेक्ट* ... प्यारा बच्चा रॉनी प्रिफ़ेक्ट बन गया।'

'ओह, मम्मी तो हंगामा खड़ा कर देंगी,' जॉर्ज कराहा और उसने प्रिफ़ेक्ट वाला बैज रॉन की तरफ़ इस तरह उछाल दिया, जैसे इससे उसे कोई बीमारी हो जाएगी।

रॉन अब तक अवाक् था। उसने बैज लेकर उसे एक पल तक घूरा और हैरी की तरफ़ बढ़ा दिया, जैसे यह पक्का करवाना चाहता हो कि यह असली था। हैरी ने उसे ले लिया। गरुड़द्वार के शेर पर एक बड़ा 'पी' बना हुआ था। जब वह पहलेपहल हॉगवर्ट्स गया था, तो उसने पर्सी के सीने पर इसी तरह का बैज देखा था।

दरवाज़ा धड़ाक से खुल गया। हर्माइनी आँखों में आँसू लिए तेज़ी से भागती हुई कमरे में आई। उसके गाल लाल थे और बाल उड़ रहे थे। उसके हाथ में भी एक लिफ़ाफ़ा था।

'क्या तुम्हें – क्या तुम्हें बैज मिला ?'

उसने हैरी के हाथ में बैज देखा और चीख़ पड़ी।

'मैं जानती थी!' उसने रोमांचित होकर कहा और अपनी चिट्ठी लहराती रही। 'मुझे भी, हैरी, मुझे भी!'

'नहीं,' हैरी ने जल्दी से कहा और बैज वापस रॉन के हाथ में दे दिया। 'प्रिफ़ेक्ट मुझे नहीं, रॉन को बनाया गया है।'

'क्या ?'

हैरी ने कहा, 'हाँ, प्रिफ़ेक्ट रॉन है, मैं नहीं हूँ,'

'*रॉन ?*' हर्माइनी ने कहा और उसका मुँह खुला रह गया। 'लेकिन ... क्या तुम्हें यक़ीन है ? मेरा मतलब है –'

जब रॉन ने ग़ुस्से से हर्माइनी को देखा, तो उसका चेहरा लाल हो गया।

उसने कहा, 'चिट्ठी पर मेरा नाम लिखा है।'

'मैं ...' हर्माइनी ने कहा और वह पूरी तरह हैरान दिख रही थी। 'मैं ... वाह ... बहुत बढ़िया! शाबाश, रॉन! यह तो सचमुच –'

'अप्रत्याशित है,' जॉर्ज ने सिर हिलाते हुए कहा।

'नहीं,' हर्माइनी ने कहा और अब उसका चेहरा पहले से ज़्यादा लाल हो चुका था, 'नहीं, ऐसी बात नहीं है ... रॉन ने बहुत से काम किए हैं ... वह सचमुच ...'

उसके पीछे दरवाज़ा थोड़ा और खुल गया तथा मिसेज़ वीज़्ली कमरे में दाख़िल हुईं। उनके हाथ में धुले हुए दुशालों का ढेर था।

'जिनी ने बताया है कि पुस्तकों की सूचियाँ आख़िरकार आ गई हैं,' उन्होंने सभी के लिफ़ाफ़ों पर नज़र दौड़ाते हुए कहा और पलंग पर दो ढेरों में दुशाले जमाने लगीं। 'तुम मुझे अपनी-अपनी सूचियाँ दे देना। मैं आज दोपहर छूमंतर गली जाकर सबके लिए पुस्तकें ले आऊँगी। उस दौरान तुम अपना सामान पैक कर लेना। रॉन, मुझे तुम्हारे लिए पायजामे लाने पड़ेंगे। ये वाले तो छह इंच छोटे हो गए हैं। मुझे यक़ीन नहीं होता है कि तुम कितनी तेज़ी से लंबे हो रहे हो ... तुम्हें कौन सी रंग के पायजामे चाहिए ?'

जॉर्ज मुस्कराते हुए बोला, 'उसके लिए लाल और सुनहरे रंग के पायजामे लाना, ताकि वे उसके बैज से मेल खा जाएँ।'

'किससे मेल खा जाएँ ?' मिसेज़ वीज़्ली ने मैरून मोज़ों को तह करके रॉन के दुशालों के ढेर पर रखते हुए बेध्यानी से पूछा।

'उसके बैज से,' फ्रेड ने इस तरह कहा, जैसे बुरी बात को जल्दी से जल्दी

कह देना चाहता हो। 'उसके *प्रिफ़ेक्ट के प्यारे*, चमचमाते, नए *बैज से*।'

फ़्रेड के शब्दों को समझने में मिसेज़ वीज़्ली को एक पल का समय लग गया, क्योंकि वे पायजामों के बारे में सोचने में व्यस्त थीं।

'उसके ... लेकिन ... रॉन, तुम कैसे ... ?'

रॉन ने अपना बैज ऊपर उठाकर दिखाया।

मिसेज़ वीज़्ली भी हर्माइनी की तरह चीख़ उठीं।

'मुझे यक़ीन नहीं हो रहा है! मुझे यक़ीन नहीं हो रहा है! ओह रॉन, कितनी बढ़िया बात है! प्रिफ़ेक्ट! अब तो परिवार में सभी प्रिफ़ेक्ट बन चुके हैं!'

'फ़्रेड और मैं कौन हैं, पड़ोसी ?' जॉर्ज ने ग़ुस्से से कहा, जब उसकी माँ ने उसे एक तरफ़ हटाया और अपने सबसे छोटे बेटे को बाँहों में भर लिया।

'ज़रा ठहरो तो सही, तुम्हारे डैडी को तो यह बात पता चलने दो! रॉन, मुझे तुम पर बहुत गर्व है! कितनी बढ़िया ख़बर है! तुम भी बिल और पर्सी की तरह हेड बॉय बन सकते हो! यह तो पहला क़दम है! ओह, इतनी चिंताओं के बीच कितनी बढ़िया ख़बर आई है! मैं तो बहुत रोमांचित हूँ, ओह *रॉनी* –'

फ़्रेड और जॉर्ज उनके पीछे से तेज़-तेज़ आहें भर रहे थे, लेकिन मिसेज़ वीज़्ली ने उनकी तरफ़ ध्यान नहीं दिया। उन्होंने रॉन के गले में कसकर बाँहें डाल दीं और उसका पूरा चेहरा बेतहाशा चूमने लगीं, जो अब उसके बैज से ज़्यादा लाल हो चुका था।

'मम्मी ... नहीं ना ... मम्मी, छोड़ो भी ...' वह बुदबुदाया और उन्हें दूर धकेलने की कोशिश करने लगा।

आख़िर उन्होंने उसे छोड़ दिया और हाँफती हुई बोलीं, 'अच्छा, तो तुम्हें कौन सी चीज़ दें ? हमने पर्सी को उल्लू दिया था, लेकिन तुम्हारे पास तो उल्लू पहले से ही है।'

'आपका क्या मतलब है ?' रॉन ने कहा। उसके चेहरे पर ऐसा भाव था, जैसे उसे अपने कानों पर यक़ीन नहीं हो रहा हो।

'तुम्हें इसके लिए इनाम मिलना चाहिए!' मिसेज़ वीज़्ली ने प्यार से कहा। 'नए ड्रेस दुशालों के बारे में क्या ख़्याल है ?'

'हमने उसे पहले ही कुछ दुशाले दिलवा दिए हैं,' फ़्रेड ने चिढ़ते हुए कहा। ऐसा लग रहा था, जैसे अब उसे अपनी उदारता पर अफ़सोस हो रहा हो।

'या फिर नई कड़ाही। चार्ली की पुरानी कड़ाही में ज़ंग लग रही है, या फिर नया चूहा, तुम्हें स्कैबर्स बहुत पसंद था –'

'मम्मी,' रॉन ने उम्मीद भरी आवाज़ में कहा, 'क्या मुझे नई झाड़ू मिल सकती है ?'

मिसेज़ वीज़्ली का चेहरा थोड़ा सख़्त हो गया। झाड़ुएँ महँगी थीं।

'बहुत अच्छी नहीं!' रॉन ने जल्दी से जोड़ दिया। 'बस - बस इस बार नई वाली ...'

मिसेज़ वीज़्ली झिझकीं और फिर मुस्करा दीं।

'*ठीक है*, तुम्हें नई झाड़ू दिलवा देंगे ... अच्छा, अगर मुझे नई झाड़ू भी ख़रीदनी है, तो अभी निकलना पड़ेगा। मैं तुम सबसे बाद में मिलती हूँ ... छोटा रॉनी, प्रिफ़ेक्ट! और अपने संदूक पैक करना मत भूलना ... प्रिफ़ेक्ट ... ओह, मैं तो बौखला गई हूँ!'

उन्होंने रॉन का गाल एक बार फिर चूमा, ज़ोर से साँस छोड़ी और तेज़ी से कमरे के बाहर चली गईं।

फ्रेड और जॉर्ज ने एक-दूसरे की तरफ़ देखा।

फ्रेड ने नक़ली तनावपूर्ण आवाज़ में कहा, 'रॉन, अगर हम तुम्हें नहीं चूमें, तो तुम्हें बुरा तो नहीं लगेगा ?'

जॉर्ज ने कहा, 'वैसे अगर तुम चाहो, तो हम तुम्हें सलाम कर सकते हैं।'

'ओह, चुप भी रहो,' रॉन ने उनकी तरफ़ त्योरियाँ चढ़ाकर कहा।

'वरना ?' फ्रेड ने अपने चेहरे पर एक दुष्ट मुस्कान लाते हुए कहा। 'हमें सज़ा दे दोगे ?'

जॉर्ज भी मुस्कराते हुए बोला, 'वह इसकी कोशिश करके तो देखे, बड़ा मज़ा आएगा।'

हर्माइनी ग़ुस्से से बोली, 'अगर तुम दोनों ने अपनी ग़लत हरकतें बंद नहीं कीं, तो वह तुम्हें सज़ा दे भी सकता है!'

फ्रेड और जॉर्ज ज़ोर-ज़ोर से हँसने लगे। रॉन बुदबुदाकर बोला, 'छोड़ो भी, हर्माइनी।'

'अब हमें फूँक-फूँक कर क़दम रखना होगा, जॉर्ज,' फ्रेड ने काँपने का नाटक करते हुए कहा, 'अब ये दोनों हमारे पीछे पड़ गए हैं ...

'हाँ, ऐसा लगता है, जैसे हमारे नियम-क़ायदे तोड़ने के दिन अब लद गए हैं,' जॉर्ज ने अपना सिर हिलाते हुए कहा।

फिर एक ज़ोरदार *कड़ाक* की आवाज़ के साथ जुड़वाँ भाई अंतर्ध्यान हो गए।

'ये दोनों तो बस!' हर्माइनी ने आवेश में छत की तरफ़ घूरते हुए कहा, जिसके दूसरी तरफ़ से यानी फ्रेड और जॉर्ज के ऊपर की मंज़िल वाले कमरे से ज़ोर-ज़ोर से हँसने की आवाज़ आ रही थी। 'उनकी बात पर ध्यान मत दो, रॉन। वे दोनों जल रहे हैं!'

'मुझे नहीं लगता कि वे जल रहे हैं,' रॉन ने संदेह से छत की तरफ़ देखते हुए कहा। 'वे शुरू से कहते आए हैं कि सिर्फ़ लल्लू बच्चे ही प्रिफ़ेक्ट्स बनते हैं ... फिर भी,' उसने ज़्यादा खुश आवाज़ में कहा, 'उन्हें कभी नई झाड़ू नहीं मिली! काश मैं मम्मी के साथ जाकर झाड़ू पसंद कर पाता ... वे कभी निम्बस तो ख़रीद नहीं पाएँगी, लेकिन बाज़ार में नई क्लीनस्वीप झाड़ू आई है, वह बहुत अच्छी रहेगी ... हाँ, मैं जाकर उन्हें बता देता हूँ कि मुझे क्लीनस्वीप झाड़ू अच्छी लगती है, ताकि वे उसे ही ख़रीद लाएँ ...'

वह भागकर कमरे से बाहर निकल गया और हैरी तथा हर्माइनी को अकेला छोड़ गया।

न जाने क्यों हैरी हर्माइनी की तरफ़ नहीं देखना चाहता था। वह अपने पलंग की तरफ़ मुड़ा और उसने साफ़ दुशालों का वह ढेर उठा लिया, जो मिसेज़ वीज़्ली वहाँ छोड़ गई थीं। फिर वह उन्हें लेकर अपने संदूक की तरफ़ बढ़ने लगा।

'हैरी?' हर्माइनी ने धीरे से कहा।

'बहुत बढ़िया हर्माइनी,' हैरी ने इतने उत्साह से कहा कि उसकी आवाज़ बड़ी अजीब लग रही थी, बहरहाल उसने हर्माइनी की तरफ़ नहीं देखा, 'बढ़िया। प्रिफ़ेक्ट। बहुत बढ़िया।'

'धन्यवाद,' हर्माइनी ने कहा। 'अच्छा, हैरी – क्या मैं हेडविग का इस्तेमाल कर सकती हूँ? मुझे अपने मम्मी-डैडी को यह ख़बर देनी है। वे सचमुच बहुत ख़ुश होंगे – मेरा मतलब है, वे *प्रिफ़ेक्ट* बनने का मतलब समझते हैं।'

'हाँ, कोई दिक्क़त नहीं,' हैरी ने अब भी उसी भयंकर उत्साहपूर्ण आवाज़ में कहा, जो उसकी सामान्य आवाज़ से बहुत अलग थी। 'उसे ले लो!'

वह अपने संदूक पर झुका, उसकी तलहटी में दुशाले रखे और फिर किसी चीज़ को खोजने का नाटक करने लगा। इस दौरान हर्माइनी कपड़ों की अलमारी की तरफ़ गई और उसने हेडविग को पुकारकर नीचे बुला लिया। कुछ पल बाद हैरी को दरवाज़ा बंद होने की आवाज़ आई, लेकिन वह झुके-झुके ही सुनता रहा। उसे सिर्फ़ दीवार पर टँगी ख़ाली तस्वीर के खी-खी करने और कोने में रखी वेस्टपेपर बास्केट के खाँसने की आवाज़ें सुनाई दे रही थीं।

वह सीधा खड़ा हुआ और पीछे की तरफ़ देखने लगा। हर्माइनी और

हेडविग जा चुकी थीं। हैरी ने तेज़ी से कमरे के पार जाकर दरवाज़ा बंद कर दिया। फिर वह सुस्त क़दमों से अपने पलंग के पास आया और उस पर धँस गया। वह कपड़ों की अलमारी के निचले हिस्से को घूरने लगा, लेकिन सच तो यह था कि वह शून्य में ताक रहा था।

वह यह बात बिलकुल ही भूल गया था कि फ़िफ़्थ ईयर में प्रिफ़ेक्ट्स चुने जाते हैं। वह हॉगवर्ट्स से निकाले जाने की आशंका से इतना चिंतित *था* कि उसे यह ख़्याल ही नहीं रहा *था* कि उल्लू चुने हुए विद्यार्थियों के पास बैज ला रहे होंगे। लेकिन अगर उसे यह याद *होता* ... अगर उसने इसके बारे में सोचा *होता* ... तो उसे क्या उम्मीद होती?

यह तो नहीं, उसके दिमाग़ के भीतर एक धीमी और सच्ची आवाज़ आई।

हैरी ने अपना चेहरा सिकोड़ा और उसे दोनों हाथों में छिपा लिया। वह ख़ुद से झूठ नहीं बोल सकता था। अगर उसे पता होता कि प्रिफ़ेक्ट का बैज आने वाला है, तो उसे यह उम्मीद होती कि वह रॉन के पास नहीं, बल्कि उसके पास आएगा। क्या इससे यह साबित होता है कि वह भी ड्रेको मैल्फ़ॉय जितना ही घमंडी है? क्या वह भी ख़ुद को बाक़ी लोगों से *श्रेष्ठ* मानता है? क्या उसे सचमुच भरोसा था कि वह रॉन से *ज़्यादा अच्छा* है?

नहीं, धीमी आवाज़ ने विरोध में कहा।

क्या यह सच है? हैरी ने सोचा और तनाव में अपनी भावनाओं की जाँच-पड़ताल करने लगा।

उस आवाज़ ने कहा, *मैं क्विडिच में ज़्यादा अच्छा हूँ। लेकिन मैं बाक़ी किसी चीज़ में ज़्यादा अच्छा नहीं हूँ।*

हैरी ने सोचा, यह बिलकुल सच था। वह पढ़ाई में रॉन से ज़्यादा अच्छा नहीं था। लेकिन पढ़ाई के अलावा बाक़ी कामों में? उन रोमांचक अभियानों में, जो हॉगवर्ट्स में उसने, रॉन और हर्माइनी ने मिलकर किए थे तथा स्कूल से बाहर निकाले जाने से भी बड़े ख़तरे उठाए थे?

हैरी के दिमाग़ की आवाज़ ने कहा, *उन रोमांचक अभियानों में ज़्यादातर समय रॉन और हर्माइनी भी तो मेरे साथ थे।*

हर समय तो नहीं, हैरी ने ख़ुद से बहस करते हुए कहा। वे मेरे साथ क्विरिल से नहीं लड़े थे। उन्होंने रिडल और कालदृष्टि से मुक़ाबला नहीं किया था। जिस रात सिरियस भागा था, उस रात को उन्होंने दमपिशाचों को दूर नहीं भगाया था। जिस रात वोल्डेमॉर्ट की वापसी हुई थी, उस रात को वे लोग क़ब्रिस्तान में नहीं थे ...

फिर उसके मन में उसी तरह की कुंठा का सैलाब घुमड़ने लगा, जैसा ग्रिमॉल्ड चौक में आने वाली रात को हुआ था। हैरी ने ग़ुस्से से सोचा, मैंने निश्चित रूप से ज़्यादा बड़े काम किए हैं। मैंने उन दोनों से बहुत ज़्यादा बड़े काम किए हैं!

'धीमी आवाज़ ने न्यायपूर्ण ढंग से कहा, *लेकिन शायद डम्बलडोर प्रिफ़ेक्ट्स को ख़तरनाक कामों के आधार पर नहीं चुनते होंगे ... शायद वे किसी दूसरें आधार पर प्रिफ़ेक्ट चुनते होंगे ... रॉन में ऐसी कोई बात होगी, जो तुममें नहीं है ...*

हैरी ने आँखें खोलीं और अपनी उँगलियों के बीच से अलमारी के पाए देखे। उसे फ्रेड की कही बात याद आ गई : 'जिसका दिमाग़ सही तरीक़े से काम करता होगा, वह रॉन को प्रिफ़ेक्ट नहीं बना सकता ...'

हैरी धीरे से हँसा, लेकिन एक पल बाद ही ख़ुद से नाराज़ हो गया।

रॉन ने तो डम्बलडोर से नहीं कहा था कि वे उसे प्रिफ़ेक्ट बना दें। इसमें रॉन की कोई ग़लती नहीं थी। और हैरी तो रॉन का सबसे अच्छा दोस्त है! क्या वह सिर्फ़ इस बात पर मुँह फुला लेगा कि उसे बैज नहीं मिला? क्या वह इस कारण रॉन की पीठ पीछे उसके जुड़वाँ भाइयों के साथ उसकी हँसी उड़ाएगा और रॉन की ख़ुशी कम कर देगा, जबकि वह पहली बार किसी काम में हैरी से आगे निकला था?

तभी हैरी को सीढ़ियों पर रॉन के क़दमों की आहट सुनाई दी। जब रॉन दरवाज़े से अंदर आया, तो हैरी खड़ा हो गया। उसने अपना चश्मा सीधा किया और मुस्कराया।

'अभी-अभी मम्मी को पकड़ लिया!' रॉन ने ख़ुश होकर कहा। 'वे कहती हैं कि अगर वे ला सकीं, तो क्लीनस्वीप ले आएँगी।'

'बहुत बढ़िया,' हैरी ने कहा। उसे यह जानकर बड़ी राहत मिली कि अब उसकी आवाज़ में नक़ली उत्साह नहीं था। 'सुनो – रॉन – बहुत बढ़िया, दोस्त।'

रॉन के चेहरे की मुस्कान उड़ गई।

'मैंने कभी सोचा भी नहीं था कि प्रिफ़ेक्ट मैं बनूँगा!' उसने अपना सिर हिलाते हुए कहा। 'मैंने तो सोचा था कि प्रिफ़ेक्ट तुम बनोगे!'

'नहीं, मैंने बहुत दिक्क़तें खड़ी की हैं,' हैरी ने फ्रेड की बात दोहराते हुए कहा।

'हाँ,' रॉन ने कहा, 'हाँ, यही बात होगी ... चलो, अब अच्छा यही रहेगा कि हम अपने संदूक पैक कर लें, है ना?'

बड़ी अजीब बात थी कि यहाँ आने के बाद से उनका सामान बहुत बिखर गया था। पूरे घर से पुस्तकें और बाक़ी सामान बटोरकर स्कूल के संदूक में भरने में उन्हें दोपहर का ज़्यादातर वक़्त लग गया। हैरी ने देखा कि रॉन अपने प्रिफ़ेक्ट के बैज को चारों तरफ़ रख-रखकर देख रहा था। उसने उसे पहले अपने पलंग के पास वाली टेबल पर रखा, फिर अपनी जीन्स की जेब में रखा, फिर उसे निकालकर तह किए दुशालों पर रखा, जैसे देखना चाहता हो कि काले दुशाले पर लाल बैज कैसा दिखता है। आख़िरकार जब फ़्रेड और जॉर्ज ने आकर यह प्रस्ताव रखा कि वे इस बैज को उसके माथे पर स्थायी चिपकू सम्मोहन से चिपका देंगे, तब कहीं जाकर रॉन ने उसे मैरून मोज़े में प्यार से लपेटकर अपने संदूक में रखा।

मिसेज़ वीज़्ली शाम छह बजे छूमंतर गली से लौटीं। उनके हाथों में पुस्तकों के अलावा एक लंबा पैकेट भी था, जो मोटे भूरे काग़ज़ में लिपटा था। रॉन ने बड़ी हसरत से वह पैकेट ले लिया।

मिसेज़ वीज़्ली ने कहा, 'तुम इसे अभी मत खोलना। आज शाम डिनर पर कुछ लोग आ रहे हैं। मैं चाहती हूँ कि तुम सभी लोग नीचे चलो।' लेकिन जैसे ही वे नज़रों से ओझल हुईं, रॉन ने फ़ुर्ती से काग़ज़ फाड़ा और अपनी नई झाड़ू के हर हिस्से को ग़ौर से देखने लगा। उसके चेहरे पर परम आनंद का भाव था।

नीचे तलघर में मिसेज़ वीज़्ली ने खाने-पीने के सामानों से भरी डिनर टेबल के ऊपर एक लाल बैनर लटका दिया था, जिस पर लिखा था :

नए प्रिफ़ेक्ट्स
रॉन और हर्माइनी
को बधाइयाँ

हैरी को यह एहसास हुआ कि पूरी छुट्टियों में वे पहले कभी इतनी ख़ुश नहीं दिखी थीं।

जब हैरी, रॉन, हर्माइनी, फ़्रेड, जॉर्ज और जिनी डाइनिंग रूम में दाख़िल हुए, तो मिसेज़ वीज़्ली बोलीं, 'मैंने सोचा कि क्यों न बैठकर डिनर करने के बजाय एक छोटी पार्टी कर ली जाए! रॉन, तुम्हारे डैडी और बिल रास्ते में हैं। मैंने उन दोनों के पास उल्लू से ख़बर भेज दी थी और वे *रोमांचित* हैं,' उन्होंने मुस्कराते हुए कहा।

फ़्रेड ने अपनी आँखें गोल-गोल घुमा लीं।

सिरियस, ल्यूपिन, टौंक्स और किंग्सले शैकलबोल्ट पहले से ही वहाँ मौजूद थे। कुछ देर में बावरे-नैन मूडी भी ठक-ठक करते हुए वहाँ आ गए, जब

हैरी बटरबियर पीने में जुटा था।

'ओह अलैस्टर, मुझे ख़ुशी है कि आप आ गए,' मिसेज़ वीज़्ली ने दमकते हुए कहा, जब बावरे-नैन ने अपना यात्री चोगा उतारा। 'हम बहुत समय से आपसे एक बात पूछना चाहते थे - क्या आप ड्रॉइंग रूम वाली लिखने की डेस्क पर नज़र डालकर बता सकते हैं कि इसके भीतर क्या है? हमने इसे इसलिए नहीं खोला कि कहीं इसके अंदर कोई भयंकर चीज़ न हो।'

'कोई दिक्क़त नहीं, मॉली ...'

मूडी की नीली आँख ऊपर की तरफ़ घूमी और किचन की छत को घूरने लगी।

'ड्रॉइंग रूम ...' वे पुतली को सिकोड़कर गुर्राए। 'कोने में रखी डेस्क? हाँ, यह मुझे दिख रही है ... हाँ, बहुरूपिया है ... मॉली, क्या तुम चाहती हो कि मैं ऊपर जाकर उसे वहाँ से निकाल दूँ?'

'नहीं, नहीं, मैं यह काम बाद में कर लूँगी,' मिसेज़ वीज़्ली ने मुस्कराते हुए कहा, 'आप अपना ड्रिंक बना लें। दरअसल हम छोटा सा जश्न कर रहे हैं ...' उन्होंने लाल बैनर की तरफ़ इशारा किया। 'परिवार में चौथा प्रिफ़ेक्ट!' उन्होंने प्यार से रॉन के बाल सहलाते हुए कहा।

'प्रिफ़ेक्ट, अह?' मूडी गुर्राए। उनकी सामान्य आँख रॉन पर थी, लेकिन जादुई आँख घूमकर सिर के दूसरी तरफ़ पहुँच गई थी। हैरी को यह कष्टकारी एहसास हुआ कि वह आँख उसे ही घूर रही थी। वह सिरियस और ल्यूपिन की तरफ़ चल दिया।

'बधाइयाँ,' मूडी ने कहा, जो अब भी अपनी सामान्य आँख से रॉन को घूर रहे थे, 'अधिकारसंपन्न लोग हमेशा अपनी ओर मुश्किलों को आकर्षित करते हैं, लेकिन डम्बलडोर शायद यह मानते हैं कि तुम ज़्यादातर शापों को झेल सकते हो, वरना उन्होंने तुम्हें प्रिफ़ेक्ट नहीं बनाया होता ...'

रॉन मामले के इस पहलू से थोड़ा हैरान हो गया, लेकिन उसके पिता और बड़े भाई के आने के कारण वह जवाब देने की दिक्क़त से बच गया। मिसेज़ वीज़्ली इतने अच्छे मूड में थीं कि उन्होंने यह शिकायत तक नहीं की कि वे मंडंगस को साथ लाए थे। वह एक लंबा ओवरकोट पहने हुए था, जो अजीब जगहों पर थोड़ा उभरा दिख रहा था। उसने अपना ओवरकोट उतारकर मूडी के यात्री चोगे के पास रखने से इंकार कर दिया।

'मुझे लगता है कि इस बात पर तो टोस्ट होना चाहिए,' मिस्टर वीज़्ली ने कहा, जब सभी ने अपने-अपने ड्रिंक उठा लिए। उन्होंने अपना प्याला उठाया। 'गरुड़द्वार के नए प्रिफ़ेक्ट्स रॉन और हर्माइनी के नाम!'

रॉन और हर्माइनी मुस्कराने लगे, जब सबने उनके नाम पर जाम पिया और फिर तालियाँ बजाईं।

'मैं कभी प्रिफ़ेक्ट नहीं बनी,' टौंक्स ने हैरी के पीछे से कहा, जब सभी लोग डिनर लेने के लिए टेबल की तरफ़ बढ़े। आज उसके बाल टमाटर जैसे लाल और कमर तक लंबे थे। वह जिनी की बड़ी बहन लग रही थी। 'मेरी हाउस प्रमुख का कहना था कि मुझमें कई आवश्यक गुणों की कमी थी।'

'जैसे क्या?' जिनी ने कहा, जो एक भुना आलू अपनी प्लेट में रख रही थी।

'जैसे ख़ुद पर क़ाबू रखने की क्षमता,' टौंक्स बोली।

जिनी हँस दी। हर्माइनी को देखकर ऐसा लग रहा था, जैसे उसे यह समझ में नहीं आ रहा हो कि वह मुस्कराए या न मुस्कराए। इसके बजाय उसने बटरबियर का एक बहुत बड़ा घूँट ले लिया, जो उसके गले में अटक गया।

'और तुम, सिरियस?' जिनी ने हर्माइनी की पीठ थपथपाते हुए पूछा।

सिरियस हैरी के ठीक पास बैठा था। उसने भौंकने जैसी हँसी बाहर निकाली।

'कोई भी मुझे प्रिफ़ेक्ट नहीं बना सकता था। जेम्स के साथ सज़ा काटने में मेरा बहुत ज़्यादा वक़्त गुज़रता था। ल्यूपिन अच्छा लड़का था, इसलिए प्रिफ़ेक्ट का बैज उसे ही मिला।'

'मुझे लगता है, डम्बलडोर को यह उम्मीद रही होगी कि मैं अपने सबसे अच्छे दोस्तों पर थोड़ा क़ाबू कर पाऊँगा,' ल्यूपिन ने कहा। 'मुझे यह कहने की ज़रूरत नहीं है कि मैं इस काम में बुरी तरह असफल रहा।'

हैरी का मूड अचानक सही हो गया। उसके पिता भी प्रिफ़ेक्ट नहीं थे। अचानक पार्टी ज़्यादा ख़ुशनुमा लगने लगी। उसने अपनी प्लेट भरी और अब वह कमरे में मौजूद हर व्यक्ति से दोगुना स्नेह करने लगा।

रॉन हर सुनने वाले को अपनी नई झाड़ू की ख़ूबियाँ बताने में जुटा हुआ था।

'... दस सेकंड में सत्तर की रफ़्तार पकड़ लेती है। बुरा नहीं है, है ना! ज़रा सोचो, कॉमेट 290 शून्य से सिर्फ़ साठ की रफ़्तार पकड़ पाती है और वह भी तब, जब हवा सही दिशा में चल रही हो। *कौन सी झाड़ू* में यह साफ़ लिखा है!'

हर्माइनी बहुत गंभीरता से ल्यूपिन को घरेलू जिन्नों के अधिकारों के बारे में अपने विचार बता रही थी।

'मेरा मतलब है, यह तो उसी तरह की बकवास है, जिस तरह नरभेड़ियों

को अलग रखना, है ना? इस बात की असली जड़ तो यह है कि जादूगर ख़ुद को बाक़ी सभी प्राणियों से श्रेष्ठ समझते हैं ...'

मिसेज़ वीज़्ली और बिल की बहस का विषय पुराना था, जो बिल के बालों से जुड़ा था।

'... ये अब हाथ से निकल रहे हैं और तुम इतने अच्छे दिखते हो। छोटे बाल ज़्यादा अच्छे लगेंगे। है ना, हैरी?'

'ओह - क्या पता -' हैरी ने कहा, जो इस बारे में राय माँगे जाने पर चौंक गया था। वह फ़्रेड और जॉर्ज की दिशा में चल दिया, जो मंडंगस के साथ एक कोने में बातें कर रहे थे।

हैरी को देखकर मंडंगस चुप हो गया, लेकिन फ़्रेड ने आँख मारकर हैरी को पास आने का इशारा किया।

उसने मंडंगस से कहा, 'हैरी से **कोई दिक्क़त नहीं है।** हम हैरी पर भरोसा कर सकते हैं। वह हमारा फ़ाइनैंसर है।'

'देखो तो सही, डंग हमारे लिए क्या लाया है?' जॉर्ज ने अपनी हथेली फैलाकर हैरी को दिखाई। इसमें रखी चीज़ें सिकुड़ी हुई काली फलियों जैसी लग रही थीं। हालाँकि वे हिल-डुल नहीं रही थीं, लेकिन उनमें से हल्की खड़खड़ की आवाज़ आ रही थी।

'ज़हरीले टेंटेकुला के बीज,' जॉर्ज ने कहा। 'हमें गोतामार टॉफ़ियों के लिए इनकी ज़रूरत थी, लेकिन क्लास सी के प्रतिबंधित सामान होने के कारण उनके बेचने पर पाबंदी है, इसलिए हमें थोड़ी दिक्क़त आ रही थी।'

फ़्रेड ने कहा, 'डंग, पूरे सामान के दस गैलियन?'

'तुम्हें पता है, उन्हें यहाँ तक लाने में मुझे कितनी मुश्किल आई है?' मंडंगस ने कहा और उसकी धँसी हुई लाल आँखें फैल गईं। 'नहीं लड़को, मैं बीस गैलियन से एक नट भी कम नहीं लूँगा।'

फ़्रेड ने हैरी से कहा, 'डंग बहुत बढ़िया मज़ाक़ कर लेता है!'

'हाँ, उसका सबसे अच्छा मज़ाक़ यह था कि उसने गाँठदार क़लमों के एक थैले के बदले में छह सिकल माँगे थे,' जॉर्ज बोला।

हैरी ने उन्हें धीरे से चेतावनी दी, 'ज़रा ध्यान से।'

'क्या?' फ़्रेड ने कहा। 'मम्मी को तो प्रिफ़ेक्ट रॉन को निहारने से ही फ़ुरसत नहीं है। हमारी तरफ़ **किसी का ध्यान नहीं है।**'

हैरी ने कहा, 'लेकिन मूडी की जादुई आँख तुम पर पड़ सकती है।'

मंडंगस ने घबराकर पीछे देखा।

'सही कहा,' वह बुदबुदाया। 'ठीक है लड़को, दस गैलियन ही दे दो, लेकिन जल्दी करो।'

'शाबाश हैरी!' फ़्रेड ने ख़ुश होकर कहा, जब मंडंगस ने अपनी जेबों का सारा सामान जुड़वाँ भाइयों के खुले हाथों में ख़ाली कर दिया और डिनर टेबल की तरफ़ चल दिया। 'अच्छा यही रहेगा कि हम इन्हें ऊपर की मंज़िल पर रख आएँ ...'

हैरी उन्हें जाते हुए देखता रहा और थोड़ी उलझन में पड़ गया। उसके मन में अभी-अभी यह ख़्याल आया था कि जब भी वीज़्ली दंपति को जुड़वाँ भाइयों के जोक शॉप व्यवसाय के बारे में पता चलेगा, तो उनके मन में यह सवाल ज़रूर उठेगा कि इसके लिए उनके पास पैसे कहाँ से आए थे। उस वक़्त जुड़वाँ भाइयों को त्रिकोणीय टूर्नामेंट में जीती हुई रक़म देना बहुत सामान्य बात लग रही थी, लेकिन अगर इससे एक और पारिवारिक विवाद हो गया तथा पर्सी की तरह अलगाव हो गया, तो क्या होगा? क्या मिसेज़ वीज़्ली तब भी हैरी को अपने बेटे जैसा मानेंगी, जब उन्हें यह पता चलेगा कि उसी ने इस काम को शुरू करने में फ़्रेड और जॉर्ज की मदद की है, जो उनके हिसाब से उपयुक्त नहीं था?

जुड़वाँ भाई उसे जहाँ छोड़ गए थे, वह वहीं खड़ा रहा। उसके पेट में खलबली मची हुई थी। तभी उसे अपना नाम सुनाई दिया। किंग्सले शैकलबोल्ट की गहरी आवाज़ आस-पास की चटर-पटर के बावजूद साफ़ सुनाई दे रही थी।

'... डम्बलडोर ने पॉटर को प्रिफ़ेक्ट क्यों नहीं बनाया?' किंग्सले ने पूछा।

ल्यूपिन बोले, 'उन्होंने किसी कारण से ही ऐसा नहीं किया होगा।'

'लेकिन इससे यह पता चलता कि उन्हें उस पर भरोसा है। मैं होता, तो यही करता,' किंग्सले ने ज़ोर देकर कहा, 'ख़ासकर तब, जब *दैनिक जादूगर* हर कुछ दिनों में उस पर ताने मारता रहता है ...'

हैरी ने मुड़कर नहीं देखा। वह नहीं चाहता था कि ल्यूपिन या किंग्सले को यह पता चले कि उसने उनकी बातें सुन ली थीं। हालाँकि उसे ज़रा भी भूख नहीं लग रही थी, लेकिन वह मंडंगस के पीछे-पीछे टेबल तक चला आया। पार्टी में उसकी ख़ुशी जितनी जल्दी आई थी, उतनी ही जल्दी काफ़ूर भी हो गई। वह सोच रहा था कि काश वह ऊपर की मंज़िल पर अपने पलंग पर ही होता, तो कितना अच्छा होता!

बावरे-नैन मूडी मुर्गे की एक टाँग को अपनी बची-खुची नाक से सूँघ रहे थे। ज़ाहिर है, उन्हें इसमें ज़हर की कोई गंध नहीं आई, क्योंकि उन्होंने अपने

दाँतों से इसका एक बड़ा टुकड़ा तोड़ लिया।

रॉन टौंक्स को बता रहा था, '... हैंडल स्पेनिश ओक का बना है। इस पर मंत्ररोधी पॉलिश है और इसमें कंपन नियंत्रण भी लगा है –'

मिसेज़ वीज़्ली ने ज़ोर से जम्हाई ली।

'अच्छा, तो अब मैं सोने से पहले उस बहुरूपिए को वहाँ से भगा देती हूँ ... आर्थर, मैं नहीं चाहती कि बच्चे ज़्यादा देर तक जागें, ठीक है? गुड नाइट, हैरी बेटा।'

वे किचन से बाहर चली गईं। हैरी ने अपनी प्लेट नीचे रखी और सोचने लगा कि क्या वह भी किसी का ध्यान आकर्षित किए बिना चुपचाप उनके पीछे-पीछे जा सकता है।

तभी मूडी बोल पड़े, 'तुम ठीक हो, पॉटर?'

'हाँ, ठीक हूँ,' हैरी ने झूठ बोल दिया।

मूडी ने अपने थर्मस से एक घूँट लिया और अपनी नीली आँख से हैरी को कनखियों से देखने लगे।

उन्होंने कहा, 'यहाँ आओ, मेरे पास एक ऐसी चीज़ है, जिसमें तुम्हारी दिलचस्पी हो सकती है।'

अपने दुशाले के अंदर की एक जेब से मूडी ने जादूगरों का एक फटा-पुराना सा फ़ोटो निकाला।

मूडी गुर्राए, 'मायापंछी का मूल समूह। कल रात जब मैं अपना दूसरा अदृश्य चोगा ढूँढ़ रहा था, तब यह मुझे मिल गया। मेरा सबसे अच्छा चोगा पोडमोर ले गया था और उसमें इतनी भी तमीज़ नहीं है कि वह उसे लौटा दे ... मुझे लगा कि शायद लोगों को यह फ़ोटो देखना अच्छा लगे।'

हैरी ने फ़ोटो ले लिया। उसमें कई लोग थे, जिनमें से कुछ उसकी तरफ़ देखकर हाथ हिला रहे थे और कई अपने गिलास उठाकर उसकी तरफ़ देख रहे थे।

'वह मैं हूँ,' मूडी ने फ़ोटो में अपनी तरफ़ इशारा करते हुए कहा, हालाँकि उसकी कोई ज़रूरत नहीं थी। तस्वीर में मूडी को पहचानने में कोई ग़लती नहीं हो सकती थी, हालाँकि उनके बाल थोड़े कम सफ़ेद थे और उनकी नाक सही-सलामत थी। 'मेरे एक तरफ़ डम्बलडोर हैं और दूसरी तरफ़ डीडेलस डिगल है ... वह मर्लीन मैककिनॉन है। तस्वीर खिंचने के दो सप्ताह बाद ही शैतानी जादूगरों ने उसे मार डाला – उन्होंने उसके पूरे परिवार को ख़त्म कर दिया। और वे हैं फ्रैंक तथा एलिस लाँगबॉटम –'

हैरी के पेट में पहले से ही खलबली मची हुई थी। एलिस लॉंगबॉटम की तरफ़ देखते ही उसका पेट जकड़ने लगा। हालाँकि वह उनसे कभी नहीं मिला था, लेकिन वह उनके गोल, दोस्ताना चेहरे को बहुत अच्छी तरह पहचानता था, क्योंकि उनके बेटे नेविल की शक्ल हूबहू उन्हीं जैसी थी।

'– बेचारे,' मूडी गुर्राए। 'उनके साथ जो हुआ, उससे अच्छा तो यही होता कि वे मर जाते ... और वह है एमेलिन वैन्स ... तुम उससे मिल चुके हो। और ज़ाहिर है, वह ल्यूपिन है ... बेंजी फ़ेनविक, वह भी मारा गया। हमें उसके सिर्फ़ चिथड़े ही मिल पाए ... बग़ल में हटो,' उन्होंने कहा और तस्वीर को कुरेदा, जिससे फ़ोटो के अंदर के लोग एक तरफ़ हट गए, ताकि पीछे दब रहे लोग सामने की तरफ़ आ सकें।

'वह एडगर बोन्स है ... अमेलिया बोन्स का भाई। उन्होंने उसे और उसके परिवार को भी मार डाला। वह बहुत बड़ा जादूगर था ... स्टर्गिस पोडमोर, ओह, वह फ़ोटो में कितना जवान दिखता है ... कैरेडोक डियरबॉर्न, इसके छह महीने बाद लापता हो गया। हमें उसकी लाश तक नहीं मिली ... एल्फ़ियस डोज़, तुम उससे मिल चुके हो। मैं तो भूल ही गया था कि वह इतना मूर्खतापूर्ण हैट पहनता था ... गिडियन प्रुएट, उसे और उसके भाई फ़ेबियन को मारने के लिए पाँच प्राणभक्षियों की ज़रूरत पड़ी। वे बहादुरी से लड़े थे ... एक तरफ़ हटो, एक तरफ़ हटो ...'

फ़ोटो के अंदर के लोग आपस में धक्का-मुक्की करने लगे और जो लोग पीछे दाहिनी तरफ़ दबे थे, वे तस्वीर में सामने नज़र आने लगे।

'वह डम्बलडोर का भाई एबरफ़ोर्थ है। मैं उससे सिर्फ़ एक बार ही मिला हूँ। बड़ा अजीब आदमी है ... वह डोर्कस मीडोज़ है। वोल्डेमॉर्ट ने उसे ख़ुद मारा था ... यह सिरियस है, उस वक़्त उसके बाल छोटे थे ... और ... यह देखो, मुझे लग रहा था कि तुम इन्हें देखना चाहोगे!'

हैरी का दिल उछलने लगा। उसके मम्मी-डैडी उसकी तरफ़ देखकर मुस्करा रहे थे। उनके बीच में एक नाटा, पानीदार आँखों वाला आदमी बैठा था, जिसे हैरी फ़ौरन पहचान गया। यह वर्मटेल था, जिसने वोल्डेमॉर्ट को उसके मम्मी-डैडी का पता-ठिकाना बताया था और जो उनकी मौत का ज़िम्मेदार था।

'अह ?' मूडी ने कहा।

हैरी ने मूडी के क्षत-विक्षत और निशानों से भरे चेहरे को देखा। मूडी को यह लग रहा था कि उन्होंने हैरी का दिल ख़ुश कर दिया है।

'हाँ,' हैरी ने दोबारा मुस्कराने की कोशिश करते हुए कहा। 'अर ... सुनिए, मुझे अभी-अभी याद आया है। मैंने अपना सामान तो पैक किया ही

नहीं है ...'

उसे यह बताने की दिक्क़त नहीं उठानी पड़ी कि उसने कौन सा सामान पैक नहीं किया है, क्योंकि उसी समय सिरियस बोल पड़ा, 'तुम्हारे पास क्या है, बावरे-नैन ?' यह सुनकर मूडी सिरियस की तरफ़ मुड़ गए। हैरी ने किचन पार किया, दरवाज़े से निकला और तेज़ी से सीढ़ियाँ चढ़ने लगा, ताकि कहीं कोई उसे वापस न बुला ले।

वह नहीं जानता था कि उसे वह फ़ोटो देखकर इतना सदमा क्यों लगा था। आख़िर उसने अपने मम्मी-डैडी के फ़ोटो पहले भी देखे थे और वह वर्मटेल से मिल भी चुका था ... लेकिन इस तरह अचानक, अप्रत्याशित ढंग से उनकी तस्वीरें देखना ... उसने ग़ुस्से से सोचा, किसी को भी यह बात पसंद नहीं आएगी ...

और फिर, उन्हें इतने सारे ख़ुश चेहरों के बीच देखना ... बेंजी फ़ेनविक, जिसके सिर्फ़ चिथड़े मिले थे और गिडियन प्रुएट, जो बहादुरों की मौत मरा था और लॉंगबॉटम दंपति, जिन्हें यातना देकर पागल कर दिया गया था ... सभी फ़ोटो में ख़ुशी से हाथ हिला रहे थे। वे यह नहीं जानते थे कि उन पर संकट आने वाला है ... हो सकता है मूडी को यह बात दिलचस्प लगे ... लेकिन हैरी तो इससे परेशान हो गया था ...

हैरी पंजों के बल चलकर सीढ़ियों के ऊपर गया। वह घरेलू जिन्नों के सिरों के पास से होता हुआ हॉल में पहुँचा। उसे ख़ुशी थी कि वह अकेला था, लेकिन जैसे ही वह पहली मंज़िल पर पहुँचा, उसे एक आवाज़ सुनाई दी। कोई ड्रॉइंग रूम में सुबक रहा था।

'कौन है ?' हैरी ने कहा।

कोई जवाब नहीं मिला, लेकिन सुबकने की आवाज़ आती रही। वह बाक़ी बची सीढ़ियाँ दो-दो करके चढ़ गया और उसने ड्रॉइंग रूम का दरवाज़ा खोल दिया।

कोई महिला अँधेरी दीवार पर झुकी हुई थी। उस महिला के हाथ में छड़ी थी और सुबकने के कारण उसका पूरा शरीर काँप रहा था। चाँद की रोशनी में साफ़ दिख रहा था कि धूल भरे पुराने गलीचे पर रॉन की लाश पड़ी थी।

हैरी के फेफड़ों की सारी हवा निकल गई। उसे महसूस हुआ, जैसे वह फ़र्श से नीचे गिर रहा हो। उसका दिमाग़ बर्फ़ की तरह ठंडा हो गया। रॉन मर गया, नहीं, यह नहीं हो सकता -

लेकिन ज़रा ठहरो, *यह नहीं हो सकता* - रॉन तो नीचे था -

'मिसेज़ वीज़्ली ?' हैरी ने रुँधी आवाज़ में कहा।

'हा-हा-हास्यांतरण!' मिसेज़ वीज़्ली ने सुबकते हुए कहा और अपनी काँपती हुई छड़ी रॉन के शरीर की तरफ़ हिलाई।

कड़ाक।

रॉन का शरीर बिल के शरीर में बदल गया, जो पीठ के बल लेटा हुआ था और जिसकी आँखें खुली तथा सूनी थीं। मिसेज़ वीज़्ली पहले से भी ज़्यादा तेज़ी से सुबकने लगीं।

'हा-हास्यांतरण!' वे दोबारा सुबकते हुए बोलीं।

कड़ाक।

अब बिल की जगह पर मिस्टर वीज़्ली का शरीर आ गया। उनका चश्मा एक तरफ़ था और उनके चेहरे पर ख़ून की धार बह रही थी।

'नहीं!' मिसेज़ वीज़्ली कराहते हुए बोलीं। 'नहीं ... *हास्यांतरण! हास्यांतरण! हास्यांतरण!'*

कड़ाक। जुड़वाँ भाइयों की लाशें। *कड़ाक।* पर्सी की लाश। *कड़ाक।* हैरी की लाश ...

'मिसेज़ वीज़्ली, आप यहाँ से चलें!' हैरी चिल्लाया और फ़र्श पर पड़ी अपनी लाश की तरफ़ घूरने लगा। 'किसी और को –'

'क्या हो रहा है ?'

ल्यूपिन कमरे में दौड़ते हुए आ गए थे। उनके ठीक पीछे सिरियस था और सिरियस के पीछे मूडी खट-खट करते हुए आ रहे थे। ल्यूपिन ने मिसेज़ वीज़्ली को देखने के बाद फ़र्श पर मुर्दा पड़े हैरी को देखा और उन्हें एक पल में माजरा समझ में आ गया। अपनी छड़ी निकालते हुए उन्होंने बहुत दृढ़ता और स्पष्टता से कहा :

'हास्यांतरण!'

हैरी की लाश ग़ायब हो गई। जहाँ लाश पड़ी थी, उस जगह के ठीक ऊपर हवा में एक सफ़ेद गोला दिखने लगा। ल्यूपिन ने एक बार फिर अपनी छड़ी लहराई और गोला धुएँ की लहर में ग़ायब हो गया।

'ओह – ओह – ओह!' मिसेज़ वीज़्ली बोलीं और अपने हाथों में चेहरा छिपाकर फिर से रोने लगीं।

'मॉली,' ल्यूपिन ने उनके पास जाते हुए गंभीरता से कहा। 'मॉली, नहीं ...'

अगले ही पल वे ल्यूपिन के कंधे पर सिर रखकर सुबकने लगीं।

'मॉली, वह तो सिर्फ़ एक बहुरूपिया था,' उन्होंने तसल्ली देते हुए कहा और मिसेज़ वीज़्ली का सिर थपथपाया। 'बस एक मूर्ख बहुरूपिया ...'

'मैं हर समय उन्हीं की लाश देखती रहती हूँ!' मिसेज़ वीज़्ली ने उनके कंधे में मुँह छिपाकर कहा। 'हर समय! मुझे बुरे-बुरे सपने आते रहते हैं ...'

सिरियस गलीचे के उस हिस्से की तरफ़ घूर रहा था, जहाँ बहुरूपिया हैरी की लाश बनकर पड़ा हुआ था। मूडी हैरी की तरफ़ देख रहे थे, लेकिन हैरी उनसे नज़रें मिलाने से कतरा रहा था। उसे यह अजीब एहसास हो रहा था कि जब से वह किचन से बाहर निकला था, तभी से मूडी की जादुई आँख उसका पीछा कर रही थी।

'आ - आ - आर्थर को मत बताना,' मिसेज़ वीज़्ली अब अपनी आस्तीन से अपनी आँखें पोंछ रही थीं। 'मैं - मैं नहीं चाहती कि उन्हें यह पता चले ... मैं भी कितनी मूर्ख हूँ ...'

ल्यूपिन ने उन्हें एक रूमाल दिया और उन्होंने अपनी नाक साफ़ की।

'हैरी, मुझे बहुत अफ़सोस है। तुम मेरे बारे में क्या सोचोगे?' उन्होंने काँपती आवाज़ में कहा। 'मैं एक बहुरूपिए को भी नहीं भगा पाई ...'

'आप भी कैसी बातें कर रही हैं,' हैरी ने मुस्कराने की कोशिश करते हुए कहा।

'मैं बहुत - बहुत चिंता में हूँ,' उन्होंने कहा और उनकी आँखों से एक बार फिर आँसू बहने लगे। 'आधा प - प - परिवार समूह में है। यह एक चमत्कार ही होगा कि हम सभी सही-सलामत बच जाएँ ... और प - प - पर्सी की हमसे बोल-चाल बंद है ... अगर कोई भ - भ - भयानक घटना हो गई और हम उससे सुलह भी न कर पाए, तो क्या होगा? इसके अलावा, अगर आर्थर और मैं मर गए, तो क्या होगा? रॉन और जिनी की दे - दे - देखभाल कौन करेगा?'

'मॉली, बस बहुत हो गया,' ल्यूपिन ने दृढ़ता से कहा। 'यह पिछली बार जैसा नहीं है। इस बार मायापंछी के समूह की तैयारी पिछली बार के मुक़ाबले बहुत अच्छी है। हमने इस बार बहुत जल्दी तैयारी शुरू कर दी है। हम वोल्डेमॉर्ट के इरादे जानते हैं -'

नाम सुनकर मिसेज़ वीज़्ली दहशत से चीख़ उठीं।

'ओह मॉली, अब तुम्हें इस नाम को सुनने की आदत डाल लेनी चाहिए - देखो, मैं यह वादा तो नहीं कर सकता कि किसी को नुक़सान नहीं होगा। यह वादा तो कोई भी नहीं कर सकता, लेकिन मैं इतना ज़रूर कहना चाहूँगा कि हम

पिछली बार से ज़्यादा अच्छी स्थिति में हैं। तब तुम समूह में नहीं थीं। तुम उस वक़्त की स्थिति नहीं समझ सकतीं। पिछली बार प्राणभक्षियों की संख्या हमसे बीस गुना ज़्यादा थी और वे हमें एक-एक करके चुन रहे थे ...'

हैरी को एक बार फिर वह फ़ोटो याद आ गया, जिसमें उसके मम्मी-डैडी मुस्करा रहे थे। वह जानता था कि मूडी अब भी उसे ग़ौर से देख रहे होंगे।

'पर्सी के बारे में चिंता मत करो,' सिरियस ने अचानक कहा। 'उसका दिमाग़ ठिकाने आ जाएगा। कुछ समय बाद ही वोल्डेमॉर्ट खुलकर सामने आ जाएगा। जब ऐसा होगा, तो पूरा मंत्रालय माफ़ी माँगता हुआ हमारे पास आएगा। और मुझे नहीं लगता कि मैं उन्हें माफ़ करूँगा,' उसने कटुता से कहा।

'और जहाँ तक इस बात का सवाल है कि तुम्हारे और आर्थर के मरने के बाद रॉन और जिनी की देखभाल कौन करेगा,' ल्यूपिन ने धीरे से मुस्कराते हुए कहा, 'तुम्हें क्यां लगता है हम लोग क्या करेंगे, उन्हें भूखों मरने देंगे?'

मिसेज़ वीज़्ली काँपते हुए मुस्कराईं।

'मैं भी कितनी मूर्ख थी!' वे एक बार फिर बुदबुदाईं और उन्होंने अपनी आँखें पोंछीं।

लेकिन दस मिनट बाद बेडरूम का दरवाज़ा बंद करते समय हैरी मिसेज़ वीज़्ली को मूर्ख नहीं मान रहा था। उसे अब भी पुराने फ़ोटो में अपने मम्मी-डैडी के मुस्कराते चेहरे दिख रहे थे, जिन्हें अपने आस-पास वाले बहुत से लोगों की तरह ज़रा भी अंदाज़ा नहीं था कि कुछ समय बाद ही उनका जीवन ख़त्म होने वाला है। उसकी आँखों के सामने बहुरूपिए की तस्वीर बार-बार उभर रही थी, जो मिसेज़ वीज़्ली के परिवार के हर सदस्य की लाश बनने का नाटक कर रहा था।

बिना किसी चेतावनी के उसके माथे का निशान एक बार फिर बुरी तरह टीस मारने लगा और उसके पेट में जमकर खलबली होने लगी।

'ठीक हो जाओ,' उसने दृढ़ता से कहा और दर्द कम होने पर अपने निशान को मलने लगा।

दीवार पर टँगी ख़ाली तस्वीर से आवाज़ आई, 'पागलपन की पहली निशानी यही है कि आदमी ख़ुद से बातें करने लगता है।'

हैरी ने इस बात को अनसुना कर दिया। अब वह ख़ुद को पहले से ज़्यादा बड़ा महसूस कर रहा था। उसे यह बात बहुत अजीब लग रही थी कि एक घंटे पहले वह जोकशॉप और इस बात की चिंता कर रहा था कि प्रिफ़ेक्ट का बैज किसे मिला था।

अध्याय दस

लूना लवगुड

हैरी रात को ठीक से नहीं सो पाया। सपनों में उसे बार-बार उसके मम्मी-डैडी दिखे, लेकिन वे कुछ बोले नहीं। उसने सपने में यह भी देखा कि मिसेज़ वीज़्ली क्रीचर की लाश पर झुककर सुबक रही थीं, जबकि रॉन और हर्माइनी मुकुट पहनकर उन्हें देख रहे थे। इसके अलावा हैरी ने एक बार फिर यह सपना देखा कि वह एक गलियारे में जा रहा है, जिसके आख़िर में एक बंद दरवाज़ा था। निशान दुखने के कारण वह अचानक जाग गया। उसने देखा कि रॉन पहले ही कपड़े पहन चुका था और उससे कुछ बोल रहा था।

'... जल्दी करो, मम्मी हड़बड़ी मचा रही हैं। वे कह रही हैं कि हमारी ट्रेन छूट जाएगी ...'

पूरे घर में हड़बड़ी का माहौल था। फटाफट कपड़े पहनते समय हैरी ने सुना कि संदूक उठाने की झंझट से बचने के लिए फ्रेड और जॉर्ज उन्हें जादू से सीढ़ियों के नीचे ले जा रहे थे। इसका नतीजा यह हुआ कि संदूक धड़धड़ाते हुए सीधे जिनी से टकरा गए और वह दो लंबी सीढ़ियों पर लुढ़कती हुई हॉल में गिर गई। मिसेज़ ब्लैक और मिसेज़ वीज़्ली दोनों ही पूरी ताक़त से चीख़ रही थीं।

'– बेवक़ूफ़ो, उसे ज़्यादा चोट लग जाती तो –'

'– गंदे बदज़ात लोगो, मेरे पुरखों के मकान को गंदा कर रहे हो –'

जब हैरी जूते पहन रहा था, तभी हर्माइनी तेज़ी से कमरे में आई। हेडविग उसके कंधे पर लहरा रही थी और कसमसाती हुई क्रुकशैंक्स उसकी बाँहों में जकड़ी हुई थी।

'मम्मी-डैडी ने अभी-अभी हेडविग को वापस भेजा है।' हेडविग उड़कर अपने पिंजरे के ऊपर पहुँच गई। 'क्या तुम तैयार हो गए?'

'बस हो ही गया। जिनी ठीक तो है?' हैरी ने अपना चश्मा पहनते

हुए पूछा।

'मिसेज़ वीज़्ली ने उसे ठीक कर दिया है,' हर्माइनी ने कहा। 'लेकिन अब बावरे-नैन कह रहे हैं कि हम स्टर्गिस पोडमोर के आने से पहले यहाँ से नहीं हिल सकते, वरना एक पहरेदार कम हो जाएगा।'

'पहरेदार?' हैरी ने कहा। 'हमें पहरे में किंग्स क्रॉस स्टेशन जाना पड़ेगा?'

'तुम्हें पहरे में किंग्स क्रॉस स्टेशन जाना पड़ेगा,' हर्माइनी ने उसकी बात को सुधारते हुए कहा।

'क्यों?' हैरी ने चिढ़कर कहा। 'मैं तो सोच रहा था कि वोल्डेमॉर्ट इस वक़्त छिपा हुआ है। कहीं तुम यह तो नहीं कहना चाहतीं कि वह किसी कूड़ेदान के पीछे से निकलकर मुझ पर हमला कर देगा?'

'मुझे क्या पता? मैं तो तुम्हें बावरे-नैन की कही बात बता रही हूँ,' हर्माइनी ने अपनी घड़ी देखते हुए कहा, 'लेकिन अगर हम जल्दी नहीं निकले, तो हमारी ट्रेन सचमुच छूट जाएगी ...'

'तुम लोग नीचे आ रहे हो या नहीं!' मिसेज़ वीज़्ली गरजीं। हर्माइनी इस तरह उछली, जैसे किसी ने उसे आग की सलाख से दाग़ दिया हो। फिर वह धड़धड़ाती हुई कमरे से निकल गई। हैरी ने हेडविग को जल्दी से उसके पिंजरे में डाला और संदूक घसीटता हुआ हर्माइनी के पीछे-पीछे सीढ़ियाँ उतरने लगा।

मिसेज़ ब्लैक की तस्वीर ग़ुस्से से चिल्ला रही थी, लेकिन किसी ने भी उसे पर्दे से ढँकने की ज़हमत नहीं उठाई। हॉल में इतना शोर हो रहा था कि उससे कोई फ़ायदा नहीं होना था, क्योंकि वे दोबारा उत्तेजित हो जातीं।

'हैरी, तुम्हें मेरे और टौंक्स के साथ चलना है,' मिसेज़ वीज़्ली ज़ोर से चिल्लाईं, ताकि **'बदज़ातो! घटिया लोगो! गंदी नाली के कीड़ो!'** की लगातार चीख़ों के बावजूद उनकी आवाज़ सुनाई दे सके। 'अपने संदूक और उल्लू यहीं छोड़ दो। अलैस्टर सारा सामान पहुँचा देंगे ... ओह, भगवान के लिए, सिरियस, डम्बलडोर ने *मना* किया था!'

जब हैरी मिसेज़ वीज़्ली के पास पहुँचने के लिए हॉल में रखे बहुत से संदूकों को लाँघ रहा था, तभी भालू जैसा एक काला कुत्ता उसकी बग़ल में आ गया।

'ओह सच्ची ...' मिसेज़ वीज़्ली निराशा भरी आवाज़ में बोलीं। 'अगर कोई गड़बड़ हुई, तो सारी ज़िम्मेदारी तुम्हारी होगी!'

उन्होंने सामने वाला दरवाज़ा खोला और सितंबर की नर्म धूप में बाहर निकल गईं। हैरी और कुत्ता भी उनके पीछे-पीछे बाहर पहुँच गए। दरवाज़ा

उनके पीछे धड़ाम से बंद हो गया और मिसेज़ ब्लैक की चीख़ें सुनाई देना बंद हो गईं।

जब वे बारह नंबर के मकान की पत्थर की सीढ़ियों से नीचे उतरे, तो हैरी ने देखा कि टौंक्स फ़ुटपाथ पर पहुँचते ही ग़ायब हो गई। उसने चारों तरफ़ देखते हुए पूछा, 'टौंक्स कहाँ गई?'

'वह सामने हमारा इंतज़ार कर रही है,' मिसेज़ वीज़्ली ने सख़्त लहज़े में कहा और हैरी की बग़ल में चल रहे काले कुत्ते से अपनी आँखें हटा लीं।

मोड़ पर एक बूढ़ी औरत ने उनका अभिवादन किया। उसके बाल बहुत ज़्यादा घुँघराले और भूरे थे तथा उसने एक बैंगनी हैट पहन रखा था, जो मटन पाई जैसा दिख रहा था।

'वाह हैरी,' उसने आँख मिचमिचाते हुए कहा और फिर घड़ी देखते हुए आगे जोड़ दिया, 'जल्दी करनी चाहिए, है ना, मॉली?'

'मुझे पता है, पता है,' मिसेज़ वीज़्ली दुख भरी आवाज़ में बोलीं और तेज़-तेज़ चलने लगीं, 'लेकिन बावरे-नैन स्टर्गिस का इंतज़ार करना चाहते थे ... काश आर्थर एक बार फिर मंत्रालय से कार मँगवा पाते ... लेकिन फ़ज तो आजकल उन्हें स्याही की ख़ाली बोतल भी नहीं लाने देंगे ... क्या पता मगलू लोग जादू के बिना यात्रा *कैसे* कर लेते हैं ...'

बड़ा काला कुत्ता ख़ुशी से भौंकता हुआ उनके चारों तरफ़ उछलता-कूदता रहा। वह कभी चिड़ियों का पीछा करता था, तो कभी अपनी पूँछ का। हैरी अपनी हँसी नहीं रोक पाया। सिरियस बहुत लंबे समय से मकान के भीतर क़ैद था। मिसेज़ वीज़्ली ने पेटूनिया आंटी के अंदाज़ में होंठ सिकोड़ लिए।

पैदल-पैदल किंग्स क्रॉस स्टेशन पहुँचने में उन्हें बीस मिनट लग गए। रास्ते में कोई अप्रत्याशित घटना नहीं हुई। बस यही हुआ कि हैरी का दिल बहलाने के लिए सिरियस ने कुछ बिल्लियों को डराया। स्टेशन के अंदर पहुँचने के बाद वे नौ और दस नंबर के प्लेटफ़ॉर्मों के बीच में बने बैरियर के पास तब तक खड़े रहे, जब तक कि रास्ता साफ़ नहीं हो गया। फिर वे उससे टिके और आसानी से प्लेटफ़ॉर्म नंबर पौने दस पर पहुँच गए। वहाँ हॉगवर्ट्स एक्सप्रेस का इंजन काला धुआँ उड़ा रहा था। विद्यार्थियों तथा उन्हें विदा करने आए परिवारों के कारण प्लेटफ़ॉर्म खचाखच भरा था। हैरी ने जानी-पहचानी ख़ुशबू अपने फेफड़ों में भरी और उसके भीतर एक बार फिर उत्साह भरने लगा ... वह सचमुच लौट रहा था ...

'मुझे उम्मीद है कि बाक़ी लोग भी समय पर पहुँच जाएँगे,' मिसेज़ वीज़्ली ने चिंतित होकर कहा। वे प्लेटफ़ॉर्म के लोहे के उस मेहराब को घूर रही थीं,

जिसमें से होकर लोग प्लेटफ़ॉर्म पर आते थे।

'शानदार कुत्ता है, हैरी!' एक लंबे लड़के ने हैरी से कहा।

'धन्यवाद ली,' हैरी ने मुस्कराते हुए जवाब दिया और सिरियस तेज़ी से अपनी पूँछ हिलाने लगा।

'शुक्र है,' मिसेज़ वीज़्ली ने राहत भरी आवाज़ में कहा, 'अलैस्टर सामान ले आए हैं, देखो ...'

कुली की कैप से अपनी दोनों आँखें छिपाकर मूडी लँगड़ाते हुए मेहराबदार दरवाज़े से अंदर आ रहे थे। वे संदूकों से भरी ट्रॉली धका रहे थे।

'सब **ठीक** है,' उन्होंने मिसेज़ वीज़्ली और टौंक्स से बुदबुदाते हुए कहा, 'ऐसा नहीं लगता कि किसी ने हमारा पीछा किया है ...'

कुछ पल बाद मिस्टर वीज़्ली रॉन और हर्माइनी के साथ प्लेटफ़ॉर्म पर नज़र आए। उन्होंने अभी मूडी की सामान वाली ट्रॉली ख़ाली की ही थी कि तभी फ्रेड, जॉर्ज और जिनी ल्यूपिन के साथ आ गए।

'कोई दिक़्क़त ?' मूडी गुर्राए।

'बिलकुल नहीं,' ल्यूपिन ने कहा।

'मैं डम्बलडोर से स्टर्गिस की शिकायत ज़रूर करूँगा,' मूडी ने कहा। 'एक हफ़्ते में दूसरी बार वह नहीं आया है। वह तो मंडंगस जितना अविश्वसनीय होता जा रहा है।'

'देखो, अपना ध्यान रखना,' ल्यूपिन ने सबसे हाथ मिलाते हुए कहा। वे सबसे बाद में हैरी के पास पहुँचे और उन्होंने उसका कंधा थपथपाया। 'तुम भी, हैरी। अपना ध्यान रखना।'

'हाँ, अपना सिर नीचे रखना और आँखें खुली रखना,' मूडी ने भी हैरी से हाथ मिलाते हुए कहा। 'और तुम सभी यह बात मत भूलना - चिट्ठी बहुत सावधानी से लिखना। अगर कभी यह उलझन हो कि कोई बात चिट्ठी में लिखनी चाहिए या नहीं, तो वह बात मत लिखना।'

'तुम सभी से मिलकर बहुत अच्छा लगा,' टौंक्स ने हर्माइनी और जिनी को गले लगाते हुए कहा। 'मुझे उम्मीद है कि हम जल्दी ही दोबारा मिलेंगे।'

ट्रेन ने सीटी बजाई। जो विद्यार्थी अब भी प्लेटफ़ॉर्म पर थे, वे तेज़ी से ट्रेन में चढ़ने लगे।

'जल्दी, जल्दी,' मिसेज़ वीज़्ली ने बेचैनी से कहा। उन्होंने एक-एक करके सभी को गले लगाया और हैरी को तो दो बार लगाया। 'चिट्ठी लिखना ... अच्छे से रहना ... अगर तुम्हारी कोई चीज़ छूट गई होगी, तो हम उसे भेज देंगे

... अब ट्रेन में चढ़ जाओ, जल्दी ...'

एक पल के लिए बड़ा काला कुत्ता अपने पिछले पंजों के बल खड़ा हुआ और उसने अपने सामने वाले पंजे हैरी के कंधों पर रख दिए, लेकिन मिसेज़ वीज़्ली ने हैरी को ट्रेन के दरवाज़े की तरफ़ धकाते हुए कहा, 'भगवान के लिए, सिरियस, कुत्ते की तरह बर्ताव करो!'

'मिलते हैं!' ट्रेन चलने पर हैरी ने खुली खिड़की से कहा। रॉन, हर्माइनी और जिनी भी उसकी बग़ल में हाथ हिला रहे थे। टौंक्स, ल्यूपिन, मूडी और वीज़्ली दंपति की आकृतियाँ तेज़ी से छोटी होती गईं, लेकिन काला कुत्ता अपनी दुम हिलाता हुआ ट्रेन के साथ भाग रहा था। प्लेटफ़ॉर्म पर खड़े लोग उसे ट्रेन का पीछा करते देख हँस रहे थे। फिर ट्रेन एक मोड़ पर मुड़ी और सिरियस ओझल हो गया।

हर्माइनी ने चिंतित आवाज़ में कहा, 'उसे हमारे साथ घर से बाहर नहीं आना चाहिए था।'

'ओह, चिंता मत करो,' रॉन ने कहा, 'बेचारे ने कई महीनों से धूप नहीं देखी थी।'

फ्रेड ने ताली बजाते हुए कहा, 'हम दिन भर गपशप नहीं कर सकते। हमें ली के साथ बिज़नेस संबंधी बातचीत करनी है। बाद में मिलते हैं।' यह कहते हुए फ्रेड और जॉर्ज दाहिनी तरफ़ के गलियारे में चले गए।

ट्रेन की रफ़्तार और तेज़ होती जा रही थी। खिड़की से बाहर चमकते मकान पीछे छूटते जा रहे थे और वे खड़े-खड़े लहरा रहे थे।

हैरी ने पूछा, 'चलकर कोई कम्पार्टमेंट खोजें?'

रॉन और हर्माइनी ने एक-दूसरे को देखा।

'अर,' रॉन ने कहा।

'हमें - देखो - रॉन और मुझे प्रिफ़ेक्ट वाले डिब्बे में जाना पड़ेगा,' हर्माइनी ने अजीब अंदाज़ में कहा।

रॉन हैरी की तरफ़ नहीं देख रहा था। इस वक़्त वह अपने बाएँ हाथ की उँगलियों के नाख़ूनों में बहुत ज़्यादा दिलचस्पी ले रहा था।

'ओह,' हैरी ने कहा। 'ठीक है।'

'मुझे लगता है कि हम जल्दी ही लौट आएँगे,' हर्माइनी ने जल्दी से कहा। 'हमारी चिट्ठियों में लिखा था कि हमें हेड बॉय और हेड गर्ल से निर्देश लेने हैं तथा समय-समय पर गलियारों में पहरा देना है।'

'ठीक है,' हैरी ने दोबारा कहा। 'अच्छा - तो मिलते हैं।'

'हाँ, बिलकुल,' रॉन ने हैरी की तरफ़ चिंता भरी नज़र डालते हुए कहा। 'वहाँ जाना हमें अच्छा नहीं लग रहा है, मुझे तो ज़्यादा अच्छा यह लगता – लेकिन मजबूरी है – मेरा मतलब है, मुझे इसमें मज़ा नहीं आ रहा है, मैं पर्सी नहीं हूँ,' उसने आवेश में अपनी बात ख़त्म की।

'मैं जानता हूँ कि तुम पर्सी नहीं हो,' हैरी ने मुस्कराते हुए कहा। लेकिन जब हर्माइनी और रॉन अपने संदूक, क्रुकशैंक्स और पिंजरे में बंद पिगविजियन को खींचते हुए ट्रेन के इंजन वाले सिरे की तरफ़ गए, तो हैरी को अजीब सा एहसास हुआ। रॉन के बिना उसने आज तक हॉगवर्ट्स एक्सप्रेस में सफ़र नहीं किया था।

'चलो,' जिनी ने उसे बताया, 'अगर हम जल्दी करेंगे, तो उनके लिए भी जगह रोक सकते हैं।'

'ठीक है,' हैरी ने कहा। उसने एक हाथ से हेडविग का पिंजरा उठाया और दूसरे हाथ में संदूक का हैंडल पकड़ लिया। वे मुश्किल से गलियारे में आगे बढ़ने लगे। कम्पार्टमेंटों के पास से गुज़रते समय वे काँच के पैनल से अंदर झाँकते जा रहे थे। सभी कम्पार्टमेंट भरे हुए थे। हैरी का ध्यान इस तरफ़ गया कि बहुत से विद्यार्थी बड़ी दिलचस्पी से उसकी तरफ़ देख रहे थे और अपने पास बैठे लोगों को इशारा करके कुछ बता रहे थे। जब पाँच डिब्बों में लगातार उसके साथ ऐसा हुआ, तो उसे याद आया कि *दैनिक जादूगर* पूरी गर्मियों में यह अफ़वाह फैला रहा था कि वह कितना झूठा और नाटकबाज़ है। उसे लग रहा था कि उसे घूरने और फुसफुसाकर बातें करने वाले विद्यार्थियों को *दैनिक जादूगर* की कहानियों पर यक़ीन हो गया होगा।

सबसे आख़िरी डिब्बे में उन्हें नेविल लॉंगबॉटम मिला, जो हैरी के साथ ही गरुड़द्वार हाउस में था और फ़िफ़्थ ईयर में पढ़ता था। संदूक खींचने की मेहनत के कारण उसका गोल चेहरा चमक रहा था और वह एक हाथ से अपने मेंढक ट्रेवर को पकड़े हुए था, जो आज़ाद होने के लिए छटपटा रहा था।

'हाय हैरी,' उसने हाँफते हुए कहा। 'हाय जिनी ... हर कम्पार्टमेंट भरा हुआ है ... मुझे एक भी सीट नहीं मिली ...'

'तुम क्या कह रहे हो?' जिनी ने कहा, जिसने नेविल के पार निकलकर उसके पीछे वाले कम्पार्टमेंट में झाँका। 'इस वाले कम्पार्टमेंट में जगह है। यहाँ तो सिर्फ़ पगली लूना लवगुड है –'

नेविल ने बुदबुदाकर कहा कि वह किसी को परेशान नहीं करना चाहता।

'मूर्खों जैसी बातें मत करो,' जिनी ने हँसते हुए कहा, 'वह बिलकुल ठीक है।'

उसने दरवाज़ा खोला और अपना संदूक अंदर खींचा। हैरी और नेविल उसके पीछे थे।

'हाय लूना,' जिनी ने कहा, 'हम यहाँ बैठ जाएँ?'

खिड़की के पास बैठी लड़की ने ऊपर देखा। उसके कमर तक लंबे बाल मटमैले सुनहरे रंग के थे और बिखरे हुए थे। उसकी भौंहें बहुत पीली थीं और आँखें बाहर निकली हुई थीं, जिससे उसके चेहरे पर हैरानी का स्थायी भाव नज़र आता था। हैरी तत्काल समझ गया कि नेविल इस कम्पार्टमेंट में क्यों नहीं बैठना चाहता था। यह लड़की पगली दिखती थी। शायद ऐसा इसलिए था क्योंकि उसने सुरक्षा की दृष्टि से अपनी छड़ी अपने बाएँ कान में खोंस रखी थी या फिर इसलिए क्योंकि उसने बटरबियर के कॉर्क्स का हार पहन रखा था, या इसलिए क्योंकि वह एक पत्रिका को उल्टा करके पढ़ रही थी। उसकी आँखें नेविल से होती हुईं हैरी पर पड़ीं। उसने अपना सिर हिला दिया।

'धन्यवाद,' जिनी ने मुस्कराते हुए कहा।

हैरी और नेविल ने तीन संदूकों तथा हेडविग के पिंजरे को सामान रखने की जगह पर रखा और बैठ गए। लूना अपनी उल्टी पत्रिका *द क्विबलर* के ऊपर से उन्हें झाँकती रही। ऐसा लग रहा था कि उसकी पलकें सामान्य लोगों जितनी नहीं झपकती थीं। वह हैरी को घूरती रही, जो उसके ठीक सामने बैठ गया था और अब इस बात पर पछता रहा था।

'गर्मियाँ अच्छी रहीं, लूना?' जिनी ने पूछा।

'हाँ,' लूना ने सपनीली आवाज़ में कहा, मगर हैरी पर से नज़रें नहीं हटाईं। 'हाँ, छुट्टियाँ मज़ेदार रहीं। *तुम* हैरी पॉटर हो,' उसने आगे कहा।

'मैं जानता हूँ,' हैरी ने कहा।

नेविल हँस दिया। लूना ने अपनी पीली आँखें उसकी तरफ़ घुमाईं।

'और मैं नहीं जानती कि तुम कौन हो।'

'मैं कोई नहीं हूँ,' नेविल ने जल्दी से कहा।

'नहीं, ऐसी बात नहीं है,' जिनी ने तेज़ी से कहा। 'नेविल लॉंगबॉटम - लूना लवगुड। लूना भी फ़ोर्थ ईयर में है - चीलघात में।'

'बुद्धि इंसान की सबसे बड़ी संपत्ति है,' लूना ने गुनगुनाती आवाज़ में कहा।

उसने अपनी उल्टी पत्रिका इतनी ऊपर उठा ली कि उसका चेहरा छिप गया और वह चुप हो गई। हैरी और नेविल ने भौंहें उठाकर एक-दूसरे की तरफ़ देखा। जिनी अपनी हँसी रोकने की कोशिश कर रही थी।

ट्रेन धड़धड़ाती हुई देहाती इलाक़े से गुज़रती रही। यह अजीब तरह का दिन था। एक पल के लिए तो चमकती धूप निकल आती थी, लेकिन अगले ही पल वे धुँधले बादलों के नीचे पहुँच जाते थे।

नेविल ने कहा, 'अंदाज़ा लगाओ, मुझे जन्मदिन पर क्या मिला?'

'एक और भूल-न-जाना यंत्र?' हैरी ने उस गोल मशीन को याद करते हुए कहा, जो नेविल की दादी ने उसकी बहुत बुरी याददाश्त को सुधारने की कोशिश में उसे भेजी थी।

'नहीं,' नेविल ने कहा। 'हालाँकि मुझे उसकी भी ज़रूरत थी। मेरा पुराना भूल-न-जाना यंत्र तो बहुत पहले ही ग़ुम गया है ... नहीं, इसकी तरफ़ देखो ...'

उसने अपने एक हाथ से ट्रेवर को कसकर पकड़ रखा था। उसने अपना दूसरा हाथ स्कूल बैग में डाला और थोड़ा टटोलने के बाद एक ऐसी चीज़ बाहर निकाली, जो गमले में लगे छोटे कैक्टस जैसी दिख रही थी। फ़र्क़ सिर्फ़ इतना था कि इस पौधे में काँटों की जगह फोड़े थे।

'*मिम्बुलस मिम्बलटोनिया,*' उसने गर्व से कहा।

हैरी ने उस पौधे की तरफ़ देखा। पौधा थोड़ा हिल रहा था और इतना भयंकर दिख रहा था, जैसे यह कोई बीमार अंदरूनी अंग हो।

'यह सचमुच दुर्लभ है,' नेविल ने दमकते हुए कहा। 'मुझे नहीं पता कि यह हॉगवर्ट्स के ग्रीनहाउस में भी है या नहीं। मैं इसे प्रोफ़ेसर स्प्राउट को दिखाने के लिए बेताब हूँ। मेरे ग्रेट अंकल एल्गी इसे मेरे लिए एसीरिया से लाए हैं। मैं यह देखना चाहता हूँ कि इसकी क़लम से और पौधे उग सकते हैं या नहीं।'

हैरी जानता था कि हैरी का प्रिय विषय जड़ी-बूटी विज्ञान है, लेकिन उसे यह समझ में नहीं आ रहा था कि वह इस विचित्र छोटे पौधे से क्या करना चाहता है।

'क्या - यह - कुछ करता है?' हैरी ने पूछा।

'बहुत सी चीज़ें!' नेविल ने गर्व से कहा। 'इसका सुरक्षा तंत्र गज़ब का है। मैं तुम्हें दिखाता हूँ, ज़रा ट्रेवर को पकड़ो ...'

उसने मेंढक को हैरी की गोद में डाल दिया और अपने बैग से एक क़लम निकाली। लूना लवगुड की बाहर निकलती आँखें उसकी उल्टी पत्रिका के ऊपर से दोबारा नज़र आने लगीं। वह देखना चाहती थी कि नेविल क्या कर रहा था। नेविल ने *मिम्बुलस मिम्बलटोनिया* को अपनी आँखों के पास रखा। अपनी जीभ दाँतों के बीच दबाने के बाद उसने अपनी क़लम की नोक से पौधे को तेज़ी से दबाया।

पौधे के हर फोड़े से फव्वारे की तरह रस उड़ने लगा। मोटी, बदबूदार, गहरी हरी फुहारें निकलने लगीं। वे छत, खिड़कियों और लूना लवगुड की पत्रिका पर पड़ीं। जिनी ने समय रहते अपनी बाँहों से चेहरा ढँक लिया, इसलिए उसे देखकर ऐसा लग रहा था, जैसे उसने हरे रंग का हैट पहन रखा हो। लेकिन हैरी तो ट्रेवर को पकड़े हुए था, इसलिए फुहार सीधे उसके चेहरे पर पड़ी। उसे खाद जैसी बदबू आई।

नेविल का पूरा चेहरा और शरीर लथपथ हो चुका था। उसने अपनी आँखों से रस निकालने के लिए अपना सिर झटका।

'मा - मांफ़ करना,' उसने हाँफते हुए कहा। 'मैंने पहले ऐसा करके नहीं देखा था ... मुझे पता ही नहीं था कि इससे इतना सारा रस ... लेकिन चिंता मत करो। दुर्गंधद्रव ज़हरीला नहीं होता है,' उसने घबराते हुए कहा, जब हैरी ने अपने मुँह में भरा रस फ़र्श पर थूका।

उसी पल कम्पार्टमेंट का दरवाज़ा खुल गया।

'ओह ... हैलो हैरी,' एक घबराई हुई आवाज़ आई। 'अरे ... ग़लत समय पर आ गई?'

हैरी ने जिस हाथ से ट्रेवर को नहीं पकड़ रखा था, उससे अपने चश्मे के काँच साफ़ किए। दरवाज़े पर लंबे, चमकदार, काले बालों वाली एक बहुत सुंदर लड़की खड़ी थी और उसकी तरफ़ देखकर मुस्करा रही थी। यह चो चैंग थी, जो चीलघात क्विडिच टीम की खोजी थी।

'ओह ... हाय,' हैरी ने सूनेपन से कहा।

'ऊँ ...' चो ने कहा। 'अच्छा ... मैं तो सिर्फ़ हैलो कहने आई थी ... फिर मिलते हैं।'

थोड़े गुलाबी चेहरे के साथ उसने दरवाज़ा बंद किया और चली गई। हैरी पीछे टिककर बैठ गया और कराहने लगा। उसे अच्छा लगता, अगर चो उसे बहुत शानदार लोगों के साथ बैठा देखती, जो उसके सुनाए चुटकुले पर ज़ोर-ज़ोर से हँस रहे होते। वह यह मौक़ा तो कभी नहीं चुनता कि चो उसे नेविल और लूना लवगुड के साथ मेंढक थामे और दुर्गंधद्रव में नहाया हुआ देखे।

'कोई बात नहीं,' जिनी ने हौसला बँधाते हुए कहा। 'देखो, हम इससे आसानी से छुटकारा पा सकते हैं।' उसने अपनी छड़ी बाहर निकाली और मंत्र पढ़ दिया। *'स्वच्छो!'*

दुर्गंधद्रव ग़ायब हो गया।

'सॉरी,' नेविल ने धीमी आवाज़ में एक बार फिर कहा।

रॉन और हर्माइनी लगभग घंटे भर तक नहीं लौटे। तब तक भोजन की ट्रॉली आकर जा चुकी थी। हैरी, जिनी और नेविल ने अपनी-अपनी कद्दू की पेस्टीज़ ख़त्म कर ली थीं। वे चॉकलेट मेंढकों के कार्ड्स की अदला-बदली करने में व्यस्त थे, तभी कम्पार्टमेंट का दरवाज़ा खुला और रॉन तथा हर्माइनी अंदर आ गए। उनके साथ क्रुकशैंक्स और तेज़ी से चीख़ता हुआ पिगविजियन भी थे।

'मैं तो भूख से मरा जा रहा हूँ,' रॉन ने पिगविजियन को जल्दी से हेडविग के पास रखा, हैरी से एक चॉकलेट मेंढक झपटा और उसके पास वाली सीट पर धम्म से बैठ गया। उसने रैपर फाड़ा, मेंढक का सिर काटा और आँखें बंद करके पीछे टिक गया, जैसे बहुत थक गया हो।

'हर हाउस से फ़िफ़्थ ईयर के दो प्रिफ़ेक्ट्स बनाए गए हैं,' हर्माइनी ने कहा, जो अपनी सीट पर बैठते समय बहुत असंतुष्ट दिख रही थी। 'एक लड़का और एक लड़की।'

'और जानते हो, नागशक्ति का प्रिफ़ेक्ट कौन है?' रॉन ने कहा, जिसकी आँखें अब भी बंद थीं।

'मैल्फ़ॉय,' हैरी ने तत्काल जवाब दिया और उसे यक़ीन था कि उसका सबसे बुरा डर सही साबित हो जाएगा।

'बिलकुल ठीक कहा,' रॉन ने कटुता से कहते हुए बाक़ी का मेंढक भी अपने मुँह में भर लिया और दूसरा मेंढक उठा लिया।

'और वह भैंस पैन्सी पार्किन्सन,' हर्माइनी ने मुँह बनाकर कहा। 'वह प्रिफ़ेक्ट कैसे बन सकती है, जबकि उसका दिमाग़ तो दैत्य से भी ज़्यादा मोटा है ...'

'मेहनतकश से कौन बना है?' हैरी ने पूछा।

'अर्नी मैकमिलन और हान्ना एबॉट,' रॉन ने कहा।

हर्माइनी बोली, 'और चीलघात से एंथनी गोल्डस्टीन और पद्मा पाटिल।'

एक रहस्यमयी आवाज़ आई, 'तुम पद्मा पाटिल के साथ यूल डांस में गए थे।'

सबने मुड़कर लूना लवगुड को देखा, जो *क्विबलर* पत्रिका के ऊपर से रॉन को अपलक देख रही थी। रॉन ने अपने मुँह में भरा मेंढक निगल लिया।

'हाँ, मैं जानता हूँ,' उसने थोड़ा हैरान दिखते हुए कहा।

'उसे उसमें ज़्यादा मज़ा नहीं आया था,' लूना ने उसे जानकारी दी। 'उसे तुम्हारा व्यवहार अच्छा नहीं लगा, क्योंकि तुमने उसके साथ डांस नहीं किया।

वैसे अगर मैं होती, तो मुझे इस बात से कोई दिक़्क़त नहीं होती,' उसने कुछ सोचते हुए आगे कहा, 'क्योंकि मुझे डांस करना यूँ भी ज़्यादा पसंद नहीं है।'

उसने एक बार फिर *क्विबलर* के पीछे चेहरा छिपा लिया। रॉन पत्रिका के कवर को कुछ पल तक मुँह फाड़े घूरता रहा, फिर उसने जिनी की तरफ़ देखा ताकि कुछ समझ सके, लेकिन जिनी ने हँसी रोकने के लिए अपने मुँह में उँगलियाँ ठूँस रखी थीं। रॉन ने अपना सिर हिलाया और मुस्कराकर अपनी घड़ी देखी।

उसने हैरी और नेविल को बताया, 'हम लोगों को समय-समय पर गलियारों में पहरा देना है। अगर कोई ग़लत हरकत कर रहा हो, तो हम उसे सज़ा भी दे सकते हैं। मैं तो क्रैब और गॉयल के पकड़ में आने का इंतज़ार कर रहा हूँ ...'

हर्माइनी ने तीखी आवाज़ में कहा, 'तुम्हें अपने पद का दुरुपयोग नहीं करना चाहिए, रॉन!'

'हाँ, सही कहा, क्योंकि मैल्फ़ॉय तो इसका ज़रा भी दुरुपयोग नहीं करेगा,' रॉन ने कटुता से कहा।

'तो तुम उसके जितना नीचे गिरना चाहते हो?'

'नहीं, मैं तो बस यह पक्का कर लेना चाहता हूँ कि वह मेरे दोस्तों को सज़ा दे, इससे पहले मैं उसके दोस्तों को मज़ा चखा दूँ।'

'भगवान के लिए, रॉन -'

'मैं गॉयल को लिखने की सज़ा दूँगा। इससे वह मर जाएगा, उसे लिखने से नफ़रत है,' रॉन ने ख़ुशी से कहा। उसने अपनी आवाज़ नीची करके गॉयल जैसी की और चेहरे पर दर्द भरा भाव लाकर बीच हवा में लिखने का नाटक किया। '*मुझे ... बैबून ... के ... पिछवाड़े ... की ... तरह ... नहीं ... दिखना ... चाहिए।*'

सभी लोग हँस पड़े, लेकिन कोई भी लूना लवगुड जितनी ज़ोर से नहीं हँसा। उसके मुँह से ख़ुशी की चीख़ निकली, जिसे सुनकर हेडविग जागकर ग़ुस्से से अपने पंख फड़फड़ाने लगी और क्रुकशैंक्स उछलकर सामान के रैक पर पहुँच गई। लूना इतनी जमकर हँसी थी कि उसकी पत्रिका उसके हाथ से छूटकर पैरों पर फिसली और फ़र्श पर गिर गई।

'यह बहुत *मज़ेदार* था!'

उसकी बाहर निकलती आँखों में अब आँसू तैर रहे थे। वह साँस लेने के लिए रुकी और रॉन की तरफ़ घूरने लगी। पूरी तरह हैरान रॉन ने बाक़ी लोगों की तरफ़ देखा, जो अब उसके चेहरे के भाव और लूना लवगुड की आश्चर्यजनक

लंबी हँसी के कारण हँस रहे थे। लूना आगे-पीछे हो रही थी और अपना पेट पकड़े थी।

'क्या तुम मेरा मज़ाक़ उड़ा रही हो?' रॉन ने उसकी तरफ़ त्योरियाँ चढ़ाकर कहा।

'बैबून ... का ... पिछवाड़ा!' लूना अपनी पसलियों को थामते हुए बोली।

बाक़ी सभी लूना को हँसते हुए देख रहे थे, लेकिन हैरी फ़र्श पर पड़ी पत्रिका की तरफ़ देख रहा था। उसने उसमें एक ऐसी चीज़ देखी, जिस कारण उसने उसे लपककर उठा लिया। पत्रिका उल्टी होने के कारण पहले वह यह नहीं समझ पाया था कि कवर पर किसकी तस्वीर थी, लेकिन अब हैरी को यह एहसास हो गया कि यह तो कॉर्नेलियस फ़ज का एक बुरा कार्टून था। हैरी फ़ज को सिर्फ़ उनके हरे हैट के कारण पहचान पाया था। फ़ज ने एक हाथ में सोने के सिक्कों की थैली पकड़ रखी थी और दूसरे हाथ से वे एक पिशाच का गला दबा रहे थे। कार्टून का शीर्षक था : *फ़ज ग्रिनगॉट पर क़ब्ज़ा जमाने के लिए कितनी नीचे गिर सकते हैं?*

इसके नीचे पत्रिका के भीतर छपे बाक़ी लेखों के शीर्षक थे।

क्विडिच लीग में भ्रष्टाचार :
टॉरनेडो किस तरह जीत रहे हैं

पुरातन लिपियों के रहस्यों का ख़ुलासा

सिरियस ब्लैक : खलनायक या शिकार?

'क्या मैं इसे देख सकता हूँ?' हैरी ने लूना से उत्सुकता से पूछा।

उसने सिर हिला दिया। वह अब भी रॉन को देख रही थी और हँसी के मारे निढाल थी।

हैरी ने पत्रिका खोलकर विषय-सूची पर निगाह डाली। वह उस पत्रिका को बिलकुल ही भूल चुका था, जो किंग्सले ने सिरियस तक पहुँचाने के लिए मिस्टर वीज़्ली को दी थी, लेकिन शायद वह पत्रिका *क्विबलर* का यही अंक थी।

उसे पन्ना मिल गया और वह रोमांचित होकर लेख की तरफ़ मुड़ा।

इसमें भी एक बुरा सा कार्टून बना था। सच तो यह था कि अगर इसके नीचे शीर्षक नहीं दिया होता, तो हैरी को पता ही नहीं चलता कि यह सिरियस का कार्टून है। सिरियस अपनी छड़ी तानकर हड्डियों के ढेर पर खड़ा हुआ था। लेख का शीर्षक था :

सिरियस ब्लैक की पहेली?

कुख्यात सामूहिक हत्यारा या मासूम मशहूर गायक?

हैरी को यह वाक्य कई बार पढ़ना पड़ा, तब कहीं जाकर उसे विश्वास हुआ कि इसका मतलब समझने में उससे कोई भूल नहीं हुई है। उसने सोचा, सिरियस कब से मशहूर गायक हो गया?

चौदह सालों से लोग यह मानते आ रहे हैं कि सिरियस ब्लैक ने बारह मासूम मगलुओं और एक जादूगर की हत्या की है। दो साल पहले अज़्काबान से ब्लैक की फ़रारी के बाद जादू मंत्रालय ज़ोर-शोर से उसकी तलाश कर रहा है। इतनी सघन तलाश आज तक किसी क़ैदी की नहीं हुई। हम सभी मानते हैं कि वह इतना बड़ा अपराधी है कि उसे दोबारा पकड़कर दमपिशाचों के हवाले कर देना चाहिए।

लेकिन क्या सचमुच?

हाल ही में नया सनसनीख़ेज़ सबूत सामने आया है, जिससे यह पता चलता है कि शायद सिरियस ब्लैक ने वे हत्याएँ की ही नहीं हैं, जिनके लिए उसे अज़्काबान भेजा गया था। 18 एकेन्थिया वे, लिटिल नॉर्टन में रहने वाली डोरिस पर्किंस कहती हैं कि ब्लैक उन हत्याओं के समय घटनास्थल पर मौजूद ही नहीं था।

मिस पर्किंस कहती हैं, 'लोगों को यह एहसास ही नहीं है कि सिरियस ब्लैक एक झूठा नाम है। जिस आदमी को लोग सिरियस ब्लैक समझते हैं, वह दरअसल स्टबी बोर्डमैन है, जो लोकप्रिय गायक समूह द हॉबगॉबलिन्स का प्रमुख गायक था। लगभग पंद्रह साल पहले लिटिल नॉर्टन चर्च हॉल में एक संगीत कार्यक्रम के दौरान कान पर एक शलजम पड़ने के कारण उसे सार्वजनिक जीवन से संन्यास लेना पड़ा था। मैं अख़बार में उसकी तस्वीर देखते ही पहचान गई थी। स्टबी यह अपराध कर ही नहीं सकता था, क्योंकि उस दिन वह मेरे साथ रोमांटिक कैंडललाइट डिनर कर रहा था। मैंने जादू मंत्री को भी यह बात लिखी है और मैं उम्मीद कर रही हूँ कि वे किसी भी दिन स्टबी उर्फ़ सिरियस को दोषमुक्त कर देंगे।'

हैरी ने पढ़ना ख़त्म किया और अविश्वास से पन्ने की तरफ़ देखा। उसने सोचा, शायद यह मज़ाक़ है, शायद पत्रिका अक्सर मज़ाक़िया लेख छापती होगी। उसने कुछ पन्ने पीछे जाकर फ़ज वाले लेख पर नज़र डाली।

जादू मंत्री कॉर्नेलियस फ़ज ने इस बात से इंकार किया है कि वे जादूगरों के बैंक ग्रिनगॉट पर क़ब्ज़ा करना चाहते हैं। जब उन्हें पाँच साल पहले जादू मंत्री चुना गया था, तब से उन्होंने हमेशा इस बात पर ज़ोर दिया है कि वे हमारे सोने के रक्षकों के साथ 'शांतिपूर्ण सहयोग' से अधिक कुछ नहीं करना चाहते हैं।

पर क्या सचमुच ऐसा है?

मंत्रीजी के क़रीबी सूत्रों ने हाल ही में यह खुलासा किया है कि फ़ज की सबसे प्रिय महत्वाकांक्षा पिशाचों के सोने पर क़ब्ज़ा करना है और आवश्यकता पड़ने पर वे शक्ति का प्रयोग करने से भी नहीं हिचकेंगे।

'यह पहली बार नहीं होगा,' मंत्रालय के एक अंदरूनी सूत्र ने कहा, 'कॉर्नेलियस फ़ज को उनके मित्र "पिशाच-मारक" फ़ज कहते हैं। अगर चोरी-छिपे उनकी बात सुनी जाए, तो वे अकेले में हमेशा उन पिशाचों के बारे में बातें करते हैं जिनका उन्होंने सफाया किया है, जिन्हें उन्होंने डुबाया है, जिन्हें उन्होंने ऊँची इमारतों से नीचे फिंकवाया है, जिन्हें उन्होंने ज़हर दिलवाया है, जिन्हें उन्होंने आग की भट्टी में भुनवाया है ...'

हैरी ने इससे आगे नहीं पढ़ा। फ़ज में कई दोष हो सकते थे, लेकिन यह कल्पना करने में हैरी को बहुत मुश्किल आई कि वे पिशाचों को आग की भट्टी में भुनवाने का आदेश देंगे। उसने पत्रिका के बाक़ी पन्ने पलटे। हर कुछ पन्ने बाद रुककर उसने पढ़ा : टट्सहिल टॉरनेडोज़ क्विडिच लीग इसलिए जीत रहे हैं, क्योंकि वे ब्लैकमेल, ग़ैर-क़ानूनी झाड़ू-छेड़छाड़ और यातना का इस्तेमाल कर रहे हैं; एक जादूगर के साथ इंटरव्यू, जिसका दावा था कि वह क्लीनस्वीप सिक्स झाड़ू पर उड़कर चाँद तक पहुँच गया था और इस बात की पुष्टि के लिए चाँद के मेंढकों को एक थैले में भरकर लाया था; पुरातन लिपियों पर एक लेख, जिससे कम से कम यह स्पष्ट होता था कि लूना इस पत्रिका को उल्टा करके क्यों पढ़ रही थी। पत्रिका के अनुसार, अगर आप पुरातन लिपियों को उल्टा कर दें, तो वे एक मंत्र उजागर करती हैं, जिससे आपके शत्रु के कान जानवर के हो जाते हैं। दरअसल, *द क्विबलर* में छपे बाक़ी लेखों की तुलना में यह सुझाव ज़्यादा समझदारीपूर्ण लग रहा था कि सिरियस द हॉबगॉबलिन्स का प्रमुख गायक हो सकता है।

जब हैरी ने पत्रिका बंद की, तो रॉन ने पूछा, 'उसमें कोई अच्छा लेख है?'

हैरी इस बात का जवाब दे पाए, इससे पहले ही हर्माइनी ने तीखी आवाज़ में कहा, 'हो ही नहीं सकता। हर कोई यह बात जानता है कि *द क्विबलर* पत्रिका बिलकुल बकवास है।'

'माफ़ करना,' लूना बोली, जिसकी आवाज़ का सपनीला पुट अब अचानक ग़ायब हो गया था। 'मेरे डैडी इसके संपादक हैं।'

'मैं – ओह,' हर्माइनी ने झेंपते हुए कहा। 'अरे ... इसमें कुछ रोचक ... मेरा मतलब है, यह काफ़ी ...'

'मुझे मेरी पत्रिका वापस दो, धन्यवाद,' लूना ने ठंडेपन से कहा और आगे बढ़कर हैरी के हाथों से पत्रिका छीन ली। पन्ने पलटकर वह सत्तावन पृष्ठ पर पहुँची, उसने पत्रिका दोबारा उल्टी की और उसके पीछे अपना मुँह छिपा लिया। तभी कम्पार्टमेंट का दरवाज़ा तीसरी बार खुला।

हैरी ने पलटकर देखा। उसे इस बात की उम्मीद तो थी, लेकिन इससे ड्रेको मैल्फ़ॉय को देखना ज़्यादा आनंददायक नहीं बन गया, जो अपने चमचों क्रैब और गॉइल के बीच खड़ा-खड़ा मुस्करा रहा था।

इससे पहले कि मैल्फ़ॉय अपना मुँह खोल पाता, हैरी ने आक्रामक अंदाज़ में कहा, 'क्या ?'

'ज़रा तमीज़ से, पॉटर, वरना मैं तुम्हें सज़ा दे दूँगा,' मैल्फ़ॉय ने धीमी आवाज़ में कहा, जिसके चमकते सुनहरे बाल और नुकीली ठुड्डी उसके पिता जैसी थी। 'देखो, मुझे प्रिफ़ेक्ट बनाया गया है, जबकि तुम्हें नहीं बनाया गया है। इसका मतलब यह है कि मेरे पास सज़ा देने की शक्ति है, जो तुम्हारे पास नहीं है।'

'हाँ,' हैरी ने कहा, 'लेकिन तुम मूर्ख हो, जो मैं नहीं हूँ, इसलिए तुम बाहर निकल जाओ और हमें अकेला छोड़ दो।'

रॉन, हर्माइनी, जिनी और नेविल हँस पड़े। मैल्फ़ॉय का होंठ सिकुड़ गया।

उसने पूछा, 'पॉटर, ज़रा यह तो बताओ, वीज़्ली से पीछे रहना कैसा लगता है ?'

'चुप रहो, मैल्फ़ॉय,' हर्माइनी तीखी आवाज़ में बोली।

'लगता है मैंने किसी दुखती रग पर हाथ रख दिया है,' मैल्फ़ॉय ने शैतानी से मुस्कराते हुए कहा। 'अच्छा, ज़रा सँभलकर रहना पॉटर, क्योंकि मैं *कुत्ते की तरह* तुम्हारा पीछा करूँगा और देखूँगा कि कहीं तुम्हारे क़दम भटक तो नहीं रहे हैं।'

'बाहर निकल जाओ!' हर्माइनी ने खड़े होते हुए कहा।

मुस्कराकर मैल्फ़ॉय ने आख़िरी बार हैरी पर दुष्टतापूर्ण निगाह डाली और बाहर निकल गया। क्रैब और गॉइल भी उसके पीछे-पीछे चल दिए। हर्माइनी ने उनके पीछे कम्पार्टमेंट का दरवाज़ा धड़ाम से बंद किया और पलटकर हैरी को देखा। हैरी तत्काल समझ गया कि उसकी तरह हर्माइनी भी मैल्फ़ॉय की बात का मतलब समझ गई थी और उसके जितनी ही परेशान हो गई थी।

'एक और मेंढक देना,' रॉन ने कहा, जिसका ध्यान किसी असामान्य बात की तरफ़ नहीं गया था।

नेविल और लूना के सामने हैरी खुलकर बात नहीं कर सकता था। उसने हर्माइनी की तरफ़ घबराकर देखा, फिर खिड़की के बाहर देखने लगा।

उसने सोचा था कि सिरियस का उसके साथ स्टेशन आना मज़ेदार होगा, लेकिन अचानक यह बहुत मूर्खतापूर्ण लगने लगा था और ख़तरनाक भी ... हर्माइनी ने सही कहा था ... सिरियस को नहीं आना चाहिए था। कहीं ऐसा तो नहीं कि मिस्टर मैल्फ़ॉय ने काले कुत्ते को देख लिया हो और अपने बेटे ड्रेको को बता दिया हो? कहीं ऐसा तो नहीं कि उन्होंने यह अंदाज़ा लगा लिया हो कि वीज़्ली परिवार, ल्यूपिन, टौंक्स और मूडी सिरियस के छिपने का ठिकाना जानते थे? या फिर मैल्फ़ॉय का 'कुत्ते की तरह' बोलना महज़ एक इत्तफ़ाक़ था?

उत्तर दिशा में आगे बढ़ते समय मौसम अनिश्चित बना रहा। बारिश खिड़कियों पर आधे-अधूरे मन से टकराती रही, फिर हल्का सा सूरज दिखा, लेकिन जल्दी ही बादलों की ओट में छिप गया। जब अँधेरा छा गया और डिब्बों के भीतर लैंप जल गए, तो लूना ने *द क्विबलर* को बंद करके सावधानी से अपने बैग में रखा और कम्पार्टमेंट में बैठे हर व्यक्ति को घूरने लगी।

हैरी ट्रेन की खिड़की से सिर टिकाकर बैठा था और दूर से हॉगवर्ट्स की पहली झलक देखने की कोशिश कर रहा था, लेकिन आज रात को चाँद नहीं निकला था और बारिश के कारण खिड़कियाँ धुँधली थीं।

काफ़ी देर की चुप्पी के बाद हर्माइनी बोली, 'अच्छा रहेगा कि हम अपने कपड़े बदल लें।' उन सभी ने मुश्किल से अपने संदूक खोले और अपने स्कूल के दुशाले बाहर निकाले। हर्माइनी और रॉन ने अपने प्रिफ़ेक्ट वाले बैज अपने सीने पर पिन से लगा लिए। हैरी ने देखा कि रॉन काली खिड़की में ख़ुद को निहार रहा था।

आख़िरकार, ट्रेन धीमी होने लगी और उन्हें सामान्य शोर-शराबा सुनाई देने लगा। सभी विद्यार्थी अपना सामान निकालने लगे, पालतू जानवरों को सँभालने लगे और उतरने की तैयारी करने लगे। चूँकि रॉन और हर्माइनी को सब पर निगाह रखनी थी, इसलिए वे एक बार फिर डिब्बे से चले गए। वे

क्रुकशैंक्स तथा पिगविजियन की देखभाल का ज़िम्मा हैरी तथा बाक़ी विद्यार्थियों को सौंपकर गए थे।

'अगर तुम चाहो, तो मैं उस उल्लू को उठा लेती हूँ,' लूना ने हैरी से कहा और पिगविजियन की तरफ़ हाथ बढ़ा दिया। नेविल ने ट्रेवर को भीतर वाली जेब में रख लिया।

'ओह - अर - धन्यवाद,' हैरी ने कहा और उसे पिंजरा दे दिया। फिर उसने हेडविग के पिंजरे को अपने हाथ में कसकर पकड़ लिया।

जब वे कम्पार्टमेंट से बाहर निकले और गलियारे की भीड़ में शामिल हुए, तो उनके चेहरों पर रात की हवा की पहली चुभन महसूस हुई। धीरे-धीरे वे दरवाज़ों की तरफ़ बढ़े। हैरी को देवदार के पेड़ों की ख़ुशबू आ रही थी, जो झील के रास्ते पर दोनों तरफ़ लगे थे। वह प्लेटफ़ॉर्म पर उतरा और चारों तरफ़ नज़र दौड़ाने लगा। वह उस जानी-पहचानी आवाज़ को सुनने के लिए बेताब था, जो हमेशा कहती थी, 'फ़र्स्ट ईयर के विद्यार्थी यहाँ आओ ... फ़र्स्ट ईयर ...'

लेकिन वह आवाज़ सुनाई नहीं दी। इसके बजाय एक बहुत अलग आवाज़ सुनाई दी। कोई औरत तेज़ आवाज़ में पुकार रही थी, 'फ़र्स्ट ईयर के विद्यार्थी लाइन बनाकर यहाँ आएँ, प्लीज़! फ़र्स्ट ईयर के सभी विद्यार्थी मेरे पास आएँ!'

एक लालटेन हैरी की तरफ़ झूलती हुई आई और इसकी रोशनी में उसने प्रोफ़ेसर ग्रबली-प्लैंक की उभरी हुई ठुड्डी और छोटे बाल देखे। पिछले साल उन्होंने कुछ समय तक हैग्रिड की जगह पर जादुई प्राणियों की देखभाल की क्लास ली थी।

'हैग्रिड कहाँ है ?' हैरी ने ज़ोर से पूछा।

'क्या पता,' जिनी ने कहा, 'लेकिन अच्छा होगा कि हम रास्ते से हट जाएँ। हम दरवाज़े पर खड़े हैं और हमारे कारण रास्ता रुक रहा है।'

'ओह हाँ ...'

प्लेटफ़ॉर्म पर आगे बढ़ते और स्टेशन से बाहर निकलते समय हैरी और जिनी अलग-अलग हो गए। भीड़ की धक्का-मुक्की के बीच हैरी ने अँधेरे में आँखें फाड़कर हैग्रिड की झलक देखने की कोशिश की। उसे यक़ीन था कि वह यहीं कहीं होगा। हैग्रिड को दोबारा देखने की इच्छा उसकी बहुत सी इच्छाओं में से एक थी और यह इच्छा बहुत प्रबल थी। लेकिन उसका नामोनिशान तक नहीं दिख रहा था।

हैरी बाक़ी भीड़ के साथ एक सँकरे रास्ते से बाहर की सड़क की तरफ़

धीमे-धीमे गया और सोचने लगा, *वह हॉगवर्ट्स छोड़कर तो नहीं जा सकता। उसे सर्दी या ऐसी ही कोई छोटी-मोटी बीमारी हो गई होगी ...*

उसने रॉन और हर्माइनी की तलाश में चारों तरफ़ देखा। वह जानना चाहता था कि वे प्रोफ़ेसर ग्रबली-प्लैंक के दोबारा आने के बारे में क्या सोचते हैं, लेकिन दोनों में से कोई भी आस-पास नहीं दिखा, इसलिए वह भीड़ के साथ हॉग्समीड स्टेशन के बाहर की सड़क की तरफ़ चलता रहा। सड़क पर अँधेरा था और यह बारिश से पूरी तरह धुल चुकी थी।

वहाँ पर लगभग सौ घोड़ागाड़ियाँ खड़ी हुई थीं। इन घोड़ागाड़ियों की ख़ासियत यह थी कि इनमें घोड़े नहीं जुते होते थे और ये फ़र्स्ट ईयर से ऊँची क्लास वाले विद्यार्थियों को हर साल महल तक पहुँचाती थीं। हैरी ने जल्दी से उनकी तरफ़ देखा और रॉन तथा हर्माइनी को खोजने के लिए मुड़ा। लेकिन फिर वह दोबारा घोड़ागाड़ियों की तरफ़ घूरने लगा।

अब गाड़ियों में किसी तरह के प्राणी जुते हुए थे। अगर हैरी को उन्हें कोई नाम देना पड़ता, तो वह घोड़ों का नाम ही लेता, हालाँकि वे थोड़े अजीब लग रहे थे। उनमें मांस का नामोनिशान नहीं था। उनकी काली चमड़ी उनकी हड्डियों से चिपकी हुई थी, जिस वजह से एक-एक हड्डी साफ़ दिख रही थी। उनके सिर ड्रैगन जैसे थे और उनकी पुतलीविहीन आँखें सफ़ेद थीं। उनके दोनों तरफ़ पंख लगे थे - चमड़े के बड़े, काले पंख, जो दैत्याकार चमगादड़ों के पंख जैसे दिख रहे थे। ख़ामोशी से स्थिर खड़े हुए वे प्राणी अँधेरे में अजीब और भयंकर दिख रहे थे। हैरी यह नहीं समझ पाया कि जब गाड़ियाँ अपने आप चल सकती थीं, तो उन्हें खींचने के लिए इन भयंकर प्राणियों को क्यों बुलाया गया है।

'पिग कहाँ है?' हैरी को ठीक पीछे से रॉन की आवाज़ सुनाई दी।

'लूना के पास है,' हैरी ने जल्दी से पलटते हुए कहा। वह रॉन से हैग्रिड के बारे में पूछने के लिए उतावला था। 'तुम्हें क्या लगता है -'

'- हैग्रिड कहाँ होगा? मुझे नहीं पता,' रॉन ने कहा, जो थोड़ा चिंतित लग रहा था। '**अच्छा** ही होगा ...'

थोड़ी दूरी पर ड्रेको मैल्फ़ॉय था। उसके आस-पास उसके चमचों का गैंग था, जिसमें क्रैब, गॉइल और पैन्सी पार्किन्सन थे। वे लोग सेकंड ईयर के सहमे हुए विद्यार्थियों को रास्ते से हटा रहे थे, ताकि मैल्फ़ॉय और उसके दोस्तों को पूरी गाड़ी मिल जाए। कुछ पल बाद हर्माइनी भीड़ के बीच से हाँफती हुई बाहर निकली।

'मैल्फ़ॉय ने फ़र्स्ट ईयर के एक विद्यार्थी के साथ बहुत बुरा सलूक किया। मैं क़सम खाती हूँ कि मैं उसकी शिकायत करूँगी। उसे अपना बैज मिले तीन

मिनट भी नहीं हुए हैं और वह लोगों को पहले से ज़्यादा सताने लगा है ... क्रुकशैंक्स कहाँ है?'

'जिनी के पास है,' हैरी ने कहा। 'देखो वह रही ...'

जिनी अभी-अभी भीड़ से बाहर निकली थी। क्रुकशैंक्स उसकी बाँहों में कसमसा रही थी।

'धन्यवाद,' हर्माइनी ने जिनी के हाथ से बिल्ली लेते हुए कहा। 'चलो, सारी गाड़ियाँ भर जाएँ, इससे पहले हम किसी गाड़ी में साथ-साथ बैठ जाते हैं।'

'मुझे अभी तक पिग नहीं मिला है!' रॉन ने कहा, लेकिन तब तक हर्माइनी सबसे क़रीब वाली ख़ाली गाड़ी की तरफ़ चल दी थी। हैरी रॉन के साथ पीछे रह गया।

'तुम्हें क्या लगता है, ये भयंकर प्राणी कौन *हैं?*' उसने घोड़ों की तरफ़ इशारा करते हुए-रॉन से पूछा। बाक़ी विद्यार्थी उनके पास से गुज़र रहे थे।

'कौन से प्राणी?'

'वे घोड़े -'

लूना अपनी बाँहों में पिगविजियन का पिंजरा थामे नज़र आई। रॉन का छोटा उल्लू हमेशा की तरह ही चीख़-पुकार मचा रहा था।

'यह लो,' उसने कहा। 'कितना प्यारा उल्लू है?'

'अर ... हाँ ... वह ठीक-ठाक है,' रॉन ने परेशान होते हुए कहा। 'चलो, तो फिर चलते हैं, अंदर चलें ... तुम क्या कह रहे थे, हैरी?'

'मैं कह रहा था, ये घोड़े जैसे प्राणी कौन हैं?' हैरी ने कहा, जब वह, रॉन और लूना उस गाड़ी की तरफ़ बढ़ने लगे, जिसमें हर्माइनी और जिनी बैठ चुकी थीं।

'कौन से घोड़े जैसे प्राणी?'

'जो घोड़ागाड़ियाँ खींच रहे हैं!' हैरी ने ग़ुस्से से कहा। वे लोग इस वक़्त सबसे क़रीब वाले घोड़े से बस तीन फ़ुट दूर थे। वह उन्हें अपनी सूनी सफ़ेद आँखों से घूर रहा था। बहरहाल, रॉन ने हैरी को परेशान अंदाज़ में देखा।

'तुम किस बारे में बात कर रहे हो?'

'मैं इस बारे में बात कर रहा हूँ - देखो!'

हैरी ने रॉन का हाथ पकड़ा और उसे घुमा दिया, ताकि वह पंख वाले घोड़े के ठीक सामने आ जाए। रॉन ने एक पल के लिए सामने घूरा, फिर हैरी की तरफ़ देखने लगा।

'मुझे क्या दिखना चाहिए ?'

'वहाँ, घोड़ागाड़ी के आगे! गाड़ी में जुता हुआ! यह सामने ही तो है -'

लेकिन जब रॉन परेशान और दुविधाग्रस्त दिखता रहा, तो हैरी के मन में एक अजीब विचार आया।

'क्या ... क्या तुम्हें दिखाई नहीं दे रहा है ?'

'क्या दिखाई नहीं दे रहा है ?'

'क्या तुम्हें यह दिखाई नहीं दे रहा है कि गाड़ियों को कौन खींच रहा है ?'

रॉन अब बहुत दहशत में आ गया।

'तुम ठीक तो हो, हैरी ?'

'मैं ... हाँ ...'

हैरी बिलकुल चकरा गया। घोड़ा उसके ठीक सामने था और स्टेशन की खिड़कियों से आती धुँधली रोशनी में चमक रहा था। रात की ठंडी हवा में उसके नथुनों से धुआँ निकल रहा था। बहरहाल, जब तक कि रॉन नाटक न कर रहा हो - और अगर ऐसा है, तो यह बहुत ओछा मज़ाक़ था - तो रॉन उसे नहीं देख सकता था।

'तो अंदर चलें ?' रॉन ने अनिश्चितता से पूछा और हैरी की तरफ़ देखा, जैसे वह उसके बारे में चिंतित हो।

'हाँ,' हैरी ने कहा। 'हाँ, चलो ...'

'तुम बिलकुल सही कह रहे हो,' हैरी के पीछे से एक सपनीली आवाज़ आई, जब रॉन घोड़ागाड़ी के अंदर ओझल हो गया। 'तुम्हारा दिमाग़ सही-सलामत है और यह तुम्हारा वहम नहीं है। मैं भी उन्हें देख सकती हूँ।'

'क्या सचमुच ?' हैरी लूना की तरफ़ मुड़ते हुए बोला। उसे लूना की चाँदी जैसी बड़ी-बड़ी आँखों में चमगादड़ जैसे पंखों वाले घोड़ों का प्रतिबिंब दिखाई दे रहा था।

'ओह हाँ,' लूना ने कहा। 'मैं जब यहाँ पहली बार आई थी, तभी से मैं उन्हें देख सकती हूँ। वे हमेशा हमारी गाड़ियाँ खींचते हैं। चिंता मत करो। तुम उतने ही होशोहवास में हो, जितनी कि मैं।'

हल्के से मुस्कराते हुए लूना रॉन के पीछे घोड़ागाड़ी के अंदर चली गई। हालाँकि हैरी को पूरी तसल्ली नहीं हुई थी, लेकिन वह भी लूना के पीछे-पीछे अंदर पहुँच गया।

अध्याय ग्यारह

बोलती टोपी का नया गीत

हैरी बाक़ी लोगों को यह नहीं बताना चाहता था कि उसे और लूना को एक जैसा दृष्टि-भ्रम हो रहा था, इसलिए जब वह घोड़ागाड़ी के अंदर बैठा और उसने अपने पीछे धड़ाम से दरवाज़ा बंद किया, तो घोड़ों के बारे में कुछ नहीं कहा। बहरहाल, वह खिड़की के पार उनकी आकृतियों को देखने से ख़ुद को नहीं रोक पाया।

'क्या तुम लोगों ने ग्रबली-प्लैंक को देखा?' जिनी ने पूछा। 'वे यहाँ क्या कर रही हैं? हैग्रिड चला तो नहीं गया?'

'अगर वह चला गया है, तो बहुत अच्छा हुआ,' लूना ने कहा। 'वह ज़्यादा अच्छा टीचर नहीं है, है ना?'

'वह बहुत अच्छा है!' हैरी, रॉन और जिनी ने ग़ुस्से से कहा।

हैरी ने हर्माइनी की तरफ़ ग़ुस्से से देखा। उसने खँखारकर अपना गला साफ़ किया और जल्दी से बोली, 'हाँ ... हाँ ... वह बहुत अच्छा है।'

लूना ने बिना विचलित हुए कहा, 'हम चीलघात वाले सोचते हैं कि वह टीचर के नाम पर मज़ाक़ है।'

'तब तो तुम लोग बहुत घटिया मज़ाक़ करते हो,' रॉन ने पलटकर कहा। गाड़ी चलने लगी।

रॉन की बदतमीज़ी से लूना ज़रा भी परेशान नहीं हुई। इसके विपरीत, वह उसे कुछ समय तक ऐसे देखती रही, जैसे वह कोई दिलचस्प टी.वी. कार्यक्रम हो।

खड़खड़ करती और लहराती हुई गाड़ियाँ सड़क पर चलती रहीं। जब गाड़ियाँ पत्थर के ऊँचे खंभों के पास से गुज़रीं, जहाँ स्कूल के गेट के दोनों तरफ़ पंख वाले वराह लगे हुए थे, तो हैरी ने आगे झुककर यह देखने की कोशिश की

कि अँधेरे जंगल के पास बने हैग्रिड के केबिन में कोई रोशनी है या नहीं, लेकिन वहाँ घुप्प अँधेरा छाया था। बहरहाल, हॉगवर्ट्स का महल क़रीब आता जा रहा था। महल के बहुत से कँगूरे स्याह आसमान के कारण काले दिख रहे थे। ऊपर वाली एकाध खिड़की में रोशनी दिख रही थी।

गाड़ियाँ पत्थर की सीढ़ियों के पास रुक गईं, जो बलूत की लकड़ी से बने बाहरी दरवाज़े तक जाती थीं। हैरी सबसे पहले उतरा। उसने एक बार फिर मुड़कर जंगल की तरफ़ देखा, लेकिन हैग्रिड के केबिन के भीतर जीवन का कोई चिन्ह नहीं दिख रहा था। उसे आधी उम्मीद थी कि घोड़े ग़ायब हो गए होंगे, इसलिए उसने अधूरे मन से अपनी आँखें उन कंकाल जैसे अजीब प्राणियों की तरफ़ घुमाईं, जो रात की ठंडी हवा में स्थिर खड़े थे और जिनकी सूनी सफ़ेद आँखें चमक रही थीं।

हैरी एक बार पहले भी ऐसी चीज़ देख चुका था, जो रॉन को दिखाई नहीं दी थी। लेकिन उस वक़्त रॉन को दर्पण में प्रतिबिंब दिखाई नहीं दिया था, जो इन घोड़ों की तुलना में बहुत छोटी चीज़ थी। ये घोड़े तो लगभग सौ थे और ठोस तथा इतने ताक़तवर दिख रहे थे कि गाड़ियों को खींच सकें। अगर लूना की बात पर यक़ीन किया जाए, तो ये जानवर हमेशा से यहाँ थे, लेकिन पहले उसे नहीं दिखते थे। तो फिर अचानक वे हैरी को क्यों दिखने लगे और रॉन को क्यों नहीं दिखे?

रॉन ने उसके पास से कहा, 'तुम चल रहे हो या नहीं?'

हैरी ने जल्दी से कहा, 'ओह ... हाँ!' वे पत्थर की सीढ़ियों पर चढ़कर महल के अंदर जाती भीड़ में शामिल हो गए।

प्रवेश द्वार मशालों से रोशन था। वहाँ पत्थर के फ़र्श पर विद्यार्थियों के क़दमों की आवाज़ गूँज रही थी। विद्यार्थी दाहिनी तरफ़ के दरवाज़े से होकर बड़े हॉल और सत्र के शुरुआती जश्न में पहुँचने के लिए उत्सुक थे।

विद्यार्थी बड़े हॉल में चार लंबी हाउस टेबलों पर बैठ रहे थे। ऊपर की काली छत स्याह दिख रही थी। यह खिड़कियों से बाहर नज़र आते आसमान जैसी थी। टेबलों के ऊपर हवा में मोमबत्तियाँ तैर रही थीं और इनकी रोशनी में हॉल में मौजूद चाँदी जैसे रंग के भूत चमचमा रहे थे। रोशनी में उत्सुकता से बातें करते विद्यार्थियों के चेहरे भी चमक रहे थे, जो गर्मियों की छुट्टियों के हाल-चाल सुना रहे थे, दूसरे हाउसों के अपने दोस्तों से चिल्लाकर हाय-हैलो कर रहे थे और एक-दूसरे की नई हेयरस्टाइल तथा दुशालों को देख रहे थे। एक बार फिर हैरी ने देखा कि उसके निकलते समय विद्यार्थी अपने सिर सटाकर फुसफुसा रहे थे। उसने अपने दाँत भींचे और इस तरह दिखने की कोशिश की, जैसे उसने इस

तरफ़ ध्यान नहीं दिया था या उसे इस बात की परवाह नहीं थी।

लूना उनसे अलग होकर चीलघात की टेबल की तरफ़ चली गई। जैसे ही वे गरुड़द्वार की टेबल पर पहुँचे, फ़ोर्थ ईयर के एक विद्यार्थी ने जिनी को बुला लिया और वह उसके पास चली गई। हैरी, रॉन, हर्माइनी और नेविल टेबल की आधी दूर जाकर पास-पास बैठ गए। उनके एक तरफ़ गरुड़द्वार हाउस का भूत लगभग सिरकटा निक था और दूसरी तरफ़ पार्वती पाटिल तथा लैवेंडर ब्राउन बैठी थीं। पार्वती और लैवेंडर ने जिस अति-दोस्ताना अंदाज़ में हैरी का अभिवादन किया, उससे उसे यक़ीन हो गया कि वे एक पल पहले उसी के बारे में बातचीत कर रही होंगी। बहरहाल, उसके पास चिंता करने के लिए ज़्यादा महत्वपूर्ण बातें थीं। वह विद्यार्थियों के सिर के ऊपर से स्टाफ़ टेबल की तरफ़ देख रहा था, जो हॉल की ऊँची दीवार के पास लगी थी।

'वह वहाँ नहीं है।'

रॉन और हर्माइनी ने भी स्टाफ़ टेबल को ग़ौर से देखा, हालाँकि इसकी कोई ज़रूरत नहीं थी। हैरी इतना विशालकाय था कि वह तत्काल नज़र आ जाता।

'वह चला तो नहीं गया है,' रॉन थोड़ी चिंता से बोला।

हैरी ने दृढ़ता से कहा, 'वह कहीं नहीं गया है।'

हर्माइनी परेशान होकर बोली, 'तुम्हें ऐसा तो नहीं लगता कि वह ... *घायल* हो गया है?'

'नहीं,' हैरी ने तत्काल कहा।

'तो फिर वह कहाँ है?'

एक पल के लिए ख़ामोशी छा गई। फिर हैरी ने बहुत धीरे से कहा, ताकि नेविल, पार्वती और लैवेंडर उसकी बात न सुन सकें, 'शायद वह अब तक वापस नहीं लौटा है। उसके मिशन से – उस काम से, जिसे वह डम्बलडोर के आदेश पर गर्मियों में करने गया था।'

'हाँ ... हाँ, यही बात होगी,' रॉन ने चैन की साँस लेते हुए कहा, लेकिन हर्माइनी ने अपना होंठ काटा और स्टाफ़ टेबल की तरफ़ ग़ौर से देखने लगी, जैसे उसे उम्मीद हो कि उसे वहाँ हैग्रिड की अनुपस्थिति का कोई विश्वसनीय स्पष्टीकरण मिल जाएगा।

'*वह* कौन है?' उसने तीखी आवाज़ में कहा और स्टाफ़ टेबल की ओर इशारा किया।

हैरी ने अपनी आँखें उस तरफ़ घुमाईं। पहले तो उसे प्रोफ़ेसर डम्बलडोर दिखे, जो लंबी स्टाफ़ टेबल के बीचोबीच ऊँची पीठ वाली सुनहरी कुर्सी पर बैठे थे। उन्होंने गहरे बैंगनी दुशाले पहन रखे थे, जिन पर चाँदी जैसे रंग के सितारे थे और इसी रंग का हैट था। डम्बलडोर का सिर उनके ठीक पास बैठी महिला की तरफ़ झुका हुआ था, जो उनके कान में कुछ फुसफुसा रही थी। हैरी ने सोचा कि वह महिला तो किसी की कुँआरी चाची जैसी दिख रही थी। वह मोटी थी, उसके बाल छोटे, घुँघराले और चूहे जैसे भूरे थे, जिनमें उसने एक भयंकर गुलाबी एलिस बैंड लगा रखा था। यह गुलाबी बैंड उसके रोएँदार गुलाबी कार्डिगन के रंग से मेल खा रहा था, जो उसने अपने दुशालों के ऊपर पहन रखा था। फिर उस महिला ने प्याले से एक घूँट लेने के लिए अपना चेहरा थोड़ा सा घुमाया। उसके ऐसा करते ही हैरी उसे पहचान गया। उस पीले, मेंढकी जैसे चेहरे और उभरी हुई आँखों को पहचानकर उसे सदमा लगा।

'यह तो वही अंबरिज औरत है!'

'कौन ?' हर्माइनी ने पूछा।

'वह मेरी सुनवाई के दौरान अदालत में बैठी थी! वह फ़ज के लिए काम करती है!'

'कार्डिगन अच्छा है,' रॉन ने व्यंग्य करते हुए कहा।

'वह फ़ज के लिए काम करती है!' हर्माइनी ने त्योरियाँ चढ़ाकर दोहराया। 'तो फिर वह यहाँ क्या कर रही है ?'

'क्या पता ...'

हर्माइनी ने आँखें सिकोड़कर स्टाफ़ टेबल की जाँच की।

'नहीं,' वह बुदबुदाई, 'नहीं, बिलकुल नहीं ...'

हैरी यह नहीं समझ पाया कि वह किस बारे में बोल रही है, लेकिन उसने कुछ नहीं पूछा। उसका ध्यान तो प्रोफ़ेसर ग्रबली-प्लैंक की तरफ़ चला गया था, जो उसी समय स्टाफ़ टेबल के पीछे आकर खड़ी हुई थीं। वे आख़िरी सिरे तक आईं और उस जगह पर बैठ गईं, जहाँ हैग्रिड बैठता था। इसका मतलब यह था कि फ़र्स्ट ईयर के विद्यार्थी झील पार करके महल में आ चुके थे। कुछ ही पल बाद प्रवेश हॉल का दरवाज़ा खुल गया। उसमें से फ़र्स्ट ईयर के सहमे विद्यार्थियों की लंबी लाइन दाख़िल हुई। उनके आगे प्रोफ़ेसर मैक्गॉनेगल चल रही थीं, जो एक स्टूल थामे थीं। स्टूल पर जादूगरों की एक पुरानी टोपी रखी थी। टोपी पर बहुत सारे पैबंद लगे थे और उसकी नोक के पास एक चौड़ा छेद था।

बड़े हॉल में बातचीत की भनभन बंद हो गई। फ़र्स्ट ईयर के विद्यार्थी

लाइन बनाकर स्टाफ़ टेबल के सामने खड़े हो गए, ताकि वे बाक़ी विद्यार्थियों के सामने रहें। प्रोफ़ेसर मैक्गॉनेगल ने स्टूल को सावधानी से उनके सामने रख दिया और फिर पीछे हटकर खड़ी हो गईं।

फ़र्स्ट ईयर के विद्यार्थियों के चेहरे मोमबत्तियों की रोशनी में पीले दिख रहे थे। लाइन के बीच में खड़ा एक छोटा लड़का तो काँप रहा था। हैरी को धुँधली सी याद आई कि जब वह उस जगह खड़ा था, तो कितनी दहशत में था! वह उस अनजान परीक्षा का इंतज़ार करते समय कितना डर रहा था, जिसमें यह तय होने वाला था कि वह किस हाउस में जाएगा।

पूरा स्कूल साँस रोककर इंतज़ार करने लगा। फिर टोपी की नोक के पास वाला छेद मुँह की तरह खुला और बोलती टोपी गाने लगी :

पुराने ज़माने की बात है, जब मैं नई थी
और हॉगवर्ट्स शुरू ही हुआ था,
हमारे लोकप्रिय स्कूल के संस्थापकों ने सोचा
वे कभी जुदा नहीं होंगे :
उन सबका लक्ष्य एक ही था,
उन सभी की इच्छा एक ही थी,
कि वे दुनिया का सबसे अच्छा जादूगर स्कूल बनाएँ
और अपना ज्ञान भावी पीढ़ी तक पहुँचाएँ।
'हम मिलकर स्कूल बनाएँगे और पढ़ाएँगे!'
चारों अच्छे मित्रों ने फ़ैसला किया।
उन्होंने सपने में भी नहीं सोचा था
उनमें किसी दिन मतभेद भी होगा,
क्योंकि नागशक्ति और गरुड़द्वार
जैसे अच्छे मित्र और कहाँ थे?
जब तक कि यह मेहनतकश और चीलघात
की पक्की सहेलियों की जोड़ी न हो?
तो इतना गड़बड़झाला कैसे हो गया?
इतनी अच्छी दोस्ती कैसे टूट गई?
मैं वहाँ थी, इसलिए मैं ही
वह दुख भरी कहानी सुना सकती हूँ।
नागशक्ति ने कहा, 'हम सिर्फ़ उन्हें सिखाएँगे

जिनका ख़ून शुद्ध हो।'
चीलघात ने कहा, 'हम उन्हें सिखाएँगे
जिनकी बुद्धि सबसे तेज़ हो।'
गरुड़द्वार ने कहा, 'हम उन सभी को सिखाएँगे
जो बहादुर हों।'
मेहनतकश ने कहा, 'मैं बाक़ी सबको सिखाऊँगी,
और उनके साथ वैसा ही बर्ताव करूँगी।'
जब उनमें पहली बार मतभेद उभरे,
तो बहुत कम विवाद हुआ,
क्योंकि चारों संस्थापकों का एक-एक हाउस था,
जिसमें वे उन विद्यार्थियों को ले सकते थे,
जिन्हें वे सिखाना चाहते थे।
उदाहरण के लिए, नागशक्ति ने
सिर्फ़ शुद्ध ख़ून वाले जादूगरों को लिया,
जो उनकी ही तरह चालाक थे,
और चीलघात ने
सिर्फ़ तेज़ दिमाग़ वाले विद्यार्थियों को चुना,
जबकि सबसे बहादुर विद्यार्थी
साहसी गरुड़द्वार के हाउस में गए।
माया मेहनतकश ने बाक़ी सभी विद्यार्थियों को लिया
और उन्हें अपना सारा ज्ञान दिया।
इस तरह सभी हाउसों और संस्थापकों
की मित्रता दृढ़ और सच्ची बनी रही।
इसलिए हॉगवर्ट्स सद्भावना में चलता रहा।
कई साल सुख में बीते,
लेकिन फिर उनके बीच मतभेद उभरने लगे,
जो उनके दोषों और डर के कारण बढ़ते गए।
चार हाउस, जो चार स्तंभों की तरह
कभी स्कूल को सँभालते थे,
अब एक-दूसरे के ख़िलाफ़ हो गए और
उन्होंने फूट डालकर शासन करने की सोची।
कुछ समय तक ऐसा लगा कि स्कूल

जल्दी ही बंद हो जाएगा,
क्योंकि काफ़ी विवाद और संघर्ष थे,
दोस्तों के बीच लड़ाई-झगड़े हो रहे थे।
आख़िरकार वह सुबह आ ही गई
जब नागशक्ति चले गए
और हालाँकि उसके बाद लड़ाई-झगड़े
बंद हो गए,
लेकिन उनके जाने से हमारा मनोबल कम हो गया।
और जब से चार की जगह तीन संस्थापक हुए,
तब से हाउसों में वैसी एकता कभी नहीं रही,
जैसी कि स्कूल के शुरू होते समय उम्मीद थी।
अब यहाँ सिर्फ़ बोलती टोपी है
और आप सभी जानते हैं कि मैं क्या करूँगी :
मैं आपको हाउसों में भेजने के लिए चुनूँगी
क्योंकि यही मेरा काम है,
लेकिन इस साल मैं इससे भी आगे जाऊँगी,
मेरे गीत को ग़ौर से सुनें :
हालाँकि मैं विद्यार्थियों को हाउसों में बाँटने के लिए अभिशप्त हूँ
फिर भी मैं चिंतित हूँ कि यह ग़लत है।
हालाँकि मुझे अपना फ़र्ज़ निभाना होगा
और हर साल विद्यार्थियों को चार हाउसों में बाँटना होगा,
फिर भी मैं सोचती हूँ कि इस विभाजन से
कभी वह अंत न आ जाए, जिसका मुझे डर है।
ओह, संकट को पहचानो, इशारों को समझो,
चेतावनी देने वाला इतिहास बता रहा है,
बाहरी, घातक शत्रुओं से
हमारा हॉगवर्ट्स ख़तरे में है
और हमें इसके भीतर एकता रखनी ही होगी
वरना हम भीतर से बिखर जाएँगे
मैंने आपको बता दिया है, मैंने आपको चेतावनी दे दी है ...
अब चुनने की रस्म शुरू करते हैं।

टोपी एक बार फिर बेजान हो गई। तालियों की आवाज़ गूँजने लगी, लेकिन यह उतनी दमदार नहीं थी। बोलती टोपी के गीत के ठीक बाद विद्यार्थियों में बुदबुदाहटों और कानाफूसियों का दौर शुरू हो गया। ऐसा पहले कभी नहीं हुआ था। पूरे बड़े हॉल में विद्यार्थी आपस में खुसुर-पुसुर कर रहे थे और सबके साथ तालियाँ बजाने वाला हैरी जानता था कि वे किस बारे में बातें कर रहे थे।

रॉन ने अपनी भौंहें उठाते हुए कहा, 'इस बार टोपी का गीत थोड़ा अलग था, है ना?'

'लेकिन बात बिलकुल सही कही,' हैरी बोला।

बोलती टोपी आम तौर पर अपने गीत में सिर्फ़ उन अलग-अलग गुणों का वर्णन करती थी, जो हॉगवर्ट्स के चार हाउसों में चुनाव के लिए ज़रूरी थे। टोपी विद्यार्थियों के चुनने की रस्म में अपनी भूमिका तक ही सीमित रहती थी। हैरी को याद नहीं था कि टोपी ने इससे पहले कभी स्कूल को सलाह देने की कोशिश की थी।

हर्माइनी ने थोड़ी तनाव भरी आवाज़ में कहा, 'क्या पता इसने पहले भी कभी चेतावनी दी है या नहीं?'

'दी है,' लगभग सिरकटे निक ने अपना ज्ञान बघारते हुए कहा और नेविल से टिककर उसकी तरफ़ आया (नेविल की उफ़ निकल गई; क्योंकि किसी भूत का शरीर पर टिकना बहुत परेशान करने वाली बात थी)। 'टोपी इस बात को अपना कर्तव्य मानती है कि मौक़ा पड़ने पर यह स्कूल को उचित चेतावनी दे –'

प्रोफ़ेसर मैक्गॉनेगल सूची में से फ़र्स्ट ईयर के विद्यार्थियों के नाम पढ़ने जा रही थीं और कानाफूसी कर रहे विद्यार्थियों को आगबबूला होकर देख रही थीं। लगभग सिरकटे निक ने अपनी पारदर्शी उँगली अपने होंठों पर रखी और बिलकुल सीधा बैठ गया। बुदबुदाहट अचानक बंद हो गई। चारों हाउसों की टेबलों को त्योरी चढ़ाकर देखने के बाद प्रोफ़ेसर मैक्गॉनेगल ने अपनी आँखें चर्मपत्र के लंबे टुकड़े पर झुकाईं और पहला नाम पढ़ा।

'एबरक्रॉम्बी, युआन।'

जिस सहमे हुए लड़के को हैरी ने पहले देखा था, वह लड़खड़ाता हुआ आगे आया और उसने टोपी अपने सिर पर रख ली। अगर उसके कान बहुत बड़े नहीं होते, तो टोपी सीधे उसके कंधों पर गिर जाती। टोपी ने एक पल विचार किया, फिर इसकी नोक के पास वाला छेद एक बार फिर खुला और आवाज़ आई :

'गरुड़द्वार!'

हैरी ने गरुड़द्वार के बाक़ी विद्यार्थियों के साथ ज़ोरदार तालियाँ बजाईं, जब युआन एबरक्रॉम्बी लड़खड़ाता हुआ उनकी टेबल पर आकर बैठ गया। उसे देखकर ऐसा लग रहा था, जैसे वह धरती में धँस जाना चाहता हो और यह चाहता हो कि कोई उसकी तरफ़ न देखे।

धीरे-धीरे फ़र्स्ट ईयर की लंबी लाइन छोटी होती गई। नामों और बोलती टोपी के फ़ैसलों के बीच हैरी को रॉन के पेट के ज़ोर-ज़ोर से गड़गड़ाने की आवाज़ें सुनाई देती रहीं। आख़िर में 'झेलर, रोज़' को मेहनतकश में चुना गया और प्रोफ़ेसर मैक्गॉनेगल टोपी तथा स्टूल को उठाकर दूर ले गईं। इसके साथ ही प्रोफ़ेसर डम्बलडोर खड़े हो गए।

अपने हेडमास्टर के प्रति हैरी की हाल की भावनाएँ चाहे जितनी कटु रही हों, लेकिन उन्हें सामने खड़े देखकर उसे राहत मिली। हैग्रिड की अनुपस्थिति और ड्रैगन जैसे घोड़ों की उपस्थिति के बाद उसने महसूस किया था कि जिस हॉगवर्ट्स में लौटने के लिए वह बेताब था, वह अब अप्रत्याशित आश्चर्यों से भरा था। यह तो वैसा ही था, जैसे किसी परिचित गीत में अचानक कर्कश आवाज़ें आ जाएँ। लेकिन कम से कम एक चीज़ तो वैसी ही थी, जैसी होनी चाहिए थी : सत्र के शुरुआती जश्न से पहले हेडमास्टर उन सभी का स्वागत करने के लिए खड़े हो रहे थे।

'हमारे नए मेहमानों का,' डम्बलडोर ने गूँजती आवाज़ में कहा। उनकी बाँहें फैली थीं तथा उनके होंठों पर चौड़ी मुस्कान थी, 'स्वागत है! हमारे पुराने साथियों का - दोबारा स्वागत है! भाषण देने का एक मौक़ा होता है, लेकिन यह वह मौक़ा नहीं है। टूट पड़ो!'

हँसी का फव्वारा छूटा और तालियाँ बजने लगीं। डम्बलडोर बैठ गए और उन्होंने अपनी लंबी दाढ़ी कंधे के ऊपर से पीछे की तरफ़ उछाल दी, ताकि वह उनकी प्लेट से न टकरा जाए - क्योंकि भोजन अचानक प्रकट हो गया था और पाँच लंबी टेबलों पर मीट, पाई तथा ढेर सारी सब्ज़ियाँ आ गई थीं। ब्रेड, सॉस और कद्दू के जूस के जग भी अचानक प्रकट हो गए थे।

'बहुत बढ़िया,' रॉन ने हसरत भरी आवाज़ में कहा। उसने अपने सबसे पास रखी चॉप्स की प्लेट उठाई और ढेर सारे चॉप्स अपनी प्लेट में रखने लगा। लगभग सिरकटा निक उसे हसरत से देख रहा था।

हर्माइनी ने लगभग सिरकटे निक से पूछा, 'तुम चुनने की रस्म से पहले टोपी की चेतावनी के बारे में क्या कह रहे थे?'

'ओह हाँ,' निक ने कहा। वह इस बात से ख़ुश नज़र आ रहा था कि उसे

रॉन पर से नज़रें हटाने का मौक़ा मिल गया था, जो अब बड़े जोश से भुने आलू खाए जा रहा था। 'हाँ, मैंने टोपी को पहले भी कई बार चेतावनी देते सुना है। यह हमेशा ऐसे समय चेतावनी देती है, जब इसे लगता है कि स्कूल पर कोई भारी ख़तरा मँडरा रहा है। और ज़ाहिर है, इसकी सलाह हमेशा यही रहती है : एकता बनाए रखो, अंदर से मज़बूत बनो।'

'पीको ताचलता ख़तमें है ?' रॉन ने कहा।

उसका मुँह इतना भरा था कि हैरी ने सोचा कि किसी तरह की आवाज़ निकालना भी बहुत बड़ी बात थी।

'क्या कहा ?' लगभग सिरकटे निक ने विनम्रता से पूछा, हालाँकि हर्माइनी चिढ़ी हुई दिख रही थी। रॉन ने अपने मुँह के भीतर भरा बहुत बड़ा निवाला निगला और कहा, 'टोपी को कैसे पता चलता है कि स्कूल ख़तरे में है ?'

'मुझे नहीं मालूम,' लगभग सिरकटे निक ने कहा। 'स्वाभाविक है, यह डम्बलडोर के ऑफ़िस में रखी रहती है, इसलिए इसे वहीं सारी बातों की जानकारी मिलती होगी।'

'और यह चाहती है कि सभी हाउसों में दोस्ती रहे ?' हैरी ने नागशक्ति की टेबल की तरफ़ देखते हुए कहा, जहाँ ड्रेको मैल्फ़ॉय अपना दरबार लगाए बैठा था। 'रत्ती भर भी संभावना नहीं है।'

'देखो, तुम्हें ऐसा नज़रिया नहीं रखना चाहिए,' निक ने झिड़कते हुए कहा। 'शांतिपूर्ण सहयोग ही असली कुंजी है। हालाँकि हम भूत अलग-अलग हाउसों के हैं, लेकिन हम मित्रता के संबंध बनाए रखते हैं। गरुड़द्वार और नागशक्ति के बीच की प्रतिस्पर्धा के बावजूद मैं कभी ख़ूनी नवाब के साथ बहस करने की बात तो सपने में भी नहीं सोच सकता।'

रॉन ने कहा, 'ऐसा इसलिए है, क्योंकि तुम उससे डरते हो!'

लगभग सिरकटा निक बुरी तरह चिढ़ गया।

'डरता हूँ ? मैं, सर निकोलस डे मिम्सी-पोर्पिंगटन ज़िंदगी में कभी डरपोक नहीं रहा! मेरी रगों में जो सामंती ख़ून बह रहा है –'

'कौन सा ख़ून ?' रॉन ने कहा। 'निश्चित रूप से इस वक़्त तो तुम्हारी रगों में कोई ख़ून नहीं – ?'

'यह तो कहने का अंदाज़ है!' लगभग सिरकटे निक ने कहा, जो अब इतना चिढ़ गया था कि उसका सिर उसकी अधकटी गर्दन पर बुरी तरह से झूलने लगा था। 'हालाँकि मेरा खाने-पीने का आनंद छिन चुका है, लेकिन मुझे लगता है कि मुझे अब भी मनचाहे शब्द बोलने का आनंद लेने की इजाज़त है!

लेकिन मुझे इस बात की आदत पड़ चुकी है कि विद्यार्थी मेरी मौत का मज़ाक़ उड़ाते हैं!'

'निक, वह दरअसल तुम पर नहीं हँस रहा था!' हर्माइनी ने रॉन को खा जाने वाली नज़रों से देखते हुए कहा।

दुर्भाग्य से रॉन का मुँह एक बार फिर पूरा भरा हुआ था और वह सिर्फ़ इतना ही कह पाया, 'मेबात यतलब।' निक को नहीं लगा कि यह पर्याप्त माफ़ी थी। हवा में उठते हुए निक ने अपना पंख वाला हैट सीधा किया और टेबल की दूसरी तरफ़ पहुँचकर क्रीवी बंधुओं कॉलिन और डेनिस के बीच में बैठ गया।

'शाबाश रॉन,' हर्माइनी ने ताना मारते हुए कहा।

'क्या ?' रॉन ने ग़ुस्से से कहा और आख़िरकार अपने मुँह में भरा निवाला निगल लिया। 'मैं एक सामान्य सा सवाल भी नहीं पूछ सकता ?'

'ओह, भूल जाओ,' हर्माइनी ने चिढ़कर कहा और उन दोनों ने बाक़ी खाना ग़ुस्से भरी ख़ामोशी में खाया।

हैरी उन दोनों की नोक-झोंक का इतना आदी हो चुका था कि उसने उनमें सुलह करवाने का कष्ट नहीं किया। उसे लगा कि उसके समय का यह ज़्यादा अच्छा सदुपयोग होगा कि वह पहले तो अपने स्टीक और किडनी पाई को लगातार खाए और फिर बहुत सारा ट्रिकल टार्ट भर ले, जो उसे ख़ास पसंद था।

जब सभी विद्यार्थियों ने खाना ख़त्म कर लिया और हॉल में शोर बढ़ने लगा, तो डम्बलडोर एक बार फिर खड़े हो गए। बातचीत तत्काल बंद हो गई और सभी सिर हेडमास्टर की तरफ़ मुड़ गए। हैरी अब ख़ुशनुमा तरीक़े से उनींदा महसूस कर रहा था। उसका मसहरीदार पलंग ऊपर उसका इंतज़ार कर रहा होगा। बिस्तर बहुत गर्म और नर्म होगा ...

डम्बलडोर ने कहा, 'एक और शानदार दावत को हजम करते समय मैं इस सत्र के कुछ नोटिस सुनाना चाहूँगा। कृपया ध्यान से सुनें। फ़र्स्ट ईयर के विद्यार्थियों को यह पता होना चाहिए कि अँधेरे जंगल में विद्यार्थियों को जाने की सख़्त मनाही है – और कुछ पुराने विद्यार्थियों को भी अब तक यह बात पता हो जानी चाहिए।' (हैरी, रॉन और हर्माइनी एक-दूसरे की तरफ़ देखकर मुस्कराए।)

'चौकीदार मिस्टर फ़िल्च ने मुझसे चार सौ बासठवीं बार कहा है कि मैं आप सबको याद दिला दूँ कि क्लासों के बीच गलियारों में जादू करने की इजाज़त नहीं है। इसके अलावा महल में बहुत सी चीज़ें भी प्रतिबंधित हैं, जिनकी विस्तृत सूची मिस्टर फ़िल्च के ऑफ़िस के दरवाज़े पर चस्पा कर दी गई है।

'हमारे स्टाफ़ में इस साल दो परिवर्तन हुए हैं। हमें प्रोफ़ेसर ग्रबली-प्लैंक

का दोबारा स्वागत करते हुए बहुत ख़ुशी हो रही है, जो जादुई प्राणियों की देखभाल विषय पढ़ाएँगी। मुझे प्रोफ़ेसर अंबरिज का परिचय देते हुए भी ख़ुशी हो रही है, जो गुप्त कलाओं से रक्षा की हमारी नई टीचर हैं।'

विनम्र लेकिन काफ़ी उत्साहहीन ढंग से तालियाँ बजीं। हैरी, रॉन और हर्माइनी थोड़ी दहशत से एक-दूसरे की तरफ़ देखने लगे। डम्बलडोर ने यह नहीं बताया था कि ग्रबली-प्लैंक कब तक पढ़ाएँगी।

डम्बलडोर ने आगे कहा, 'हाउस क्विडिच टीमों के ट्रायल्स -'

वे बोलते-बोलते रुक गए और प्रोफ़ेसर अंबरिज की तरफ़ सवालिया निगाह से देखने लगे। चूँकि वे खड़ी होने के बावजूद उतनी ही लंबी दिख रही थीं, जितनी कि बैठते समय थीं, इसलिए एक पल के लिए तो किसी को भी समझ नहीं आया कि डम्बलडोर ने अचानक बोलना क्यों बंद कर दिया था, लेकिन तभी प्रोफ़ेसर अंबरिज ने अपना गला साफ़ किया, *'उहूँ, उहूँ।'* इससे यह स्पष्ट हो गया कि वे उठकर खड़ी हो चुकी थीं और कुछ बोलना चाहती थीं।

डम्बलडोर सिर्फ़ एक पल के लिए हैरान दिखे। इसके बाद वे शालीनता से बैठ गए और प्रोफ़ेसर अंबरिज की तरफ़ ऐसे देखने लगे, जैसे वे उनके भाषण से ज़्यादा और कुछ नहीं सुनना चाहते हों। स्टाफ़ के बाक़ी सदस्य अपनी हैरानी को इतनी कुशलता से नहीं छिपा पाए। प्रोफ़ेसर स्प्राउट की भौंहें उनके उड़ते बालों में ग़ुम हो चुकी थीं और प्रोफ़ेसर मैक्गॉनेगल का मुँह इस समय जितना पतला दिख रहा था, उतना हैरी ने पहले कभी नहीं देखा था। इससे पहले किसी भी नए टीचर ने डम्बलडोर के भाषण के बीच में बाधा नहीं डाली थी। कई विद्यार्थी मुस्कराने लगे। ज़ाहिर है, यह औरत हॉगवर्ट्स की परंपरा नहीं जानती थी।

'भावभीने स्वागत के लिए धन्यवाद, हेडमास्टर,' प्रोफ़ेसर अंबरिज बोलीं।

उनकी आवाज़ ऊँची, पतली और लड़कियों जैसी थी। एक बार फिर हैरी के मन में नफ़रत का ज़बर्दस्त तूफ़ान उठा, जिसका वह कारण नहीं जानता था। वह तो बस इतना जानता था कि उसे इस औरत की मूर्खतापूर्ण आवाज़ से लेकर उसके रोएँदार गुलाबी कार्डिगन तक हर चीज़ से नफ़रत थी। अंबरिज गला साफ़ करने के लिए एक बार फिर खाँसीं, ('उहूँ, उहूँ') और आगे बोलने लगीं।

'मुझे कहना होगा कि हॉगवर्ट्स लौटना बहुत सुखद है!' उन्होंने अपने बहुत नुकीले दाँत दिखाते हुए कहा। 'और इतने सारे खुश छोटे-छोटे चेहरों को देखना, जो मेरी तरफ़ देख रहे हैं!'

हैरी ने चारों तरफ़ देखा। उसे कोई भी चेहरा ख़ुश नज़र नहीं आ रहा था। इसके विपरीत वे सभी इस तरह से संबोधित किए जाने पर थोड़े हैरान दिख रहे थे, जैसे वे पाँच साल के हों।

'मैं आप सभी से जान-पहचान करने के लिए बेताब हूँ और मुझे यक़ीन है कि हम अच्छे दोस्त बन जाएँगे!'

यह सुनकर विद्यार्थियों ने एक-दूसरे की तरफ़ ताका। उनमें से कुछ से तो अपनी मुस्कान छिपाते नहीं बन रही थी।

'मैं तब तक उनकी दोस्त बनी रहूँगी, जब तक कि मुझे उनका कार्डिगन उधार न लेना पड़े,' पार्वती ने लैवेंडर से फुसफुसाकर कहा और दोनों बिना आवाज़ किए हँसने लगीं।

प्रोफ़ेसर अंबरिज ने एक बार फिर अपना गला साफ़ किया ('उहूँ, उहूँ')। इसके बाद जब वे बोलीं, तो उनकी आवाज़ से लड़कियों जैसा पुट चला गया। अब वे ज़्यादा गंभीरता से बोलने लगीं। ऐसा लग रहा था, जैसे वे भाषण रटकर आई हों।

'जादू मंत्रालय ने हमेशा युवा जादूगरों और जादूगरनियों की शिक्षा को अत्यंत महत्त्वपूर्ण माना है। आप लोग जिन दुर्लभ ख़ूबियों के साथ पैदा हुए हैं, वे तब तक उपयोग में नहीं आ सकतीं, जब तक उन्हें सावधानी से तराशा और निखारा न जाए। जादूगर समुदाय का ज्ञान आने वाली पीढ़ियों को सौंपा जाना चाहिए, वरना हम उससे हमेशा के लिए वंचित हो जाएँगे। हमारे पूर्वजों के संचित जादुई ज्ञान के ख़ज़ाने की रक्षा की जानी चाहिए, उसमें वृद्धि की जानी चाहिए और उन लोगों द्वारा उसे चमकाया जाना चाहिए, जो शिक्षण के महान व्यवसाय में हैं।'

प्रोफ़ेसर अंबरिज यहाँ एक पल के लिए ठहरीं और उन्होंने अपने साथी प्रोफ़ेसरों की तरफ़ सिर झुकाया, लेकिन किसी ने जवाब में अपना सिर नहीं झुकाया। प्रोफ़ेसर मैक्गॉनेगल की काली भौंहें इतनी सिकुड़ गई थीं कि वे बाज़ जैसी दिख रही थीं। हैरी ने उन्हें प्रोफ़ेसर स्प्राउट की तरफ़ अर्थपूर्ण निगाह डालते हुए देखा। लेकिन तभी अंबरिज ने एक बार फिर 'उहूँ, उहूँ' की और आगे बोलने लगीं।

'हॉगवर्ट्स का हर हेडमास्टर और हेडमिस्ट्रेस इस ऐतिहासिक स्कूल को चलाने के ज़िम्मेदारीपूर्ण काम में कुछ नया लाया है और ऐसा ही होना चाहिए, क्योंकि प्रगति के बिना ठहराव और विनाश हो जाएगा। लेकिन सिर्फ़ प्रगति के लिए प्रगति को हतोत्साहित किया जाना चाहिए, क्योंकि हमारी आज़माई हुई परंपराओं में अक्सर किसी हस्तक्षेप की आवश्यकता नहीं होती है। इस तरह से प्राचीन और नवीन, स्थायित्व और परिवर्तन, परंपरा और नवाचार के बीच एक संतुलन होना चाहिए ...'

हैरी का ध्यान भटक रहा था। उसे ऐसा लग रहा था, जैसे उसका दिमाग़

फिसल रहा हो। उसे कुछ समझ में नहीं आ रहा था। डम्बलडोर के बोलते समय हॉल में हमेशा छाई रहने वाली ख़ामोशी अब टूट रही थी, क्योंकि विद्यार्थी अपने सिर सटाकर फुसफुसा रहे थे और हँस रहे थे। चीलघात की टेबल पर चो चैंग अपनी सहेलियों से उत्साह से बतिया रही थी। चो से कुछ दूर लूना लवगुड बैठी थी, जिसने एक बार फिर अपनी द *क्विबलर* पत्रिका निकाल ली थी। मेहनतकश की टेबल पर बैठा अर्नी मैकमिलन उन गिने-चुने विद्यार्थियों में से था, जो अब भी प्रोफ़ेसर अंबरिज की तरफ़ एकटक देख रहे थे, हालाँकि उसकी आँखें शून्य में ताक रही थीं। हैरी को यक़ीन था कि अपने सीने पर दमकते प्रिफ़ेक्ट के नए बैज के कारण वह सुनने का नाटक कर रहा था।

प्रोफ़ेसर अंबरिज ने श्रोताओं की बेचैनी की तरफ़ ध्यान नहीं दिया। हैरी को लगा कि अगर उनकी नाक के नीचे भयंकर दंगा हो जाए, तो भी वे अपने भाषण को नहीं रोकेंगी। बहरहाल, टीचर्स अब भी बड़े ध्यान से सुन रहे थे और हर्माइनी तो जैसे अंबरिज के हर शब्द को पी रही थी, हालाँकि उसके चेहरे से लग रहा था कि उसे वे शब्द पसंद नहीं आ रहे थे।

'... क्योंकि कुछ परिवर्तनों के अच्छे परिणाम निकलेंगे, जबकि समेय हमें बताएगा कि बाक़ी के परिवर्तन करना हमारी भूल थी। इस दौरान कुछ पुरानी परंपराएँ क़ायम रखी जाएँगी और ऐसा ही होना चाहिए, लेकिन हमें अपनी दक़ियानूसी और पुरातनपंथी आदतों को छोड़ना होगा। आइए हम सब खुलेपन, प्रभावशीलता और जवाबदेही के एक नए युग में आगे बढ़ें तथा यह संकल्प लें कि हम उसे क़ायम रखेंगे, जिसे संरक्षित किया जाना चाहिए; उसे आदर्श बनाएँगे, जिसे आदर्श बनाया जाना चाहिए और उन आदतों से मुक्त होंगे, जिन्हें प्रतिबंधित किया जाना चाहिए।'

इतना कहने के बाद प्रोफ़ेसर अंबरिज बैठ गईं। डम्बलडोर ने तालियाँ बजाईं। स्टाफ़ ने भी उनका अनुसरण किया, हालाँकि हैरी ने देखा कि उनमें से ज़्यादातर एक-दो ताली बजाकर ही रुक गए। कुछ विद्यार्थियों ने भी तालियाँ बजाईं, लेकिन ज़्यादातर विद्यार्थी तो भाषण के अचानक ख़त्म होने से हैरान थे, जिसके वे कुछ शब्द ही समझ पाए थे। और इससे पहले कि वे ठीक से तालियाँ बजाना शुरू कर पाते, डम्बलडोर दोबारा खड़े हो गए थे।

'बहुत-बहुत धन्यवाद, प्रोफ़ेसर अंबरिज, आपका उद्‌बोधन बहुत ही ज्ञानवर्धक था,' उन्होंने अंबरिज की तरफ़ सिर झुकाते हुए कहा। 'अब जैसा कि मैं कह रहा था, क्विडिच ट्रायल्स ...'

'हाँ, यह निश्चित रूप से ज्ञानवर्धक था,' हर्माइनी ने धीमी आवाज़ में कहा।

'तुम यह तो नहीं कहना चाहती हो कि तुम्हें इसमें मज़ा आया?' रॉन ने हर्माइनी की तरफ़ घूरकर देखते हुए धीरे से कहा। 'इतना बोझिल भाषण तो मैंने आज तक नहीं सुना, हालाँकि मैं पर्सी के साथ बड़ा हुआ हूँ।'

'मैंने इसे दिलचस्प नहीं, ज्ञानवर्धक कहा है,' हर्माइनी ने कहा। 'इससे बहुत सी बातें स्पष्ट हो जाती हैं।'

'अच्छा?' हैरी ने हैरानी से कहा। 'मुझे तो यह बकवास लगा।'

'इस बकवास में कुछ महत्त्वपूर्ण अर्थ भी छिपा हुआ था,' हर्माइनी गंभीरता से बोली।

'वो क्या?' रॉन ने भावहीन तरीक़े से कहा।

'इस बारे में सोचो : "सिर्फ़ प्रगति के लिए प्रगति को हतोत्साहित किया जाना चाहिए"। और इस बारे में भी : "उन आदतों से मुक्त होंगे, जिन्हें प्रतिबंधित किया जाना चाहिए।"

रॉन ने अधीरता से पूछा, 'अच्छा, तो इन बातों का क्या मतलब है?'

'मैं तुम्हें बताती हूँ कि इन बातों का क्या मतलब है,' हर्माइनी ने दाँत भींचकर कहा। 'इनका मतलब यह है कि जादू मंत्रालय हॉगवर्ट्स में दख़लंदाज़ी कर रहा है।'

उनके चारों तरफ़ ज़ोरदार खटर-पटर और शोर होने लगा। यह स्पष्ट था कि डम्बलडोर ने सभी विद्यार्थियों को जाने की इजाज़त दे दी थी, क्योंकि सभी विद्यार्थी खड़े होकर हॉल से बाहर निकलने की तैयारी कर रहे थे। हर्माइनी उछलकर खड़ी हुई और थोड़ी परेशान दिखने लगी।

'रॉन, हमें फ़र्स्ट ईयर के विद्यार्थियों को रास्ता दिखाना है!'

'अरे हाँ,' रॉन ने कहा, जो यह बात बिलकुल ही भूल गया था। 'सुनो-सुनो, तुम लोग! पिद्दो!'

'रॉन!'

'वे पिद्दे ही तो हैं ...'

'मैं जानती हूँ कि वे छोटे हैं, लेकिन तुम उन्हें पिद्दे कहकर नहीं बुला सकते! - फ़र्स्ट ईयर के विद्यार्थियो!' हर्माइनी ने टेबल पर आदेश भरी आवाज़ में कहा। 'कृपया इस तरफ़ आएँ!'

नए विद्यार्थियों का एक समूह सकुचाते हुए गरुड़द्वार और मेहनतकश की टेबलों के बीच की ख़ाली जगह से होता हुआ चलने लगा। वे सभी इस कोशिश में थे कि सबसे आगे न चलें। वे वाक़ई बहुत छोटे दिख रहे थे। हैरी को यक़ीन था

कि जब वह यहाँ आया था, तो इतना छोटा नहीं दिखता था। वह उनकी तरफ़ देखकर मुस्कराया। युआन एबरक्रॉम्बी के पास खड़ा सुनहरे बालों वाला एक लड़का दहशत में आ गया। उसने युआन को कोहनी मारी और उसके कान में फुसफुसाकर कुछ बोला। युआन एबरक्रॉम्बी भी उतनी ही दहशत में दिखने लगा और उसने हैरी की तरफ़ चोरी-छिपे देखा, जिसके चेहरे से मुस्कराहट दुर्गंधद्रव की तरह फिसल गई।

'बाद में मिलते हैं,' उसने रॉन तथा हर्माइनी से उदास होकर कहा और अकेला ही बड़े हॉल से बाहर जाने लगा। गुज़रते समय वह आस-पास होने वाली कानाफूसी, घूरने और इशारों को नज़रअंदाज़ करने की कोशिश करता रहा। जब वह भीड़ के बीच से प्रवेश हॉल में पहुँचने का रास्ता बना रहा था, तों उसने अपनी आँखें ऊपर जमा रखी थीं। फिर वह संगमरमर की सीढ़ियों पर तेज़ी से चढ़ा, दो छिपे हुए शॉर्टकट्स का इस्तेमाल किया और जल्दी ही ज़्यादातर विद्यार्थियों से आगे निकल गया।

जब वह ऊपर की मंज़िलों के ख़ाली गलियारों से गुज़र रहा था, तो उसने ग़ुस्से से सोचा, वह मूर्ख था, जो उसने इस बात की उम्मीद नहीं की थी। ज़ाहिर है, हर कोई उसकी तरफ़ घूर-घूरकर देख रहा था। दो महीने पहले वह त्रिकोणीय टूर्नामेंट की भूलभुलैया से अपने साथी विद्यार्थी की लाश लेकर निकला था और उसने यह दावा किया था कि लॉर्ड वोल्डेमॉर्ट लौट आया है। पिछले सत्र में विद्यार्थियों के घर लौटने से पहले उसके पास पूरी बात समझाने का समय नहीं था - भले ही वह पूरे स्कूल को उस क़ब्रिस्तान में घटी भयंकर घटनाओं का विस्तृत वर्णन सुनाना चाहता।

हैरी गरुड़द्वार हॉल तक पहुँचने वाले गलियारे के आख़िरी सिरे तक आ चुका था। वह मोटी औरत की तस्वीर के सामने पहुँच गया, तब जाकर उसे यह एहसास हुआ कि उसे नया पासवर्ड तो मालूम ही नहीं है।

'अर..' उसने उदासी से मोटी औरत की तरफ़ घूरते हुए कहा, जिसने अपनी गुलाबी रेशमी पोशाक की सिलवटों को ठीक किया और उसकी तरफ़ गंभीरता से देखा।

मोटी औरत ने महत्वपूर्ण दिखते हुए कहा, 'बिना पासवर्ड के प्रवेश नहीं मिलेगा!'

'हैरी, मुझे पासवर्ड मालूम है!' किसी ने उसके पीछे से हाँफते हुए कहा। हैरी ने देखा कि नेविल उसकी तरफ़ भागता हुआ आ रहा था। 'तुम जानते हो, हमारा पासवर्ड क्या है? अब नया पासवर्ड मुझे हमेशा याद रहेगा -' उसने उस छोटे कैक्टस को लहराते हुए कहा, जिसे उसने ट्रेन में दिखाया था। '*मिम्बुलस*

मिम्बलटोनिया!'

'सही कहा,' मोटी औरत ने कहा और उसकी तस्वीर किसी दरवाज़े की तरह आगे की तरफ़ झूल गई और पीछे वाली दीवार में एक गोल छेद दिखाई देने लगा, जिसमें से हैरी और नेविल अंदर चले गए।

गरुड़द्वार का हॉल पहले जितना ही स्वागत करता लगा। इस आरामदेह गोलाकार कमरे में बहुत सारी जर्जर कुर्सियाँ और पुरानी टेबलें रखी थीं। अँगीठी में ख़ुशनुमा आग जल रही थी और कुछ विद्यार्थी ऊपर अपने कमरों में जाने से पहले उसके पास बैठकर अपने हाथ सेंक रहे थे। कमरे की दूसरी तरफ़ फ्रेड और जॉर्ज वीज़्ली नोटिसबोर्ड पर पिन से कोई काग़ज़ लगा रहे थे। हैरी ने हाथ हिलाकर उनसे गुड नाइट की और सीधे लड़कों के कमरों तक जाने वाले दरवाज़े की तरफ़ चल दिया। वह इस वक़्त किसी से एक पल भी बात करने के मूड में नहीं था। नेविल भी उसके पीछे-पीछे चल दिया।

डीन थॉमस और सीमस फ़िनिगन उनसे पहले कमरे में पहुँच चुके थे। वे अपने पलंग के पीछे की दीवारों पर पोस्टर और तस्वीरें चिपका रहे थे। जब हैरी ने दरवाज़ा खोला, तो वे बातचीत कर रहे थे, लेकिन हैरी को देखते ही वे अचानक चुप हो गए। हैरी ने सोचा कि कहीं वे उसी के बारे में तो बात नहीं कर रहे थे। फिर उसने सोचा कि शायद वह कुछ ज़्यादा ही शक करने लगा है।

'हाय,' उसने अपने संदूक को खोलते हुए कहा।

'हाय हैरी,' डीन ने कहा, जो वेस्ट हैम रंग वाला पायजामा पहन रहा था। 'छुट्टियाँ अच्छी रहीं?'

'बुरी नहीं थीं,' हैरी बुदबुदाया, क्योंकि छुट्टियों का वर्णन सुनाने में पूरी रात बीत जाती और वह ऐसा करने के मूड में नहीं था। 'तुम्हारी?'

'हाँ, **ठीक** ही थीं,' डीन मुस्कराते हुए बोला। 'कम से कम सीमस से तो अच्छी ही रहीं। वह मुझे अभी बता रहा था।'

'क्यों? क्या हुआ, सीमस?' नेविल ने पूछा, जब उसने अपने *मिम्बुलस मिम्बलटोनिया* को प्यार से अपने पलंग के पास वाले केबिनेट में रखा।

सीमस ने तत्काल जवाब नहीं दिया। वह तो इस कोशिश में जुटा था कि केनमेअर केस्ट्रेल्स क्विडिच टीम का उसका पोस्टर बिलकुल सीधा चिपक जाए। फिर वह हैरी की तरफ़ पीठ करके बोला, 'मेरी मम्मी मुझे यहाँ नहीं भेजना चाहती थीं।'

'क्या?' हैरी ने कहा और अपना दुशाला उतारते-उतारते रुक गया।

'वे मुझे हॉगवर्ट्स नहीं भेजना चाहती थीं।'

सीमस अपने पोस्टर से मुड़ा और उसने अपने संदूक से पायजामा बाहर निकाला, लेकिन उसने अब भी हैरी की तरफ़ नहीं देखा।

'लेकिन - क्यों?' हैरी ने हैरान होकर कहा। वह जानता था कि सीमस की मम्मी जादूगरनी थीं, इसलिए वह यह नहीं समझ पाया कि वे अचानक डर्स्ली दंपति की तरह व्यवहार क्यों करने लगी थीं।

सीमस ने तब तक जवाब नहीं दिया, जब तक उसने अपने पायजामे के पूरे बटन नहीं लगा लिए।

'देखो,' उसने नपी-तुली आवाज़ में कहा, 'मुझे लगता है ... तुम्हारे कारण।'

'तुम्हारा क्या मतलब है?' हैरी ने जल्दी से पूछा।

उसका दिल थोड़ी तेज़ी से धड़क रहा था। उसे ऐसा लग रहा था, जैसे कोई उसके दिल पर दबाव डाल रहा हो।

'देखो,' सीमस ने एक बार फिर हैरी से नज़रें चुराते हुए कहा। 'वे ... अर ... देखो, सिर्फ़ तुम्हारे कारण ही नहीं, डम्बलडोर के कारण भी ...'

'वे *दैनिक जादूगर* पर यक़ीन करती हैं?' हैरी ने कहा। 'वे सोचती हैं कि मैं झूठा हूँ और डम्बलडोर सठिया गए हैं?'

सीमस ने उसकी तरफ़ देखा।

'हाँ, कुछ ऐसा ही।'

हैरी कुछ नहीं बोला। उसने अपनी छड़ी अपने पलंग के पास वाली टेबल पर फेंकी, दुशाले उतारकर ग़ुस्से से अपने संदूक में डाले और पायजामा पहन लिया। वह इससे तंग आ चुका था। वह तंग आ चुका था कि लोग उसे हमेशा घूरते रहते थे और उसके बारे में खुसुर-पुसुर करते रहते थे। अगर उनमें से किसी को भी पता होता, अगर उन्हें ज़रा भी एहसास होता कि इन सारी घटनाओं का अपने साथ होना कैसा लगता है ... उसने ग़ुस्से से सोचा, मिसेज़ फ़िनिगन को तो इस बात का ज़रा भी एहसास नहीं था, मूर्ख औरत!

वह पलंग पर चढ़ गया और उसने चारों तरफ़ के पर्दे खींचने के लिए हाथ बढ़ाया, लेकिन इससे पहले कि वह ऐसा कर पाता, सीमस बोला, 'देखो ... उस रात को क्या *हुआ था* जब ... तुम जानते हो, जब ... सेडरिक डिगोरी?'

सीमस घबराया हुआ भी था और थोड़ा उत्साहित भी था। डीन अपने संदूक पर झुका हुआ था और अपनी एक स्लिपर खोजने की कोशिश कर रहा था, लेकिन इस वक़्त वह अजीब तरीक़े से स्थिर था और हैरी जानता था कि उसके कान उनकी बातों पर लगे हुए हैं।

'तुम मुझसे यह क्यों पूछ रहे हो?' हैरी ने व्यंग्य से कहा। 'अपनी मम्मी की तरह *दैनिक जादूगर* पढ़ लो, ठीक है ना? उस अख़बार में तुम्हें वह सारी जानकारी मिल जाएगी, जो तुम जानना चाहते हो।'

'तुम मेरी मम्मी के बारे में कुछ मत बोलो,' सीमस ने पलटकर कहा।

हैरी बोला, 'मैं हर उस व्यक्ति के बारे में बोलूँगा, जो मुझे झूठा कहता है।'

'मुझसे इस तरह बात मत करो!'

'मेरी जिस तरह इच्छा होगी, तुमसे उसी तरह बात करूँगा,' हैरी ने कहा। अब उसका ग़ुस्सा इतना बढ़ चुका था कि उसने पलंग के पास वाली टेबल से अपनी छड़ी दोबारा उठा ली। 'अगर तुम्हें मेरे साथ इस कमरे में रहने में कोई दिक्क़त हो, तो जाकर प्रोफ़ेसर मैक्गॉनेगैल से दूसरा कमरा माँग लो ... इससे तुम्हारी मम्मी की चिंता दूर हो जाएगी -'

'मेरी मम्मी को इस मामले में मत घसीटो, पॉटर!'

'क्या हो रहा है?'

रॉन दरवाज़े पर आ गया था। उसकी निगाह पहले हैरी पर पड़ी, जो अपने बिस्तर पर घुटनों के बल बैठा हुआ था और जिसने अपनी छड़ी सीमस की तरफ़ तान रखी थी। फिर उसकी निगाह सीमस पर पड़ी, जो अपनी मुट्ठियाँ भींचे खड़ा था।

'हैरी मेरी मम्मी को बुरा-भला कह रहा है!' सीमस चिल्लाया।

'क्या?' रॉन ने कहा। 'हैरी ऐसा हर्गिज़ नहीं करेगा - हम तुम्हारी मम्मी से मिले थे, वे बहुत अच्छी हैं ...'

हैरी ने बहुत ऊँची आवाज़ में कहा, 'तब वे उन बातों पर यक़ीन नहीं करती थीं, जो वह घटिया *दैनिक जादूगर* मेरे बारे में लिखता है!'

'ओह,' रॉन ने कहा और उसके चकत्तेदार चेहरे पर समझ का भाव दिखने लगा। 'ओह ... अच्छा।'

'सुना?' सीमस ने ग़ुस्से से कहा और हैरी की तरफ़ एक ज़हर बुझी निगाह डाली। 'वह सही कहता है। मैं अब उसके साथ इस कमरे में एक पल भी नहीं रहना चाहता। यह पागल हो चुका है।'

'तुम्हारा दिमाग़ तो ठीक है, सीमस,' रॉन ने कहा, जिसके कान अब लाल होने लगे थे - जो ख़तरे की निशानी थी।

'मेरा दिमाग़ ख़राब है?' सीमस चिल्लाया, जिसका चेहरा रॉन के विपरीत पीला पड़ रहा था। 'तुम उस सारी बकवास पर यक़ीन करते हो, जो वह

तुम-जानते-हो-कौन के बारे में करता है? क्या तुम्हें लगता है कि वह सच्चाई बता रहा है?'

रॉन ने ग़ुस्से से कहा, 'हाँ, मुझे ऐसा ही लगता है!'

'तब तो फिर तुम भी पागल हो,' सीमस ने हिक़ारत से कहा।

'अच्छा? लेकिन दुर्भाग्य से मैं प्रिफ़ेक्ट भी हूँ!' रॉन ने अपने सीने की तरफ़ उँगली करते हुए कहा। 'इसलिए अगर तुम सज़ा नहीं पाना चाहते हो, तो अपने मुँह पर क़ाबू रखो!'

सीमस को देखकर कुछ समय के लिए तो ऐसा लगा, जैसे उसके दिमाग़ में जो चल रहा था, उसे बाहर निकालने के लिए वह सज़ा झेलने के लिए तैयार हो; लेकिन फिर आह भरकर वह मुड़ा, अपने पलंग पर चढ़ा और उसने पर्दे इतनी कसकर लगाए कि वे उखड़कर फ़र्श पर आ गिरे। रॉन ने सीमस और फिर डीन तथा नेविल को ग़ुस्से से घूरा।

उसने आक्रामक अंदाज़ में पूछा, 'किसी और के माता-पिता को हैरी से कोई दिक्क़त है?'

डीन ने कंधे उचकाते हुए कहा, 'मेरे मम्मी-डैडी तो मगलू हैं। वे हॉगवर्ट्स में हुई मौतों के बारे में कुछ नहीं जानते हैं, क्योंकि मैं इतना मूर्ख नहीं था कि उन्हें इस बारे में बताता।'

'तुम मेरी मम्मी को नहीं जानते हो, वे किसी से कुछ भी उगलवा लेती हैं!' सीमस ने तपाक से कहा। 'वैसे भी, तुम्हारे मम्मी-डैडी *दैनिक जादूगर* नहीं पढ़ते हैं। वे यह नहीं जानते हैं कि हमारे हेडमास्टर को जादूगर न्यायसभा और अंतर्राष्ट्रीय जादूगर महासंघ से इसलिए निकाल दिया गया है, क्योंकि वे सठिया गए हैं –'

'मेरी दादी कहती हैं कि यह बकवास है,' नेविल बोला। 'वे कहती हैं कि डम्बलडोर नहीं, बल्कि *दैनिक जादूगर* सठिया गया है। उन्होंने *दैनिक जादूगर* मँगवाना बंद कर दिया है। हमें हैरी पर यक़ीन है।' इतना कहकर नेविल पलंग पर चढ़ गया और अपनी ठुड्डी तक चादर ओढ़कर उसके ऊपर से उल्लू की तरह सीमस की तरफ़ देखते हुए बोला। 'मेरी दादी हमेशा कहती थीं कि तुम-जानते-हो-कौन एक न एक दिन ज़रूर लौटेगा। वे कहती हैं कि अगर डम्बलडोर कहते हैं कि वह लौट आया है, तो वह सचमुच लौट आया है।'

हैरी नेविल के प्रति बहुत कृतज्ञता महसूस करने लगा। इसके बाद कोई कुछ नहीं बोला। सीमस ने अपनी छड़ी निकाली, बिस्तर के पर्दे ठीक किए और उनके पीछे ओझल हो गया। डीन भी अपने बिस्तर में घुस गया और करवट

बदलकर ख़ामोश हो गया। नेविल को देखकर ऐसा नहीं लग रहा था कि वह कुछ और कहना चाहता था। वह तो चाँदनी में नहाए अपने कैक्टस को हसरत से निहार रहा था।

हैरी ने अपने तकिए पर सिर टिकाया, जबकि रॉन उसके पास वाले पलंग के चारों तरफ़ मँडराकर अपना सामान जमाता रहा। वह सीमस के साथ हुई बहस से हिल गया था, क्योंकि वह उसे हमेशा से बहुत पसंद करता था। और कितने लोग यह बोलेंगे कि वह झूठ बोल रहा है या पागल है?

क्या डम्बलडोर ने भी पूरी गर्मियों में इसी तरह कष्ट सहा था, जब उन्हें पहले जादूगर न्यायसभा और फिर अंतर्राष्ट्रीय जादूगर महासंघ से निकाल दिया गया था? कहीं ऐसा तो नहीं कि हैरी के प्रति ग़ुस्से के कारण ही डम्बलडोर इतने महीनों से उससे संपर्क नहीं कर रहे थे? वे दोनों इसमें एक साथ थे। डम्बलडोर ने हैरी की बात पर यक़ीन किया था। उन्होंने उसकी सुनाई कहानी पूरे स्कूल और फिर पूरे जादूगर समुदाय को बताई थी। जो भी हैरी को झूठा समझता था, वह यह तो सोचेगा ही कि डम्बलडोर भी झूठे थे या फिर मूर्ख बन गए थे ...

जब रॉन पलंग पर चढ़ा और उसने कमरे की आख़िरी बत्ती बुझा दी, तो हैरी ने दुखी मन से सोचा, अंत में लोग जान जाएँगे कि हम सही थे। लेकिन वह यह भी सोच रहा था कि वह समय आने से पहले उसे सीमस जैसे कितने लोगों के हमले झेलने पड़ेंगे!

अध्याय बारह

प्रोफ़ेसर अंबरिज

अगली सुबह सीमस ने फटाफट कपड़े पहने और हैरी के मोज़े पहनने से पहले ही कमरे से बाहर चला गया।

जब सीमस के दुशाले का आख़िरी हिस्सा ओझल हुआ, तो हैरी ज़ोर से बोला, 'उसे क्या लगता है कि अगर वह ज़्यादा देर तक मेरे साथ कमरे में रहा, तो वह पागल हो जाएगा?'

'इस बारे में चिंता मत करो, हैरी,' डीन अपने स्कूल बैग को कंधे पर टाँगते हुए बोला, 'वह तो बस ...'

लेकिन वह ठीक-ठीक यह नहीं बता पाया कि सीमस क्या था और थोड़ी देर तक अजीब तरीक़े से ख़ामोश रहने के बाद वह भी कमरे से बाहर चला गया।

नेविल और रॉन दोनों ने ही हैरी को यह-उसकी-समस्या-है-तुम्हारी-नहीं-है वाले अंदाज़ में देखा, लेकिन हैरी को ज़्यादा तसल्ली नहीं मिली। उसे यह सब कब तक झेलना पड़ेगा?

जब पाँच मिनट बाद हैरी और रॉन नाश्ते के लिए जा रहे थे, तो गरुड़द्वार के हॉल के आधे रास्ते पर हर्माइनी उनके पास आई और पूछने लगी, 'क्या हुआ? तुम तो बिलकुल - ओह नहीं।'

वह गरुड़द्वार के हॉल के नोटिसबोर्ड की तरफ़ देख रही थी, जहाँ एक नया बड़ा नोटिस लगा हुआ था।

ढेर सारे पैसे!

जेब ख़र्च काफ़ी नहीं है?

थोड़ी कमाई करना चाहते हो?

गरुड़द्वार हॉल में फ़्रेड और जॉर्ज वीज़्ली से संपर्क करो,

आसान, थोड़ी सी देर के, लगभग दर्दरहित कामों के लिए।
(हमें अफ़सोस है कि सारा काम आवेदक के जोखिम पर किया जाएगा।)

'यह तो हद ही हो गई,' हर्माइनी ने गंभीरता से कहा और उस नोटिस को उतार दिया, जिसे फ़्रेड और जॉर्ज ने नोटिसबोर्ड पर हॉग्समीड की पहली वीकएंड यात्रा की तारीख़ बताने वाले पोस्टर के ऊपर लगाया था, जो अक्टूबर में थी। 'हमें उनसे बात करनी पड़ेगी, रॉन।'

रॉन दहशत में नज़र आने लगा।

'क्यों ?'

'क्योंकि हम प्रिफ़ेक्ट हैं!' हर्माइनी ने तस्वीर के छेद में से बाहर निकलते हुए कहा। 'इस तरह के कामों को रोकना हमारी ज़िम्मेदारी है!'

रॉन कुछ नहीं बोला, लेकिन उसके चेहरे को देखकर हैरी बता सकता था कि फ़्रेड और जॉर्ज को मनमानी करने से रोकने का विचार उसे क़तई अच्छा नहीं लगा था।

'हैरी, तुम बताओ तुम्हें क्या हुआ ?' हर्माइनी ने कहा, जब वे सीढ़ियों से नीचे उतरने लगे। दोनों तरफ़ बूढ़े जादूगरों और जादूगरनियों की तस्वीरें लगी थीं। सभी जादूगर बातचीत में मशगूल थे, इसलिए उन्होंने उन लोगों को नज़रअंदाज़ कर दिया। 'तुम किसी चीज़ के बारे में नाराज़ दिख रहे हो।'

जब हैरी ने कोई जवाब नहीं दिया, तो रॉन ने कहा, 'सीमस को लगता है कि हैरी तुम-जानते-हो-कौन के बारे में झूठ बोल रहा है।'

हैरी को उम्मीद थी कि हर्माइनी भी यह सुनकर उसकी तरह नाराज़ हो जाएगी, लेकिन उसने बस आह भरी।

फिर वह निराशा से बोली, 'हाँ, लैवेंडर भी यही सोचती है।'

हैरी ज़ोर से बोला, 'तो तुम उसके साथ इस बारे में बातचीत कर रही थीं कि मैं झूठा और लोकप्रियता चाहने वाला लड़का हूँ, है ना ?'

'नहीं,' हर्माइनी ने शांति से कहा। 'मैंने उससे दरअसल यह कहा था कि वह तुम्हारे बारे में अपना मोटा मुँह बंद रखे। और हैरी, अगर तुम हम लोगों पर ग़ुस्सा होना बंद कर दो, तो बहुत अच्छा रहेगा। शायद तुमने इस बात पर ग़ौर नहीं किया है कि रॉन और मैं तुम्हारी तरफ़ हैं।'

थोड़ी देर ख़ामोशी छाई रही।

हैरी ने धीरे से कहा, 'माफ़ करना।'

'कोई बात नहीं,' हर्माइनी ने गरिमापूर्ण ढंग से कहा। फिर उसने अपना

सिर हिलाया। 'तुम्हें याद नहीं है, डम्बलडोर ने पिछले सत्र के आख़िरी जश्न में क्या कहा था?'

हैरी और रॉन ने उसकी तरफ़ सूनेपन से देखा। हर्माइनी ने एक बार फिर आह भरी।

'तुम-जानते-हो-कौन के बारे में! उन्होंने कहा था कि "वह शत्रुता और मनमुटाव फैलाने में बहुत निपुण है। हम सिर्फ़ दोस्ती और विश्वास के उतने ही मजबूत बंधन से उससे लड़ सकते हैं" –'

रॉन ने उसकी तरफ़ प्रशंसा से देखते हुए कहा, 'तुम इस तरह की बातें कैसे याद रख लेती हो?'

हर्माइनी थोड़ा चिढ़कर बोली, 'मैं सुनती हूँ, रॉन!'

'सुनता तो मैं भी हूँ, लेकिन मैं यह ठीक-ठीक नहीं बता सकता कि –'

हर्माइनी ने ज़ोर देकर आगे कहा, 'इसका मतलब यह है कि डम्बलडोर इसी तरह की चीज़ के बारे में बोल रहे थे। तुम-जानते-हो-कौन को आए अभी दो महीने ही हुए हैं और हम आपस में लड़ने लगे हैं। और बोलती टोपी ने भी यही चेतावनी दी है : एकता रखो, एक रहो –'

'और हैरी ने भी तो कल रात को बिलकुल सही कहा था,' रॉन ने पलटकर कहा। 'अगर इसका मतलब यह है कि हमें नागशक्ति वालों के साथ एकता रखनी होगी, *तो इसकी संभावना बहुत कम है।*'

हर्माइनी ने चिढ़कर कहा, 'देखो, अफ़सोस की बात यह है कि हम हाउसों की आपसी एकता के बारे में थोड़ी भी कोशिश नहीं कर रहे हैं।'

वे संगमरमर की सीढ़ियों के नीचे पहुँच गए थे। फ़ोर्थ ईयर में पढ़ने वाले चीलघात के विद्यार्थी प्रवेश हॉल पार कर रहे थे। हैरी को देखते ही वे एक-दूसरे के क़रीब हो गए, जैसे उन्हें डर हो कि वह अकेले रहने वालों पर हमला कर देगा।

'हाँ, हमें सचमुच इस तरह के लोगों के साथ दोस्ती करने की कोशिश करनी चाहिए,' हैरी ने व्यंग्य से कहा।

वे चीलघात के विद्यार्थियों के पीछे-पीछे बड़े हॉल में पहुँचे। दाख़िल होते समय सभी ने स्टाफ़ टेबल की तरफ़ देखा। प्रोफ़ेसर ग्रबली-प्लैंक खगोलशास्त्र की प्रोफ़ेसर सिनिस्ट्रा से बातचीत कर रही थीं और हैग्रिड एक बार फिर वहाँ नहीं था। उनके ऊपर की जादुई छत हैरी के मूड के अनुरूप ही थी। यह बारिश के बादलों से ढँकी और भूरी थी।

गरुड़द्वार की टेबल की तरफ़ बढ़ते समय हैरी ने कहा, 'डम्बलडोर ने इस

बात का ज़िक्र तक नहीं किया कि ग्रबली-प्लैंक कितने लंबे समय तक पढ़ाएँगी ?'

'शायद ...' हर्माइनी ने सोचते हुए कहा।

'क्या ?' हैरी और रॉन दोनों ने एक साथ पूछा।

'देखो ... शायद वे इस तरफ़ ध्यान आकर्षित नहीं करना चाहते होंगे कि हैग्रिड यहाँ नहीं है।'

'तुम्हारा क्या मतलब है, ध्यान आकर्षित नहीं करना चाहते होंगे ?' रॉन ने थोड़ा हँसते हुए कहा। 'हमारा ध्यान इस तरफ़ कैसे नहीं जाएगा ?'

हर्माइनी के जवाब देने से पहले ही लंबी चोटियों वाली एक लंबी काली लड़की हैरी के पास आ गई।

'हाय एंजेलिना।'

'हाय,' उसने तेज़ी से कहा, 'छुट्टियाँ अच्छी बीतीं ?' और जवाब का इंतज़ार किए बिना आगे बोलने लगी, 'सुनो, मुझे गरुड़द्वार की क्विडिच टीम का कप्तान बना दिया गया है।'

'बहुत अच्छा रहा,' हैरी ने उसकी तरफ़ मुस्कराते हुए कहा। उसे उम्मीद थी कि एंजेलिना के प्रेरक भाषण ऑलिवर वुड के भाषणों जितने लंबे नहीं होंगे, जो अच्छी बात होगी।

'हाँ, अच्छा अब ऑलिवर तो चला गया है, इसलिए हमें नए कीपर की ज़रूरत होगी। ट्रायल्स शुक्रवार को पाँच बजे है और मैं चाहती हूँ कि पूरी टीम उसमें मौजूद रहे, ठीक है ? हमें देखना होगा कि नया कीपर हमारी टीम में कितनी अच्छी तरह फ़िट होता है ?'

हैरी ने कहा, '**ठीक है**।'

एंजेलिना उसकी तरफ़ देखकर मुस्कराई और चली गई।

हर्माइनी रॉन के पास बैठ गई और टोस्ट की प्लेट अपनी तरफ़ खींचते हुए बोली, 'मैं तो भूल ही गई थी कि वुड चला गया है। मुझे लगता है कि इससे टीम पर फ़र्क़ पड़ेगा ?'

हैरी ने सामने वाली बेंच पर बैठते हुए कहा, 'मुझे भी ऐसा ही लगता है, वह अच्छा कीपर था ...'

रॉन बोला, 'फिर भी, नए ख़ून को मौक़ा तो मिलना चाहिए, है ना ?'

साँय-साँय करके सैकड़ों उल्लू उड़ते हुए ऊपर की खिड़कियों से अंदर आए और टेबलों के ऊपर मँडराने लगे। वे अपने मालिकों के लिए चिट्ठियाँ और पैकेट लाए थे। वे नाश्ता करने वालों पर पानी की बूँदें टपका रहे थे। साफ़

ज़ाहिर था कि बाहर तेज़ बारिश हो रही थी। हेडविग कहीं नज़र नहीं आ रही थी, लेकिन हैरी को ज़रा भी हैरानी नहीं हुई। सिर्फ़ सिरियस ही उसे चिट्ठी लिखता था और उसे यक़ीन था कि चौबीस घंटे में ऐसी कोई नई बात नहीं हुई होगी कि सिरियस उसे चिट्ठी लिखे। बहरहाल, हर्माइनी ने अपने ऑरेंज जूस को जल्दी से एक तरफ़ रख दिया, ताकि एक बड़े भीगे करैल उल्लू के लिए जगह बना सके, जो अपनी चोंच में *दैनिक जादूगर* अख़बार दबाए था।

जब हर्माइनी ने उल्लू के पैर में बँधी चमड़े की थैली में एक नट डाल दिया और यह वापस उड़ गया, तो हैरी ने सीमस के बारे में सोचते हुए चिढ़कर कहा, 'तुम इसे अब भी क्यों ले रही हो? मैं होता, तो इसे कभी का बंद करवा देता ... इसमें बकवास के सिवाय कुछ नहीं रहता है।'

'दुश्मन क्या कह रहा है, इसकी जानकारी हमेशा होनी चाहिए,' हर्माइनी ने स्याह अंदाज़ में कहा और अख़बार खोलकर उसके पीछे गुम हो गई। उसका चेहरा तब तक बाहर नहीं निकला, जब तक हैरी और रॉन का नाश्ता ख़त्म नहीं हो गया।

'कुछ नहीं है,' उसने अख़बार मोड़कर अपनी प्लेट के पास रखते हुए कहा। 'तुम्हारे या डम्बलडोर या किसी और परिचित के बारे में कुछ नहीं है।'

प्रोफ़ेसर मैक्गॉनेगल अब टेबल पर चारों तरफ़ घूमकर टाइमटेबल बाँट रही थीं।

'आज की क्लासों को देखो!' रॉन कराहा। 'जादू का इतिहास, काढ़े की दो क्लासें, ज्योतिष और गुप्त कलाओं से रक्षा की दो क्लासें ... बिन्स, स्नेप, ट्रिलोनी और वह अंबरिज औरत सभी एक दिन में! काश फ्रेड और जॉर्ज जल्दी से अपनी गोतामार टॉफ़ियाँ तैयार कर लें ...'

'मेरे कान कहीं मुझे धोखा तो नहीं दे रहे हैं?' फ्रेड और जॉर्ज आकर हैरी के पास बैठ गए थे। 'हॉगवर्ट्स के प्रिफ़ेक्ट्स क्लासों से गोता मारना चाहते हैं?'

'देखो तो सही, आज की क्लासें कितनी बुरी हैं,' रॉन ने उदासी से कहा और टाइमटेबल फ्रेड की नाक के नीचे सरका दिया। 'यह तो अब तक का सबसे बुरा सोमवार होगा।'

'ठीक कहा, छोटे भाई,' फ्रेड ने टाइमटेबल पर सोमवार के कॉलम को देखते हुए कहा। 'अगर तुम चाहो, तो हम तुम्हें नासिका-रक्तप्रवाह टॉफ़ी सस्ते में दे सकते हैं।'

'सस्ते में क्यों?' रॉन ने संदेह भरी आवाज़ में पूछा।

'क्योंकि तुम्हारी नाक से तब तक ख़ून निकलता रहेगा, जब तक कि तुम

मर नहीं जाओगे। हम अब तक ख़ून बंद करने का कोई उपाय नहीं खोज पाए हैं,' जॉर्ज ने कहा और एक सूखी हिलसा मछली उठा ली।

'धन्यवाद,' रॉन ने टाइमटेबल जेब में रखते हुए कहा, 'लेकिन मुझे लगता है कि मैं क्लासों में जाना ज़्यादा पसंद करूँगा।'

हर्माइनी ने फ्रेड और जॉर्ज को सख़्ती से घूरते हुए कहा, 'गोतामार टॉफ़ियों की बात छिड़ ही गई है, तो तुम लोग गरुड़द्वार के नोटिसबोर्ड पर उनके प्रयोग का विज्ञापन नहीं कर सकते।'

जॉर्ज ने हैरानी से पूछा, 'कौन कहता है ?'

'मैं कहती हूँ,' हर्माइनी ने कहा। 'और रॉन भी।'

रॉन ने जल्दी से कहा, 'मुझे इस पचड़े से दूर ही रखो।'

हर्माइनी ने उसकी तरफ़ ग़ुस्से से घूरा। फ्रेड और जॉर्ज हँसने लगे।

फ्रेड ने एक क्रम्पेट पर बटर की मोटी परत लगाते हुए कहा, 'हर्माइनी, तुम जल्दी ही अलग गाना गाने लगोगी। तुम्हारा फ़िफ़्थ ईयर शुरू हो रहा है। जल्दी ही तुम हमसे गोतामार टॉफ़ियों की भीख माँगोगी।'

हर्माइनी ने पूछा, 'फ़िफ़्थ ईयर शुरू करने के बाद मैं गोतामार टॉफ़ियों की भीख क्यों माँगूँगी ?'

जॉर्ज ने कहा, 'फ़िफ़्थ ईयर में **ओ.डब्ल्यू.एल.** होते हैं।'

'तो ?'

फ्रेड ने संतुष्टि से कहा, 'जब तुम्हारी परीक्षाएँ पास आएँगी, तो तुम्हारी नाक किताबों से इतनी रगड़ खाएगी कि लहूलुहान हो जाएगी।'

'**ओ.डब्ल्यू.एल.** के क़रीब आने के बाद हमारी क्लास में काफ़ी परेशानियाँ हुई थीं,' जॉर्ज ने ख़ुशी से कहा। 'आँसू और हंगामा ... पेट्रिशिया स्टिंपसन तो बेहोश हो गई थी ...'

फ्रेड ने याद करते हुए कहा, 'केनेथ टाउलर को फोड़े हो गए थे, तुम्हें याद है ?'

'वे तो इसलिए हुए थे, क्योंकि तुमने उसके पायजामे में बल्बाडॉक्स पाउडर छिड़क दिया था,' जॉर्ज ने कहा।

'ओह हाँ,' फ्रेड ने दाँत दिखाते हुए कहा। 'मैं तो भूल ही गया था ... इतनी सारी चीज़ें होती हैं कि कई बार तो याद रखना मुश्किल होता है, है ना ?'

जॉर्ज बोला, 'अगर परीक्षा की चिंता हो, तो फ़िफ़्थ ईयर किसी बुरे सपने की तरह होता है। फ्रेड और मैंने किसी तरह अपना मानसिक संतुलन

बनाए रखा।'

रॉन ने कहा, 'हाँ ... तुम दोनों को तीन-तीन **ओ.डब्ल्यू.एल.** मिले थे, है ना?'

'हाँ,' फ्रेड ने बिना किसी चिंता के कहा। 'लेकिन हमें लगता है कि हम जिस दिशा में कैरियर बनाएँगे, उसमें शैक्षिक उपलब्धियों की ज़रूरत नहीं होगी।'

'हमने गंभीरता से इस बारे में विचार किया था कि क्या हमें सेवन्थ ईयर में पढ़ने का कष्ट उठाना चाहिए,' जॉर्ज ने उत्साह से कहा, 'क्योंकि हम जो चाहते थे, अब हमें वह मिल गया है -'

तभी हैरी ने उसे चेतावनी भरी निगाह से देखा, जिससे जॉर्ज रुक गया। हैरी जानता था कि जॉर्ज त्रिकोणीय जादूगर की इनामी राशि की बात छेड़ने वाला था, जो उसने उन दोनों भाइयों को दी थी।

जॉर्ज ने जल्दी से कहा, '- अब हमें **ओ.डब्ल्यू.एल.** मिल गए हैं, तो हमें **एन.ई.डब्ल्यू.टी.** की क्या परवाह है? बहरहाल, हमें पता था कि हमारे स्कूल छोड़ने से मम्मी बुरा मान जाएँगी, ख़ास तौर पर इसलिए क्योंकि पर्सी ख़ुद को दुनिया का सबसे बड़ा मूर्ख साबित कर चुका है।'

फ्रेड ने बड़े हॉल में चारों तरफ़ प्यार भरी निगाह डालते हुए कहा, 'हम हॉगवर्ट्स में अपना आख़िरी साल बर्बाद नहीं कर रहे हैं। इस साल हम थोड़ी मार्केट रिसर्च कर लेंगे। हम यह ठीक-ठीक पता लगाएँगे कि हॉगवर्ट्स के विद्यार्थियों को जोक शॉप से किन चीज़ों की ज़रूरत पड़ सकती है। हम अपनी रिसर्च के परिणामों का सावधानी से मूल्यांकन करने के बाद ऐसे प्रॉडक्ट्स बनाएँगे, जिससे उनकी ज़रूरत पूरी हो सके।'

'लेकिन जोक शॉप खोलने के लिए पैसा कहाँ से आएगा?' हर्माइनी ने संदेह से पूछा। 'तुम्हें बहुत सी चीज़ों और सामान की ज़रूरत पड़ेगी - और दुकान की भी ...'

हैरी ने जुड़वाँ भाइयों की तरफ़ नहीं देखा। उसे अपना चेहरा गर्म लग रहा था। उसने जान-बूझकर अपने हाथ से काँटा नीचे गिरा दिया और उसे उठाने के लिए नीचे झुक गया। उसने नीचे से फ्रेड की आवाज़ सुनी, 'देखो हर्माइनी, हमसे कुछ मत पूछो, ताकि हमें तुमसे झूठ न बोलना पड़े। चलो जॉर्ज, अगर हम जल्दी पहुँच जाते हैं, तो जड़ी-बूटी विज्ञान की क्लास से पहले कुछ विस्तारित कान बेच सकते हैं।'

हैरी टेबल के ऊपर आया। उसने देखा कि फ्रेड और जॉर्ज अपने हाथों में बहुत सारे टोस्ट लेकर दूर जा रहे थे।

'इस बात का क्या मतलब था?' हर्माइनी ने पूछा और कभी हैरी को, तो कभी रॉन को देखा। '"हमसे कुछ मत पूछो ..." क्या इसका मतलब यह है कि उनके पास जोक शॉप खोलने के लिए पैसे आ चुके हैं?'

'मैं भी यही सोच रहा था,' रॉन ने अपनी भौंहें चढ़ाकर कहा। 'उन्होंने गर्मियों में मुझे नए ड्रेस दुशाले दिलाए थे और मैं यह नहीं समझ पा रहा हूँ कि उनके पास पैसे कहाँ से आए ...'

हैरी ने फ़ैसला किया कि बातचीत को इस ख़तरनाक मुद्दे से दूर हटाने का समय आ गया है।

'क्या तुम्हें लगता है कि यह साल सचमुच मुश्किल होगा? परीक्षाओं के कारण?'

'ओह हाँ,' रॉन ने कहा। 'होना ही है, है ना? **ओ.डब्ल्यू.एल.** सचमुच महत्वपूर्ण होते हैं। वे उन नौकरियों को प्रभावित करते हैं, जिनके लिए हम आवेदन देंगे। हमें इस साल कैरियर संबंधी सलाह भी दी जाएगी। बिल ने मुझे बताया है। ताकि हम यह चुन सकें कि हम अगले साल **एन.ई.डब्ल्यू.टी.** में कौन से विषय लेना चाहते हैं।'

'तुम लोग हॉगवर्ट्स से निकलने के बाद क्या करना चाहते हो?' हैरी ने बाक़ी दोनों से पूछा, जब वे कुछ समय बाद बड़े हॉल से निकले और जादू का इतिहास के क्लासरूम की तरफ़ जाने लगे।

'गंभीरता से तो नहीं सोचा,' रॉन ने धीरे से कहा। 'बस ... शायद ...'

वह थोड़ा संकोच में दिखने लगा।

'क्या?' हैरी ने उसे प्रेरित किया।

रॉन ने तेज़ी से कहा, 'देखो, ऑरर बनना बहुत अच्छा रहेगा।'

'हाँ, सच कहा,' हैरी ने उत्साह से कहा।

'लेकिन वे विशिष्ट वर्ग में आते हैं,' रॉन ने कहा। 'इसके लिए बहुत अच्छे ग्रेड चाहिए। और तुम, हर्माइनी?'

'मैं नहीं जानती,' उसने कहा। 'मैं कोई सचमुच महत्वपूर्ण काम करना चाहूँगी।'

हैरी बोला, 'ऑरर का काम महत्त्वपूर्ण होता है!'

'हाँ, होता तो है, लेकिन यह दुनिया का इकलौता महत्त्वपूर्ण काम नहीं है,' हर्माइनी ने सोचते हुए कहा। 'मेरा मतलब है अगर मैं **एस.पी.ई.डब्ल्यू.** के काम को आगे बढ़ा सकूँ ...'

हैरी और रॉन ने इस बात का ध्यान रखा कि वे एक-दूसरे की तरफ़ न देखें।

सभी की राय में जादू का इतिहास दुनिया का सबसे उबाऊ विषय था। उनके भूत शिक्षक प्रोफ़ेसर बिन्स की आवाज़ घुरघुराती हुई और सपाट थी, जिससे दस मिनट में नींद आने की गारंटी दी जा सकती थी; गर्म मौसम में पाँच मिनट में। वे अपने पढ़ाने की शैली कभी नहीं बदलते थे। वे बिना रुके लेक्चर देते रहते थे, जबकि विद्यार्थी नोट्स लिखते थे या शून्य में उनींदेपन से घूरते रहते थे। हैरी और रॉन अब तक इस विषय में सिर्फ़ इसलिए पास हो पाए थे, क्योंकि उन्होंने परीक्षाओं से पहले हर्माइनी के नोट्स उतार लिए थे। सिर्फ़ वही बिन्स की आवाज़ की सुलाने वाली शक्ति का विरोध कर पाती थी।

आज उन्होंने दानवों के युद्धों पर डेढ़ घंटे का उबाऊ लेक्चर झेला। हैरी ने पहले दस मिनट में जो सुना, उससे वह जान गया कि कोई और टीचर पढ़ाता, तो यह विषय थोड़ा दिलचस्प हो सकता था। लेकिन इसके बाद उसका दिमाग़ भटक गया और बाक़ी बचे समय में वह रॉन के साथ अपने चर्मपत्र के कोने में हैंगमैन खेलता रहा। इस दौरान हर्माइनी उन्हें कनखियों से ग़ुस्से से घूरती रही।

जब वे क्लास से बाहर निकले, तो हर्माइनी उनसे ठंडेपन से बोली (बिन्स ब्लैकबोर्ड में से उड़कर चले गए थे), 'अगर मैं तुम लोगों को इस साल अपने नोट्स नहीं दूँ, तो कैसा रहेगा?'

'हम **ओ.डब्ल्यू.एल.** में फ़ेल हो जाएँगे,' रॉन ने कहा। 'हर्माइनी, क्या तुम्हारी अंतरात्मा यह बात गवारा कर सकेगी ...'

'देखो, तुम दोनों इसी लायक हो,' उसने तपाक से कहा। 'तुम लोग तो उनकी बात सुनने की कोशिश भी नहीं करते हो, है ना?'

'हम कोशिश तो करते हैं,' रॉन ने कहा। 'लेकिन हमारे पास तुम्हारे जैसा दिमाग़ या याददाश्त या एकाग्रता नहीं है - तुम हमसे ज़्यादा चतुर हो - क्या इसके लिए हमें दोष देना ठीक है?'

'ओह, यह बकवास रहने दो,' हर्माइनी ने कहा, लेकिन जब वह गीले अहाते में सबसे आगे बाहर निकली, तो वह थोड़ी कम उत्तेजित लग रही थी।

धुंध जैसी बारिश हो रही थी, जिससे अहाते के कोनों में झुंड बनाकर खड़े विद्यार्थी धुँधले दिख रहे थे। हैरी, रॉन और हर्माइनी ने भारी टपकती बालकनी के नीचे का एक ख़ाली कोना चुना। उन्होंने सितंबर की बर्फ़ीली हवा से बचने के लिए अपने दुशालों के कॉलर ऊपर कर लिए थे और वे इस बारे में बातें कर रहे थे कि स्नेप सत्र की पहली क्लास में उन्हें क्या पढ़ाएँगे। वे इस बात पर एकमत थे कि यह कोई बहुत मुश्किल चीज़ होगी, ताकि वे दो महीने की छुट्टियों के बाद

विद्यार्थियों के होश उड़ा दें। तभी कोई कोने पर मुड़कर उनके पास आया।

'हैलो हैरी!'

यह चो चैंग थी और सबसे बड़ी बात यह थी कि वह एक बार फिर अकेली थी। यह बहुत असामान्य बात थी : चो लगभग हमेशा खी-खी करती लड़कियों से घिरी रहती थी। हैरी को याद था कि यूल डांस के बारे में उससे पूछने के लिए उसे कितना परेशान होना पड़ा था।

'हाय,' हैरी ने कहा और उसे अपना चेहरा गर्म लगने लगा। उसने ख़ुद से कहा, *कम से कम तुम इस बार दुर्गंधद्रव से नहीं ढँके हो।* लगता था कि चो भी यही सोच रही थी।

'तुमने उस रस को हटा दिया ?'

'हाँ,' हैरी ने कहा और मुस्कराने की कोशिश की, जैसे उनकी पिछली मुलाक़ात की याद कष्टकारी नहीं, बल्कि मज़ेदार थी। 'तो, क्या तुम्हारी ... अर ... छुट्टियाँ अच्छी बीतीं ?'

जिस पल उसके मुँह से यह निकला, वह सोचने लगा कि काश उसने यह नहीं कहा होता। सेडरिक चो का बॉयफ्रेंड था और उसकी मौत के सदमे ने निश्चित रूप से उसकी छुट्टियों को भी उतना ही प्रभावित किया होगा, जितना हैरी की छुट्टियों को किया था। चो का चेहरा सख़्त हो गया, लेकिन वह सँभलते हुए बोली, 'ओह, ठीक-ठाक थी, तुम तो जानते ही हो ...

'क्या यह टॉरनेडो का बैज है ?' अचानक रॉन ने चो के दुशालों के सामने वाले हिस्से की तरफ़ इशारा करते हुए पूछा, जहाँ एक आसमानी रंग का बैज लगा हुआ था, जिस पर सुनहरे रंग में दो टी लिखे थे। 'तुम उनकी टीम का समर्थन तो नहीं करती हो, है ना ?'

'हाँ, मैं करती हूँ,' चो ने कहा।

'क्या तुम शुरू से उनका समर्थन करती आई हो, या फिर तब से कर रही हो जब से वे लीग जीतने लगे हैं ?' रॉन ने ऐसी आवाज़ में पूछा, जिससे हैरी को लगा कि रॉन अनावश्यक रूप से आरोप लगा रहा है।

'मैं उनका समर्थन छह साल की उम्र से कर रही हूँ,' चो ने ठंडेपन से कहा। 'अच्छा हैरी ... मिलते हैं।'

वह चली गई। हर्माइनी ने तब तक इंतज़ार किया, जब तक चो अहाते में आधी दूर तक नहीं चली गई। फिर वह रॉन की तरफ़ मुड़ी।

'तुम भी कितने फूहड़ हो!'

'क्यों ? मैंने तो उससे सिर्फ़ यह पूछा था कि –'

'क्या तुम यह नहीं समझ पाए कि वह हैरी से अकेले में बात करना चाहती थी?'

'तो? वह शौक से कर सकती थी, मैं उसे रोक तो नहीं रहा था –'

'तो फिर तुम उस पर उसकी पसंदीदा क्विडिच टीम के बारे में हमला क्यों कर रहे थे?'

'हमला? मैं उस पर हमला नहीं कर रहा था, मैं तो बस –'

'अगर वह टॉरनेडो का समर्थन करती है, तो किसे फ़र्क़ पड़ता है?'

'ओह, छोड़ो भी, उनके बैज पहनने वाले आधे लोगों ने पिछले सीज़न में ही बैज ख़रीदे थे –'

'लेकिन इससे क्या फ़र्क़ पड़ता है?'

'इसका मतलब यह है कि वे असली प्रशंसक नहीं हैं। वे तो सिर्फ़ उनकी सफलता के कारण उनके प्रशंसक बन गए हैं –'

'लो घंटी बज गई,' हैरी ने उन्हें बताया, क्योंकि रॉन और हर्माइनी इतनी ज़ोर से लड़ रहे थे कि घंटी की आवाज़ नहीं सुन पाए थे। उनकी बहस तब तक ख़त्म नहीं हुई, जब तक वे स्नेप के तहख़ाने तक नहीं पहुँच गए। इससे हैरी को यह सोचने का पर्याप्त समय मिल गया कि नेविल और रॉन अगर उसके साथ रहे, तो उसकी चो से कभी दो मिनट भी बात नहीं हो पाएगी, जब तक कि वह यह देश छोड़कर न चला जाए।

स्नेप के क्लासरूम के दरवाज़े के बाहर लाइन में खड़े-खड़े उसने सोचा, फिर भी यही क्या कम था कि वह उससे बात करने के लिए अकेली आई थी, है ना? वह सेडरिक की गर्लफ़्रेंड थी। वह आसानी से इस बात के लिए हैरी से नफ़रत कर सकती थी कि हैरी त्रिकोणीय कप की भूलभुलैया से सही-सलामत बाहर निकल आया था और सेडरिक मर गया था। लेकिन इसके बावजूद वह उससे दोस्ताना लहज़े में बातें कर रही थी। वह उसे पागल या झूठा नहीं समझ रही थी। वह उसे सेडरिक की मौत के लिए ज़िम्मेदार नहीं मान रही थी ... हाँ, चो ने निश्चित रूप से उससे बात करने की कोशिश की थी, और ऐसा दो दिन में दूसरी बार हुआ था ... यह सोचकर हैरी का उत्साह बढ़ गया। स्नेप के तहख़ाने का दरवाज़ा खुल गया। इसकी ख़तरनाक आवाज़ से भी हैरी के सीने के अंदर का वह छोटा सा, उम्मीद भरा बुलबुला नहीं फूटा। वह रॉन और हर्माइनी के पीछे-पीछे क्लास में गया तथा पीछे वाली अपनी स्थायी टेबल पर बैठ गया। वह रॉन और हर्माइनी के बीच में बैठा था तथा दोनों के मुँह से निकलती चिढ़ भरी आवाज़ों को नज़रअंदाज़ कर रहा था।

'शांत हो जाओ,' स्नेप ने सभी के अंदर आने के बाद दरवाज़ा बंद करते हुए कहा।

ऐसा कहने की दरअसल कोई ज़रूरत नहीं थी। जिस पल क्लास ने दरवाज़ा बंद होने की आवाज़ सुनी, शांति छा गई और सारी हरकतें बंद हो गईं। सिर्फ़ स्नेप की उपस्थिति ही क्लास को ख़ामोश करने के लिए काफ़ी होती थी।

स्नेप ने अपनी डेस्क पर तेज़ी से पहुँचकर उन सभी को घूरते हुए कहा, 'मुझे लगता है कि आज का सबक़ शुरू करने से पहले तुम लोगों को यह याद दिलाना ठीक रहेगा कि अगले जून में तुम लोग एक महत्त्वपूर्ण परीक्षा दोगे, जिसमें तुम यह साबित करोगे कि तुमने जादुई काढ़ों को बनाने और उनके इस्तेमाल के बारे में क्या सीखा है। हालाँकि इस क्लास के कुछ विद्यार्थी बेशक गधे हैं, लेकिन मुझे उम्मीद है कि तुम लोग अपने **ओ.डब्ल्यू.एल.** में कम से कम "संतोषजनक" ग्रेड हासिल करोगे, वरना ... मैं बहुत नाराज़ हो जाऊँगा।'

उनकी निगाह इस बार नेविल पर पड़ी, जिसने थूक गटक लिया।

'ज़ाहिर है, इस साल के बाद तुममें से कई विद्यार्थी मेरी क्लास में नहीं रहोगे,' स्नेप ने आगे कहा। 'मैं अपनी **एन.ई.डब्ल्यू.टी.** क्लासों में सबसे अच्छे विद्यार्थियों को ही चुनता हूँ, जिसका मतलब है कि तुममें से कुछ लोग निश्चित रूप से मुझसे अलविदा कहोगे।'

उनकी निगाह हैरी पर ठहर गई और उनके होंठ सिकुड़ गए। हैरी ने उन्हें पलटकर घूरा और उसे यह सुनकर ख़ुशी हुई कि फ़िफ़्थ ईयर के बाद वह जादुई काढ़े का विषय छोड़ सकेगा।

'लेकिन अलविदा के उस सुखद क्षण से पहले अभी एक साल बाक़ी है,' स्नेप ने धीरे से कहा, 'इसलिए चाहे तुम **एन.ई.डब्ल्यू.टी.** में मेरा विषय पढ़ना चाहो या न पढ़ना चाहो, तुम लोगों को मेरी यही सलाह है कि तुम अच्छे से अच्छा ग्रेड पाने की कोशिश करो, जिसकी मैं अपने **ओ.डब्ल्यू.एल.** विद्यार्थियों से उम्मीद करता हूँ।

'आज हम एक ऐसा काढ़ा बनाएँगे, जो **ओ.डब्ल्यू.एल.** में अक्सर आता है – शांतिदायक काढ़ा। यह तनाव को शांत करता है और विचलित मस्तिष्क को राहत देता है। इस बात का ध्यान रखना : अगर तुमने ज़्यादा सामग्री डाल दी, तो इसे पीने वाला चिर निद्रा में सो सकता है, इसलिए तुम्हें बहुत ध्यान से काम करना होगा।' हैरी की बाईं तरफ़ बैठी हर्माइनी थोड़ी तन गई और उसके चेहरे पर पूरी एकाग्रता का भाव था। स्नेप ने अपनी छड़ी लहराई, 'सामग्री और तरीक़ा ब्लैकबोर्ड पर लिखा है –' (वहाँ पर शब्द उभर आए) '– तुम्हें जो सामग्री चाहिए, वह सब –' उन्होंने एक बार फिर अपनी छड़ी लहराई '– स्टोर की

अलमारी में है –' (अलमारी का दरवाज़ा खुल गया) '– तुम्हारे पास डेढ़ घंटे का समय है ... शुरू कर दो।'

जैसी हैरी, रॉन और हर्माइनी को उम्मीद थी, स्नेप इससे ज़्यादा कठिन काम नहीं दे सकते थे। सामग्री को कड़ाही में निश्चित क्रम और मात्रा में डालना था। काढ़े को निश्चित बार चलाना था, पहले घड़ी के चलने की दिशा में, फिर विपरीत दिशा में। काढ़े को उबालने वाली लपटों की गर्मी बिलकुल सही स्तर तक धीमी होनी चाहिए थी, कुछ निश्चित मिनट तक। उसके बाद ही उसमें आख़िरी सामग्री डाली जानी थी।

जब दस मिनट बचे, तो स्नेप ने कहा, 'अब तुम्हारे काढ़े में से चाँदी जैसे रंग का हल्का धुआँ निकल रहा होगा।'

हैरी पसीना-पसीना हो रहा था। उसने हताशा से चारों तरफ़ देखा। उसकी कड़ाही से गहरा भूरा धुआँ उठ रहा था। रॉन के काढ़े में से हरी चिंगारियाँ निकल रही थीं। सीमस अपनी कड़ाही के नीचे की लपटों को छड़ी की नोक से कुरेद रहा था, क्योंकि वे बुझती दिख रही थीं। बहरहाल, हर्माइनी के काढ़े से चाँदी जैसे रंग का धुआँ निकल रहा था। स्नेप ने अपनी मुड़ी हुई नाक नीची करके हर्माइनी के काढ़े को देखा और कोई टिप्पणी नहीं की। इसका मतलब यह था कि उन्हें आलोचना करने के लिए कुछ नहीं मिला था। बहरहाल, हैरी की कड़ाही के पास आकर स्नेप ठिठक गए और उसे देखकर उनके चेहरे पर एक भयंकर मुस्कान आ गई।

'पॉटर, यह क्या है?'

क्लास में सामने बैठे नागशक्ति के सभी विद्यार्थी उत्सुकता से ऊपर देखने लगे। जब स्नेप हैरी को सताते थे, तो उन्हें बड़ा मज़ा आता था।

'शांतिदायक काढ़ा,' हैरी ने तनाव से कहा।

स्नेप ने धीरे से कहा, 'पॉटर, मुझे यह बताओ कि क्या तुम पढ़ सकते हो?'

ड्रेको मैल्फ़ॉय हँसने लगा।

'हाँ,' हैरी ने कहा। उसकी उँगलियाँ छड़ी पर कस गईं।

'पॉटर, बोर्ड पर लिखे निर्देशों की तीसरी लाइन पढ़कर सुनाओ।'

हैरी ने ब्लैकबोर्ड की तरफ़ देखा। तहख़ाने में इस वक़्त कई रंगों का धुआँ उड़ रहा था, जिस वजह से निर्देशों को पढ़ना आसान नहीं था।

'मूनस्टोन का चूर्ण मिलाओ, तीन बार घड़ी की विपरीत दिशा में घुमाओ, सात मिनट तक उसे धीमी आँच में उबलने दो, फिर हेलेबोर का दो बूँद रस

मिलाओ।'

उसका दिल डूब गया। उसने हेलेबोर का रस नहीं मिलाया था, बल्कि सात मिनट तक काढ़ा उबालने के बाद सीधे निर्देशों की चौथी लाइन पर पहुँच गया था।

'पॉटर, क्या तुमने तीसरी लाइन में लिखा हर काम किया है?'

'नहीं,' हैरी ने बहुत धीरे से कहा।

'मैंने सुना नहीं?'

'नहीं,' हैरी ने इस बार ज़्यादा ज़ोर से कहा। 'मैं हेलेबोर डालना भूल गया था।'

'मैं जानता हूँ कि तुम भूल गए थे। इसका मतलब यह है कि तुम्हारा काढ़ा बिलकुल बेकार है। *लुप्तो।*'

हैरी का काढ़ा ग़ायब हो गया। वह ख़ाली कड़ाही के पास मूर्खों की तरह खड़ा रह गया।

'तुममें से जिन लोगों ने निर्देशों को *ठीक से* पढ़ा है, वे एक शीशी में अपने काढ़े का नमूना भरें, उस पर अपने नाम का स्पष्ट लेबल लगाएँ और जाँच के लिए मेरी डेस्क पर लाएँ,' स्नेप ने कहा। 'होमवर्क : मूनस्टोन के गुणों और काढ़ा बनाने में उसके उपयोगों पर बारह इंच लंबा चर्मपत्र, जो मुझे गुरुवार को मिल जाना चाहिए।'

जब हैरी के चारों तरफ़ के विद्यार्थी अपनी-अपनी शीशियाँ भर रहे थे, तो उसने बौखलाते हुए अपना सामान साफ़ किया। उसका काढ़ा रॉन के काढ़े से ज़्यादा बुरा नहीं था, जिसमें से सड़े अंडों जैसी बदबू आ रही थी। या नेविल के काढ़े से, जो अभी-अभी मिलाई गई सीमेंट जैसा हो गया था और जिसे नेविल को अपनी कड़ाही में से खोदकर निकालना पड़ रहा था। बहरहाल, सिर्फ़ हैरी को ही अपनी मेहनत के बदले में शून्य मिलेगा। उसने छड़ी बैग में रखी और अपनी सीट पर जाकर बैठ गया। वह देखता रहा कि विद्यार्थी स्नेप की डेस्क पर भरी हुई शीशियाँ रख रहे थे। जब आख़िरकार घंटी बज गई, तो हैरी सबसे पहले तहख़ाने से बाहर निकला। जब तक रॉन और हर्माइनी बड़े हॉल में उसके पास आए, तब तक वह अपना लंच शुरू कर चुका था। सुबह की तुलना में छत अब ज़्यादा स्याह हो चुकी थी। ऊँची खिड़कियों पर बारिश की फुहारें टकरा रही थीं।

'यह बहुत भेदभाव था,' हर्माइनी ने तसल्ली देते हुए कहा, जब वह हैरी के पास बैठी और उसने अपनी प्लेट में खाने का सामान परोस लिया। 'तुम्हारा काढ़ा गॉइल जितना बुरा नहीं था। जब उसने अपनी शीशी में काढ़ा डाला, तो

वह टूट गई और उसके दुशालों में आग लग गई।'

हैरी ने ग़ुस्से से अपनी प्लेट को घूरते हुए कहा, 'स्नेप मेरे साथ शुरू से ही भेदभाव कर रहे हैं।'

किसी ने कुछ नहीं कहा। वे तीनों ही जानते थे कि जब से हैरी ने हॉगवर्ट्स में क़दम रखा था, तभी से स्नेप और हैरी एक-दूसरे के पक्के दुश्मन थे।

'मैं सोच रही थी कि इस साल वे ज़्यादा अच्छा व्यवहार करेंगे,' हर्माइनी ने थोड़ी निराश आवाज़ में कहा। 'मेरा मतलब है ... तुम जानते हो ...' उसने सावधानी से चारों तरफ़ देखा। उनके दोनों तरफ़ छह-छह कुर्सियाँ ख़ाली थीं और कोई भी टेबल के पास से नहीं गुज़र रहा था '... अब वे मायापंछी के समूह में हैं।'

'ज़हरीले साँपों के निशान नहीं बदलते हैं,' रॉन ने समझदारी से कहा। 'चाहे जो हो, मुझे हमेशा से लगता है कि डम्बलडोर पागल हैं, जो स्नेप पर भरोसा कर रहे हैं। इस बात का सबूत कहाँ है कि उन्होंने तुम-जानते-हो-कौन के लिए काम करना सचमुच बंद कर दिया है?'

हर्माइनी ने पलटकर कहा, 'रॉन, मुझे लगता है कि डम्बलडोर के पास काफ़ी सबूत होंगे, हालाँकि उन्होंने वे तुम्हें नहीं बताए हैं।'

'ओह, तुम दोनों चुप रहो,' हैरी ने भारी अंदाज़ में कहा, जब रॉन ने बहस करने के लिए अपना मुँह खोला। हर्माइनी और रॉन दोनों ही मूर्ति की तरह स्थिर हो गए। वे दोनों नाराज़ दिख रहे थे। हैरी बोला, 'क्या तुम दोनों कभी चैन से नहीं रह सकते? हमेशा एक-दूसरे से बहस करते रहते हो। इससे मैं पागल हो रहा हूँ।' अपना खाना छोड़कर उसने स्कूलबैग कंधे पर लटकाया और उन्हें वहीं बैठा छोड़कर चला दिया।

एक बार में दो-दो पायदान चढ़ते हुए उसने संगमरमर की सीढ़ियाँ पार कीं और लंच के लिए तेज़ी से उतरते कई विद्यार्थियों के पास से गुज़रा। अचानक जो ग़ुस्सा उसके अंदर उमड़ आया था, वह अब भी सुलग रहा था और रॉन तथा हर्माइनी के सदमे भरे चेहरे याद करके उसे बड़ा संतोष मिल रहा था। उसने सोचा, उन्हें अच्छा सबक़ मिला, *वे लोग शांति से क्यों नहीं रहते हैं ... हमेशा लड़ते रहते हैं ... इससे कोई भी पगला जाएगा ...*

ऊपर पहुँचने पर वह योद्धा सर केडोगन की बड़ी तस्वीर के पास से गुज़रा। सर केडोगन ने अपनी तलवार बाहर निकाली और हैरी की तरफ़ तेज़ी से लहराई, लेकिन उसने नज़रअंदाज़ कर दिया।

'इधर आओ, नीच कुत्ते! रुको और मुझसे लड़ो!' सर केडोगन अपने कवच के पीछे से दबी हुई आवाज़ में चिल्लाया, लेकिन हैरी आगे बढ़ता रहा।

और जब सर केडोगन ने पास वाली तस्वीर में भागकर उसका पीछा करने की कोशिश की, तो वहाँ पर बैठे एक बड़े और नाराज़ शिकारी कुत्ते ने उसे वहाँ से भगा दिया।

हैरी ने लंच का बाक़ी समय उत्तरी मीनार के ऊपर वाले दरवाज़े के नीचे बैठकर बिताया। इसका परिणाम यह हुआ कि जब घंटी बजी, तो वह सिबिल ट्रिलोनी की क्लासरूम तक जाने वाली सफ़ेद सीढ़ी पर सबसे पहले चढ़ गया।

जादुई काढ़े के बाद ज्योतिष हैरी की सबसे कम प्रिय क्लास थी और इसका प्रमुख कारण यह था कि प्रोफ़ेसर ट्रिलोनी नियमित रूप से उसकी असमय मौत की भविष्यवाणियाँ करती रहती थीं। वे दुबली-पतली थीं, शॉल ओढ़े रहती थीं और उनके शरीर पर मनकों की मालाएँ चमकती रहती थीं। उन्हें देखकर हैरी को किसी कीड़े-मकोड़े की याद आती थी, क्योंकि चश्मे के कारण उनकी आँखें बहुत बड़ी-बड़ी दिखती थीं। जब हैरी कमरे में दाख़िल हुआ, तो प्रोफ़ेसर ट्रिलोनी हर टेबल पर चमड़े के कवर वाली पुरानी पुस्तकें रख रही थीं। लैंप स्कार्फ़ से ढँके थे और आग की रोशनी इतनी धीमी थी कि वे हैरी को नहीं देख पाईं। वह अँधेरे में चुपचाप एक सीट पर बैठ गया। बाक़ी के विद्यार्थी अगले पाँच मिनट में आ गए। रॉन ने दरवाज़े से अंदर आने के बाद चारों तरफ़ देखा और सीधे हैरी के पास आ गया। कम से कम उतने सीधे, जितना वह जर्जर टेबलों और कुर्सियों के बीच में से आ सकता था।

बैठते ही उसने हैरी से कहा, 'हर्माइनी और मैंने बहस करना छोड़ दिया है।'

'अच्छी बात है,' हैरी बोला।

रॉन बोला, 'लेकिन हर्माइनी कहती है कि तुम अपना ग़ुस्सा हम लोगों पर निकालना बंद कर दो, तो अच्छा होगा।'

'मैं ऐसा नहीं कर रहा हूँ -'

'मैं तो तुम्हें सिर्फ़ उसका संदेश सुना रहा हूँ,' रॉन ने उसकी बात काटते हुए कहा। 'वैसे मुझे भी उसकी बात सही लगती है। सीमस और स्नेप तुम्हारे साथ कैसा बर्ताव करते हैं, उसमें हमारी कोई ग़लती नहीं है।'

'मैंने ऐसा कब कहा -'

'गुड डे,' प्रोफ़ेसर ट्रिलोनी ने अपनी सदाबहार रहस्यमयी और सपनीली आवाज़ में कहा। हैरी चुप हो गया। वह चिढ़ रहा था, हालाँकि उसे ख़ुद पर थोड़ी शर्म भी आ रही थी। 'ज्योतिष की क्लास में तुम सभी का दोबारा स्वागत है। ज़ाहिर है, छुट्टियों में मैं तुम्हारे भविष्य पर पूरी नज़र रखे हुए थी और मुझे यह

देखकर ख़ुशी हुई कि तुम सभी सही-सलामत हॉगवर्ट्स लौट आए हो – जैसा कि मैं जानती थी।

'तुम लोगों को टेबल पर एक पुस्तक रखी मिलेगी। इनिगो इमेगो की *द ड्रीम ओरेकल।* सपनों की व्याख्या भविष्य जानने का एक बहुत महत्वपूर्ण तरीक़ा है और इस बात की बहुत संभावना है कि तुम्हारे **ओ.डब्ल्यू.एल.** में भी यही पूछा जाएगा। ज़ाहिर है, मैं यह नहीं मानती हूँ कि ज्योतिष जैसी पवित्र कला में पास या फ़ेल होने का ज़रा भी महत्व होता है। अगर आपके पास अंदरूनी आँख है, तो प्रमाणपत्र और ग्रेड बहुत कम मायने रखते हैं। बहरहाल, हेडमास्टर चाहते हैं कि तुम इस परीक्षा में बैठो, इसलिए ...'

उनकी आवाज़ धीमी होते-होते ग़ायब हो गई, जिससे उन सभी को पूरा विश्वास हो गया कि प्रोफ़ेसर ट्रिलोनी अपने विषय को परीक्षा जैसी तुच्छ चीज़ों से ऊपर समझती हैं।

'प्रस्तावना खोलकर पढ़ो कि इमेगो सपनों की व्याख्या के मामले में क्या कहते हैं। फिर जोड़ियाँ बना लो। एक-दूसरे के हाल के सपनों की व्याख्या करने के लिए *द ड्रीम ओरेकल* का प्रयोग करो।'

इस क्लास के बारे में एक अच्छी बात यह थी कि इसके दो लगातार पीरियड नहीं थे। जब तक उन्होंने पुस्तक की प्रस्तावना पूरी पढ़ी, तब तक सपनों की व्याख्या के लिए मुश्किल से दस मिनट ही बचे थे। हैरी और रॉन के पास वाली टेबल पर डीन ने नेविल के साथ जोड़ी बना ली थी। नेविल एक बुरे सपने के लंबे स्पष्टीकरण में जुट गया, जिसमें एक दैत्याकार कैंची उसकी दादी का सबसे अच्छा हैट पहने थी। हैरी और रॉन ने एक-दूसरे की तरफ़ उदासी से देखा।

रॉन बोला, 'मुझे अपने सपने कभी याद नहीं रहते हैं। तुम अपना सपना बताओ।'

हैरी ने अधीरता से कहा, 'तुम्हें कोई न कोई सपना तो याद करना होगा।'

वह अपने सपने किसी को भी नहीं बताने वाला था। वह बहुत अच्छी तरह जानता था कि क़ब्रिस्तान के बारे में उसके नियमित बुरे सपने का क्या मतलब था। उसे इसका मतलब समझने के लिए रॉन या प्रोफ़ेसर ट्रिलोनी या मूर्खतापूर्ण *ड्रीम ओरेकल* की ज़रूरत नहीं थी।

'देखो, मैंने कल रात सपना देखा था कि मैं क्विडिच खेल रहा हूँ,' रॉन ने कहा और याद करने के लिए अपने चेहरे पर दबाव डाला। 'तुम्हें क्या लगता है, इसका क्या मतलब है?'

'शायद इसका मतलब यह होगा कि तुम्हें कोई बड़ा जानवर खा जाएगा,' हैरी ने *द ड्रीम ओरेकल* के पन्ने बिना दिलचस्पी के पलटते हुए कहा। *ओरेकल* में सपनों का मतलब देखना बड़ा उबाऊ काम था। हैरी ज़रा भी ख़ुश नहीं हुआ, जब प्रोफ़ेसर ट्रिलोनी ने होमवर्क के तौर पर उन्हें एक महीने तक सपनों की डायरी रखने का काम दिया। जब घंटी बजी, तो वह और रॉन सीढ़ी से नीचे उतरे। रॉन ज़ोर-ज़ोर से शिकायत कर रहा था।

'क्या तुम्हें एहसास है कि हमें अभी से ही कितना सारा होमवर्क मिल चुका है? बिन्स ने दानवों के युद्धों पर हमें डेढ़ फ़ुट लंबा निबंध लिखने को दिया है, स्नेप मूनस्टोन के उपयोग पर बारह इंच लंबा निबंध चाहते हैं और अब ट्रिलोनी ने एक महीने तक सपनों की डायरी रखने का काम दे दिया है! फ्रेड और जॉर्ज **ओ.डब्ल्यू.एल.** ईयर के बारे में ग़लत नहीं कह रहे थे! काश वह अंबरिज औरत हमें कोई होमवर्क न दे ...'

जब वे गुप्त कलाओं से रक्षा की क्लास में दाख़िल हुए, तो उन्हें प्रोफ़ेसर अंबरिज टीचर की डेस्क पर बैठी मिलीं। वे पिछली रात वाला गुलाबी कार्डिगन पहने थीं और सिर के ऊपर काले मख़मल का बो लगाए थीं। हैरी को एक बार फिर किसी बड़ी मक्खी की याद आई, जो किसी बहुत बड़ी मेंढकी के ऊपर बैठी हुई थी।

विद्यार्थी ख़ामोशी से कमरे में दाख़िल हुए। प्रोफ़ेसर अंबरिज अपरिचित थीं और कोई भी नहीं जानता था कि वे कितना सख़्त अनुशासन पसंद करती थीं।

सभी विद्यार्थियों के बैठने के बाद प्रोफ़ेसर अंबरिज बोलीं, 'गुड आफ़्टरनून!'

कुछ विद्यार्थी जवाब में 'गुड आफ़्टरनून' बुदबुदाए।

'चचच,' प्रोफ़ेसर अंबरिज बोलीं। '*यह* नहीं चलेगा। मैं चाहती हूँ कि तुम लोग जवाब में कहो, "गुड आफ़्टरनून, प्रोफ़ेसर अंबरिज"। एक बार फिर। गुड आफ़्टरनून, क्लास!'

विद्यार्थियों ने जवाब दिया, 'गुड आफ़्टरनून, प्रोफ़ेसर अंबरिज।'

'देखा,' प्रोफ़ेसर अंबरिज ने ख़ुशी से कहा। 'यह ज़्यादा मुश्किल काम नहीं था, है ना? अब छड़ियाँ अंदर रख दो और क़लम निकाल लो।'

कई विद्यार्थियों ने उदासी से एक-दूसरे की तरफ़ देखा। 'छड़ियाँ अंदर रख दो' के आदेश के बाद आज तक कभी कोई दिलचस्प क्लास नहीं हुई थी। हैरी ने अपनी छड़ी बैग में रख ली और क़लम, स्याही तथा चर्मपत्र बाहर निकाल लिए। प्रोफ़ेसर अंबरिज ने अपना हैंडबैग खोला, उसमें से अपनी बहुत छोटी छड़ी

बाहर निकाली और उससे ब्लैकबोर्ड को तेज़ी से ठोंका। तत्काल बोर्ड पर शब्द उभर आए :

गुप्त कलाओं से रक्षा
मूलभूत सिद्धांतों की ओर वापसी

'इस विषय की तुम्हारी पढ़ाई में काफ़ी व्यवधान आए, जिसकी वजह से यह ठीक से नहीं हो पाई, है ना?' प्रोफ़ेसर अंबरिज ने कहा और अपने हाथ बाँधकर विद्यार्थियों की तरफ़ मुड़ीं। 'टीचर्स लगातार बदलते रहे और उनमें से कई ने मंत्रालय द्वारा निर्धारित पाठ्यक्रम का पालन नहीं किया। इस कारण से तुम लोग दुर्भाग्य से उस स्तर से काफ़ी नीचे हो, जहाँ तुम्हें अपने **ओ.डब्ल्यू.एल.** ईयर में होना चाहिए।

'बहरहाल, तुम्हें यह जानकर ख़ुशी होगी कि अब ये समस्याएँ दूर हो गई हैं। हम इस साल गुप्त कलाओं से रक्षा का सावधानीपूर्वक निर्मित, सिद्धांत-केंद्रित, मंत्रालय द्वारा अनुशंसित पाठ्यक्रम पढ़ेंगे। नीचे लिखी गई बातें लिख लो।'

उन्होंने ब्लैकबोर्ड को दोबारा ठोंका। पहला संदेश ग़ायब हो गया और उसकी जगह दूसरा संदेश आ गया, जिसका शीर्षक था 'पाठ्यक्रम के लक्ष्य।'

1. *रक्षात्मक जादू के निहित सिद्धांतों को समझना।*
2. *ऐसी स्थितियों को पहचानना सीखना, जिनमें रक्षात्मक जादू का वैध इस्तेमाल किया जा सके।*
3. *रक्षात्मक जादू के प्रयोग को किसी व्यावहारिक पृष्ठभूमि में रखना।*

कुछ मिनट तक क्लास में चर्मपत्र पर घिसटती क़लमों की आवाज़ आती रही। जब सभी ने पाठ्यक्रम के तीनों लक्ष्य उतार लिए, तो उन्होंने पूछा, 'क्या सभी के पास विलबर्ट स्लिंकहार्ड की पुस्तक *रक्षात्मक जादुई सिद्धांत* है?'

पूरी क्लास में हाँ की दबी-दबी आवाज़ें सुनाई दीं।

'मुझे लगता है कि हम दोबारा कोशिश करते हैं,' प्रोफ़ेसर अंबरिज ने कहा। 'जब मैं तुमसे कोई सवाल पूछूँ, तो मैं चाहूँगी कि तुम जवाब में या तो "हाँ, प्रोफ़ेसर अंबरिज" कहो या फिर "नहीं, प्रोफ़ेसर अंबरिज" कहो। तो, क्या सभी के पास विलबर्ट स्लिंकहार्ड की पुस्तक *रक्षात्मक जादुई सिद्धांत* है?'

'हाँ, प्रोफ़ेसर अंबरिज,' पूरी क्लास बोली।

'अच्छी बात है,' प्रोफ़ेसर अंबरिज ने कहा। 'मैं चाहती हूँ कि तुम लोग

पेज नंबर पाँच खोल लो और "अध्याय एक, शुरुआती लोगों के लिए मूलभूत बातें" पढ़ना शुरू कर दो। बातें करने की कोई ज़रूरत नहीं है।'

प्रोफ़ेसर अंबरिज ब्लैकबोर्ड से दूर आकर टीचर की डेस्क के पीछे रखी कुर्सी पर बैठ गईं और अपनी मेंढकी जैसी बाहर निकली आँखों से उन सभी को ग़ौर से देखती रहीं। हैरी ने *रक्षात्मक जादुई सिद्धांत* का पेज नंबर पाँच खोला और पढ़ने लगा।

यह बहुत ही बोझिल काम था, लगभग उतना ही बुरा, जितना कि प्रोफ़ेसर बिन्स का लेक्चर सुनना। उसे लगा कि उसकी एकाग्रता फिसल रही है। वह एक ही लाइन छह बार पढ़ चुका था, लेकिन इसके बावजूद वह पहले कुछ शब्दों से ज़्यादा का मतलब नहीं समझ पाया। कुछ मिनट ख़ामोशी से गुज़र गए। उसके पास बैठा रॉन बेध्यानी से अपनी उँगलियों में क़लम घुमाए जा रहा था और पन्ने पर एक ही जगह घूरे जा रहा था। हैरी ने अपनी दाहिनी तरफ़ देखा और उसे इतनी हैरानी हुई कि उसकी तंद्रा टूट गई। हर्माइनी ने *रक्षात्मक जादुई सिद्धांत* की पुस्तक खोली ही नहीं थी। वह प्रोफ़ेसर अंबरिज की तरफ़ लगातार घूरे जा रही थी और उसका हाथ हवा में उठा हुआ था।

हैरी को याद नहीं था कि हर्माइनी ने पहले कभी कहे जाने पर कोई पुस्तक न पढ़ी हो, या अपनी नाक के नीचे आई किसी पुस्तक को खोलने का प्रलोभन छोड़ा हो। उसने उसकी तरफ़ सवालिया निगाह डाली, लेकिन हर्माइनी ने अपना सिर थोड़ा सा हिलाकर इशारा किया कि वह किसी सवाल का जवाब नहीं देना चाहती है। वह लगातार प्रोफ़ेसर अंबरिज को घूरती रही, जो उतनी ही दृढ़ता से दूसरी दिशा में देखती रहीं।

कुछ मिनट और गुज़र गए। बहरहाल, अब हैरी ही अकेला विद्यार्थी नहीं था, जो हर्माइनी को देख रहा था। जो अध्याय उन्हें पढ़ना था, वह इतना बोझिल था कि अब ज़्यादातर विद्यार्थी 'शुरुआती लोगों के लिए मूलभूत बातें' पढ़ने की कोशिश करने के बजाय प्रोफ़ेसर अंबरिज का ध्यान आकर्षित करने की हर्माइनी की ख़ामोश कोशिश को देखने लगे थे।

जब आधी से ज़्यादा क्लास अपनी पुस्तकों के बजाय हर्माइनी की तरफ़ घूरने लगी, तो प्रोफ़ेसर अंबरिज ने यह फ़ैसला किया कि वे इस स्थिति को और ज़्यादा नज़रअंदाज़ नहीं कर सकतीं।

'क्या तुम्हें अध्याय के बारे में कुछ पूछना है, बेटा?' उन्होंने हर्माइनी से पूछा, जैसे उसकी तरफ़ उनका ध्यान उसी वक़्त गया हो।

हर्माइनी ने कहा, 'अध्याय के बारे में तो नहीं पूछना है।'

'हम अभी पढ़ रहे हैं,' प्रोफ़ेसर अंबरिज ने अपने छोटे-छोटे नुकीले दाँत

दिखाते हुए कहा। 'अगर तुम कोई सवाल पूछना चाहती हो, तो हम क्लास के बाद उसके बारे में बात कर सकते हैं।'

हर्माइनी बोली, 'मुझे आपके पाठ्यक्रम के लक्ष्यों के बारे में सवाल पूछना है।'

प्रोफ़ेसर अंबरिज ने अपनी भौंहें उठाईं।

'और तुम्हारा नाम है?'

'हर्माइनी ग्रेंजर,' हर्माइनी ने कहा।

प्रोफ़ेसर अंबरिज ने नक़ली मीठी आवाज़ में कहा, 'देखो, मिस ग्रेंजर, तुम लक्ष्यों को ग़ौर से पढ़ो। मुझे लगता है कि वे बिलकुल स्पष्ट हैं।'

'नहीं, ये स्पष्ट नहीं हैं,' हर्माइनी ने दोटूक जवाब दिया। 'वहाँ पर रक्षात्मक मंत्रों का *प्रयोग* करने के बारे में कुछ भी नहीं लिखा है।'

थोड़ी देर के लिए ख़ामोशी छा गई, जिसमें क्लास के कई विद्यार्थियों ने अपने सिर घुमाकर पाठ्यक्रम के उन तीन लक्ष्यों को घूरा, जो ब्लैकबोर्ड पर अब भी लिखे हुए थे।

'रक्षात्मक मंत्रों का *प्रयोग*?' प्रोफ़ेसर अंबरिज ने थोड़ा हँसते हुए कहा। 'मैं तो यह कल्पना भी नहीं कर सकती कि मेरी क्लास में कोई ऐसी स्थिति आ सकती है, जिसमें तुम्हें किसी रक्षात्मक मंत्र का प्रयोग करने की ज़रूरत हो, मिस ग्रेंजर। निश्चित रूप से तुम्हें क्लास के दौरान हमले की उम्मीद तो नहीं होगी?'

रॉन ने ज़ोर से कहा, 'तो क्या हम जादू का प्रयोग नहीं करेंगे?'

'जब कोई विद्यार्थी मेरी क्लास में बोलना चाहे, तो वह पहले अपना हाथ उठा दे, मिस्टर – ?'

'वीज़्ली,' रॉन ने कहा और अपना हाथ हवा में उठा दिया।

प्रोफ़ेसर अंबरिज अब और खुलकर मुस्कराईं तथा उन्होंने रॉन की तरफ़ पीठ फेर ली। हैरी और हर्माइनी ने भी तत्काल अपने हाथ उठा दिए। प्रोफ़ेसर अंबरिज की बाहर निकली आँखें एक पल के लिए हैरी पर टिकी रहीं, फिर उन्होंने हर्माइनी को संबोधित किया।

'हाँ, मिस ग्रेंजर? कुछ और पूछना चाहती हो?'

'हाँ,' हर्माइनी ने कहा। 'गुप्त कलाओं से रक्षा का पूरा मक़सद निश्चित रूप से रक्षात्मक मंत्रों का अभ्यास करना है?'

प्रोफ़ेसर अंबरिज ने अपनी नक़ली मीठी आवाज़ में कहा, 'मिस ग्रेंजर, क्या तुम जादू मंत्रालय द्वारा प्रशिक्षित शैक्षणिक विशेषज्ञ हो?'

'नहीं, लेकिन –'

'तब तो यह फ़ैसला करना तुम्हारा काम नहीं है कि किसी क्लास का "पूरा मक़सद" क्या है। तुमसे ज़्यादा बड़े और समझदार जादूगरों ने अध्ययन का यह नया पाठ्यक्रम तैयार किया है। तुम लोग रक्षात्मक मंत्रों के बारे में सुरक्षित, जोखिमविहीन तरीक़े से सीखोगे –'

'उससे क्या फ़ायदा होगा?' हैरी ने ज़ोर से कहा। 'अगर हम पर हमला होगा, तो हम लोग इस स्थिति में नहीं –'

'पहले हाथ ऊपर उठाओ, मिस्टर पॉटर!' प्रोफ़ेसर अंबरिज ने कहा।

हैरी ने अपना मुक्का हवा में तान दिया। एक बार फिर प्रोफ़ेसर अंबरिज ने तत्काल उसकी तरफ़ पीठ फेर ली, लेकिन अब कई और विद्यार्थियों ने भी अपने हाथ हवा में उठा दिए थे।

'और तुम्हारा नाम क्या है?' प्रोफ़ेसर अंबरिज ने डीन से पूछा।

'डीन थॉमस।'

'हाँ, मिस्टर थॉमस?'

'जो हैरी ने कहा है, वह सच है, है ना?' डीन बोला। 'अगर हम पर हमला होता है, तो यह तो जोखिमविहीन नहीं होगा।'

'मैं दोहराती हूँ,' प्रोफ़ेसर अंबरिज ने डीन की तरफ़ बहुत चिढ़ाने वाली मुस्कान के साथ कहा, 'क्या तुम्हें मेरी क्लासों में हमले का डर है?'

'नहीं, लेकिन –'

प्रोफ़ेसर अंबरिज ने उसकी बात काटते हुए कहा, 'मैं इस बात की आलोचना नहीं करना चाहती कि इस स्कूल में किस तरह से पढ़ाई होती है,' उन्होंने अपने चौड़े मुँह पर अविश्वसनीय मुस्कान लाते हुए कहा, 'लेकिन इस क्लास में बहुत ग़ैर-ज़िम्मेदार जादूगर पढ़ा चुके हैं, बहुत ही ग़ैर-ज़िम्मेदार,' उन्होंने थोड़ा हँसते हुए कहा, 'यही नहीं, बहुत ही ख़तरनाक संकर जादूगर भी।'

'अगर आपका मतलब प्रोफ़ेसर ल्यूपिन से है,' डीन ने ग़ुस्से से कहा, 'तो वे सबसे अच्छे टीचर थे, जिन्होंने हमें आज तक पढ़ाया है –'

'*हाथ*, मिस्टर थॉमस! जैसा मैं कह रही थी – तुम्हें ऐसे मंत्रों के बारे में पढ़ाया गया है, जो बहुत ही जटिल हैं, तुम्हारी उम्र के हिसाब से अनुचित हैं और जिनके घातक होने की आशंका है। तुम्हें डराकर ज़बर्दस्ती यह विश्वास दिला दिया गया है कि किसी भी दिन शैतानी जादूगरों से तुम्हारा सामना हो सकता है –'

'नहीं, हमें डराया नहीं गया है,' हर्माइनी ने कहा, 'हम तो –'

'तुम्हारा हाथ ऊपर नहीं है, मिस ग्रेंजर!'

हर्माइनी ने अपना हाथ ऊपर उठा दिया। प्रोफ़ेसर अंबरिज ने उसकी तरफ़ पीठ कर ली।

'मुझे पता चला है कि मेरे पहले पढ़ाने आए प्रोफ़ेसर ने न सिर्फ़ तुम्हारे सामने ग़ैर-क़ानूनी शापों का प्रदर्शन किया, बल्कि उन्होंने तुम पर उनका प्रयोग भी किया।'

'वह पागल निकला, है ना?' डीन ने ताव में आते हुए कहा। 'लेकिन हमने फिर भी बहुत सीखा।'

'तुम्हारा हाथ ऊपर नहीं है, मिस्टर थॉमस!' प्रोफ़ेसर अंबरिज ने कहा। 'अब, मंत्रालय का विचार है कि सैद्धांतिक ज्ञान ही तुम्हें परीक्षा में पास करवाने के लिए काफ़ी है और स्कूल का मतलब यही तो होता है। और तुम्हारा नाम है?' उन्होंने पार्वती को घूरते हुए कहा, जिसका हाथ अभी-अभी उठा था।

'पार्वती पाटिल। और क्या हमारी गुप्त कलाओं से रक्षा के **ओ.डब्ल्यू एल.** में प्रैक्टिकल परीक्षा नहीं होगी? क्या उसमें यह नहीं दिखाना पड़ेगा कि हम शापों का मुक़ाबला कैसे कर सकते हैं?'

'अगर तुमने सैद्धांतिक पढ़ाई अच्छी तरह से कर ली, तो कोई कारण नहीं कि तुम सावधानी से नियंत्रित परीक्षा की स्थितियों में मंत्रों को ठीक तरीक़े से न कर पाओ,' प्रोफ़ेसर अंबरिज ने बात पूरी करते हुए कहा।

'पहले से उनका अभ्यास किए बिना?' पार्वती ने अविश्वास से पूछा। 'क्या आप हमसे यह कह रही हैं कि हम इन मंत्रों का प्रयोग पहली बार परीक्षा में करेंगे?'

'मैं एक बार फिर दोहराती हूँ, अगर तुमने सैद्धांतिक पढ़ाई अच्छी तरह से कर ली है –'

'और सैद्धांतिक पढ़ाई असली दुनिया में किस काम आएगी?' हैरी ने ज़ोर से कहा। उसकी मुट्ठी एक बार फिर हवा में थी।

प्रोफ़ेसर अंबरिज ने ऊपर देखा।

उन्होंने धीरे से कहा, 'यह असली दुनिया नहीं, स्कूल है, पॉटर।'

'तो हमें उस चीज़ की तैयारी करने की कोई ज़रूरत नहीं है, जो बाहर हमारा इंतज़ार कर रही है?'

'बाहर कोई चीज़ इंतज़ार नहीं कर रही है, मिस्टर पॉटर।'

'ओह, हाँ?' हैरी ने कहा। उसका ग़ुस्सा पूरे दिन सतह से ज़रा सा नीचे

उबल रहा था और अब वह उबलने के बिंदु पर पहुँच चुका था।

प्रोफ़ेसर अंबरिज ने चाशनी जैसी मीठी आवाज़ में भयंकर तरीक़े से कहा, 'तुम्हें क्या लगता है, तुम्हारे जैसे बच्चों पर कौन हमला करना चाहेगा?'

'ऊँ, ज़रा सोचने दें ...' हैरी ने सोचने का नाटक किया। 'शायद ... *लॉर्ड वोल्डेमॉर्ट?'*

रॉन की आह निकल गई। लैवेंडर ब्राउन धीरे से चीख़ उठी। नेविल अपने स्टूल से एक तरफ़ गिर गया। बहरहाल, प्रोफ़ेसर अंबरिज ज़रा भी नहीं चौंकी। वे हैरी को बहुत संतोष से देखे जा रही थीं।

'मिस्टर पॉटर, गरुड़द्वार के दस पॉइंट कम किए जाते हैं।'

पूरी क्लास ख़ामोश और स्थिर हो गई। सभी या तो अंबरिज को घूर रहे थे या फिर हैरी को।

'देखो, मैं कुछ बातें बिलकुल साफ़ कह देना चाहती हूँ।'

प्रोफ़ेसर अंबरिज उठकर खड़ी हुईं और उन सबकी ओर झुकीं। उनकी गाँठदार उँगलियों वाले हाथ डेस्क पर थे।

'तुम लोगों को बताया गया है कि एक शैतानी जादूगर मौत के मुँह से वापस लौट आया है -'

'वह मरा नहीं था,' हैरी ने ग़ुस्से से कहा, 'लेकिन हाँ, वह लौट आया है!'

'मिस्टर-पॉटर-तुम-पहले-ही-अपने-हाउस-के-दस-पॉइंट-गँवा-चुके-हो-स्थिति-को-और-बुरा-मत-बनाओ,' प्रोफ़ेसर अंबरिज ने उसकी तरफ़ देखे बिना एक साँस में कह डाला। 'जैसा मैं कह रही थी, तुम्हें यह बताया गया है कि एक शैतानी जादूगर लौट आया है। *यह झूठ है।'*

'यह झूठ **नहीं** है!' हैरी ने कहा। 'मैंने उसे देखा था, मैंने उससे मुक़ाबला किया था!'

'सज़ा, मिस्टर पॉटर!' प्रोफ़ेसर अंबरिज ने विजयी अंदाज़ में कहा। 'कल शाम को। पाँच बजे। मेरे ऑफ़िस में। मैं यह बात दोहराती हूँ, *यह झूठ है।* जादू मंत्रालय गारंटी देता है कि तुम्हें किसी शैतानी जादूगर से कोई ख़तरा नहीं है। अगर इसके बाद भी तुम्हें कोई चिंता हो, तो क्लास के बाद कभी भी मुझसे आकर मिल सकते हो। अगर कोई मौत के मुँह से लौटने वाले शैतानी जादूगर के बारे में झूठ बोलकर तुम्हें डरा रहा हो, तो मैं उसके बारे में सुनना चाहूँगी। मैं यहाँ तुम सबकी मदद के लिए हूँ। मैं तुम्हारी दोस्त हूँ। और अब, तुम लोग मेहरबानी करके दोबारा पढ़ने लगो। पेज नंबर पाँच, "शुरुआती जादूगरों के लिए मूलभूत बातें।"'

प्रोफ़ेसर अंबरिज अपनी डेस्क के पीछे बैठ गईं। बहरहाल, हैरी खड़ा ही रहा। हर विद्यार्थी उसकी तरफ़ घूर रहा था। सीमस आधा डरा हुआ और आधा मंत्रमुग्ध लग रहा था।

'हैरी, कुछ मत बोलो!' हर्माइनी ने चेतावनी भरे लहज़े में फुसफुसाते हुए कहा और उसकी आस्तीन खींची, लेकिन हैरी ने अपनी बाँह उससे छुड़ा ली।

हैरी ने काँपती हुई आवाज़ में कहा, 'तो आपके अनुसार सेडरिक डिगोरी अपने आप मर गया, है ना?'

सभी विद्यार्थियों ने अपनी साँस रोक ली, क्योंकि रॉन और हर्माइनी के अलावा किसी ने भी हैरी के मुँह से यह नहीं सुना था कि सेडरिक की मौत वाली रात को क्या हुआ था। उन्होंने उत्सुकता से कभी हैरी को, तो कभी प्रोफ़ेसर अंबरिज को देखा, जिन्होंने अपनी नज़रें उठा ली थीं और अब बिना किसी बनावटी मुस्कान के उसे घूर रही थीं।

वे ठंडेपन से बोलीं, 'सेडरिक डिगोरी की मौत एक दुखद दुर्घटना थी।'

'वह हत्या थी,' हैरी ने कहा। वह काँप रहा था। उसने इस बारे में किसी से भी ज़्यादा बात नहीं की थी, कम मे कम उत्सुकता से सुनते तीस सहपाठियों से तो बिलकुल नहीं की थी। 'वोल्डेमॉर्ट ने उसे मारा और आप यह बात जानती हैं।'

प्रोफ़ेसर अंबरिज का चेहरा सपाट हो गया। एक पल के लिए तो हैरी को लगा कि वे उस पर चिल्लाने वाली हैं। फिर उन्होंने अपनी सबसे कोमल और चाशनी लिपटी लड़कियों जैसी आवाज़ में कहा, 'यहाँ आओ, मिस्टर पॉटर।'

हैरी ने अपनी कुर्सी को लात मारकर पीछे किया और रॉन तथा हर्माइनी के पास से तेज़ी से चलता हुआ टीचर की डेस्क तक पहुँच गया। उसे महसूस हो रहा था कि क्लास के सभी विद्यार्थियों ने अपनी साँस रोक रखी थी। वह इतने ग़ुस्से में था कि उसे इस बात की बिलकुल परवाह नहीं थी कि इसके बाद क्या होगा।

प्रोफ़ेसर अंबरिज ने अपने हैंडबैग से गुलाबी चर्मपत्र का एक छोटा सा टुकड़ा बाहर निकाला, उसे अपनी डेस्क पर फैलाया और अपनी क़लम स्याही की दवात में डुबाकर लिखने लगीं। वे चर्मपत्र पर इस तरह झुककर लिख रही थीं ताकि हैरी यह न देख सके कि वे क्या लिख रही थीं। पूरी क्लास ख़ामोश थी। एकाध मिनट के बाद उन्होंने चर्मपत्र तह करके अपनी छड़ी से ठोंक दिया। चर्मपत्र इस तरह से सील बंद हो गया कि हैरी उसे नहीं खोल सकता था।

प्रोफ़ेसर अंबरिज ने उसे चिट्ठी देते हुए कहा, 'इसे प्रोफ़ेसर मैक्गॉनेगल

के पास ले जाओ।'

हैरी ने बिना कुछ बोले उनसे चिट्ठी ले ली और कमरे से बाहर चल दिया। उसने पलटकर रॉन और हर्माइनी की तरफ़ भी नहीं देखा। उसने अपने पीछे क्लासरूम का दरवाज़ा धड़ाम से बंद कर दिया। वह गलियारे में बहुत तेज़ी से चलता रहा। प्रोफ़ेसर मैक्गॉनेगल के नाम की चिट्ठी उसके हाथ में कसकर दबी थी। एक मोड़ मुड़ते ही वह सीधे चौड़े मुँह वाले पीव्ज़ नामक भूत से टकरा गया, जो हवा में पीठ के बल तैरता हुआ स्याही की कई दवातों को हवा में उछाल रहा था।

'ओह, यह तो पॉटर बच्चा है!' पीव्ज़ ने किलकारी भरी और स्याही की दो दवातों को ज़मीन पर गिरा दिया, जहाँ वे टूट गईं और दीवारों पर स्याही बिखर गई। हैरी पीछे उछला और दूर हट गया।

'रास्ते से हट जाओ, पीव्ज़।'

'ऊह, पागल पॉटर तो ग़ुस्से में है,' पीव्ज़ हैरी के पीछे-पीछे गलियारे में गया और उसके ऊपर उड़ता रहा। 'इस बार क्या हुआ, पागल पॉटर ? आवाज़ें सुन रहे हो ? जागते हुए सपने देख रहे हो ? अजीब सी –' पीव्ज़ ने अपने मुँह से एक बहुत बड़ी रास्पबेरी हवा में उड़ाई '– भाषाओं में बोल रहे हो ?'

'मैंने तुमसे कहा ना, मुझे **अकेला** छोड़ दो!' हैरी चिल्लाया और सबसे नज़दीकी सीढ़ियों पर भागा, लेकिन पीव्ज़ उसके पास जंगले पर पीठ के बल फिसलता रहा।

'ओह, ज़्यादातर लोग सोचते हैं कि चिंतित पॉटर भौंक रहा है,
कुछ दयालु लोग सोचते हैं कि वह दुखी है,
लेकिन पीव्ज़ सबसे ज़्यादा जानता है और कहता है कि पॉटर पागल है –'

'चुप रहो!'

उसकी बाईं तरफ़ का एक दरवाज़ा खुला और प्रोफ़ेसर मैक्गॉनेगल अपने ऑफ़िस से गंभीर तथा परेशान दिखती हुई बाहर निकलीं।

'तुम *क्यों* चिल्ला रहे हो, पॉटर ?' उन्होंने कठोरता से कहा, जब पीव्ज़ ने किलकारी भरी और उड़ता हुआ ओझल हो गया। 'तुम क्लास में क्यों नहीं हो ?'

हैरी ने कठोरता से कहा, 'मुझे आपके पास भेजा गया है।'

'*भेजा गया है* ? इससे तुम्हारा क्या मतलब है ?'

हैरी ने प्रोफ़ेसर अंबरिज की चिट्ठी आगे बढ़ा दी। प्रोफ़ेसर मैक्गॉनेगल

ने त्योरियाँ चढ़ाकर चिट्ठी ली और अपनी छड़ी ठोंककर उसे खोलकर पढ़ने लगीं। अंबरिज की चिट्ठी पढ़ते समय उनकी आँखें चौकोर चश्मे के पीछे से इस तरफ़ से उस तरफ़ तक होती रहीं और हर लाइन के साथ वे सिकुड़ती गईं।

'अंदर आओ, पॉटर।'

वह उनके पीछे स्टडी में चला गया। उसके अंदर घुसते ही दरवाज़ा अपने आप बंद हो गया।

'तो?' प्रोफ़ेसर मैक्गॉनेगल ने उसकी तरफ़ मुड़ते हुए कहा। 'क्या यह सच है?'

'क्या?' हैरी ने पूछा और उसकी आवाज़ ज़रूरत से ज़्यादा आक्रामक हो गई। 'प्रोफ़ेसर?' उसने आगे कहा, ताकि उसकी बात ज़्यादा विनम्रतापूर्ण लगे।

'क्या यह सच है कि तुम प्रोफ़ेसर अंबरिज पर चिल्लाए थे?'

'हाँ,' हैरी ने कहा।

'तुमने उन्हें एक तरह से झूठी कहा था?'

'हाँ।'

'तुमने उनसे कहा था कि तुम-जानते-हो-कौन लौट आया है?'

'हाँ।'

प्रोफ़ेसर मैक्गॉनेगल अपनी डेस्क के पीछे बैठ गईं और हैरी को ग़ौर से देखने लगीं। फिर वे बोलीं, 'बिस्कुट खाओ, पॉटर।'

'क्या – ?'

'बिस्कुट खाओ,' उन्होंने अधीरता से कहा और अपनी डेस्क पर रखे काग़ज़ों के ढेर के ऊपर रखे एक डिब्बे की तरफ़ इशारा किया। 'और बैठ जाओ।'

एक बार पहले भी हैरी को ऐसा अनुभव हो चुका था। एक बार पहले भी उसे प्रोफ़ेसर मैक्गॉनेगल से सज़ा की उम्मीद थी, लेकिन उस समय उन्होंने उसे गरुड़द्वार की क्विडिच टीम का खोजी बना दिया था। वह उनके सामने वाली कुर्सी में धँस गया और एक बिस्कुट खाने लगा। वह उतना ही दुविधापूर्ण और परेशान दिख रहा था, जितना उस पहले वाले मौक़े पर था।

प्रोफ़ेसर मैक्गॉनेगल ने प्रोफ़ेसर अंबरिज की चिट्ठी रख दी और हैरी को बहुत गंभीरता से देखने लगीं।

'पॉटर, तुम्हें सावधान रहना चाहिए।'

हैरी ने अपने मुँह में भरा बिस्कुट निगल लिया और उन्हें घूरकर देखने

लगा। उनका लहज़ा सामान्य नहीं था। यह तेज़, तीखा और सख़्त नहीं था, बल्कि धीमा, चिंता से भरा और हमेशा से ज़्यादा मानवीय था।

'डोलोरेस अंबरिज की क्लास में अगर तुमने बदतमीज़ी की, तो तुम्हें हाउस पॉइंट गँवाने और सज़ा भुगतने से भी ज़्यादा बड़ी क़ीमत चुकानी पड़ सकती है।'

'आप क्या – ?'

'पॉटर, अपने दिमाग़ का इस्तेमाल करो,' प्रोफ़ेसर मैक्गॉनेगल अपने सामान्य अंदाज़ की तरफ़ लौटते हुए झटके से बोलीं। 'तुम जानते हो कि वे कहाँ से आई हैं? तुम्हें यह भी पता होना चाहिए कि वे किसे ख़बर दे रही हैं?'

क्लास ख़त्म होने की घंटी बजी। चारों तरफ़ शोर होने लगा और ऊपर से सैकड़ों विद्यार्थियों के चलने की आवाज़ें आने लगीं।

प्रोफ़ेसर मैक्गॉनेगल ने दोबारा अंबरिज़ की चिट्ठी की तरफ़ देखते हुए कहा, 'इसमें लिखा है कि तुम्हें इस सप्ताह हर शाम को सज़ा मिलेगी, जो कल से शुरू होगी।'

हैरी ने दहशत में दोहराया, 'इस सप्ताह हर शाम को! लेकिन प्रोफ़ेसर, क्या आप इस मामले में – ?'

'नहीं, मैं कुछ नहीं कर सकती,' प्रोफ़ेसर मैक्गॉनेगल ने सपाट तरीक़े से कहा।

'लेकिन –'

'वे तुम्हारी टीचर हैं और उन्हें तुम्हें सज़ा देने का पूरा हक़ है। तुम कल पाँच बजे उनके कमरे में पहली बार जाओगे। बस इतना याद रखो कि तुम्हें डोलोरेस अंबरिज के सामने सावधान रहना चाहिए।'

'लेकिन मैं तो सच्चाई बता रहा था!' हैरी ने ग़ुस्से से कहा। 'वोल्डेमॉर्ट लौट आया है, आप यह बात जानती हैं। प्रोफ़ेसर डम्बलडोर जानते हैं कि वह सचमुच लौट –'

'भगवान के लिए, पॉटर!' प्रोफ़ेसर मैक्गॉनेगल ने ग़ुस्से से अपने चश्मे को सीधा करते हुए कहा (जब हैरी ने वोल्डेमॉर्ट का नाम लिया था, तो वे बुरी तरह चौंक गई थीं)। 'क्या तुम सचमुच सोचते हो कि यह मामला सच्चाई और झूठ का है? यह मामला तो अपना सिर झुकाने और अपने ग़ुस्से को क़ाबू में रखने का है!'

वे उठकर खड़ी हुईं, उनके नथुने फूल गए और उनका मुँह बहुत पतला हो गया। हैरी भी उठकर खड़ा हो गया।

'एक और बिस्कुट लो,' प्रोफ़ेसर मैक्गॉनेगल ने चिढ़ते हुए कहा और उसकी तरफ़ डिब्बा बढ़ा दिया।

हैरी ठंडेपन से बोला, 'नहीं, धन्यवाद।'

'बेवकूफ़ों जैसी बातें मत करो,' उन्होंने सख़्ती से कहा।

हैरी ने एक बिस्कुट ले लिया।

'धन्यवाद।'

'पॉटर, क्या तुमने सत्र के शुरुआती जश्न में डोलोरेस अंबरिज का भाषण सुना था?'

'हाँ,' हैरी ने कहा। 'हाँ ... उन्होंने कहा था ... प्रगति पर रोक लगाई जाएगी ... इसका मतलब था ... कि जादू मंत्रालय हॉगवर्ट्स में दख़ल देने की कोशिश कर रहा है।'

प्रोफ़ेसर मैक्गॉनेगल ने एक पल के लिए उसे ग़ौर से देखा, फिर वे अपनी डेस्क से घूमकर निकलीं और उसके लिए दरवाज़ा खोल दिया।

उन्होंने उसे अपने ऑफ़िस से बाहर निकलने का इशारा करते हुए कहा, 'मुझे ख़ुशी है कि तुम कम से कम हर्माइनी ग्रेंजर की बात तो सुनते हो!'

अध्याय तेरह

डोलोरेस के साथ सज़ा

उस रात बड़े हॉल का डिनर हैरी के लिए कोई बहुत सुखद अनुभव नहीं था। अंबरिज के साथ उसकी मुठभेड़ की ख़बर बहुत तेज़ी से फैल गई थी, जो हॉगवर्ट्स के लिहाज़ से भी एक नया कीर्तिमान था। जब वह रॉन और हर्माइनी के साथ डिनर करने के लिए बैठा, तो उसे चारों तरफ़ फुसफुसाहटें सुनाई दीं। अजीब बात यह थी कि किसी भी फुसफुसाने वाले को यह परवाह नहीं थी कि उसकी बातें हैरी को सुनाई दे रही थीं। इसके बजाय ऐसा लग रहा था, जैसे वे उम्मीद कर रहे थे कि वह भड़ककर दोबारा चिल्लाने लगेगा, जिससे वे उसकी कहानी उसी की ज़ुबानी सुन लेंगे।

'वह कहता है कि उसने सेडरिक डिगोरी की हत्या होते देखी थी ...'

'वह यह भी कहता है कि उसने तुम-जानते-हो-कौन से मुक़ाबला किया था ...'

'छोड़ो भी ...'

'वह किसे बेवकूफ़ बना रहा है?'

'मुझे तो *लगता है* ...'

'मुझे यह समझ में नहीं आ रहा है,' हैरी दाँत भींचकर बोला और उसने अपना छुरी-काँटा नीचे रख दिया (उसके हाथ इतने ज़्यादा काँप रहे थे कि वह उन्हें स्थिर नहीं रख पा रहा था), 'कि जब डम्बलडोर ने उन्हें दो महीने पहले यह बात बताई थी, तब उन्होंने इस पर यक़ीन कैसे कर लिया था ...'

'हैरी, मुद्दे की बात यह है कि शायद उन्होंने उस वक़्त भी यक़ीन नहीं किया था,' हर्माइनी ने गंभीरता से कहा। 'ओह, चलो, यहाँ से चलते हैं।'

उसने अपना छुरी-काँटा भी नीचे रख दिया। रॉन हसरत भरी निगाहों से

अपने आधे छूटे एप्पल पाई को देखने लगा, लेकिन वह भी उनके साथ चल दिया। रास्ते भर विद्यार्थी उन्हें देखते रहे।

पहली मंज़िल पर पहुँचने के बाद हैरी ने हर्माइनी से पूछा, 'तुम्हारा क्या मतलब है कि उन्होंने डम्बलडोर की बात पर यक़ीन नहीं किया था?'

'देखो, तुम यह नहीं समझ सकते कि उस घटना के बाद माहौल कैसा था,' हर्माइनी ने धीरे से कहा। 'तुम लॉन में सेडरिक की लाश लेकर लौटे थे ... भूलभुलैया में क्या हुआ था, यह किसी ने भी नहीं देखा था ... हमें तो सिर्फ़ डम्बलडोर ने यह बताया था कि तुम-जानते-हो-कौन वापस लौट आया था और उसने सेडरिक को मार डाला तथा तुम्हें भी मारने की कोशिश की।'

'जो सच है!' हैरी ने ज़ोर से कहा।

'हैरी, मैं जानती हूँ कि यह सच है, लेकिन क्या तुम *मेहरबानी करके* मुझ पर चिल्लाना बंद करोगे?' हर्माइनी ने थके हुए अंदाज़ में कहा। 'बात यह है कि सच्चाई विद्यार्थियों के दिल तक पहुँचे, इससे पहले ही वे गर्मियों की छुट्टियों में अपने-अपने घर चले गए, जहाँ दो महीने तक उन्होंने यह पढ़ा कि तुम पागल हो और डम्बलडोर सठिया रहे हैं!'

जब वे गरुड़द्वार हाउस की तरफ़ लौटते समय ख़ाली गलियारों में चल रहे थे, तो पानी की बौछारें खिड़कियों प्रहार कर रही थीं। हैरी को महसूस हुआ, जैसे उसका पहला दिन एक हफ़्ते जितना लंबा चला हो। सोने से पहले ही उसके सामने होमवर्क का पहाड़ खड़ा था। उसकी दाहिनी आँख के ऊपर बोझिल सा दर्द हो रहा था। जब वे मोटी औरत के गलियारे में मुड़े, तो हैरी ने बारिश में नहाई खिड़की के बाहर अँधेरे मैदान की ओर देखा। हैग्रिड के केबिन में अब भी कोई रोशनी नहीं दिख रही थी।

मोटी औरत के पासवर्ड पूछने से पहले ही हर्माइनी ने कह दिया, '*मिम्बुलस मिम्बलटोनिया*।' तस्वीर आगे की तरफ़ झूल गई और इसके पीछे एक छेद दिखाई देने लगा। तीनों उस छेद में से अंदर चले गए।

गरुड़द्वार का हॉल लगभग ख़ाली था। तक़रीबन सभी विद्यार्थी नीचे बड़े हॉल में डिनर कर रहे थे। क्रुकशैंक्स एक कुर्सी से नीचे कूदी और चलकर उनके पास आ गई। जब हैरी, रॉन और हर्माइनी आग के पास अपनी मनपसंद कुर्सियों पर बैठ गए, तो क्रुकशैंक्स उछलकर हर्माइनी की गोद में चढ़ गई और वहाँ पर बालों वाली गद्दी की तरह बैठ गई। हैरी लपटों को घूरता रहा। वह पस्त और थका हुआ महसूस कर रहा था।

'डम्बलडोर ऐसा *कैसे* होने दे सकते हैं?' हर्माइनी अचानक चिल्लाई, जिससे हैरी और रॉन उछल गए। क्रुकशैंक्स भी डरकर उसकी गोद से कूद गई।

हर्माइनी ने ग़ुस्से में अपनी कुर्सी के हत्थे पर हाथ मारा, जिससे उसके छेदों में भरी चीज़ के कुछ टुकड़े बाहर निकल पड़े। 'वे उस भयंकर औरत को हमें पढ़ाने कैसे दे सकते हैं? और वह भी हमारे **ओ.डब्ल्यू.एल.** ईयर में!'

'गुप्त कलाओं से रक्षा विषय के हमारे टीचर्स कभी बहुत अच्छे नहीं रहे हैं, है ना?' हैरी ने कहा। 'तुम तो जानती ही हो कि यह विषय कैसा है? हैग्रिड ने हमें बताया तो था, कोई भी यह काम नहीं करना चाहता। लोग कहते हैं कि यह पद अभिशप्त है।'

'हाँ, लेकिन ऐसी औरत को यह काम देना, जो दरअसल हमें जादू करने से रोक रही है! डम्बलडोर आख़िर करना *क्या* चाहते हैं?'

'और वे विद्यार्थियों से चुगली करवाने की कोशिश भी कर रही हैं,' रॉन ने स्याह अंदाज़ में कहा। 'याद है ना, उन्होंने कहा था, अगर कोई हमें यह बताए कि तुम-जानते-हो-कौन लौट आया है, तो हम जाकर उन्हें बता दें?'

हर्माइनी ने सख़्ती से कहा, 'ज़ाहिर है, वे हम सभी की चुगली और जासूसी करना चाहती हैं। यह स्पष्ट है, वरना फ़ज उन्हें यहाँ भेजते ही क्यों?'

'दोबारा बहस शुरू मत करना,' हैरी ने थके अंदाज़ में कहा, जब रॉन ने जवाब देने के लिए अपना मुँह खोला। 'क्या हम ... हम अपना होमवर्क कर लें? कुछ बोझ तो कम हो जाएगा ...'

उन्होंने एक कोने से अपने स्कूलबैग उठाए और अँगीठी के पास वाली कुर्सियों पर दोबारा बैठ गए। अब विद्यार्थी डिनर करके वापस लौट रहे थे। हैरी ने अपना चेहरा तस्वीर के छेद से दूर रखा, लेकिन उसे अब भी महसूस हो रहा था कि लोग उसे घूर रहे थे।

'हम सबसे पहले स्नेप का काम कर लें?' रॉन ने अपनी क़लम स्याही में डुबाते हुए कहा। '*मूनस्टोन ... के गुण ... और काढ़े बनाने में ... इसके उपयोग ...*' वह बुदबुदाया और बोलते समय ये शब्द अपने चर्मपत्र पर लिखे। 'यह लो।' उसने शीर्षक के नीचे लाइन खींची, फिर हर्माइनी की तरफ़ उम्मीद से देखने लगा।

'तो मूनस्टोन के गुण क्या हैं और काढ़े बनाने में इसके क्या उपयोग हैं?'

लेकिन हर्माइनी उसकी बात नहीं सुन रही थी। वह तो कमरे के दूर वाले कोने की तरफ़ देख रही थी, जहाँ फ़्रेड, जॉर्ज और ली जॉर्डन इस वक़्त मासूम दिखने वाले फ़र्स्ट ईयर के बच्चों से घिरे बैठे थे। फ़र्स्ट ईयर के बच्चे कोई चीज़ चबा रहे थे, जो फ़्रेड ने उन्हें एक बड़े पेपर बैग में से निकालकर दी थी।

'नहीं, मुझे अफ़सोस है, उन्होंने सारी सीमाएँ लाँघ दी हैं,' वह खड़ी होकर

बहुत ग़ुस्से में बोली। 'चलो रॉन।'

'मैं – क्या?' रॉन ने कहा। निश्चित रूप से वह समय काट रहा था। 'नहीं – छोड़ो भी, हर्माइनी – हम उन्हें टॉफ़ियाँ बाँटने से तो नहीं रोक सकते।'

'तुम बहुत अच्छी तरह जानते हो कि वे टॉफ़ियाँ नहीं, बल्कि नासिका-रक्तप्रवाह टॉफ़ी या वमनस्राव टॉफ़ी या –'

'मूर्च्छा-आकांक्षा टॉफ़ी?' हैरी ने धीरे से जोड़ दिया।

फ़र्स्ट ईयर के सभी बच्चे एक-एक करके बेहोश हो गए और अपनी कुर्सियों पर लुढ़क गए। ऐसा लग रहा था, जैसे किसी ने उनके सिर पर अदृश्य हथौड़ा मार दिया हो। कुछ तो फ़र्श पर लुढ़क गए। बाक़ी अपनी कुर्सियों के हत्थों पर झूल रहे थे और उनकी जीभें बाहर निकली हुई थीं। उन्हें देखने वाले ज़्यादातर विद्यार्थी हँस रहे थे। बहरहाल, हर्माइनी ने अपने कंधे ताने और सीधे उस तरफ़ गई, जहाँ फ़्रेड और जॉर्ज क्लिपबोर्ड लेकर खड़े थे तथा फ़र्स्ट ईयर के बेहोश बच्चों को ग़ौर से देख रहे थे। रॉन अपनी कुर्सी से आधा उठा, एक-दो पल के लिए अनिश्चितता से झूला और फिर हैरी से बुदबुदाकर बोला, 'मेरे जाने की क्या ज़रूरत है? उसने स्थिति को सँभाल लिया है।' यह कहकर वह अपनी कुर्सी में उतनी नीचे धँस गया, जितना उसका लंबा शरीर धँस सकता था।

'बस काफ़ी है!' हर्माइनी ने फ़्रेड और जॉर्ज से कहा, जिन्होंने उसकी तरफ़ थोड़ी हैरानी से देखा।

'हाँ, तुमने सही कहा,' जॉर्ज ने सिर हिलाते हुए कहा, 'इतना डोज़ काफ़ी है, है ना?'

'मैंने तुम्हें आज सुबह ही चेतावनी दी थी कि तुम विद्यार्थियों पर अपनी घटिया चीज़ों के प्रयोग नहीं कर सकते।'

फ़्रेड ने ग़ुस्से से कहा, 'हम उन्हें इस काम के पैसे दे रहे हैं!'

'उससे कोई फ़र्क़ नहीं पड़ता! यह ख़तरनाक हो सकता है!'

फ़्रेड ने कहा, 'बकवास।'

'शांत हो जाओ हर्माइनी, वे सही-सलामत हैं!' ली ने आश्वस्त करते हुए कहा। वह फ़र्स्ट ईयर के बच्चों के पास गया और उनके खुले मुँह में बैंगनी टॉफ़ी रख दी।

जॉर्ज बोला, 'हाँ, देखो तो सही, वे होश में आ रहे हैं,'

फ़र्स्ट ईयर के कुछ बच्चे अब सचमुच हिलने-डुलने लगे थे। कुछ तो यह देखकर सदमे में आ गए कि वे फ़र्श पर पड़े थे या अपनी कुर्सियों पर झूल रहे थे। यह देखकर हैरी को यक़ीन हो गया कि फ़्रेड और जॉर्ज ने उन्हें यह चेतावनी नहीं

दी थी कि टॉफ़ियाँ खाने के बाद क्या होगा।

'अच्छा लग रहा है?' जॉर्ज ने दयालुता से काले बालों वाली एक छोटी लड़की से कहा, जो ठीक उसके क़दमों के पास लेटी थी।

उसने काँपते हुए कहा, 'मैं – मैं ठीक हूँ।'

'बहुत बढ़िया,' फ्रेड ने ख़ुशी से कहा, लेकिन अगले ही पल हर्माइनी ने उसके हाथ से उसका क्लिपबोर्ड और मूर्च्छा-आकांक्षा टॉफ़ियों का पेपर बैग छीन लिया।

'यह बहुत बढ़िया **नहीं** है!'

फ्रेड ने ग़ुस्से से कहा, 'यह बहुत बढ़िया ही है। देखो वे लोग ज़िंदा हैं, है ना?'

'तुम ऐसा नहीं कर सकते। अगर कोई बीमार पड़ गया, तो क्या होगा?'

'हम उन्हें बीमार नहीं करना चाहते। हम पहले ही ख़ुद पर इनका इस्तेमाल करके देख चुके हैं। हम तो सिर्फ़ यह तसल्ली करना चाहते हैं कि उनका असर सभी पर एक जैसा होता है –'

'अगर तुम लोग यह करना बंद नहीं करोगे, तो मैं –'

'हमें सज़ा दोगी?' फ्रेड ने पूछा। उसकी आवाज़ में मैं-देखता-हूँ-तुम-ऐसा-कैसे-करती-हो वाला अंदाज़ था।

जॉर्ज ने मुस्कराते हुए कहा, 'हमें लाइन लिखने की सज़ा दोगी?'

कमरे में मौजूद सभी विद्यार्थी हँसने लगे। हर्माइनी तनकर खड़ी हो गई। उसकी आँखें सिकुड़ी हुई थीं और उलझे हुए बाल जैसे बिजली से कड़कड़ा रहे थे।

'नहीं,' उसने कहा और उसकी आवाज़ ग़ुस्से से काँप रही थी, 'लेकिन मैं तुम्हारी मम्मी को बता दूँगी।'

'ऐसा मत करना,' जॉर्ज ने दहशत में कहा और उससे एक क़दम दूर हट गया।

'मैं ऐसा ही करूँगी,' हर्माइनी ने गंभीरता से कहा। 'मैं तुम लोगों को ये मूर्खतापूर्ण चीज़ें ख़ुद खाने से तो नहीं रोक सकती, लेकिन तुम ये चीज़ें फ़र्स्ट ईयर के बच्चों को नहीं दे सकते।'

फ्रेड और जॉर्ज दोनों को देखकर ऐसा लगा, जैसे उन्हें बिजली का झटका लग गया हो। यह स्पष्ट था कि उन्हें हर्माइनी से इस धमकी की उम्मीद नहीं थी। उन्हें आख़िरी बार ग़ुस्से से घूरने के बाद हर्माइनी ने फ्रेड का क्लिपबोर्ड और मूर्च्छा-आकांक्षा टॉफ़ियों का बैग उसे पकड़ा दिया तथा अँगीठी के पास रखी

अपनी कुर्सी की तरफ़ लौट आई।

रॉन अब अपनी कुर्सी पर इतनी नीचे झुक गया था कि उसकी नाक उसके घुटनों से टकराने लगी थी।

हर्माइनी ने ज़हर बुझे अंदाज़ में कहा, 'रॉन, तुमने जो मदद की, उसके लिए धन्यवाद।'

रॉन बुदबुदाया, 'तुमने ख़ुद ही स्थिति अच्छी तरह सँभाल ली थी।'

हर्माइनी ने कुछ पल तक अपने ख़ाली चर्मपत्र को एकटक देखा और फिर बोली, 'कोई फ़ायदा नहीं है। अब मेरी एकाग्रता भंग हो चुकी है। मैं सोने जा रही हूँ।'

उसने झटके से अपना बैग खोला। हैरी ने सोचा कि वह अपनी पुस्तकें रखने वाली है। लेकिन हर्माइनी ने बैग में कुछ रखने के बजाय उसमें से ऊन से बुने दो अजीब आकार के सामान बाहर निकाले। उसने उन्हें अँगीठी के पास वाली टेबल पर सावधानी से रख दिया। फिर उसने उन्हें चर्मपत्रों के टुकड़ों और एक टूटी क़लम से ढँक दिया। इसके बाद वह उन्हें देख-देखकर ख़ुश होने लगी।

'तुम यह कर क्या रही हो ?' रॉन ने पूछा। वह उसे इस तरह देख रहा था, जैसे उसे यह शक हो कि उसका दिमाग़ी संतुलन गड़बड़ा गया है।

'घरेलू जिन्नों के लिए हैट रख रही हूँ,' हर्माइनी ने तेज़ी से कहा और अपनी पुस्तकें बैग में जमाने लगी। 'मैंने इन्हें गर्मी की छुट्टियों में बनाया है। बिना जादू के मैं बहुत धीमे बुन पाती हूँ, लेकिन अब मैं स्कूल लौट आई हूँ, इसलिए मैं जल्दी ही बहुत सारे बना लूँगी।'

'तुम घरेलू जिन्नों के लिए हैट रख रही हो ?' रॉन ने धीरे से कहा। 'और उन्हें कचरे से ढँक रही हो ?'

'हाँ,' हर्माइनी ने आवेश में कहा और बैग उठाकर अपनी पीठ पर लटका लिया।

'तुम ग़लत काम कर रही हो,' रॉन ने ग़ुस्से से कहा। 'तुम उन्हें धोखे से ऊन के हैट नहीं दे सकतीं। हो सकता है कि वे आज़ाद नहीं होना चाहते हों और तुम उन्हें ज़बर्दस्ती आज़ाद करा रही हो।'

'वे आज़ाद होना चाहते हैं!' हर्माइनी ने तत्काल कहा, हालाँकि उसका चेहरा गुलाबी हो गया था। 'तुम उन हैट्स को छूने की जुर्रत मत करना, रॉन!'

वह मुड़ी और चली गई। रॉन ने तब तक इंतज़ार किया, जब तक कि हर्माइनी लड़कियों के कमरों की तरफ़ जाने वाले दरवाज़े से ओझल नहीं हो गई। फिर उसने ऊन वाले हैट्स पर पड़े कचरे को हटा दिया।

'कम से कम उन्हें यह तो पता होना चाहिए कि वे क्या उठा रहे हैं,' उसने दृढ़ता से कहा। 'ख़ैर ...' उसने वह चर्मपत्र मोड़ लिया, जिस पर उसने स्नेप के निबंध का शीर्षक लिखा था, 'अब इसे पूरा करने की कोशिश का कोई मतलब नहीं है। मैं इसे हर्माइनी के बिना नहीं कर सकता। मुझे ज़रा भी पता नहीं है कि मूनस्टोन का क्या किया जाता है ? क्या तुम्हें पता है ?'

हैरी ने अपना सिर हिलाया और ऐसा करते समय उसे यह एहसास हुआ कि उसकी दाईं कनपटी का दर्द बढ़ता जा रहा है। उसने दानवों के युद्धों के लंबे निबंध के बारे में सोचा, जिससे दर्द और बढ़ गया। वह अच्छी तरह जानता था कि सुबह उसे अफ़सोस होगा कि उसने अपना होमवर्क रात को ही पूरा क्यों नहीं किया, लेकिन इसके बावजूद उसने पुस्तकें बैग में रख लीं।

'मैं भी सोने जा रहा हूँ।'

कमरों तक जाने वाले दरवाज़े की तरफ़ जाते समय वह सीमस के पास से गुज़रा, लेकिन उसने उसकी तरफ़ देखा तक नहीं। हैरी को हल्का सा आभास हुआ कि सीमस ने कुछ कहने के लिए अपना मुँह खोला था, लेकिन वह तेज़-तेज़ चलने लगा और बिना कोई नया कष्ट झेले घुमावदार सीढ़ियों की शांति में पहुँच गया।

*

अगला दिन भी पिछले दिन की तरह ही स्याह और बारिश से भरा था। नाश्ते के वक़्त भी हैग्रिड स्टाफ़ टेबल से नदारद था।

रॉन उत्साह से बोला, 'लेकिन अच्छी बात यह है कि आज स्नेप का पीरियड नहीं है।'

हर्माइनी ने जमकर जम्हाई ली और कप में कॉफ़ी डाली। वह किसी कारण थोड़ी ख़ुश लग रही थी। जब रॉन ने उससे पूछा कि वह किस कारण ख़ुश है, तो उसने कहा, 'हैट चले गए हैं। ऐसा लगता है कि घरेलू जिन्नों को आज़ादी चाहिए।'

'मैं इस बात पर यक़ीन नहीं करूँगा,' रॉन ने उसकी बात काटते हुए कहा। 'हो सकता है, तुम्हारे हैट कपड़ों की गिनती में न आते हों। वैसे भी वे मुझे हैट जैसे नहीं लग रहे थे। वे तो ऊन के गोले लग रहे थे।'

हर्माइनी ने उससे पूरी सुबह बात नहीं की।

सम्मोहन के दो पीरियडों के बाद रूपांतरण के दो पीरियड हुए। प्रोफ़ेसर फ़्लिटविक और प्रोफ़ेसर मैक्गॉनेगल दोनों ने ही अपने पीरियड के शुरुआती पंद्रह मिनट में पूरी क्लास को **ओ.डब्ल्यू.एल.** के महत्व पर भाषण पिलाया।

नाटे प्रोफ़ेसर फ़्लिटविक हमेशा की तरह किताबों के ढेर पर बैठे थे, ताकि वे अपनी डेस्क के ऊपर से देख सकें। उन्होंने अपनी चूँ-चूँ करती आवाज़ में कहा, 'तुम सभी को यह याद रखना चाहिए कि ये परीक्षाएँ आने वाले सालों में तुम्हारे भविष्य पर प्रभाव डाल सकती हैं! अगर तुमने अब तक अपने कैरियर के बारे में गंभीरता से नहीं सोचा है, तो ऐसा करने का यह सही समय है। और इस दौरान हम पहले से ज़्यादा मेहनत करेंगे, ताकि तुम अपनी प्रतिभा के साथ न्याय कर सको!'

फिर विद्यार्थियों ने एक घंटे से भी ज़्यादा समय तक सम्मोहन मंत्रों को दोहराया, जो प्रोफ़ेसर फ़्लिटविक के अनुसार उनके **ओ.डब्ल्यू.एल.** में निश्चित रूप से आने वाले थे। पीरियड के अंत में उन्होंने सबको सम्मोहन का इतना सारा होमवर्क दे दिया, जितना पहले कभी नहीं दिया था।

रूपांतरण की क्लास में भी अगर स्थिति इससे ज़्यादा ख़राब नहीं थी, तो कम से कम इतनी ही ख़राब थी।

प्रोफ़ेसर मैक्गॉनेगल ने गंभीरता से कहा, 'तुम तब तक **ओ.डब्ल्यू.एल.** पास नहीं कर सकते, जब तक कि गंभीरता से मेहनत न करो, अभ्यास न करो और अध्ययन न करो। मेरा मानना है कि इस क्लास का हर विद्यार्थी रूपांतरण में **ओ.डब्ल्यू.एल.** हासिल कर सकता है, बशर्ते वह जमकर मेहनत करने को तैयार हो।' नेविल ने अविश्वास भरी आवाज़ निकाली। 'हाँ, तुम भी, लॉंगबॉटम,' प्रोफ़ेसर मैक्गॉनेगल बोलीं। 'तुम्हारे काम में कोई गड़बड़ नहीं है, बस आत्मविश्वास की कमी है। तो ... आज हम ओझल मंत्र का अभ्यास करेंगे। ये प्रकटीकरण मंत्रों से ज़्यादा आसान हैं, जिनका अभ्यास तुम **एन.ई.डब्ल्यू.टी.** स्तर में करोगे। इसके बावजूद ये बहुत मुश्किल हैं और ये तुम्हारे **ओ.डब्ल्यू.एल.** में आ सकते हैं।'

उन्होंने सही कहा था। हैरी को ओझल मंत्र बेहद मुश्किल लगे। दो पीरियड ख़त्म होने तक वह और रॉन उन घोंघों को ओझल नहीं कर पाए, जिन पर वे अभ्यास कर रहे थे, हालाँकि रॉन ने आशा भरे स्वर में कहा कि उसका घोंघा पहले से ज़्यादा पीला दिख रहा था। दूसरी तरफ़ हर्माइनी ने तीसरी कोशिश में ही अपना घोंघा ओझल कर दिया, जिस पर ख़ुश होकर प्रोफ़ेसर मैक्गॉनेगल ने उसे गरुड़द्वार के लिए दस पॉइंट का बोनस दे दिया। वह इकलौती विद्यार्थी थी, जिसे उस दिन होमवर्क नहीं दिया गया। बाक़ी सभी से कहा गया कि वे रात को मंत्र का अभ्यास करें और अगले दिन क्लास में घोंघों पर फिर से कोशिश करने के लिए तैयार होकर आएँ।

होमवर्क अब इतना ज़्यादा हो चुका था कि हैरी और रॉन दहशत में आ गए। उन्होंने लंच की छुट्टी में लाइब्रेरी में बैठकर काढ़े बनाने में मूनस्टोन के

उपयोगों के बारे में पढ़ा। रॉन के ऊनी हैट्स वाले ताने के कारण हर्माइनी अब भी उससे ख़फ़ा थी, इसलिए वह उनके पास नहीं आई। जब तक वे दोपहर में जादुई प्राणियों की देखभाल की कक्षा में पहुँचे, तब तक हैरी का सिर दोबारा दुखने लगा था।

दिन ठंडा और हवादार हो गया। जब घास भरी ढलान पर चलकर वे अँधेरे जंगल के किनारे बने हैग्रिड के केबिन की तरफ़ गए, तो उन्हें अपने चेहरों पर बारिश की इक्का-दुक्का बूँदें महसूस हुईं। प्रोफ़ेसर ग्रबली-प्लैंक हैग्रिड के केबिन के सामने वाले दरवाज़े से लगभग दस गज़ दूर विद्यार्थियों का इंतज़ार कर रही थीं। उनके सामने एक लंबी टेबल लगी थी, जो टहनियों से ढँकी थी। जब हैरी और रॉन उनके पास पहुँचे, तो उन्हें पीछे से हँसी का ज़ोरदार ठहाका सुनाई दिया। उन्होंने मुड़कर देखा। ड्रेको मैल्फ़ॉय तेज़ी से डग भरता हुआ उनकी तरफ़ आ रहा था और हमेशा की तरह आज भी उसके आस-पास नागशक्ति के चमचों का गैंग था। ज़ाहिर है, उसने उस वक़्त कोई बहुत मज़ेदार बात कही थी, क्योंकि क्रैब, गॉइल, पैन्सी पार्किन्सन और बाक़ी विद्यार्थी लगातार हँस रहे थे, जब वे टेबल के चारों तरफ़ इकट्ठे हुए। जिस तरह से वे सभी हैरी को बार-बार देख रहे थे, उससे हैरी को यह समझने में ज़्यादा मुश्किल नहीं आई कि उसके मज़ाक़ का विषय क्या होगा।

'सभी लोग आ गए?' प्रोफ़ेसर ग्रबली-प्लैंक ने गरजकर पूछा, जब नागशक्ति और गरुड़द्वार के विद्यार्थी आ गए। 'तो शुरू करते हैं। मुझे इन प्राणियों का नाम कौन बता सकता है?'

उन्होंने अपने सामने रखे टहनियों के ढेर की तरफ़ इशारा किया। हर्माइनी का हाथ हवा में उठ गया। उसके पीछे मैल्फ़ॉय उसकी नक़ल करते हुए उछला, जैसे जवाब देने के लिए बहुत उतावला हो। पैन्सी पार्किन्सन हँस पड़ी, लेकिन जल्दी ही उसकी हँसी चीख़ में बदल गई, जब टेबल पर रखी टहनियाँ अचानक हवा में उछलीं और उनके सामने नन्हे पिशाचों जैसे छोटे-छोटे प्राणी आ गए। वे लकड़ी के बने दिख रहे थे। उन सभी के भूरे हाथ-पैर गाँठदार थे और हर हाथ के सिरे पर टहनी जैसी दो उँगलियाँ थीं। उनका चेहरा अजीब तरीक़े से सपाट था। लकड़ी जैसे इस चेहरे में काली-भूरी आँखें चमक रही थीं।

'ऊऊऊऊह!' पार्वती और लैवेंडर ने उत्साह से कहा, जिससे हैरी बुरी तरह चिढ़ गया। इस तरह की प्रतिक्रिया से कोई भी यह सोचेगा कि हैग्रिड ने उन्हें कभी प्रभावशाली प्राणी नहीं दिखाए थे। यह माना कि फ़्लॉबरवर्म्स थोड़े बोझिल थे, लेकिन सैलेमेंडर और गरुड़अश्व काफ़ी दिलचस्प थे और विस्फोटक अग्निडंक तो शायद ज़रूरत से ज़्यादा दिलचस्प थे।

'लड़कियो, मेहरबानी करके अपनी आवाज़ें नीची रखो!' प्रोफ़ेसर ग्रबली-प्लैंक ने तीखी आवाज़ में कहा और टहनियों जैसे दिखते प्राणियों के बीच भूरे चावल जैसी चीज़ बिखरा दी, जिसे वे तत्काल खाने लगे। 'तो - किसी को इन प्राणियों का नाम पता है? मिस ग्रेंजर?'

'काष्ठजीव,' हर्माइनी ने कहा। 'ये वृक्ष-रक्षक हैं, आम तौर पर उन पेड़ों में रहते हैं, जिनसे छड़ी बनाई जाती है।'

'गरुड़द्वार को पाँच पॉइंट,' प्रोफ़ेसर ग्रबली-प्लैंक ने कहा। 'हाँ, ये काष्ठजीव हैं और मिस ग्रेंजर ने सही कहा है, वे आम तौर पर उन पेड़ों में रहते हैं, जिनकी लकड़ी से छड़ियाँ बनाई जाती हैं। किसी को मालूम है, ये क्या खाते हैं?'

'वुडलाइस,' हर्माइनी ने तत्काल कहा, जिससे यह स्पष्ट हो गया कि हैरी को ऐसा क्यों लगा था कि भूरे चावल के दाने हिल रहे थे। 'लेकिन परी अंडे भी, अगर वे उन्हें मिल जाएँ।'

'शाबाश, तुम्हें पाँच पॉइंट और मिलते हैं। तो, जब भी तुम्हें किसी ऐसे पेड़ से पत्तियाँ या लकड़ी चाहिए हो, जिसमें काष्ठजीव रहता हो, तो समझदारी इसी में है कि इसका ध्यान भंग करने या इसे बहलाने के लिए वुडलाइस का तोहफ़ा तैयार रखा जाए। ये ज़्यादा ख़तरनाक नहीं दिखते हैं, लेकिन अगर इन्हें ग़ुस्सा आ जाए, तो ये अपनी उँगलियों से इंसान की आँखें बाहर निकालने की कोशिश करते हैं। जैसा तुम देख सकते हो, इनके नाख़ून बहुत पैने हैं और आँखों के आस-पास नहीं होने चाहिए। तुम लोग थोड़े क़रीब आ जाओ और थोड़ी वुडलाइस ले लो। फिर तुम लोग एक काष्ठजीव भी ले लो - मेरे पास इतने काष्ठजीव हैं कि तीन लोग एक का अध्ययन कर सकेंगे। इस तरह तुम उनका अध्ययन ज़्यादा क़रीब से कर सकोगे। मैं चाहती हूँ कि तुम सभी क्लास ख़त्म होने तक एक स्केच बनाओ, जिसमें इसके शरीर के अंगों के नाम लिखे हों।'

क्लास टेबल की तरफ़ आगे बढ़ी। हैरी जान-बूझकर घूमते हुए पीछे पहुँच गया, ताकि वह प्रोफ़ेसर ग्रबली-प्लैंक के ठीक पास पहुँच सके।

जब बाक़ी विद्यार्थी काष्ठजीव चुन रहे थे, तो हैरी ने उनसे पूछा, 'हैग्रिड कहाँ है?'

'तुम चिंता मत करो,' प्रोफ़ेसर ग्रबली-प्लैंक ने उसे झिड़कते हुए कहा। उनका नज़रिया पिछली बार भी ऐसा ही था, जब हैग्रिड क्लास लेने नहीं आया था। अपने नुकीले चेहरे के पोर-पोर से मुस्कराते हुए ड्रेको मैल्फ़ॉय हैरी के पास झुका और उसने सबसे बड़ा काष्ठजीव चुन लिया।

'शायद वह मूर्ख बुरी तरह घायल हो गया होगा,' मैल्फ़ॉय ने धीरे से कहा,

ताकि सिर्फ़ हैरी उसकी बात सुन पाए।

हैरी ने अपने मुँह के कोने से कहा, 'अगर तुम चुप नहीं रहे, तो शायद तुम भी घायल हो जाओगे।'

'शायद वह अपने से ज़्यादा *बड़ी* समस्या से जूझ रहा है। उम्मीद है, तुम मेरी बात का मतलब समझ गए होगे।'

मैल्फ़ॉय दूर चला गया और हैरी की तरफ़ मुड़-मुड़कर मुस्कराता रहा। हैरी अचानक बीमार महसूस करने लगा। क्या मैल्फ़ॉय को कुछ पता था? आख़िर उसके पिता प्राणभक्षी थे। कहीं ऐसा तो नहीं कि उसके पिता को हैग्रिड के बारे में ऐसी बातें मालूम हों, जो समूह के कानों तक न पहुँच पाई हों? वह टेबल के पास से चलकर तेज़ी से रॉन और हर्माइनी के पास पहुँचा, जो घास पर कुछ दूर बैठे हुए थे और एक काष्ठजीव को इस बात के लिए मना रहे थे कि वह तब तक स्थिर रहे, जब तक वे उसकी ड्रॉइंग न बना लें। हैरी ने चर्मपत्र और क़लम बाहर निकाले, उनके पास उकडूँ बैठा तथा फुसफुसाकर उन्हें मैल्फ़ॉय की कही बात बता दी।

'अगर हैग्रिड को कुछ होता है, तो डम्बलडोर को पता चल जाएगा,' हर्माइनी ने तत्काल कहा। 'मैल्फ़ॉय हमें चिंता में डालना चाहता है, इसलिए चिंतित मत दिखो। इससे उसे पता चल जाएगा कि हम यह नहीं जानते हैं कि क्या हो रहा है। हमें उसे नज़रअंदाज़ करना होगा, हैरी। यह लो, काष्ठजीव को एक पल के लिए पकड़ो, ताकि मैं उसके चेहरे की ड्रॉइंग बना सकूँ ...'

'हाँ,' उन्हें सबसे पास वाले समूह से मैल्फ़ॉय की स्पष्ट आवाज़ सुनाई दी, 'डैडी अभी कुछ दिन पहले ही मंत्रीजी से बातें कर रहे थे और ऐसा लगता है कि मंत्रालय यहाँ से घटिया टीचर्स को निकालने की ठान चुका है। इसलिए अगर वह मंदबुद्धि लौट *भी* आया, तो भी उसे यहाँ से फ़ौरन बाहर निकाल दिया जाएगा।'

'आउच!'

हैरी ने काष्ठजीव को इतनी कसकर दबा दिया था कि यह पिचकते-पिचकते बचा। इसने बदला लेते हुए अपनी तीखी उँगलियों से हैरी के हाथ पर वार किया, जिससे दो लंबे गहरे घाव हो गए। हैरी ने उसे छोड़ दिया। क्रैब और गॉइल हैग्रिड के बाहर निकाले जाने की बात सुनकर खी-खी कर रहे थे। जब काष्ठजीव हैरी के हाथ से छूटकर पूरी तेज़ी से जंगल की तरफ़ भागा, तो वे और जमकर हँसने लगे। लकड़ी का वह छोटा सा प्राणी सरपट भागकर पेड़ों की जड़ों में खो गया। जब मैदान के पार से घंटी की आवाज़ सुनाई दी, तो हैरी ने ख़ून से सनी काष्ठजीव की ड्रॉइंग को तह किया और हर्माइनी के रूमाल में हाथ लपेटकर जड़ी-बूटी विज्ञान की क्लास की तरफ़ चल दिया। मैल्फ़ॉय की अपमानजनक

हँसी अब भी उसके कानों में गूँज रही थी।

हैरी दाँत भींचकर बोला, 'अगर उसने हैग्रिड को दोबारा मंदबुद्धि कहा ...'

'हैरी, मैल्फ़ॉय से पंगा मत लो। यह मत भूलो कि वह अब प्रिफ़ेक्ट है। वह तुम्हारी ज़िंदगी मुश्किल बना सकता है ...'

हैरी ने व्यंग्य से कहा, 'क्या पता मुश्किल ज़िंदगी कैसी होती होगी?' रॉन हँस पड़ा, लेकिन हर्माइनी ने त्योरियाँ चढ़ा लीं। वे सब्ज़ियों की क्यारी के पार गए। ऐसा लग रहा था जैसे आसमान अब तक यह तय नहीं कर पाया था कि यह बारिश गिराना चाहता था या नहीं।

ग्रीनहाउसों के पास पहुँचकर हैरी ने धीमी आवाज़ में कहा, 'मैं तो बस इतना चाहता हूँ कि हैग्रिड जल्दी से लौट आए! और यह *मत कहना* कि ग्रबली-प्लैंक उससे ज़्यादा अच्छी टीचर है!' उसने धमकी देते हुए कहा।

'मैं यह नहीं कहने वाली थी,' हर्माइनी ने शांति से कहा।

'क्योंकि वे कभी हैग्रिड जितनी अच्छी नहीं हो सकतीं,' हैरी ने दृढ़ता से कहा, हालाँकि उसे इस बात का पूरा एहसास था कि उसने अभी-अभी जादुई प्राणियों की देखभाल की एक बहुत बढ़िया क्लास देखी थी और वह इससे चिढ़ गया था।

सबसे क़रीब वाले ग्रीनहाउस का दरवाज़ा खुला और फ़ोर्थ ईयर के कुछ विद्यार्थी बाहर निकले, जिनमें जिनी भी थी।

'हाय,' उसने पास से गुज़रते समय उत्साह से कहा। कुछ पल बाद लूना लवगुड निकली और क्लास के बाक़ी विद्यार्थियों के पीछे-पीछे चलने लगी। उसकी नाक पर मिट्टी लगी थी और बाल सिर के ऊपर बँधे थे। हैरी को देखते ही उसकी बाहर निकलती आँखें रोमांच से और बाहर निकल आईं तथा वह सीधे उसकी तरफ़ आने लगी। हैरी के कुछ सहपाठी उत्सुकता से उसे देखने लगे। लूना ने लंबी साँस खींची और बिना हैलो-हाय के सीधे बोलने लगी, 'मुझे यक़ीन है कि तुम-जानते-हो-कौन लौट आया है और मुझे यह भी यक़ीन है कि तुम उससे लड़े थे और उससे बच निकले।'

'अर - ठीक है,' हैरी ने अजीब तरीक़े से कहा। लूना बालियों की जगह पर नारंगी गाजर पहने हुए थी। ऐसा लग रहा था जैसे पार्वती और लैवेंडर का ध्यान इस तरफ़ चला गया था, क्योंकि वे उसके कानों की तरफ़ इशारा करके हँस रही थीं।

लूना ने कहा, 'तुम हँस सकती हो।' उसकी आवाज़ ऊँची हो गई थी। उसे

ऐसा लगा कि पार्वती और लैवेंडर उसकी अजीब बालियों के बजाय उसकी अजीब बातों पर हँस रही थीं। वह आगे बोली, 'लेकिन लोग यह मानते थे कि ब्लिबरिंग हमडिंगर या क्रम्पल-हॉर्न्ड स्नोरकैक जैसी चीज़ें नहीं होती थीं!'

'वे सही सोचते थे, है ना?' हर्माइनी ने अधीरता से कहा। 'ब्लिबरिंग हमडिंगर या क्रम्पल-हॉर्न्ड स्नोरकैक जैसी चीज़ें होती भी *नहीं* हैं।'

लूना ने उसकी तरफ़ क़हर ढाती निगाह डाली और चली गई। उसकी गाजरें तेज़ी से लहरा रही थीं। अब पार्वती और लैवेंडर ही नहीं, बहुत सारे विद्यार्थी हँसने लगे थे।

क्लास की तरफ़ जाते समय हैरी ने हर्माइनी से कहा, 'तुम उन लोगों को परेशान क्यों करती हो, जो मेरी बात पर यक़ीन करते हैं?'

'भगवान के लिए, हैरी, तुम्हें *उससे* अच्छे समर्थक मिल सकते हैं,' हर्माइनी ने कहा। 'जिनी ने मुझे उसके बारे में सब कुछ बता दिया है। ऐसा लगता है कि वह सिर्फ़ उन्हीं चीज़ों पर यक़ीन करती है, जिनके बारे में कोई सबूत नहीं होता। ऐसी लड़की से और उम्मीद भी क्या की जा सकती है, जिसके पिता *द क्विबलर* जैसी पत्रिका चलाते हैं।'

हैरी उन पंख वाले ख़तरनाक घोड़ों के बारे में सोचने लगा, जिन्हें उसने हॉगवर्ट्स आते समय देखा था। लूना ने उसे बताया था कि वह भी उन्हें देख सकती थी। उसका मनोबल कम हो गया। क्या वह झूठ बोल रही थी? लेकिन इससे पहले कि वह इस बारे में ज़्यादा सोच पाता, अर्नी मैकमिलन उसके पास आ गया।

उसने ऊँची आवाज़ में कहा, 'पॉटर, मैं तुम्हें यह बताना चाहता हूँ कि सिर्फ़ अजीब लोग ही तुम्हारा समर्थन नहीं करते हैं। मैं भी व्यक्तिगत रूप से तुम पर शत-प्रतिशत यक़ीन करता हूँ। मेरा परिवार हमेशा डम्बलडोर के साथ है ... और मैं भी।'

'अर, बहुत-बहुत शुक्रिया, अर्नी,' हैरी ने कहा। वह आश्चर्यचकित लेकिन ख़ुश था। अर्नी इस तरह के मौक़ों पर थोड़ा बड़बोला तो हो सकता था, लेकिन हैरी का मूड इस समय ऐसा था कि वह किसी भी ऐसे व्यक्ति का समर्थन पाकर ख़ुश हो जाता, जिसके कानों से गाजरें नहीं लटक रही हों। अर्नी के शब्द सुनकर लैवेंडर ब्राउन के चेहरे की मुस्कराहट ग़ायब हो गई। जब हैरी रॉन और हर्माइनी से बातें करने के लिए मुड़ा, तो उसे सीमस के चेहरे का भाव दिख गया, जो दुविधा तथा आवेश में दिख रहा था।

किसी को भी यह देखकर हैरानी नहीं हुई कि प्रोफ़ेसर स्प्राउट ने **ओ.**

डब्ल्यू.एल. का महत्व बताकर अपनी क्लास शुरू की। हैरी चाहता था कि काश टीचर्स ऐसा करना बंद कर दें। उसे चिंता होने लगी थी और जब भी वह यह याद करता था कि उसे कितना सारा होमवर्क करना था, तो उसके पेट में हलचल मचने लगती थी। यह हलचल और ज़्यादा बढ़ गई, जब प्रोफ़ेसर स्प्राउट ने क्लास के अंत में उन्हें होमवर्क के तौर पर एक निबंध लिखने को दे दिया। जब गरुड़द्वार के विद्यार्थी डेढ़ घंटे बाद महल की तरफ़ लौटे, तो वे थके हुए थे और उनके पास से ड्रैगन के गोबर की बदबू आ रही थी, जो प्रोफ़ेसर स्प्राउट की प्रिय खाद थी। उनमें से कोई भी ज़्यादा बातें नहीं कर रहा था। यह एक और लंबा दिन था।

चूँकि हैरी को बहुत भूख लगी थी और उसे पाँच बजे सज़ा काटने के लिए अंबरिज के पास जाना था, इसलिए वह गरुड़द्वार टॉवर में अपना बैग रखे बिना सीधे डिनर करने चला गया, ताकि वह खाना खाने के बाद उस सज़ा का सामना करने जाए, जो अंबरिज उसे देने वाली थीं। बहरहाल, वह अभी बड़े हॉल के दरवाज़े तक ही पहुँचा था कि तभी उसे एक तेज़ और ग़ुस्से भरी आवाज़ सुनाई दी, 'ओए, पॉटर!'

'अब क्या हुआ?' वह थके अंदाज़ में बुदबुदाया। उसने मुड़कर देखा। सामने एंजेलिना जॉनसन खड़ी थी, जो बहुत नाराज़ दिख रही थी।

'मैं बताती हूँ कि *क्या हुआ,*' उसने कहा। वह सीधे उसके पास आई और उसके सीने में अपनी उँगली तेज़ी से घुसेड़ दी। 'तुमने ऐसा क्यों किया कि तुम्हें शुक्रवार को पाँच बजे सज़ा काटने जाना पड़ा?'

'क्या?' हैरी ने कहा। 'क्यों ... ओह हाँ, कीपर के ट्रायल्स?'

'*अब* जाकर तुम्हें याद आया!' एंजेलिना गुर्राई। 'क्या मैंने तुम्हें यह नहीं बताया था कि मैं *पूरी टीम* के साथ ट्रायल्स करना चाहती हूँ और ऐसे कीपर को रखना चाहती हूँ, जिसका *पूरी टीम के साथ तालमेल बैठ सके*? क्या मैंने तुम्हें यह नहीं बताया था कि मैंने ख़ास तौर पर क्विडिच पिच बुक की थी? और अब तुमने यह फ़ैसला किया है कि तुम वहाँ नहीं रहोगे?'

'यह फ़ैसला मैंने नहीं किया है!' हैरी उसके शब्दों के अन्याय को नहीं झेल पाया। 'मुझे उस अंबरिज औरत ने इसलिए सज़ा दी है, क्योंकि मैंने उसे तुम-जानते-हो-कौन के बारे में सच्चाई बता दी है।'

'तो तुम उससे जाकर कह दो कि वह तुम्हें शुक्रवार को छोड़ दे,' एंजेलिना ने ख़ूँख़ार अंदाज़ में कहा, 'और मुझे परवाह नहीं है कि तुम ऐसा कैसे करते हो? अगर तुम चाहो, तो उसे बता दो कि तुम-जानते-हो-कौन तुम्हारे दिमाग़ का वहम है। *बस इतना पक्का कर लो कि तुम वहाँ रहो!*'

वह पलटी और तेज़ी से चली गई।

बड़े हॉल में दाख़िल होते समय हैरी ने रॉन और हर्माइनी से कहा, 'मैं सोचता हूँ कि हमें पडलमियर युनाइटेड टीम से पता करवाना चाहिए कि कहीं ऑलिवर वुड किसी प्रशिक्षण सत्र में मर तो नहीं गया, क्योंकि ऐसा लगता है कि उसकी आत्मा एंजेलिना में घुस गई है।'

गरुड़द्वार की टेबल पर बैठते समय रॉन ने संदेह से कहा, 'तुम्हारे हिसाब से इस बात की कितनी संभावना है कि अंबरिज तुम्हें शुक्रवार को छोड़ देंगी ?'

'ज़ीरो से भी कम,' हैरी ने उदासी से कहा और अपनी प्लेट में चॉप्स रखकर खाने लगा। 'फिर भी मुझे कोशिश तो करनी ही चाहिए, है ना ? मैं उसके बदले में दो दिन सज़ा काटने का प्रस्ताव रखूँगा या ऐसी ही कोई और बात कहूँगा ...' उसने आलू का कौर निगलते हुए आगे कहा, 'मुझे उम्मीद है कि वे आज रात को ज़्यादा देर नहीं रोकेंगी। तुम्हें पता है हमें तीन निबंध लिखने हैं, मैक्गॉनेगल के दिए ओझल मंत्र का अभ्यास करना है, फ़्लिटविक के दिए विपरीत-सम्मोहन का काम करना है, काष्ठजीव की ड्रॉइंग पूरी करनी है और ट्रिलोनी की सपनों की मूर्खतापूर्ण डायरी शुरू करनी है।'

रॉन ने आह भरी और किसी कारण से छत की तरफ़ देखने लगा।

'लगता है कि बारिश भी होने वाली है।'

हर्माइनी ने त्योरियाँ चढ़ाकर कहा, 'उसका हमारे होमवर्क से क्या संबंध है ?'

'कुछ नहीं,' रॉन ने तत्काल कहा और उसके कान लाल हो गए।

पाँच बजने से पाँच मिनट पहले हैरी ने बाक़ी दोनों से विदा ली और तीसरी मंज़िल पर बने अंबरिज के ऑफ़िस की तरफ़ चल दिया। जब उसने दरवाज़ा खटखटाया, तो चाशनी भरी आवाज़ आई, 'अंदर आ जाओ।' वह सावधानी से अंदर गया और चारों तरफ़ देखने लगा।

वह पहले वाले तीन प्रोफ़ेसरों के समय भी इस ऑफ़िस में आया था। जब गिल्ड्रॉय लॉकहार्ट यहाँ रहते थे, तो यहाँ पर उनकी मुस्कराती तस्वीरें लगी थीं। जब ल्यूपिन यहाँ थे, तो इस बात की काफ़ी संभावना थी कि यहाँ पर आपको किसी पिंजरे या टैंक में कोई दिलचस्प शैतानी प्राणी दिख जाता। बहुरूपिए मूडी के दौर में यहाँ बहुत सारे यंत्र रखे हुए थे, जो ग़लत कामों और गुप्त कलाओं को पकड़ने के काम आते थे।

बहरहाल, अब यह पहचान में ही नहीं आ रहा था। हर जगह जालीदार कवर और कपड़े से ढँकी थी। कई फूलदानों में फूल रखे थे, जो सूख रहे थे। एक

दीवार पर सजावटी प्लेटों का संग्रह था, जिसमें हर एक पर बिल्ली के बड़े से रंग-बिरंगे बच्चे का फ़ोटो था, जिसके गले में पट्टा डला था। यह सब इतना अजीब दिख रहा था कि हैरी हैरानी से देखता रहा, जब तक कि प्रोफ़ेसर अंबरिज दोबारा नहीं बोलीं।

'गुड ईवनिंग, मिस्टर पॉटर।'

हैरी चौंककर चारों तरफ़ देखने लगा। उनकी तरफ़ उसका ध्यान पहले इसलिए नहीं गया था, क्योंकि वे फूलों वाला दुशाला पहने थीं, जो उनके पीछे वाली डेस्क के टेबलक्लॉथ से काफ़ी मिलता-जुलता था।

'गुड ईवनिंग, प्रोफ़ेसर अंबरिज,' हैरी ने सख़्त आवाज़ में कहा।

'बैठ जाओ,' उन्होंने कहा और एक छोटी टेबल की तरफ़ इशारा किया, जिस पर जालीदार टेबलक्लॉथ था। टेबल के पास उन्होंने सीधी पीठ वाली एक कुर्सी लगा दी थी। टेबल पर एक ख़ाली चर्मपत्र पड़ा था और स्पष्ट रूप से वह उसी का इंतज़ार कर रहा था।

'अर,' हैरी ने बिना हिले कहा। 'प्रोफ़ेसर अंबरिज। अर - इससे पहले कि हम शुरू करें, मैं - मैं आपसे एक ... एक एहसान चाहता था।'

उनकी बाहर निकलती आँखें सिकुड़ गईं।

'ओह, हाँ ?'

'दरअसल, मैं ... मैं गरुड़द्वार की क्विडिच टीम में हूँ। मुझे शुक्रवार शाम को पाँच बजे नए कीपर के ट्रायल्स में शामिल होना है और मैं - मैं सोच रहा था कि अगर आप मुझे उस दिन छुट्टी दे दें, तो मैं उसके बदले में किसी और दिन सज़ा काट लूँगा ...'

बात पूरी होने से बहुत पहले ही उसे पता चल गया था कि इससे कोई फ़ायदा नहीं होगा।

'ओह नहीं,' अंबरिज ने कहा। वे इतनी जमकर मुस्करा रही थीं, जैसे उन्होंने अभी-अभी किसी रसीली मक्खी को निगला हो। 'ओह नहीं, नहीं, नहीं। मिस्टर पॉटर, तुम्हें घटिया, ख़तरनाक, लोकप्रियता पाने वाली कहानियाँ सुनाने के लिए सज़ा दी जा रही है और सज़ाएँ अपराधी की सुविधा के हिसाब से नहीं बदली जाती हैं। नहीं, तुम कल पाँच बजे यहाँ आओगे, और परसों भी और शुक्रवार को भी। तुम योजना के हिसाब से सज़ा काटोगे। यह बहुत अच्छी बात है कि तुम्हें कोई ऐसी चीज़ छोड़ना पड़ेगी, जिसे तुम वाक़ई करना चाहते हो। इससे तुम्हें वह सबक़ याद रखने में मदद मिलेगी, जो मैं तुम्हें सिखाने की कोशिश कर रही हूँ।'

हैरी को महसूस हुआ कि उसके दिमाग़ में ख़ून उबलने लगा है और उसके कानों में उसकी ज़ोरदार आवाज़ आ रही है। तो 'वह घटिया, ख़तरनाक, लोकप्रियता पाने वाली कहानियाँ' सुना रहा है, अच्छा?

अंबरिज एक तरफ़ सिर झुकाकर उसे देखती रहीं और अब भी जमकर मुस्कराती रहीं, जैसे उन्हें पता हो कि वह क्या सोच रहा है और यह देखने का इंतज़ार कर रही हों कि वह दोबारा चिल्लाना कब शुरू करेगा। बहुत कोशिश करने के बाद हैरी ने उनसे दूर देखा। उसने अपना स्कूलबैग पीठ वाली कुर्सी के पास पटक दिया और बैठ गया।

'देखा,' अंबरिज ने मीठी आवाज़ में कहा, 'हम अभी से अपने ग़ुस्से को क़ाबू में रखना सीख गए, है ना? मिस्टर पॉटर, तुम्हें कुछ लाइनें लिखनी हैं।' हैरी अपना बैग खोलने के लिए नीचे झुका, लेकिन अंबरिज ने आगे कहा, 'नहीं, मिस्टर पॉटर, अपनी क़लम से नहीं, मेरी एक ख़ास क़लम से लिखो। यह लो।'

उन्होंने हैरी को एक लंबी, पतली, काली क़लम दी, जिसकी नोक बहुत नुकीली थी।

उन्होंने धीरे से कहा, 'मैं चाहती हूँ कि तुम लिखो, *मुझे झूठ नहीं बोलना चाहिए*।'

'कितनी बार?' हैरी ने भी विनम्रता की ज़ोरदार नक़ल करते हुए पूछा।

अंबरिज ने मीठी आवाज़ में कहा, 'ओह, जब तक कि सबक़ अंदर *धँस न जाए*। अब शुरू हो जाओ।'

वे अपनी डेस्क पर बैठ गईं और चर्मपत्रों के ढेर पर झुक गईं, जिन्हें देखकर लग रहा था कि वे निबंध जाँच रही होंगी। हैरी ने नुकीली काली क़लम उठा ली, तब जाकर उसे एहसास हुआ कि किसी चीज़ की कमी थी।

उसने कहा, 'आपने मुझे स्याही तो दी ही नहीं!'

'ओह, तुम्हें उसकी ज़रूरत नहीं पड़ेगी,' प्रोफ़ेसर अंबरिज ने कहा। उनकी आवाज़ में हँसी का बहुत हल्का सा पुट था।

हैरी ने वह क़लम चर्मपत्र पर रखी और लिखने लगा : *मुझे झूठ नहीं बोलना चाहिए*।

उसके मुँह से एक दर्द भरी कराह निकल गई। उसके चर्मपत्र पर जो शब्द उभरे थे, वे लाल स्याही में चमक रहे थे। उसी समय वे शब्द हैरी के दाहिने हाथ के पीछे उभर आए थे और उसकी चमड़ी को भेद गए थे, जैसे डिसेक्शन करने वाले चाकू से उन्हें वहाँ पर उकेर दिया गया हो। बहरहाल, जब वह अपने चमकते हुए घाव को घूर रहा था, तो चमड़ी दोबारा ठीक हो गई और वह जगह पहले

जैसी हो गई। हालाँकि चमड़ी थोड़ी लाल थी, लेकिन वह जगह समतल थी।

हैरी ने अंबरिज की तरफ़ देखा। वे उसे ही देख रही थीं और उनका चौड़ा, मेंढकी जैसा मुँह मुस्कराहट में फैल गया था।

'हाँ, बोलो ?'

'कुछ नहीं,' हैरी ने धीरे से कहा।

उसने अपने चर्मपत्र की तरफ़ देखा और एक बार फिर उस पर क़लम रखकर लिखा, *मुझे झूठ नहीं बोलना चाहिए*। एक बार फिर उसके हाथ के पिछले हिस्से में तेज़ दर्द महसूस हुआ। एक बार फिर शब्द उसकी चमड़ी को भेद गए और कुछ पल बाद दोबारा ओझल हो गए।

यही सिलसिला चलता रहा। बार-बार हैरी ने चर्मपत्र पर शब्द लिखे। जल्दी ही उसे पता चल गया कि वह स्याही से नहीं, बल्कि अपने ख़ून से लिख रहा था। बार-बार शब्द उसके हाथ के पिछले हिस्से में घाव बनाते रहे, ओझल होते रहे और चर्मपत्र पर क़लम रखते ही उभरते रहे।

अंबरिज की खिड़की के बाहर अँधेरा छा गया। हैरी ने यह नहीं पूछा कि उसे जाने की इजाज़त कब मिलेगी। उसने अपनी घड़ी की तरफ़ भी नहीं देखा। वह जानता था कि अंबरिज उसे कमज़ोर देखना चाहती हैं और वह कोई कमज़ोरी नहीं दिखाना चाहता था, भले ही उसे यहाँ सारी रात बैठना पड़े और इस क़लम से अपने हाथ पर घाव बनाना पड़े ...

'यहाँ आओ,' उन्होंने कहा। ऐसा लग रहा था, जैसे उन्होंने घंटों बाद यह बात कही हो।

वह उठकर खड़ा हो गया। उसका हाथ बुरी तरह दुख रहा था। जब उसने इसे देखा, तो उसे नज़र आया कि घाव तो भर गया था, लेकिन वहाँ की चमड़ी बिलकुल लाल पड़ चुकी थी।

'हाथ बढ़ाओ,' उन्होंने कहा।

हैरी ने हाथ बढ़ा दिया। उन्होंने उसका हाथ पकड़कर देखा। हैरी का काँपने का मन हुआ, जब उन्होंने उसके हाथ को अपनी मोटी, गाँठदार उँगलियों से छुआ, जिस पर वे कई बदसूरत पुरानी अँगूठियाँ पहने थीं।

'चचच, ऐसा लगता है कि अभी ज़्यादा गहरी छाप नहीं छूटी है,' उन्होंने मुस्कराते हुए कहा। 'कोई बात नहीं, हम कल शाम को दोबारा कोशिश करेंगे, ठीक है ना ? अब तुम जा सकते हो।'

हैरी बिना कुछ कहे उनके ऑफ़िस से बाहर निकल गया। स्कूल अब बिलकुल सुनसान था। निश्चित रूप से आधी रात से ज़्यादा समय हो चुका

होगा। वह धीरे-धीरे गलियारे में गया। फिर जब वह मोड़ मुड़ा और जब उसे यक़ीन हो गया कि उसके दौड़ने की आवाज़ अंबरिज को सुनाई नहीं दे पाएगी, तो वह दौड़ने लगा।

*

उसके पास ओझल मंत्र का अभ्यास करने का समय नहीं था। उसने अपनी सपनों की डायरी में एक भी सपना नहीं लिखा था। इसके अलावा उसने न तो काष्ठजीव की ड्रॉइंग पूरी की थी, न ही निबंध लिखे थे। अगली सुबह उसने नाश्ता नहीं किया, ताकि ज्योतिष के लिए एक-दो मनगढ़ंत सपने लिख सके, जो उनकी पहली क्लास थी। उसे यह देखकर हैरानी हुई कि अस्त-व्यस्त हुलिए वाला रॉन भी ऐसा ही कर रहा था।

'तुमने यह काम कल रात को क्यों नहीं किया?' हैरी ने पूछा, जब रॉन प्रेरणा की तलाश में हॉल में चारों तरफ़ घूर रहा था। रात को जब हैरी कमरे में लौटा था, तो रॉन गहरी नींद में सो रहा था। रॉन ने बुदबुदाकर जवाब दिया कि वह 'कोई दूसरा काम' कर रहा था। फिर वह अपने चर्मपत्र पर झुका और कुछ शब्द लिख दिए।

'यह काफ़ी होगा,' उसने अपनी डायरी धाड़ से बंद करते हुए कहा। 'मैंने लिखा है कि मैं नए जूते ख़रीदने का सपना देख रहा था। वे इसका कोई भयंकर मतलब नहीं निकाल सकती हैं, है ना?'

वे जल्दी से एक साथ उत्तरी मीनार की तरफ़ गए।

'अंबरिज की सज़ा कैसी रही? उन्होंने तुमसे क्या करवाया?'

हैरी एक पल झिझकने के बाद बोला, 'लाइनें लिखवाईं।'

रॉन ने कहा, 'यह तो ज़्यादा बुरा नहीं है, है ना?'

'नहीं,' हैरी ने जवाब दिया।

रॉन ने सहानुभूति से आह भरी।

हैरी के लिए यह एक और बुरा दिन था। यह रूपांतरण में उसके सबसे बुरे दिनों में से एक था, क्योंकि उसने ओझल मंत्र का ज़रा भी अभ्यास नहीं किया था। उसने लंच के घंटे में बैठकर काष्ठजीव की ड्रॉइंग पूरी की। इस दौरान प्रोफ़ेसर मैक्गॉनेगल, प्रोफ़ेसर ग्रबली-प्लैंक और प्रोफ़ेसर सिनिस्ट्रा ने उसे नया होमवर्क दे दिया था। उसे इस होमवर्क के उस शाम को पूरे होने की क़तई उम्मीद नहीं थी, क्योंकि शाम को उसे अंबरिज के पास सज़ा काटने जाना था। इस सबके ऊपर एंजेलिना जॉनसन ने एक बार फिर खाने के समय उसे धर दबोचा। जब

उसे यह पता चला कि वह शुक्रवार को कीपर के ट्रायल्स में शामिल नहीं हो पाएगा, तो उसने हैरी को बता दिया कि उसका नज़रिया ठीक नहीं है और टीम के खिलाड़ियों से यह उम्मीद की जाती है कि वे क्विडिच के प्रशिक्षण को अपने बाक़ी कामों के ऊपर रखेंगे।

जब वह दूर चली गई, तो हैरी चिल्लाया, 'मुझे सज़ा मिली है! तुम्हें क्या लगता है, मैं क्विडिच खेलना चाहूँगा या उस बूढ़ी मेंढकी के साथ कमरे में बंद रहना चाहूँगा?'

'संतोष की बात यह है कि तुम्हें सिर्फ़ लाइनें लिखनी हैं,' हर्माइनी ने तसल्ली दी, जब हैरी अपनी बेंच पर दोबारा बैठ गया और अपने स्टीक व किडनी पाई की तरफ़ देखने लगा, जो अब उसे उतने लुभावने नहीं लग रहे थे। 'देखो यह तो ज़्यादा बुरी सज़ा नहीं है ...'

हैरी ने अपना मुँह खोला, दोबारा बंद किया और सिर हिला दिया। उसे दरअसल यह पता नहीं था कि वह रॉन और हर्माइनी को अंबरिज के कमरे में होने वाली घटना क्यों नहीं बता रहा था। वह तो सिर्फ़ इतना जानता था कि वह उनके चेहरे पर दहशत के भाव नहीं देखना चाहता था। इससे स्थिति और बिगड़ जाएगी तथा उसे उसका सामना करने में ज़्यादा मुश्किल होगी। उसे यह भी हल्का एहसास था कि यह उसका और अंबरिज का आपसी मामला था। यह उन दोनों की इच्छाशक्तियों का आपसी युद्ध था और वह उन्हें यह सुनने की संतुष्टि नहीं देना चाहता था कि उसने इस बारे में शिकायत की थी।

रॉन ने उदासी से कहा, 'मुझे तो यक़ीन ही नहीं होता है कि हमें इतना सारा होमवर्क मिला है!'

'तो तुमने कल रात को क्यों नहीं किया?' हर्माइनी ने उससे पूछा। 'वैसे तुम कल रात को थे कहाँ?'

'मैं ... मैं टहलने चला गया था,' रॉन ने नज़रें चुराते हुए कहा।

हैरी समझ गया कि वह अकेला ही नहीं था, जो कुछ छिपा रहा था।

*

दूसरी सज़ा भी पहली सज़ा जितनी ही बुरी थी। अब हैरी के हाथ के पीछे की चमड़ी ज़्यादा जल्दी लाल हो गई और सूज गई। हैरी को लगा कि कुछ समय बाद यह इतनी जल्दी ठीक नहीं हो पाएगी। जल्दी ही उसके हाथ में हमेशा के लिए घाव बन जाएगा और शायद तब जाकर अंबरिज को संतोष होगा। बहरहाल, उसने अपने मुँह से दर्द भरी एक भी आह नहीं निकलने दी और ऑफ़िस में घुसने से लेकर आधी रात को निकलने तक उसने 'गुड ईवनिंग' और 'गुड नाइट' के

बीच एक शब्द भी नहीं बोला।

बहरहाल, उसके होमवर्क की स्थिति अब बहुत चिंताजनक हो चुकी थी। जब वह गरुड़द्वार के हॉल में लौटा, तो ज़बर्दस्त थकान के बावजूद वह अपने पलंग पर सोने नहीं गया, बल्कि उसने अपनी किताबें खोलीं और स्नेप का मूनस्टोन वाला निबंध लिखने लगा। निबंध पूरा होते-होते ढाई बज गए। वह जानता था कि उसने ख़राब निबंध लिखा था, लेकिन वह इस मामले में कुछ नहीं कर सकता था। अगर वह कैसा भी निबंध नहीं दिखाएगा, तो स्नेप उसे सज़ा दे देंगे। फिर उसने प्रोफ़ेसर मैक्गॉनेगल के दिए सवालों के जवाब घसीट मारे। इसके बाद प्रोफ़ेसर ग्रबली-प्लैंक के सवाल का जवाब लिखा कि काष्ठजीवों की सही देखभाल कैसे की जाए। फिर वह बिस्तर पर चला गया, जहाँ वह कपड़े पहने-पहने ही बिस्तर पर लुढ़क गया और तत्काल सो गया।

*

गुरुवार थकान के कुहासे में गुज़र गया। रॉन भी बहुत उनींदा दिख रहा था, हालाँकि हैरी को इसका कारण समझ में नहीं आ रहा था। हैरी की तीसरी सज़ा भी पिछली दो सज़ाओं की तरह कटी। फ़र्क़ सिर्फ़ इतना था कि दो घंटे के बाद '*मुझे झूठ नहीं बोलना चाहिए*' शब्द हैरी के हाथ के पीछे से ओझल नहीं हुए, बल्कि वहीं पर बने रहे और ख़ून की बूँदों में झिलमिलाते रहे। नुकीली क़लम के रुकने पर प्रोफ़ेसर अंबरिज ने ऊपर देखा।

'ओह,' उन्होंने धीरे से कहा, जब उन्होंने अपनी डेस्क के पीछे से आकर उसके हाथ की जाँच की। 'अच्छा है। इससे तुम्हें याद रहेगा, है ना? आज रात की तुम्हारी छुट्टी?'

'क्या मुझे कल फिर आना होगा?' हैरी ने अपना स्कूल बैग अपने दुख रहे दाएँ हाथ के बजाय बाएँ हाथ से उठाते हुए पूछा।

'ओह हाँ,' प्रोफ़ेसर अंबरिज ने पहले जितनी ही चौड़ी मुस्कान के साथ कहा। 'हाँ, मुझे लगता है कि एक और शाम के काम से सबक़ थोड़ा गहरा चला जाएगा।'

हैरी ने पहले कभी नहीं सोचा था कि दुनिया में किसी और टीचर से वह स्नेप से ज़्यादा नफ़रत कर सकता है, लेकिन गरुड़द्वार की मीनार की तरफ़ लौटते समय उसे यह स्वीकार करना पड़ा कि स्नेप का एक प्रबल प्रतिद्वंद्वी मिल गया है। उसने सातवीं मंज़िल की सीढ़ियाँ चढ़ते हुए सोचा, वे बुरी हैं। बुरी, विकृत, पागल बुढ़िया –

'रॉन?'

वह सीढ़ियों के ऊपर पहुँचकर दाहिनी ओर मुड़ते ही रॉन से टकराते-टकराते बचा, जो अपनी झाड़ू के साथ लंबे लेकलेन की मूर्ति के पीछे छिपा हुआ था। हैरी को देखते ही वह हैरानी से उछला और अपनी नई क्लीनस्वीप इलेवन झाड़ू को पीठ के पीछे छिपाने की कोशिश करने लगा।

'तुम क्या कर रहे हो?'

'अर - कुछ नहीं। *तुम* क्या कर रहे हो?'

हैरी ने उसकी तरफ़ त्योरियाँ चढ़ाकर देखा।

'तुम मुझे तो बता सकते हो! तुम यहाँ किसलिए छिप रहे हो?'

'अगर तुम जानना ही चाहते हो, तो मैं - मैं फ़्रेड और जॉर्ज से छिप रहा हूँ,' रॉन ने कहा। 'वे फ़र्स्ट ईयर के कुछ बच्चों को लेकर अभी-अभी यहाँ से निकले हैं। मैं शर्त लगाता हूँ कि वे फिर से उन पर प्रयोग कर रहे होंगे। मेरा मतलब है, वे यह काम अब हॉल में तो नहीं कर सकते, क्योंकि वहाँ पर हर्माइनी है।'

वह बहुत तेज़ी से बोल रहा था।

हैरी ने पूछा, 'लेकिन जब तुम उड़ नहीं रहे हो, तो तुम्हारे हाथ में झाड़ू क्यों है?'

'मैं - अच्छा - अच्छा, **ठीक** है, मैं तुम्हें बता देता हूँ, लेकिन हँसना मत, ठीक है?' रॉन ने रक्षात्मक अंदाज़ में कहा और उसका चेहरा हर पल ज़्यादा लाल होता गया। 'मैंने - मैंने सोचा कि अब जब मेरे पास एक ठीक-ठाक झाड़ू आ गई है, तो मैं गरुड़द्वार टीम का कीपर बनने की कोशिश करके देख लेता हूँ। ठीक है। अब हँसो।'

'मैं नहीं हँसूँगा,' हैरी ने कहा। रॉन ने पलकें मिचमिचाईं। 'यह बढ़िया ख़्याल है! अगर तुम टीम में आ जाते हो, तो यह तो बहुत बढ़िया रहेगा! मैंने तुम्हें कीपर के रूप में कभी खेलते नहीं देखा है। क्या तुम अच्छा खेलते हो?'

'बुरा नहीं है,' रॉन ने कहा, जिसे हैरी की प्रतिक्रिया देखकर बड़ी राहत मिली थी। 'छुट्टियों में खेलते समय चार्ली, फ़्रेड और जॉर्ज मुझे हमेशा कीपर बनाते थे।'

'तो तुम आज शाम को प्रैक्टिस कर रहे थे?'

'मंगलवार से हर शाम को कर रहा हूँ ... लेकिन अकेले। मैं जादू से तूफ़ान को अपनी तरफ़ आकर्षित करने की कोशिश कर रहा हूँ, लेकिन यह काम आसान नहीं है और मैं नहीं जानता कि इससे कितना फ़ायदा होगा।' रॉन घबराया हुआ और तनावग्रस्त दिख रहा था। 'जब मैं ट्रायल्स देने के लिए

पहुँचूँगा, तो फ्रेड और जॉर्ज हँसते-हँसते पागल हो जाएँगे। जब से मैं प्रिफ़ेक्ट बना हूँ, तब से वे मेरा ख़ूब मज़ाक़ उड़ा रहे हैं।'

जब वे एक साथ हॉल की तरफ़ जाने लगे, तो हैरी ने कटुता से कहा, 'काश मैं भी वहाँ होता!'

'हाँ, तुम होते तो – हैरी, तुम्हारे हाथ के पीछे क्या है?'

हैरी ने अभी-अभी अपने दाहिने हाथ से अपनी नाक खुजाई थी। उसने अपना हाथ छिपाने की कोशिश की, लेकिन उसे उतनी ही सफलता मिली, जितनी कि रॉन को अपनी क्लीनस्वीप झाड़ू छिपाने में मिली थी।

'यह तो बस खरोंच है – कुछ नहीं है – यह तो –'

लेकिन रॉन ने हैरी की बाँह पकड़ ली और उसके हाथ के पिछले हिस्से को अपनी आँखों की ऊँचाई तक लाकर देखा। थोड़ी देर ख़ामोशी छाई रही, जिस दौरान रॉन ने चमड़ी पर उभरे हुए शब्दों को घूरकर देखा, फिर दहशत में आकर उसने हैरी का हाथ छोड़ दिया।

'तुमने तो कहा था कि वे तुमसे सिर्फ़ लाइनें लिखवा रही थीं?'

हैरी झिझका, लेकिन रॉन ने उसे सच्चाई बताई थी, इसलिए उसने भी रॉन को सच्चाई बता दी कि वह अंबरिज के ऑफ़िस में किस तरह अपने घंटे गुज़ार रहा था।

'खूसट बुढ़िया!' रॉन ने नफ़रत भरी फुसफुसाहट में कहा, जब वे मोटी औरत के सामने आकर रुक गए। वह अपना सिर फ्रेम से टिकाकर शांति से ऊँघ रही थी। 'वह पागल हो चुकी है! मैक्गॉनेगल के पास जाओ, शिकायत करो!'

'नहीं,' हैरी ने तत्काल कहा। 'मैं उन्हें यह जानने की संतुष्टि नहीं दूँगा कि उन्होंने मुझे हरा दिया है।'

'*तुम्हें हरा दिया है?* तुम उन्हें ऐसा नहीं करने दे सकते! तुम्हें शिकायत करनी चाहिए!'

हैरी ने कहा, 'मैं नहीं जानता कि मैक्गॉनेगल उनके मामले में कितना दख़ल दे सकती हैं?'

'तो फिर डम्बलडोर को बता दो!'

'नहीं,' हैरी ने साफ़ इंकार कर दिया।

'क्यों नहीं?'

'उनके दिमाग़ पर पहले ही काफ़ी बोझ है,' हैरी ने कहा, लेकिन यह असली कारण नहीं था। वह डम्बलडोर से इसलिए मदद नहीं माँगना चाहता था,

क्योंकि डम्बलडोर ने जून के बाद से उससे एक शब्द भी नहीं बोला था।

'देखो, मुझे लगता है कि तुम्हें जाना चाहिए –' रॉन ने कहना शुरू किया, लेकिन तभी उसकी बात मोटी औरत ने काट दी, जो उन्हें उनींदी आँखों से देख रही थी और अब तंग आकर बोल पड़ी, 'तुम दोनों पासवर्ड बोलोगे या फिर मैं सारी रात जागकर तुम्हारी बातचीत ख़त्म होने का इंतज़ार करूँ?'

*

शुक्रवार की सुबह सप्ताह के बाक़ी दिनों की तरह ही उदास और नम थी। हालाँकि बड़े हॉल में दाख़िल होते ही हैरी की नज़र स्टाफ़ टेबल की तरफ़ अपने आप चली गई, लेकिन उसे हैग्रिड के दिखाई देने की कोई उम्मीद नहीं थी। इसके बजाय उसने अपना दिमाग़ तत्काल अपनी ज़्यादा गंभीर समस्याओं की तरफ़ मोड़ा : होमवर्क का अंबार, जिसे उसे निबटाना था तथा अंबरिज के साथ एक और सज़ा।

हैरी को उस दिन दो चीज़ों से संबल मिला। एक तो यह कि वीकएंड आ रहा है। दूसरा यह कि हालाँकि अंबरिज के साथ उसकी आख़िरी सज़ा निश्चित रूप से भयंकर होगी, लेकिन उनकी खिड़की से उसे क्विडिच पिच का दृश्य दिखेगा और अगर उसकी क़िस्मत अच्छी रही, तो वह रॉन का ट्रायल देख सकता है। यह सच था कि ये उम्मीद की बहुत हल्की किरणें थीं, लेकिन हैरी हर उस चीज़ के लिए कृतज्ञ था, जो उसके वर्तमान अँधेरे में रोशनी ला सके। हॉगवर्ट्स में किसी सत्र का पहला सप्ताह पहले कभी इतना बुरा नहीं गुज़रा था।

उस शाम को पाँच बजे उसने प्रोफ़ेसर अंबरिज के ऑफ़िस के दरवाज़े पर दस्तक दी। उसे सचमुच आशा थी कि यह आख़िरी बार होगा। उन्होंने उसे अंदर आने को कहा। जालीदार टेबलक्लॉथ से ढँकी टेबल पर ख़ाली चर्मपत्र उसका इंतज़ार कर रहा था और उसके पास ही नुकीली काली क़लम भी रखी थी।

अंबरिज ने उसकी तरफ़ देखकर मुस्कराते हुए कहा, 'मिस्टर पॉटर, तुम्हें मालूम है कि क्या करना है!'

हैरी ने क़लम उठा ली और खिड़की के पार देखा। अगर वह अपनी कुर्सी एक इंच दाहिनी तरफ़ खिसका ले ... टेबल के ज़्यादा क़रीब आने के बहाने से उसने ऐसा कर लिया। अब उसे दूर से गरुड़द्वार की क्विडिच टीम पिच पर ऊपर-नीचे उड़ती दिख रही थी, जबकि छह स्याह आकृतियाँ तीन ऊँचे गोलपोस्ट्स के नीचे खड़ी थीं और स्पष्ट रूप से अपनी बारी आने का इंतज़ार कर रही थीं। इतनी दूर से यह बताना संभव नहीं था कि उनमें से रॉन कौन सा था।

हैरी ने लिखा, *मुझे झूठ नहीं बोलना चाहिए*। उसके दाहिने हाथ का घाव

खुल गया और उसमें से एक बार फिर ख़ून बहने लगा।

मुझे झूठ नहीं बोलना चाहिए। घाव और गहरा हो गया तथा पहले से भी तेज़ दुखने लगा।

मुझे झूठ नहीं बोलना चाहिए। उसकी कलाई से ख़ून बहने लगा।

उसने खिड़की के बाहर एक और नज़र डाली। जो भी गोलपोस्ट्स की सुरक्षा कर रहा था, वह बहुत ख़राब प्रदर्शन कर रहा था। हैरी के देखते ही देखते केटी बेल ने कुछ सेकंडों में दो गोल कर दिए। इस उम्मीद के साथ कि वह कीपर रॉन नहीं होगा, उसने अपनी आँखें दोबारा उस चर्मपत्र की ओर लौटाईं, जो ख़ून से चमक रहा था।

मुझे झूठ नहीं बोलना चाहिए।

मुझे झूठ नहीं बोलना चाहिए।

जब भी उसे लगता था कि वह जोखिम ले सकता है, वह बाहर देखने लगता था। जब भी उसे अंबरिज की क़लम के चलने या डेस्क की दराज़ के खुलने की आवाज़ आती थी, वह बाहर देख लेता था। तीसरा गोलकीपर काफ़ी अच्छा था, चौथा भयंकर था। पाँचवें ने एक पहलवान को तो बहुत अच्छी तरह चकमा दिया, लेकिन एक आसान गोल नहीं रोक पाया। आसमान में अँधेरा छाने लगा था, इसलिए हैरी को लगा कि वह छठे और सातवें गोलकीपर को नहीं देख पाएगा।

मुझे झूठ नहीं बोलना चाहिए।

मुझे झूठ नहीं बोलना चाहिए।

चर्मपत्र पर अब उसके हाथ के पीछे से गिरते ख़ून के निशान बन चुके थे। उसका हाथ दर्द के मारे सन्ना रहा था। जब उसने दोबारा ऊपर देखा, तो रात हो चुकी थी और अब क्विडिच पिच बिलकुल नहीं दिख रही थी।

आधे घंटे बाद अंबरिज की धीमी आवाज़ आई, 'देखते हैं कि सबक़ अब भी गहराई तक गया है या नहीं ?'

वे उसके पास आईं और अपनी छोटी-छोटी अँगूठीदार उँगलियाँ उसकी बाँह तक लाईं। और फिर, जब उन्होंने उसे पकड़कर उसकी चमड़ी पर खुदे शब्दों की जाँच की, तो हैरी को बहुत तेज़ दर्द हुआ। हाथ के पीछे नहीं, बल्कि अपने माथे के निशान में। इसी समय, रीढ़ की हड्डी के आसपास उसे बड़ी अजीब अनुभूति हुई।

उसने उनकी पकड़ से अपना हाथ छुड़ा लिया और खड़े होकर उन्हें घूरने लगा। वे भी अपने चौड़े, थुलथुल मुँह पर मुस्कान लाकर उसे घूरने लगीं।

उन्होंने धीरे से कहा, 'इससे दर्द होता है, है ना?'

हैरी ने जवाब नहीं दिया। उसका दिल बहुत तेज़ी से धड़क रहा था। वे उसके हाथ के बारे में बात कर रही थीं या फिर वे जानती थीं कि उसके माथे में दर्द हो रहा था?

'अच्छा मिस्टर पॉटर, मुझे लगता है कि अब तुम मेरा सबक़ समझ चुके हो। तुम जा सकते हो।'

उसने अपना स्कूलबैग उठाया और जितनी तेज़ी से हो सकता था, कमरे से बाहर चला गया।

सीढ़ियों के ऊपर भागते हुए उसने ख़ुद से कहा, *शांत रहो। शांत रहो, ज़रूरी नहीं है कि इसका मतलब वही हो, जो तुम समझ रहे हो ...*

'मिम्बुलस मिम्बलटोनिया!' उसने मोटी औरत से हाँफते हुए कहा, जो एक बार फिर आगे की तरफ़ झूल गई।

एक ज़ोरदार आवाज़ ने उसका स्वागत किया। रॉन उसकी तरफ़ भागता हुआ आया। उसका चेहरा खिला हुआ था और उसके हाथ के प्याले से बटरबियर उसके दुशाले के सामने वाले हिस्से पर छलक गई।

'हैरी, काम बन गया, मुझे चुन लिया गया, मैं कीपर बन गया!'

'क्या? ओह - बहुत बढ़िया!' हैरी ने कहा और स्वाभाविक तरीक़े से मुस्कराने की कोशिश की, हालाँकि उसका दिल तेज़ी से धड़क रहा था और उसका हाथ बुरी तरह दुख रहा था तथा उससे ख़ून बह रहा था।

'बटरबियर पियो,' रॉन ने उसकी तरफ़ एक बोतल बढ़ा दी। 'मुझे तो यक़ीन ही नहीं हो रहा है - हर्माइनी कहाँ चली गई?'

'वह वहाँ है,' फ़्रेड ने बटरबियर पीते हुए कहा और अँगीठी के पास वाली कुर्सी की तरफ़ इशारा किया। वहाँ हर्माइनी ऊँघ रही थी और उसका गिलास उसके हाथ में डरावने ढंग से झूल रहा था।

रॉन ने थोड़ा उदासी से कहा, 'जब मैंने उसे बताया, तो वह बहुत ख़ुश हो गई।'

'उसे सोने दो,' जॉर्ज ने जल्दी से कहा। कुछ पल बाद हैरी का ध्यान इस तरफ़ गया कि फ़र्स्ट ईयर के कई बच्चे उनके आस-पास खड़े थे और उनके चेहरों पर ख़ून बहने के स्पष्ट निशान दिख रहे थे।

'रॉन, यहाँ आकर देखो कि ऑलिवर के पुराने दुशाले तुम्हें ठीक से आते हैं या नहीं,' केटी बेल ने कहा, 'हम उसका नाम हटा देंगे और तुम्हारा नाम लिख देंगे ...'

जब रॉन चला गया, तो एंजेलिना हैरी के पास आई।

'माफ़ करना पॉटर, मैं तुम पर थोड़ा ज़्यादा ही भड़क गई थी,' उसने अचानक कहा। 'तुम जानते हो, कप्तान का काम बहुत तनाव भरा होता है। मैं अब सोचने लगी हूँ कि कई बार मैंने ऑलिवर को बहुत परेशान किया था।' वह हल्की सी त्योरी चढ़ाकर रॉन को अपने प्याले के ऊपर से देख रही थी।

'देखो, मैं जानती हूँ कि वह तुम्हारा सबसे अच्छा दोस्त है, लेकिन वह बहुत शानदार कीपर नहीं है,' उसने साफ़-साफ़ कह दिया। 'हालाँकि मुझे लगता है कि थोड़े प्रशिक्षण के बाद वह बिलकुल ठीक-ठाक हो जाएगा। वह अच्छे क्विडिच खिलाड़ियों के परिवार से आया है। सच कहूँ तो मुझे उम्मीद है कि आज उसने जो प्रतिभा दिखाई है, उसमें उससे कहीं ज़्यादा प्रतिभा होगी। विकी फ्रोबिशर और ज्यॉफ़्री हूपर दोनों ही आज शाम को उससे ज़्यादा अच्छी तरह खेले थे, लेकिन हूपर बहुत शिकायत करता है। वह हमेशा किसी न किसी बात पर रोता रहता है और विकी हर तरह की सोसायटी में उलझी रहती है। उसने ख़ुद यह कहा था कि अगर प्रशिक्षण उसके सम्मोहन क्लब की मीटिंग वाले दिन होगा, तो वह सम्मोहन क्लब को प्राथमिकता देगी। ख़ैर, हम कल दोपहर दो बजे प्रैक्टिस करेंगे, इसलिए तुम यह सुनिश्चित कर लो कि इस बार तुम वहाँ रहो। और मुझ पर एक एहसान करना। रॉन की ज़्यादा से ज़्यादा मदद करना, **ठीक** है?'

उसने सिर हिला दिया और एंजेलिना एक बार फिर एलिसिया स्पिनेट के पास चली गई। हैरी हर्माइनी के पास बैठने के लिए गया और जब उसने अपना बैग नीचे रखा, तो वह झटके से जाग गई।

'ओह, हैरी, तुम हो ... रॉन के बारे में अच्छी ख़बर है, है ना?' उसने उनींदी आवाज़ में कहा। 'मैं बहुत - बहुत - बहुत थक गई हूँ,' उसने जम्हाई ली। 'मैं हैट बनाने के लिए एक बजे तक जागी। वे बहुत तेज़ी से ग़ायब हो रहे हैं!'

हैरी ने जब ग़ौर से देखा, तो उसे नज़र आया कि कमरे में चारों तरफ़ ऊन के हैट छिपे हुए थे, जहाँ बेख़बर घरेलू जिन्न उन्हें अनजाने में उठा सकते थे।

'ठीक है,' हैरी ने विचलित होकर कहा। अगर वह किसी को जल्दी नहीं बताएगा, तो उसका पेट फट जाएगा। 'सुनो हर्माइनी, मैं अंबरिज के ऑफ़िस में बैठा था और उन्होंने मेरा हाथ छुआ ...'

हर्माइनी ने ग़ौर से सुना। जब हैरी ने अपनी बात पूरी कर ली, तो वह धीरे से बोली, 'तुम इस बारे में चिंतित हो कि कहीं तुम-जानते-हो-कौन क्विरिल की तरह उसे भी तो नियंत्रित नहीं कर रहा है?'

'हाँ,' हैरी ने अपनी आवाज़ धीमी करते हुए कहा, 'इस बात की संभावना तो है, है ना?'

'शायद,' हर्माइनी ने कहा, हालाँकि ऐसा लग रहा था कि वह इस बात से सहमत नहीं थी। 'लेकिन मुझे नहीं लगता कि वह उसके शरीर पर उसी तरह *क़ब्ज़ा* कर सकता है, जिस तरह उसने क्विरिल के शरीर पर किया था। मेरा मतलब है, अब वह दोबारा ज़िंदा हो गया है, है ना? अब उसके पास अपना ख़ुद का शरीर है। उसे किसी दूसरे के शरीर में जाने की ज़रूरत नहीं है। हाँ, वह उस पर सम्मोहन शाप का इस्तेमाल ज़रूर कर सकता है ...'

हैरी ने एक पल के लिए फ़्रेड, जॉर्ज और ली जॉर्डन को बटरबियर की ख़ाली बोतलें लहराते हुए देखा। फिर हर्माइनी ने कहा, 'लेकिन पिछले साल जब तुम्हारा निशान दुखा था, तब तो कोई तुम्हें नहीं छू रहा था और क्या डम्बलडोर ने यह नहीं कहा था कि इसका संबंध तुम-जानते-हो-कौन की उस वक़्त की भावनाओं से होगा? मेरा मतलब है, शायद इसका अंबरिज से कोई लेना-देना ही न हो। शायद यह सिर्फ़ संयोग हो कि यह उसी समय हुआ, जब तुम उनके साथ थे?'

'वह बुरी औरत है,' हैरी ने सपाट अंदाज़ में कहा। 'विकृत मानसिकता वाली।'

'वह भयंकर है, हाँ, लेकिन ... हैरी, मुझे लगता है तुम्हें डम्बलडोर को बता देना चाहिए कि तुम्हारा निशान दुखा था।'

दो दिन में दूसरी बार उसे डम्बलडोर के पास जाने की सलाह दी गई थी और उसने हर्माइनी को भी वही जवाब दिया, जो उसने रॉन को दिया था।

'मैं उन्हें इस बात से परेशान नहीं करना चाहता। जैसा तुमने अभी कहा, यह कोई बड़ी बात नहीं है। यह गर्मियों भर बीच-बीच में दुखता रहा है - आज रात को यह थोड़ा ज़्यादा दुखा, बस इतनी सी बात है -'

'हैरी, मुझे यक़ीन है कि डम्बलडोर इस बारे में सुनना *चाहेंगे* -'

'हाँ,' हैरी ने कहा, और इससे पहले कि वह ख़ुद को रोक पाता, उसके मुँह से निकल गया, 'मेरे बारे में सिर्फ़ निशान ही तो है, जिसकी डम्बलडोर को परवाह है, है ना?'

'ऐसा मत कहो, यह सच नहीं है!'

'मुझे लगता है कि मैं इसके बारे में लिखकर सिरियस को बता देता हूँ। देखते हैं, वह क्या सोचता है -'

'हैरी, तुम इस तरह की बात चिट्ठी में नहीं लिख सकते!' हर्माइनी

दहशत में आते हुए बोली। 'तुम्हें याद नहीं है, मूडी ने हमसे चिट्ठी लिखते समय सावधान रहने को कहा था! इस बात की क्या गारंटी है कि कोई उल्लुओं को बीच में नहीं पकड़ लेगा!'

'ठीक है, ठीक है, मैं उसे नहीं बताऊँगा!' हैरी ने चिढ़कर कहा और खड़ा हो गया। 'मैं सोने जा रहा हूँ। यह बात रॉन को मेरी तरफ़ से बता देना, ठीक है?'

'ओह नहीं,' हर्माइनी ने राहत में दिखते हुए कहा, 'अगर तुम सोने जा रहे हो, तो इसका मतलब यह है कि मैं भी सोने जा सकती हूँ। मैं बुरी तरह थक चुकी हूँ और मैं कल बहुत सारे हैट बनाना चाहती हूँ। सुनो, अगर तुम चाहो, तो तुम भी मेरी मदद कर सकते हो। इसमें बड़ा मज़ा आता है और मैं इस काम में निपुण होती जा रही हूँ। अब मैं डिज़ाइन भी बना सकती हूँ।'

हैरी ने उसके चेहरे की तरफ़ देखा, जो उत्साह से चमक रहा था और उसने नाटक करने की कोशिश की, जैसे इस प्रस्ताव पर सोच रहा हो।

'अर ... नहीं, मुझे नहीं लगता कि मैं यह काम करूँगा, धन्यवाद,' उसने कहा। 'अर - कल नहीं। मुझे बहुत सारा होमवर्क करना है ...'

वह लड़कों के कमरों की तरफ़ जाने वाली सीढ़ियों की तरफ़ चल दिया। चलते-चलते उसने देखा कि हर्माइनी थोड़ी निराश दिख रही थी।

अध्याय चौदह

पर्सी और सिरियस

अगली सुबह अपने कमरे में हैरी सबसे पहले जागा। एक पल के लिए तो वह पलंग के पर्दों के बीच से आती सूर्य की किरण में धूल के कणों को देखता रहा और इस बात पर ख़ुश होता रहा कि आज शनिवार था। सत्र का पहला सप्ताह बहुत लंबा लगा था, जादू का इतिहास की बहुत लंबी क्लास की तरह।

उनींदी ख़ामोशी और सूर्य की किरण की हल्की रोशनी से उसने अंदाज़ा लगा लिया कि सूर्योदय उसी समय हुआ होगा। उसने पलंग के चारों तरफ़ लगे पर्दे खोले और उठकर कपड़े पहनने लगा। दूर चहचहाती चिड़ियों के अलावा उसे सिर्फ़ गरुड़द्वार के अपने सो रहे सहपाठियों की धीमी, गहरी साँसों की आवाज़ें आ रही थीं। उसने धीरे से स्कूलबैग खोला, चर्मपत्र तथा क़लम बाहर निकाले और कमरे से निकलकर हॉल की तरफ़ जाने लगा।

अँगीठी की आग अब बुझ चुकी थी, लेकिन हैरी सीधे उसके पास रखी अपनी प्रिय कुर्सी की तरफ़ गया और आराम से बैठ गया। उसने कमरे में चारों तरफ़ नज़र घुमाते हुए अपना चर्मपत्र खोला। हॉल में हर रात को आम तौर पर चर्मपत्रों के मुड़े-तुड़े टुकड़े, पुराने गॉबस्टोन्स, ख़ाली डिब्बे और चॉकलेटों के रैपर पड़े रहते थे। अब यह सारा कचरा साफ़ हो चुका था। हर्माइनी ने घरेलू जिन्नों के लिए जो हैट बनाए थे, वे भी जा चुके थे। हैरी ने अस्पष्टता से सोचा कि अब तक कितने सारे घरेलू जिन्न चाहे-अनचाहे आज़ाद हो गए होंगे। फिर उसने स्याही की बोतल खोली और उसमें क़लम डुबाकर चर्मपत्र की चिकनी पीली सतह के एक इंच ऊपर हवा में रखकर दिमाग़ पर ज़ोर डालने लगा ... लेकिन एकाध मिनट बाद उसने पाया कि वह ख़ाली अँगीठी को ही एकटक देख रहा था और उसके दिमाग़ को शब्द नहीं सूझ रहे थे।

अब उसे समझ में आया कि गर्मियों में रॉन और हर्माइनी के लिए उसे

चिट्ठियाँ लिखना कितना मुश्किल रहा होगा। वह सिरियस को पिछले सप्ताह की हर बात कैसे बताए? वह उससे वे सारे सवाल कैसे पूछे, जिन्हें पूछने के लिए वह उतावला था, ताकि अगर कोई चिट्ठी चुराने वाला ताक में बैठा हो, तो उसे वह जानकारी न मिल जाए, जो वह उसे नहीं देना चाहता?

वह कुछ समय तक स्थिर बैठा-बैठा अँगीठी को ताकता रहा। फिर आख़िरकार फ़ैसला करते हुए उसने स्याही की बोतल में एक बार फिर क़लम डुबाई और दृढ़ता से चर्मपत्र पर रख दी।

प्रिय स्नफ़ल्स,

उम्मीद है तुम ठीक-ठाक होगे। यहाँ पर पहला सप्ताह भयंकर गुज़रा। मुझे सचमुच ख़ुशी है कि यह सप्ताह ख़त्म हो गया।

गुप्त कलाओं से रक्षा की हमारी नई टीचर आई हैं, जिनका नाम प्रोफ़ेसर अंबरिज है। वे तुम्हारी मम्मी जितनी ही अच्छी हैं। मैं यह चिट्ठी इसलिए लिख रहा हूँ, क्योंकि पिछली गर्मियों में मैंने तुम्हें जिस चीज़ के बारे में बताया था, वह कल शाम को एक बार फिर हुई थी, जब मैं अंबरिज के कमरे में उनकी दी हुई सज़ा काट रहा था।

हम सभी हमारे सबसे बड़े दोस्त को याद कर रहे हैं। हमें उम्मीद है कि वह जल्दी ही वापस आ जाएगा।

मेहरबानी करके जल्दी जवाब देना।

तुम्हारा,
हैरी

हैरी ने चिट्ठी को कई बार पढ़ा और इसे बाहरी व्यक्ति के नज़रिये से देखने की कोशिश की। उसे लगा कि इस चिट्ठी को पढ़कर कोई नहीं समझ सकता कि वह क्या कहना चाहता है - या किससे कह रहा है। उसे उम्मीद थी कि सिरियस हैग्रिड के बारे में किए गए इशारे को समझ जाएगा और उन्हें बता देगा कि वह कब तक लौट सकता है। हैरी हॉगवर्ट्स में ज़्यादा पूछताछ करके लोगों का ध्यान इस

तरफ़ नहीं खींचना चाहता था कि अगर हैग्रिड हॉगवर्ट्स में नहीं है, तो फिर कहाँ है और क्या कर रहा है।

चिट्ठी बहुत छोटी थी, लेकिन इसे लिखने में बहुत समय लग गया। चिट्ठी पूरी होने तक धूप रेंगती हुई आधे हॉल में आ चुकी थी। अब उसे ऊपर के कमरों से विद्यार्थियों की खटर-पटर की आवाज़ें सुनाई दे रही थीं। चर्मपत्र को सावधानी से बंद करते हुए वह तस्वीर के छेद में से बाहर निकला और उल्लूघर की तरफ़ चल दिया।

जब हैरी गलियारे में जा रहा था, तो लगभग सिरकटा निक उसके ठीक सामने वाली दीवार में से निकला और बोला, 'अगर मैं तुम्हारी जगह होता, तो उस रास्ते से *नहीं* जाता। गलियारे में पैरासेल्सस की मूर्ति के पास से जो भी पहला विद्यार्थी गुज़रेगा, पीव्ज़ उसके साथ बहुत बढ़िया मज़ाक़ करने की योजना बना रहा है।'

हैरी ने पूछा, 'कहीं वह पैरासेल्सस की मूर्ति उस व्यक्ति के सिर पर तो नहीं गिराना चाहता?'

'मज़ेदार बात यह है कि सचमुच *ऐसा ही है*,' लगभग सिरकटे निक ने बोरियत भरी आवाज़ में कहा। 'चतुराई पीव्ज़ की विशेषता कभी नहीं रही। मैं ख़ूनी नवाब को खोजने की कोशिश कर रहा हूँ ... वे ही पीव्ज़ को रोक सकते हैं .... मिलते हैं, हैरी ...'

'हाँ, विदा,' हैरी ने कहा और दाहिनी तरफ़ मुड़ने के बजाय बाईं तरफ़ मुड़ गया, जो उल्लूघर पहुँचने का थोड़ा लंबा लेकिन ज़्यादा सुरक्षित रास्ता था। खिड़कियों के पास से गुज़रते समय उसका मनोबल बढ़ गया, क्योंकि उसे बाहर चमकता हुआ नीला आसमान दिख रहा था। दोपहर में वह क्विडिच खेलने वाला था। आख़िरकार वह क्विडिच पिच पर लौट सकेगा।

तभी कोई चीज़ उसके टखनों को छूती हुई निकली। उसने नीचे देखा। वहाँ चौकीदार फ़िल्च की कंकाल जैसी भूरी बिल्ली मिसेज़ नॉरिस थी, जो उसके पास से जा रही थी। उदास विल्फ्रेड की मूर्ति के पीछे ओझल होने से पहले मिसेज़ नॉरिस ने हैरी को एक पल के लिए अपनी लैंप जैसी पीली आँखों से घूरकर देखा।

'मैं कोई ग़लत काम नहीं कर रहा हूँ,' हैरी ने चिल्लाकर कहा। मिसेज़ नॉरिस की आँखों से यह साफ़ नज़र आ रहा था कि वह अपने मालिक को ख़बर देने जा रही है, लेकिन हैरी इसका कारण नहीं समझ पाया। शनिवार की सुबह उल्लूघर में जाना तो गुनाह नहीं था।

सूरज अब आसमान में ऊपर पहुँच चुका था और जब हैरी उल्लूघर में दाख़िल हुआ, तो बिना काँच की खिड़कियों के कारण उसकी आँखें चौंधिया गईं। धूप की मोटी-मोटी किरणें गोलाकार कमरे में फैल रही थीं, जिसमें सैकड़ों उल्लू पटियों पर बैठे हुए थे और सुबह के उजाले से थोड़े बेचैन हो रहे थे। कुछ तो स्पष्ट रूप से उसी समय शिकार से लौटे थे। जब हैरी ने छोटे जानवरों की हड्डियों के पार पैर रखा, तो भूसे से ढँके फ़र्श ने थोड़ी आवाज़ की। उसने हेडविग को देखने के लिए अपनी गर्दन घुमाई।

हेडविग मेहराबदार छत के बिलकुल पास बैठी थी। हैरी बोला, 'अच्छा तो तुम वहाँ हो! नीचे आ जाओ, मैं एक चिट्ठी भेजना चाहता हूँ।'

धीमी आवाज़ निकालकर उसने अपने बड़े सफ़ेद पंख फैलाए और सीधे उसके कंधे पर आकर बैठ गई।

'इस पर बाहर स्नफ़ल्स लिखा है,' उसने हेडविग की चोंच में चिट्ठी फँसाते हुए कहा और बिना सोचे-समझे फुसफुसाकर यह भी बोल दिया, 'लेकिन यह सिरियस के लिए है, **ठीक है ?**'

हेडविग ने एक बार अपनी भूरी पीली आँखें झपकाईं, जिसका हैरी ने यह मतलब निकाला कि वह समझ गई थी।

'तुम्हारी यात्रा सुरक्षित रहे,' हैरी ने उसे खिड़की तक ले जाते हुए कहा। एक पल के लिए उसके हाथ पर दबाव डालने के बाद हेडविग उजले और चौंधियाते आसमान में उड़ गई। हैरी उसे तब तक देखता रहा, जब तक कि वह धूल के काले कण की तरह नहीं दिखने लगी और ओझल नहीं हो गई। फिर उसने अपनी निगाह हैग्रिड के केबिन की तरफ़ घुमाई, जो इस खिड़की से साफ़ दिख रहा था। यह भी साफ़ दिख रहा था कि उसमें कोई नहीं था, क्योंकि चिमनी से धुआँ नहीं निकल रहा था और पर्दे लगे हुए थे।

अँधेरे जंगल के पेड़ों की ऊपरी फुनगियाँ मंद-मंद बहती हवा में लहरा रही थीं। हैरी उन्हें देखता रहा और अपने चेहरे को छूती ताज़ी हवा का आनंद लेता रहा। वह कल्पना कर रहा था कि क्विडिच खेलने में उसे कितना मज़ा आएगा ... फिर उसे वह दिख गया। पंखों वाला एक बड़ा घोड़ा! वह घोड़ा उन्हीं घोड़ों जैसा था, जो हॉगवर्ट्स की गाड़ियाँ खींच रहे थे। उसके चमड़े के काले पंख फैले और वह पेड़ों के बीच से किसी अजीब से दैत्याकार पक्षी की तरह ऊपर उठा। उसने एक गोल चक्कर लगाया और फिर पेड़ों के बीच लौट गया। यह सारा वाकया इतनी जल्दी हो गया कि हैरी को यक़ीन करना मुश्किल था कि उसने क्या देखा था। वह तो सिर्फ़ इस बात पर यक़ीन कर सकता था कि उसका दिल पागलों की तरह धड़क रहा था।

तभी उसे पीछे से उल्लूघर के दरवाज़े के खुलने की आवाज़ आई। वह सदमे में उछला और तेज़ी से मुड़ा। उसने देखा कि चो चैंग अपने हाथ में एक चिट्ठी और पार्सल ला रही है।

'हाय,' हैरी के मुँह से बरबस ही निकल गया।

'ओह ... हाय,' चो हाँफते हुए बोली। 'मुझे उम्मीद नहीं थी कि इतनी सुबह यहाँ कोई होगा ... मुझे पाँच मिनट पहले ही याद आया था। आज मेरी मम्मी का जन्मदिन है।'

उसने पार्सल दिखाया।

'अच्छा,' हैरी ने कहा। उसके दिमाग़ ने जैसे काम करना बंद कर दिया था। वह कोई मज़ेदार और दिलचस्प बात कहना चाहता था, लेकिन उस भयंकर पंख वाले घोड़े की याद उसके दिमाग़ में अब भी ताज़ा थी।

'सुहाना दिन है,' उसने खिड़कियों की तरफ़ देखते हुए कहा। उसके अंदरूनी अंग संकोच के मारे सिकुड़ गए थे। मौसम। वह *मौसम* के बारे में बातें कर रहा था ...

'हाँ,' चो ने किसी अच्छे उल्लू की तलाश में चारों तरफ़ नज़र दौड़ाते हुए कहा। 'क्विडिच के लिए बहुत अच्छा मौसम है। मैं पूरे सप्ताह बाहर नहीं निकली, और तुम ?'

'मैं भी नहीं निकल पाया,' हैरी ने कहा।

चो ने स्कूल के एक करैल उल्लू को चुन लिया। उसने उसे पुचकारते हुए अपनी बाँह तक बुलाया। उल्लू ने आकर अपना पंजा आगे बढ़ा दिया, ताकि चो उसमें पार्सल बाँध सके।

चो ने पूछा, 'सुनो, मैंने सुना है, क्या गरुड़द्वार को नया कीपर मिल गया है ?'

'हाँ,' हैरी ने कहा। 'मेरा दोस्त रॉन वीज़्ली, क्या तुम उसे जानती हो ?'

'टॉरनेडोज़ से नफ़रत करने वाला ?' चो ने थोड़े ठंडे लहज़े में कहा। 'क्या वह अच्छा है ?'

'हाँ,' हैरी ने कहा, 'लगता तो है। हालाँकि मैंने उसका ट्रायल नहीं देखा। मैं उस समय सज़ा काट रहा था।'

चो ने ऊपर देखा। पार्सल अभी उल्लू के पंजों में आधा ही बँध पाया था।

'वह अंबरिज औरत बुरी है,' चो ने धीमी आवाज़ में कहा। 'उसने तुम्हें सिर्फ़ इसलिए सज़ा दे दी, क्योंकि तुमने यह सच्चाई बताई थी कि – कि वह कैसे

मरा था। यह बात पूरे स्कूल में फैल गई और सबको पता चल गई। तुम सचमुच बहादुर हो, जो तुमने इस तरह उस औरत का सामना किया।'

हैरी के अंदरूनी अंग बहुत तेज़ी से फूलने लगे। उसे महसूस हुआ, जैसे वह हवा में उड़ने लगा हो और उल्लुओं की बीट से भरे फ़र्श से कुछ इंच ऊपर तैरने लगा हो। अब उड़ने वाले मूर्खतापूर्ण घोड़े की किसे परवाह थी? चो उसे सचमुच बहादुर मानती है। एक पल के लिए उसने सोचा कि वह चो के पार्सल को उल्लू के पंजे में बाँधने के बहाने उसे अपने हाथ का घाव दिखा दे ... लेकिन जिस पल यह रोमांचक विचार उसके दिमाग़ में आया, उल्लूघर का दरवाज़ा दोबारा खुल गया।

चौकीदार फ़िल्च कमरे में घुरघुराता हुआ आया। उसके धँसे हुए गालों पर नसें दिख रही थीं और उन पर बैंगनी धब्बे भी थे। उसके जबड़े हिल रहे थे और उसके पतले भूरे बाल बिखरे हुए थे। ऐसा लग रहा था कि वह भागकर यहाँ आया था। मिसेज़ नॉरिस फ़िल्च के पीछे थी और ऊपर बैठे उल्लुओं को देखकर भूखे अंदाज़ में म्याऊँ-म्याऊँ कर रही थी। ऊपर पंख फड़फड़ाने की बेचैन आवाज़ आई और एक बड़े भूरे उल्लू ने अपनी चोंच ख़तरनाक अंदाज़ में कुटकुटाई।

'आहा!' फ़िल्च ने हैरी की तरफ़ एक क़दम बढ़ाते हुए कहा और उसके गाल ग़ुस्से से काँपने लगे। 'मुझे ख़ुफ़िया ख़बर मिली है कि तुम गोबरबमों का एक बहुत बड़ा ऑर्डर भेजने वाले हो!'

हैरी अपने हाथ बाँधकर चौकीदार को घूरने लगा।

'तुम्हें किसने बताया कि मैं गोबरबमों का ऑर्डर देने वाला हूँ?'

चो त्योरियाँ चढ़ाकर कभी हैरी को, तो कभी फ़िल्च को देख रही थी। उसकी बाँह पर खड़ा करैल उल्लू एक पैर पर खड़े-खड़े थक गया था। उसने चेतावनी भरी आवाज़ निकाली, लेकिन चो ने उसे नज़रअंदाज़ कर दिया।

'मेरे अपने सूत्र हैं,' फ़िल्च ने संतुष्टि भरी आवाज़ में कहा। 'तुम जो भी भेज रहे हो, वह मुझे दे दो।'

हैरी इस बात पर बहुत ख़ुश हुआ कि उसने चिट्ठी भेजने में टालमटोल नहीं की थी और बोला, 'मैं ऐसा नहीं कर सकता। मैंने तो चिट्ठी भेज दी।'

'*भेज दी?*' फ़िल्च ने कहा और उसका चेहरा ग़ुस्से से विकृत हो गया।

'भेज दी,' हैरी ने शांति से कहा।

फ़िल्च ने ग़ुस्से से अपना मुँह खोला, कुछ पल तक घूरता रहा और फिर अपनी आँखों से हैरी के दुशालों का मुआयना किया।

'मैं यह बात कैसे मान लूँ कि वह चिट्ठी तुम्हारी जेब में नहीं है?'

'क्योंकि -'

'मैंने उसे चिट्ठी भेजते हुए देखा था,' चो ने ग़ुस्से से कहा।

फ़िल्च उसकी तरफ़ मुड़ा।

'तुमने उसे देखा था - ?'

'हाँ, मैंने उसे देखा था,' उसने ख़ूँख़ार अंदाज़ में कहा।

पल भर के लिए ख़ामोशी छा गई, जिसमें फ़िल्च ने चो को ग़ुस्से से घूरकर देखा। बदले में चो भी पलटकर उसे घूरने लगी। फिर फ़िल्च पलटकर दरवाज़े की तरफ़ चला गया। अपना हाथ हैंडल पर रखते हुए वह रुका और पलटकर हैरी को देखने लगा।

'अगर मुझे गोबरबम की गंध भी आई ...'

वह सीढ़ियों से नीचे उतरने लगा। मिसेज़ नॉरिस ने उल्लुओं को आख़िरी बार हसरत से देखा और उसके पीछे चली गई।

हैरी और चो ने एक-दूसरे को देखा।

'धन्यवाद,' हैरी ने कहा।

'कोई दिक्क़त नहीं,' चो ने कहा और आख़िरकार पार्सल को करैल उल्लू के दूसरे पैर में बाँध दिया। उसका चेहरा थोड़ा गुलाबी था। 'तुम गोबरबमों का ऑर्डर तो नहीं दे रहे *थे* ना?'

'नहीं,' हैरी ने कहा।

उल्लू को खिड़की तक ले जाते हुए चो बोली, 'फिर उसने ऐसा क्यों सोचा कि तुम ऑर्डर दे रहे *थे*?'

हैरी ने कंधे उचका दिए। वह भी चो जितनी ही गफ़लत में था, हालाँकि अजीब बात यह थी कि उस पल उसे यह बात बहुत ज़्यादा परेशान नहीं कर रही थी।

वे उल्लूघर से एक साथ बाहर निकले। महल के पश्चिमी खंड की तरफ़ जाने वाले एक गलियारे के मोड़ पर पहुँचकर चो ने कहा, 'मैं इस रास्ते से जा रही हूँ। अच्छा, तो ... मिलते हैं, हैरी।'

'हाँ ... मिलते हैं।'

वह उसकी तरफ़ देखकर मुस्कराई और चली गई। हैरी चलता गया। मन ही मन वह बहुत ख़ुश था। उसने चो के साथ पूरी बातचीत कर ली थी और एक बार भी नहीं शरमाया था ... *तुम सचमुच बहादुर हो, जो तुमने इस तरह उस*

औरत का सामना किया ... चो ने उसे बहादुर कहा था ... वह इस बात से नहीं चिढ़ती थी कि वह ज़िंदा बच गया था ...

वह जानता था कि वह सेडरिक को पसंद करती थी ... हालाँकि अगर सेडरिक के पूछने से पहले उसने चो से डांस में चलने के बारे में पूछ लिया होता, तो परिस्थितियाँ अलग भी हो सकती थीं ... जब हैरी के पूछने पर चो ने इंकार किया था, तो वह सचमुच दुखी दिख रही थी ...

जब हैरी बड़े हॉल में गरुड़द्वार की टेबल पर पहुँचा, तो उसने रॉन और हर्माइनी से जोश से कहा, 'गुड मॉर्निंग!'

रॉन ने हैरी को हैरानी से देखते हुए कहा, 'तुम इतने ख़ुश क्यों दिख रहे हो?'

'अह ... क्विडिच जो खेलना है,' हैरी ने ख़ुशी से कहा और बेकन तथा अंडों की बड़ी तश्तरी अपनी तरफ़ खींच ली।

'ओह ... हाँ ...' रॉन बोला। उसने अपने हाथ का टोस्ट का टुकड़ा नीचे रख दिया और कद्दू के जूस का एक बड़ा घूँट लिया। फिर वह बोला, 'सुनो ... क्या तुम मेरे साथ थोड़ी जल्दी चल सकते हो? प्रशिक्षण से पहले मुझे – मुझे थोड़ी प्रैक्टिस करवाने के लिए? ताकि मैं – ताकि मैं अपनी नज़रें जमा सकूँ।'

'हाँ, **ठीक है**,' हैरी बोला।

'देखो, मुझे नहीं लगता कि तुम्हें ऐसा करना चाहिए,' हर्माइनी ने गंभीरता से कहा। 'आज की तारीख़ में तुम दोनों ही होमवर्क में बहुत पिछड़ रहे हो –'

लेकिन सुबह की डाक आने से उसकी बात अधूरी रह गई। हमेशा की तरह ही *दैनिक जादूगर* एक उल्लू की चोंच में दबा हुआ उसकी तरफ़ उड़ा चल आ रहा था। वह उल्लू शकर के कटोरे के पास ख़तरनाक तरीक़े से उतरा और उसने अपना पंजा बढ़ा दिया। हर्माइनी ने उसकी चमड़े की थैली में एक नट डालकर अख़बार लिया और उल्लू के उड़ने के बाद पहले पन्ने को ग़ौर से देखने लगी।

'कोई दिलचस्प ख़बर?' रॉन ने कहा। हैरी मुस्कराया। वह जानता था कि रॉन हर्माइनी का ध्यान होमवर्क के विषय से दूर हटाना चाहता था।

'नहीं,' उसने आह भरी, 'इस तरह की अफ़वाह है कि वीयर्ड सिस्टर्स के ग्रुप में बैस बजाने वाली ने शादी कर ली है।'

हर्माइनी ने अख़बार खोला और उसके पीछे ओझल हो गई। हैरी दूसरी बार अंडे और बेकन लेने लगा। रॉन ऊँची खिड़कियों को घूर रहा था और थोड़ी उलझन में था।

'ज़रा ठहरो,' हर्माइनी ने अचानक कहा। 'ओह नहीं ... सिरियस!'

'क्या हुआ?' हैरी ने कहा और उसके हाथ से इतनी तेज़ी से अख़बार छीना कि उसके दो हिस्से हो गए। आधा हिस्सा हर्माइनी के पास रह गया, जबकि आधा उसके पास आ गया।

'जादू मंत्रालय को एक विश्वसनीय सूत्र से यह जानकारी मिली है कि कुख्यात सामूहिक हत्यारा सिरियस ब्लैक .... इस वक़्त लंदन में छिपा हुआ है!' हर्माइनी ने अपने आधे पन्ने के पीछे से तनाव भरी फुसफुसाहट में कहा।

हैरी ने धीमी और ग़ुस्से भरी आवाज़ में कहा, 'मैं शर्त लगाने को तैयार हूँ कि यह जानकारी लूसियस मैल्फ़ॉय ने ही दी होगी। उसने सिरियस को प्लेटफ़ॉर्म पर पहचान लिया होगा ...'

'क्या?' रॉन ने दहशत में दिखते हुए कहा। 'तुम यह तो नहीं कहना चाहते –'

'श्श्श!' बाक़ी दोनों ने कहा।

'... *"मंत्रालय जादूगर समुदाय को चेतावनी देता है कि ब्लैक बहुत ख़तरनाक है ... तेरह लोगों को मार चुका है ... अज़्काबान से भाग चुका है ..."* वही पुरानी बकवास।' हर्माइनी ने कहा और अख़बार के अपने आधे हिस्से को नीचे रख दिया। फिर उसने हैरी और रॉन की तरफ़ डरकर देखा तथा फुसफुसाकर बोली, 'इसका नतीजा यह होगा कि वह अब दोबारा उस मकान से बाहर नहीं निकल पाएगा। डम्बलडोर ने उसे बाहर निकलने से मना किया था।'

हैरी ने उदासी से *दैनिक जादूगर* के उस आधे पन्ने की तरफ़ देखा, जो उसने फाड़ा था। ज़्यादातर पेज पर मैडम मैल्किन की दुशालों की दुकान का विज्ञापन था, जहाँ सेल लगी हुई थी।

'देखो!' उसने अख़बार को फैलाते हुए कहा, ताकि हर्माइनी और रॉन भी उसे देख सकें। 'इस तरफ़ देखो!'

रॉन ने कहा, 'मुझे जितने दुशाले चाहिए, उतने मेरे पास हैं।'

'नहीं,' हैरी ने कहा। 'देखो ... इस छोटी सी ख़बर को ...'

रॉन और हर्माइनी उसे पढ़ने के लिए थोड़े क़रीब आ गए। यह ख़बर मुश्किल से एक इंच लंबी थी और सबसे नीचे एक कॉलम में लगी थी। इसकी हेडलाइन थी :

मंत्रालय में घुसपैठ

लेबरनम गार्डन्स, क्लैपहेम के मकान नंबर दो में रहने वाले 38

वर्षीय स्टर्गिस पोडमोर पर 31 अगस्त को जादू मंत्रालय में घुसपैठ और डकैती की कोशिश के आरोप में जादूगर न्यायसभा में मुकदमा चलाया गया। पोडमोर को जादू मंत्रालय के प्रहरी जादूगर एरिक मंच ने गिरफ़्तार किया था। पोडमोर रात को एक बजे एक अति-महत्वपूर्ण दरवाज़े के भीतर घुसने की कोशिश करते पकड़ा गया था। पोडमोर ने अपने बचाव में कुछ भी कहने से इंकार कर दिया। दोनों आरोपों के लिए उसे सज़ा सुनाई गई है और उसे छह महीने तक अज़्काबान में क़ैद रहना होगा।

'स्टर्गिस पोडमोर?' रॉन ने धीरे से कहा। 'यह वही आदमी है, जिसे देखकर लगता है कि उसके सिर पर घास की छत हो, है ना? वह तो समूह -'

'रॉन, *श्श्श!*' हर्माइनी ने चारों तरफ़ आतंकित निगाह डालते हुए कहा।

'छह महीने तक अज़्काबान में!' हैरी सदमे में फुसफुसाया। 'सिर्फ़ एक दरवाज़े के भीतर घुसने की कोशिश के लिए!'

हर्माइनी ने कहा, 'मूर्खों जैसी बातें मत करो। यह सिर्फ़ दरवाज़े के भीतर घुसने की कोशिश नहीं थी। आख़िर वह जादू मंत्रालय में रात को एक बजे कर क्या रहा था?'

रॉन बुदबुदाया, 'क्या तुम्हें लगता है कि वह समूह का कोई काम कर रहा था?'

'एक मिनट ठहरो ...' हैरी ने धीरे से कहा। 'स्टर्गिस तो हमें स्टेशन तक छोड़ने आने वाला था, याद है?'

बाक़ी दोनों ने उसकी तरफ़ देखा।

'हाँ, उसे तो किंग्स क्रॉस तक पहुँचते समय हमारी पहरेदारी करनी थी, याद है? और मूडी उसके न आने पर बहुत नाराज़ हुए थे। शायद वह इसीलिए नहीं आया था, है ना?'

हर्माइनी बोली, 'शायद उन्हें उसके पकड़े जाने का अंदेशा नहीं होगा।'

'यह आरोप झूठा भी हो सकता है!' रॉन ने रोमांचित होकर कहा। 'नहीं - सुनो!' उसने आगे कहा और अपनी आवाज़ नाटकीय ढंग से नीची कर ली, क्योंकि हर्माइनी के चेहरे पर चेतावनी का भाव आ गया था। 'मंत्रालय को शक है कि वह डम्बलडोर का आदमी है इसलिए - मुझे नहीं पता - उन्होंने उसे मंत्रालय में घुसने का *प्रलोभन* दिया होगा। यह भी तो हो सकता है कि वह दरवाज़े के भीतर घुसने की कोशिश नहीं कर रहा हो! हो सकता है, उन्होंने उसे

फँसाने के लिए झूठ-मूठ का आरोप लगा दिया हो!'

थोड़ी देर ख़ामोशी छाई रही। हैरी और हर्माइनी रॉन के सुझाव के बारे में सोचते रहे। हैरी को यह दूर की कौड़ी लगी। दूसरी तरफ़ हर्माइनी इससे काफ़ी प्रभावित दिखी।

'अगर ऐसा हुआ है, तो मुझे ज़रा भी हैरानी नहीं होगी।'

हर्माइनी ने अपने आधे अख़बार को सोचते हुए तह किया। जब हैरी ने छुरी-काँटा रखा, तो वह किसी दिवास्वप्न से बाहर निकलती दिखी।

'ठीक है, मैं सोचती हूँ कि अब हमें ख़ुद खाद जुटाने वाली झाड़ियों पर स्प्राउट का दिया निबंध लिख लेना चाहिए। अगर क़िस्मत अच्छी रही, तो हम लंच से पहले मैक्गॉनेगल के निर्जीव आव्हान मंत्र को भी कर सकते हैं ...'

हैरी को यह सोच-सोचकर ग्लानि हो रही थी कि ऊपर की मंज़िल पर होमवर्क का कितना बड़ा ढेर उसका इंतज़ार कर रहा था, लेकिन आसमान साफ़ और नीला था और वह एक सप्ताह से अपनी फ़ायरबोल्ट पर नहीं बैठा था ...

'मेरा मतलब है, हम होमवर्क आज रात को भी तो कर सकते हैं,' रॉन ने कहा, जब वह और हैरी झाड़ुओं को कंधे पर रखकर ढलवाँ लॉन से नीचे उतरे और क्विडिच पिच की तरफ़ बढ़ने लगे, हालाँकि हर्माइनी की गंभीर चेतावनी उनके कानों में गूँज रही थी कि वे अपने सभी **ओ.डब्ल्यू.एल.** में फेल हो जाएँगे। 'और हमारे पास कल का दिन भी तो है। वह पढ़ाई को लेकर बहुत चिंतित हो जाती है, उसके साथ यही दिक्क़त है ...' एक पल के लिए ख़ामोशी छा गई और फिर उसने थोड़े चिंतित स्वर में कहा, 'कहीं ऐसा तो नहीं कि अब वह हमें अपने नोट्स नहीं उतारने देगी ?'

'हाँ, मुझे ऐसा ही लगता है,' हैरी ने कहा। 'लेकिन यह भी तो महत्वपूर्ण है। अगर हम क्विडिच टीम में बने रहना चाहते हैं, तो हमें प्रैक्टिस भी तो करनी पड़ेगी ...'

'हाँ, यह बात सही है,' रॉन ने उत्साह भरी आवाज़ में कहा। 'और हमारे पास पढ़ाई करने के लिए अभी बहुत समय है ...'

क्विडिच पिच की ओर जाते समय हैरी ने अपनी दाहिनी तरफ़ देखा। अँधेरे जंगल के पेड़ लहरा रहे थे। उनके बीच से कोई चीज़ नहीं उड़ी। आसमान ख़ाली था, लेकिन कुछ दूरी पर उल्लूघर की मीनार के चारों तरफ़ उल्लू मँडरा रहे थे। उसके पास चिंता करने के लिए काफ़ी कुछ था। उड़ने वाला घोड़ा उसे कोई नुक़सान नहीं पहुँचा रहा था, इसलिए उसने उसे अपने दिमाग़ से बाहर निकाल दिया।

उन्होंने चेंजिंग रूम की अलमारी से गेंदें निकालीं और तैयारी में जुट गए। रॉन तीन ऊँचे गोलपोस्ट्स की रक्षा करने लगा। हैरी धावक के रूप में खेलने लगा और तूफ़ान को रॉन के पार निकालने की कोशिश करने लगा। हैरी ने सोचा कि रॉन वास्तव में बढ़िया कीपर था। उसने हैरी की तीन-चौथाई कोशिशों को गोल तक पहुँचने से रोक लिया और समय के साथ उसका खेल सुधरता गया। दो घंटे बाद वे लंच के लिए महल वापस लौटे। लंच के दौरान हर्माइनी ने उनके सामने यह साफ़ कर दिया कि उसके हिसाब से वे बहुत ग़ैर-ज़िम्मेदार थे। बहरहाल, इससे विचलित हुए बिना वे दोनों लंच के बाद असली प्रशिक्षण सत्र के लिए क्विडिच पिच पर लौटे। जब वे चेंजिंग रूम में दाख़िल हुए, तो एंजेलिना को छोड़कर टीम के सभी साथी पहले से ही वहाँ पर मौजूद थे।

'सब ठीक है, रॉन ?' जॉर्ज ने उसकी तरफ़ आँख मारते हुए पूछा।

'हाँ,' रॉन ने कहा, जो पिच तक जाते समय बहुत चुप सा हो गया था।

'हम सबको अपना हुनर दिखाने के लिए तैयार हो, प्रिफ़ेक्ट बेटे ?' फ़्रेड ने क्विडिच दुशालों की गर्दन के बीच से बिखरे हुए बाल निकालते हुए कहा। उसके चेहरे पर शरारत भरी मुस्कान तैर रही थी।

'चुप रहो,' रॉन ने कहा। उसका चेहरा पत्थर की तरह सख़्त था, जब उसने पहली बार अपनी टीम के दुशाले पहने। वे उसे अच्छी तरह से आ गए, हालाँकि वे ऑलिवर वुड के थे, जिसके कंधे उससे ज़्यादा चौड़े थे।

'सभी खिलाड़ी आ गए, ठीक है,' एंजेलिना ने कप्तान के ऑफ़िस से आते हुए कहा। वह पहले ही कपड़े बदल चुकी थी। 'अब शुरू करते हैं। एलिसिया और फ़्रेड, तुम दोनों गेंदों वाला बक्सा लेकर आ जाओ। ओह, कुछ बिन बुलाए दर्शक हमारी प्रैक्टिस देखने आए हैं, लेकिन तुम उन पर ध्यान मत देना, ठीक है ?'

उसकी सामान्य आवाज़ में ऐसा पुट था, जिससे हैरी को अंदाज़ा लग गया कि वे बिन बुलाए दर्शक कौन हो सकते हैं। हैरी का अंदाज़ा सही था। जब वे चेंजिंग रूम से निकलकर पिच की चमचमाती धूप में पहुँचे, तो नागशक्ति की क्विडिच टीम ने सीटियाँ बजाकर और ताने मारकर उनका स्वागत किया। नागशक्ति के लोग ख़ाली दर्शकदीर्घा में आधी दूरी पर बैठे थे और उनकी आवाज़ें स्टेडियम में चारों तरफ़ गूँज रही थीं।

'वीज़्ली किस चीज़ पर सवारी कर रहा है ?' मैल्फ़ॉय ने व्यंग्यात्मक आवाज़ में कहा। 'ऐसा लगता है, जैसे किसी पुराने लट्ठे पर उड़ने वाला जादू कर दिया गया हो!'

क्रैब, गॉइल और पैन्सी पार्किन्सन ठहाके लगाने लगे। रॉन अपनी झाड़ू पर सवार हुआ और उसने ज़मीन पर लात मारी। हैरी भी उसके पीछे-पीछे उड़ने लगा। उसने देखा कि रॉन के कान पीछे से लाल होने लगे थे।

'उन पर ध्यान मत दो,' उसने अपनी रफ़्तार बढ़ाकर रॉन के पास पहुँचते हुए कहा, 'देखते हैं, उनके साथ होने वाले मैच के बाद कौन हँसता है ...'

'मैं ऐसा ही नज़रिया चाहती हूँ, हैरी,' एंजेलिना ने प्रशंसा करते हुए कहा। वह अपनी बाँह में तूफ़ान दबाकर उनके चारों तरफ़ मँडरा रही थी और हवा में उड़ती टीम के ठीक सामने आकर धीमी हो गई। '**ठीक है**। अब हम लोग वार्म अप करने के लिए कुछ पास देते हैं। पूरी टीम –'

'सुनो जॉनसन, यह कौन सी हेयरस्टाइल है?' नीचे से पैन्सी पार्किन्सन चीख़ी। 'कोई इस तरह क्यों दिखना चाहेगा, जैसे उसके सिर से कीड़े बाहर निकल रहे हों?'

एंजेलिना ने अपने चेहरे से बालों की लंबी लट हटाई और शांति से आगे बोली, 'तो फिर बिखर जाओ और शुरू कर दो ...'

हैरी बाक़ी टीम से पीछे रहकर पिच के दूर वाले सिरे पर पहुँच गया। रॉन विपरीत गोल की तरफ़ चल दिया। एंजेलिना ने एक हाथ में तूफ़ान उठाया और कसकर फ्रेड की तरफ़ फेंका। फ्रेड ने तूफ़ान जॉर्ज की तरफ़ बढ़ा दिया, जिसने हैरी को पास दिया, जिसने रॉन को पास दिया, जिसने गेंद गिरा दी।

नागशक्ति का समूह मैल्फ़ॉय के नेतृत्व में चीख़ने और खिलखिलाने लगा। तूफ़ान के ज़मीन छूने से पहले रॉन उसे पकड़ने के लिए नीचे आ गया था। वह सही तरीक़े से गोता नहीं लगा पाया, इस कारण वह अपनी झाड़ू पर फिसल गया और झेंपते हुए ऊपर आया। हैरी ने देखा कि फ्रेड और जॉर्ज एक-दूसरे की तरफ़ देख रहे थे, लेकिन न जाने क्यों हमेशा की तरह इस बार वे कुछ नहीं बोले, जिसके लिए वह उनका कृतज्ञ था।

'पास दो, रॉन,' एंजेलिना ने कहा, जैसे कुछ भी न हुआ हो।

रॉन ने तूफ़ान को एलिसिया की तरफ़ फेंका, जिसने हैरी को पास दिया, जिसने जॉर्ज को पास दिया ...

'सुनो पॉटर, तुम्हारा निशान कैसा है?' मैल्फ़ॉय ने चिल्लाकर पूछा। 'निश्चित रूप से तुम्हें आराम की ज़रूरत है। अरे, तुम तो पूरे एक हफ़्ते से अस्पताल नहीं गए! यह तो तुम्हारा नया रिकॉर्ड है, है ना?'

जॉर्ज ने एंजेलिना को पास दिया। उसने हैरी को पास दिया, जिसे इसकी क़तई उम्मीद नहीं थी, लेकिन उसने अपनी उँगलियों के सिरों से उसे पकड़ लिया

और जल्दी से रॉन की तरफ़ फेंक दिया। रॉन उसकी तरफ़ लपका, लेकिन तूफ़ान कुछ इंच दूर से गुज़र गया।

'ध्यान से, रॉन,' एंजेलिना ने चिढ़कर कहा, जब उसने तूफ़ान के पीछे ज़मीन की तरफ़ दोबारा गोता लगाया। 'ध्यान से खेलो।'

जब रॉन दोबारा उड़ने की ऊँचाई पर आया, तो यह कहना मुश्किल था कि रॉन का चेहरा ज़्यादा लाल था या तूफ़ान। मैल्फ़ॉय और नागशक्ति की टीम के बाक़ी सदस्य हँसी के ठहाके लगा रहे थे।

तीसरी कोशिश में रॉन ने तूफ़ान को पकड़ लिया। शायद राहत के एहसास के कारण उसने इतने जोश से पास दिया कि यह केटी के खुले हुए हाथों के बीच से निकला और उसके चेहरे पर ज़ोर से पड़ा।

'माफ़ करना!' रॉन कराहा और यह देखने के लिए आगे आया कि उसकी वजह से कितना नुक़सान हुआ था।

'अपनी जगह पर जाओ, वह ठीक है!' एंजेलिना गरजी। 'लेकिन इतनी ज़ोर से गेंद क्यों फेंकी ? याद रखो, तुम अपनी टीम की साथी को पास दे रहे हो, उसे झाड़ू से गिराने की कोशिश नहीं कर रहे हो, ठीक है ? हमारे पास इस काम के लिए पहलवान हैं!'

केटी की नाक से ख़ून बहने लगा था। बहुत नीचे नागशक्ति के लोग अपने पैर पटक-पटककर ताने मार रहे थे। फ्रेड और जॉर्ज केटी के पास पहुँच गए।

'यह ले लो,' फ्रेड ने अपनी जेब से एक छोटी और बैंगनी चीज़ निकालकर देते हुए कहा, 'इससे ज़रा सी देर में सब कुछ ठीक हो जाएगा।'

'ठीक है,' एंजेलिना ने कहा, 'फ्रेड, जॉर्ज, जाओ और अपने मुद्गर तथा पहलवान सँभालो। रॉन, अपने गोलपोस्ट पर पहुँचो। हैरी, मेरे इशारा करने पर तुम सुनहरी गेंद को छोड़ देना। ज़ाहिर है, हम रॉन के गोल पर निशाना साधेंगे।'

हैरी सुनहरी गेंद लाने के लिए जुड़वाँ भाइयों के पीछे उड़ने लगा।

'रॉन तो सब कुछ गुड़गोबर कर रहा है, है ना ?' जॉर्ज बुदबुदाया, जब वे तीनों ज़मीन पर उस बक्से के पास उतरे, जिसमें गेंदें रखी थीं। उन्होंने पहलवान और सुनहरी गेंद निकालने के लिए बक्सा खोला।

हैरी ने कहा, 'वह बस घबरा रहा है। जब मैं सुबह उसके साथ प्रैक्टिस कर रहा था, तब तो वह अच्छा खेल रहा था।'

फ्रेड ने उदासी से कहा, 'काश वही उसका सर्वश्रेष्ठ प्रदर्शन न हो!'

वे हवा में उड़ने लगे। एंजेलिना की सीटी बजते ही हैरी ने सुनहरी गेंद छोड़ दी और फ्रेड तथा जॉर्ज ने पहलवान को उड़ने दिया। उसके बाद हैरी ने इस तरफ़ बहुत कम ध्यान दिया कि बाक़ी साथी क्या कर रहे थे। उसका काम उस फड़फड़ाती हुई छोटी सी सुनहरी गेंद को पकड़ना था, जिससे खोजी की टीम कोडेढ़ सौ पॉइंट मिल जाते थे, लेकिन ऐसा करने के लिए बहुत तेज़ गति और कुशलता की ज़रूरत होती थी। उसने अपनी गति बढ़ाई और धावकों के बीच से होता हुआ उड़ने लगा। उसके चेहरे पर शरद ऋतु की गर्म हवा थपेड़े मार रही थी और नागशक्ति के विद्यार्थियों की दूर से आती चीख़ें उसे अर्थहीन लग रही थीं ... लेकिन बहुत जल्दी ही सीटी बजने से वह एक बार फिर रुक गया।

'रुको – *रुको* – **रुको!**' एंजेलिना चीख़ी। 'रॉन – तुम अपना बीच वाला गोलपोस्ट ठीक से नहीं ढँक रहे हो!'

हैरी ने मुड़कर रॉन को देखा। वह बाएँ रिंग के सामने मँडरा रहा था और उसने बाक़ी के दोनों रिंग खुले छोड़ दिए थे।

'ओह ... माफ़ करना ...'

'धावकों को देखते समय तुम जगह बदल लेते हो!' एंजेलिना ने कहा। 'या तो तुम बीच में ही खड़े रहो, जब तक कि तुम्हें गोल बचाने के लिए न हिलना पड़े, या फिर रिंग्स के चारों तरफ़ चक्कर लगाओ। तुम चाहे जो करो, लेकिन बिना किसी कारण यूँ एक तरफ़ मत मँडराओ। तुम्हारी इसी हरकत की वजह से पिछले तीन गोल हुए हैं!'

'माफ़ करना ...' रॉन ने एक बार फिर कहा। उसका लाल चेहरा नीले आसमान में किसी मशाल की तरह चमक रहा था।

'और केटी, क्या तुम अपनी नाक से ख़ून निकलना बंद नहीं कर सकतीं ?'

'यह पहले से ज़्यादा बहने लगा है!' केटी ने भर्राई आवाज़ में कहा और अपनी बाँह से नाक दबाकर ख़ून बंद करने की कोशिश की।

हैरी ने पलटकर फ्रेड की तरफ़ देखा, जो चिंतित दिख रहा था और अपनी जेबों को टटोल रहा था। उसने देखा कि फ्रेड ने कोई बैंगनी चीज़ निकाली, उसे एक पल के लिए ग़ौर से देखा और फिर दहशत में केटी की तरफ़ देखने लगा।

'अच्छा, तो दोबारा कोशिश करते हैं,' एंजेलिना ने कहा। वह नागशक्ति वालों को नज़रअंदाज़ कर रही थी, जो अब एक गाना गाने लगे थे, '*गरुड़द्वार वाले हारेंगे, गरुड़द्वार वाले हारेंगे,*' लेकिन वह अपनी झाड़ू पर थोड़ी तन ज़रूर

गई थी।

इस बार वे मुश्किल से तीन मिनट ही खेले होंगे कि तभी एंजेलिना की सीटी फिर सुनाई दी। हैरी ने उसी समय सुनहरी गेंद को विपरीत गोलपोस्ट के पास चक्कर लगाते देखा था, इसलिए सीटी की आवाज़ सुनकर वह झल्ला गया।

'अब क्या हुआ?' उसने बेचैनी से एलिसिया से पूछा, जो सबसे क़रीब थी।

'केटी,' एलिसिया ने कहा।

हैरी ने मुड़कर देखा कि एंजेलिना, फ्रेड और जॉर्ज पूरी तेज़ी से केटी की तरफ़ उड़ रहे थे। हैरी और एलिसिया भी उसकी तरफ़ उड़ने लगे। यह स्पष्ट था कि एंजेलिना ने सही समय पर खेल रोक दिया था। केटी का चेहरा चॉक की तरह सफ़ेद पड़ गया था और ख़ून से लथपथ था।

एंजेलिना ने कहा, 'उसे अस्पताल ले जाना चाहिए।'

'हम उसे ले जाते हैं,' फ्रेड ने कहा। 'हो सकता है, उसने – ग़लती से – नासिका रक्तप्रवाह टॉफ़ी निगल ली हो –'

'एक धावक और दो रक्षकों के बिना प्रैक्टिस करने का कोई मतलब नहीं है,' एंजेलिना ने उदासी से कहा, जब फ्रेड और जॉर्ज केटी को सहारा देते हुए महल की तरफ़ उड़ने लगे। 'चलो, हम चलकर कपड़े बदल लेते हैं।'

उनके चेंजिंग रूम में लौटते समय नागशक्ति वाले अपना गाना गाते रहे।

जब आधे घंटे बाद हैरी और रॉन गरुड़द्वार के हॉल की तस्वीर के छेद से अंदर घुसे, तो हर्माइनी ने थोड़े ठंडेपन से पूछा, 'प्रैक्टिस कैसी रही?'

'यह –' हैरी ने कहना शुरू किया।

'बहुत बुरी थी,' रॉन ने खोखली आवाज़ में कहा और हर्माइनी के पास वाली कुर्सी में धँस गया। हर्माइनी ने रॉन की तरफ़ देखा और उसका ठंडापन पिघलने लगा।

'कोई बात नहीं, यह तुम्हारा पहला मौक़ा था,' उसने तसल्ली देते हुए कहा, 'इसमें समय लगता है –'

रॉन ने कटुता से पूछा, 'कौन कह रहा है कि मैं बहुत बुरा खेला?'

'कोई नहीं,' हर्माइनी ने हैरानी से कहा, 'मैंने तो सोचा था –'

'तुमने सोचा कि मेरा खेल बुरा ही होगा?'

'नहीं, ज़ाहिर है, मैंने ऐसा नहीं सोचा! देखो, तुमने कहा था कि प्रैक्टिस बहुत बुरी थी, इसलिए मैंने सोचा –'

'मैं अब होमवर्क करने जा रहा हूँ,' रॉन ने ग़ुस्से से कहा। इसके बाद वह

पैर पटकते हुए लड़कों के कमरों की तरफ़ जाने वाली सीढ़ियों की ओर चल दिया तथा ओझल हो गया। हर्माइनी हैरी की तरफ़ मुड़ी।

'*क्या* वह बुरा खेला?'

हैरी ने वफ़ादारी से कहा, 'नहीं तो!'

हर्माइनी ने अपनी भौंहें उठाईं।

'देखो, मुझे लगता है कि वह ज़्यादा अच्छा खेल सकता था,' हैरी बुदबुदाया, 'लेकिन जैसा तुमने कहा, यह उसका पहला मौक़ा था ...'

उस रात को हैरी और रॉन दोनों ही होमवर्क में ज़्यादा कुछ नहीं कर पाए। हैरी जानता था कि रॉन इस बारे में बहुत सोच रहा था कि उसने क्विडिच प्रैक्टिस में कितना ख़राब प्रदर्शन किया था और वह '*गरुड़द्वार वाले हारेंगे*' गाने को अपने दिमाग़ से निकाल नहीं पा रहा था।

उन्होंने रविवार का पूरा दिन गरुड़द्वार के हॉल में ही बिताया और अपनी पुस्तकों में ही डूबे रहे, जबकि इस बीच उनके चारों तरफ़ हॉल भर गया और ख़ाली भी हो गया। यह एक और साफ़, सुहाना दिन था। गरुड़द्वार के ज़्यादातर विद्यार्थियों ने यह दिन मैदान में बिताया और उस साल के आख़िरी धूप भरे दिनों में से एक का आनंद लिया। शाम तक हैरी को महसूस हुआ, जैसे कोई उसके दिमाग़ को उसकी खोपड़ी की भीतरी दीवार से टकरा रहा हो।

'देखो, शायद हमें सप्ताह के दौरान ज़्यादा होमवर्क करने की कोशिश करनी चाहिए,' हैरी ने रॉन से बुदबुदाकर कहा, जब उन्होंने आख़िरकार प्रोफ़ेसर मैक्गॉनेगल के दिए निर्जीव आव्हान मंत्र के लंबे निबंध को एक तरफ़ रखा और दुखी मन से प्रोफ़ेसर सिनिस्ट्रा के उतने ही लंबे तथा मुश्किल निबंध की तरफ़ मुड़े, जो बृहस्पति के कई चंद्रमाओं के बारे में था।

'हाँ,' रॉन ने अपनी थोड़ी लाल आँखें मलते हुए और पास वाली आग में पाँचवाँ ग़लत चर्मपत्र फेंकते हुए कहा। 'सुनो ... हर्माइनी से पूछें कि क्या वह हमें अपने निबंध की एक झलक दिखा सकती है?'

हैरी ने हर्माइनी की तरफ़ देखा। वह क्रुकशैंक्स को गोद में लेकर बैठी थी और जिनी से ख़ुशी-ख़ुशी बातें कर रही थी। बुनाई करने वाली सलाइयाँ हवा में उसके सामने चमक रही थीं और वह इस वक़्त घरेलू जिन्नों के लिए मोज़े बुन रही थी।

'नहीं,' उसने भारी आवाज़ में कहा, 'तुम जानते हो, वह हमें ऐसा नहीं करने देगी।'

और इस तरह वे पढ़ाई करते रहे, जबकि खिड़कियों के बाहर का

आसमान लगातार काला होता गया। हॉल में मौजूद विद्यार्थियों की भीड़ धीरे-धीरे छँटने लगी। साढ़े ग्यारह बजे हर्माइनी जम्हाई लेते हुए उनके पास आई।

'हो गया ?'

'नहीं,' रॉन ने तीखी आवाज़ में कहा।

'बृहस्पति का सबसे बड़ा चंद्रमा कैलिस्टो नहीं, गैनीमीड है,' उसने रॉन के कंधे के ऊपर से झाँकते हुए उसके खगोलशास्त्र के निबंध की तरफ़ इशारा करते हुए कहा, 'और ज्वालामुखी आयो में हैं।'

'शुक्रिया,' रॉन गुर्राया और उसने उन वाक्यों को काट दिया।

'माफ़ करना, मैं तो सिर्फ़ –'

'देखो, अगर तुम सिर्फ़ ग़लतियाँ ढूँढ़ने और मीन-मेख़ निकालने के लिए यहाँ आई हो –'

'रॉन –'

'देखो हर्माइनी, मेरे पास भाषण सुनने का समय नहीं है, ठीक है। मैं तो होमवर्क के दलदल में गर्दन तक धँसा –'

'नहीं – देखो!'

हर्माइनी सबसे पास वाली खिड़की की तरफ़ इशारा कर रही थी। हैरी और रॉन दोनों ने उस ओर देखा। एक सुंदर उल्लू खिड़की की मुँडेर पर खड़ा था और रॉन को निहार रहा था।

हर्माइनी ने हैरानी से पूछा, 'कहीं यह हर्मीज़ तो नहीं है ?'

'वही तो है!' रॉन ने धीरे से कहा, अपनी क़लम नीचे फेंकी और उठकर खड़ा हो गया। 'पर्सी मुझे चिट्ठी क्यों लिखेगा ?'

उसने खिड़की खोल दी। हर्मीज़ अंदर आकर रॉन के निबंध पर बैठ गया और उसने अपना चिट्ठी वाला पंजा आगे बढ़ा दिया। जैसे ही रॉन ने चिट्ठी निकाली, उल्लू तत्काल उड़ गया। जाते-जाते वह आयो की रॉन की ड्रॉइंग पर अपने स्याही भरे पंजों के निशान छोड़ गया।

'यह तो बेशक पर्सी की ही लिखाई है,' रॉन ने अपनी कुर्सी में धँसते हुए और चर्मपत्र के बाहर लिखे शब्दों की तरफ़ घूरते हुए कहा : *रोनाल्ड वीज़्ली, गरुड़द्वार हाउस, हॉगवर्ट्स*। उसने बाक़ी दोनों की तरफ़ देखा। 'तुम लोग क्या सोचते हो ?'

'इसे खोलो तो सही!' हर्माइनी ने उत्सुकता से कहा और हैरी ने भी सिर हिलाया।

रॉन चर्मपत्र खोलकर पढ़ने लगा। उसकी निगाह चर्मपत्र पर जैसे-जैसे नीचे पहुँचती गई, उसकी त्योरियाँ उतनी ही ज़्यादा चढ़ती गईं। पूरी चिट्ठी पढ़ने के बाद उसने बुरा सा मुँह बनाया। फिर उसने चिट्ठी हैरी और हर्माइनी की तरफ़ बढ़ा दी, जो पास-पास आकर उसे एक साथ पढ़ने लगे :

प्रिय रॉन,

मैंने अभी-अभी सुना है (जादू मंत्री के मुँह से, जिन्हें यह बात तुम्हारी नई टीचर प्रोफ़ेसर अंबरिज से पता चली है) कि तुम हॉगवर्ट्स के प्रिफ़ेक्ट बन गए हो।

मुझे यह ख़बर सुनकर बहुत सुखद आश्चर्य हुआ और सबसे पहले तो मैं तुम्हें बधाई देना चाहता हूँ। मुझे हमेशा यही डर लगा रहता था कि तुम कहीं मेरे बजाय 'फ़्रेड और जॉर्ज' के पदचिन्हों पर न चलने लगो, इसलिए तुम अंदाज़ा लगा सकते हो कि जब मैंने सुना कि तुमने सत्ता का विरोध करना छोड़ दिया है और वास्तविक ज़िम्मेदारी उठाने का फ़ैसला कर लिया है, तो मुझे कितनी ख़ुशी हुई होगी।

लेकिन रॉन, मैं तुम्हें सिर्फ़ बधाई ही नहीं देना चाहता। मैं तुम्हें कुछ सलाह भी देना चाहता हूँ। इसीलिए मैंने यह चिट्ठी सुबह की सामान्य डाक के बजाय रात को भेजी है। उम्मीद है कि तुम इस चिट्ठी को दूसरों की निगाहों से बचाकर पढ़ सकोगे और अजीब सवालों के जवाब देने से बच सकोगे।

जब मंत्रीजी मुझे तुम्हारे प्रिफ़ेक्ट बनने के बारे में बता रहे थे, तो उनके मुँह से एक बात फिसल गई, जिससे मुझे पता चला कि तुम अब भी हैरी पॉटर के साथ बहुत ज़्यादा रह रहे हो। रॉन, मेरे भाई, मैं तुम्हें बताना चाहूँगा कि उस लड़के के साथ दोस्ती से तुम्हारे बैज के छिनने का जितना ख़तरा है, उतना किसी दूसरी

बात से नहीं है।

हाँ, मुझे यक़ीन है कि तुम्हें यह जानकर हैरानी होगी - बेशक तुम कहोगे कि पॉटर हमेशा डम्बलडोर का प्रिय विद्यार्थी रहा है - लेकिन मैं तुम्हें यह बताना चाहता हूँ कि डम्बलडोर अब हॉगवर्ट्स में ज़्यादा समय तक सत्ता में नहीं रह पाएँगे और सचमुच महत्वपूर्ण लोग पॉटर के व्यवहार के बारे में बहुत अलग - और शायद ज़्यादा सही - दृष्टिकोण रखते हैं। मैं इस मामले में ज़्यादा कुछ नहीं कहूँगा, लेकिन कल के **दैनिक जादूगर** से तुम्हें पता चल जाएगा कि हवा किस दिशा में बह रही है - और यह भी दिख जाएगा कि तुम्हें अपनी पाल किधर बाँधनी चाहिए।

रॉन, तुम यह कभी नहीं चाहोगे कि तुम्हारे साथ भी पॉटर जैसा ही व्यवहार किया जाए। यह तुम्हारे भविष्य के लिए बहुत नुक़सानदेह साबित हो सकता है और मैं स्कूल के बाद के जीवन के बारे में भी बात कर रहा हूँ। चूँकि हमारे डैडी उसे अदालत तक ले गए थे, इसलिए तुम यह बात जानते होगे कि इस गर्मी में पूरी न्यायसभा के सामने पॉटर की अनुशासनात्मक पेशी हुई थी और उसमें उसकी हालत ख़राब हो गई थी। सच कहा जाए तो वह सिर्फ़ तकनीकी कारणों से बच गया और कई लोगों ने मुझे बताया कि वे उसे अपराधी मानते थे।

हो सकता है कि तुम पॉटर के साथ संबंध-विच्छेद करने से डर रहे हो - मैं जानता हूँ कि वह असंतुलित हो सकता है और शायद हिंसक भी - लेकिन अगर तुम्हें इस बारे में कोई चिंता सता रही हो या तुम्हें पॉटर के व्यवहार की कोई और बात परेशान कर रही

हो, तो मैं तुम्हें डोलोरेस अंबरिज के पास जाने की सलाह देता हूँ। वे बहुत अच्छी महिला हैं और मैं जानता हूँ कि तुम्हें मार्गदर्शन देने में उन्हें बहुत ख़ुशी होगी।

इस बात से मैं एक और सलाह देना चाहता हूँ। जैसा मैंने ऊपर इशारा किया है, हॉगवर्ट्स में डम्बलडोर का प्रशासन जल्दी ही ख़त्म हो सकता है। रॉन, तुम्हारी निष्ठा उनके प्रति नहीं, बल्कि स्कूल और मंत्रालय के प्रति होनी चाहिए। मुझे यह सुनकर बहुत अफ़सोस हुआ है कि अब तक प्रोफ़ेसर अंबरिज को स्टाफ़ का बहुत कम सहयोग मिला है, जिनसे वे हॉगवर्ट्स के भीतर मंत्रालय द्वारा चाहे जाने वाले परिवर्तन करवाना चाहती हैं (हालाँकि अगले सप्ताह से उनके लिए यह काम ज़्यादा आसान हो जाएगा - एक बार फिर, कल का **दैनिक जादूगर** पढ़ लेना।) मैं सिर्फ़ इतना ही कहूँगा - जो विद्यार्थी इस वक़्त प्रोफ़ेसर अंबरिज की मदद करने की इच्छा दिखाएगा, उसके दो साल में हेड बॉय बनने की बहुत ज़्यादा संभावना होगी।

मुझे अफ़सोस है कि इस गर्मी में मैं तुमसे ज़्यादा नहीं मिल पाया। अपने मम्मी-डैडी की आलोचना करते हुए मुझे बहुत दुख होता है, लेकिन मुझे लगता है कि जब तक वे डम्बलडोर के चारों तरफ़ की ख़तरनाक भीड़ से नाता रखते हैं, तब तक मैं उनकी छत के नीचे नहीं रह सकता। (अगर तुम मम्मी को कभी चिट्ठी लिखो, तो उन्हें यह ज़रूर बता देना कि डम्बलडोर के बहुत पक्के दोस्त स्टर्गिस पोडमोर को हाल ही में मंत्रालय में घुसपैठ करने के ज़ुर्म में अज़्काबान भेज दिया गया है। शायद इससे उनकी आँखें खुल जाएँगी कि वे किस तरह के घटिया अपराधियों के साथ कंधे से कंधा मिलाकर चल

रहे हैं।) मैं ख़ुद को बहुत ख़ुशक़िस्मत मानता हूँ कि मैं इस तरह के लोगों के साथ मेल-जोल के कलंक से बच गया - मंत्रीजी मेरे प्रति बहुत अच्छा व्यवहार करते हैं - और मुझे उम्मीद है रॉन कि तुम भी हमारे मम्मी-डैडी के विश्वासों और कार्यों की अदूरदर्शी प्रकृति के कारण पारिवारिक बंधनों से अंधे नहीं बनोगे - मुझे सचमुच उम्मीद है कि समय के साथ उन्हें अपनी ग़लती का एहसास होगा और ज़ाहिर है, जब वह दिन आएगा, तो मैं उनकी माफ़ी को स्वीकार करने के लिए तैयार रहूँगा।

मेहरबानी करके मेरी बातों पर बहुत ग़ौर से सोचना, ख़ास तौर पर हैरी पॉटर के बारे में कही बातों पर। प्रिफ़ेक्ट बनने पर एक बार फिर बधाइयाँ।

तुम्हारा भाई,

पर्सी

हैरी ने रॉन की तरफ़ देखा।

'तो,' उसने कहा। वह इस तरह बोलने की कोशिश कर रहा था, जैसे उसे यह पूरी बात मज़ाक़ लगी हो, 'अगर तुम - अर - यह क्या है?' उसने पर्सी की चिट्ठी को एक बार फिर देखा। - 'ओह हाँ - मेरे साथ "संबंध-विच्छेद" करना चाहते हो, तो मैं क़सम खाता हूँ कि मैं हिंसक नहीं होऊँगा।'

'चिट्ठी देना,' रॉन ने अपना हाथ बढ़ाते हुए कहा। 'वह -' रॉन ने कहा और पर्सी की चिट्ठी के दो टुकड़े कर दिए, 'दुनिया का -' उसने चिट्ठी के चार टुकड़े कर दिए, 'सबसे बड़ा -' उसने चिट्ठी के आठ टुकड़े कर दिए, 'मूर्ख है।' उसने उन टुकड़ों को आग में फेंक दिया।

'चलो, हमें यह निबंध सुबह होने से पहले पूरा करना है,' उसने हैरी से तेज़ी से कहा और प्रोफ़ेसर सिनिस्ट्रा के निबंध को दोबारा अपनी तरफ़ खींचा।

हर्माइनी रॉन को अजीब तरीक़े से देख रही थी।

वह अचानक बोली, 'सुनो, निबंध मुझे दे दो।'

रॉन ने हैरानी से कहा, 'क्या?'

हर्माइनी बोली, 'निबंध मुझे दे दो। मैं पढ़कर सुधार देती हूँ।'

'क्या तुम वाक़ई ऐसा कर दोगी? हर्माइनी, तुमने तो हमारी जान बचा दी,' रॉन ने कहा, 'मैं क्या कह सकता हूँ – ?'

'तुम यह कह सकते हो, "हम यह वादा करते हैं कि हम अब कभी अपने होमवर्क को दोबारा इतनी देर तक अधूरा नहीं छोड़ेंगे,"' उसने कहा और उनके निबंधों को लेने के लिए अपने दोनों हाथ आगे बढ़ा दिए, लेकिन वह थोड़ी ख़ुश दिख रही थी।

'बहुत-बहुत धन्यवाद, हर्माइनी,' हैरी ने धीरे से कहा और अपना निबंध देकर आँखें मलता हुआ कुर्सी में धँस गया।

आधी रात से ज़्यादा समय हो चुका था। उन तीनों और क्रुकशैंक्स को छोड़कर हॉल में कोई नहीं था। सिर्फ़ हर्माइनी की क़लम की आवाज़ आ रही थी, जो उनके निबंधों में यहाँ-वहाँ काट-छाँट कर रही थी। टेबल पर फैले संदर्भ ग्रंथों के पन्नों की आवाज़ भी आ रही थी, जिनमें वह तथ्यों की जाँच कर रही थी। हैरी बुरी तरह थका हुआ था। उसके पेट में एक अजीब सा खोखला एहसास था, जिसका थकान से कोई लेना-देना नहीं था, लेकिन उस चिट्ठी से था, जो अब आग के बीच में काली पड़ चुकी थी।

वह जानता था कि हॉगवर्ट्स के भीतर रहने वाले आधे लोग उसे अजीब, यहाँ तक कि पागल भी समझते थे। वह जानता था कि *दैनिक जादूगर* महीनों से उसके बारे में अप्रत्यक्ष ताने मार रहा था। लेकिन पर्सी की चिट्ठी में ऐसा कुछ था, जिससे वह विचलित हो गया। पर्सी रॉन को उससे दोस्ती तोड़ने और अंबरिज से उसकी चुगली करने की सलाह दे रहा था, इस बात से उसकी स्थिति की हक़ीक़त उसके सामने आ गई, जो और किसी बात से नहीं आई थी। वह पर्सी को चार साल से जानता था, गर्मी की छुट्टियों में उनके घर में रह चुका था, क्विडिच वर्ल्ड कप में उसके साथ एक तंबू में सो चुका था, पिछले साल जादूगरी के त्रिकोणीय टूर्नामेंट के दूसरे काम में उससे पूरे नंबर पा चुका था, इसके बावजूद पर्सी उसे असंतुलित और शायद हिंसक मानता था।

अपने गॉडफ़ादर के प्रति सहानुभूति के सैलाब के साथ हैरी ने सोचा कि सिरियस शायद इकलौता व्यक्ति होगा, जो यह समझ सकता था कि उसे इस पल कैसा महसूस हो रहा होगा, क्योंकि सिरियस का हाल भी उसी जैसा था। जादूगर समुदाय का लगभग हर व्यक्ति सिरियस को ख़तरनाक ख़ूनी और वोल्डेमॉर्ट का बड़ा समर्थक मानता था तथा सिरियस इस एहसास के साथ चौदह साल से जी रहा था ...

हैरी ने पलकें झपकाईं। उसे अभी-अभी आग में ऐसा कुछ दिखा था, जो वहाँ नहीं हो सकता था। यह उसे एक पल के लिए दिखा और तत्काल ओझल हो गया। नहीं ... यह नहीं हो सकता ... यह उसका वहम होगा, क्योंकि वह सिरियस के बारे में सोच रहा था ...

'**अच्छा**, अब इसे लिख लो,' हर्माइनी ने रॉन को उसका निबंध देते हुए कहा और ख़ुद का लिखा चर्मपत्र भी दिया, 'फिर निष्कर्ष लिख देना, जो मैंने तुम्हारे लिए लिखा है।'

'हर्माइनी, तुम सचमुच दुनिया की सबसे अच्छी लड़की हो,' रॉन ने धीरे से कहा, 'अगर मैंने दोबारा कभी तुम्हारे साथ बदतमीज़ी की –'

'– तो मैं समझ जाऊँगी कि तुम सामान्य हो गए हो,' हर्माइनी ने कहा। 'हैरी, तुम्हारा निबंध **अच्छा** है, सिर्फ़ उसके आख़िर में एक ग़लती है। मुझे लगता है कि तुमने प्रोफ़ेसर सिनिस्ट्रा की बात ग़लत सुन ली होगी। यूरोपा बर्फ़ से ढँका है, चूहों से नहीं – हैरी?'

हैरी अपनी कुर्सी से घुटनों के बल फिसल गया था और झुलसे तथा फटे कालीन पर बैठकर लपटों में घूर रहा था।

'अर – हैरी?' रॉन ने अनिश्चितता से कहा। 'तुम नीचे क्यों बैठ गए?'

'क्योंकि मुझे अभी-अभी आग में सिरियस का सिर दिखा है,' हैरी ने कहा।

उसने यह बात बहुत धीरे से कही थी। आख़िर, उसने पिछले साल ही तो इसी आग में सिरियस का सिर देखा था और उससे बात भी की थी। बहरहाल, उसे इस बात का यक़ीन नहीं हो रहा था कि उसने इस बार सचमुच इसे देखा था ... यह इतनी जल्दी ग़ायब हो गया था ...

'सिरियस का सिर?' हर्माइनी ने दोहराया। 'तुम्हारा मतलब है, उसी तरह जब वह तुमसे त्रिकोणीय टूर्नामेंट के दौरान बात करना चाहता था? लेकिन अब वह ऐसा नहीं करेगा, यह बहुत ही ख़तर – *सिरियस!*'

उसकी आह निकल गई और वह आग की तरफ़ घूरने लगी। रॉन के हाथ से क़लम छूट गई। नाचती हुई लपटों के बीच में सिरियस का सिर बैठा हुआ था और लंबे काले बाल उसके मुस्कराते चेहरे के चारों तरफ़ झूल रहे थे।

'मैं सोच रहा था कि सभी लोगों के जाने से पहले कहीं तुम सोने न चले जाओ,' उसने कहा। 'मैं हर घंटे यहाँ आकर देख रहा था।'

हैरी ने रुक-रुककर हँसते हुए कहा, 'तुम आग में हर घंटे आकर झाँक रहे थे?'

'सिर्फ़ कुछ पल के लिए जाँच कर रहा था कि रास्ता साफ़ है या नहीं।'

हर्माइनी ने तनाव से कहा, 'लेकिन अगर कोई तुम्हें देख लेता तो?'

'मुझे लगता है कि एक लड़की ने – जिसे देखकर लग रहा था कि वह फ़र्स्ट ईयर की होगी – मेरी एक झलक देख ली थी, लेकिन चिंता मत करो,' सिरियस ने जल्दी से कहा, जब हर्माइनी ने मुँह पर हाथ रख लिया, 'जिस पल उसने दोबारा मेरी तरफ़ देखा, मैं ग़ायब हो गया। मैं शर्त लगाता हूँ, उसने यही सोचा होगा कि लकड़ी का लट्ठा अजीब आकार का था या उसकी नज़रों का धोखा था।'

'लेकिन सिरियस, यह बहुत बड़ा जोखिम है –' हर्माइनी ने कहना शुरू किया।

'तुम तो मॉली जैसी बातें कर रही हो,' सिरियस ने कहा। 'इसी तरीक़े से तो मैं हैरी की चिट्ठी का जवाब दे सकता था। वैसे मैं किसी गुप्त कोड का प्रयोग भी कर सकता था – लेकिन कोड तोड़े जा सकते हैं।'

हैरी की चिट्ठी का ज़िक्र सुनकर हर्माइनी और रॉन दोनों ही मुड़कर उसे घूरने लगे।

हर्माइनी ने आरोप लगाते हुए कहा, 'तुमने हमें यह नहीं बताया कि तुमने सिरियस को चिट्ठी लिखी थी!'

'मैं भूल गया था,' हैरी ने कहा, जो बिलकुल सच था। उल्लूघर में चो के साथ हुई मुलाक़ात के बाद उसके दिमाग़ से हर चीज़ निकल गई थी। 'मेरी तरफ़ ऐसे मत देखो, हर्माइनी। उस चिट्ठी से कोई भी गोपनीय जानकारी नहीं हासिल कर सकता था, है ना सिरियस?'

'नहीं, तुम्हारी चिट्ठी बहुत अच्छी थी,' सिरियस ने मुस्कराते हुए कहा। 'वैसे हमें जल्दी बातें करनी होंगी। हो सकता है कोई बीच में आ टपके – तुम्हारा निशान।

'तुम्हारे निशान को क्या हुआ –?' रॉन ने पूछना शुरू किया, लेकिन हर्माइनी ने उसे बीच में ही रोक दिया।

'हम तुम्हें बाद में बता देंगे। आगे कहो, सिरियस।'

'अच्छा, मैं जानता हूँ जब यह दुखता है, तो इसमें मज़ा नहीं आता होगा, लेकिन हमें नहीं लगता कि इस बारे में चिंता करने की कोई बात है। यह पिछले साल भी तो हर समय दुखता रहता था, है ना?'

'हाँ, और डम्बलडोर ने कहा था कि जब भी वोल्डेमॉर्ट के मन में कोई सशक्त भाव आता है, तो ऐसा होता है,' हैरी ने कहा और हमेशा की तरह रॉन

तथा हर्माइनी की भृकुटियों को नज़रअंदाज़ कर दिया। 'इसलिए हो सकता है कि जिस रात को मुझे सज़ा मिली थी, शायद उसी रात को वह नाराज़ हुआ हो।'

सिरियस ने कहा, 'देखो, अब वह लौट आया है, इसलिए ऐसा ज़्यादा बार होगा।

हैरी ने पूछा, 'तुम्हारे हिसाब से कहीं इसका संबंध अंबरिज के छूने से तो नहीं है, क्योंकि जब मैं उनके साथ सज़ा काट रहा था, तब उन्होंने मुझे छुआ था?'

'मुझे नहीं लगता,' सिरियस ने कहा। 'मैंने उसके बारे में सुना है और मुझे यक़ीन है कि वह प्राणभक्षी नहीं है –'

'वह इतनी बुरी है कि प्राणभक्षी हो भी सकती है,' हैरी ने स्याह अंदाज़ में कहा और रॉन तथा हर्माइनी ने सहमति में तेज़ी से सिर हिलाया।

'हाँ, लेकिन दुनिया में सिर्फ़ अच्छे लोग और प्राणभक्षी ही नहीं रहते हैं,' सिरियस ने एक तीखी मुस्कान के साथ कहा। 'मैं जानता हूँ कि वह बुरी है – तुम्हें उसके बारे में रीमस की बातें सुननी चाहिए।'

'क्या ल्यूपिन उसे जानते हैं?' हैरी ने जल्दी से पूछा और अंबरिज की उन टिप्पणियों को याद किया, जो उन्होंने अपनी पहली क्लास में ख़तरनाक संकर जादूगरों और अर्ध-मानवों के बारे में की थीं।

'नहीं,' सिरियस ने कहा, 'लेकिन उसने दो साल पहले नरभेड़िया-विरोधी क़ानून का मसौदा तैयार किया था, जिसकी वजह से ल्यूपिन को नौकरी मिलना असंभव हो गया।'

हैरी को याद आया कि ल्यूपिन इन दिनों कितने फटेहाल दिख रहे थे। इसके बाद अंबरिज के प्रति उसकी नफ़रत और बढ़ गई।

हर्माइनी ने ग़ुस्से से कहा, 'वे नरभेड़ियों के इतनी ख़िलाफ़ क्यों हैं?'

'मुझे लगता है, उनसे डरती है,' सिरियस ने कहा और उसके ग़ुस्से को देखकर मुस्कराया। 'स्पष्ट रूप से वह अर्ध-मानवों से नफ़रत करती है। उसने पिछले साल जलमानवों को पकड़कर उन पर टैग लगाने का अभियान छेड़ा था। ज़रा कल्पना करो कि जलमानवों को परेशान करने में अपना समय और ऊर्जा बर्बाद की जाए, जबकि क्रीचर जैसे घटिया लोग आज़ाद घूम रहे हों।'

रॉन हँसने लगा, लेकिन हर्माइनी विचलित दिखने लगी।

'सिरियस!' उसने चिढ़ते हुए कहा। 'सच कहूँ, अगर तुम क्रीचर के साथ थोड़ी कोशिश करो, तो मुझे यक़ीन है कि वह अच्छी प्रतिक्रिया करेगा। आख़िर, अब उसके परिवार के तुम ही तो सदस्य बचे हो और प्रोफ़ेसर डम्बलडोर ने

कहा था – ?'

'अंबरिज की क्लासें कैसी रहीं ?' सिरियस ने बीच में बोलते हुए पूछा। 'क्या वह तुम लोगों को अर्ध-मानवों को मारने का प्रशिक्षण दे रही है ?'

'नहीं,' हैरी ने कहा और हर्माइनी के चेहरे के आहत भाव को नज़रअंदाज़ कर दिया, जो क्रीचर की बात के कटने पर आ गया था। 'वे हमें जादू का इस्तेमाल ही नहीं करने दे रही हैं!'

रॉन बोला, 'हमें तो बस मूर्खतापूर्ण पुस्तक को पढ़ना पड़ता है।'

सिरियस ने कहा, 'यह समझ में आता है! हमें मंत्रालय से अंदरूनी जानकारी मिली है कि फ़ज तुम्हें युद्धकला का प्रशिक्षण नहीं लेने देना चाहता है।'

'*युद्धकला का प्रशिक्षण!*' हैरी ने अविश्वास से दोहराया। 'उन्हें क्या लगता है हम यहाँ क्या कर रहे हैं, जादूगरों की कोई सेना बना रहे हैं ?'

'उसके हिसाब से तुम लोग यही कर रहे हो,' सिरियस ने कहा, 'या, उसे डर है कि डम्बलडोर यही कर रहे हैं – अपनी निजी सेना बना रहे हैं, ताकि वे जादू मंत्रालय पर क़ब्ज़ा कर सकें।'

इस बात के बाद ख़ामोशी छा गई। फिर रॉन बोला, 'मैंने आज तक इससे ज़्यादा मूर्खतापूर्ण बात नहीं सुनी। यह तो लूना लवगुड की बातों से भी ज़्यादा मूर्खतापूर्ण है।'

हर्माइनी ने आवेश में पूछा, 'तो हमें गुप्त कलाओं से रक्षा करना सीखने से इसलिए रोका जा रहा है, क्योंकि फ़ज को यह डर है कि हम मंत्रालय के ख़िलाफ़ मंत्रों का प्रयोग करेंगे ?'

'हाँ,' सिरियस बोला। 'फ़ज को लगता है कि डम्बलडोर शक्ति हथियाने के लिए कोई भी तरीक़ा आज़माने से नहीं चूकेंगे। वह डम्बलडोर के बारे में दिनोदिन दहशत में आता जा रहा है। मुझे तो लगता है कि कुछ समय बाद वह डम्बलडोर को किसी झूठे आरोप में गिरफ़्तार करवा देगा।'

इससे हैरी को पर्सी की चिट्ठी की याद आ गई।

'क्या तुम्हें पता है कि कल के *दैनिक जादूगर* में डम्बलडोर के बारे में कोई ख़बर छपने वाली है ? रॉन के भाई पर्सी ने बताया है कि ऐसी ख़बर छपने वाली है –'

'मुझे नहीं पता,' सिरियस ने कहा। 'पूरे वीकएंड में मैंने समूह के किसी भी सदस्य को नहीं देखा। वे सभी व्यस्त हैं। यहाँ सिर्फ़ मैं और क्रीचर हैं ...'

सिरियस की आवाज़ में कड़वाहट भरी थी।

'तो तुम्हारे पास हैग्रिड के बारे में भी कोई ख़बर नहीं है?'

'ओह ...' सिरियस ने कहा, 'देखो, उसे अब तक लौट आना चाहिए था। किसी को भी ठीक से नहीं पता कि उसके साथ क्या हुआ होगा।' फिर उनके चेहरे पर आतंक के भाव देखकर उसने जल्दी से आगे जोड़ दिया, 'लेकिन डम्बलडोर चिंतित नहीं हैं, इसलिए तुम तीनों भी चिंता मत करो। मुझे यक़ीन है कि हैग्रिड सही-सलामत होगा।'

हर्माइनी ने धीमी और चिंता भरी आवाज़ में कहा, 'लेकिन उसे अब तक तो लौट आना चाहिए था ...'

'मैडम मैक्सिम उसके साथ थीं। हमने उनसे संपर्क किया और उन्होंने कहा था कि लौटते समय वे अलग-अलग हो गए थे - लेकिन इसका यह मतलब नहीं है कि वह घायल हो गया है - इसका यह मतलब नहीं है कि वह **सही-सलामत** नहीं है।'

हैरी, रॉन तथा हर्माइनी को अब भी विश्वास नहीं हुआ और उन्होंने चिंता भरी नज़रों से एक-दूसरे की तरफ़ देखा।

'सुनो, हैग्रिड के बारे में ज़्यादा पूछताछ मत करना,' सिरियस ने जल्दी से कहा, 'इससे लोगों का ध्यान इस तरफ़ चला जाएगा कि वह नहीं लौटा है और मैं जानता हूँ कि डम्बलडोर ऐसा नहीं चाहते हैं। हैग्रिड बहुत सख़्त है, वह बिलकुल **सही-सलामत** होगा।' जब वे इस बात से भी ख़ुश नज़र नहीं आए, तो सिरियस ने कहा, 'तुम्हारी अगली हॉग्समीड यात्रा कब है? मैं सोच रहा था, हम स्टेशन पर कुत्ते के भेस में कामयाब हो गए थे, है ना? मैं सोच रहा था कि मैं हॉग्स -'

'**नहीं!**' हैरी और हर्माइनी बहुत ज़ोर से एक साथ बोले।

हर्माइनी ने चिंता से पूछा, 'सिरियस, क्या तुमने *दैनिक जादूगर* नहीं पढ़ा?'

'ओह, वह ख़बर,' सिरियस ने मुस्कराते हुए कहा, 'वे लोग हमेशा यह अनुमान लगाते रहते हैं कि मैं कहाँ हूँ। उन्हें दरअसल ज़रा भी पता नहीं होता है -'

'हाँ, लेकिन हमें लगता है कि इस बार उन्हें पता चल चुका है,' हैरी ने कहा। 'मैल्फ़ॉय ने ट्रेन में हमसे एक बात कही थी। हमें लगता है कि वह जान गया है कि वह कुत्ता और कोई नहीं, तुम थे। सिरियस, उसके डैडी प्लेटफ़ॉर्म पर थे - तुम जानते हो ना, लूसियस मैल्फ़ॉय - तो तुम चाहे जो भी करो, यहाँ मत आना। अगर मैल्फ़ॉय तुम्हें दोबारा पहचान लेगा -'

'ठीक है, ठीक है, मैं समझ गया,' सिरियस ने कहा और बहुत अप्रसन्न

दिखने लगा। 'बस मन में एक विचार आया था। सोचा था कि तुम्हें मुझसे मिलना अच्छा लगेगा।'

'हमें बहुत अच्छा लगता है, लेकिन मैं यह नहीं चाहता कि तुम्हें दोबारा अज़्काबान भेज दिया जाए!' हैरी ने कहा।

थोड़ी देर ख़ामोशी छाई रही, जिसमें सिरियस आग की लपटों में से हैरी को देखता रहा। उसकी धँसी हुई आँखों में निराशा साफ़ झलक रही थी।

उसने आख़िरकार ठंडे लहज़े में कहा, 'तुम अपने डैडी जैसे नहीं हो। इस जोखिम में जेम्स को मज़ा आया होता।'

'देखो –'

'अच्छा, अब मुझे चलना होगा। मुझे क्रीचर के सीढ़ियों से उतरने की आवाज़ सुनाई दे रही है,' सिरियस ने कहा, लेकिन हैरी को यक़ीन था कि वह झूठ बोल रहा था। 'मैं तुम लोगों को समय लिखकर बता दूँगा कि मैं आग में दोबारा कब आ सकता हूँ, ठीक है? बशर्ते तुम लोग यह जोखिम उठाने के लिए तैयार हो?'

एक हल्की सी *खट्ट* की आवाज़ हुई और जिस जगह पर सिरियस का सिर था, वहाँ एक बार फिर लपटें फड़फड़ाने लगीं।

अध्याय पंद्रह

हॉगवर्ट्स की सर्वोच्च प्रशासक

अगली सुबह उन्हें उम्मीद थी कि पर्सी ने अपनी चिट्ठी में जिस ख़बर का ज़िक्र किया था, उसे खोजने के लिए हर्माइनी को *दैनिक जादूगर* को बहुत ध्यान से पढ़ना पड़ेगा। बहरहाल, अख़बार लाने वाला उल्लू अभी दूध के जग के ऊपर से उड़ ही रहा था कि तभी हर्माइनी ने तेज़ी से साँस छोड़कर अख़बार फैला लिया। पहले पन्ने पर ही डोलोरेस अंबरिज की एक बड़ी तस्वीर दिख रही थी, जिसमें वे इस हेडलाइन के नीचे से खुलकर मुस्करा रही थीं और धीरे-धीरे पलक झपका रही थीं।

मंत्रालय की शैक्षणिक सुधार मुहिम
डोलोरेस अंबरिज पहली सर्वोच्च प्रशासक नियुक्त

'अंबरिज - "सर्वोच्च प्रशासक"'? हैरी ने स्याह अंदाज़ में कहा और उसका आधा टोस्ट उसकी उँगलियों से फिसल गया। 'इसका क्या मतलब है?'

हर्माइनी ने ज़ोर से पढ़ा :

'कल रात एक आश्चर्यजनक क़दम उठाते हुए जादू मंत्रालय ने नया क़ानून पारित किया है, जिससे अब हॉगवर्ट्स जादूगरी और तंत्र विद्यालय पर मंत्रालय का अभूतपूर्व नियंत्रण हो गया है।

'मंत्रीजी के जूनियर असिस्टेंट पर्सी वीज़्ली का कहना है, "मंत्रीजी कुछ समय से हॉगवर्ट्स की घटनाओं को लेकर परेशान हो रहे थे। चिंतित माता-पिताओं ने उन्हें अपनी परेशानियाँ बताई थीं, जिन पर प्रतिक्रिया करते हुए उन्होंने यह निर्णय लिया है। माता-पिता महसूस कर रहे थे कि स्कूल जिस दिशा में जा

रहा था, वह ठीक नहीं थी।"

'यह पहली बार नहीं है, जब जादू मंत्री ने हॉगवर्ट्स के बारे में निर्णय लिया है। पिछले कुछ सप्ताहों में कॉर्नीलियस फ़ज ने जादूगरी के स्कूल में सुधार करने के लिए कई नए क़ानून बनाए हैं। 30 अगस्त को ही शैक्षणिक क़ानून क्रमांक बाईस पारित किया गया था। इसके तहत यदि वर्तमान हेडमास्टर किसी टीचर के पद के लिए उम्मीदवार नहीं खोज पाएँ, तो मंत्रालय उचित व्यक्ति चुनेगा।

'पर्सी वीज़्ली ने कल रात को बताया, "हॉगवर्ट्स में टीचर के पद पर डोलोरेस अंबरिज की नियुक्ति इसी प्रकार हुई थी। डम्बलडोर किसी को नहीं खोज पाए, इसलिए मंत्रीजी ने अंबरिज को नियुक्त कर दिया, और ज़ाहिर है, वे तत्काल सफल हुईं -"

'वे **क्या** हुईं?' हैरी ने ज़ोर से कहा।

'रुको, अभी और है,' हर्माइनी ने गंभीरता से कहा।

'"- वे तत्काल सफल हुईं। उन्होंने गुप्त कलाओं से रक्षा के शिक्षण में क्रांति कर दी और हॉगवर्ट्स में रहते हुए मंत्रीजी को इस बात की पूरी जानकारी दी कि वहाँ सचमुच क्या हो रहा है।"

'हॉगवर्ट्स पर नज़र रखने के उनके इस कार्य को मंत्रालय ने शैक्षणिक क़ानून क्रमांक तेईस पारित करके अब औपचारिक रूप दे दिया है, जिसके तहत हॉगवर्ट्स के सर्वोच्च प्रशासक का नया पद निर्मित किया गया है।

'पर्सी वीज़्ली के अनुसार, "मंत्रीजी की योजना के मुताबिक़ यह एक नया रोमांचक क़दम है, जिससे वे हॉगवर्ट्स के गिरते स्तर को सुधारना चाहते हैं। सर्वोच्च प्रशासक के पास अपने सभी साथी टीचर्स का इंस्पेक्शन करने की शक्तियाँ होंगी और यह सुनिश्चित करने की भी कि वे अपना काम सही तरीक़े से करें। प्रोफ़ेसर अंबरिज को यह पद उनके टीचर के पद के अतिरिक्त सौंपा गया है और हमें यह बताते हुए ख़ुशी हो रही है कि उन्होंने इसे स्वीकार कर लिया है।"

'मंत्रालय के नए क़दम का हॉगवर्ट्स के विद्यार्थियों के

माता-पिताओं ने स्वागत किया है।

'41 वर्षीय लूसियस मैल्फ़ॉय ने कल रात को अपने विल्टशायर मैन्शन से कहा, "अब जाकर मुझे राहत मिली है! अब मुझे तसल्ली मिली है कि डम्बलडोर का निष्पक्ष और न्यायपूर्ण मूल्यांकन हो रहा है। अपने बच्चों का दिल से भला चाहने वाले हममें से कई लोग पिछले कुछ सालों से डम्बलडोर के कुछ अजीब निर्णयों को लेकर चिंतित थे और हमें यह जानकर ख़ुशी हुई कि मंत्रालय स्थिति पर नज़र रख रहा है।"

'डम्बलडोर के अजीब निर्णयों में बेशक विवादास्पद टीचर्स की नियुक्तियाँ शामिल हैं, जिनका ज़िक्र इस अख़बार में पहले किया जा चुका है। उन्होंने नरभेड़िए रीमस ल्यूपिन, अर्ध-दानव रूबियस हैग्रिड और अर्ध-विक्षिप्त पूर्व-ऑरर "बावरे-नैन" मूडी को टीचर बना दिया था।

'ज़ाहिर है, इस तरह की अफ़वाह है कि कभी अंतर्राष्ट्रीय जादूगर महासंघ के भूतपूर्व चेयरमैन और जादूगर न्यायसभा के भूतपूर्व प्रमुख जादूगर एल्बस डम्बलडोर अब हॉगवर्ट्स के प्रतिष्ठित स्कूल को कुशलता से नहीं चला पा रहे हैं।

'मंत्रालय के एक अंदरूनी सूत्र ने कल रात बताया, "मुझे लगता है कि सर्वोच्च प्रशासक की नियुक्ति यह सुनिश्चित करने की दिशा में पहला क़दम है कि हॉगवर्ट्स में एक ऐसा हेडमास्टर रहे, जिस पर हम सभी भरोसा कर सकें।"

'जादूगर न्यायसभा के वरिष्ठगण ग्रीसेल्डा मार्चबैंक्स और टाइबेरियस ऑग्डेन ने हॉगवर्ट्स में सर्वोच्च प्रशासक के नए पद के विरोध में अपने पदों से इस्तीफ़ा दे दिया है।

'मैडम मार्चबैंक्स ने कहा, "हॉगवर्ट्स एक स्कूल है, कॉर्नेलियस फ़ज के ऑफ़िस की शाखा नहीं है। यह एल्बस डम्बलडोर की प्रतिष्ठा को धूमिल करने की एक और घटिया साज़िश है।'

'(विद्रोही पिशाच समूहों के साथ मैडम मार्चबैंक्स के कथित संबंधों के बारे में विस्तार से जानने के लिए पृष्ठ सत्रह पढ़ें।)'

हर्माइनी ने पढ़ना ख़त्म किया और टेबल के पार बाक़ी दोनों की तरफ़ देखा।

'तो अब पता चला कि हमें अंबरिज को क्यों झेलना पड़ रहा है! फ़ज ने "शैक्षणिक क़ानून" पारित करके उन्हें हम पर थोप दिया! और अब उन्होंने अंबरिज को दूसरे टीचर्स के इंस्पेक्शन की शक्ति भी दे दी है!' हर्माइनी तेज़ी से साँस ले रही थी और उसकी आँखें बहुत चमक रही थीं। 'मुझे तो इस पर विश्वास ही नहीं हो रहा है। यह तो *बहुत ही बुरा है!*'

'मैं जानता हूँ कि यह बहुत बुरा है,' हैरी ने कहा। उसने अपने दाहिने हाथ की तरफ़ देखा, जो टेबल के ऊपरी हिस्से को जकड़े हुए था। वहाँ उसे उन शब्दों के हल्के सफ़ेद निशान दिखे, जो अंबरिज के कारण उसकी चमड़ी पर अब तक उभरे हुए थे।

लेकिन रॉन के चेहरे पर एक मुस्कान तैर रही थी।

'क्या हुआ ?' हैरी और हर्माइनी ने उसे घूरते हुए एक साथ पूछा।

'ओह, मैं तो बेसब्री से इंतज़ार कर रहा हूँ कि अंबरिज मैक्गॉनेगल का इंस्पेक्शन करें,' रॉन ने ख़ुशी से कहा। 'अंबरिज को तो पता ही नहीं चलेगा कि उन्हें किस चीज़ ने धराशायी कर दिया।'

'चलो,' हर्माइनी ने उछलते हुए कहा, 'अच्छा होगा कि अब हम चल दें। अगर वे बिन्स की क्लास का इंस्पेक्शन कर रही होंगी, तो हमें देर से नहीं पहुँचना चाहिए ...'

लेकिन प्रोफ़ेसर अंबरिज जादू का इतिहास की क्लास का इंस्पेक्शन नहीं कर रही थीं, जो पिछले सोमवार जितनी ही नीरस थी। वे स्नेप के तहख़ाने में भी नहीं थीं, जब वे जादुई काढ़े के दो पीरियड पढ़ने के लिए वहाँ पहुँचे। स्नेप ने हैरी का मूनस्टोन वाला निबंध उसे लौटा दिया। उस पर ऊपर वाले कोने में एक बड़ा, नुकीला, काला '**डी**' लिखा था।

'मैंने तुम लोगों को वह ग्रेड दिया है, जो तुम्हें **ओ.डब्ल्यू.एल.** परीक्षा में यह निबंध लिखने पर मिलता,' स्नेप ने व्यंग्यात्मक मुस्कान से उनके बीच घूमते हुए और उनका होमवर्क उन्हें लौटाते हुए कहा। 'इससे तुम्हें एक यथार्थवादी अनुमान लग जाएगा कि परीक्षा में तुम्हें क्या उम्मीद करनी चाहिए।'

स्नेप क्लास के सामने पहुँच गए और उनकी तरफ़ चेहरा करके खड़े हो गए।

'ज़्यादातर विद्यार्थियों का इस बार का होमवर्क बहुत ही घटिया था। अगर यह परीक्षा होती, तो तुममें से ज़्यादातर फ़ेल हो गए होते। मुझे उम्मीद है कि तुम लोग इस सप्ताह के निबंध में ज़्यादा मेहनत करोगे, जो ज़हर उतारने वाले विषहरों के बारे में है। मैं उन मूर्खों को सज़ा दूँगा, जिन्हें "**डी**" मिलेगा।'

वे मुस्कराए, जब मैल्फ़ॉय ने खी-खी की और थोड़ी तेज़ी से फुसफुसाकर कहा, 'कुछ लोगों को "**डी**" भी मिला है ? आहा!'

हैरी को एहसास हुआ कि हर्माइनी कनखियों से देख रही थी कि उसे कौन सा ग्रेड मिला है। उसने अपने मूनस्टोन के निबंध को फटाफट अपने बैग में डाल लिया। वह सोच रहा था कि इस जानकारी को गोपनीय रखना ही अच्छा रहेगा।

हैरी स्नेप को इस क्लास में फ़ेल करने का कोई मौक़ा नहीं देना चाहता था, इसलिए उसने ब्लैकबोर्ड पर लिखे निर्देशों की हर लाइन को कम से कम तीन बार पढ़ने के बाद ही उन पर अमल किया। उसका शक्तिवर्धक काढ़ा हर्माइनी के काढ़े जैसा साफ़ आसमानी नीला तो नहीं था, लेकिन कम से कम यह नीला तो था। यह नेविल के काढ़े की तरह गुलाबी नहीं था और उसने क्लास के आख़िर में अपनी शीशी स्नेप की डेस्क पर राहत और आवेश के साथ रखी।

जब वे तहख़ाने से बाहर की सीढ़ियाँ चढ़कर लंच के लिए प्रवेश हॉल के पार जाने लगे, तो हर्माइनी बोली, 'यह पिछले सप्ताह जितना बुरा नहीं था, है ना ? और होमवर्क भी ज़्यादा बुरा नहीं रहा, है ना ?'

जब रॉन और हैरी दोनों ने कोई जवाब नहीं दिया, तो वह आगे बोली, 'मेरा मतलब है, अगर वे **ओ.डब्ल्यू.एल.** के मानदंड के हिसाब से अंक दे रहे थे, तो मुझे सबसे ऊँचे ग्रेड की तो उम्मीद नहीं थी, लेकिन इस वक़्त तो पासिंग ग्रेड मिलना भी बड़ी बात है, है ना ?'

हैरी ने अपने गले से एक हल्की सी आवाज़ निकाली।

'ज़ाहिर है, इस वक़्त और परीक्षा के बीच बहुत कुछ हो सकता है। हमारे पास सुधार करने के लिए काफ़ी समय है, लेकिन हमें अभी जो ग्रेड मिल रहे हैं, वे एक तरह का पैमाना हैं, है ना ? एक ऐसी नींव, जिस पर हम आगे मज़बूत इमारत खड़ी कर सकते हैं ...'

वे गरुड़द्वार की टेबल पर एक साथ बैठ गए।

'ज़ाहिर है, अगर मुझे "**ओ**" मिला होता, तो मैं रोमांचित हो जाती –'

'हर्माइनी,' रॉन ने तीखी आवाज़ में पूछा, 'अगर तुम यह जानना चाहती हो कि हमें कौन से ग्रेड मिले हैं, तो सीधे-सीधे क्यों नहीं पूछ लेतीं ?'

'मेरा – मेरा यह मतलब नहीं था – लेकिन अगर तुम मुझे बताना ही चाहते हो –'

'मुझे "**पी**" मिला है,' रॉन ने अपने कटोरे में सूप भरते हुए कहा। 'अब तो ख़ुश हो ?'

'इसमें शर्म की क्या बात है ?' फ़्रेड ने कहा, जो अभी-अभी जॉर्ज और ली

जॉर्डन के साथ टेबल पर आया था तथा हैरी की दाहिनी तरफ़ बैठ रहा था। 'अच्छे स्वस्थ "**पी**" में कोई बुराई नहीं है।'

हर्माइनी ने कहा, 'लेकिन "**पी**" का तो मतलब होता है ...'

'"पुअर,"' ली जॉर्डन ने कहा। 'फिर भी यह "**डी**" से तो अच्छा है, है ना? "ड्रेडफुल" यानी भयानक?'

हैरी को महसूस हुआ कि उसका चेहरा गर्म हो गया है और उसने नक़ली खाँसी का नाटक किया। जब उसने अपना सिर ऊपर उठाया, तब भी उसे यह देखकर अफ़सोस हुआ कि हर्माइनी अब भी **ओ.डब्ल्यू.एल.** ग्रेड्स के बारे में पूरे जोश से बातें कर रही थी।

वह कह रही थी, 'तो सबसे ऊँचा ग्रेड है "ओ" यानी "आउटस्टैंडिंग," और फिर आता है "**ए**" –'

'नहीं, "**ई**",' जॉर्ज ने उसे सुधारते हुए कहा, 'जिसका मतलब है, "एक्सीड्स एक्सपेक्टेशन्स्," यानी उम्मीद से ज़्यादा। और मुझे हमेशा से यही लगता है कि फ्रेड और मुझे तो हर विषय में "**ई**" मिलना चाहिए था, क्योंकि हम परीक्षा में बैठे, यही उम्मीदों से बढ़कर था।'

हर्माइनी को छोड़कर सभी हँसने लगे, जो आगे भी इसी विषय पर बोलती रही, 'तो, "**ई**" के बाद "**ए**" आता है यानी "एक्सेप्टेबल" (संतोषजनक) और यह आख़िरी पासिंग ग्रेड है, है ना?'

'हाँ,' फ्रेड ने एक पूरा रोल सूप में डुबाया और मुँह में रखकर पूरा निगल लिया।

'इसके बाद "**पी**' मिलता है यानी "पुअर" –' रॉन ने अपनी दोनों बाँहें उठाकर बनावटी उल्लास दिखाया – 'और फिर "**डी**" यानी "ड्रेडफुल" मिलता है।'

'और फिर "**टी**",' जॉर्ज ने उसे याद दिलाया।

'"**टी**"? हर्माइनी ने दहशत में पूछा। '"**डी**" से भी नीचे वाला ग्रेड? "**टी**" का भला क्या मतलब होता है?'

'ट्रॉल यानी दैत्यों जितना मंदबुद्धि,' जॉर्ज ने तत्काल जवाब दिया।

हैरी दोबारा हँसा, हालाँकि उसे पता नहीं था कि जॉर्ज मज़ाक़ कर रहा था या सच बोल रहा था। उसने हर्माइनी से यह छिपाने की कल्पना की कि उसे अपने **ओ.डब्ल्यू.एल.** के सभी पेपरों में **टी** मिले थे और तत्काल संकल्प किया कि वह अब ज़्यादा मेहनत से पढ़ेगा।

फ्रेड ने उनसे पूछा, 'अभी तक तुम लोगों की क्लास का इंस्पेक्शन हुआ

या नहीं?'

'नहीं,' हर्माइनी ने तत्काल कहा। 'और तुम्हारी क्लास का?'

'अभी लंच से ठीक पहले हुआ था,' जॉर्ज ने कहा। 'सम्मोहन।'

हैरी और हर्माइनी ने एक साथ पूछा, 'कैसा रहा?'

फ्रेड ने कंधे उचका दिए।

'ज़्यादा बुरा नहीं रहा। अंबरिज कोने में मँडराती हुई एक क्लिपबोर्ड पर नोट्स लेती रहीं। तुम फ़्लिटविक को तो जानते ही हो! उन्होंने उनके साथ मेहमान जैसा बर्ताव किया। इस वजह से उन्हें कोई दिक्क़त नहीं हुई। अंबरिज ज़्यादा कुछ नहीं बोलीं। एलिसिया से दो-एक सवाल पूछे कि क्लासें सामान्य स्थिति में कैसी चलती हैं। एलिसिया ने उन्हें बता दिया कि क्लासें सचमुच अच्छी रहती हैं। बस यही हुआ।'

'मुझे नहीं लगता कि फ़्लिटविक को कम नंबर मिलेंगे,' जॉर्ज ने कहा, 'उनकी परीक्षाओं में आम तौर पर सभी विद्यार्थी पास हो जाते हैं।'

फ्रेड ने हैरी से पूछा, 'आज दोपहर को तुम्हारी कौन सी क्लास है?'

'ट्रिलोनी –'

'अगर किसी को **"टी"** मिल सकता है, तो उन्हें ही मिलेगा।'

'– और अंबरिज को भी।'

'देखो, अच्छे लड़के की तरह रहना और आज अंबरिज के सामने अपने ग़ुस्से को क़ाबू में रखना,' जॉर्ज ने कहा। 'अगर तुम दोबारा क्विडिच की प्रैक्टिस में नहीं आए, तो एंजेलिना पागल हो जाएगी।'

लेकिन प्रोफ़ेसर अंबरिज को देखने के लिए हैरी को गुप्त कलाओं से रक्षा विषय की क्लास का इंतज़ार नहीं करना पड़ा। ज्योतिष की क्लास के अँधेरे कमरे में बिलकुल पीछे बैठकर वह अपनी सपनों की डायरी बाहर निकाल ही रहा था कि तभी रॉन ने उसकी पसलियों में कोहनी मारी। हैरी ने पलटकर देखा। प्रोफ़ेसर अंबरिज फ़र्श में बने गोल दरवाज़े में से निकलकर ऊपर आ रही थीं। सभी विद्यार्थी ख़ुशी-ख़ुशी बातें कर रहे थे, लेकिन अंबरिज को देखते ही एकदम चुप हो गए। प्रोफ़ेसर ट्रिलोनी विद्यार्थियों को *द ड्रीम ओरेकल* पुस्तक बाँट रही थीं। अचानक हुई ख़ामोशी के कारण उन्होंने तत्काल चारों तरफ़ देखा।

'गुड आफ़्टरनून, प्रोफ़ेसर ट्रिलोनी,' अंबरिज ने अपनी चिर-परिचित चौड़ी मुस्कान के साथ कहा। 'मुझे लगता है, आपको मेरी चिट्ठी मिल गई होगी। क्लास के इंस्पेक्शन के समय और तारीख़ के बारे में?'

प्रोफ़ेसर ट्रिलोनी ने बहुत असंतुष्ट दिखते हुए सिर झटक दिया और प्रोफ़ेसर अंबरिज की तरफ़ पीठ करके पुस्तकें बाँटती रहीं। प्रोफ़ेसर अंबरिज ने मुस्कराते हुए सबसे क़रीब वाली कुर्सी क्लास के सामने कर ली, ताकि यह प्रोफ़ेसर ट्रिलोनी की कुर्सी से बस कुछ इंच पीछे रहे। फिर उन्होंने बैठकर अपने फूल वाले बैग से क्लिपबोर्ड निकाला और क्लास शुरू होने का इंतज़ार करने लगीं।

प्रोफ़ेसर ट्रिलोनी ने थोड़े काँपते हाथों से अपना शॉल कसकर लपेट लिया और अपने बड़े चश्मे से विद्यार्थियों को देखने लगीं।

'हम आज भी भविष्यदर्शी सपनों के बारे में पढ़ेंगे,' उन्होंने अपनी स्वाभाविक रहस्यमय आवाज़ में बोलने का एक साहसिक प्रयास किया, हालाँकि यह थोड़ी काँप रही थी। 'दो-दो की जोड़ियाँ बना लो और *द ड्रीम ओरेकल* पुस्तक की मदद से सामने वाले के हाल में देखे सपने का विश्लेषण करो।'

वे अपनी कुर्सी की तरफ़ जाने लगीं, लेकिन जब उन्होंने उसके ठीक पास प्रोफ़ेसर अंबरिज को बैठे देखा, तो वे चौंक गईं। वे तत्काल पार्वती और लैवेंडर की तरफ़ घूम गईं, जो पार्वती के सपने के बारे में गहरी चर्चा में डूबी हुई थीं।

हैरी ने *द ड्रीम ओरेकल* पुस्तक खोली और चुपके से अंबरिज को देखने लगा। वे अपने क्लिपबोर्ड पर नोट्स ले रही थीं। कुछ मिनट बाद वे खड़ी हुईं और ट्रिलोनी के पीछे-पीछे चलने लगीं। वे विद्यार्थियों के साथ उनकी बातचीत सुनती जा रही थीं और बीच-बीच में सवाल पूछती जा रही थीं। हैरी ने अपना सिर तेज़ी से अपनी पुस्तक में छिपा लिया।

'जल्दी से किसी सपने के बारे में सोचो,' उसने रॉन से कहा, 'कहीं वह बूढ़ी मेंढकी हमारी तरफ़ न आ जाए।'

रॉन ने विरोध किया, 'मैंने पिछली बार अपना सपना बताया था। अब तुम्हारी बारी है। तुम मुझे सपना बताओ।'

'ओह, मैं नहीं जानता ...' हैरी ने हताशा से कहा, जो पिछले कुछ दिनों का कोई सपना याद नहीं कर पाया। 'चलो मान लेते हैं, मैंने सपने में देखा कि मैं ... स्नेप को अपनी कड़ाही में डुबा रहा था। हाँ, यह ठीक रहेगा ...'

रॉन ने हँसते हुए अपनी *ड्रीम ओरेकल* खोली।

'**ठीक है**, हम तुम्हारी उम्र को उस तारीख़ में जोड़ देते हैं, जब तुमने सपना देखा था। फिर उसमें विषय के अक्षरों की संख्या भी जोड़ देते हैं ... विषय क्या था "डुबाना" या "कड़ाही" या "स्नेप" ?'

'इससे कोई फ़र्क़ नहीं पड़ता, किसी को भी चुन लो,' हैरी ने कहा और

पीछे की तरफ़ निगाह डाली। प्रोफ़ेसर अंबरिज प्रोफ़ेसर ट्रिलोनी के कंधे के ठीक पीछे झुककर नोट्स लिख रही थीं, जबकि ट्रिलोनी नेविल से उसकी सपनों की डायरी के बारे में सवाल पूछ रही थीं।

'यह सपना तुमने किस रात को देखा?' रॉन ने पूछा, जो गिनती करने में जुटा हुआ था।

हैरी ने जवाब दिया, 'मुझे नहीं पता, तुम्हारी मर्ज़ी हो, तो कल रात को मान लो।' उसका पूरा ध्यान तो इस तरफ़ लगा हुआ था कि अंबरिज प्रोफ़ेसर ट्रिलोनी से क्या कह रही थीं। वे उससे और रॉन से अब सिर्फ़ एक टेबल दूर थीं। प्रोफ़ेसर अंबरिज अपने क्लिपबोर्ड पर फिर से लिख रही थीं और ट्रिलोनी बहुत परेशान लग रही थीं।

प्रोफ़ेसर अंबरिज ने ट्रिलोनी को देखते हुए पूछा, 'आप इस पद पर कितने लंबे समय से हैं?'

प्रोफ़ेसर ट्रिलोनी ने उनकी तरफ़ देखकर त्योरियाँ चढ़ा लीं। उन्होंने अपने हाथ बाँध लिए और कंधे झुका लिए। ऐसा लग रहा था, जैसे वे इंस्पेक्शन के अपमान से बचने की पूरी कोशिश कर रही थीं। उन्होंने थोड़ी देर सोचा। आख़िर वे इस नतीजे पर पहुँचीं कि यह सवाल अपमानजनक नहीं है, इसलिए उन्होंने गहरे द्वेषपूर्ण अंदाज़ में जवाब दिया, 'लगभग सोलह साल से।'

'काफ़ी समय हो गया,' प्रोफ़ेसर अंबरिज ने अपने क्लिपबोर्ड पर लिखते हुए कहा। 'तो आपको प्रोफ़ेसर डम्बलडोर ने नियुक्त किया था?'

प्रोफ़ेसर ट्रिलोनी ने रूखी आवाज़ में पूछा, 'हाँ।'

प्रोफ़ेसर अंबरिज ने एक बार फिर लिखा।

'और आप मशहूर ज्योतिषी कैसेंड्रा ट्रिलोनी की पर-पर-परनातिन हैं?'

'हाँ,' प्रोफ़ेसर ट्रिलोनी ने अपना सिर थोड़ा ऊँचा करते हुए कहा।

क्लिपबोर्ड पर एक और टिप्पणी लिखी गई।

'लेकिन मुझे लगता है - अगर मैं ग़लत हूँ, तो बता दें - कि कैसेंड्रा के बाद आप अपने परिवार में पहली हैं, जिसे भविष्यदृष्टि मिली है?'

प्रोफ़ेसर ट्रिलोनी ने कहा, 'ये शक्तियाँ अक्सर तीन पीढ़ियों बाद फिर से प्रकट होती हैं।'

प्रोफ़ेसर अंबरिज की मेंढकी जैसी मुस्कराहट और चौड़ी हो गई।

'ज़ाहिर है,' उन्होंने एक और टिप्पणी लिखते हुए मीठी आवाज़ में कहा। 'अच्छा तो आप मेरे लिए कोई भविष्यवाणी कर सकती हैं?' वे अब भी मुस्करा

रही थीं।

प्रोफ़ेसर ट्रिलोनी का शरीर सख़्त हो गया, जैसे उन्हें अपने कानों पर यक़ीन नहीं हो रहा हो। 'मैं आपका मतलब नहीं समझी,' उन्होंने कहा और शॉल को अपनी पतली गर्दन पर कसकर जकड़ लिया।

प्रोफ़ेसर अंबरिज ने बहुत स्पष्टता से कहा, 'मैं चाहती हूँ कि आप मेरे बारे में कोई भविष्यवाणी करें।'

अब क्लास में हैरी और रॉन ही पुस्तकों के पीछे से चोरी छिपे देख और सुन नहीं रहे थे। क्लास के ज़्यादातर विद्यार्थी प्रोफ़ेसर ट्रिलोनी को जमकर घूर रहे थे, जब वे तनकर खड़ी हुईं, जिससे उनके मनके और चूड़ियाँ खनकने लगीं।

उन्होंने आहत स्वर में कहा, 'अंदरूनी आँख किसी के आदेश पर भविष्य नहीं देख सकती!'

'अच्छा,' प्रोफ़ेसर अंबरिज ने अपने क्लिपबोर्ड पर एक और टिप्पणी लिखते हुए धीरे से कहा।

'मैं – लेकिन – लेकिन ... *ठहरें!*' प्रोफ़ेसर ट्रिलोनी ने अचानक कहा। अब वे अपनी सामान्य रहस्यमयी आवाज़ में बोलने की कोशिश कर रही थीं, हालाँकि इसका रहस्यमय प्रभाव थोड़ा कमज़ोर पड़ गया था, क्योंकि यह ग़ुस्से से काँप रही थी। 'मुझे ... मुझे लगता है कि मुझे कुछ *दिख रहा* है ... जिसका संबंध आपसे है ... मुझे कुछ आभास हो रहा है ... कोई काली सी चीज़ ... कोई गंभीर ख़तरा ...'

प्रोफ़ेसर ट्रिलोनी ने प्रोफ़ेसर अंबरिज की तरफ़ काँपती उँगली से इशारा किया, जो त्योरियाँ चढ़ाकर उनकी तरफ़ भावहीन तरीक़े से मुस्कराती रहीं।

'मुझे डर है ... मुझे डर है कि आप बहुत गंभीर ख़तरे में हैं!' प्रोफ़ेसर ट्रिलोनी ने नाटकीय अंदाज़ में अपनी बात पूरी करते हुए कहा।

ख़ामोशी छा गई। प्रोफ़ेसर अंबरिज ने प्रोफ़ेसर ट्रिलोनी को भौंहें चढ़ाकर देखा।

'ठीक है,' उन्होंने धीरे से कहा और एक बार फिर अपने क्लिपबोर्ड पर लिखने लगीं। 'अच्छा, अगर आपकी सर्वश्रेष्ठ कोशिश यही है ...'

वे मुड़कर दूर चली गईं। प्रोफ़ेसर ट्रिलोनी वहीं पर जमी रह गईं। उनकी छाती काँप रही थी। हैरी ने रॉन की तरफ़ देखा और वह समझ गया कि रॉन भी वही सोच रहा था, जो वह सोच रहा था। वे दोनों जानते थे कि प्रोफ़ेसर ट्रिलोनी धोखेबाज़ थीं, लेकिन दूसरी तरफ़, वे अंबरिज से इतनी ज़्यादा नफ़रत करते थे कि वे ट्रिलोनी की तरफ़ थे। लेकिन यह सहानुभूति कुछ समय तक ही रही,

क्योंकि कुछ पल बाद वे उन पर हावी हो गईं।

'तो ?' उन्होंने हैरी की नाक के नीचे अपनी लंबी उँगलियाँ चटकाते हुए तेज़ आवाज़ में पूछा। 'मुझे बताओ कि तुमने अपनी सपनों की डायरी की शुरुआत कैसी की है ?'

जब उन्होंने तेज़ आवाज़ में हैरी के सपनों का विश्लेषण पूरा किया (जिन सभी में, यहाँ तक कि दलिया खाने वाले सपने में भी उन्होंने भयंकर और असमय मृत्यु की भविष्यवाणी की), तो उनके प्रति हैरी की सहानुभूति काफ़ी कम हो गई। इस दौरान प्रोफ़ेसर अंबरिज कुछ फ़ुट दूर खड़ी होकर क्लिपबोर्ड पर नोट्स लिखती रहीं। घंटी बजने पर वे चाँदी जैसे रंग की सीढ़ी से सबसे पहले नीचे उतरीं और जब विद्यार्थी दस मिनट बाद गुप्त कलाओं से रक्षा की क्लास में पहुँचे, तो वे वहाँ पर उनका इंतज़ार कर रही थीं।

विद्यार्थियों के कमरे में दाख़िल होते समय वे गुनगुना और मुस्करा रही थीं। जब सभी विद्यार्थी *रक्षात्मक जादुई सिद्धांत* पुस्तक निकाल रहे थे, तो हैरी और रॉन ने हर्माइनी को ज्योतिष की क्लास में हुई घटना के बारे में बता दिया। हर्माइनी को इस बारे में इसलिए पता नहीं था, क्योंकि वह उस वक़्त अंकों का जादुई महत्व की क्लास में थी। लेकिन हर्माइनी के कुछ पूछने से पहले ही प्रोफ़ेसर अंबरिज ने क्लास को ख़ामोश रहने की हिदायत दी।

'छड़ियाँ दूर रख दो,' उन्होंने मुस्कराकर निर्देश दिया। जिन लोगों ने उम्मीद लगाकर छड़ियाँ बाहर निकाल ली थीं, उन्होंने दुखी होकर उन्हें दोबारा अपने बैग में रख लिया। 'पिछली क्लास में हमने अध्याय एक पूरा कर लिया था। मैं चाहती हूँ कि आज आप सभी पेज उन्नीस खोलें तथा "अध्याय दो, सामान्य रक्षात्मक सिद्धांत तथा उनकी व्युत्पत्ति" पढ़ें। बातें करने की कोई ज़रूरत नहीं है।'

उनके चेहरे पर अब भी वही जानी-पहचानी मुस्कान थी, जो आत्म-संतुष्टि से भरपूर थी। वे मुस्कराती हुई अपनी डेस्क पर बैठ गईं। विद्यार्थियों ने पेज उन्नीस खोलते समय आह भरी, जो स्पष्टता से सुनाई दी। हैरी ने मन मसोसकर सोचा कि क्या इस पुस्तक में इतने पेज हैं कि वे उन्हें पूरे साल पढ़ सकें। वह विषयवस्तु वाले पन्ने की जाँच करने ही वाला था कि तभी उसने देखा कि हर्माइनी का हाथ एक बार फिर हवा में उठ गया था।

प्रोफ़ेसर अंबरिज का ध्यान भी इस तरफ़ चला गया था। यही नहीं, उन्होंने दरअसल इस तरह की अप्रत्याशित घटना से निबटने की एक नई रणनीति भी बना ली थी। हर्माइनी को अनदेखा करने का नाटक करने के बजाय वे उठकर खड़ी हुईं और सामने वाली डेस्कों के बीच से होती हुई हर्माइनी के ठीक

सामने आ गईं। फिर वे झुककर फुसफुसाईं, ताकि क्लास के बाक़ी विद्यार्थी उनकी बात नहीं सुन पाएँ, 'इस बार क्या हुआ, मिस ग्रेंजर ?'

हर्माइनी बोली, 'मैं अध्याय दो पढ़ चुकी हूँ।'

'तो फिर अध्याय तीन पढ़ो।'

'मैंने वह भी पढ़ लिया है। मैंने पूरी पुस्तक पढ़ ली है।'

प्रोफ़ेसर अंबरिज ने पलकें झपकाईं, लेकिन लगभग तत्काल ख़ुद को सँभाल लिया।

'अच्छा, तो फिर मुझे बताओ कि अध्याय पंद्रह में स्लिंकहार्ड प्रतिकारक मंत्रों के बारे में क्या कहते हैं ?'

'वे कहते हैं कि प्रतिकारक मंत्रों का नाम ग़लत रखा गया है,' हर्माइनी ने तत्काल कहा। 'वे कहते हैं कि "प्रतिकारक मंत्र" तो मंत्रों का ही दूसरा नाम है। लोग अपने मंत्रों को ज़्यादा स्वीकारणीय बनाने के लिए उन्हें प्रतिकारक मंत्र का नाम दे देते हैं।'

प्रोफ़ेसर अंबरिज ने अपनी भौंहें उठाईं। हैरी जान गया कि न चाहते हुए भी वे हर्माइनी के जवाब से प्रभावित हुई थीं।

हर्माइनी ने आगे कहा, 'लेकिन मैं ऐसा नहीं मानती।'

प्रोफ़ेसर अंबरिज की भौंहें थोड़ी ऊपर उठ गईं और उनकी निगाह ज़्यादा ठंडी हो गई।

उन्होंने दोहराया, 'तुम ऐसा नहीं मानतीं ?'

'हाँ,' हर्माइनी ने कहा, जो अंबरिज की तरह फुसफुसा नहीं रही थी, बल्कि इतनी स्पष्ट और तेज़ आवाज़ में बोल रही थी कि क्लास के बाक़ी विद्यार्थियों का ध्यान आकर्षित हो गया था। 'मिस्टर स्लिंकहार्ड को मंत्र पसंद नहीं हैं, है ना ? लेकिन मुझे लगता है कि उनका रक्षात्मक प्रयोग किए जाने पर वे बहुत उपयोगी हो सकते हैं।'

प्रोफ़ेसर अंबरिज फुसफुसाना भूल गईं और सीधी खड़ी हो गईं। उन्होंने तेज़ आवाज़ में कहा, 'ओह, तो तुम ऐसा सोचती हो ? लेकिन मिस ग्रेंजर, मुझे अफ़सोस है कि इस क्लासरूम में तुम्हारी नहीं, बल्कि मिस्टर स्लिंकहार्ड की राय महत्त्वपूर्ण है।'

'लेकिन –' हर्माइनी ने कहना शुरू किया।

'इतना ही काफ़ी है,' प्रोफ़ेसर अंबरिज ने हाथ उठाकर रुकने का इशारा करते हुए कहा। वे दोबारा सामने पहुँच गईं और विद्यार्थियों के सामने खड़ी

हो गईं। क्लास शुरू होते समय उन्होंने ख़ुशी का जो नाटक किया था, वह अब उड़नछू हो गया था। 'मिस ग्रेंजर, मैं गरुड़द्वार हाउस के पाँच पॉइंट कम करती हूँ।'

इस पर विद्यार्थी बुदबुदाने लगे।

'किसलिए ?' हैरी ने ग़ुस्से से पूछा।

हर्माइनी तत्काल धीरे से बोली, 'तुम बीच में मत बोलो!'

'बेकार के सवाल पूछकर मेरी क्लास में व्यवधान डालने के लिए,' प्रोफ़ेसर अंबरिज ने रेशमी अंदाज़ में कहा। 'मैं यहाँ पर तुम लोगों को मंत्रालय द्वारा अनुशंसित तरीक़े से पढ़ाने आई हूँ। इसमें विद्यार्थियों को यह इजाज़त नहीं है कि वे ऐसे मामलों में अपनी राय व्यक्त करें, जिनके बारे में वे बहुत कम जानते हैं। इस विषय पर तुम्हारे पिछले टीचर्स ने तुम्हें ज़रूरत से ज़्यादा छूट दी थी, लेकिन उनमें से कोई भी मंत्रालय के इंस्पेक्शन में पास नहीं हो पाता। सिर्फ़ प्रोफ़ेसर क्विरिल ही इसके अपवाद थे, जो तुम्हारी उम्र के लिए उचित विषयों तक सीमित रहे –'

'हाँ, क्विरिल बहुत अच्छे टीचर थे,' हैरी ने ज़ोर से कहा, 'बस उनके साथ एक छोटी सी दिक्क़त यह थी कि लॉर्ड वोल्डेमॉर्ट उनके सिर के पीछे से झाँक रहा था।'

इसके बाद क्लास में बड़ी गहरी ख़ामोशी छा गई। फिर –

अंबरिज रेशमी अंदाज़ में बोलीं, 'मिस्टर पॉटर, मुझे लगता है कि एक और-हफ़्ते की सज़ा से तुम्हें फ़ायदा होगा।'

*

हैरी के हाथ का घाव मुश्किल से भरा था और अगली सुबह तक उसमें से एक बार फिर ख़ून बहने लगा था। उसने शाम की सज़ा के दौरान कोई शिकायत नहीं की। उसने ठान लिया था कि वह अंबरिज को यह संतुष्टि नहीं देगा। उसने बार-बार लिखा, *मुझे झूठ नहीं बोलना चाहिए*। हालाँकि हर अक्षर के साथ उसका घाव गहरा होता गया, लेकिन उसके होंठों से एक भी आवाज़ नहीं निकली।

दूसरे सप्ताह की सज़ाओं का सबसे बुरा पहलू एंजेलिना की प्रतिक्रिया थी, जैसी कि जॉर्ज ने भविष्यवाणी की थी। जैसे ही हैरी मंगलवार को नाश्ते के लिए गरुड़द्वार की टेबल पर पहुँचा, उसने उसे घेर लिया और इतनी ज़ोर से चिल्लाई कि प्रोफ़ेसर मैक्गॉनेगल स्टाफ़ टेबल से उठकर उनके पास आ गईं।

'मिस जॉनसन, बड़े हॉल में हंगामा मचाने की तुम्हारी *हिम्मत* कैसे हुई? गरुड़द्वार के पाँच पॉइंट कम किए जाते हैं!'

'लेकिन प्रोफ़ेसर – उसने *एक बार फिर* ख़ुद को सज़ा दिलवा दी है –'

'यह क्या है, पॉटर?' प्रोफ़ेसर मैक्गॉनेगल ने तीखी आवाज़ में हैरी की तरफ़ मुड़ते हुए पूछा। 'सज़ा? किसने दी?'

'प्रोफ़ेसर अंबरिज ने,' हैरी बुदबुदाया और प्रोफ़ेसर मैक्गॉनेगल के चौकोर फ्रेम वाले चश्मे के पीछे दिख रही मनकेदार आँखों से बचता रहा।

'क्या तुम यह बता रहे हो,' उन्होंने अपनी आवाज़ नीची करते हुए कहा, ताकि उनके पीछे बैठे जिज्ञासु चीलघात वाले उनकी बात न सुन पाएँ, 'कि पिछले सोमवार को मेरी चेतावनी के बावजूद तुमने प्रोफ़ेसर अंबरिज की क्लास में संयम खो दिया?'

'हाँ,' हैरी फ़र्श की तरफ़ देखते हुए बुदबुदाया।

'पॉटर, तुम्हें ख़ुद पर क़ाबू रखना चाहिए! वरना तुम बहुत बड़ी मुश्किल में पड़ जाओगे! गरुड़द्वार के पाँच पॉइंट और कम!'

'लेकिन – क्या –? प्रोफ़ेसर, नहीं!' हैरी ने कहा और वह इस अन्याय पर तैश में आ गया, 'जब वे मुझे सज़ा दे रही हैं, तो फिर आप पॉइंट क्यों कम कर रही हैं?'

'क्योंकि ऐसा लगता है कि सज़ाओं का तुम पर कोई असर नहीं हो रहा है!' प्रोफ़ेसर मैक्गॉनेगल ने रूखेपन से कहा। 'नहीं पॉटर, अब शिकायत में एक भी शब्द मत बोलना! और मिस जॉनसन, भविष्य में तुम क्विडिच पिच पर ही चिल्लाना, वरना तुम्हारी टीम की कप्तानी ख़तरे में पड़ जाएगी!'

प्रोफ़ेसर मैक्गॉनेगल स्टाफ़ टेबल की ओर लौट गईं। एंजेलिना ने हैरी को गहरी हिक़ारत से देखा और वह भी चली गई। इसके बाद हैरी रॉन के पास बेंच पर बैठ गया और ग़ुस्से में बड़बड़ाने लगा।

'उन्होंने गरुड़द्वार के पॉइंट कम कर दिए, क्योंकि मेरे हाथ का घाव हर रात को खुल रहा है! यह *कहाँ का* इंसाफ़ है?'

'मैं जानता हूँ, दोस्त,' रॉन ने हैरी की प्लेट में बेकन डालते हुए सहानुभूति से कहा, 'उनका दिमाग़ घूम गया है।'

बहरहाल, हर्माइनी कुछ नहीं बोली और *दैनिक जादूगर* के पन्ने पलटती रही।

'तुम्हें लगता है कि मैक्गॉनेगल ने सही किया, है ना?' हैरी ने ग़ुस्से से कॉर्नेलियस फ़ज की तस्वीर से कहा, जिसके पीछे हर्माइनी का चेहरा छिपा

हुआ था।

'मैं यह तो नहीं चाहती थी कि वे तुम्हारे पॉइंट कम करें, लेकिन मुझे लगता है कि उन्होंने तुम्हें सही चेतावनी दी थी कि तुम अंबरिज की क्लास में ख़ुद पर क़ाबू रखो,' हर्माइनी की आवाज़ आई, लेकिन उसका चेहरा अब भी फ़ज की तस्वीर के पीछे छिपा हुआ था, जो भाषण देते समय तेज़ी से हाथ लहरा रहे थे।

सम्मोहन के पूरे पीरियड में हैरी ने हर्माइनी से बात नहीं की, लेकिन रूपांतरण की क्लास में दाख़िल होने के बाद वह भूल गया कि वह उससे नाराज़ था। प्रोफ़ेसर अंबरिज तथा उनका क्लिपबोर्ड एक कोने में थे और उन्हें देखकर उसके दिमाग़ से नाश्ते की घटना निकल गई।

'बहुत बढ़िया,' रॉन फुसफुसाया, जब वे अपनी रोज़ की सीटों पर बैठ गए। 'देखते हैं कि अंबरिज का क्या हाल होता है?'

प्रोफ़ेसर मैक्गॉनेगल जब कमरे में दाख़िल हुईं, तो ऐसा नहीं लगा कि उन्हें प्रोफ़ेसर अंबरिज के वहाँ होने की जानकारी है।

'बस काफ़ी है,' उन्होंने कहा और तत्काल ख़ामोशी छा गई। 'मिस्टर फ़िनिगन, यहाँ आओ और सभी विद्यार्थियों को उनके होमवर्क की कॉपी बाँट दो – मिस ब्राउन, चूहों के इस बक्से को ले जाओ – बेवकूफ़ मत बनो लड़की, वे तुम्हें नुक़सान नहीं पहुँचाएँगे – और हर विद्यार्थी को एक-एक दे दो –'

'उहूँ, उहूँ,' प्रोफ़ेसर अंबरिज ने उसी मूर्खतापूर्ण खाँसी का इस्तेमाल किया, जिससे उन्होंने सत्र की पहली रात को डम्बलडोर के भाषण में व्यवधान डाला था। प्रोफ़ेसर मैक्गॉनेगल ने उन्हें नज़रअंदाज़ कर दिया। सीमस ने हैरी का निबंध उसे दिया। हैरी ने सीमस की तरफ़ देखे बिना उसे ले लिया। उसे यह देखकर राहत मिली कि आख़िर उसे **'ए'** मिल गया था।

'अच्छा, तो सभी लोग ध्यान से सुनो – डीन थॉमस, अगर तुम उस चूहे के साथ दोबारा यही हरकत करोगे, तो मैं तुम्हें सज़ा दे दूँगी – तुममें से ज़्यादातर लोग अपने घोंघों को सफलतापूर्वक ओझल कर चुके हो। जिन लोगों के घोंघों का थोड़ा-बहुत आवरण बच गया है, वे भी मंत्र के मूल तत्त्व को समझ चुके हैं। आज हम लोग –'

'उहूँ, उहूँ,' प्रोफ़ेसर अंबरिज बीच में बोलीं।

'हाँ?' प्रोफ़ेसर मैक्गॉनेगल ने पलटते हुए कहा। उनकी भौंहें इतनी क़रीब आ गई थीं कि एक लंबी रेखा नज़र आ रही थी।

'मैं सोच रही थी प्रोफ़ेसर कि क्या आपको मेरी वह चिट्ठी मिल गई थी,

जिसमें मैंने आपके इंस्पेक्शन की त ेग्वि और समय बता-'

'ज़ाहिर है मुझे चिट्ठी मिल गई थी, वरना मैं आपसे पूछती कि आप मेरे क्लासरूम में क्या कर रही हैं,' प्रोफ़ेसर मैक्गॉनेगल ने कहा और अंबरिज की तरफ़ पीठ मोड़ ली। कई विद्यार्थियों ने ख़ुशी से एक-दूसरे की तरफ़ देखा। 'जैसा मैं कह रही थी : आज हम लोग चूहों को ओझल करने का ज़्यादा मुश्किल अभ्यास करेंगे। अब, ओझल मंत्र -'

'उहूँ, उहूँ।'

प्रोफ़ेसर ने तैश में आकर प्रोफ़ेसर अंबरिज की तरफ़ मुड़ते हुए कहा, 'अगर आप बार-बार बीच में बाधा डालती रहेंगी, तो आपको मेरे पढ़ाने के तरीक़े का पता कैसे चलेगा ? देखिए, मैं अपने बोलते समय आम तौर पर दूसरों को बोलने की इजाज़त नहीं देती हूँ।'

प्रोफ़ेसर अंबरिज को देखकर ऐसा लगा, जैसे किसी ने उन्हें थप्पड़ मार दिया हो। वे कुछ नहीं बोलीं, लेकिन उन्होंने अपने क्लिपबोर्ड पर रखे चर्मपत्र को सीधा किया और उस पर तेज़ी से लिखने लगीं।

बिना किसी चिंता के प्रोफ़ेसर मैक्गॉनेगल एक बार फिर विद्यार्थियों को संबोधित करने लगीं।

'जैसा मैं कह रही थी : ओझल मंत्र में यह बहुत महत्वपूर्ण होता है कि किस जानवर को ओझल करना है। अगर जानवर जटिल है, तो ओझल मंत्र का प्रयोग मुश्किल हो जाता है। घोंघे की रीढ़ नहीं होती, इसलिए उसे ओझल करना ज़्यादा मुश्किल नहीं है। लेकिन चूहा स्तनधारी प्राणी है, इसलिए उसे ओझल करना ज़्यादा चुनौतीपूर्ण काम है। इस काम को करते समय तुम यह कल्पना नहीं कर सकते कि डिनर में क्या खाने को मिलेगा। अच्छा, तो मंत्र तुम सभी को मालूम है। अब मैं यह देखना चाहती हूँ कि तुम लोग इसका कैसा प्रयोग कर सकते हो ...'

'वे मुझे अंबरिज के सामने संयम बरतने के बारे में भाषण कैसे दे सकती हैं!' हैरी रॉन से बुदबुदाकर बोला, लेकिन वह मुस्करा रहा था - प्रोफ़ेसर मैक्गॉनेगल के प्रति उसका ग़ुस्सा पूरी तरह काफ़ूर हो गया था।

प्रोफ़ेसर अंबरिज क्लास में प्रोफ़ेसर मैक्गॉनेगल के पीछे-पीछे उस तरह नहीं घूमीं, जैसा उन्होंने प्रोफ़ेसर ट्रिलोनी के साथ किया था। शायद उन्हें यह एहसास हो गया था कि प्रोफ़ेसर मैक्गॉनेगल इसे बर्दाश्त नहीं करेंगी। बहरहाल, कोने में बैठे-बैठे वे बहुत सारे नोट्स लिखती रहीं और जब प्रोफ़ेसर मैक्गॉनेगल ने आख़िरकार विद्यार्थियों को अपने बस्ते बंद करने को कहा, तो अंबरिज अपने चेहरे पर एक गंभीर भाव लेकर उठीं।

'लो, अब खेल शुरू होता है,' रॉन ने कहा और एक लंबे कसमसाते चूहे को पूँछ से पकड़कर उस बक्से में डाल दिया, जो लैवेंडर लेकर घूम रही थी।

जब वे क्लासरूम से बाहर निकले, तो हैरी ने देखा कि प्रोफ़ेसर अंबरिज टीचर की डेस्क के पास जा रही थीं। उसने रॉन को कोहनी मारी, जिसने हर्माइनी को कोहनी मारी और तीनों बातें सुनने के लिए जान-बूझकर पीछे रुक गए।

प्रोफ़ेसर अंबरिज ने पूछा, 'आप हॉगवर्ट्स में कब से पढ़ा रही हैं?'

'इस दिसंबर में उनचालीस साल हो जाएँगे,' प्रोफ़ेसर मैक्गॉनेगल ने अपने बैग को झटके से बंद करते हुए कहा।

प्रोफ़ेसर अंबरिज ने यह बात लिख ली।

'बहुत बढ़िया,' उन्होंने कहा, 'आपको अपने इंस्पेक्शन के परिणाम दस दिन के भीतर मिल जाएँगे।'

'मुझे बेसब्री से इंतज़ार रहेगा,' प्रोफ़ेसर मैक्गॉनेगल ने ठंडी और उदासीन आवाज़ में कहा तथा तेज़ी से दरवाज़े की तरफ़ बढ़ीं। 'तुम तीनों जल्दी करो,' उन्होंने कहा और हैरी, रॉन तथा हर्माइनी को बाहर निकाल दिया।

हैरी उनकी तरफ़ देखकर मुस्कराए बिना नहीं रह सका और वह क़सम खा सकता था कि वे भी बदले में मुस्कराई थीं।

उसने सोचा था कि अगली बार वह अंबरिज से शाम की सज़ा के दौरान ही मिलेगा, लेकिन उसका अंदाज़ा ग़लत था। जब वे लोग जादुई प्राणियों की देखभाल की क्लास के लिए जंगल की तरफ़ जा रहे थे, तो अंबरिज और उनका क्लिपबोर्ड प्रोफ़ेसर ग्रबली-प्लैंक के पास उनका इंतज़ार कर रहा था।

जब हैरी उस टेबल पर पहुँचा, जहाँ टहनियों जैसे दिखते काष्ठजीव वुडलाइस की तलाश में इधर-उधर खरोंच रहे थे, तो उसने सुना कि अंबरिज प्रोफ़ेसर ग्रबली-प्लैंक से पूछ रही थीं, 'आप आम तौर पर यह क्लास नहीं लेती हैं। क्या यह सही है?'

'बिलकुल सही,' प्रोफ़ेसर ग्रबली-प्लैंक ने कहा। उनके हाथ पीछे बँधे थे और वे अपनी एड़ी के बल उछल रही थीं। 'मैं प्रोफ़ेसर हैग्रिड की जगह पर अस्थायी टीचर हूँ।'

हैरी ने रॉन और हर्माइनी की तरफ़ परेशानी से देखा। मैल्फ़ॉय फुसफुसाकर क्रैब और गॉइल से कुछ बोल रहा था। उसे निश्चित रूप से मज़ा आ रहा होगा कि उसे मंत्रालय की सदस्य के सामने हैग्रिड के बारे में उल्टी-सीधी बात करने का मौक़ा मिल रहा है।

'हूँ,' प्रोफ़ेसर अंबरिज ने अपनी आवाज़ नीची कर ली, हालाँकि हैरी अब

भी उनकी आवाज़ स्पष्टता से सुन सकता था। 'मैं सोच रही थी - हेडमास्टर इस बारे में मुझे न जाने क्यों जानकारी नहीं देना चाहते हैं - क्या *आप* मुझे बता सकती हैं कि प्रोफ़ेसर हैग्रिड की इतनी लंबी छुट्टी का कारण क्या है?'

हैरी ने देखा कि मैल्फ़ॉय का उत्सुक चेहरा ऊपर की ओर था और अंबरिज तथा ग्रबली-प्लैंक को ग़ौर से देख रहा था।

'मैं इस बारे में कुछ नहीं जानती,' प्रोफ़ेसर ग्रबली-प्लैंक ने कहा। 'मैं भी इस बारे में उतना ही जानती हूँ, जितना कि आप। डम्बलडोर ने उल्लू भेजकर मुझसे पूछा था कि क्या मैं दो सप्ताह के लिए पढ़ा सकती हूँ। मैंने उनका प्रस्ताव स्वीकार कर लिया। मुझे बस इतना ही मालूम है। अच्छा ... तो अब मैं पढ़ाना शुरू करूँ?'

'हाँ, हाँ,' प्रोफ़ेसर अंबरिज ने अपने क्लिपबोर्ड पर लिखते हुए कहा।

अंबरिज ने इस क्लास में एक अलग नीति अपनाई। वे विद्यार्थियों के बीच घूमीं और उनसे जादुई प्राणियों के बारे में सवाल पूछने लगीं। ज़्यादातर विद्यार्थियों ने अच्छी तरह जवाब दिया, जिससे हैरी का मनोबल थोड़ा बढ़ गया। कम से कम विद्यार्थी हैग्रिड को नीचा नहीं दिखा रहे थे।

डीन थॉमस से लंबी पूछताछ के बाद प्रोफ़ेसर अंबरिज ने प्रोफ़ेसर ग्रबली-प्लैंक के पास आते हुए पूछा, 'स्टाफ़ की अंशकालीन सदस्य और निष्पक्ष बाहरी व्यक्ति होने के नाते आपको कुल मिलाकर हॉगवर्ट्स कैसा लगता है? क्या आपको लगता है कि स्कूल का मैनेजमेंट आपको पर्याप्त समर्थन देता है?'

'ओह हाँ, डम्बलडोर बहुत बढ़िया हैं,' प्रोफ़ेसर ग्रबली-प्लैंक ने उत्साह से कहा। 'हाँ, यहाँ जिस तरह से स्कूल चलाया जाता है, उससे मैं ख़ुश हूँ, सचमुच बहुत ही ख़ुश।'

अंबरिज ने हैरान होकर अपने क्लिपबोर्ड पर एक छोटी टिप्पणी लिखी और आगे कहा, 'और आप इस साल इस क्लास में क्या पढ़ाने वाली हैं - अगर प्रोफ़ेसर हैग्रिड नहीं लौटते हैं तो?'

'ओह, मैं उन्हें उन प्राणियों के बारे में पढ़ाऊँगी, जिनके बारे में **ओ. डब्ल्यू.एल.** में अक्सर सवाल पूछे जाते हैं,' प्रोफ़ेसर ग्रबली-प्लैंक ने कहा। 'ज़्यादा नहीं बचा है - वे यूनिकॉर्न और स्वर्णखोजियों के बारे में पढ़ चुके हैं। मैंने सोचा है कि हम पोरलॉक्स और नीज़ल्स का अध्ययन करेंगे, यह सुनिश्चित करेंगे कि वे क्रप्स और नार्ल्स को पहचान सकें ...'

'अच्छा, कम से कम *आप* तो यह जानती हैं कि आप क्या कर रही हैं,' प्रोफ़ेसर अंबरिज ने कहा और यह स्पष्ट दिख रहा था कि उन्होंने अपने

क्लिपबोर्ड पर सही का निशान लगाया था। हैरी को उनका 'आप' पर ज़ोर देना पसंद नहीं आया। उसे यह तो और भी कम पसंद आया कि उन्होंने अगला सवाल गॉइल से पूछा। 'मैंने सुना है कि इस क्लास में बच्चों को चोट भी लगी है?'

गॉइल मूर्खतापूर्ण ढंग से मुस्करा दिया। उसकी तरफ़ से मैल्फ़ॉय जल्दी से जवाब देने लगा।

'मुझे लगी थी,' उसने कहा। 'एक गरुड़अश्व ने मुझे बुरी तरह घायल कर दिया था।'

'गरुड़अश्व ने?' प्रोफ़ेसर अंबरिज ने कहा, जो अब तेज़ी से लिखने लगी थीं।

'सिर्फ़ इसलिए क्योंकि यह इतना मूर्ख था कि इसने हैग्रिड के निर्देश सुने ही नहीं थे,' हैरी ने ग़ुस्से से कहा।

रॉन और हर्माइनी दोनों की ही आह निकल गई। प्रोफ़ेसर अंबरिज ने अपना सिर धीरे से हैरी की दिशा में घुमाया।

'मुझे लगता है, तुम्हें एक और रात की सज़ा देनी होगी,' उन्होंने धीरे से कहा। 'अच्छा प्रोफ़ेसर ग्रबली-प्लैंक, बहुत-बहुत धन्यवाद, मैं सोचती हूँ कि मुझे बस इतनी ही जानकारी चाहिए थी। आपको दस दिन के भीतर इंस्पेक्शन के परिणाम मिल जाएँगे।'

'बहुत बढ़िया,' प्रोफ़ेसर ग्रबली-प्लैंक ने कहा और प्रोफ़ेसर अंबरिज घास के मैदान को पार करती हुई महल की तरफ़ चल दीं।

*

हैरी आधी रात के बाद अंबरिज के ऑफ़िस से बाहर निकला। उसके हाथ से अब इतना ख़ून बह रहा था कि उस पर बँधे स्कार्फ़ पर भी दाग़ लग चुके थे। लौटते समय उसे गरुड़द्वार हॉल के ख़ाली होने की उम्मीद थी, लेकिन रॉन और हर्माइनी वहाँ बैठकर उसका इंतज़ार कर रहे थे। वह उन्हें देखकर ख़ुश हुआ, ख़ासकर इसलिए क्योंकि हर्माइनी आलोचना के बजाय सहानुभूति की मुद्रा में दिख रही थी।

'यह लो,' उसने चिंता से कहा और उसकी तरफ़ पीले द्रव से भरा एक प्याला बढ़ा दिया, 'अपना हाथ इसमें डुबा लो। यह मर्टलेप के तंतुओं का काढ़ा है। इससे मदद मिलेगी।'

हैरी ने अपने ख़ून से सने दुखते हाथ को जैसे ही प्याले में डाला, उसे राहत का अद्भुत एहसास हुआ। क्रुकशैंक्स उसके पैरों से लिपट गई और

उछलकर उसकी गोद में बैठ गई।

'शुक्रिया,' उसने कृतज्ञता से कहा और अपने बाएँ हाथ से क्रुकशैंक्स के कान खुजा दिए।

रॉन धीमी आवाज़ में बोला, 'मुझे अब भी लगता है कि तुम्हें इस बारे में शिकायत करनी चाहिए।'

'नहीं,' हैरी ने सपाट अंदाज़ में कहा।

'मैक्गॉनेगल को अगर पता चल गया, तो वे ख़ूब ग़ुस्सा होंगी –'

'हाँ, शायद वे होंगी,' हैरी ने बोझिल तरीक़े से कहा। 'लेकिन तुम्हें क्या लगता है, अंबरिज को एक और क़ानून पास करवाने में कितना समय लगेगा, जिसमें यह लिखा होगा कि जो भी सर्वोच्च प्रशासक के बारे में शिकायत करेगा, उसे तत्काल नौकरी से निकाल दिया जाएगा?'

रॉन ने जवाब देने के लिए अपना मुँह खोला, लेकिन कोई शब्द बाहर नहीं निकला और एक पल बाद उसने हारकर अपना मुँह बंद कर लिया।

'वह औरत भयंकर है,' हर्माइनी ने धीमी आवाज़ में कहा। '*भयंकर।* तुम जानते हो, जब तुम अंदर आए थे; तो मैं रॉन से कह रही थी ... हमें उसके बारे में कुछ न कुछ करना चाहिए।'

रॉन ने गंभीरता से कहा, 'मैंने तो ज़हर देने का सुझाव दिया था।'

हर्माइनी बोली, 'नहीं ... मेरा मतलब है, हमें इस बारे में कुछ करना चाहिए कि वे कितनी बुरी टीचर हैं? वे जिस तरह से पढ़ा रही हैं, उस तरह से हम अपनी रक्षा करना कभी नहीं सीख पाएँगे।'

'लेकिन हम इस बारे में क्या कर सकते हैं?' रॉन ने जम्हाई लेते हुए कहा। 'अब बहुत देर हो चुकी है, है ना? उन्हें नौकरी मिल गई है। अब वे यहीं पर रहेंगी। फ़ज उनके पीछे है।'

'देखो,' हर्माइनी ने सकुचाते हुए कहा। 'तुम जानते हो, मैं आज सोच रही थी ...' उसने हैरी की तरफ़ थोड़ी घबराहट से देखा और फिर आगे बोलने लगी, 'मैं यह सोच रही थी – शायद अब समय आ गया है कि हमें यह काम – यह काम ख़ुद करना चाहिए।'

'क्या ख़ुद करना चाहिए?' हैरी ने शंका से पूछा, जो अब भी अपने हाथ को मर्टलेप काढ़े में हिला रहा था।

हर्माइनी ने कहा, 'गुप्त कलाओं से रक्षा करना ख़ुद सीखना चाहिए।'

'छोड़ो भी,' रॉन कराहते हुए बोला। 'तुम हमें अतिरिक्त काम देना चाहती हो? क्या तुम्हें एहसास है कि हैरी और मैं होमवर्क में कितने पीछे चल रहे

हैं, जबकि अभी इस सत्र का दूसरा सप्ताह ही हुआ है?'

हर्माइनी ने आवेश में कहा, 'लेकिन यह होमवर्क से बहुत ज़्यादा महत्वपूर्ण है!'

हैरी और रॉन उसकी तरफ़ मुँह खोलकर देखते रहे।

रॉन बोला, 'मुझे नहीं लगता था कि इस दुनिया में होमवर्क से ज़्यादा महत्वपूर्ण कोई चीज़ भी होती है!'

हर्माइनी बोली, 'मूर्खों जैसी बातें मत करो। होमवर्क से भी महत्वपूर्ण चीज़ें होती हैं।' हैरी यह देखकर आशंकित हो गया कि यह कहते समय हर्माइनी के चेहरे पर वैसा ही उत्साह दिख रहा था, जैसा **एस.पी.ई.डब्ल्यू.** के बारे में बातें करते समय दिखता था। हर्माइनी आगे बोली, 'यह ख़ुद को तैयार करने के बारे में है। जैसा हैरी ने अंबरिज की पहली क्लास में कहा था, हमें ख़ुद को उस चीज़ के लिए तैयार करना है, जो बाहर हमारा इंतज़ार कर रही है। इससे यह सुनिश्चित हो जाएगा कि हम सचमुच अपनी रक्षा कर सकते हैं। अगर हम एक साल तक कुछ नहीं सीखते हैं –'

'हम अपने आप ज़्यादा कुछ नहीं सीख सकते हैं,' रॉन ने हारी हुई आवाज़ में कहा। 'मेरा मतलब है, हम लाइब्रेरी में जाकर मंत्र खोज सकते हैं और उनकी प्रैक्टिस कर सकते हैं, लेकिन मुझे लगता है –'

हर्माइनी ने कहा, 'तुम्हारी बात ठीक है। अब हम उस दौर को पार कर चुके हैं, जहाँ हम सिर्फ़ पुस्तकों से सीख सकते थे। अब हमें एक टीचर की ज़रूरत है, एक अच्छे टीचर की, जो हमें दिखा सके कि मंत्रों का प्रयोग कैसे किया जाता है और हमारी ग़लतियों को सुधार सके।'

हैरी ने कहना शुरू किया, 'अगर तुम्हारा इशारा ल्यूपिन की तरफ़ है ...'

'नहीं, नहीं, मेरा इशारा ल्यूपिन की तरफ़ नहीं है,' हर्माइनी ने कहा। 'वे समूह के काम में बहुत व्यस्त हैं और वैसे भी हम उनसे हॉग्समीड के वीकएंड्स पर ही मिल सकते हैं। यह काफ़ी नहीं होगा।'

हैरी ने उसकी तरफ़ त्योरियाँ चढ़ाकर पूछा, 'तो फिर कौन?'

हर्माइनी ने एक गहरी आंह भरी।

'क्या यह स्पष्ट नहीं है?' उसने कहा। 'हैरी, मेरा इशारा *तुम्हारी* तरफ़ है।'

एक पल ख़ामोशी छाई रही। रॉन के पीछे रात की हल्की हवा खिड़कियों के पल्ले खड़खड़ाती रही और आग कड़कती रही।

'कैसा इशारा?' हैरी ने पूछा।

'मैं यह कह रही हूँ कि *तुम* हमें गुप्त कलाओं से रक्षा का प्रशिक्षण दो।'

हैरी ने उसकी तरफ़ घूरकर देखा। फिर वह रॉन की तरफ़ मुड़ा। वह उलझन में आ गया था और रॉन से निगाह मिलाकर मुस्कराना चाहता था। जब हर्माइनी **एस.पी.ई.डब्ल्यू.** जैसी अजीबोग़रीब योजनाओं का प्रस्ताव रखती थी, तो कई बार वे एक-दूसरे की तरफ़ देखकर मुस्करा लेते थे। बहरहाल, इस बार हैरी को यह देखकर बहुत आश्चर्य हुआ कि रॉन ज़रा भी उलझन या परेशानी में नहीं दिख रहा था।

इसके बजाय उसकी भौंहें उठी हुई थीं, जैसे वह सोच रहा हो। फिर उसने कहा, 'यह एक अच्छा विचार है।'

हैरी ने पूछा, 'कौन सा विचार अच्छा है?'

रॉन ने कहा, 'यही कि तुम हमें इस विषय का प्रशिक्षण दो।'

'लेकिन ...'

हैरी अब मुस्करा रहा था। उसे यक़ीन था कि वे दोनों मिलकर उसकी टाँग खींच रहे हैं।

'लेकिन मैं टीचर नहीं हूँ। मैं यह काम नहीं कर सकता -'

हर्माइनी ने कहा, 'हैरी, तुम गुप्त कलाओं से रक्षा विषय में फ़िफ़्थ ईयर के सबसे अच्छे विद्यार्थी हो।'

'मैं?' हैरी ने कहा। अब वह और भी ज़्यादा मुस्करा रहा था। 'नहीं, मैं नहीं हूँ। हर टेस्ट में तुम्हें मुझसे ज़्यादा नंबर मिलते हैं।'

'सच तो यह है कि ऐसा नहीं है,' हर्माइनी ने शांत आवाज़ में कहा। 'तुमने मुझे थर्ड ईयर में पछाड़ दिया था। याद करो, हॉगवर्ट्स में सिर्फ़ उसी साल हम दोनों ने एक ऐसे टीचर के सामने परीक्षा दी थी, जो विषय का ज्ञाता था। लेकिन मैं परीक्षाओं और टेस्ट्स की बात नहीं कर रही हूँ, हैरी। ज़रा सोचो तो सही, तुमने *कितना कुछ किया है!*'

'तुम्हारा क्या मतलब है?'

'देखो, मुझे लगता है कि मैं इतने मूर्ख व्यक्ति से नहीं पढ़ना चाहूँगा, जो इतनी आसान बात का मतलब भी न समझ पाए,' रॉन ने हर्माइनी से कहा और धीरे से मुस्कराया। फिर वह हैरी की तरफ़ मुड़ा।

'इस बारे में सोचते हैं,' उसने कहा और गॉइल के ध्यान केंद्रित करने जैसा चेहरा बना लिया। 'अह ... फ़र्स्ट ईयर में – तुमने तुम-जानते-हो-कौन से पारस पत्थर बचाया था।'

'लेकिन वह तो ख़ुशक़िस्मती थी,' हैरी ने कहा, 'वह योग्यता नहीं -'

'सेकंड ईयर में,' रॉन ने उसकी बात काटते हुए कहा, 'तुमने कालदृष्टि को मारा था और रिडल को ख़त्म किया था।'

'हाँ, लेकिन अगर ज्वाला समय पर नहीं आता, तो मैं -'

'थर्ड ईयर में,' रॉन ने और तेज़ आवाज़ में कहा, 'तुमने एक साथ लगभग सौ दमपिशाचों से लड़ाई की थी -'

'तुम जानते हो कि वह एक संयोग था। अगर काल-परिवर्तक नहीं होता -'

'पिछले साल,' रॉन ने कहा, जो अब लगभग चिल्लाने लगा था, 'तुमने एक बार फिर तुम-जानते-हो-कौन से लड़ाई की -'

'मेरी बात सुनो!' हैरी ने लगभग ग़ुस्से से कहा, क्योंकि रॉन और हर्माइनी दोनों ही मुस्करा रहे थे। 'मेरी बात सुनो, ठीक है? जब तुम इस तरह से कहते हो, तो यह बहुत तारीफ़ भरी बात लगती है, लेकिन दरअसल यह सब ख़ुशक़िस्मती थी - आधे समय तो मैं यह भी नहीं जानता था कि मैं क्या कर रहा था। मैंने इसकी कोई योजना नहीं बनाई थी। मैंने तो बस वही किया, जो मेरे दिमाग़ में आया और मुझे लगभग हमेशा मदद भी मिली -'

रॉन और हर्माइनी अब भी मुस्करा रहे थे। अब हैरी का पारा चढ़ने लगा, हालाँकि उसे पता नहीं था कि वह इतना ग़ुस्सा क्यों हो रहा था।

'इस तरह मत मुस्कराओ, जैसे तुम मुझसे ज़्यादा जानते हो। मैं वहाँ पर था, ठीक है?' उसने गर्मी से कहा। 'मैं जानता हूँ कि क्या हुआ था, ठीक है? और मैं ये सब काम इसलिए नहीं कर पाया, क्योंकि मैं गुप्त कलाओं से रक्षा में बहुत कुशल था। मैं दरअसल इसलिए सफल हो पाया, क्योंकि - क्योंकि सही समय पर मदद मिल गई थी या मेरा अंदाज़ा सही निकला था। ये सब काम संयोग से हुए थे। मुझे ज़रा भी पता नहीं था कि मैं क्या कर रहा था - **हँसना बंद करो!**'

मर्टलेप काढ़े का प्याला फ़र्श पर गिर गया और टूट गया। हैरी को अचानक इस बात का एहसास हुआ कि वह खड़ा हो चुका था, हालाँकि उसे याद नहीं था कि वह कब खड़ा हुआ था। क्रुकशैंक्स एक सोफ़े के नीचे दुबक गई। रॉन और हर्माइनी की मुस्कराहटें ओझल हो चुकी थीं।

'*तुम यह नहीं जानते हो कि यह सब कैसा था!* तुम - तुम दोनों ने ही - तुमने कभी उसका सामना नहीं किया, है ना? तुम सोचते हो कि कुछ मंत्र याद करके उन्हें उसकी तरफ़ देखकर बोलने से काम हो जाता है, जैसे क्लास में हो

जाता है ? लेकिन ऐसा नहीं है। उस वक़्त आप सिर्फ़ इतना जानते हैं कि आपके और मौत के बीच में कुछ नहीं है सिवाय - आपके दिमाग़ या हौसले या जो भी चीज़ हो। कोई भी तार्किक ढंग से नहीं सोच सकता, अगर उसे पता हो कि उसकी हत्या एक पल में हो सकती है या उसे एक पल में यातना दी जाने वाली हो या उसके दोस्तों को मारा जाने वाला हो। टीचर्स ने हमें अपनी क्लास में यह कभी नहीं सिखाया कि इस तरह की चीज़ों का सामना कैसे करना है। और तुम दोनों यहाँ बैठकर ऐसे बात कर रहे हो, जैसे मैं बहुत चतुर हूँ, इसलिए ज़िंदा बच गया और डिगोरी मूर्ख था, इसलिए मर गया। तुम यह समझ ही नहीं पाए कि अगर वोल्डेमॉर्ट को मेरी ज़रूरत नहीं होती, तो मैं भी डिगोरी जितनी ही आसानी से मर गया होता -'

'हम इस तरह की कोई बात नहीं कह रहे थे, दोस्त,' रॉन ने हतप्रभ दिखते हुए कहा। 'हम डिगोरी का मखौल नहीं उड़ा रहे थे, हम ऐसा बिलकुल नहीं कर रहे थे - तुम हमारी बात का बिलकुल ही ग़लत मतलब निकाल रहे हो -'

उसने हर्माइनी की तरफ़ असहाय तरीक़े से देखा, जिसका चेहरा स्तब्ध था।

'हैरी,' उसने कातर अंदाज़ में कहा, 'क्या तुम समझ नहीं पा रहे हो ? इसी कारण ... इसी कारण तो हमें तुम्हारी ज़रूरत है ... हमें यह जानने की ज़रूरत है कि उसका सामना ... वो-वोल्डेमॉर्ट का सामना करना दरअसल कैसा होता है ?'

पहली बार हर्माइनी ने वोल्डेमॉर्ट का नाम लिया था और दूसरी किसी चीज़ के बजाय इससे हैरी शांत हो गया। गहरी साँसें लेते हुए वह अपनी कुर्सी में दोबारा धँस गया और ऐसा करते समय उसका ध्यान इस तरफ़ गया कि अब उसका हाथ दोबारा तेज़ी से दुखने लगा था। वह सोच रहा था कि काश उसने मर्टलेप काढ़े के प्याले को नहीं तोड़ा होता।

'अच्छा ... तो इस बारे में सोचना,' हर्माइनी ने धीरे से कहा। 'प्लीज़ ?'

हैरी को समझ में नहीं आया कि इस बात का क्या जवाब दे। वह पहले ही ग़ुस्से में कही बातों पर शर्मिंदा हो रहा था। उसने सिर हिला दिया, हालाँकि उसे इस बात का ज़्यादा एहसास नहीं था कि वह किस बात से सहमत हो रहा है।

हर्माइनी उठकर खड़ी हुई।

'अच्छा, तो मैं सोने जाती हूँ,' उसने कहा। वह अपनी आवाज़ को ज़्यादा से ज़्यादा सामान्य बनाने की कोशिश कर रही थी। 'अच्छा ... गुड नाइट।'

रॉन भी खड़ा हो गया।

'चल रहे हो ?' उसने हैरी से अजीब तरीक़े से पूछा।

'हाँ,' हैरी ने कहा। 'एक ... एक मिनट में। इसे साफ़ करके आता हूँ।'

उसने फ़र्श पर बिखरे प्याले के टुकड़ों की तरफ़ इशारा करते हुए कहा। रॉन सिर हिलाकर चला गया।

हैरी ने चीनी मिट्टी के टूटे हुए टुकड़ों की तरफ़ अपनी छड़ी घुमाते हुए कहा, '***मरम्मतो!***' टुकड़े उड़कर जुड़ गए और प्याला फिर से नया हो गया, हालाँकि अब उसमें मर्टलेप काढ़ा नहीं था।

हैरी को अचानक इतनी थकान महसूस होने लगी कि उसका मन हुआ, वहीं कुर्सी पर लुढ़ककर सो जाए। बहरहाल, वह अपनी पूरी ताक़त बटोरकर उठा और रॉन के पीछे सीढ़ियाँ चढ़ने लगा। उसकी रात एक बार फिर बेचैनी में गुज़री। उसे लंबे गलियारों और बंद दरवाज़ों के सपने दिखे। जब हैरी अगले दिन जागा, तो उसका निशान एक बार फिर दुख रहा था।

अध्याय सोलह

हॉग्स हेड में

गुप्त कलाओं से रक्षा सिखाने का सुझाव देने के बाद हर्माइनी ने हैरी से पूरे दो सप्ताह तक इस बारे में कोई बातचीत नहीं की। अंबरिज ने हैरी को जो सज़ा दी थी, वह आख़िर पूरी हो गई, हालाँकि उसे लग रहा था कि उसके हाथ के पिछले हिस्से पर लिखे शब्द पूरी तरह कभी नहीं मिट पाएँगे। रॉन ने चार बार ख़ूब जमकर क्विडिच प्रैक्टिस की, जिनमें से आख़िरी दो प्रैक्टिसों में उस पर कोई नहीं चिल्लाया। वे तीनों रूपांतरण में अपने चूहे ओझल करने में कामयाब हो गए (हर्माइनी तो दरअसल बिल्लियों को भी ओझल करने लगी थी)। इतना सब कुछ हो जाने के बाद उस बात का ज़िक्र सितंबर के अंत में एक शाम फिर छिड़ा, जब तीनों लाइब्रेरी में बैठकर पुस्तक में स्नेप के काढ़े की सामग्री देख रहे थे।

हर्माइनी अचानक बोली, 'हैरी, मैं सोच रही थी कि क्या तुमने गुप्त कलाओं से रक्षा के विषय में सोचा है?'

हैरी ने बुरा सा मुँह बनाकर कहा, 'कैसे नहीं सोचूँगा? जब इतनी खूसट बुढ़िया हमें वह विषय पढ़ा रही है, तो हम उसे कैसे भूल सकते हैं –'

'मेरा मतलब रॉन और मेरे सुझाव के बारे में है –' इस पर रॉन ने उसकी तरफ़ दहशत और ग़ुस्से से देखा। हर्माइनी ने रॉन की तरफ़ देखकर त्योरियाँ चढ़ाईं और बोली, '– ओह, ठीक है, मेरे सुझाव के बारे में – कि तुम हमें सिखाओगे।'

हैरी ने तत्काल जवाब नहीं दिया। वह *एशियाई विषहर* को पढ़ने का नाटक करने लगा, क्योंकि वह यह नहीं कहना चाहता था कि उसके मन में क्या था।

उसने पिछले पखवाड़े में इस विषय पर काफ़ी सोच-विचार किया था। कई बार यह पागलपन भरा विचार लगता था, जैसा उस रात को लगा था जब

हर्माइनी ने इसका प्रस्ताव रखा था। बहरहाल, बाक़ी रातों को वह उन मंत्रों के बारे में सोचने लगा था, जिन्होंने शैतानी प्राणियों और प्राणभक्षियों से हुई मुठभेड़ों में उसकी सबसे ज़्यादा मदद की थी – दरअसल, अवचेतन रूप से वह एक तरह से सिखाने की योजना बनाने लगा था...

वह *एशियाई विषहर* पुस्तक में दिलचस्पी लेने का नाटक ज़्यादा देर तक नहीं कर सकता था, इसलिए उसने थोड़ी देर बाद धीरे से कहा, 'हाँ, मैंने – मैंने इस बारे में थोड़ा सोचा है।'

'और ?' हर्माइनी ने उत्सुकता से पूछा।

'मुझे नहीं पता,' हैरी ने समय पाने के लिए कह दिया। उसने रॉन की तरफ़ देखा।

रॉन समझ गया कि हैरी इस बार नहीं चिल्लाएगा, इसलिए अब उसने बातचीत में शामिल होने के लिए ज़्यादा उत्सुकता दिखाई। वह बोला, 'मुझे तो यह सुझाव शुरू से ही अच्छा लगा था।'

हैरी ने कुर्सी में कसमसाते हुए अपना पहलू बदला।

'तुमने मेरी वह बात तो सुन ही ली थी कि ज़्यादातर काम क़िस्मत की बदौलत हुए थे, है ना ?'

'हाँ हैरी,' हर्माइनी ने धीरे से कहा, 'लेकिन फिर भी यह नाटक करने से कोई फ़ायदा नहीं है कि तुम गुप्त कलाओं से रक्षा में निपुण नहीं हो, क्योंकि तुम वाक़ई निपुण हो। पिछले साल तुम ही इकलौते विद्यार्थी थे, जो सम्मोहन शाप से मुक़ाबला करके उससे पूरी तरह उबर पाए थे। तुम पितृदेव उत्पन्न कर सकते हो। तुम वे सारे काम कर सकते हो, जो बहुत से वयस्क जादूगर भी नहीं कर सकते। विक्टर हमेशा कहता था –'

रॉन उसकी तरफ़ इतनी तेज़ी से मुड़ा कि ऐसा लगा जैसे उसकी गर्दन चटक गई हो। उसे मलते हुए उसने पूछा, 'अच्छा ? विकी ने क्या कहा ?'

'हा हा हा,' हर्माइनी ने बोरियत भरी आवाज़ में कहा। 'उसने कहा था कि हैरी तो ऐसे काम जानता है, जो वह भी नहीं जानता था, जबकि वह डर्मस्ट्रैंग के आख़िरी साल में पढ़ता था।'

रॉन हर्माइनी को शक भरी निगाह से देख रहा था।

'कहीं तुम उससे अब भी तो संपर्क में नहीं हो ?'

'अगर हूँ भी, तो क्या ?' हर्माइनी ने शांति से कहा, हालाँकि उसका चेहरा थोड़ा गुलाबी हो गया था। 'पत्र-मित्र बनाने में क्या हर्ज है –'

रॉन आरोप लगाते हुए बोला, 'वह सिर्फ़ तुम्हारा पत्र-मित्र ही नहीं बनना चाहता था।'

हर्माइनी ने विचलित होकर अपना सिर हिलाया। फिर उसने अपनी तरफ़ घूरते रॉन को नज़रअंदाज़ करते हुए हैरी से पूछा, 'अच्छा तो तुम क्या सोचते हो? क्या तुम हमें सिखाओगे?'

'सिर्फ़ तुम्हें और रॉन को, ठीक है?'

'देखो,' हर्माइनी दोबारा थोड़ी चिंतित दिखते हुए बोली। 'देखो... हैरी, दोबारा मत मुँह फुलाना ... लेकिन मुझे लगता है कि तुम्हें हर उस विद्यार्थी को सिखाना चाहिए, जो सीखना चाहता है। मेरा मतलब है, हम वो-वोल्डेमॉर्ट के ख़िलाफ़ अपनी रक्षा करने के बारे में बात कर रहे हैं। ओह रॉन, नाम सुनकर मत चौंका करो। हैरी, यह ठीक नहीं लगता है कि हम यह मौक़ा दूसरों को न दें।'

हैरी ने एक पल के लिए इस बारे में सोचा और फिर बोला, 'ठीक है, लेकिन मुझे नहीं लगता कि तुम दोनों के सिवा कोई और मुझसे कुछ सीखना चाहेगा। याद है ना, लोग मुझे खिसका हुआ समझते हैं?'

'तुम यह देखकर हैरान हो जाओगे कि कितने सारे विद्यार्थी तुम्हारी बात सुनने में दिलचस्पी लेंगे,' हर्माइनी ने गंभीरता से कहा। 'देखो,' वह उसकी तरफ़ झुक गई – उसे त्योरी चढ़ाकर घूर रहा रॉन भी सुनने के लिए आगे झुक गया – 'अक्टूबर में हॉग्समीड के पहले वीकएंड में? अगर हम हर दिलचस्पी रखने वाले को गाँव में हमसे मिलने के बारे में कहें, तो कैसा रहेगा? वहाँ हम इस बारे में बात कर सकते हैं!'

रॉन ने कहा, 'हमें स्कूल के बाहर यह काम करने की ज़रूरत क्यों है?'

हर्माइनी अब दोबारा चाइनीज़ चॉम्पिंग कैबेज के उस चित्र को बनाने लगी, जो वह उतार रही थी। उसने कहा, 'क्योंकि मुझे लगता है कि अगर अंबरिज को हमारे इरादे पता चल गए, तो वे बहुत ख़ुश नहीं होंगी।'

*

हैरी हॉग्समीड की वीकएंड यात्रा के बारे में उत्साहित था, लेकिन उसे एक बात की चिंता सता रही थी। सितंबर की शुरुआत में आग में प्रकट होने के बाद से सिरियस बिलकुल ख़ामोश था। हैरी जानता था कि वह उन लोगों से ग़ुस्सा होगा क्योंकि उन्होंने उसे हॉग्समीड आने से मना कर दिया था। उसे अब भी कभी-कभार यह चिंता होती थी कि सिरियस सारी सावधानी छोड़कर उनसे मिलने आ जाएगा। वे क्या करेंगे, अगर एक बड़ा काला कुत्ता हॉग्समीड में सड़क पर छलाँगें मारता हुआ उनकी तरफ़ आएगा, शायद ड्रेको मैल्फ़ॉय की

नाक के नीचे ?

'देखो, इस बात के लिए उसे दोष कैसे दिया जा सकता है कि वह बाहर निकलना चाहता है;' रॉन ने कहा, जब हैरी ने उसे और हर्माइनी को अपना डर बताया। 'मेरा मतलब है, वह दो साल से क़ानून से भाग रहा था, ठीक है ? यह मज़ेदार अनुभव भले ही न हो, लेकिन कम से कम वह आज़ाद तो था, है ना ? जबकि अब वह सारे समय उस घटिया घरेलू जिन्न के साथ एक मकान में बंद है।'

हर्माइनी ने रॉन की तरफ़ भ्रकुटी चढ़ाई, लेकिन इसके अलावा उसने क्रीचर के इस अपमान को नज़रअंदाज़ कर दिया।

हर्माइनी ने हैरी से कहा, 'दिक़्क़त यह है कि जब तक वो-वोल्डेमॉर्ट - भगवान *के लिए* रॉन, मुँह मत बनाओ - खुलकर सामने नहीं आता है, तब तक सिरियस को इसी तरह छिपना पड़ेगा, ठीक है ना ? मेरा मतलब है, मूर्ख मंत्रालय को तब तक सिरियस की बेगुनाही का एहसास नहीं होगा। तभी वे यक़ीन करेंगे कि डम्बलडोर शुरू से ही उसके बारे में सच्चाई बता रहे हैं। और जब वे मूर्ख दोबारा असली प्राणभक्षियों को पकड़ने लगेंगे, तो यह स्पष्ट हो जाएगा कि सिरियस प्राणभक्षी नहीं है... मेरा मतलब है, एक बात तो यह है कि उसके हाथ पर निशान नहीं है।'

'मुझे नहीं लगता कि वह इतना मूर्ख होगा कि हॉग्समीड आ जाएगा,' रॉन ने हिम्मत बँधाते हुए कहा। 'अगर उसने ऐसा किया, तो डम्बलडोर बहुत नाराज़ होंगे। भले ही सिरियस को डम्बलडोर की बात अच्छी नहीं लगती हो, लेकिन फिर भी वह उनकी बात मानता है।'

इसके बाद भी जब हैरी के चेहरे से चिंता के बादल नहीं हटे, तो हर्माइनी बोली, 'सुनो, रॉन और मैं उन लोगों की टोह ले रहे हैं, जो हमारे हिसाब से गुप्त कलाओं से रक्षा को सही तरीक़े से सीखना चाहते हैं। दो-तीन लोग इसमें दिलचस्पी लेते दिख रहे हैं। हमने उनसे हॉग्समीड में मिलने को कह दिया है।'

'ठीक है,' हैरी ने कहा। उसका दिमाग़ अब भी सिरियस के बारे में ही सोच रहा था।

'चिंता मत करो, हैरी,' हर्माइनी ने धीरे से कहा। 'तुम्हारे पास सिरियस के अलावा भी बहुत सी समस्याएँ हैं।'

ज़ाहिर है, हर्माइनी ने सही कहा था। हैरी अपना होमवर्क भी मुश्किल से पूरा कर पा रहा था, हालाँकि अब उसकी स्थिति पहले से बेहतर थी, क्योंकि अब उसे हर शाम अंबरिज के पास बैठकर सज़ा नहीं काटनी पड़ रही थी। हालाँकि हैरी और रॉन दोनों ही सप्ताह में दो बार क्विडिच प्रैक्टिस करते थे, लेकिन रॉन

तो अपने होमवर्क में हैरी से भी पीछे था, क्योंकि उसे प्रिफ़ेक्ट का काम भी करना पड़ता था। बहरहाल, दोनों से ज़्यादा विषय होने के बावजूद हर्माइनी ने न सिर्फ़ अपना होमवर्क कर लिया था, बल्कि वह घरेलू जिन्नों के कपड़े बुनने का समय भी निकाल रही थी। हैरी को मानना पड़ा कि अब वह इस काम में बेहतर होती जा रही थी। अब उसकी बनाई टोपी और मोज़े में फ़र्क़ समझ में आने लगा था।

हॉग्समीड की यात्रा वाली सुबह धूप भरी लेकिन हवादार थी। नाश्ते के बाद विद्यार्थी फ़िल्च के सामने लाइन लगाकर खड़े हो गए। फ़िल्च विद्यार्थियों के नामों की लंबी सूची में उनके नाम देख रहा था। इस सूची में उन विद्यार्थियों के नाम थे, जिन्हें गाँव की यात्रा के लिए उनके माता-पिता या अभिभावक की अनुमति थी। टीस के साथ हैरी ने याद किया कि अगर सिरियस की मेहरबानी नहीं होती, तो वह यह यात्रा नहीं कर पाता।

जब हैरी फ़िल्च के पास पहुँचा, तो उसने ज़ोर से साँस खींची, जैसे हैरी के आस-पास से किसी चीज़ की गंध खोजने की कोशिश कर रहा हो। फिर उसने सिर हिला दिया, जिससे उसके जबड़े एक बार फिर हिलने लगे और हैरी बाहर चला गया। वह पत्थर की सीढ़ियाँ उतरकर धूप भरे ठंडे दिन में पहुँच गया।

'अर - फ़िल्च तुम्हें सूँघ क्यों रहा था?' रॉन ने पूछा, जब वह, हैरी और हर्माइनी चौड़े ड्राइव से होते हुए तेज़ी से गेट की तरफ़ चलने लगे।

'मुझे लगता है कि वह गोबरबमों की गंध सूँघ रहा था,' हैरी ने थोड़ा हँसते हुए कहा। 'मैं तुम्हें यह बात बताना तो भूल ही गया था ...'

फिर उसने सिरियस को चिट्ठी भेजने वाली कहानी बताई और यह भी कि फ़िल्च इसके कुछ ही पल बाद धड़धड़ाता हुआ आया था और चिट्ठी माँगने लगा था। उसे यह देखकर हैरानी हुई कि हर्माइनी को यह कहानी बड़ी दिलचस्प लगी, दरअसल हैरी से भी ज़्यादा दिलचस्प लगी।

'उसने कहा कि उसे इस बात की गोपनीय जानकारी मिली थी कि तुम गोबरबमों का ऑर्डर दे रहे हो? लेकिन उसे यह गोपनीय जानकारी दी किसने?'

'क्या पता,' हैरी ने कंधे उचकाते हुए कहा। 'शायद मैल्फ़ॉय ने? उसने सोचा होगा, इसमें बड़ा मज़ा आएगा।'

वे पत्थर के ऊँचे खंभों के बीच से चल दिए, जिनके ऊपर पंख वाले वराह लगे थे। फिर वे गाँव की ओर जाने वाली सड़क पर बाईं तरफ़ मुड़ गए। हवा उनके बालों को उड़ाकर उनकी आँखों के ऊपर ला रही थी।

'मैल्फ़ॉय' हर्माइनी ने संदेह से कहा। 'अच्छा ... हाँ ... हो सकता है ...'

वह हॉग्समीड के बाहरी इलाक़ों में चलते समय भी गहरे सोच-विचार में

डूबी रही।

'वैसे हम कहाँ जा रहे हैं?' हैरी ने पूछा। 'थ्री ब्रूमस्टिक्स में?'

'ओह – नहीं,' हर्माइनी ने अपने विचारों से बाहर आते हुए कहा, 'नहीं, वह जगह हमेशा भरी रहती है और वहाँ काफ़ी शोर होता है। मैंने बाक़ी विद्यार्थियों से कह दिया है कि वे हमसे दूसरे शराबख़ाने हॉग्स हेड में मिलें। तुम जानते हो ना, वह मुख्य सड़क पर नहीं है। मुझे लगता है कि वहाँ का माहौल थोड़ा ... *गड़बड़ है*... लेकिन वहाँ आम तौर पर विद्यार्थी नहीं जाते हैं, इसलिए मुझे नहीं लगता कि कोई अनचाहा व्यक्ति हमारी बात सुन पाएगा।'

वे मुख्य सड़क पर चलते समय ज़ोंको की जोक शॉप के पास से निकले, जहाँ उन्हें फ़्रेड, जॉर्ज और ली जॉर्डन को देखकर हैरानी नहीं हुई। फिर वे पोस्ट ऑफ़िस के पास से निकले, जिसमें से उल्लू रह-रहकर निकल रहे थे। इसके बाद वे एक सड़क पर मुड़ गए, जिसके आख़िर में एक छोटी सराय थी। दरवाज़े पर ज़ंग लगी छड़ से लकड़ी का एक पुराना बोर्ड लटक रहा था। बोर्ड पर एक जंगली सुअर के कटे हुए सिर की तस्वीर थी, जिससे सफ़ेद कपड़े पर चारों तरफ़ ख़ून टपक रहा था। जब वे नज़दीक पहुँचे, तो साइनबोर्ड हवा में खड़खड़ की आवाज़ करने लगा। वे तीनों दरवाज़े के बाहर थोड़ा झिझके।

'ओह, चलो भी,' हर्माइनी ने थोड़ी घबराहट से कहा। हैरी सबसे पहले दरवाज़े से अंदर गया।

यह शराबख़ाना थ्री ब्रूमस्टिक्स जैसा नहीं था, जिसके बड़े बार में गर्मजोशी और साफ़-सफ़ाई का एहसास होता था। हॉग्स हेड का बार एक छोटे, मैले और बहुत गंदे कमरे में था, जिसमें बकरियों जैसी बदबू भरी हुई थी। वहाँ की खिड़कियों पर इतनी धूल जम चुकी थी कि कमरे के भीतर बहुत कम रोशनी पहुँच पा रही थी। इस कारण कमरे में लकड़ी की खुरदुरी टेबलों पर मोमबत्तियों के ठूँठों से रोशनी हो रही थी। पहली नज़र में तो ऐसा लगा, जैसे फ़र्श मिट्टी का बना हो, हालाँकि उस पर पैर रखने के बाद हैरी को एहसास हुआ कि नीचे पत्थर था, जिस पर सदियों की धूल इकट्ठी हो गई थी।

हैरी को याद आया कि जब वह फ़र्स्ट ईयर में पढ़ता था, तो हैग्रिड ने कहा था : 'हॉग्स हेड में बहुत से अजीब लोग आते हैं।' जब उसने बताया था कि वहाँ उसने एक नक़ाबपोश अजनबी से ड्रैगन का अंडा जीता था, तो हैरी इस बात पर हैरान हुआ था कि हैग्रिड को यह बात अजीब क्यों नहीं लगी कि अजनबी ने पूरे समय अपना चेहरा ढँक रखा था। बहरहाल, अब उसने देखा कि हॉग्स हेड में चेहरा छिपाकर रखना एक तरह का फ़ैशन था। बार के पास एक आदमी खड़ा था, जिसका पूरा चेहरा गंदी पट्टियों से ढँका था, हालाँकि उसके मुँह पर एक

छेद था, जिससे वह धुआँ उगलते द्रव के गिलास पर गिलास गटकता जा रहा था। दो नक़ाबपोश एक खिड़की के पास लगी टेबल पर बैठे थे। अगर वे यॉर्कशायर के स्पष्ट लहज़े में बात नहीं कर रहे होते, तो हैरी उन्हें दमपिशाच भी समझ सकता था। और अँगीठी के पास अँधेरे कोने में एक जादूगरनी बैठी थी, जिसने अपने शरीर पर एक मोटा, काला चोगा डाल रखा था, जिसमें उसके पैर की उँगलियाँ तक ढँकी हुई थीं। उन्हें सिर्फ़ उसकी नाक की नोक दिखाई दे रही थी, क्योंकि उसके कारण चोगा थोड़ा उभरा हुआ था।

हैरी बार तक जाने लगा। उसने मोटे चोगे वाली जादूगरनी की तरफ़ देखते हुए बुदबुदाकर कहा, 'मैं नहीं जानता, हर्माइनी! क्या तुमने सोचा है कि इसके नीचे अंबरिज भी हो सकती हैं?'

हर्माइनी ने काले चोगे वाली आकृति पर पैनी निगाह डाली।

उसने धीरे से कहा, 'अंबरिज उस औरत से नाटी हैं। और वैसे भी हैरी, अगर अंबरिज यहाँ आ भी जाएँ, तो भी वे हमें किसी तरह से नहीं रोक सकती हैं, क्योंकि मैंने एक बार नहीं, दो बार नहीं, बल्कि तीन बार स्कूल के पूरे नियम पढ़ लिए हैं। हम कोई ग़ैर-क़ानूनी काम नहीं कर रहे हैं। मैंने ख़ास तौर पर प्रोफ़ेसर फ़्लिटविक से पूछा था कि क्या विद्यार्थियों को हॉग्स हेड में जाने की इजाज़त है। उन्होंने हाँ तो कर दी, लेकिन साथ ही मुझे सलाह दी कि हम अपने गिलास ख़ुद लेकर जाएँ। इसके अलावा मैंने स्टडी ग्रुप्स तथा होमवर्क ग्रुप्स के बारे में भी सारे नियम पढ़ लिए हैं और निश्चित रूप से उन्हें बनाने की इजाज़त है। मैं तो बस अपने काम का *प्रचार* नहीं करना चाहती थी।'

हैरी ने सूखे गले से कहा, 'ठीक किया। ख़ास तौर पर जब तुम जो शुरू करने जा रही हो, वह होमवर्क ग्रुप जैसा नहीं है, है ना?'

बारमैन पीछे के एक दरवाज़े से निकलकर उनकी तरफ़ आया। वह चिड़चिड़ा दिखने वाला बूढ़ा था, जिसके लंबे बाल और भूरी दाढ़ी थी। वह लंबा और दुबला-पतला था। उसे देखकर हैरी को लगा, जैसे उसने उसे पहले भी कहीं देखा था।

'क्या चाहिए?' उसने गुर्राते हुए पूछा।

हर्माइनी बोली, 'तीन बटरबियर।'

बूढ़ा बारमैन काउंटर के नीचे झुका और धूल में लिपटी तीन गंदी बोतलें निकालकर काउंटर पर धम्म से पटक दीं।

उसने कहा, 'छह सिकल।'

'मैं देता हूँ,' हैरी ने जल्दी से कहा और चाँदी के सिक्के निकालकर दे

दिए। बारमैन की निगाह हैरी पर पड़ी और एक पल के लिए उसके माथे के निशान पर ठहर गई। फिर वह मुड़ा और उसने हैरी के दिए पैसे लकड़ी की एक पुरानी तिजोरी में डाल दिए, जिसका ड्रॉअर पैसे लेने के लिए अपने आप खुल गया था। हैरी, रॉन और हर्माइनी बार से सबसे दूर वाली टेबल पर जाकर बैठ गए और चारों तरफ़ का मुआयना करने लगे। गंदी भूरी पट्टियों वाले आदमी ने काउंटर पर अपनी उँगलियों की गाँठें ठोंकी और बारमैन ने उसे धुआँ उगलती शराब का एक और गिलास दे दिया।

रॉन बार की तरफ़ उत्साह से देखते हुए बुदबुदाया, 'तुम जानते हो, हम यहाँ जो चाहे, ऑर्डर कर सकते हैं। मैं शर्त लगाता हूँ कि वह आदमी हमें बिना सोचे-समझे कुछ भी दे देगा। बड़े दिनों से फ़ायरव्हिस्की पीने की तमन्ना है -'

हर्माइनी गुर्राकर बोली, 'तुम - *प्रिफ़ेक्ट* - हो!'

'ओह,' रॉन ने कहा, जिसके चेहरे से मुस्कराहट उड़ चुकी थी। 'हाँ...'

हैरी ने अपनी बटरबियर के ज़ंग लगे ढक्कन को खोलकर एक घूँट भरते हुए हर्माइनी से पूछा, 'तो हमसे मिलने कौन-कौन आने वाला है ?'

'बस दो-तीन लोग,' हर्माइनी ने अपनी घड़ी देखकर दोहराया और चिंता से दरवाज़े की तरफ़ देखने लगी। 'मैंने उनसे इसी समय के आस-पास आने को कहा था। मुझे लगता है, उन्हें मालूम होगा कि यह कहाँ है - ओह देखो, शायद वे लोग आ गए।'

शराबख़ाने का दरवाज़ा खुल गया था। धूल भरी धूप ने कमरे को एक पल के लिए दो हिस्सों में बाँट दिया और फिर ओझल हो गई, क्योंकि अंदर आने वालों की भीड़ ने धूप को ढँक दिया था।

पहले तो डीन और लैवेंडर के साथ नेविल आया। फिर उनके पीछे-पीछे पार्वती और पद्मा पाटिल तथा (हैरी के पेट में खलबली मचने लगी) चो और उसकी आम तौर पर खी-खी करने वाली सहेली अंदर आईं। इसके बाद लूना लवगुड अकेली अंदर आई, जो इतनी खोई-खोई दिख रही थी, जैसे संयोग से वहाँ आ गई हो। इसके बाद केटी बेल, एलिसिया स्पिनेट और एंजेलिना जॉनसन, कॉलिन और डेनिस क्रीवी, अर्नी मैकमिलन, जस्टिन फिंच-फ़्लेचली और हान्ना एबॉट अंदर आए। फिर लंबी चोटी वाली मेहनतकश हाउस की एक लड़की अंदर आई, जिसका नाम हैरी नहीं जानता था। इसके बाद चीलघात हाउस के तीन लड़के आए, जिनके बारे में हैरी को यक़ीन था कि उनके नाम एंथनी गोल्डस्टीन, माइकल कॉर्नर और टेरी बूट होंगे। फिर जिनी आई, जिसके पीछे भूरे बालों वाला लंबा और दुबला-पतला लड़का था, जिसकी नाक ऊपर की तरफ़ थी। हैरी को हल्का सा याद आया कि वह मेहनतकश हाउस की

क्विडिच टीम का खिलाड़ी था। और सबसे आख़िर में फ्रेड और जॉर्ज वीज़्ली अपने दोस्त ली जॉर्डन के साथ आए। तीनों के हाथों में बड़े पेपर बैग थे, जिनमें ज़ोंको की दुकान से ख़रीदा हुआ सामान भरा था।

'दो-तीन लोग?' हैरी ने भर्राए गले से हर्माइनी से कहा। '*दो-तीन लोग?*'

'देखो, यह सुझाव काफ़ी लोकप्रिय हो गया,' हर्माइनी ने ख़ुशी से कहा। 'रॉन, कुछ और कुर्सियाँ खींच लो।'

बारमैन एक गिलास को बहुत गंदे कपड़े से पोंछ रहा था। कपड़े को देखकर ऐसा लगता था, जैसे उसे कभी नहीं धोया गया था। वह ग़िलास पोंछते-पोंछते रुक गया और स्तब्ध दिखने लगा। शायद उसने अपने शराबख़ाने में इतनी भीड़ पहले कभी नहीं देखी थी।

'हाय,' फ्रेड सबसे पहले काउंटर पर पहुँचा और उसने अपने साथियों को जल्दी से गिना, 'क्या हमें ... पच्चीस बटरबियर मिल सकती हैं?'

बारमैन ने एक पल के लिए उसकी तरफ़ ग़ुस्से से घूरा। फिर उसने चिढ़कर अपने गंदे कपड़े को नीचे फेंक दिया, जैसे फ्रेड ने उसके बहुत महत्वपूर्ण काम में बाधा डाल दी हो। इसके बाद वह काउंटर के नीचे से धूल में लिपटी बटरबियर उठाकर देने लगा।

'चीयर्स,' फ्रेड ने विद्यार्थियों की तरफ़ बटरबियर बढ़ाते हुए कहा। 'सभी लोग चंदा निकालो। मेरे पास इन सबके लिए पैसे नहीं हैं ...'

हैरी सुन्न होकर देखता रहा। सभी विद्यार्थियों ने फ्रेड से बियर ली और सिक्के खोजने के लिए अपने दुशालों की जेब टटोलने लगे। हैरी को यह समझ में नहीं आ रहा था कि इतने सारे विद्यार्थी यहाँ किसलिए आए थे। फिर उसके मन में यह भयंकर विचार आया कि वे शायद उससे भाषण देने की उम्मीद कर रहे होंगे। यह ख़्याल आते ही वह हर्माइनी की तरफ़ मुड़ा।

'तुमने लोगों को क्या बताया है?' उसने धीमी आवाज़ में कहा। 'वे किस चीज़ की उम्मीद कर रहे हैं?'

'मैंने तुम्हें बताया तो था, वे तो बस तुम्हारी बात सुनना चाहते हैं,' हर्माइनी ने शांति से कहा, लेकिन हैरी इतने ग़ुस्से से उसकी तरफ़ देखता रहा कि उसने जल्दी से आगे जोड़ दिया, 'तुम्हें अभी कुछ करने की ज़रूरत नहीं है। पहले मैं उनसे बात करूँगी।'

नेविल ने उसके सामने वाली सीट पर बैठकर मुस्कराते हुए कहा, 'हाय हैरी!'

हैरी ने मुस्कराने की कोशिश की, लेकिन कुछ बोला नहीं। उसका मुँह अब बहुत ज़्यादा सूख चुका था। चो अभी-अभी उसकी तरफ़ देखकर मुस्कराई थी और रॉन की दाईं तरफ़ बैठ गई थी। लाल-सुनहरे घुँघराले बालों वाली उसकी सहेली ज़रा भी नहीं मुस्कराई थी। इसके बजाय उसने हैरी को बहुत अविश्वास से देखा, जिससे साफ़ ज़ाहिर हो गया कि अगर उसका वश चलता, तो वह यहाँ कभी नहीं आती।

दो-दो, तीन-तीन करके, सभी आने वाले हैरी, रॉन और हर्माइनी के चारों तरफ़ बैठ गए। उनमें से कुछ थोड़े रोमांचित थे, बाक़ी उत्सुक थे। लूना लवगुड खोई-खोई सी हवा में ताक रही थी। जब सभी कुर्सी पर बैठ गए, तो बातचीत थम गई। अब सभी की निगाहें हैरी पर जमी हुई थीं।

'अर,' हर्माइनी ने कहा। घबराहट के कारण उसकी आवाज़ सामान्य से ज़्यादा ऊँची हो गई थी। 'अच्छा - तो - हैलो।'

सबने अब हैरी के बजाय हर्माइनी पर अपना ध्यान केंद्रित कर लिया, हालाँकि बीच-बीच में वे पलट-पलटकर हैरी की तरफ़ देखते रहे।

'अच्छा ... तो ... हाँ, आप सब जानते ही हैं कि आप यहाँ क्यों आए हैं। बात यह है कि हैरी के मन में एक विचार आया था - मेरा मतलब है' (हैरी ने उसे ग़ुस्से से घूरा) 'मेरे मन में विचार आया - कि यह अच्छा रहेगा कि जो लोग गुप्त कलाओं से रक्षा का अध्ययन करना चाहते हैं - मेरा मतलब है कि सचमुच पढ़ना चाहते हैं, उस तरह का मज़ाक़ नहीं जो अंबरिज हमारे साथ कर रही हैं -' (हर्माइनी की आवाज़ अचानक ज़्यादा दमदार और विश्वासपूर्ण हो गई) - 'क्योंकि कोई भी उसे गुप्त कलाओं से रक्षा की पढ़ाई नहीं कह सकता -' ('बहुत बढ़िया, बहुत बढ़िया,' एंथनी गोल्डस्टीन ने कहा, जिससे हर्माइनी का उत्साह बढ़ गया) '- तो मुझे लगा, अच्छा यही रहेगा कि हम मामले को अपने हाथ में ले लें।'

हर्माइनी ने ठहरकर हैरी की तरफ़ कनखियों से देखा और आगे बोलने लगी, 'और मेरा मतलब यह है कि हम सही तरीक़े से खुद की रक्षा करना सीखें, सिर्फ़ सिद्धांत में ही नहीं, बल्कि मंत्रों का प्रयोग करके भी देखें -'

'मैं शर्त लगा सकता हूँ कि तुम गुप्त कलाओं से रक्षा के **ओ.डब्ल्यू.एल.** में पास होना चाहती हो, है ना?' माइकल कॉर्नर ने कहा, जो उसे ग़ौर से देख रहा था।

'ज़ाहिर है,' हर्माइनी ने तत्काल कहा। 'लेकिन उससे भी ज़्यादा मैं आत्मरक्षा का सही प्रशिक्षण इसलिए लेना चाहती हूँ क्योंकि... क्योंकि...' उसने एक गहरी साँस ली और आगे कहा, 'क्योंकि लॉर्ड वोल्डेमॉर्ट लौट आया है।'

प्रतिक्रिया तत्काल हुई और उम्मीद के मुताबिक़ हुई। चो की सहेली चीख़ उठी और उसने ख़ुद पर बटरबियर छलका ली। टेरी बूट अचानक चिहुँक गया। पद्मा पाटिल को कँपकँपी छूट गई और नेविल ने एक अजीब सी आवाज़ निकाली, जिसे उसने बाद में खाँसी में बदलने में सफलता पा ली। बहरहाल, वे सभी लगातार, यहाँ तक कि उत्सुकता से हैरी की तरफ़ देखने लगे।

'तो ... योजना यह है,' हर्माइनी ने कहा। 'अगर तुम सब इसमें हमारे साथ शामिल होना चाहते हो, तो हमें यह फ़ैसला करना होगा कि हम इस काम को कैसे –'

मेहनतकश के सुनहरे बालों वाले खिलाड़ी ने थोड़ी आक्रामक आवाज़ में पूछा, 'इस बात का क्या सबूत है कि तुम-जानते-हो-कौन लौट आया है?'

'देखो, डम्बलडोर को इस बात पर यक़ीन है –' हर्माइनी ने जवाब देना शुरू किया।

सुनहरे बालों वाले लड़के ने हैरी की तरफ़ सिर हिलाते हुए कहा, 'तुम्हारा मतलब है, डम्बलडोर को *इसकी* बात पर यक़ीन है?'

'*तुम* कौन हो?' रॉन ने थोड़ी बदतमीज़ी से पूछा।

'ज़कारियस स्मिथ,' लड़के ने कहा, 'और मुझे लगता है, हमें यह जानने का हक़ है कि वह ऐसा क्यों कहता है कि तुम-जानते-हो-कौन लौट आया है।'

'देखो,' हर्माइनी ने तेज़ी से बीच में कहा, 'मीटिंग दरअसल यह बताने के लिए नहीं बुलाई गई है –'

'**ठीक है**, हर्माइनी,' हैरी बोला।

उसे अभी-अभी समझ में आया था कि इतने सारे लोग वहाँ क्यों आए थे। उसने सोचा कि हर्माइनी को इसका अंदाज़ा होना चाहिए था। इनमें से कुछ लोग – शायद ज़्यादातर लोग – इस उम्मीद से आए होंगे, ताकि वे हैरी की कहानी उसके मुँह से सुन लें।

'मैं यह क्यों कहता हूँ कि तुम-जानते-हो-कौन लौट आया है?' उसने ज़कारियस स्मिथ के चेहरे की तरफ़ देखते हुए दोहराया। 'मैंने उसे देखा था। पिछले साल डम्बलडोर ने पूरे स्कूल को सारी बात बताई थी। अगर तुम्हें उनकी बात पर यक़ीन नहीं है, तो तुम्हें मेरी बात पर भी यक़ीन नहीं होगा, इसलिए मैं किसी को यक़ीन दिलाने के लिए अपनी दोपहर बर्बाद नहीं करना चाहता।'

हैरी के बोलते समय सभी विद्यार्थियों ने अपनी साँस रोक ली थी। हैरी को यह एहसास हुआ कि बारमैन भी उसकी बात सुन रहा था। वह उसी गिलास को गंदे कपड़े से लगातार पोंछे जा रहा था और उसे पहले से ज़्यादा गंदा कर

रहा था।

ज़कारियस ने इस बात को हवा में उड़ाते हुए कहा, 'डम्बलडोर ने हमें पिछले साल इतना ही बताया था कि तुम-जानते-हो-कौन ने सेडरिक डिगोरी को मार डाला था और तुम डिगोरी की लाश को हॉगवर्ट्स लाए थे। उन्होंने हमें पूरी बातें नहीं बताई थीं। उन्होंने हमें यह नहीं बताया था कि डिगोरी की हत्या कैसे हुई ? मुझे लगता है, हम सभी यह जानना चाहेंगे -'

हैरी ने कहा, 'अगर तुम यह सुनने आए हो कि वोल्डेमॉर्ट जब किसी की हत्या करता है, तो कैसा महसूस होता है, तो मैं तुम्हारी कोई मदद नहीं कर सकता।' उसका ग़ुस्सा इन दिनों सतह के बहुत क़रीब रहता था। अब उसका ग़ुस्सा दोबारा बढ़ने लगा था। वह संकल्प कर चुका था कि वह चो की तरफ़ नहीं देखेगा, इसलिए उसने अपनी निगाह ज़कारियस स्मिथ के आक्रामक चेहरे पर जमाए रखी। 'मैं सेडरिक डिगोरी के बारे में बात नहीं करना चाहता, ठीक है ? इसलिए अगर तुम यही जानने के लिए यहाँ आए हो, तो तुम जा सकते हो।'

उसने हर्माइनी की तरफ़ ग़ुस्से से देखा। उसे महसूस हुआ कि यह सब उसी की ग़लती थी। उसने हैरी को एक तरह की प्रदर्शनी में रख दिया था और ज़ाहिर है, वे सब उसकी अजीब कहानी सुनने आए थे। लेकिन उनमें से कोई अपनी कुर्सी से नहीं उठा, ज़कारियस स्मिथ भी नहीं, हालाँकि वह हैरी की तरफ़ घूरकर देखता रहा।

'तो,' हर्माइनी ने कहा, उसकी आवाज़ अब दोबारा बहुत ऊँची हो गई थी। 'तो ... जैसा मैं कह रही थी ... अगर तुम लोग रक्षा करना सीखना चाहते हो, तो हमें यह योजना बनानी होगी कि हम यह काम कैसे करेंगे, हम कितनी बार मिलेंगे और कहाँ मिलेंगे -'

पीठ पर लटकती लंबी चोटी वाली लड़की ने हैरी की तरफ़ देखते हुए कहा, 'क्या यह सच है कि तुम पितृदेव उत्पन्न कर सकते हो ?'

इस बात पर समूह में दिलचस्पी की बुदबुदाहट होने लगी।

हैरी ने थोड़े रक्षात्मक तरीक़े से कहा, 'हाँ'।

'पूरे शरीर वाला पितृदेव ?'

इस वाक्यांश से हैरी को कुछ याद आया।

उसने पूछा, 'अर - तुम मैडम बोन्स को तो नहीं जानती हो ?'

लड़की मुस्कराई।

'वे मेरी आंटी हैं,' उसने कहा। 'मेरा नाम सूज़न बोन्स है। उन्होंने मुझे तुम्हारी सुनवाई के बारे में बताया था। तो - क्या यह सच है कि तुम मृग का

पितृदेव उत्पन्न कर लेते हो?'

'हाँ,' हैरी ने जवाब दिया।

'वाह, हैरी!' ली ने काफ़ी प्रभावित दिखते हुए कहा। 'मुझे तो यह पता ही नहीं था!'

फ्रेड ने हैरी की तरफ़ मुस्कराते हुए कहा, 'मम्मी ने रॉन को हिदायत दी थी कि वह इस बात का प्रचार न करे। उनका कहना था कि तुम्हें वैसे ही पर्याप्त से ज़्यादा ध्यान मिल जाता है।'

'उन्होंने ग़लत नहीं कहा था,' हैरी बुदबुदाया, जिस पर दो-तीन विद्यार्थी हँस पड़े।

अकेली बैठी काले चोगे वाली जादूगरनी अपनी कुर्सी पर थोड़ी सी हिली।

'और क्या तुमने डम्बलडोर के ऑफ़िस में रखी तलवार से कालदृष्टि नाम के भयानक साँप को मार डाला था?' टेरी बूट ने पूछा। 'जब मैं पिछले साल वहाँ गया था, तो दीवार पर लगी एक तस्वीर ने मुझे यह बात बताई थी ...'

हैरी ने कहा, 'हाँ, मैंने ऐसा किया था।'

जस्टिन फिंच-फ़्लेचली सीटी बजाने लगा। क्रीवी बंधुओं ने एक-दूसरे की तरफ़ हैरानी से देखा। लैवेंडर ब्राउन धीरे से बोली, 'वाह!' हैरी को अब अपने कॉलर के पास थोड़ी गर्मी महसूस होने लगी थी। उसने संकल्प कर लिया था कि वह चाहे जहाँ देखे, चो की तरफ़ नहीं देखेगा।

नेविल ने पूरे समूह से कहा, 'और हमारे फ़र्स्ट ईयर में उसने फ़ारस पत्थर को बचाया था -'

हर्माइनी फुसफुसाकर बोली, 'फ़ारस नहीं, पारस।'

'हाँ, वही - उसने इसके लिए तुम-जानते-हो-कौन से मुक़ाबला किया था,' नेविल ने अपनी बात पूरी की।

हान्ना एबॉट की आँखें गैलियन की तरह गोल-मटोल हो गईं।

'यही नहीं,' चो ने कहा (हैरी की आँखें तेज़ी से उसकी तरफ़ घूम गईं। वह उसकी तरफ़ देखकर मुस्करा रही थी, जिससे उसका पेट एक बार फिर गुलाँटियाँ खाने लगा) 'उसने पिछले साल त्रिकोणीय टूर्नामेंट में बहुत सारे ख़तरनाक काम किए थे - ड्रैगन, जलमानुषों और भयानक जानवरों को पार किया था ...'

टेबल पर बैठे सभी विद्यार्थी प्रभावित होकर बुदबुदाने लगे। हैरी के मन

में उथल-पुथल मची हुई थी। वह अपने चेहरे को सपाट रखने की कोशिश कर रहा था, ताकि वह ज़्यादा ख़ुश नज़र न आए। चो ने उसकी तारीफ़ की थी, इस बात से उसके लिए वह कहना मुश्किल हो गया, जिसे कहने का वह संकल्प कर चुका था।

'देखो,' उसने कहा और सभी लोग तत्काल ख़ामोश हो गए, 'मैं ... मैं झूठी विनम्रता का नाटक नहीं करना चाहता हूँ, लेकिन ... मुझे इन सारे मामलों में काफ़ी मदद मिली थी...'

'ड्रैगन के साथ तो नहीं मिली,' माइकल कॉर्नर ने तत्काल कहा। 'वह तो बहुत ही शानदार उड़ान थी...'

'हाँ -' हैरी ने कहा और उसे महसूस हुआ कि इस बात से सहमत न होना बेमानी है।

सूज़न बोन्स बोली, 'और गर्मियों में दमपिशाचों से बचने में किसी ने भी तुम्हारी मदद नहीं की थी।'

'नहीं,' हैरी बोला। '**ठीक है**, मैं जानता हूँ कि मैंने इनमें से कुछ काम बिना किसी की मदद के किए थे, लेकिन मैं जो कहने की कोशिश कर रहा हूँ, वह यह है -'

ज़कारियस स्मिथ ने कहा, 'क्या तुम हमें इनमें से कोई चीज़ दिखाने से बचने की कोशिश कर रहे हो ?'

हैरी के कुछ बोलने से पहले ही रॉन ज़ोर से बोल पड़ा, 'मैं एक सलाह दूँ, तुम अपना मुँह बंद क्यों नहीं रखते हो ?'

रॉन अब ज़कारियस को इस तरह देख रहा था, जैसे वह उसे पीटने से बेहतर काम की कल्पना नहीं कर सकता था। ज़कारियस का चेहरा लाल हो गया।

उसने कहा, 'हम सब यहाँ उससे सीखने के लिए आए हैं और अब वह हमसे कह रहा है कि वह दरअसल इनमें से कोई काम नहीं कर सकता है।'

फ्रेड ने गुर्राकर कहा, 'उसने यह नहीं कहा था।'

जॉर्ज ने कहा, 'क्या तुम चाहते हो कि हम तुम्हारे कान साफ़ कर दें ?' यह कहते समय उसने ज़ोंको के पेपर बैग से एक लंबा और ख़तरनाक सा दिखने वाला धातु का यंत्र निकाल लिया।

फ्रेड ने जोड़ा, 'या शरीर का कोई और हिस्सा ? दरअसल हमें इस बात से फ़र्क़ नहीं पड़ता है कि हम इसे कहाँ डालते हैं ?'

हर्माइनी ने जल्दी से कहा, 'अच्छा, अब आगे बढ़ते हैं ... मुद्दे की बात यह है, क्या हम सभी इस बात पर सहमत हैं कि हम हैरी से सीखना चाहते हैं?'

आम सहमति की बुदबुदाहट होने लगी। ज़कारियस ने अपने हाथ बाँध लिए, लेकिन कुछ नहीं बोला। शायद ऐसा इस कारण हुआ था, क्योंकि उसका पूरा ध्यान उस यंत्र पर टिका हुआ था, जो फ्रेड के हाथ में था।

'ठीक है,' हर्माइनी ने कहा। वह राहत महसूस कर रही थी कि आख़िर किसी बात पर तो सहमति हुई। 'अच्छा, तो अगला सवाल यह है कि हम यह काम कितनी बार करें। मुझे लगता है कि सप्ताह में कम से कम एक बार तो मिलना ही चाहिए –'

'ज़रा ठहरो,' एंजेलिना ने कहा, 'हमें यह सुनिश्चित करना होगा कि यह हमारी क्विडिच प्रैक्टिस वाले दिन न हो।'

'न ही हमारी,' चो ने कहा।

'न ही हमारी,' ज़कारियस स्मिथ बोला।

हर्माइनी ने थोड़ी अधीरता से कहा, 'हम ऐसी रात चुनेंगे, जिसमें किसी को दिक्क़त नहीं होगी। लेकिन तुम लोग जानते हो, यह बहुत महत्त्वपूर्ण काम है। हम वो-वोल्डेमॉर्ट के प्राणभक्षियों से अपनी रक्षा करना सीख रहे हैं –'

'बहुत अच्छी बात कही!' अर्नी मैकमिलन ने तेज़ी से कहा, जिसके बोलने की हैरी काफ़ी पहले से उम्मीद कर रहा था। 'व्यक्तिगत रूप से मैं सोचता हूँ कि यह सचमुच महत्वपूर्ण है। शायद इस साल यह हमारा सबसे महत्वपूर्ण काम होगा, हालाँकि हमारे **ओ.डब्ल्यू.एल.** भी आ रहे हैं!'

उसने चारों तरफ़ जोश से देखा, जैसे इस बात का इंतज़ार कर रहा हो कि विद्यार्थी चिल्लाकर कहेंगे, 'ऐसी बात नहीं है!' जब कोई कुछ नहीं बोला, तो उसने आगे कहा, 'व्यक्तिगत तौर पर मैं यह नहीं समझ पाता हूँ कि मंत्रालय ने इस महत्वपूर्ण दौर में हम पर इतनी बेकार टीचर क्यों थोपी है? ज़ाहिर है, वे तुम-जानते-हो-कौन की वापसी को नकारना चाहते हैं, लेकिन हमें ऐसी टीचर देना, जो रक्षात्मक मंत्रों का प्रयोग करने से हमें जान-बूझकर रोक रही है –'

हर्माइनी ने कहा, 'हमें लगता है कि अंबरिज हमें गुप्त कलाओं से रक्षा का प्रशिक्षण इसलिए नहीं देना चाहती हैं, क्योंकि उनके मन में यह ... पागलपन भरा विचार है कि डम्बलडोर स्कूल के विद्यार्थियों का इस्तेमाल अपने सैनिकों की तरह कर सकते हैं। वे सोचती हैं कि वे हमें मंत्रालय के ख़िलाफ़ तैयार कर सकते हैं।'

यह ख़बर सुनकर लगभग सभी विद्यार्थी स्तब्ध रह गए। सिर्फ़ लूना लवगुड सामान्य बनी रही। उसने कहा, 'हाँ, यह बात समझदारी भरी लगती है।

आख़िर, कॉर्नेलियस फ़ज के पास अपनी निजी सेना है।'

'क्या?' हैरी इस अप्रत्याशित जानकारी से भौचक्का रह गया।

लूना ने संजीदगी से कहा, 'हाँ, उनके पास हेलियोपैथ्स की सेना है।'

हर्माइनी ने बात काटते हुए कहा, 'नहीं, उनके पास नहीं है।'

'हाँ, है,' लूना बोली।

नेविल ने चकराते हुए पूछा, 'हेलियोपैथ क्या होते हैं?'

'वे अग्निजीव होते हैं,' लूना ने कहा तथा उसकी बाहर निकलती हुई आँखें और चौड़ी हो गईं, जिससे वह पहले से ज़्यादा पागल दिखने लगी, 'लपट उगलते ऊँचे-ऊँचे प्राणी, जो ज़मीन पर दौड़ते हुए चलते हैं और अपने सामने आने वाली हर चीज़ को जला देते हैं -'

हर्माइनी चिढ़कर बोली, 'नेविल, वे होते ही नहीं हैं।'

'वे होते हैं!' लूना ने ग़ुस्से से कहा।

हर्माइनी तेज़ी से बोली, 'लेकिन इस बात का सबूत कहाँ है?'

'बहुत से प्रत्यक्षदर्शियों के बयान हैं। तुम बहुत संकीर्ण विचारधारा की हो, इसलिए तुम्हें हर सबूत अपनी नाक के नीचे चाहिए -'

'उहूँ, उहूँ,' जिनी ने प्रोफ़ेसर अंबरिज की इतनी बढ़िया नक़ल की कि कई विद्यार्थी दहशत से आस-पास देखने लगे और फिर हँस पड़े। 'हम यह फ़ैसला कर रहे थे कि आत्मरक्षा करना सीखने के लिए कितनी बार मिलेंगे?'

'हाँ,' हर्माइनी ने तत्काल कहा, 'जिनी, तुमने सही कहा, हम यही कर रहे थे।'

ली जॉर्डन बोला, 'सप्ताह में एक बार ठीक रहेगा।'

'जब तक कि -' एंजेलिना ने बोलना शुरू किया।

'हाँ, हाँ, हम क्विडिच के बारे में जानते हैं,' हर्माइनी ने तनाव भरी आवाज़ में कहा। 'देखो, दूसरा फ़ैसला यह करना है कि हम कहाँ मिलेंगे ...'

यह ज़्यादा मुश्किल था। सभी विद्यार्थी ख़ामोश हो गए।

केटी बेल ने कुछ पल बाद सुझाव दिया, 'लाइब्रेरी?'

'मुझे नहीं लगता कि मैडम पिन्स हमें लाइब्रेरी में मंत्रों का प्रयोग करने देंगी।'

'शायद किसी ख़ाली क्लासरूम में?' डीन ने सुझाव दिया।

'हाँ,' रॉन ने कहा, 'मैक्गॉनेगल हमें अपने क्लासरूम का इस्तेमाल करने

की इजाज़त दे सकती हैं। जब हैरी त्रिकोणीय टूर्नामेंट की तैयारी कर रहा था, तब भी तो उन्होंने इसकी इजाज़त दी थी।'

लेकिन हैरी को पूरा भरोसा था कि इस बार मैक्गॉनेगल इतनी मेहरबान नहीं होंगी। हालाँकि हर्माइनी ने स्टडी और होमवर्क ग्रुप को इजाज़त देने की बात कही थी, लेकिन हैरी को यह स्पष्ट एहसास था कि इस समूह को वे काफ़ी विद्रोही मानेंगी।

'ठीक है, हम कोई न कोई जगह खोज लेंगे,' हर्माइनी ने कहा। 'पहली मीटिंग का समय और तारीख़ तय करने के बाद हम सबको ख़बर कर देंगे।'

उसने अपने बैग में हाथ डालकर चर्मपत्र और क़लम निकाली। फिर वह झिझकी, जैसे खुद को कुछ बोलने के लिए तैयार कर रही हो।

'मुझे – मुझे लगता है कि यहाँ पर मौजूद हर विद्यार्थी को अपना नाम इस चर्मपत्र पर लिख देना चाहिए, ताकि हमें यह पता रहे कि इस मीटिंग में कौन-कौन शामिल हुआ था। लेकिन मुझे यह भी लगता है,' उसने एक गहरी साँस खींची, 'कि हम सभी को यह बात किसी को नहीं बताना चाहिए। यहाँ साइन करने का मतलब होगा कि हम अंबरिज या किसी और को यह बात नहीं बताने का वादा कर रहे हैं।'

फ्रेड ने चर्मपत्र लिया और ख़ुशी से अपने साइन कर दिए, लेकिन हैरी का ध्यान तत्काल इस तरफ़ गया कि कई विद्यार्थी सूची में अपना नाम लिखने की संभावना से ख़ुश नज़र नहीं आ रहे थे।

'अर ...' ज़कारियस ने धीरे से कहा और उस चर्मपत्र को नहीं लिया, जो जॉर्ज उसे देने की कोशिश कर रहा था, 'देखो ... मुझे लगता है कि अर्नी मुझे बता देगा कि मीटिंग कब है।'

लेकिन अर्नी ख़ुद साइन करने में झिझक रहा था। हर्माइनी ने भौंहें उठाकर उसकी तरफ़ देखा।

'मैं – देखो, हम *प्रिफ़ेक्ट हैं,'* अर्नी तेज़ी से बोला। 'अगर यह सूची किसी को मिल गई ... मेरा मतलब यह है ... तुमने ख़ुद कहा था, अगर अंबरिज को पता चल गया –'

हैरी ने उसे याद दिलाया, 'तुमने अभी-अभी कहा था कि इससे महत्त्वपूर्ण काम कोई दूसरा नहीं है।'

'मैं – हाँ,' अर्नी ने कहा, 'हाँ, मैं यह बात मानता हूँ, मैं तो बस –'

हर्माइनी ने चिढ़कर कहा, 'अर्नी, तुम्हें यह तो नहीं लगता कि मैं इसे यूँ ही कहीं पड़ा छोड़ दूँगी?'

'नहीं, नहीं, ज़ाहिर है नहीं,' अर्नी ने कहा, जो अब थोड़ा कम चिंतित लग रहा था। 'मैं – हाँ, ज़ाहिर है, मैं साइन कर देता हूँ।'

अर्नी के बाद किसी ने भी आपत्ति नहीं की, हालाँकि हैरी ने देखा कि चो की सहेली ने अपना नाम लिखने से पहले चो को थोड़ा चिढ़कर देखा। जब आख़िरी विद्यार्थी ज़कारियस ने साइन कर दिए, तो हर्माइनी ने चर्मपत्र वापस लेकर सावधानी से अपने बैग में रख लिया। अब सबके चेहरे पर एक अजीब सा भाव था। ऐसा लग रहा था, जैसे उन्होंने किसी तरह के अनुबंध पर साइन कर दिए थे।

'अच्छा, तो अब काफ़ी समय हो गया,' फ्रेड ने उठते हुए तेज़ी से कहा। 'जॉर्ज, ली और मुझे कुछ गोपनीय सामान ख़रीदना है। तुम लोगों से बाद में मिलते हैं।'

दो-दो तीन-तीन करके बाक़ी का समूह भी चला गया। चो ने बाहर निकलने से पहले अपने बैग की चेन लगाने में बहुत देर लगाई। उसके बालों का लंबा काला पर्दा उसके चेहरे को छिपाने के लिए आगे आ गया था, लेकिन उसकी सहेली हाथ बाँधे उसके पास खड़ी होकर अपनी जीभ चटका रही थी, इसलिए चो के पास उसके साथ जाने के अलावा कोई चारा नहीं था। जब उसकी सहेली उसे दरवाज़े से निकालकर ले जाने लगी, तो चो ने पलटकर देखा और हैरी की तरफ़ हाथ हिला दिया।

'अच्छा, मुझे लगता है कि सब कुछ ठीक-ठाक हो गया,' हर्माइनी ने ख़ुशी से कहा, जब वह, हैरी और रॉन कुछ पल बाद हॉग्स हेड से बाहर निकलकर धूप में आ गए। हैरी और रॉन के हाथ में बटरबियर की बोतल थी।

'ज़कारियस तो बहुत घटिया है,' रॉन ने कहा, जो अब भी दूर जाते ज़कारियस स्मिथ को ग़ुस्से से देख रहा था।

'मुझे भी वह ज़्यादा पसंद नहीं है,' हर्माइनी ने स्वीकार किया, 'लेकिन जब मैं मेहनतकश की टेबल पर अर्नी और हान्ना से बात कर रही थी, तो उसने मेरी बातें सुन ली थीं। वह आने में दिलचस्पी दिखा रहा था। मैं क्या कर सकती थी? वैसे जितने ज़्यादा लोग हों, उतना ही अच्छा है – मेरा मतलब है, अगर माइकल कॉर्नर जिनी के साथ डेटिंग नहीं कर रहा होता, तो वह और उसके दोस्त नहीं आए होते –'

अपनी बोतल की आख़िरी बूँदें गटक रहे रॉन का गला बंद हो गया और बटरबियर छलककर उसके कपड़ों पर फैल गई।

'वह **क्या** कर रहा है?' रॉन ने ग़ुस्से से कहा। अब उसके कान कच्चे गोश्त की तरह लाल हो चुके थे। 'जिनी उसके साथ डेटिंग कर रही है – मेरी

बहन उसके साथ घूम रही है – तुम्हारा क्या मतलब है, माइकल कॉर्नर ?'

'देखो मुझे लगता है, इसीलिए वह और उसके दोस्त आए थे – ज़ाहिर है, आत्मरक्षा में उनकी दिलचस्पी है, लेकिन अगर जिनी ने माइकल को इस बारे में नहीं बताया होता –'

'यह कब हुआ – उसने यह कब किया – ?'

'वे यूल बॉल में मिले थे और पिछले साल के आख़िर में डेटिंग करने लगे थे,' हर्माइनी ने शांति से कहा। वे हाई स्ट्रीट में मुड़ गए और हर्माइनी स्क्रिवनशैफ़्ट की क्विल शॉप के बाहर ठहर गई, जहाँ खिड़की में तीतर के पंखों की क़लमों की सुंदर प्रदर्शनी लगी थी। 'हूँ ... मैं एक नई क़लम ख़रीद लेती हूँ।'

वह दुकान में चली गई। हैरी और रॉन उसके पीछे-पीछे चल दिए।

रॉन ने ग़ुस्से से पूछा, 'माइकल कॉर्नर कौन सा था ?'

'साँवला वाला,' हर्माइनी ने कहा।

रॉन ने तत्काल कहा, 'मुझे वह पसंद नहीं है।'

'बड़ी हैरानी की बात है,' हर्माइनी ने धीरे से कहा।

रॉन ने हर्माइनी के पीछे-पीछे ताँबे के डिब्बे में रखी क़लमों की क़तार के पास से गुज़रते हुए कहा, 'लेकिन मुझे तो लगता था कि जिनी हैरी की दीवानी है!'

हर्माइनी ने उसकी तरफ़ थोड़ी करुणा से देखा और फिर अपना सिर हिलाया।

'जिनी हैरी की दीवानी *थी*, लेकिन उसने महीनों पहले हार मान ली। ज़ाहिर है, इसका मतलब यह नहीं है कि वह तुम्हें *पसंद* नहीं करती है,' उसने दयालुता से हैरी से कहा, जब वह एक लंबी काली-सुनहरी क़लम को उलट-पलट कर देख रही थी।

हैरी का दिमाग़ अब भी विदाई के समय चो के हाथ लहराने के बारे में सोचे जा रहा था, इसलिए उसे यह विषय रॉन जितना दिलचस्प नहीं लगा। रॉन तो ग़ुस्से से काँप रहा था, लेकिन इससे हैरी को वह बात समझ में आ गई, जिसकी तरफ़ उसने अभी तक ध्यान नहीं दिया था।

'इसीलिए अब वह मेरे सामने बात करती है ?' उसने हर्माइनी से कहा। 'वह पहले मेरे सामने कभी बात नहीं कर पाती थी।'

'बिलकुल,' हर्माइनी ने कहा। 'हाँ, मुझे लगता है कि मैं यह वाली ले लूँ ...'

उसने काउंटर पर जाकर पंद्रह सिकल और दो नट दे दिए। रॉन अब भी उसके पीछे लगा हुआ था।

'रॉन,' हर्माइनी ने गंभीरता से कहा, जब वह मुड़कर उसके पैरों पर चढ़ गई, 'इसीलिए जिनी ने तुम्हें यह नहीं बताया कि वह माइकल के साथ डेटिंग कर रही है। वह जानती थी कि तुम्हें बुरा लगेगा। अब भगवान के लिए इस बारे में *चिंता मत करो।*'

'तुम्हारा क्या मतलब है? बुरा कौन मान रहा है? मैं किसी चीज़ के बारे में चिंता नहीं कर रहा हूँ ...' रॉन सड़क पर चलते समय पूरे रास्ते यही बुदबुदाता रहा।

हर्माइनी ने हैरी की तरफ़ आँखें चढ़ा लीं और फिर दबी आवाज़ में बोली, जबकि रॉन अब भी माइकल कॉर्नर के बारे में बुरी-बुरी बातें बुदबुदा रहा था, 'माइकल और जिनी का तो ठीक है ... चो और तुम्हारा क्या है?'

'तुम्हारा क्या मतलब है?' हैरी ने जल्दी से पूछा।

ऐसा लग रहा था, जैसे उसके भीतर उबलता हुआ पानी उफन रहा हो। उसे अपने भीतर गर्मी का एहसास हो रहा था, जिससे उसका चेहरा ठंड में भी जलने लगा था - क्या उसकी भावनाएँ इतनी स्पष्ट थीं?

हर्माइनी ने थोड़ा मुस्कराते हुए कहा, 'देखो, उसकी आँखें तो *तुम्हारे चेहरे से हट ही नहीं रही* थीं, है ना?'

हैरी को पहले कभी यह एहसास नहीं हुआ था कि हॉग्समीड गाँव कितना सुंदर था!

अध्याय सत्रह

शैक्षणिक क़ानून क्रमांक चौबीस

हैरी उस वीकएंड में जितना ख़ुश था, उतना पूरे सत्र में कभी नहीं रहा था। उसने और रॉन ने रविवार का ज़्यादातर वक़्त अपने होमवर्क को निबटाने में लगाया। हालाँकि इस काम को मज़ेदार नहीं कहा जा सकता था, लेकिन धूप निकली हुई थी, इसलिए हॉल की टेबलों पर बैठने के बजाय वे पढ़ाई का सामान लेकर बाहर चले गए। वे झील किनारे एक बड़े पेड़ की छाया में बैठ गए। ज़ाहिर है, हर्माइनी अपना सारा होमवर्क पहले ही निबटा चुकी थी, इसलिए वह अपने साथ ऊन लाई थी। उसने अपनी बुनाई की सलाइयों पर जादू कर दिया, ताकि वे उसके पास हवा में चलती रहें और तेज़ी से हैट तथा स्कार्फ़ बनाती रहें।

हैरी को इस बात से बड़ी राहत महसूस हो रही थी कि वे अंबरिज और मंत्रालय के विरोध में कुछ कर रहे थे। उसे इस बात की बहुत ख़ुशी थी कि इस विद्रोह में वह अहम भूमिका निभा रहा था। वह शनिवार की मीटिंग को बार-बार याद करता रहा। वे सभी लोग उससे गुप्त कलाओं से रक्षा सीखने आए थे ... और उसके कुछ कारनामों के बारे में सुनकर उनके चेहरों पर कैसे भाव आए थे ... और चो ने त्रिकोणीय टूर्नामेंट में उसके प्रदर्शन की तारीफ़ की थी। वे उसे झूठा या सिरफिरा नहीं समझते थे, बल्कि प्रशंसा की निगाह से देखते थे। यह सोचने के बाद वह इतना उत्साहित हो गया कि वह सोमवार की सुबह भी ख़ुश था, हालाँकि उस दिन उसकी सबसे कम प्रिय क्लासें थीं।

वह और रॉन अपने कमरे से नीचे उतरते समय एंजेलिना के सुझाव पर बात करने लगे कि उन्हें उस रात को होने वाली क्विडिच प्रैक्टिस में एक नए दाँव पर मेहनत करनी है, जिसका नाम स्लॉथ ग्रिप रोल था। जब उन्होंने धूप से नहाए हॉल को आधा पार कर लिया, तब जाकर उनका ध्यान हॉल की उस चीज़ की तरफ़ गया, जो पहले ही कुछ विद्यार्थियों का ध्यान आकर्षित कर चुकी थी।

गरुड़द्वार के नोटिसबोर्ड पर एक बड़ा नोटिस लगा हुआ था - इतना बड़ा

कि इसने बोर्ड की बाक़ी सारी सूचनाओं को ढँक लिया था - बेचने के लिए उपलब्ध सेकंड हैंड किताबों की सूची, आर्गस फ़िल्च द्वारा स्कूल के नियमों के बारे में नियमित जानकारी, क्विडिच टीम के प्रशिक्षण का टाइमटेबल, चॉकलेट मेंढकों की अदला-बदली के प्रस्ताव, वीज़्ली बंधुओं के प्रयोगों के लिए परीक्षकों का नवीनतम विज्ञापन, हॉग्समीड वीकएंड की तारीख़ें और खोई तथा पाई वस्तुओं की सूचना। नया नोटिस बड़े काले अक्षरों में था और उसके नीचे की तरफ़ एक बहुत ही आधिकारिक दिखने वाली सील लगी थी, जिसके पास साफ़ और घुमावदार साइन थे।

हॉगवर्ट्स की सर्वोच्च प्रशासक के आदेश से

सभी विद्यार्थी संगठन, संस्थाएँ, टीमें, समूह और क्लब तत्काल प्रभाव से भंग किए जाते हैं।

यहाँ संगठन, संस्था, टीम, समूह या क्लब का मतलब यह है कि उसमें तीन या अधिक विद्यार्थी नियमित रूप से मिलते हों।

पुनर्गठन की अनुमति सर्वोच्च प्रशासक (प्रोफ़ेसर अंबरिज) से ली जा सकती है।

कोई भी विद्यार्थी संगठन, संस्था, टीम, समूह या क्लब सर्वोच्च प्रशासक की जानकारी और सहमति के बिना अस्तित्व में नहीं रह सकता।

जो विद्यार्थी किसी ऐसे संगठन, संस्था, टीम, समूह या क्लब का सदस्य रहेगा या बनाएगा, जिसके लिए सर्वोच्च प्रशासक की सहमति नहीं ली गई हो, उसे स्कूल से निष्कासित कर दिया जाएगा।

उपरोक्त आदेश शैक्षणिक क़ानून क्रमांक चौबीस के अनुपालन में है।

हस्ताक्षर : डोलोरेस जेन अंबरिज, सर्वोच्च प्रशासक

हैरी और रॉन ने सेकंड ईयर के कुछ चिंतित दिख रहे विद्यार्थियों के ऊपर से झाँकते हुए नोटिस पढ़ा।

उनमें से एक ने अपने दोस्त से पूछा, 'क्या इसका मतलब यह है कि वे गॉबस्टोन्स क्लब को बंद करने वाली हैं?'

'मुझे लगता है कि गॉबस्टोन्स क्लब की इजाज़त मिलने में कोई दिक्क़त नहीं होगी,' रॉन ने उदासी से कहा, जिसे सुनकर सेकंड ईयर के विद्यार्थी उछल

पड़े। 'मुझे नहीं लगता कि हम इतने ख़ुशक़िस्मत होंगे, है ना?' उसने हैरी ने कहा, जब सेकंड ईयर के विद्यार्थी तेज़ी से दूर चले गए।

हैरी एक बार फिर नोटिस पढ़ने लगा। शनिवार से उसके भीतर जो ख़ुशी भरी हुई थी, वह अब काफ़ूर हो गई। उसका दिल ग़ुस्से से धड़कने लगा।

उसने अपने हाथ मुक्के में तानते हुए कहा, 'यह संयोग नहीं है। उन्हें पता चल गया है!'

रॉन तत्काल बोला, 'उन्हें पता नहीं चल सकता!'

'शराबख़ाने में और भी लोग थे, जो हमारी बातें सुन रहे थे। इसके अलावा सच तो यह भी है कि जितने विद्यार्थी आए थे, उनमें से हम कितनों पर भरोसा कर सकते हैं ... कोई भी जाकर अंबरिज को बता सकता था ...'

और उसने सोचा था कि उन्हें उस पर भरोसा था, उसने सोचा था कि वे लोग उसके प्रशंसक थे ...

'ज़कारियस स्मिथ!' रॉन ने अपने हाथ पर मुक्का मारते हुए तत्काल कहा। 'या फिर – मुझे तो माइकल कॉर्नर की आँख में भी चालाकी की झलक दिख रही थी –'

'क्या पता अब तक हर्माइनी ने नोटिस पढ़ा होगा या नहीं?' हैरी ने कहा और लड़कियों के कमरों की तरफ़ जाने वाले दरवाज़े को मुड़कर देखा।

रॉन बोला, 'चलो, चलकर उसे बता देते हैं।' उसने दौड़कर दरवाज़ा खोला और घुमावदार सीढ़ियों पर चढ़ने लगा।

वह अभी छठी पायदान पर ही पहुँचा था कि तभी एक ज़ोरदार आवाज़ के साथ सीढ़ियाँ फिसलपट्‌टी जैसी लंबी ढलान में बदल गईं। एक पल के लिए रॉन ने ऊपर जाने की कोशिश की और अपने हाथ पवनचक्कियों की तरह तेज़ी से लहराए। फिर वह पीछे की तरफ़ गिर गया और ढलान पर पीठ के बल फिसलता हुआ हैरी के पैरों के पास आ गया।

'अर – मुझे नहीं लगता कि हमें लड़कियों के कमरे में जाने की इजाज़त है,' हैरी ने रॉन को उठाकर खड़ा करते हुए कहा। इस दौरान वह अपनी हँसी रोकने की पूरी कोशिश कर रहा था।

फ़ोर्थ ईयर की दो लड़कियाँ नीचे देखने के लिए आ गई थीं और ख़ुश हो रही थीं।

'ऊह, ऊपर आने की कोशिश किसने की थी?' उन्होंने खी-खी करते हुए पूछा, अपने पैरों पर उछलीं और हैरी तथा रॉन को घूरने लगीं।

'मैंने,' रॉन ने कहा, जो अब भी थोड़ा अस्त-व्यस्त था। 'मुझे अंदाज़ा नहीं

था कि ऐसा भी होगा। यह कहाँ का इंसाफ़ है!' उसने हैरी से कहा, जब लड़कियाँ खी-खी करती हुई तस्वीर के छेद की तरफ़ चली गईं। 'हर्माइनी को हमारे कमरे में आने की इजाज़त है, फिर हमें उसके कमरे में जाने की इजाज़त क्यों नहीं है – ?'

'यह बहुत पुराना नियम है,' हर्माइनी ने कहा, जो अभी-अभी उनके सामने ढलान से फिसलकर आई थी और अब खड़ी हो रही थी, *हॉगवर्ट्स : एक इतिहास* में लिखा हुआ है कि संस्थापकों की राय में लड़के लड़कियों से कम विश्वसनीय होते हैं। चलो छोड़ो, अब यह बताओ कि तुम ऊपर आने की कोशिश क्यों कर रहे थे ?'

'तुमसे मिलने के लिए – इसकी तरफ़ देखो!' रॉन ने कहा और उसे घसीटकर नोटिसबोर्ड तक ले गया।

हर्माइनी की आँखें तेज़ी से नोटिस पर घूमती हुई नीचे तक आ गईं। उसके चेहरे का भाव पथरीला हो गया।

रॉन ने ग़ुस्से से कहा, 'किसी ने उनसे जाकर चुगली कर दी होगी!'

हर्माइनी धीमी आवाज़ में बोली, 'ऐसा नहीं हो सकता।'

'तुम भी कितनी भोली हो,' रॉन बोला, 'तुम सोचती हो कि सब लोग तुम्हारे जितने विश्वसनीय और सम्माननीय होते हैं –'

हर्माइनी ने गंभीरता से कहा, 'नहीं, वे ऐसा नहीं कर सकते, क्योंकि जिस चर्मपत्र पर हम सभी ने साइन किए थे, मैंने उस पर एक मंत्र पढ़ दिया था। मेरा यक़ीन करो, अगर किसी ने अंबरिज से चुगली की होगी, तो हमें पता चल जाएगा कि वह कौन है और वह इस बात पर बहुत पछताएगा।'

रॉन ने उत्सुकता से पूछा, 'उसके साथ क्या होगा ?'

'देखो, इसे इस तरह से समझो,' हर्माइनी बोली, 'इससे एलोइस मिज़ेन के मुँहासे सुंदर चकत्ते जैसे लगने लगेंगे। चलो, नीचे नाश्ता करने चलते हैं और देखते हैं कि बाक़ी विद्यार्थी इस बारे में क्या सोचते हैं ... क्या पता यह सभी हाउसों में लगा भी है या नहीं ?'

बड़े हॉल में घुसते ही उन्हें तत्काल समझ में आ गया कि अंबरिज का नोटिस सिर्फ़ गरुड़द्वार में ही नहीं लगा था। हॉल में आज सामान्य से ज़्यादा बातचीत और हलचल हो रही थी। विद्यार्थी अपनी टेबलों पर इधर-उधर घूम-घूमकर नोटिस में लिखी बातों के बारे में बातचीत कर रहे थे। हैरी, रॉन और हर्माइनी अभी अपनी कुर्सियों पर बैठे ही थे कि नेविल, डीन, फ़्रेड, जॉर्ज और जिनी उनके पास आ गए।

'क्या तुमने देखा ?'

'तुम्हें क्या लगता है, उन्हें पता चल गया है ?'

'अब हम क्या करेंगे ?'

वे सभी हैरी को देख रहे थे। उसने चारों तरफ़ नज़र डालकर देखा कि आस-पास कोई टीचर तो नहीं है।

उसने धीरे से कहा, 'ज़ाहिर है, हम इसके बावजूद यह काम करेंगे।'

'जानता था, तुम यही कहोगे,' जॉर्ज ने मुस्कराते हुए कहा और हैरी की बाँह थपथपाई।

'प्रिफ़ेक्ट्स का भी यही कहना है ?' फ़्रेड ने रॉन और हर्माइनी की तरफ़ सवालिया निगाह डालते हुए पूछा।

'और क्या,' हर्माइनी ने शांति से कहा।

'ये लो, अर्नी और हान्ना एबॉट आ रहे हैं,' रॉन ने अपने कंधे के ऊपर से देखते हुए कहा। 'चीलघात के विद्यार्थी और ज़कारियस स्मिथ भी हैं ... लेकिन किसी के भी चेहरे पर मुँहासे नहीं दिख रहे हैं।'

हर्माइनी दहशत में दिखने लगी।

'मुँहासों को छोड़ो। वे मूर्ख इस वक़्त यहाँ नहीं आ सकते। इससे मामला सचमुच संदिग्ध लगने लगेगा - बैठ जाओ!' उसने मुँह से इशारा करके अर्नी और हान्ना से कहा तथा तेज़ी से हाथ हिलाकर उन्हें मेहनतकश की टेबल पर लौटकर जाने का इशारा करने लगी। 'बाद में! हम - तुमसे - *बाद* - में - बात - करेंगे!'

'मैं माइकल को बता देती हूँ,' जिनी ने बेंच से उठते हुए अधीरता से कहा। 'वह भी कितना मूर्ख है ...'

वह तेज़ी से चीलघात की टेबल की तरफ़ चल दी। हैरी उसे जाते हुए देखता रहा। चो ज़्यादा दूर नहीं बैठी थी। वह उसी घुँघराले बालों वाली सहेली से बातचीत कर रही थी, जिसे लेकर वह हॉग्स हेड आई थी। क्या अंबरिज के नोटिस से डरकर वह मीटिंग में नहीं आएगी ?

लेकिन उस नोटिस के पूरे परिणाम तब तक महसूस नहीं हुए, जब तक कि वे बड़े हॉल से निकलकर जादू का इतिहास विषय की क्लास में नहीं जाने लगे।

'हैरी! *रॉन!*'

एंजेलिना बहुत परेशान दिखती हुई तेज़ी से उनकी तरफ़ आ रही थी।

'**ठीक है**,' हैरी ने धीरे से कहा, जब वह इतनी पास आ गई कि उसकी

बात सुन सके। 'हम अब भी अपना -'

'तुम जानते हो, इसमें क्विडिच भी शामिल है?' एंजेलिना उसकी बात काटते हुए बोली। 'हमें उनसे गरुड़द्वार की टीम दोबारा बनाने की इजाज़त लेनी होगी!'

हैरी ने कहा, '*क्या ?*'

रॉन दहशत में बोला, 'अरे नहीं!'

'तुम नोटिस को ध्यान से पढ़ो। उसमें टीमों का ज़िक्र भी है! इसलिए सुनो, हैरी ... मैं यह बात आख़िरी बार बोल रही हूँ ... मेहरबानी करके, *मेहरबानी करके* तुम अंबरिज को दोबारा ग़ुस्सा मत दिलाना, वरना वे हमें कभी नहीं खेलने देंगी!'

'**ठीक है**, **ठीक है**,' हैरी ने कहा, क्योंकि एंजेलिना को देखकर ऐसा लग रहा था, जैसे उसके आँसू निकलने ही वाले हों। 'चिंता मत करो, मैं उनके साथ अच्छे से पेश आऊँगा ...'

'शर्त लगाता हूँ कि अंबरिज जादू का इतिहास की क्लास में हैं,' रॉन ने उदासी से कहा, जब वे बिन्स की क्लास की तरफ़ जाने लगे। 'उन्होंने अभी तक बिन्स की क्लास का इंस्पेक्शन नहीं किया है ... शर्त लगाता हूँ कि वे वहीं होंगी ...'

लेकिन उसकी बात ग़लत थी। जब वे क्लासरूम में दाख़िल हुए, तो वहाँ पर एक ही टीचर थे और वे थे प्रोफ़ेसर बिन्स, जो हमेशा की तरह अपनी कुर्सी से एक इंच ऊपर तैर रहे थे और दानवों के युद्ध पर अपना नीरस लेक्चर शुरू करने की तैयारी कर रहे थे। हैरी ने आज तो उनके लेक्चर को समझने की कोशिश भी नहीं की। वह अपने चर्मपत्र पर आलस से क़लम चलाता रहा और हर्माइनी की ग़ुस्से भरी निगाहों तथा टोहकों को नज़रअंदाज़ करता रहा। बहरहाल, जब हर्माइनी ने उसकी पसलियों में ज़ोर से कोहनी मारी, तो उसने ग़ुस्से से ऊपर देखा।

'*क्या है ?*'

हर्माइनी ने खिड़की की तरफ़ इशारा किया। हैरी ने उस तरफ़ देखा। हेडविग खिड़की की सँकरी मुँडेर पर बैठी थी और मोटे काँच के पार से उसकी तरफ़ देख रही थी। उसके पैर में एक चिट्ठी बँधी हुई थी। हैरी को यह बात समझ में नहीं आई। उसने अभी-अभी नाश्ता किया था। आख़िर वह चिट्ठी उसी समय लेकर क्यों नहीं आई, जैसा हमेशा होता था ? उसके कई सहपाठी भी हेडविग की तरफ़ इशारा करने लगे थे।

हैरी ने सुना कि लैवेंडर पार्वती से कह रही थी, 'ओह, मुझे वह उल्लू हमेशा से बहुत पसंद है। वह कितनी सुंदर है!'

उसने मुड़कर प्रोफ़ेसर बिन्स की तरफ़ देखा, जो अपने नोट्स पढ़ने में डूबे हुए थे। उन्हें ज़रा भी पता नहीं था कि पूरी क्लास का ध्यान आज उनकी तरफ़ सामान्य से भी कम था। हैरी चुपचाप अपनी कुर्सी से फिसला और झुककर खिड़की तक गया, जहाँ उसने कुंडी सरकाकर बहुत धीरे से खिड़की खोल दी।

उसे उम्मीद थी कि हेडविग चिट्ठी निकलवाने के लिए अपना पैर आगे बढ़ा देगी और फिर उल्लूघर की तरफ़ उड़ जाएगी, लेकिन जैसे ही उसने खिड़की खोली, वह फुदककर अंदर आ गई और उदास आवाज़ में सिसकने लगी। हैरी ने खिड़की बंद करते समय प्रोफ़ेसर बिन्स की तरफ़ चिंता से देखा। वह दोबारा नीचे झुका और हेडविग को अपने कंधे पर बैठाकर तेज़ी से अपनी सीट पर वापस लौटा। वह अपनी जगह पर बैठा, हेडविग को अपनी गोद में रखा और उसके पैर में बँधी चिट्ठी निकालने की तैयारी करने लगा।

तब जाकर उसे एहसास हुआ कि हेडविग के पंख बुरी तरह मुड़े हुए थे। कुछ तो ग़लत तरफ़ झुके हुए थे और उसका एक डैना अजीब कोण पर था।

'यह घायल है!' हैरी ने फुसफुसाकर कहा और अपना सिर उस पर झुका लिया। हर्माइनी और रॉन भी झुककर देखने लगे। हर्माइनी ने तो अपनी क़लम भी नीचे रख दी। 'देखो – उसके डैने के साथ कुछ गड़बड़ है –'

हेडविग काँप रही थी। जब हैरी ने उसके डैने को छूने की कोशिश की, तो वह थोड़ी उछली। उसके सभी पंख सिरे पर आ गए, जैसे वह ख़ुद को फुला रही हो। फिर वह उसे हिक़ारत से घूरने लगी।

'प्रोफ़ेसर बिन्स,' हैरी ने ज़ोर से कहा, जिसे सुनकर क्लास के सभी विद्यार्थी उसकी तरफ़ देखने लगे। 'मेरी तबियत ठीक नहीं है।'

प्रोफ़ेसर बिन्स ने अपनी निगाह नोट्स से ऊपर उठाई। वे हमेशा की तरह अपने सामने इतने सारे विद्यार्थियों को देखकर हैरान दिखने लगे।

'तबियत ठीक नहीं है?' उन्होंने सपनीले अंदाज़ में दोहराया।

'बिलकुल ठीक नहीं है,' हैरी ने दृढ़ता से कहा और हेडविग को अपनी पीठ के पीछे छिपाते हुए खड़ा हो गया। 'मुझे लगता है कि मुझे अस्पताल जाना चाहिए।'

'हाँ,' प्रोफ़ेसर बिन्स ने कहा, जो बहुत ही अप्रत्याशित परिस्थिति में महसूस कर रहे थे। 'हाँ ... हाँ, अस्पताल ... अच्छा, तो चले जाओ, पर्किन्स ...'

कमरे से बाहर निकलकर हैरी ने हेडविग को अपने कंधे पर रख लिया और गलियारे में तेज़ी से चलने लगा। बिन्स की क्लास के दरवाज़े से काफ़ी दूर पहुँचने पर ही वह सोचने के लिए रुका। ज़ाहिर है, हेडविग का इलाज करवाने के लिए पहला विकल्प हैग्रिड ही था। लेकिन चूँकि हैग्रिड का कोई अता-पता नहीं था, इसलिए उसके पास बस यही विकल्प बचा था कि वह प्रोफ़ेसर ग्रबली-प्लैंक को खोजे और यह उम्मीद करे कि वे मदद कर देंगी।

उसने खिड़की से बाहर झाँककर हवा और बादलों से भरे मैदान को देखा। प्रोफ़ेसर ग्रबली-प्लैंक हैग्रिड के केबिन के आस-पास नज़र नहीं आ रही थीं। अगर वे पढ़ा नहीं रही थीं, तो शायद स्टाफ़ रूम में होंगी। वह सीढ़ियाँ उतरने लगा। हेडविग उसके कंधे पर हिलते समय धीरे-धीरे कर्कश आवाज़ निकालती रही।

स्टाफ़ रूम के दरवाज़े के दोनों तरफ़ पत्थर के गारगॉइल तैनात थे। जब हैरी पास आया, तो उनमें से एक ने कहा, 'राजा बेटे, तुम्हें क्लास में होना चाहिए।'

हैरी ने रूखेपन से कहा, 'यह बहुत ज़रूरी मामला है।'

'ऊह, *बहुत ज़रूरी* मामला है, ऐसा क्या ?' दूसरे गारगॉइल ने ऊँचे सुर में कहा। 'अच्छा, तुमने तो *हमें* निरुत्तर कर दिया, है ना ?'

हैरी ने दरवाज़ा खटखटाया। उसे क़दमों की आहट सुनाई दी। फिर दरवाज़ा खुला और सामने प्रोफ़ेसर मैक्गॉनेगल खड़ी थीं।

उन्होंने तत्काल पूछा, 'तुम्हें कोई और सज़ा तो नहीं मिली!' उनके चौकोर चश्मे के भीतर से दहशत भरी चिंगारी निकलती दिख रही थी।

'नहीं, प्रोफ़ेसर!' हैरी ने जल्दी से कहा।

'तो फिर, तुम क्लास में क्यों नहीं हो ?'

'ज़ाहिर है, यह *बहुत ज़रूरी* मामला है,' दूसरे गारगॉइल ने ताना मारते हुए कहा।

'मैं प्रोफ़ेसर ग्रबली-प्लैंक को खोज रहा हूँ,' हैरी ने स्पष्ट किया। 'मेरी उल्लू घायल हो गई है।'

'तुमने क्या कहा, घायल उल्लू ?'

प्रोफ़ेसर ग्रबली-प्लैंक प्रोफ़ेसर मैक्गॉनेगल के पीछे आ गई थीं। वे एक पाइप पी रही थीं और *दैनिक जादूगर* पकड़े थीं।

'हाँ,' हैरी ने कहा और हेडविग को सावधानी से अपने कंधे से उतारा, 'वह बाक़ी उल्लुओं के आने के बहुत देर बाद आई थी और उसका डैना बहुत

अजीब है, देखिए -'

प्रोफ़ेसर ग्रबली-प्लैंक ने पाइप दाँतों में दबाया और हैरी के हाथ से उल्लू ले लिया, जबकि प्रोफ़ेसर मैक्गॉनेगल देखती रहीं।

'हूँ,' प्रोफ़ेसर ग्रबली-प्लैंक ने कहा, हालाँकि बोलते समय उनका पाइप थोड़ा हिल रहा था, 'ऐसा लगता है कि किसी ने इस पर हमला किया है। हालाँकि मैं यह नहीं सोच पा रही हूँ कि ऐसा कौन कर सकता है। थेस्ट्रॉल कई बार चिड़ियों पर हमला कर देते हैं, लेकिन हैग्रिड ने हॉगवर्ट्स के थेस्ट्रॉल्स को अच्छी तरह प्रशिक्षित कर दिया है कि वे उल्लुओं को छुएँ तक नहीं।'

थेस्ट्रॉल्स क्या होते हैं, हैरी यह बात न तो जानता था, न ही उसे इसकी परवाह थी। वह तो सिर्फ़ इतना जानना चाहता था कि क्या हेडविग बिलकुल ठीक हो जाएगी। बहरहाल, प्रोफ़ेसर मैक्गॉनेगल ने हैरी की तरफ़ पैनी निगाह डालते हुए पूछा, 'पॉटर, क्या तुम जानते हो कि यह उल्लू कितनी दूर से आ रही है?'

'अर,' हैरी ने कहा। 'मुझे लगता है, लंदन से।'

उसकी निगाहें एक पल के लिए प्रोफ़ेसर मैक्गॉनेगल से मिलीं और जिस तरह से उनकी भौंहें ऊपर हुईं, उससे हैरी जान गया कि वे यह समझ गई थीं कि 'लंदन' का मतलब 'बारह नंबर, ग्रिमॉल्ड चौक' था।

प्रोफ़ेसर ग्रबली-प्लैंक ने अपने दुशालों के भीतर से मोनोकल यानी एक आँख वाला चश्मा निकालकर अपनी आँख पर लगाया, ताकि हेडविग के डैने की क़रीब से जाँच कर सकें। फिर वे बोलीं, 'इसे मेरे पास छोड़ जाओ। मैं इसका इलाज कर दूँगी। वैसे भी इसे कुछ दिनों तक ज़्यादा दूर नहीं उड़ना चाहिए।'

'अर - ठीक है - धन्यवाद,' हैरी ने कहा, जब ब्रेक की घंटी बजी।

'कोई दिक्क़त नहीं,' प्रोफ़ेसर ग्रबली-प्लैंक ने कहा और स्टाफ़ रूम में जाने के लिए मुड़ीं।

प्रोफ़ेसर मैक्गॉनेगल बोलीं, 'एक मिनट, विलहेल्मिना! पॉटर की चिट्ठी तो दे दो!'

'ओह हाँ!' हैरी ने कहा, जो हेडविग के पैर में बँधे चर्मपत्र को भूल ही गया था। प्रोफ़ेसर ग्रबली-प्लैंक ने उसे चिट्ठी दे दी और हेडविग को लेकर स्टाफ़ रूम में ओझल हो गईं। हेडविग हैरी को इस तरह घूर रही थी, जैसे उसे यक़ीन नहीं हो रहा हो कि वह उसे इस तरह किसी को सौंप सकता है। थोड़ा अपराधी महसूस करते हुए वह जाने के लिए मुड़ा, लेकिन प्रोफ़ेसर मैक्गॉनेगल ने उसे आवाज़ लगाकर रोक दिया।

'पॉटर!'

'जी, प्रोफ़ेसर ?'

उन्होंने गलियारे में इधर-उधर झाँककर देखा। दोनों दिशाओं से विद्यार्थी आ रहे थे।

'यह ध्यान रखना,' हैरी के हाथ के चर्मपत्र को देखते हुए उन्होंने जल्दी से और धीमी आवाज़ में कहा, 'हो सकता है हॉगवर्ट्स से आने-जाने वाली चिट्ठियों की निगरानी हो रही हो, ठीक है ?'

'मैं –' हैरी ने कहा, लेकिन गलियारे में आते विद्यार्थियों का रेला अब उस तक पहुँचने ही वाला था। प्रोफ़ेसर मैक्गॉनेगल हल्के से सिर हिलाकर स्टाफ़ रूम में चली गईं। हैरी बाहर खड़ा रह गया और भीड़ के साथ अहाते में पहुँच गया। उसे एक छायादार कोने में रॉन और हर्माइनी खड़े दिख गए। हवा से बचने के लिए उन्होंने अपने चोगे के कॉलर ऊपर उठा रखे थे। हैरी ने उनकी तरफ़ तेज़ी से बढ़ते हुए चर्मपत्र खोला। उसमें सिरियस की लिखावट में ये पाँच शब्द लिखे थे :

आज, उसी समय, उसी जगह।

जैसे ही वह क़रीब पहुँचा, हर्माइनी ने चिंता से पूछा, 'हेडविग **ठीक** तो है ?'

रॉन ने पूछा, 'तुम उसे कहाँ ले गए थे ?'

हैरी ने कहा, 'ग्रबली-प्लैंक के पास। वहाँ पर मैक्गॉनेगल भी मिल गई थीं ... सुनो ...'

उसने उन्हें प्रोफ़ेसर मैक्गॉनेगल की कही बातें बता दीं। उसे हैरानी हुई कि उनमें से कोई भी सदमे में नहीं दिख रहा था। इसके विपरीत उन्होंने एक-दूसरे की तरफ़ देखकर सिर हिला दिया।

'क्या ?' हैरी ने कभी रॉन को, तो कभी हर्माइनी को देखते हुए पूछा।

'देखो, मैं अभी रॉन से यही कह रही थी ... कहीं किसी ने हेडविग को बीच में पकड़ने की कोशिश तो नहीं की थी ? मेरा मतलब है, आज तक पहले कभी सफ़र के दौरान उस पर हमला नहीं हुआ है, है ना ?'

'वैसे चिट्ठी है किसकी ?' रॉन ने हैरी के हाथ से चिट्ठी लेते हुए पूछा।

हैरी ने धीरे से कहा, 'स्नफ़ल्स की।'

'"उसी समय, उसी जगह ?" यानी गरुड़द्वार हॉल की आग ?'

'ज़ाहिर है,' हर्माइनी ने भी चिट्ठी पढ़ते हुए कहा। वह परेशान दिख रही

थी। 'मैं बस यही उम्मीद करती हूँ कि इसे किसी ने पढ़ा न हो ...'

'लेकिन यह तो सीलबंद थी,' हैरी ने उसे और ख़ुद को विश्वास दिलाने की कोशिश करते हुए कहा। 'और वैसे भी इसका मतलब कोई भी नहीं समझ पाएगा ... जब तक कि वह यह न जानता हो कि हमने उससे पहले कब और कहाँ बात की थी, है ना?'

'क्या पता?' हर्माइनी ने चिंता से कहा। जब दोबारा घंटी बजी, तो वह अपने बैग को दोबारा अपने कंधे पर लटकाते हुए बोली, 'जादू से चर्मपत्र को दोबारा सील करना कोई ख़ास मुश्किल काम नहीं है ... और अगर छू नेटवर्क पर नज़र रखी जा रही है, तो दिक़्क़त हो सकती है ... लेकिन हम उसे न आने की चेतावनी कैसे दे सकते हैं, क्योंकि हमारी चेतावनी *को भी* पकड़ा जा सकता है!'

वे पत्थर की सीढ़ियाँ उतरकर तहख़ाने में बनी जादुई काढ़े की क्लास की तरफ़ बढ़ने लगे। वे तीनों ख़्यालों में खोए हुए थे, लेकिन सीढ़ियों के नीचे पहुँचकर जब उन्होंने ड्रेको मैल्फ़ॉय की आवाज़ सुनी, तो उन्हें होश आ गया। मैल्फ़ॉय स्नेप के क्लासरूम के दरवाज़े के ठीक बाहर खड़ा था। वह एक आधिकारिक दिखने वाला चर्मपत्र लहरा रहा था और ज़रूरत से ज़्यादा ऊँची आवाज़ में बोल रहा था, ताकि वे उसके हर शब्द को सुन सकें।

'देखा, अंबरिज ने नागशक्ति की क्विडिच टीम को खेलने की तत्काल इजाज़त दे दी। मैं आज सुबह ही उनसे इजाज़त लेने गया था। देखो, यह तो होना ही था, मेरा मतलब है, वे मेरे डैडी को बहुत अच्छी तरह जानती हैं, उनका मंत्रालय में आना-जाना लगा रहता है ... यह देखना बहुत दिलचस्प रहेगा कि क्या गरुड़द्वार वालों को भी खेलने की इजाज़त मिलती है, है ना?'

'लड़ाई शुरू मत करना,' हर्माइनी ने हैरी और रॉन से फुसफुसाते हुए कहा, जो सख़्त चेहरे और भिंची हुई मुट्ठियों के साथ मैल्फ़ॉय को घूर रहे थे। 'वह यही तो चाहता है।'

'मेरा मतलब है,' मैल्फ़ॉय ने अब अपनी आवाज़ थोड़ी ऊँची करते हुए कहा तथा उसकी भूरी आँखें दुष्टता से हैरी और रॉन की दिशा में चमकने लगीं, 'अगर मंत्रालय में प्रभाव का सवाल है, तो मुझे नहीं लगता कि उन्हें अनुमति मिलने की ज़्यादा संभावना है ... जैसा मेरे डैडी ने बताया है, मंत्रालय बरसों से आर्थर वीज़्ली को नौकरी से निकालने का बहाना तलाश रहा है ... और जहाँ तक पॉटर का सवाल है ... मेरे डैडी कहते हैं कि कुछ समय में ही मंत्रालय उसे सेंट मंगोज़ भिजवा देगा ... लगता है, वहाँ पर उन लोगों के लिए एक विशेष विभाग है, जिनके दिमाग़ जादू से कुंद हो जाते हैं।'

मैल्फ़ॉय ने एक वीभत्स चेहरा बनाया : उसका मुँह खुलकर लटक गया था

और आँखें घूमने लगी थीं। क्रैब और गॉइल हमेशा की तरह दाँत निकालकर खी-खी कर रहे थे। पैन्सी पार्किन्सन ख़ुशी से चीख़ रही थी।

हैरी के कंधे से कोई चीज़ कसकर टकराई, जिससे वह एक तरफ़ को हो गया। पल भर बाद उसे यह एहसास हुआ कि नेविल उसके पास से तेज़ी से निकलकर मैल्फ़ॉय की तरफ़ जा रहा था।

'नेविल, *नहीं!*'

हैरी ने लपककर नेविल के दुशाले का पीछे वाला हिस्सा पकड़ लिया। नेविल ने ज़ोरदार संघर्ष किया, उसके मुक्के लहरा रहे थे और वह मैल्फ़ॉय तक पहुँचने की भरसक कोशिश कर रहा था, जो पल भर के लिए सदमे में आ गया था।

'मेरी मदद करो!' हैरी ने रॉन से कहा और नेविल के गले में बाँह डालकर उसे नागशक्ति वालों से दूर घसीटा। क्रैब और गॉइल अपनी बाँहें फुलाकर मैल्फ़ॉय के आगे खड़े थे और मुक़ाबला करने के लिए तैयार थे। रॉन ने नेविल के हाथ पकड़े और हैरी के साथ मिलकर नेविल को दोबारा गरुड़द्वार की क़तार में वापस खींचने में कामयाब हो गया। नेविल का मुँह बिलकुल लाल पड़ गया था। हैरी उसके गले पर जो दबाव डाल रहा था, उससे उसकी बात समझ में नहीं आ रही थी, लेकिन उसके मुँह से अजीब शब्द निकल रहे थे।

'मज़ेदार ... नहीं ... था ... नहीं ... मंगोज़ .... उसे ... बता ... दूँगा ...'

तहख़ाने का दरवाज़ा खुल गया। वहाँ पर स्नेप प्रकट हुए। उनकी काली आँखें गरुड़द्वार की क़तार में वहाँ तक पहुँच गईं, जहाँ हैरी और रॉन नेविल के साथ जूझ रहे थे।

'लड़ रहे हो, पॉटर, वीज़्ली, लाँगबॉटम ?' स्नेप ने अपनी ठंडी व्यंग्यात्मक आवाज़ में कहा। 'गरुड़द्वार के दस पॉइंट कम। पॉटर, लाँगबॉटम को छोड़ दो, वरना सज़ा मिलेगी। सभी लोग अंदर चलो।'

हैरी ने नेविल को छोड़ दिया, जो हाँफता हुआ उसे ग़ुस्से से घूरने लगा।

'मुझे तुम्हें रोकना ही था,' हैरी ने आह भरते हुए अपना बैग उठाया। 'क्रैब और गॉइल तुम्हें चीर डालते।'

नेविल कुछ नहीं बोला। उसने बस अपना बैग उठाया और तहख़ाने में चला गया।

जब रॉन और हैरी नेविल के पीछे-पीछे चले, तो रॉन ने धीरे से कहा, 'भगवान जाने माजरा *क्या था?*'

हैरी ने जवाब नहीं दिया। वह अच्छी तरह जानता था कि सेंट मंगोज़ में

दिमाग़ी नुक़सान के कारण दाख़िल लोगों का विषय नेविल के लिए इतना ज़्यादा दुखद क्यों था, लेकिन उसने डम्बलडोर से वादा किया था कि वह नेविल का रहस्य किसी को भी नहीं बताएगा। यहाँ तक कि नेविल भी नहीं जानता था कि हैरी को यह बात पता थी।

हैरी, रॉन और हर्माइनी हमेशा की तरह क्लास में पीछे वाली मनपसंद सीट पर बैठ गए। उन्होंने अपने चर्मपत्र, क़लमें और *एक हज़ार जादुई जड़ी-बूटियाँ और फफूँदियाँ* पुस्तक निकाल ली। उनके चारों तरफ़ विद्यार्थी अब भी नेविल के कारनामे के बारे में फुसफुसाकर बातें कर रहे थे, लेकिन जब स्नेप ने तहख़ाने का दरवाज़ा धड़ाम से बंद किया, तो सभी तत्काल ख़ामोश हो गए।

स्नेप ने अपनी धीमी, व्यंग्यात्मक आवाज़ में कहा, 'सभी ध्यान दो, आज हमारे साथ एक मेहमान हैं।'

उन्होंने तहख़ाने के अँधेरे कोने की तरफ़ इशारा किया। हैरी ने देखा कि वहाँ पर प्रोफ़ेसर अंबरिज अपने घुटने पर क्लिपबोर्ड लिए बैठी थीं। हैरी ने अपनी भौंहें उठाकर रॉन और हर्माइनी की तरफ़ कनखियों से देखा। जिन दो टीचर्स से वह सबसे ज़्यादा नफ़रत करता था, वे आज एक साथ थे : स्नेप और अंबरिज। यह फ़ैसला करना मुश्किल था कि वह इनमें से किसकी जीत चाहता था।

'हम आज अपने शक्तिवर्धक काढ़े पर काम जारी रखेंगे। तुम लोगों ने पिछली क्लास में अपने काढ़े को जैसा छोड़ा था, वह तुम्हें वैसा ही मिलेगा। अगर सही तरीक़े से बनाया गया होगा, तो वीकएंड पर यह अच्छी तरह से पक गया होगा – निर्देश –' उन्होंने अपनी छड़ी लहराई '– बोर्ड पर लिखे हैं। काम में लग जाओ।'

प्रोफ़ेसर अंबरिज क्लास के पहले आधे घंटे में कोने में बैठकर नोट्स लिखती रहीं। हैरी यह सुनने के लिए लालायित था कि वे स्नेप से क्या सवाल पूछती हैं। उसकी दिलचस्पी इतनी ज़्यादा थी कि वह अपने काढ़े पर ध्यान नहीं दे रहा था।

हर्माइनी ने उसकी कलाई पकड़कर उसे तीसरी बार ग़लत सामान डालने से रोका, 'अनार का रस नहीं, हैरी, सैलेमेंडर का ख़ून!'

हैरी ने बोतल नीचे रख दी और कोने की तरफ़ देखते हुए बोला, 'ठीक है!' अंबरिज अभी-अभी उठकर खड़ी हुई थीं। 'हा,' उसने धीरे से कहा, जब वे डेस्कों की दो लाइनों के बीच से होती हुई स्नेप की तरफ़ आईं, जो डीन थॉमस की कड़ाही पर झुके हुए थे।

'अच्छा, यह क्लास अपने स्तर से काफ़ी आगे दिखती है,' उन्होंने तेज़ी से

स्नेप की पीठ से कहा। 'हालाँकि मैं यह पूछना चाहती हूँ कि क्या इन्हें शक्तिवर्धक काढ़े जैसी चीज़ सिखाना सही है? मुझे लगता है कि मंत्रालय को इसे पाठ्यक्रम से हटा देना चाहिए।'

स्नेप धीरे-धीरे सीधे हुए और उनकी तरफ़ मुड़कर देखने लगे।

अंबरिज ने पूछा, 'अच्छा ... आप हॉगवर्ट्स में कितने समय से पढ़ा रहे हैं?' उनकी क़लम क्लिपबोर्ड पर रखी थी।

'चौदह साल से,' स्नेप ने जवाब दिया। उनके चेहरे का भाव सपाट था। हैरी ने उन्हें ग़ौर से देखते हुए अपने काढ़े में कुछ बूँदें डाल दीं। उसमें से ख़तरनाक तरीक़े से धुआँ उठा और उसका रंग फ़ीरोज़ी से नारंगी हो गया।

अंबरिज ने स्नेप से पूछा, 'मुझे लगता है कि आपने पहले गुप्त कलाओं के टीचर पद के लिए आवेदन दिया था?'

'हाँ,' स्नेप ने धीरे से कहा।

'लेकिन आप सफल नहीं हो पाए?'

स्नेप के होंठ सिकुड़ गए।

'ज़ाहिर है।'

प्रोफ़ेसर अंबरिज ने अपने क्लिपबोर्ड पर कुछ लिखा।

'और मुझे लगता है, आप जब से इस स्कूल में आए हैं, तभी से हर साल गुप्त कलाओं के टीचर पद के लिए आवेदन दे रहे हैं?'

'हाँ,' स्नेप ने धीरे से कहा, उनके होंठ मुश्किल से हिल रहे थे। वे बहुत ग़ुस्से में दिख रहे थे।

अंबरिज ने पूछा, 'क्या आपको अंदाज़ा है कि डम्बलडोर आपको नियुक्त क्यों नहीं कर रहे हैं?'

स्नेप ने झटके से कहा, 'यह सवाल आप उन्हीं से पूछें, तो अच्छा रहेगा।'

प्रोफ़ेसर अंबरिज मुस्कराते हुए बोलीं, 'ओह, मैं ज़रूर पूछूँगी।'

'मुझे लगता है कि यह महत्त्वपूर्ण है?' स्नेप ने पूछा, उनकी काली आँखें सिकुड़ी हुई थीं।

'ओह हाँ,' प्रोफ़ेसर अंबरिज ने कहा, 'मंत्रालय टीचर्स की पृष्ठभूमि की पूरी जानकारी चाहता है।'

वे मुड़ीं और पैन्सी पार्किन्सन के पास जाकर उससे पढ़ाई के बारे में सवाल पूछने लगीं। स्नेप ने हैरी की तरफ़ मुड़कर देखा और उनकी आँखें एक पल के लिए मिलीं। हैरी ने अपनी निगाह तत्काल अपने काढ़े की तरफ़ झुका

ली, जो अब बुरी तरह जम रहा था और जले हुए रबड़ जैसी बदबू मार रहा था।

'पॉटर, एक बार फिर ज़ीरो,' स्नेप ने दुर्भावना से कहा और अपनी छड़ी लहराकर हैरी की कड़ाही ख़ाली कर दी। 'इस काढ़े को बनाने के सही तरीक़े पर एक निबंध लिखकर मुझे बताना। उसमें यह बताना कि तुमसे ग़लती कहाँ और क्यों हुई थी? अगली क्लास में निबंध ज़रूर दिखाना, समझ गए?'

हैरी ने ग़ुस्से से कहा, 'ठीक है।' स्नेप ने पहले ही उन्हें होमवर्क दे दिया था, जबकि शाम को उसे क्विडिच प्रैक्टिस भी करनी थी। इसका मतलब था, दो और रातों को वह नहीं सो पाएगा। यह संभव नहीं लग रहा था कि उस सुबह वह बहुत ख़ुश था। अब उसकी प्रबल इच्छा हो रही थी कि यह दिन जल्दी से ख़त्म हो जाए।

'ज्योतिष की क्लास में गोता मार दूँ,' उसने उदासी से कहा, जब वे लंच के बाद अहाते में खड़े थे और हवा उनके दुशालों के सिरे तथा हैट के कोनों से टकरा रही थी। 'मैं बीमारी का बहाना करके स्नेप का निबंध पूरा कर लूँगा, फिर मुझे आधी रात तक जागना नहीं पड़ेगा।'

हर्माइनी ने गंभीरता से कहा, 'तुम ज्योतिष की क्लास में गोता नहीं मार सकते।'

रॉन ने ग़ुस्से से कहा, 'देखो तो सही, कौन बोल रहा है? तुमने तो ज्योतिष विषय ही छोड़ दिया है! तुम तो ट्रिलोनी से नफ़रत करती हो!'

'मैं उनसे *नफ़रत* नहीं करती हूँ,' हर्माइनी ने ऊँचे अंदाज़ में कहा। 'मैं तो बस यह सोचती हूँ कि वे बहुत बुरी टीचर हैं और सचमुच धोखेबाज़ हैं। लेकिन हैरी आज जादू का इतिहास की क्लास छोड़ चुका है, इसलिए मुझे नहीं लगता कि उसे आज कोई और क्लास छोड़नी चाहिए!'

उसकी बात में सच्चाई थी, जिसे नज़रअंदाज़ नहीं किया जा सकता था, इसलिए आधे घंटे बाद हैरी ज्योतिष की क्लास के गर्म तथा बहुत ख़ुशबूदार माहौल में बैठा हुआ था और हर एक के प्रति ग़ुस्सा महसूस कर रहा था। प्रोफ़ेसर ट्रिलोनी एक बार फिर विद्यार्थियों को *द ड्रीम ओरेकल* पुस्तक बाँट रही थीं। हैरी ने सोचा कि निश्चित रूप से बहुत सारे मनगढ़ंत सपनों का अर्थ खोजने की कोशिश करने के बजाय वह स्नेप के निबंध को पूरा कर लेता, तो ज़्यादा अच्छा होता।

बहरहाल, ऐसा लगा कि ज्योतिष की क्लास में वही एकमात्र व्यक्ति नहीं था, जो ग़ुस्से में था। प्रोफ़ेसर ट्रिलोनी ने *ड्रीम ओरेकल* की एक पुस्तक हैरी और रॉन के बीच में टेबल पर पटक दी तथा चली गईं। उनके होंठ सिकुड़े हुए थे। उन्होंने *ओरेकल* की एक और पुस्तक सीमस तथा डीन की तरफ़ फेंक दी, जो

सीमस के सिर पर पड़ते-पड़ते बची। उन्होंने आख़िरी पुस्तक तो नेविल के सीने पर इतनी ज़ोर से मारी कि वह अपनी सीट से फिसल ही गया।

'अच्छा, तो अब काम शुरू करो!' प्रोफ़ेसर ट्रिलोनी ने ज़ोर से कहा। उनकी आवाज़ तीखी और थोड़ी बौखलाई लग रही थी, 'तुम जानते हो कि क्या करना है! या फिर मैं इतनी गई-गुज़री टीचर हूँ कि तुम्हें अभी तक पुस्तक खोलना भी नहीं सिखा पाई हूँ?'

क्लास ने उनकी तरफ़ उलझन में देखा, फिर एक-दूसरे की तरफ़ देखा। बहरहाल, हैरी समझ गया कि मामला क्या था। जब प्रोफ़ेसर ट्रिलोनी टीचर की ऊँची पीठ वाली कुर्सी तक गईं और उनकी आँखों में ग़ुस्से के आँसू भरे दिखे, तो हैरी अपना सिर रॉन के क़रीब लाकर बोला, 'मुझे लगता है कि उन्हें इंस्पेक्शन का परिणाम पता चल गया है।'

'प्रोफ़ेसर?' पार्वती पाटिल ने धीमी आवाज़ में कहा (वह और लैवेंडर प्रोफ़ेसर ट्रिलोनी को बहुत पसंद करती थीं)। 'प्रोफ़ेसर क्या कुछ - गड़बड़ हो गई है?'

'गड़बड़!' प्रोफ़ेसर ट्रिलोनी बड़ी भावुक आवाज़ में चिल्लाईं। 'बिलकुल नहीं! निश्चित रूप से मेरा अपमान हुआ है ... मुझ पर आरोप लगाए गए हैं ... निराधार आरोप लगाए गए हैं ... लेकिन नहीं, कुछ गड़बड़ नहीं है, बिलकुल नहीं है!'

उन्होंने एक कँपकँपाती हुई साँस खींची और पार्वती की तरफ़ से नज़रें हटा लीं। उनके चश्मे के नीचे से ग़ुस्से के आँसू छलक गए।

'मैं कुछ नहीं कह रही हूँ,' उन्होंने भरे गले से कहा, 'सोलह साल की निष्ठावान सेवा ... उसे दरकिनार कर दिया गया, नज़रअंदाज़ कर दिया गया ... लेकिन मैं यह अपमान नहीं सहूँगी, नहीं, कभी नहीं सहूँगी!'

पार्वती ने कातर अंदाज़ में पूछा, 'लेकिन प्रोफ़ेसर, आपका अपमान किसने किया?'

'अधिकारियों ने!' प्रोफ़ेसर ट्रिलोनी ने एक गहरी, नाटकीय, काँपती आवाज़ में कहा। 'हाँ, उन लोगों ने, जिनकी आँखें सांसारिक चीज़ों के कारण इतनी ज़्यादा धुँधली हो चुकी हैं कि वे वह नहीं देख सकते, जो मैं देख सकती हूँ, वह नहीं जान सकते, जो मैं जानती हूँ ... ज़ाहिर है, हम भविष्यवक्ताओं से लोग हमेशा डरते रहे हैं, हमें हमेशा सताया जाता रहा है ... यह तो - ओह - हमारी नियति है।'

उन्होंने थूक गटका और शॉल के सिरे से अपने गीले गाल पोंछे। फिर उन्होंने अपनी आस्तीन से एक छोटा सा कढ़ाई किया हुआ रूमाल निकाला और

अपनी नाक बहुत कसकर साफ़ की, जिसकी आवाज़ ऐसी थी जैसे पीव्ज़ रास्पबेरी मार रहा हो।

रॉन खी-खी करने लगा। लैवेंडर ने उसे हिक़ारत से देखा।

'प्रोफ़ेसर,' पार्वती ने कहा, 'क्या आपका मतलब है ... क्या प्रोफ़ेसर अंबरिज ने – ?'

'मेरे सामने उस औरत का नाम मत लो!' प्रोफ़ेसर ट्रिलोनी चिल्लाईं और उछलकर खड़ी हो गईं। उनके मनके खड़खड़ाने लगे और चश्मा चमकने लगा। 'अब अपना काम करो!'

बाक़ी की क्लास में वे उनके बीच घूमती रहीं। उनके चश्मे के पीछे से आँसू अब भी बह रहे थे। वे बड़बड़ाती हुई धमकियाँ देती जा रही थीं।

'... अच्छा होगा मैं यह जगह छोड़कर चली जाऊँ ... कितना बड़ा अपमान है ... प्रोबेशन पर रख दिया ... हम कुछ समय तक आपका काम देखेंगे ... उसकी हिम्मत कैसे हुई ...'

जब हैरी गुप्त कलाओं से रक्षा की क्लास में हर्माइनी से मिला, तो वह बोला, 'तुममें और अंबरिज में एक बात समान है। वे भी ट्रिलोनी को धोखेबाज़ समझती हैं ... लगता है, उन्होंने प्रोफ़ेसर ट्रिलोनी को प्रोबेशन पर रख दिया है।'

उसके बोलते समय अंबरिज कमरे में आ गईं। उन्होंने काला मख़मली बो लगा रखा था और उनके चेहरे पर गर्व का भाव था।

'गुड आफ़्टरनून, क्लास।'

'गुड आफ़्टरनून, प्रोफ़ेसर अंबरिज,' विद्यार्थियों ने भावहीनता से एक साथ कहा।

'छड़ियाँ अंदर रख दो।'

लेकिन इस बात पर कोई हलचल नहीं हुई। किसी ने अपनी छड़ी बाहर निकाली ही नहीं थी।

'*रक्षात्मक जादुई सिद्धांत* किताब का चौंतीस नंबर पेज खोलो और तीसरा अध्याय पढ़ो, जिसका शीर्षक है "जादुई हमले के प्रति अहानिकर प्रतिक्रियाएँ।" बातचीत करने की –'

'– कोई ज़रूरत नहीं है,' हैरी, रॉन और हर्माइनी एक साथ धीरे से बोले।

*

'कोई क्विडिच प्रैक्टिस *नहीं*,' एंजेलिना ने खोखले स्वर में कहा, जब हैरी, रॉन और हर्माइनी उस रात को डिनर के बाद गरुड़द्वार के हॉल में दाख़िल हुए।

'लेकिन मैं तो शांत रहा था!' हैरी ने दहशत में कहा। 'एंजेलिना, मैंने उनसे कुछ नहीं कहा। मैं क़सम खाता हूँ, मैं तो –'

'मैं जानती हूँ, मैं जानती हूँ,' एंजेलिना ने उदासी से कहा। 'उन्होंने तो बस इतना कहा कि उन्हें सोचने के लिए थोड़ा समय चाहिए।'

'क्या सोचने के लिए समय चाहिए?' रॉन ने ग़ुस्से से कहा। 'उन्होंने नागशक्ति वालों को तो तत्काल इजाज़त दे दी, तो फिर हमें क्यों नहीं?'

लेकिन हैरी जानता था कि अंबरिज को गरुड़द्वार पर क्विडिच टीम की इजाज़त न देने की तलवार लटकाए रखने में कितना मज़ा आ रहा होगा। वह आसानी से समझ सकता था कि वे उनके ऊपर लटकती इस तलवार को इतनी जल्दी नहीं हटाना चाहेंगी।

'देखो,' हर्माइनी ने कहा, 'सकारात्मक पहलू को देखो – कम से कम अब तुम्हारे पास स्नेप का निबंध पूरा करने का समय रहेगा!'

'यह सकारात्मक पहलू है, है ना?' हैरी ने तपाक से कहा, जबकि रॉन हर्माइनी को अविश्वसनीय तरीक़े से घूरता रहा। 'कोई क्विडिच प्रैक्टिस नहीं और जादुई काढ़े की अतिरिक्त पढ़ाई?'

हैरी कुर्सी पर लुढ़क गया, उसने अनिच्छा से बैग में से काढ़े का निबंध निकाला और काम में जुट गया। ध्यान केंद्रित करना बहुत मुश्किल हो रहा था। हालाँकि वह जानता था कि सिरियस आग में बहुत देर बाद दिखेगा, लेकिन फिर भी वह हर कुछ मिनट बाद आग की तरफ़ देखने लगता था। हॉल में अविश्वसनीय मात्रा में शोर हो रहा था। फ्रेड और जॉर्ज अपनी गोतामार टॉफ़ियों में से एक प्रकार की टॉफ़ी को बनाने में आख़िरकार सफल हो गए थे। वे बारी-बारी से उसका प्रदर्शन जमा भीड़ के सामने कर रहे थे, जो तालियाँ बजा रही थी।

फ्रेड एक टॉफ़ी का नारंगी सिरा काटता था, जिससे वह तत्काल सामने रखी बाल्टी में उल्टी करने लगता था। फिर वह उस टॉफ़ी का बैंगनी सिरा मुँह में डालता था, जिससे उल्टी तत्काल बंद हो जाती थी। ली जॉर्डन वीज़्ली बंधुओं की मदद करते हुए समय-समय पर उल्टी को ओझल कर रहा था। यह वही ओझल मंत्र था, जिसका इस्तेमाल स्नेप हैरी के काढ़ों पर करते थे।

उल्टी करने, तालियाँ बजाने और फ्रेड तथा जॉर्ज के भीड़ से एडवांस ऑर्डर लेने की आवाज़ें लगातार ध्यान भटका रही थीं। शक्तिवर्धक काढ़े के सही तरीक़े पर ध्यान केंद्रित करना हैरी के लिए बहुत मुश्किल हो रहा था। हर्माइनी भी स्थिति को सुधारने में कोई योगदान नहीं दे रही थी। फ्रेड और जॉर्ज की उल्टी जब बाल्टी की तली से टकराती थी और तालियाँ बजने लगती थीं, तो हर्माइनी

बुरा मुँह बनाकर ज़ोर-ज़ोर से आहें भरने लगती थी, जिससे हैरी का ध्यान और भटक जाता था।

'तो फिर जाकर उन्हें रोकती क्यों नहीं हो?' उसने चिढ़कर कहा, जब उसने चौथी बार गरुड़ के पंजे के चूर्ण का ग़लत वज़न काटा।

हर्माइनी ने दाँत भींचकर कहा, 'मैं ऐसा नहीं कर सकती। वे लोग *तकनीकी रूप से* कोई ग़लत काम नहीं कर रहे हैं। वे लोग बुरी से बुरी चीज़ ख़ुद खाना चाहें, तो उन्हें इस बात का पूरा हक़ है। इसके अलावा ऐसा कोई नियम नहीं है कि दूसरे मूर्ख ऐसी चीज़ें नहीं ख़रीद सकते, जब तक कि ये ख़तरनाक साबित न हो जाएँ और ऐसा नहीं लगता है कि ये ख़तरनाक हैं।'

हैरी, रॉन और हर्माइनी ने देखा कि जॉर्ज ने बाल्टी में उल्टी की, टॉफ़ी का बाक़ी हिस्सा निगला और सीधा खड़ा हो गया। फिर उसने अपनी बाँहें फैलाकर दर्शकों की तालियों को स्वीकार किया।

हैरी ने फ्रेड, जॉर्ज और ली को उत्सुक दर्शकों से सोने के सिक्के इकट्ठे करते हुए देखकर कहा, 'देखो, मुझे यह समझ में नहीं आता है कि फ्रेड और जॉर्ज को सिर्फ़ तीन-तीन **ओ.डब्ल्यू.एल.** क्यों मिले? वे लोग सचमुच कमाल के हैं!'

हर्माइनी ने आलोचना करते हुए कहा, 'ओह, वे लोग सिर्फ़ दिखावे की चीज़ें जानते हैं, जिनका कोई असली उपयोग नहीं हो सकता।'

'कोई असली उपयोग नहीं हो सकता?' रॉन ने तनाव भरी आवाज़ में कहा। 'हर्माइनी, वे अभी तक छब्बीस गैलियन कमा चुके हैं।'

वीज़्ली बंधुओं के आस-पास जमा भीड़ काफ़ी देर बाद छँटी। इसके बाद फ्रेड, ली और जॉर्ज काफ़ी देर तक बैठकर अपने कमाए हुए सिक्के गिनते रहे। आधी रात गुज़र जाने के बाद ही हैरी, रॉन और हर्माइनी को हॉल ख़ाली मिल पाया। आख़िर, फ्रेड ने अपने पीछे लड़कों के कमरों में जाने का दरवाज़ा बंद किया। जाते-जाते उसने अपने गैलियनों का डिब्बा बजाया, जिससे हर्माइनी ने त्योरियाँ चढ़ा लीं। हैरी अपने काढ़े के निबंध में बहुत कम प्रगति कर पा रहा था, इसलिए उसने रात का काम ख़त्म करने का फ़ैसला किया। उसने अपनी पुस्तकें दूर रख दीं। रॉन एक कुर्सी पर टिककर झपकी ले रहा था। आवाज़ सुनकर उसने दबी हुई हुंकार भरी, जागा और आँखें मलते हुए आग की तरफ़ देखने लगा।

'सिरियस!' उसने कहा।

हैरी पलटा। सिरियस का बिखरे बालों वाला सिर आग में एक बार फिर बैठा हुआ था।

'हाय,' उसने मुस्कराते हुए कहा।

'हाय,' हैरी, रॉन और हर्माइनी ने एक साथ कहा और तीनों आग के पास घुटनों के बल बैठ गए। क्रुकशैंक्स ने भी प्यार से म्याऊँ की आवाज़ निकाली और गर्मी के बावजूद आग के पास जाकर अपना चेहरा सिरियस के चेहरे के पास ले जाने की कोशिश की।

सिरियस ने पूछा, 'कैसा चल रहा है?'

'अच्छा नहीं चल रहा है,' हैरी ने कहा, जब हर्माइनी ने क्रुकशैंक्स को पीछे खींचा, ताकि उसकी मूँछ न जल जाए। 'मंत्रालय ने एक और क़ानून बना दिया है, जिसका मतलब है कि हमें क्विडिच टीम बनाने की इजाज़त नहीं है –'

'और गुप्त कलाओं से रक्षा के गोपनीय समूह बनाने की इजाज़त भी नहीं है?' सिरियस ने पूछा।

थोड़ी देर ख़ामोशी छाई रही।

हैरी ने पूछा, 'तुम्हें कैसे पता चला?'

'तुम लोगों को अपनी मीटिंग की जगह ज़्यादा सावधानी से चुननी चाहिए,' सिरियस ने कहा, जो अब और ज़्यादा खुलकर मुस्करा रहा था। 'मैं पूछता हूँ, हॉग्स हेड को ही क्यों चुना?'

'यह थ्री ब्रूमस्टिक्स से ज़्यादा अच्छा था!' हर्माइनी ने रक्षात्मक अंदाज़ में कहा। 'वहाँ हमेशा भीड़ रहती है –'

'इसका मतलब है कि दूसरों को तुम्हारी बात सुनने में ज़्यादा मुश्किल आती,' सिरियस ने कहा। 'तुम्हें अभी बहुत कुछ सीखना है, हर्माइनी।'

हैरी ने पूछा, 'हमारी बात किसने सुनी?'

'मंडंगस ने,' सिरियस ने कहा और उन सभी को हैरान देखकर हँसने लगा। 'वह काले चोगे वाली जादूगरनी था।'

'वह मंडंगस था?' हैरी ने स्तब्ध होते हुए कहा। 'वह हॉग्स हेड में क्या कर रहा था?'

'वह क्या कर रहा था?' सिरियस ने अधीरता से कहा। 'ज़ाहिर है, तुम पर नज़र रख रहा था।'

'मेरा अब भी पीछा किया जा रहा है?' हैरी ने ग़ुस्से से पूछा।

'हाँ, किया जा रहा है,' सिरियस ने कहा, 'और यह अच्छा ही है, है ना, अगर तुम अपनी वीकएंड की यात्रा में पहला काम यह करते हो कि कोई ग़ैर-क़ानूनी रक्षा समूह बना लो।'

लेकिन वह नाराज़ या चिंतित नहीं लग रहा था। इसके बजाय वह हैरी को गर्व से देख रहा था।

'डंग हमसे छिप क्यों रहा था?' रॉन ने निराश दिखते हुए कहा। 'हम उसे देखकर ख़ुश होते।'

'बीस साल पहले हॉग्स हेड में उसके आने पर पाबंदी लगा दी गई थी,' सिरियस ने कहा, 'और उस बारमैन की याददाश्त बहुत अच्छी है। स्टर्गिस की गिरफ़्तारी के समय मूडी का दूसरा अदृश्य चोगा चला गया है, इसलिए डंग पिछले कुछ समय से जादूगरनी के रूप में रह रहा है ... ख़ैर ... सबसे पहले, रॉन – मैंने वादा किया है कि मैं तुम्हें तुम्हारी माँ का संदेश दे दूँगा।'

'ओह हाँ?' रॉन ने थोड़ा डरते हुए कहा।

'उनका कहना है कि किसी भी हालत में तुम गुप्त कलाओं से रक्षा के किसी ग़ैर-क़ानूनी गोपनीय समूह में हिस्सा नहीं लोगे। उनका कहना है कि पता चलने पर तुम्हें निश्चित रूप से स्कूल से निकाल दिया जाएगा और तुम्हारा भविष्य बर्बाद हो जाएगा। उनका कहना है कि बाद में तुम्हारे पास आत्मरक्षा सीखने का काफ़ी समय रहेगा। उनका कहना है कि इस वक़्त तुम्हारी उम्र इतनी कम है कि तुम्हें इस बारे में चिंता नहीं करनी चाहिए। वे तो' (सिरियस की निगाह बाक़ी दोनों पर गई) 'हैरी और हर्माइनी को भी इस समूह में शामिल न होने की सलाह देती हैं, हालाँकि वे यह मानती हैं कि दोनों पर ही उनका कोई अधिकार नहीं है। वे तो सिर्फ़ इस आधार पर आग्रह कर रही हैं कि वे तुम्हारा भला चाहती हैं। वे ये सारी बातें चिट्ठी में लिख देतीं, लेकिन अगर उल्लू बीच में पकड़ा गया, तो तुम सभी मुश्किल में पड़ जाओगे। आज रात को वे ये बातें ख़ुद इसलिए नहीं कह रही हैं, क्योंकि वे ड्यूटी पर हैं।'

रॉन ने जल्दी से पूछा, 'कौन सी ड्यूटी पर? क्या करने गई हैं?'

'चिंता मत करो, मायापंछी के समूह का काम है,' सिरियस ने कहा। 'तो, यह संदेश देने का काम मुझ पर आ गया। तुम उन्हें ज़रूर बता देना कि मैंने तुम्हें संदेश दे दिया है। मुझे लगता है कि उन्हें मुझ पर इतना भरोसा नहीं है कि मैं संदेश दे दूँगा।'

एक बार फिर ख़ामोशी छाई रही, जिसमें क्रुकशैंक्स ने म्याऊँ करते हुए सिरियस के सिर पर पंजा रखने की कोशिश की और रॉन कालीन के एक छेद से खेलता रहा।

आख़िर हैरी ने बुदबुदाकर कहा, 'तो, तुम यह चाहते हो कि मैं आत्मरक्षा वाले समूह में हिस्सा नहीं लूँ?'

'मैं ? निश्चित रूप से नहीं!' सिरियस ने हैरान दिखते हुए कहा। 'मुझे तो यह बेहतरीन विचार लगता है!'

'तुम्हें सचमुच ऐसा लगता है ?' हैरी ने कहा। अब उसका मनोबल बढ़ने लगा था।

'ज़ाहिर है, मुझे ऐसा ही लगता है!' सिरियस बोला। 'क्या तुम्हें लगता है कि तुम्हारे डैडी और मैं चुपचाप बैठकर अंबरिज जैसी खूसट बुढ़िया के आदेश सहन करते ?'

'लेकिन – पिछले सत्र में तो तुमने मुझसे कहा था कि मैं सावधान रहूँ और जोखिम न लूँ –'

'पिछले साल सारे सबूत इशारा कर रहे थे कि कोई हॉगवर्ट्स के भीतर तुम्हें मारने की कोशिश कर रहा था, हैरी!' सिरियस ने अधीरता से कहा। 'इस साल हम जानते हैं कि हॉगवर्ट्स के बाहर कोई है, जो हम सभी को मारना पसंद करेगा, इसलिए मैं सोचता हूँ कि सही तरीक़े से आत्मरक्षा करना सीखना बहुत अच्छा विचार है!'

'और अगर हमें स्कूल से निकाल दिया गया तो ?' हर्माइनी ने पूछा। उसके चेहरे पर एक अजीब सा भाव था।

हैरी ने उसे घूरते हुए कहा, 'हर्माइनी, यह सुझाव तुम्हीं ने दिया था!'

वह कंधे उचकाते हुए बोली, 'मैं जानती हूँ कि यह मेरा ही सुझाव था। मैं तो बस यह जानना चाहती हूँ कि सिरियस क्या सोचता है ?'

सिरियस बोला, 'देखो, यह बेहतर है कि तुम स्कूल से निकल जाओ और आत्मरक्षा करने में समर्थ बन जाओ, बजाय इसके कि बिना कुछ जाने स्कूल में सुरक्षित बैठे रहो।'

'वाह, वाह,' हैरी और रॉन ने उत्साह से कहा।

सिरियस ने कहा, 'तुम यह समूह कैसे बना रहे हो ? मीटिंग कहाँ कर रहे हो ?'

'यही तो दिक्क़त है,' हैरी ने कहा। 'हमें नहीं पता कि हम मीटिंग कहाँ करें ?'

सिरियस ने सुझाव दिया, 'चीख़ती हवेली कैसी रहेगी ?'

'हाँ, यह विचार तो अच्छा है!' रॉन ने रोमांचित होकर कहा, लेकिन हर्माइनी ने संदेह भरी आवाज़ निकाली और तीनों उसकी तरफ़ देखने लगे। सिरियस का सिर लपटों में घूम गया।

'देखो सिरियस, जब तुम स्कूल में थे, तो सिर्फ़ तुम चार लोग ही चीख़ती

हवेली में मिला करते थे,' हर्माइनी ने कहा। 'और तुम सभी रूप परिवर्तन करके जानवरों में बदल सकते थे! और अगर तुम चाहते, तो तुम सभी एक अदृश्य चोगे के नीचे छिप सकते थे। लेकिन हम अट्ठाईस हैं और हममें से कोई भी इच्छाधारी नरपशु नहीं है, इसलिए हमें अदृश्य चोगे की नहीं, अदृश्य शामियाने की ज़रूरत पड़ेगी –'

'सही कहा,' सिरियस ने थोड़ी निराशा से कहा। 'अच्छा, मुझे यक़ीन है कि तुम लोग कोई न कोई जगह खोज ही लोगे। चौथी मंज़िल पर बड़े आईने के पीछे एक काफ़ी बड़ा ख़ुफ़िया गलियारा हुआ करता था। तुम्हें वहाँ मंत्रों का अभ्यास करने के लिए पर्याप्त जगह मिल जाएगी।'

'फ्रेड और जॉर्ज ने मुझे बताया था कि अब वह बंद हो चुका है,' हैरी ने अपना सिर हिलाते हुए कहा। 'मिट्टी धँस गई है या ऐसा ही कुछ हुआ है।'

'ओह ...' सिरियस ने त्योरियाँ चढ़ाते हुए कहा। 'अच्छा मैं इस बारे में सोचूँगा और तुम्हें बता –'

उसने वाक्य अधूरा छोड़ दिया। उसका चेहरा अचानक तनाव और दहशत में दिखने लगा। वह इधर-उधर देखने लगा। वह अँगीठी की ठोस दीवार की तरफ़ देख रहा था।

'सिरियस?' हैरी ने चिंता से पूछा।

लेकिन वह ग़ायब हो चुका था। हैरी एक पल के लिए मुँह खोलकर लपटों को घूरता रहा, फिर वह रॉन और हर्माइनी की तरफ़ मुड़ा।

'वह आख़िर क्यों – ?'

हर्माइनी ने दहशत भरी साँस ली और उछलकर खड़ी हो गई। वह आग को घूरे जा रही थी।

लपटों में एक हाथ दिखाई दे रहा था। हाथ इधर-उधर हो रहा था, जैसे कुछ पकड़ने की कोशिश कर रहा हो। यह छोटी उँगलियों वाला गाँठदार हाथ था, जिसमें पुराने फ़ैशन की कई बदसूरत अँगूठियाँ थीं।

उन तीनों ने वहाँ से दौड़ लगा दी। लड़कों के कमरों की तरफ़ जाने वाले दरवाज़े पर पहुँचकर हैरी ने पलटकर देखा। अंबरिज का हाथ अब भी लपटों के बीच में टटोल रहा था, जैसे उन्हें मालूम हो कि सिरियस के बाल कुछ पल पहले कहाँ थे और वे उसे पकड़ने की क़सम खा चुकी थीं।

अध्याय अठारह

डम्बलडोर की सेना

'अंबरिज तुम्हारी चिट्ठियाँ पढ़ रही हैं, हैरी। इसका और कोई स्पष्टीकरण हो ही नहीं सकता।'

हैरी ने बौखलाकर पूछा, 'तुम्हें लगता है कि अंबरिज ने हेडविग पर हमला किया था?'

'मुझे तो यही लगता है,' हर्माइनी ने गंभीरता से कहा। 'अपने मेंढक को सँभालो। वह भाग रहा है।'

हैरी ने छड़ी मेंढक की तरफ़ की, जो बड़ी उम्मीद से टेबल के दूसरे सिरे की तरफ़ फुदक रहा था – '*आगमनो!*' – मेंढक उदासी से उड़कर उसके हाथ में लौट आया।

निजी बातचीत का आनंद लेने के लिए सम्मोहन से अच्छी और कोई क्लास नहीं थी। आम तौर पर इसमें इतनी ज़्यादा हलचल और उथलपुथल होती थी कि किसी दूसरे के बात सुन लेने का डर बहुत कम रहता था। आज कमरे में टर्राते मेंढकों और काँव-काँव करते कौओं का शोर भरा था। इसके अलावा क्लास की खिड़कियों पर बारिश की बूँदों के तेज़ी से टकराने की आवाज़ भी आ रही थी। जब हैरी, रॉन और हर्माइनी ने फुसफुसाकर इस बारे में बातचीत की कि अंबरिज ने कैसे सिरियस को लगभग पकड़ ही लिया था, तो किसी ने उस तरफ़ ध्यान नहीं दिया।

हर्माइनी फुसफुसाकर बोली, 'मुझे इस बारे में तभी से शक हो रहा था, जब फ़िल्च ने तुम पर गोबरबमों का ऑर्डर देने का इल्ज़ाम लगाया *था*। उसका आरोप मूर्खतापूर्ण था और सरासर झूठा लग रहा था। मेरा मतलब है, तुम्हारी चिट्ठी पढ़ने के बाद यह स्पष्ट हो जाता कि तुम गोबरबमों का ऑर्डर *नहीं दे रहे थे*, इसलिए तुम किसी मुश्किल में नहीं फँसते – यह बड़ा ही कमज़ोर मज़ाक़ था,

है ना? लेकिन फिर मैंने सोचा, कहीं ऐसा तो नहीं कि कोई बहाने से तुम्हारी चिट्ठी पढ़ना चाहता था? अगर ऐसा है, तो अंबरिज के लिए ऐसा करना बहुत आसान था। वे फ़िल्च को झूठी जानकारी देकर उससे तुम्हारी चिट्ठी ज़ब्त करवा सकती थीं या फिर फ़िल्च से उसे चुराने का तरीक़ा खोज सकती थीं या फिर उससे देखने को माँग सकती थीं। मुझे नहीं लगता कि इसमें फ़िल्च को कोई आपत्ति होती। वह विद्यार्थियों के अधिकारों के लिए कब लड़ा है? हैरी, तुम्हारा मेंढक दबा जा रहा है।'

हैरी ने नीचे देखा। वह सचमुच मेंढक को इतनी कसकर दबा रहा था कि उसकी आँखें बाहर निकली पड़ रही थीं। उसने उसे जल्दी से डेस्क पर रख दिया।

हर्माइनी बोली, 'कल रात को यह बहुत ही क़रीबी मामला था। क्या पता, अंबरिज को मालूम है या नहीं कि यह कितना क़रीबी मामला था। *चुप्पो!*'

जिस मेंढक पर वह अपने मौन सम्मोहन का अभ्यास कर रही थी, वह टर्राने के बीच में ही गूँगा हो गया और उसकी तरफ़ ग़ुस्से से घूरने लगा।

'अगर उन्होंने स्नफ़ल्स को पकड़ लिया होता –'

हैरी ने उसके अधूरे वाक्य को पूरा किया।

'– तो शायद वह आज सुबह अज़्काबान में होता।' उसने अपनी छड़ी बिना केंद्रित किए हिलाई। उसका मेंढक किसी हरे गुब्बारे की तरह फूला और ज़ोर-ज़ोर से सीटी बजाने लगा।

'*चुप्पो!*' हर्माइनी ने तेज़ी से कहा और हैरी के मेंढक की तरफ़ छड़ी हिलाई, जिससे वह ख़ामोशी से सामान्य आकार का होने लगा। 'देखो, उसे यह काम दोबारा नहीं करना चाहिए, बस इतनी सी बात है। मुझे नहीं पता कि हम उसे यह बात कैसे बताएँ? हम उसे उल्लू भी तो नहीं भेज सकते।'

रॉन ने कहा, 'मुझे नहीं लगता कि वह दोबारा यह जोखिम लेगा। वह मूर्ख नहीं है। वह जानता है कि वह बाल-बाल बचा है। *चुप्पो।*'

उसके सामने खड़े बड़े और बदसूरत कौए ने ज़ोर से काँव-काँव की।

'*चुप्पो। **चुप्पो!***'

कौआ और ज़ोर-ज़ोर से काँव-काँव करने लगा।

'तुम अपनी छड़ी ग़लत तरीक़े से हिला रहे हो,' हर्माइनी ने रॉन से आलोचनात्मक स्वर में कहा। 'तुम उसे लहराने के बजाय ज़ोर का *झटका* दो।'

रॉन ने दाँत भींचकर कहा, 'कौओं पर जादू करना मेंढकों से ज़्यादा मुश्किल होता है।'

'अच्छी बात है, हम अदला-बदली कर लेते हैं,' हर्माइनी ने रॉन का कौआ उठा लिया और उसकी जगह पर अपना मोटा मेंढक रख दिया। '*चुप्पो!*' कौआ अपनी पैनी चोंच खोलता और बंद करता रहा, लेकिन उसके भीतर से कोई आवाज़ नहीं आई।

'बहुत बढ़िया, मिस ग्रेंजर!' प्रोफ़ेसर फ़्लिटविक की चूँ-चूँ करती आवाज़ आई, जिसे सुनकर हैरी, रॉन और हर्माइनी उछल पड़े। 'अब तुम कोशिश करो, मिस्टर वीज़्ली।'

'क्या - ? ओह - ओह, ठीक है,' रॉन ने बहुत परेशान होकर कहा। 'अर - *चुप्पो!*'

उसने अपनी छड़ी मेंढक के इतनी पास लाकर झटकी कि वह सीधे मेंढक की आँख में लगी। मेंढक कानफोड़ू आवाज़ में टर्राने लगा और डेस्क से कूदकर नीचे पहुँच गया।

उनमें से किसी को भी इस बात पर हैरानी नहीं हुई कि हैरी और रॉन को होमवर्क के लिए मौन सम्मोहन का अतिरिक्त अभ्यास दिया गया।

बाहर बारिश होने के कारण उन्हें ब्रेक में किसी क्लास के अंदर ही बैठने की इजाज़त मिल गई। उन्हें पहली मंज़िल पर एक शोरगुल वाले और भीड़ भरे क्लासरूम में जगह मिली, जिसमें पीव्ज़ सपनीले अंदाज़ में फानूस के पास तैर रहा था और बीच-बीच में किसी के सिर के ऊपर स्याही की दवात उड़ेल रहा था। वे अभी बैठे ही थे कि तभी एंजेलिना गपशप करते विद्यार्थियों के समूहों के बीच से जैसे-तैसे उनकी तरफ़ आई।

'मुझे इजाज़त मिल गई!' उसने कहा। 'क्विडिच टीम दोबारा बनाने की!'

'*बहुत बढ़िया!*' रॉन और हैरी एक साथ बोले।

'हाँ,' एंजेलिना ने मुस्कराते हुए कहा। 'मैं मैक्गॉनेगल के पास गई थी और मुझे *लगता है* कि उन्होंने डम्बलडोर से सिफ़ारिश की होगी। चाहे जो हो, अंबरिज को हार माननी पड़ी। हा! तो मैं चाहती हूँ कि तुम लोग आज शाम को सात बजे पिच पर पहुँच जाओ। इतने समय का जो नुक़सान हुआ है, उसकी भरपाई करनी पड़ेगी। तुम्हें पता है, हमारे पहले मैच में अब सिर्फ़ तीन हफ़्ते रह गए हैं?'

वह उनसे दूर चली गई। रास्ते में वह पीव्ज़ की फेंकी स्याही की फुहार से बच गई, जो उसके बजाय पास खड़े फ़र्स्ट ईयर के एक विद्यार्थी पर पड़ी।

रॉन की मुस्कराहट थोड़ी फीकी पड़ गई, जब उसने खिड़की से बाहर झाँका, जो अब बारिश के कारण धुँधली हो गई थी।

'उम्मीद है कि शाम तक बारिश रुक जाएगी। तुम्हें क्या हुआ, हर्माइनी ?'

वह भी खिड़की के बाहर देख रही थी, लेकिन ऐसा नहीं लग रहा था कि वह कुछ देख रही थी। वह खोई-खोई दिख रही थी और उसके चेहरे पर एक त्योरी थी।

'बस सोच रही थी ...' उसने कहा। अब भी वह बारिश में नहाई खिड़की की तरफ़ त्योरियाँ चढ़ाकर देखती रही।

हैरी ने पूछा, 'सिरि – स्नफ़ल्स के बारे में ?'

'नहीं ... उसके बारे में तो नहीं ...' हर्माइनी ने धीरे से कहा। 'बल्कि ... सोच रही थी ... मुझे लगता है कि हम सही काम कर रहे हैं ... मुझे लगता है ... है ना ?'

हैरी और रॉन ने एक-दूसरे की तरफ़ देखा।

रॉन बोला, 'तुमने बात कितनी अच्छी तरह से स्पष्ट कर दी है ? अगर तुम इतनी अच्छी तरह नहीं समझातीं, तो हमें बहुत बुरा लगता।'

हर्माइनी ने उसे इस तरह देखा, जैसे उसे अभी-अभी यह एहसास हुआ हो कि वह वहाँ था।

हर्माइनी अब पहले से ज़्यादा ऊँची आवाज़ में बोली, 'मैं तो बस सोच रही थी कि गुप्त कलाओं वाले समूह को शुरू करके हम सही काम कर रहे हैं या नहीं ?'

'क्या ?' हैरी और रॉन ने एक साथ कहा।

रॉन ग़ुस्से से बोला, 'हर्माइनी, यह विचार तुम्हारा ही था!'

'मैं जानती हूँ,' हर्माइनी ने अपनी उँगलियाँ मोड़ते हुए कहा। 'लेकिन स्नफ़ल्स से बातें करने के बाद ...'

हैरी बोला, 'लेकिन वह तो चाहता है कि हम यह काम करें।'

'हाँ,' हर्माइनी ने एक बार फिर खिड़की को घूरते हुए कहा। 'हाँ, इसी कारण तो मैं सोच रही हूँ कि शायद यह सही नहीं होगा ...'

पीव्ज़ पेट के बल उनके ऊपर तैरा। वह मटर के दाने फेंकने के लिए तैयार था। उन तीनों ने उसके जाने तक अपने बैग से अपना सिर ढँक लिया।

'हम इस बात को सीधा कर लेते हैं,' हैरी ने ग़ुस्से से कहा, जब उन्होंने अपने बैग दोबारा फ़र्श पर वापस रख लिए। 'सिरियस हमारी बात से सहमत है, इसलिए तुम्हें लगता है कि हमें यह काम नहीं करना चाहिए ?'

हर्माइनी तनावग्रस्त और थोड़ी दुखी लग रही थी। अब अपने हाथों की

तरफ़ घूरते हुए वह बोली, 'क्या तुम्हें सचमुच उसके निर्णय पर भरोसा है?'

'हाँ, मुझे है!' हैरी ने तत्काल कहा। 'उसने हमें हमेशा बहुत बढ़िया सलाह दी है!'

एक स्याही की फुहार उनके पास से उड़ती हुई गुज़री और केटी बेल के कान पर पड़ी। हर्माइनी ने केटी को उछलते हुए और पीव्ज़ पर सामान फेंकते हुए देखा। कुछ पल बाद हर्माइनी दोबारा बोली और ऐसा लग रहा था, जैसे वह अपने शब्दों को बहुत ध्यान से चुन रही थी।

'तुम्हें नहीं लगता कि जब से वह ग्रिमॉल्ड चौक में बंद है, तब से ... वह ... थोड़ा दुस्साहसी बन गया है? तुम्हें नहीं लगता कि वह ... एक तरह से ... हमारे माध्यम से जी रहा है?'

हैरी ने पलटकर पूछा, 'तुम्हारा क्या मतलब है, हमारे माध्यम से जी रहा है?'

'मेरा मतलब है ... देखो, मुझे लगता है कि उसे मंत्रालय के किसी व्यक्ति की नाक के नीचे ख़ुफ़िया संस्था बनाना बहुत अच्छा लगता ... मुझे लगता है कि वह इस बात पर बहुत कुंठित है कि वह जहाँ है, वहाँ कितना कम कर सकता है ... इसलिए मुझे लगता है कि वह एक तरह से ... हमें उकसाना चाहता है।'

रॉन बहुत परेशान दिखने लगा।

'सिरियस सही है,' उसने कहा, 'तुम *भी* मेरी मम्मी की तरह बात कर रही हो।'

हर्माइनी ने अपना होंठ काट लिया और जवाब नहीं दिया। जैसे ही घंटी बजी, पीव्ज़ नीचे की तरफ़ उड़ता हुआ केटी के पास आया और उसके सिर पर स्याही की पूरी शीशी उड़ेल दी।

*

दिन ढलने तक मौसम में कोई सुधार नहीं हुआ, इसलिए उस शाम को सात बजे जब हैरी और रॉन प्रैक्टिस के लिए क्विडिच पिच पर गए, तो वे कुछ मिनट में ही पूरे भीग गए और उनके पैर गीली घास पर फिसलने लगे। आसमान गहरा भूरा था और चेंजिंग रूम की गर्मी तथा रोशनी में पहुँचना बड़ा राहत भरा था, हालाँकि वे जानते थे कि यह राहत सिर्फ़ कुछ समय की ही है। उन्हें फ्रेड और जॉर्ज इस बात पर बहस करते मिले कि वे खेलने से बचने के लिए अपनी गोतामार टॉफ़ी का उपयोग करें या न करें।

'... लेकिन मैं शर्त लगाता हूँ कि वह समझ जाएगी,' फ्रेड ने अपने मुँह के

कोने से कहा। 'काश मैंने कल उसके सामने वमनकारी टॉफ़ी ख़रीदने का प्रस्ताव नहीं रखा होता!'

'हम ज्वर टॉफ़ी का इस्तेमाल कर सकते हैं,' जॉर्ज बुदबुदाया, 'इसे अब तक किसी ने नहीं देखा है –'

'क्या यह काम करती है?' रॉन ने उम्मीद से पूछा। छत पर बारिश की आवाज़ तेज़ हो गई और हवा इमारत के चारों तरफ़ गरजने लगी।

'हाँ,' फ्रेड बोला। 'बुखार तेज़ी से चढ़ जाता है।'

जॉर्ज ने कहा, 'लेकिन उसके साथ ही मवाद भरे बड़े-बड़े फोड़े भी हो जाते हैं। और हम अब तक यह पता नहीं लगा पाए हैं कि उनसे मुक्ति कैसे पाई जाए।'

रॉन ने अपने जुड़वाँ भाइयों को घूरते हुए कहा, 'मुझे तो कोई फोड़ा नहीं दिख रहा है।'

'नहीं, तुम नहीं देख पाओगे,' फ्रेड ने गंभीरता से कहा, 'वे ऐसी जगह पर हैं, जो हम आम तौर पर लोगों को नहीं दिखाते हैं।'

'लेकिन उनकी वजह से झाड़ू पर बैठना सचमुच दर्दनाक –'

'ठीक है, सभी लोग सुनो,' एंजेलिना ने कप्तान के ऑफ़िस से बाहर निकलते हुए ज़ोर से कहा। 'मैं जानती हूँ कि मौसम आदर्श नहीं है, लेकिन इस बात की संभावना है कि हम इसी तरह के मौसम में नागशक्ति के साथ खेलेंगे, इसलिए यह रणनीति बनाना अच्छा रहेगा कि हम ऐसे मौसम में किस तरह खेलेंगे। हैरी, जब हम उस तूफ़ान में मेहनतकश की टीम के साथ खेले थे, तो तुमने अपने चश्मे के साथ कुछ किया था ना, जिससे बारिश उसे धुँधला नहीं कर पाए?'

'हर्माइनी ने किया था,' हैरी ने कहा। उसने अपनी छड़ी बाहर निकाली, अपने चश्मे को ठोंका और कहा, '*अप्रभावितो!*'

एंजेलिना बोली, 'मुझे लगता है कि हम सभी को यह काम कर लेना चाहिए। अगर हम बारिश को चेहरे से दूर रख सकें, तो इससे हमें सचमुच देखने में मदद मिलेगी – सब एक साथ बोलो – *अप्रभावितो!* **ठीक है**। चलो, चलते हैं।'

उन सभी ने अपनी-अपनी छड़ी दुशाले की भीतरी जेब में रखी, झाड़ू कंधे पर रखी और एंजेलिना के पीछे-पीछे चेंजिंग रूम से बाहर निकल गए।

वे गहरे कीचड़ में छप-छप करते हुए पिच के बीच तक पहुँचे। अप्रभावितो सम्मोहन के बावजूद बहुत कम दिखाई दे रहा था। रोशनी तेज़ी से कम होती जा रही थी और बारिश के रेले जैसे मैदान की सफ़ाई कर रहे थे।

एंजेलिना चिल्लाकर बोली, 'ठीक है, मेरी सीटी पर उड़ने लगना।'

हैरी ज़मीन पर पैर मारकर ऊपर उठा, जिससे चारों तरफ़ कीचड़ उड़ गया। ऊपर उठते समय हवा के कारण वह दिशा से थोड़ा भटक रहा था। उसे पता नहीं था कि इस मौसम में वह सुनहरी गेंद को कैसे देखेगा। उसे तो उस पहलवान को ही देखने में काफ़ी मुश्किल आ रही थी, जिससे वे प्रैक्टिस कर रहे थे। प्रैक्टिस शुरू होने के एक मिनट के भीतर ही उसके कारण वह गिरते-गिरते बचा था और इसके लिए उसे स्लॉथ ग्रिप रोल का इस्तेमाल करना पड़ा था। दुर्भाग्य से, एंजेलिना यह नहीं देख पाई। दरअसल ऐसा लग रहा था, जैसे वह कुछ भी नहीं देख पा रही थी। उनमें से किसी को ज़रा भी अंदाज़ा नहीं था कि बाक़ी खिलाड़ी क्या कर रहे थे। हवा तेज़ हो रही थी। इतनी दूर होने के बाद भी हैरी को सुनाई दे रहा था कि बारिश झील पर मुक्के बरसा रही थी और सरसरा रही थी।

एंजेलिना ने हार मानने से पहले एक घंटे तक उन्हें इस काम में जुटाए रखा। वह अपनी गीली और असंतुष्ट टीम को वापस चेंजिंग रूम में ले गई। उसने ज़ोर देकर कहा कि प्रैक्टिस में उनका समय बर्बाद नहीं हुआ था, हालाँकि उसकी आवाज़ में विश्वास की झलक नहीं थी। फ्रेड और जॉर्ज ख़ास तौर पर चिड़चिड़े लग रहे थे। दोनों ही लँगड़ाकर चल रहे थे और हर क़दम पर उनके चेहरे पर दर्द के भाव आ जाते थे। हैरी जब अपने बाल तौलिए से सुखा रहा था, तो उसने धीमी आवाज़ में उनकी शिकायतें सुनीं।

फ्रेड खोखली आवाज़ में कह रहा था, 'मुझे लगता है कि मेरे कुछ फोड़े फूट गए हैं।'

जॉर्ज ने दाँत भींचकर कहा, 'मेरे नहीं फूटे। वे तो बुरी तरह टीस मार रहे हैं ... ज़्यादा बड़े भी लग रहे हैं।'

'आउच!' हैरी ने कहा।

उसने तौलिए को चेहरे पर कसकर दबा लिया। उसकी आँखें दर्द के मारे बंद हो गईं। उसके माथे के निशान में दोबारा दर्द होने लगा था। कई सप्ताह बाद निशान में इतना तेज़ दर्द हुआ था।

'क्या हुआ ?' कई आवाज़ों ने पूछा।

हैरी ने तौलिए के पीछे से चेहरा बाहर निकाला। चेंजिंग रूम धुँधला दिख रहा था, क्योंकि वह चश्मा नहीं लगाए था, लेकिन इसके बावजूद वह देख सकता था कि हर चेहरा उसी की तरफ़ मुड़ा हुआ था।

वह बुदबुदाया, 'कुछ नहीं! आँख में उँगली चली गई थी, बस इतनी सी बात थी।'

बहरहाल, उसने रॉन की तरफ़ ख़ास अंदाज़ में देखा। जब टीम के बाक़ी खिलाड़ी बाहर निकले, तो वे दोनों पीछे रुके रहे। वे चोगों में लिपटे हुए थे और उन्होंने अपने हैट कान तक नीचे कर लिए थे।

जब एलिसिया दरवाज़े से बाहर निकलकर ओझल हो गई, तो रॉन ने पूछा, 'क्या हुआ ? निशान फिर से दुखा था क्या ?'

हैरी ने सिर हिलाया।

'लेकिन ...' दहशत में रॉन खिड़की तक गया और बारिश में बाहर घूरने लगा, 'वह – वह इस समय तो हमारे आस-पास नहीं हो सकता, है ना ?'

'नहीं,' हैरी बुदबुदाया और बेंच पर लुढ़ककर अपना माथा मलने लगा। 'वह तो शायद मीलों दूर होगा। निशान इसलिए दुखा था, क्योंकि ... वह ... नाराज़ है।'

हैरी यह नहीं कहना चाहता था और ये शब्द सुनकर उसे ऐसा लगा, जैसे कोई अजनबी उन्हें बोल रहा हो – बहरहाल, वह तत्काल समझ गया कि यह सच था। वह नहीं जानता था कि उसे यह बात कैसे मालूम थी, लेकिन उसे मालूम थी। वोल्डेमॉर्ट बहुत ग़ुस्से में था, चाहे वह जहाँ भी हो, चाहे वह जो भी कर रहा हो।

'क्या तुम्हें वह दिखा?' रॉन ने दहशत में दिखते हुए पूछा। 'क्या तुम्हें ... कोई सपना या झलक दिखी ?'

हैरी बिलकुल ख़ामोश बैठकर अपने पैरों को एकटक देखता रहा। वह दर्द के बाद अपने दिमाग़ और याददाश्त को आराम देता रहा।

बहुत से आकारों की परछाईं, आवाज़ों की उथलपुथल ...

उसने कहा, 'वह कोई काम करवाना चाहता है और यह तेज़ी से नहीं हो रहा है।'

एक बार फिर उसे अपने मुँह से ये शब्द सुनकर हैरानी हुई, लेकिन उसे यक़ीन था कि वे सच थे।

रॉन ने पूछा, 'लेकिन ... तुम यह बात कैसे जानते हो ?'

हैरी ने अपना सिर हिलाया और अपनी आँखों पर हाथ रखकर दबाने लगा। उनमें से छोटे-छोटे सितारे निकलने लगे। उसे महसूस हुआ कि रॉन बेंच पर उसके पास बैठ गया है और वह जानता था कि रॉन उसे घूर रहा होगा।

'क्या यह वैसा ही है, जैसा पिछली बार हुआ था ?' रॉन ने धीमी आवाज़ में पूछा। 'जब तुम्हारा निशान अंबरिज के ऑफ़िस में दुखा था? उस वक़्त तुम-जानते-हो-कौन नाराज़ था ?'

हैरी ने अपना सिर हिलाया।

'तो फिर क्या था?'

हैरी उस घटना को याद कर रहा था। वह अंबरिज के चेहरे की तरफ़ देख रहा था ... उसके निशान में दर्द हुआ था ... और उसे अपने पेट में एक अजीब सी हलचल महसूस हुई थी ... एक अजीब सी भावना ... *ख़ुशी* की भावना, लेकिन ज़ाहिर है, वह उसे तब नहीं समझ पाया था, क्योंकि वह बहुत दुखी था ...

उसने कहा, 'पिछली बार, निशान में दर्द इसलिए हुआ था, क्योंकि वह ख़ुश था। सचमुच ख़ुश था। उसे लग रहा था ... कोई अच्छी चीज़ होने वाली है। और हमारे हॉगवर्ट्स लौटने से पहले वाली रात को ...' उसने उस पल के बारे में सोचा, जब ग्रिमॉल्ड चौक में उसके और रॉन के बेडरूम में उसके माथे का निशान दुखा था ... 'वह नाराज़ था ...'

उसने रॉन की तरफ़ देखा, जो मुँह फाड़कर उसे देख रहा था।

रॉन हैरानी से बोला, 'दोस्त, तुम तो ट्रिलोनी की छुट्टी कर सकते हो!'

हैरी बोला, 'मैं भविष्यवाणियाँ नहीं कर रहा हूँ।'

'नहीं, तुम दरअसल कुछ और कर रहे हो!' रॉन बोला। वह डरा हुआ और प्रभावित दोनों था। '*हैरी, तुम तुम-जानते-हो-कौन के दिमाग़ की बातें पढ़ रहे हो!*'

'नहीं,' हैरी ने अपना सिर हिलाते हुए कहा। 'मुझे लगता है कि मैं सिर्फ़ उसके मूड का अंदाज़ा लगा सकता हूँ। मुझे तो बस उसके मूड की झलक मिल रही है। डम्बलडोर ने कहा था कि पिछले साल इसी तरह का कुछ हो रहा था। उन्होंने कहा था कि जब वोल्डेमॉर्ट मेरे पास होता था या जब वह नफ़रत महसूस करता था, तो मुझे पता चल जाता था। अब मैं उसकी ख़ुशी भी महसूस करने लगा हूँ ...'

थोड़ी देर ख़ामोशी छाई रही। हवा और बारिश के थपेड़े इमारत पर तेज़ प्रहार करते रहे।

रॉन बोला, 'तुम्हें किसी न किसी को तो बताना ही चाहिए।'

'मैंने पिछली बार सिरियस को बताया था।'

'तो इस बार भी बता दो!'

'नहीं कर सकता,' हैरी ने उदासी से कहा। 'भूल गए क्या, अंबरिज उल्लुओं और अँगीठियों पर नज़र रख रही हैं?'

'तो फिर, डम्बलडोर को?'

'मैंने तुम्हें अभी-अभी बताया ना, डम्बलडोर यह बात पहले से ही जानते हैं,' हैरी ने रूखेपन से कहा और उठकर खड़ा हो गया। उसने खूँटी से अपना चोगा उतारा और अपने ऊपर डाल लिया। 'उन्हें दोबारा बताने में कोई तुक नहीं है।'

रॉन ने अपना चोगा बाँधते समय हैरी को विचारपूर्वक देखा।

उसने कहा, 'वैसे डम्बलडोर जानना चाहेंगे।'

हैरी ने कंधे उचका दिए।

'चलो ... हमें अभी मौन सम्मोहन का अभ्यास करना है।'

वे तेज़ी से अँधेरे मैदान में चलने लगे। कीचड़ भरी घास पर वे फिसलते और लड़खड़ाते जा रहे थे। ख़ामोशी में हैरी सोच-विचार में डूबा था। वोल्डेमॉर्ट ऐसा क्या चाहता था, जो तेज़ी से नहीं हो रहा था?

'उसके दूसरे इरादे भी हैं ... ऐसे इरादे, जिन पर वह बहुत गोपनीय तरीक़े से अमल कर सकता है ... ऐसी चीज़, जिसे वह सिर्फ़ चोरी से हासिल कर सकता है ... जैसे कोई हथियार। एक ऐसी चीज़, जो पिछली बार उसके पास नहीं थी।'

हैरी ने कई हफ़्तों से इन शब्दों के बारे में नहीं सोचा था। वह हॉगवर्ट्स में होने वाली घटनाओं में इतना डूबा हुआ था, अंबरिज के साथ लगातार हो रहे युद्ध को लड़ने में इतना व्यस्त था, मंत्रालय के हस्तक्षेप के अन्याय से इतना क्षुब्ध था ... लेकिन अब वे शब्द उसे याद आ गए और वह सोचने लगा ... वोल्डेमॉर्ट का ग़ुस्सा समझ में आता है, अगर वह *हथियार* तक नहीं पहुँच पा रहा हो, चाहे वह हथियार जो भी हो। क्या मायापंछी के समूह ने उसके इरादों को नाकाम कर दिया है और उसे हथियार हासिल करने से रोक दिया है? उस हथियार को कहाँ रखा गया था? वह इस समय किसके पास था?

'*मिम्बुलस मिम्बलटोनिया,*' रॉन ने कहा, जिससे हैरी तत्काल होश में आ गया और तस्वीर के छेद में से निकलकर हॉल में पहुँच गया।

ऐसा लग रहा था कि हर्माइनी जल्दी सोने चली गई थी। क्रुकशैंक्स पास की एक कुर्सी पर दुबकी पड़ी थी और आग के पास टेबल पर घरेलू जिन्नों के बहुत से हैट रखे थे, जिन्हें स्पष्ट रूप से हर्माइनी ने बुना था। हैरी इस बात के लिए कृतज्ञ था कि वह आस-पास नहीं थी, क्योंकि वह माथे के दर्द के बारे में उसे नहीं बताना चाहता था। उसे डर था कि वह भी डम्बलडोर के पास जाने की सलाह देगी। रॉन उसकी तरफ़ चिंता भरी निगाहों से देखता रहा, लेकिन हैरी ने

सम्मोहन विषय की अपनी पुस्तकें निकालीं और निबंध पूरा करने में जुट गया, हालाँकि वह सिर्फ़ ध्यान केंद्रित करने का नाटक कर रहा था और जब रॉन ने कहा कि वह सोने जा रहा है, तब तक वह बहुत कम लिख पाया था।

आधी रात आई और गुज़र गई, लेकिन हैरी एक पैरेग्राफ़ को ही बार-बार पढ़ रहा था। इसमें स्कर्वीग्रास, लवेज और स्नीज़वर्ट के प्रयोग के बारे में बताया गया था। हालाँकि हैरी बार-बार पढ़ रहा था, लेकिन उसे कुछ पल्ले नहीं पड़ रहा था।

ये पौधे मस्तिष्क के उत्तेजन में सबसे ज़्यादा प्रभावी होते हैं, इसलिए इनका इस्तेमाल दुविधा और चकरघिन्नी काढ़ों में किया जा सकता है, जहाँ जादूगर उतावलापन और दुस्साहस उत्पन्न करना चाहता हो ...

हर्माइनी ने कहा था कि ग्रिमॉल्ड चौक में रहते-रहते सिरियस दुस्साहसी हो गया था ...

... मस्तिष्क के उत्तेजन में सबसे ज़्यादा प्रभावी होते हैं, इसलिए इनका ...

... अगर *दैनिक जादूगर* को पता चल गया कि वह वोल्डेमॉर्ट के मूड को महसूस कर रहा था, तो *दैनिक जादूगर* वाले सोचेंगे कि उसका दिमाग़ उत्तेजित हो गया है ...

... इसलिए इनका इस्तेमाल दुविधा और चकरघिन्नी काढ़ों में किया जा सकता है ...

... दुविधा बिलकुल सही शब्द था। वह यह बात *क्यों* जानता था कि वोल्डेमॉर्ट कैसा महसूस कर रहा था? उन दोनों के बीच में यह कैसा अजीबोग़रीब संबंध था, जिसे डम्बलडोर भी कभी संतोषजनक ढंग से नहीं समझा पाए थे?

... उत्पन्न करना चाहता हो ...

... हैरी सोना चाहता था ...

... उतावलापन ...

... आग के सामने रखी कुर्सी पर गर्मी और आराम था, जबकि बारिश की बूँदें अब भी खिड़की पर ज़ोर-ज़ोर से पड़ रही थीं, क्रुकशैंक्स पसरकर म्याऊँ कर रही थी और लकड़ियाँ तड़क रही थीं ...

हैरी की ढीली पकड़ से किताब फिसल गई और हल्की सी धम्म के साथ कालीन पर गिर गई। उसका सिर एक तरफ़ को लटक गया ...

वह एक बार फिर खिड़कीविहीन गलियारे में चल रहा था और उसकी पदचाप ख़ामोशी में गूँज रही थी। जैसे ही गलियारे के आख़िर में दरवाज़ा नज़र आया, उसका दिल रोमांच से धड़कने लगा ... काश वह इसे खोल सकता ...

इसके पार जा सकता ...

उसने अपना हाथ आगे बढ़ाया ... उसकी उँगलियाँ सिर्फ़ कुछ इंच दूर थीं ...

'हैरी पॉटर, सर!'

वह चौंककर जाग गया। हॉल की मोमबत्तियाँ अब बुझ चुकी थीं, लेकिन कोई चीज़ पास में ही हिलती नज़र आ रही थी।

'कौन है?' हैरी ने अपनी कुर्सी पर सीधे बैठते हुए पूछा। आग अब लगभग बुझ चुकी थी और हॉल में बहुत अँधेरा था।

एक चिंचियाती आवाज़ आई, 'डॉबी आपका उल्लू लाया है, सर!'

'डॉबी?' हैरी ने भारीपन से कहा और अँधेरे में आवाज़ के स्रोत की तरफ़ देखा।

डॉबी नाम का घरेलू जिन्न उस टेबल के पास खड़ा था, जिस पर हर्माइनी ने आधा दर्जन बुने हुए हैट छोड़े थे। उसके बड़े, नुकीले कान बहुत सारे हैट्स के नीचे से झाँक रहे थे। ऐसा लग रहा था, जैसे उसने हर्माइनी के अब तक बुने हुए सारे हैट पहन रखे थे। एक के ऊपर एक हैट पहनने के कारण उसका सिर दो-तीन फ़ुट ऊँचा दिख रहा था और सबसे ऊपर वाले हैट पर हेडविग बैठी हुई थी। वह शांति से आवाज़ निकाल रही थी और साफ़ नज़र आ रहा था कि वह ठीक हो चुकी थी।

'हैरी पॉटर की उल्लू को लौटाने के लिए डॉबी ख़ुशी-ख़ुशी तैयार हो गया,' घरेलू जिन्न ने कहा और उसके चेहरे पर प्रशंसा का भाव था, 'प्रोफ़ेसर ग्रबली-प्लैंक कहती हैं कि वह अब बिलकुल ठीक है, सर।' उसने बहुत झुककर सलाम किया, जिससे उसकी पेंसिल जैसी नाक कालीन की छनी हुई सतह से छूने लगी। हेडविग ने एक ग़ुस्से भरी आवाज़ निकाली और फड़फड़ाती हुई हैरी की कुर्सी के हत्थे पर आ गई।

'शुक्रिया, डॉबी!' हैरी ने हेडविग का सिर सहलाते हुए कहा। वह तेज़ी से पलकें झपका रहा था और सपने वाले दरवाज़े की छवि से छुटकारा पाने की कोशिश कर रहा था ... यह बहुत साफ़ था। डॉबी को ज़्यादा ग़ौर से देखने पर उसने पाया कि घरेलू जिन्न बहुत से स्कार्फ़ और अनगिनत मोज़े भी पहने हुए था, जिस कारण उसके पैर शरीर के हिसाब से बहुत मोटे दिख रहे थे।

'अर ... क्या तुम हर्माइनी के रखे हुए सारे कपड़े ले लेते हो?'

डॉबी ने ख़ुशी से कहा, 'ओह नहीं सर, डॉबी विंकी के लिए भी कुछ ले लेता है, सर।'

हैरी ने पूछा, 'अच्छा, विंकी कैसी है?'

डॉबी के कान थोड़े लटक गए।

'विंकी अब भी बहुत पीती है, सर,' उसने दुख से कहा। उसकी टेनिस की गेंद जैसी बड़ी-बड़ी गोल हरी आँखें नीचे झुकी हुई थीं। 'वह कपड़े नहीं चाहती है, हैरी पॉटर। न ही बाक़ी घरेलू जिन्न चाहते हैं। उनमें से कोई भी अब गरुड़द्वार टॉवर की सफ़ाई नहीं करता है, क्योंकि यहाँ हर जगह हैट और मोज़े छिपे रहते हैं। उन्हें यह बहुत अपमानजनक लगता है, सर। डॉबी सारा काम ख़ुद करता है, सर, लेकिन डॉबी को कोई दिक़्क़त नहीं है, सर, क्योंकि उसे हमेशा हैरी पॉटर से मिलने की उम्मीद रहती है और आज रात को, सर, डॉबी की इच्छा पूरी हो गई!' डॉबी ने एक बार फिर बहुत झुककर सलाम किया। 'लेकिन हैरी पॉटर ख़ुश नहीं दिख रहा है,' डॉबी ने आगे कहा, सीधे तनकर खड़ा हुआ और कातरता से हैरी की तरफ़ देखने लगा। 'डॉबी ने हैरी पॉटर को नींद में बड़बड़ाते सुना था। क्या हैरी पॉटर बुरे सपने देख रहा था?'

'ज़्यादा बुरे नहीं,' हैरी ने जम्हाई लेते हुए और आँखें मलते हुए कहा। 'मुझे इससे भी बुरे सपने आ चुके हैं।'

घरेलू जिन्न ने अपनी बड़ी-बड़ी गोल आँखों से हैरी को ग़ौर से देखा। फिर उसने अपने कान लटकाकर बहुत गंभीरता से कहा, 'डॉबी चाहता है कि वह हैरी पॉटर की मदद करे, क्योंकि हैरी पॉटर ने डॉबी को आज़ाद किया था और डॉबी अब बहुत, बहुत ख़ुश है।'

हैरी मुस्कराया।

'डॉबी, तुम मेरी मदद नहीं कर सकते, लेकिन पूछने के लिए धन्यवाद।'

वह झुका और उसने काढ़े की किताब उठा ली। अब उसे निबंध को पूरा करने की कोशिश कल करनी पड़ेगी। उसने किताब बंद कर दी। ऐसा करते समय आग की हल्की रोशनी में उसके हाथ के पीछे के सफ़ेद निशान दिख गए - अंबरिज के साथ उसकी सज़ा का परिणाम ...

हैरी ने धीरे से कहा, 'एक मिनट रुको - तुम मेरा एक काम कर सकते *हो*, डॉबी।'

घरेलू जिन्न ने मुस्कराते हुए चारों तरफ़ देखा।

'कहकर तो देखिए, हैरी पॉटर, सर!'

'मुझे एक ऐसी जगह खोजनी है, जहाँ अट्ठाईस लोग एक साथ गुप्त कलाओं से रक्षा की प्रैक्टिस कर सकें और कोई टीचर उन्हें पकड़ भी न पाए। ख़ास तौर पर,' हैरी ने किताब पर अपना हाथ भींच लिया, जिससे निशान सफ़ेद

चमकने लगा। 'प्रोफ़ेसर अंबरिज।'

उसे उम्मीद थी कि घरेलू जिन्न की मुस्कान ग़ायब हो जाएगी और उसके कान लटक जाएँगे। उसे उम्मीद थी कि वह कहेगा कि यह असंभव था, या फिर वह ऐसी जगह खोजने की कोशिश करेगा। हैरी को डॉबी से मदद की ज़्यादा उम्मीद नहीं थी। उसे यह उम्मीद तो क़तई नहीं थी कि डॉबी थोड़ा उछलेगा, अपने कान ख़ुशी से फड़फड़ाएगा और ताली बजा देगा।

'डॉबी इसके लिए आदर्श जगह जानता है, सर!' उसने ख़ुशी से चहकते हुए कहा। 'जब डॉबी हॉगवर्ट्स आया था, सर, तो दूसरे घरेलू जिन्नों से उसने इसके बारे में सुना है। इसे हम आना-जाना कक्ष कहते हैं, सर, या फिर आवश्यकता कक्ष!'

'क्यों?' हैरी ने जिज्ञासा से कहा।

डॉबी गंभीरता से बोला, 'क्योंकि यह एक ऐसा कमरा है, जिसमें कोई व्यक्ति तभी दाख़िल हो सकता है, जब उसे इसकी सच्ची ज़रूरत हो। कई बार यह वहाँ होता है और कई बार वहाँ नहीं होता है, लेकिन जब यह प्रकट होता है, तो यह हमेशा खोजने वाले की आवश्यकताओं को पूरा करने के लिए तैयार रहता है। डॉबी इसका इस्तेमाल कर चुका है, सर,' घरेलू जिन्न ने कहा, उसने अपनी आवाज़ नीची कर ली और अपराधी दिखने लगा, 'जब विंकी बहुत पी लेती थी, तो डॉबी उसे आवश्यकता कक्ष में छिपा देता था। वहाँ पर डॉबी को बटरबियर का नशा उतारने वाले काढ़े रखे मिले और घरेलू जिन्न के आकार का बढ़िया बिस्तर तैयार मिला, जिस पर वह सो सकती थी, सर ... और डॉबी जानता है कि मिस्टर फ़िल्च की सफ़ाई की सामग्री जब ख़त्म होने लगती है, तो उन्हें वहाँ पर सामान मिल जाता है, सर, –'

'और अगर किसी को बाथरूम की ज़रूरत हो,' हैरी ने कहा। उसे अचानक याद आया कि डम्बलडोर ने पिछले क्रिसमस पर यूल बॉल में क्या कहा था, 'क्या यह कमरा चैंबर पॉट से भर सकता है?'

'डॉबी को लगता है कि ऐसा हो सकता है, सर,' डॉबी ने गंभीरता से सिर हिलाते हुए कहा। 'यह बहुत अद्भुत कमरा है, सर।'

हैरी अपनी कुर्सी पर थोड़ा तनकर बैठते हुए बोला, 'इसके बारे में कितने लोग जानते हैं?'

'बहुत कम, सर। ज़्यादातर लोग इसे संयोग से पाते हैं, जब उन्हें इसकी ज़रूरत होती है, सर, लेकिन अक्सर वे इसे दोबारा नहीं खोज पाते हैं, क्योंकि वे यह नहीं जानते हैं कि यह हमेशा मौजूद रहता है और बुलाए जाने का इंतज़ार करता है, सर।'

'यह बहुत बढ़िया लगता है,' हैरी ने कहा और उसका दिल सरपट भागने लगा। 'यह आदर्श लगता है, डॉबी। तुम मुझे यह कमरा कब दिखा सकते हो?'

'कभी भी, हैरी पॉटर, सर,' डॉबी ने कहा और हैरी के उत्साह को देखकर ख़ुश दिखने लगा। 'अगर आप चाहें, तो अभी चल सकते हैं!'

एक पल के लिए तो हैरी डॉबी के साथ जाने के लिए ललचाया। वह अपनी कुर्सी से आधा उतर भी गया। वह तेज़ी से ऊपर जाकर अपना अदृश्य चोगा लाना चाहता था, लेकिन तभी हर्माइनी जैसी एक आवाज़ उसके कानों में फुसफुसाई : 'दुस्साहसी।' आख़िर बहुत देर हो चुकी थी, वह थक चुका था और उसे स्नेप का निबंध पूरा करना था।

'आज रात को नहीं, डॉबी,' हैरी ने अनिच्छा से कहा और दोबारा अपनी कुर्सी में धँस गया। 'यह सचमुच महत्वपूर्ण है ... मैं इसे हवा में नहीं उड़ाना चाहता हूँ, इसके लिए सही योजना बनानी होगी। सुनो, क्या तुम मुझे पूरी बात बता सकते हो कि यह आवश्यकता कक्ष क्या है और उसमें कैसे पहुँचा जा सकता है?'

*

जब वे जड़ी-बूटी विज्ञान के दो पीरियड में पढ़ने के लिए जाने लगे, तो उन्हें छप-छप करके बाढ़ भरी क्यारियों से गुज़रना पड़ा। उनके चारों तरफ़ उनके दुशाले हवा में लहरा रहे थे। ग्रीनहाउस की छत पर पानी की बूँदें ओलों की तरह इतनी ज़ोर से गिर रही थीं कि क्लास में उन्हें प्रोफ़ेसर स्प्राउट की बातें सुनाई नहीं दे रही थीं। जादुई प्राणियों की देखभाल की क्लास को तूफ़ान वाले मैदान से हटाकर ग्राउंड फ़्लोर के एक ख़ाली क्लासरूम में लगाया गया। उन्हें गहरी राहत मिली, जब एंजेलिना ने लंच के दौरान अपनी टीम के सभी खिलाड़ियों को बताया कि क्विडिच प्रैक्टिस रद्द कर दी गई है।

जब एंजेलिना ने उसे यह बताया, तो हैरी धीरे से बोला, 'यह अच्छा रहा, क्योंकि हमें सुरक्षा मीटिंग के लिए जगह मिल गई है। आज रात को आठ बजे सातवीं मंज़िल पर पगले बार्नाबास की दीवारदरी के सामने, जिसमें दैत्य बार्नाबास को पीट रहे हैं। क्या तुम केटी और एलिसिया को बता दोगी?'

वह थोड़ी हैरान दिखी, लेकिन उसने बाक़ी विद्यार्थियों को बताने का वादा कर लिया। हैरी भुखमरों की तरह सॉसेज खाने लगा। कद्दू के जूस का प्याला उठाते वक़्त उसने देखा कि हर्माइनी उसे देख रही थी।

'क्या है?' उसने भारी आवाज़ में पूछा।

'देखो ... बात सिर्फ़ इतनी है कि डॉबी की योजनाएँ कभी सुरक्षित नहीं रहती हैं। क्या तुम वह घटना भूल गए, जब उसके कारण तुम्हारे हाथ की सारी

हड्डियाँ ग़ायब हो गई थीं?'

'यह कमरा डॉबी का कोई पागलपन भरा विचार नहीं है। डम्बलडोर भी इसके बारे में जानते हैं। उन्होंने यूल बॉल में मुझसे इसका ज़िक्र किया था।'

हर्माइनी के माथे के बल साफ़ हो गए।

'डम्बलडोर ने तुम्हें इसके बारे में बताया था?'

हैरी ने कंधे उचकाते हुए कहा, 'बातों-बातों में ज़िक्र किया था।'

'ओह, अच्छी बात है, तब तो सब कुछ ठीक है,' हर्माइनी ने तेज़ी से कहा और इसके बाद कोई आपत्ति नहीं उठाई।

रॉन के साथ दोनों ने अपना ज़्यादातर वक़्त उन विद्यार्थियों को खोजने में बिताया, जिन्होंने हॉग्स हेड में सूची पर साइन किए थे। उन्होंने उन सबको बताया कि शाम को कहाँ मिलना है। हैरी को इस बात से थोड़ी निराशा हुई कि चो चैंग और उसकी सहेली को जिनी ने खोजा। बहरहाल, डिनर के बाद तक उसे भरोसा हो चुका था कि यह ख़बर उन सभी पच्चीस विद्यार्थियों तक पहुँच चुकी थी, जो हॉग्स हेड में इकट्ठे हुए थे।

साढ़े सात बजे हैरी, रॉन और हर्माइनी गरुड़द्वार के हॉल से बाहर निकले। हैरी अपने हाथ में एक पुराना चर्मपत्र पकड़े था। फ़िफ़्थ ईयर के विद्यार्थियों को रात नौ बजे तक गलियारों में बाहर रहने की इजाज़त थी, लेकिन सातवीं मंज़िल की तरफ़ जाते समय पूरे रास्ते वे तीनों घबराकर चारों तरफ़ देखते रहे।

'ज़रा ठहरो,' हैरी ने चेतावनी दी और आख़िरी सीढ़ी पर चर्मपत्र को खोल लिया, जिसे छड़ी से ठोंककर वह बुदबुदाया, *'मैं क़सम खाता हूँ कि मैं जो भी कहूँगा झूठ कहूँगा और झूठ के सिवाय कुछ नहीं कहूँगा।'*

चर्मपत्र की ख़ाली सतह पर हॉगवर्ट्स का नक़्शा प्रकट हो गया। उसमें छोटे-छोटे काले बिंदु थे, जो हिल रहे थे। इन बिंदुओं के पास नाम के लेबल लगे थे, जिनसे पता चलता था कि कौन कहाँ पर था।

'फ़िल्च दूसरी मंज़िल पर है,' हैरी ने नक़्शे को अपनी आँखों के पास लाते हुए कहा, 'और मिसेज़ नॉरिस चौथी मंज़िल पर है।'

'और अंबरिज?' हर्माइनी ने चिंता भरी आवाज़ में पूछा।

'अपने ऑफ़िस में,' हैरी ने इशारा करते हुए कहा। '**अच्छा**, तो अब चलते हैं।'

वे जल्दी-जल्दी गलियारे से होते हुए उस जगह की तरफ़ चल दिए, जिसका वर्णन डॉबी ने हैरी से किया था। यह एक ख़ाली दीवार थी, जिसके

सामने वाली दीवार पर दीवारदरी लगी थी। इस दीवारदरी में पगला बार्नाबास दैत्यों को बैले सिखाने की मूर्खतापूर्ण कोशिश कर रहा था।

'**ठीक है**,' हैरी ने धीरे से कहा, जब एक दीमक खाया दैत्य उनकी आँखों के सामने अपने बैले टीचर को लगातार मुद्गर मारते-मारते ठहर गया। 'डॉबी ने कहा था कि दीवार के इस हिस्से के सामने से तीन बार गुज़रना और उस चीज़ पर ध्यान केंद्रित करना, जिसकी हमें ज़रूरत है।'

उन्होंने ऐसा ही किया। वे उस जगह के सामने से तेज़ी से पलटे, जो दीवार के ख़ाली हिस्से के ठीक सामने थी। फिर दूसरी तरफ़ जाकर वे एक आदमक़द गुलदान के पास से मुड़ गए। रॉन ने अपनी आँखें एकाग्रता में सिकोड़ ली थीं। हर्माइनी धीरे-धीरे कुछ फुसफुसा रही थी। हैरी की मुट्ठी बँधी हुई थी और वह अपने सामने एकटक देख रहा था।

उसने सोचा ... हमें मुक़ाबला करना सीखने के लिए किसी जगह की ज़रूरत है। हमें प्रैक्टिस करने के लिए कोई जगह उपलब्ध करा दो ... जहाँ कोई हमें न खोज सके ...

जब वे तीसरा चक्कर लगाने के बाद लौटे, तो हर्माइनी तीखी आवाज़ में बोली, 'हैरी!'

दीवार में एक बहुत ही चमकदार दरवाज़ा प्रकट हो गया था। रॉन ग़ौर से उसे घूर रहा था। हैरी ने आगे बढ़कर पीतल का हैंडल घुमाया और दरवाज़ा खोल दिया। वह एक बड़े कमरे में पहुँच गया था, जिसमें मशालें जल रही थीं, जैसी आठ मंज़िल नीचे के तहख़ानों में जलती थीं।

दीवारों पर किताब रखने के लकड़ी के शेल्फ़ क़तार में लगे थे और कुर्सियों की जगह फ़र्श पर रेशम के बड़े कुशन बिछे थे। कमरे की दूसरी ओर शेल्फ़ों पर बहुत से यंत्र रखे थे, जैसे मुख़बिर यंत्र, गोपन-संवेदक और एक बड़ा सा, चटका हुआ शत्रु-दर्पण, जिसके बारे में हैरी को यक़ीन था कि वह पिछले साल नक़ली मूडी के ऑफ़िस में लटका रहता था।

'ये स्तब्धीकरण की प्रैक्टिस करते समय काम आएँगे,' रॉन ने अपने पैर से एक कुशन को कुरेदते हुए उत्साह से कहा।

'और इन किताबों की तरफ़ तो देखो!' हर्माइनी ने रोमांच से कहा और चमड़े की जिल्द वाली किताबों पर एक उँगली फेरी। '*ए कंपेंडियम ऑफ़ कॉमन कर्सेस एंड देअर काउंटर एक्शन्स ... द डार्क आर्ट्स आउटस्मार्टेड ... सेल्फ़-डिफ़ेन्सिव स्पेलवर्क ... वाह ...*' उसने चमकते चेहरे से हैरी की तरफ़ देखा और हैरी को महसूस हो गया कि सैकड़ों किताबों की मौजूदगी ने आख़िर हर्माइनी को यह यक़ीन दिला दिया था कि वे जो कर रहे थे, वह सही था। 'हैरी, यह तो अद्भुत

है। हमें जिन चीज़ों की ज़रूरत है, वे सब यहाँ हैं!'

और बिना देर किए उसने एक शेल्फ़ से *जिंक्सेस फ़ॉर द जिंक्स्ड* पुस्तक निकाली और सबसे क़रीबी कुशन पर बैठकर उसे पढ़ने लगी।

दरवाज़े पर धीमे से एक दस्तक हुई। हैरी ने घूमकर देखा। जिनी, नेविल, लैवेंडर, पार्वती और डीन आ गए थे।

'वाह,' डीन ने चारों तरफ़ घूरकर प्रभावित होते हुए कहा। 'यह जगह कौन सी है?'

हैरी समझाने लगा, लेकिन उसकी बात पूरी होने से पहले ही और लोग आ गए, जिस वजह से उसे दोबारा शुरू करना पड़ा। आठ बजे तक हर कुशन भर चुका था। हैरी दरवाज़े तक गया और ताले में से झाँक रही चाबी को तेज़ी से घुमा दिया। हर विद्यार्थी ख़ामोश होकर उसकी तरफ़ देखने लगा। हर्माइनी ने सावधानी से *जिंक्सेस फ़ॉर द जिंक्स्ड* के पन्ने पर मार्कर लगाया और पुस्तक एक तरफ़ रख दी।

'अच्छी बात है,' हैरी ने थोड़ी घबराई आवाज़ में कहा। 'हमने प्रैक्टिस करने के लिए यह जगह चुनी है और ज़ाहिर है कि तुम लोगों को - अर - यह **अच्छी** लगी है।'

'यह बहुत अच्छी है!' चो ने कहा और कई लोगों ने इस सुझाव पर सहमति जताई।

'यह अजीब है,' फ्रेड ने चारों तरफ़ त्योरियाँ चढ़ाकर कहा। 'हम एक बार फ़िल्च से बचने के लिए यहाँ छिपे थे, याद है, जॉर्ज? लेकिन तब यह झाड़ू की अलमारी थी।'

'हैरी, यह क्या है?' डीन ने कमरे के पीछे से मुख़बिर यंत्र और शत्रु-दर्पण की तरफ़ इशारा करते हुए पूछा।

'शैतानी-सूचक यंत्र,' हैरी ने कहा और कुशनों के बीच से होते हुए उस तरफ़ पहुँचा। 'जब शैतानी जादूगर या दुश्मन आस-पास होते हैं, तो ये बता देते हैं। लेकिन इन पर ज़्यादा भरोसा करना ठीक नहीं है। इन्हें चकमा दिया जा सकता है ...'

वह एक पल के लिए चटके हुए शत्रु-दर्पण में देखता रहा। उसके भीतर छायादार आकृतियाँ घूम रही थीं, लेकिन कोई पहचान में नहीं आ रही थी। उसने उसकी तरफ़ पीठ कर ली।

'देखो, मैं सोच रहा था कि हमें सबसे पहले क्या करना चाहिए और-अर - उसने देखा कि एक हाथ उठा हुआ था। 'क्या है, हर्माइनी?'

हर्माइनी ने कहा, 'मुझे लगता है कि हमें लीडर चुन लेना चाहिए।'

'लीडर तो हैरी है,' चो ने तत्काल कहा और हर्माइनी की तरफ़ ऐसे देखा, जैसे वह पगला गई हो।

हैरी के पेट में एक बार फिर उथलपुथल मचने लगी।

'हाँ, लेकिन मुझे लगता है कि हमें इस पर औपचारिक रूप से वोटिंग करा लेनी चाहिए,' हर्माइनी ने बिना विचलित हुए कहा। 'इससे यह आधिकारिक बन जाएगा और हैरी को नेतृत्व करने की शक्ति मिल जाएगी। इसलिए – वे सब विद्यार्थी हाथ उठाएँ, जो सोचते हैं कि हैरी को हमारा लीडर होना चाहिए?'

सभी ने अपने हाथ उठा दिए। ज़कारियस स्मिथ ने भी, हालाँकि उसने ऐसा बहुत बेदिली से किया।

'अर – ठीक है, धन्यवाद,' हैरी ने कहा, जिसे महसुस हो रहा था कि उसका चेहरा जल रहा था। 'और – *क्या है*, हर्माइनी?'

हर्माइनी ने अपने हाथ को हवा में रखते हुए उत्साह से कहा, 'मुझे यह भी लगता है कि हमारा कोई नाम होना चाहिए। इससे टीम भावना और एकता बढ़ती है। क्या तुम लोगों को ऐसा नहीं लगता?'

एंजेलिना ने आशा भरे स्वर में कहा, 'इसका नाम अंबरिज-विरोधी समूह रख लें?'

फ्रेड ने सुझाव दिया, 'या जादू मंत्रालय मूर्ख है समूह?'

'मैं सोच रही थी,' हर्माइनी ने फ्रेड की तरफ़ त्योरियाँ चढ़ाकर कहा, 'कि हमें ऐसा नाम चुनना चाहिए, जिससे किसी को हमारे इरादे पता न चलें, ताकि हम मीटिंग्स के बाहर भी सुरक्षित तरीक़े से इसका ज़िक्र कर सकें।'

चो ने कहा, 'डिफ़ेन्स एसोसिएशन? संक्षेप में **डीए**! इससे किसी को पता नहीं चलेगा कि हम किस बारे में बात कर रहे हैं?'

'हाँ, **डीए** अच्छा रहेगा,' जिनी ने कहा। 'बस इसका पूरा नाम डम्बलडोर्स आर्मी रख लेते हैं, क्योंकि यह मंत्रालय का सबसे बुरा डर है, है ना?'

यह सुनकर काफ़ी बुदबुदाहटें और हँसी की आवाज़ें सुनाई दीं।

'सभी लोग **डीए** के पक्ष में हैं?' हर्माइनी ने पूछा और अपने कुशन पर घुटनों के बल बैठकर हाथ गिनने लगी। 'यह प्रस्ताव बहुमत से पारित हो गया!'

उसने उस चर्मपत्र को दीवार से टिकाया, जिस पर उन सभी के साइन थे और उसके ऊपर बड़े-बड़े अक्षरों में लिख दिया।

डम्बलडोर की सेना

हर्माइनी के दोबारा बैठने पर हैरी बोला, 'ठीक है, तो अब हम प्रैक्टिस शुरू करें ? मैं सोच रहा हूँ कि सबसे पहले हमें *निरस्त्रीकरण* का अभ्यास करना चाहिए, निरस्त्र करने का मंत्र। मैं जानता हूँ कि यह बहुत शुरुआती मंत्र है, लेकिन मेरे हिसाब से यह बहुत उपयोगी है -'

'ओह *प्लीज़*,' ज़कारियस स्मिथ ने अपनी आँखें घुमाते हुए और अपने हाथ बाँधते हुए कहा। 'मुझे नहीं लगता कि *निरस्त्रीकरण* मंत्र तुम-जानते-हो-कौन के ख़िलाफ़ हमारी मदद करेगा। तुम्हें क्या लगता है ?'

'मैंने उसके ख़िलाफ़ इसका उपयोग किया है,' हैरी ने धीरे से कहा। 'इसने जून में मेरी जान बचाई थी।'

स्मिथ ने मूर्खतापूर्ण तरीक़े से अपना मुँह खोला। बाक़ी लोग बिलकुल ख़ामोश थे।

हैरी बोला, 'लेकिन अगर तुम्हें लगता है कि इसे सीखना तुम्हारी शान के ख़िलाफ़ है, तो तुम जा सकते हो।'

स्मिथ हिला तक नहीं। न ही कोई और हिला।

हैरी का मुँह थोड़ा ज़्यादा सूख गया, क्योंकि सभी की आँखें उस पर टिकी हुई थीं। वह बोला, '**अच्छा**, तो मुझे लगता है कि हम सभी को जोड़ियाँ बनाकर प्रैक्टिस करनी चाहिए।'

निर्देश देना बहुत अजीब लग रहा था, लेकिन इससे भी ज़्यादा अजीब यह लग रहा था कि उनका पालन हो रहा था। सभी तत्काल खड़े हो गए और जोड़ियाँ बनाने लगे। जैसा अनुमान लगाया जा सकता था, नेविल को कोई पार्टनर नहीं मिल पाया।

'तुम मेरे साथ प्रैक्टिस कर सकते हो,' हैरी ने उसे बताया। 'ठीक है - तीन की गिनती पर - एक, दो, तीन -'

कमरे में अचानक *निरस्त्र भव* का शोर होने लगा। छड़ियाँ सभी दिशाओं में उड़ने लगीं। चूके हुए मंत्र शेल्फ़ पर रखी पुस्तकों पर पड़कर उन्हें हवा में उड़ाने लगे। हैरी नेविल के लिहाज़ से बहुत फ़ुर्तीला था, जिसकी छड़ी उसके हाथ से उड़ी और छत से टकराकर चिंगारियों की बारिश करने के बाद धम्म के साथ एक बुकशेल्फ़ पर गिरी, जहाँ से हैरी ने उसे आव्हान मंत्र से वापस बुला लिया। चारों तरफ़ देखते हुए उसने सोचा कि उसका यह सुझाव सही था कि उन्हें सबसे पहले मूलभूत मंत्रों की प्रैक्टिस करनी चाहिए। काफ़ी गड़बड़झाला चल रहा था। कई विद्यार्थी तो अपने विरोधियों को निरस्त्र ही नहीं कर पा रहे थे। मंत्रों के कमज़ोर होने के कारण उनके विरोधी सिर्फ़ कुछ क़दम पीछे उछल रहे थे या चौंक रहे थे।

'*निरस्त्र भव!*' नेविल ने कहा। हैरी का ध्यान उसकी तरफ़ नहीं था, इसलिए छड़ी उसके हाथ से उड़ गई।

'**मैंने यह कर दिया!**' नेविल ने ख़ुशी-ख़ुशी कहा। 'मैंने यह काम पहले कभी नहीं किया है – **मैंने यह कर दिया!**'

'बहुत बढ़िया!' हैरी ने उत्साह बढ़ाते हुए कहा। उसने उसे यह नहीं बताया कि सचमुच की लड़ाई में नेविल का विरोधी विपरीत दिशा में नहीं घूरेगा और अपनी छड़ी को अपनी बग़ल में ढीला नहीं छोड़ेगा। 'सुनो नेविल, तुम रॉन और हर्माइनी के साथ बारी-बारी से दो मिनट के लिए प्रैक्टिस कर लो। तब तक मैं चारों तरफ़ घूमकर देख लेता हूँ कि बाक़ी लोग कैसा कर रहे हैं?'

हैरी कमरे के बीच में पहुँच गया। वहाँ पर ज़कारियस स्मिथ के साथ एक बड़ी अजीब चीज़ हो रही थी। जब भी वह एंथनी गोल्डस्टीन को निरस्त्र करने के लिए अपना मुँह खोलता था, तो हर बार उसकी ख़ुद की छड़ी उड़ जाती थी, हालाँकि एंथनी कुछ नहीं बोल रहा था। इस रहस्य को सुलझाने के लिए हैरी को ज़्यादा दूर तक नहीं देखना पड़ा : फ्रेड और जॉर्ज स्मिथ से कुछ फ़ुट दूर खड़े थे और बारी-बारी से उसकी पीठ के पीछे अपनी छड़ियों से इशारा कर रहे थे।

'सॉरी, हैरी,' जॉर्ज ने जल्दी से कहा, जब हैरी की निगाह उस पर पड़ी। 'इतना बेहतरीन मौक़ा कैसे चूकते?'

हैरी बाक़ी जोड़ियों के पास गया और ग़लत मंत्र पढ़ने वालों को सुधारने लगा। जिनी ने माइकल कॉर्नर के साथ जोड़ी बनाई थी। वह बहुत अच्छा प्रदर्शन कर रही थी, जबकि माइकल या तो बहुत बुरा था या फिर जिनी पर मंत्र नहीं पढ़ना चाहता था। अर्नी मैकमिलन अपनी छड़ी को अनावश्यक रूप से लहरा रहा था और अपने पार्टनर को बचाव करने का समय दे रहा था। क्रीवी बंधु उत्साही लेकिन गड़बड़ थे और उन्हीं के विशेष प्रयासों के कारण उनके चारों तरफ़ के शेल्फ़ों पर से पुस्तकें उड़ रही थीं। लूना लवगुड भी हमेशा एक सा प्रदर्शन नहीं कर रही थी। कभी-कभार वह जस्टिन फ़िंच-फ़्लेचली की छड़ी को उड़ाने में कामयाब हो जाती थी, लेकिन बाक़ी समय सिर्फ़ फ़्लेचली के बाल खड़े हो जाते थे।

'**ठीक है**, रुक जाओ!' हैरी चिल्लाया। '*रुक जाओ!* ***रुक जाओ!***'

उसने सोचा, *मुझे एक सीटी की ज़रूरत है।* तत्काल उसे सबसे पास वाली पुस्तकों के ऊपर एक सीटी पड़ी दिख गई। उसने उसे उठाकर बजाया। सबने अपनी छड़ियाँ झुका लीं।

'यह बुरा नहीं था,' हैरी ने कहा, 'लेकिन अभी सुधार की काफ़ी गुंजाइश है।' ज़कारियस स्मिथ ने उसे ग़ुस्से से देखा। 'हम दोबारा कोशिश करते हैं।'

वह दोबारा कमरे में घूमने लगा और यहाँ-वहाँ रुककर सुझाव देता रहा। धीरे-धीरे सभी का प्रदर्शन सुधरता गया। कुछ समय तक वह चो और उसकी सहेली के आस-पास जाने से कतराता रहा, लेकिन कमरे में बाक़ी हर जोड़ी के पास दो बार जाने के बाद उसे लगा कि अब वह उन्हें ज़्यादा देर तक नज़रअंदाज़ नहीं कर सकता।

'ओह नहीं,' चो ने तेज़ी से कहा, जब वह पास आया। '*निरिस्त्र भव!* मेरा मतलब है, *निरस्त्र आग!* मैं – ओह सॉरी, मैरीटा!'

उसकी घुँघराले बालों वाली सहेली की आस्तीन में आग लग गई थी। मैरीटा ने उसे अपनी छड़ी से बुझाया और हैरी की तरफ़ ग़ुस्से से घूरा, जैसे यह उसी की ग़लती हो।

चो ने हैरी को दुखी मन से बताया, 'तुम्हें देखकर बौखला गई थी। इससे पहले मैं सब कुछ ठीक कर रही थी!'

'यह बहुत अच्छा था,' हैरी ने झूठ बोल दिया, लेकिन चो के भौंहें उठाने पर आगे बोला, 'नहीं, यह बुरा था, लेकिन मैं जानता हूँ कि तुम यह काम सही तरीक़े से कर सकती हो। मैं वहाँ से देख रहा था।'

वह हँसी। उसकी सहेली मैरीटा ने उनकी तरफ़ चिढ़कर देखा और मुड़ गई।

'उसका बुरा मत मानना,' चो बुदबुदाई। 'वह दरअसल यहाँ नहीं आना चाहती थी, लेकिन मैं ज़बर्दस्ती उसे अपने साथ ले आई। उसके माता-पिता ने उसे ऐसा कोई भी काम करने से मना कर दिया है, जिससे अंबरिज परेशान हो जाएँ। देखो – उसकी मम्मी मंत्रालय में काम करती हैं।'

'और तुम्हारे माता-पिता?' हैरी ने पूछा।

'उन्होंने भी मुझे अंबरिज से पंगा लेने के लिए मना किया है,' चो ने गर्व से तनते हुए कहा। 'लेकिन सेडरिक के साथ जो हुआ है, उसके बाद मैं तुम-जानते-हो-कौन से कैसे नहीं लड़ूँगी –'

उसने वाक्य अधूरा छोड़ दिया। वह थोड़ी परेशान दिखने लगी और उनके बीच एक अजीब सी ख़ामोशी छा गई। टेरी बूट की छड़ी हैरी के कान के पास से उड़ती हुई निकली और एलिसिया स्पिनेट की नाक पर पड़ी।

'मेरे डैडी तो मंत्रालय के विरोध में होने वाले हर काम के पक्ष में हैं!' लूना लवगुड ने गर्व से हैरी के ठीक पीछे से कहा। स्पष्ट रूप से वह उनकी बात सुन रही थी, जबकि जस्टिन फ़िंच-फ़्लेचली उन दुशालों से बाहर निकलने की कोशिश कर रहा था, जो उड़कर उसके सिर के ऊपर उलझ गए थे। 'वे हमेशा

कहते हैं कि फ़ज कुछ भी कर सकते हैं। मेरा मतलब है, फ़ज ने कितने सारे पिशाचों की हत्या की है! और ज़ाहिर है, वे नए-नए ख़तरनाक ज़हर विकसित करने के लिए रहस्य विभाग का इस्तेमाल करते हैं। वे ये ज़हर हर उस व्यक्ति को चुपके से खिला देते हैं, जो उनके साथ असहमत होता है। और फिर उनका अंग्युबुलर स्लेशकिल्टर भी तो है –'

'पूछना मत,' हैरी ने चो से बुदबुदाकर कहा, जब उसने हैरानी से अपना मुँह खोला। चो हँस पड़ी।

'सुनो हैरी,' हर्माइनी ने कमरे के दूसरे सिरे से आवाज़ लगाई, 'क्या तुमने समय देखा ?'

उसने अपनी घड़ी देखी और उसे यह देखकर सदमा लगा कि नौ बजकर दस मिनट हो चुके थे, जिसका यह मतलब था कि उन्हें तत्काल अपने हॉल में लौटना होगा। अगर उन्होंने ऐसा नहीं किया, तो फ़िल्च उन्हें पकड़कर सज़ा दे सकता है। उसने सीटी बजाई। सभी ने 'निरस्त्र भव' चिल्लाना बंद कर दिया और आख़िरी दो-तीन छड़ियाँ फ़र्श पर गिर गईं।

'यह बहुत अच्छा था,' हैरी ने कहा, 'लेकिन समय ख़त्म हो चुका है, इसलिए अब अच्छा यही रहेगा कि हम यहाँ से चल दें। अगले सप्ताह इसी समय, इसी जगह ?'

'और जल्दी नहीं मिल सकते ?' डीन थॉमस ने उत्सुकता से कहा और कई विद्यार्थियों ने सहमति में अपना सिर हिलाया।

बहरहाल, एंजेलिना ने जल्दी से आगे कहा, 'क्विडिच का मौसम शुरू होने वाला है। हमारी टीम को प्रैक्टिस भी तो करनी है!'

'तो फिर अगले बुधवार की रात को मिलते हैं,' हैरी ने कहा। 'हम तब अतिरिक्त मीटिंग के बारे में फ़ैसला कर सकते हैं। चलो, अब चलते हैं।'

उसने हॉगवर्ट्स के नक़्शे को दोबारा बाहर निकाला और सावधानी से जाँच की कि सातवीं मंज़िल पर कोई टीचर तो नहीं है। उसने उन सभी को तीन-चार की जोड़ियों में बाहर भेजा और उनके छोटे बिंदुओं को तनाव से देखता रहा, जब तक कि वे अपने-अपने गलियारों में सुरक्षित नहीं पहुँच गए। मेहनतकश के विद्यार्थी अपने बेसमेंट वाले गलियारे में, जो किचन तक जाता था; चीलधात के विद्यार्थी महल के पश्चिमी सिरे वाली मीनार में और गरुड़द्वार के विद्यार्थी मोटी औरत की तस्वीर तक जाने वाले गलियारे में।

जब अंत में वहाँ हैरी, रॉन और हर्माइनी बचे, तो हर्माइनी बोली, 'हैरी, यह सचमुच अच्छा रहा!' ?

'हाँ, अच्छा था!' रॉन ने उत्साहपूर्वक कहा, जब वे दरवाज़े से बाहर निकले और उसे अपने पीछे दीवार में ओझल होते देखा। 'हैरी, तुमने देखा, मैंने हर्माइनी को निरस्त्र कर दिया था?'

'सिर्फ़ एक बार,' हर्माइनी ने बुरा मानते हुए कहा। 'तुमने मुझे जितनी बार निरस्त्र किया, मैंने तुम्हें उससे बहुत ज़्यादा बार निरस्त्र किया था –'

'मैंने तुम्हें सिर्फ़ एक बार नहीं, तीन बार निरस्त्र किया था –'

'देखो, इसमें तुम उसे मत गिनो, जब तुम पैर उलझने के कारण लड़खड़ा गए थे और मेरे हाथ से छड़ी गिरा दी थी –'

हॉल की तरफ़ लौटते समय वे पूरे रास्ते बहस करते रहे, लेकिन हैरी उनकी बातें नहीं सुन रहा था। उसकी एक आँख तो हॉगवर्ट्स के नक़्शे पर थी, लेकिन वह चो के बारे में भी सोच रहा था, जिसने कहा था कि वह उसके पास आने पर बौखला जाती है।

अध्याय उन्नीस

शेर और साँप

हैरी को अगले दो सप्ताह तक ऐसा लगा, जैसे वह अपने सीने में किसी तरह का ताबीज़ लेकर चल रहा हो। इस रहस्य के कारण उसे अंबरिज की क्लासों में बड़ा सहारा मिला। जब वे अपनी बाहर निकलती भयंकर आँखों से उसे घूरती थीं, तो इसी वजह से वह बदले में बेजान तरीक़े से मुस्करा सकता था। वह और **डीए** उनकी नांक के नीचे उनका विरोध कर रहे थे। वे वही काम कर रहे थे, जिसका उन्हें और मंत्रालय को सबसे ज़्यादा डर था। जब भी हैरी उनकी क्लास में विलबर्ट स्लिंकहार्ड की पुस्तक पढ़ता था, तो वह पिछली मीटिंगों की संतुष्टि भरी यादों में खोया रहता था। वह याद करता था कि किस तरह नेविल ने सफलतापूर्वक हर्माइनी को निरस्त्र किया था, किस तरह तीन मीटिंगों की कड़ी मेहनत के बाद कॉलिन क्रीवी ने बाधा मंत्र में महारत हासिल कर ली थी और किस तरह पार्वती पाटिल ने इतना अच्छा लघुकारक शाप दिया था कि मुख़बिर यंत्र वाली टेबल चूर-चूर हो गई थी।

डीए की मीटिंग के लिए कोई निश्चित दिन चुनना लगभग असंभव था, क्योंकि तीन अलग-अलग टीमों की क्विडिच प्रैक्टिस का ध्यान रखना पड़ता था, जिनकी तारीख़ें ख़राब मौसम के कारण अक्सर आगे-पीछे होती रहती थीं। बहरहाल, हैरी को इस बात का कोई अफ़सोस नहीं था। उसे लग रहा था कि मीटिंग का समय बदलते रहना शायद ज़्यादा अच्छा है। अगर कोई उन पर नज़र रख रहा होगा, तो उसके लिए यह समझना ज़्यादा मुश्किल होगा।

जल्दी ही हर्माइनी ने सभी विद्यार्थियों को अगली मीटिंग की तारीख़ और समय बताने का एक बहुत चतुराई भरा तरीक़ा खोज निकाला। उसने कहा कि आपातकालीन स्थिति में तारीख़ बदलने के लिए यह बहुत उपयोगी रहेगा। उसने कहा कि अगर विद्यार्थी बड़े हॉल में एक-दूसरे से बातें करने के लिए बार-बार दूसरे हाउस की टेबलों पर जाते हैं, तो यह बहुत संदिग्ध लगता है।

हर्माइनी ने **डीए** के हर विद्यार्थी को एक नक़ली गैलियन दे दिया (रॉन तो गैलियनों से भरी बास्केट को देखकर बहुत रोमांचित हो गया, क्योंकि उसे लगा कि हर्माइनी सचमुच सोना बाँट रही है)।

चौथी मीटिंग के आख़िर में हर्माइनी ने एक गैलियन को ऊपर उठाकर कहा, 'सिक्कों के किनारे पर अंक दिख रहे हैं?' सिक्का मशालों की रोशनी में पीला चमक रहा था। 'असली गैलियनों पर यह ढालने वाले पिशाच का सीरियल नंबर बताता है। इन नक़ली सिक्कों पर ये अंक बदलकर अगली मीटिंग की तारीख़ और समय बताएँगे। तारीख़ बदलते समय सिक्के गर्म हो जाएँगे, इसलिए अगर वे तुम्हारी जेब में रहेंगे, तो तुम्हें पता चल जाएगा। हम सबके पास एक-एक सिक्का रहेगा और जब हैरी अगली मीटिंग की तारीख़ तय करेगा, तो वह अपने सिक्के पर अंक बदल लेगा। चूँकि मैंने इन सभी सिक्कों पर विभाजक सम्मोहन कर दिया है, इसलिए सभी के सिक्कों के अंक उसके अंक जैसे हो जाएँगे।'

हर्माइनी की बात पूरी होने पर ख़ामोशी छा गई। उसने देखा कि सभी विद्यार्थियों के चेहरे उसकी तरफ़ मुड़े हुए थे और थोड़े घबराए हुए दिख रहे थे।

हर्माइनी ने अटपटे ढंग से कहा, 'देखो – मुझे लगा कि यह अच्छा रहेगा। मेरा मतलब है, अगर अंबरिज हमें अपनी जेब दिखाने के लिए भी कहें, तो भी गैलियन लेकर चलने में तो कोई ग़लत बात नहीं है, है ना? लेकिन ... अगर तुम लोग उनका इस्तेमाल नहीं करना चाहते हो –'

टेरी बूट ने पूछा, 'तुम विभाजक सम्मोहन कर सकती हो?'

'हाँ,' हर्माइनी ने कहा।

बूट धीरे से बोला, 'लेकिन यह तो ... यह तो **एन.ई.डब्ल्यू.टी.** के स्तर का जादू है,'

हर्माइनी ने विनम्रता का दिखावा करते हुए कहा, 'ओह ... अच्छा ... हाँ, मुझे ऐसा ही लगता है।'

उसने हर्माइनी की तरफ़ हैरानी से देखते हुए पूछा, 'जब तुम्हारा दिमाग़ इतना तेज़ है, तो तुम चीलघात में क्यों नहीं हो?'

हर्माइनी उत्साह से बोली, 'देखो, चुनने वाली टोपी ने मुझे चीलघात में रखने के बारे में गंभीरता से सोचा था, लेकिन आख़िर में उसने गरुड़द्वार का फ़ैसला किया। तो, क्या इसका मतलब यह है कि हम गैलियनों का इस्तेमाल कर रहे हैं?'

सहमति की बुदबुदाहट हुई और सभी आगे बढ़कर बास्केट से एक-एक

सिक्का उठाने लगे। हैरी ने कनखियों से हर्माइनी की तरफ़ देखा।

'तुम जानती हो, इन सिक्कों से मुझे क्या याद आता है?'

'क्या याद आता है?'

'प्राणभक्षियों के हाथ के निशान। जब वोल्डेमॉर्ट उनमें से एक को छूता है, तो सभी के निशान जलने लगते हैं और वे जान जाते हैं कि उन्हें उसके पास पहुँचना है।'

'हाँ ...' हर्माइनी ने धीरे से कहा, 'वहीं से मेरे मन में यह विचार आया *था* ... लेकिन इस बात पर ध्यान दो कि मैंने तारीख़ धातु पर लिखी है, हमारे साथियों के हाथ पर नहीं लिखी है।'

'हाँ ... मुझे तुम्हारा तरीक़ा ज़्यादा पसंद है,' हैरी ने मुस्कराते हुए कहा और अपना गैलियन जेब में डाल लिया। 'मुझे लगता है कि इनके साथ एकमात्र ख़तरा यह है कि कहीं ये ग़लती से ख़र्च न हो जाएँ।'

'कोई दिक्क़त नहीं है,' रॉन ने कहा, जो अपने नक़ली गैलियन को थोड़ी उदासी से घूर रहा था, 'मेरे पास तो एक भी असली गैलियन नहीं है, इसलिए मुझे कभी उलझन हो ही नहीं सकती।'

जब मौसम का पहला क्विडिच मैच पास आने लगा, जो गरुड़द्वार और नागशक्ति के बीच था, तो **डीए** मीटिंगों को रोकना पड़ा, क्योंकि एंजेलिना हर दिन प्रैक्टिस करने पर ज़ोर दे रही थी। क्विडिच कप काफ़ी लंबे समय से आयोजित नहीं हुआ था, इसलिए मैच में काफ़ी दिलचस्पी और रोमांच का माहौल बन गया था। चीलघात और मेहनतकश वाले भी इसमें बहुत दिलचस्पी ले रहे थे, क्योंकि आगे चलकर उन्हें भी दोनों टीमों से खेलना था। इसके साथ ही प्रतिस्पर्धी टीमों के हाउस प्रमुख भी दिलचस्पी लेने में पीछे नहीं थे, हालाँकि वे इसे खेल भावना के शालीन अभिनय के नीचे छिपाने की कोशिश करते थे। वे भी अपने हाउस की टीम को जीतते देखना चाहते थे। जब प्रोफ़ेसर मैक्गॉनेगल ने मैच से एक सप्ताह पहले होमवर्क नहीं दिया, तब जाकर हैरी को एहसास हुआ कि वे भी नागशक्ति को हारते देखना चाहती थीं।

'मुझे लगता है कि तुम लोगों को इस समय काफ़ी कुछ करना है,' उन्होंने ऊँचे सुर में कहा। किसी को भी अपने कानों पर भरोसा नहीं हुआ, जब तक कि उन्होंने हैरी और रॉन की तरफ़ देखकर गंभीरता से यह नहीं कहा, 'लड़को, मुझे क्विडिच कप को अपनी स्टडी में देखने की आदत पड़ चुकी है और मैं इसे प्रोफ़ेसर स्नेप को नहीं सौंपना चाहती हूँ, इसलिए अतिरिक्त समय का इस्तेमाल प्रैक्टिस करने के लिए करना, ठीक है?'

स्नेप भी कम पक्षपात नहीं कर रहे थे। उन्होंने नागशक्ति की प्रैक्टिस के लिए क्विडिच पिच इतनी ज़्यादा बार बुक की थी कि गरुड़द्वार वालों को खेलने में मुश्किल आ रही थी। नागशक्ति के खिलाड़ियों ने गलियारों में गरुड़द्वार के खिलाड़ियों पर हमले किए थे, लेकिन स्नेप उनकी शिकायतें सुनने को ही तैयार नहीं थे। एलिसिया स्पिनेट को अस्पताल में भर्ती होना पड़ा, क्योंकि उसकी भौंहें इतनी तेज़ी से बढ़ रही थीं कि उनसे उसकी आँखें ढँक गईं और मुँह भी बंद हो गया। लेकिन इसके बावजूद स्नेप ने ज़ोर देकर कहा कि उसने ख़ुद बाल बढ़ाने के सम्मोहन की कोशिश की होगी। स्नेप ने उन चौदह गवाहों की बात सुनने से इंकार कर दिया, जो साफ़ कह रहे थे कि जब एलिसिया लाइब्रेरी में पढ़ रही थी, तब नागशक्ति के कीपर माइल्स ब्लेचली ने पीछे से उस पर जादू कर दिया था।

हैरी गरुड़द्वार के अवसरों को लेकर आशान्वित था। वे कभी मैल्फ़ॉय की टीम से नहीं हारे थे। यह माना कि रॉन अब भी वुड जितना अच्छा नहीं खेल रहा था, लेकिन वह अपना खेल सुधारने के लिए बहुत मेहनत कर रहा था। उसकी सबसे बड़ी कमज़ोरी यह थी कि एक भी ग़लती होने के बाद वह आत्मविश्वास खो देता था। एक गोल न बचा पाने पर वह बौखला जाता था और उसके बाद बौखलाहट में बाक़ी गोल भी नहीं बचा पाता था। दूसरी तरफ़, हैरी ने देखा कि जब रॉन फ़ॉर्म में होता था, तो कई बहुत बढ़िया गोल बचा लेता था। एक यादगार प्रैक्टिस में उसने अपने गोल के सामने एक हाथ से झाड़ू पर लटककर तूफ़ान को इतनी तेज़ लात मारी कि वह पूरी पिच को पार करता हुआ दूसरे सिरे के गोल में चला गया। बाक़ी की टीम को लगा कि यह बचाव अंतर्राष्ट्रीय स्तर का था। उन्हें याद आया कि आयरलैंड की टीम के कीपर बैरी र्‌यान ने पोलैंड के शीर्ष धावक लैडिस्लॉ जेमोस्की के ख़िलाफ़ ऐसा ही एक बचाव किया था। यहाँ तक कि फ्रेड ने भी कहा कि अब वह और जॉर्ज रॉन पर गर्व कर सकते हैं। उन्होंने कहा कि वे गंभीरता से इस बात पर विचार कर रहे हैं कि वे सबके सामने यह मान लें कि वह उनका भाई है, जिससे इंकार करने की कोशिश वे पिछले चार सालों से कर रहे थे।

सिर्फ़ एक ही चीज़ हैरी को सचमुच परेशान कर रही थी। पिच पर पहुँचने से पहले ही रॉन नागशक्ति की टीम की रणनीति के कारण विचलित होने लगा था। ज़ाहिर है, हैरी पिछले चार साल से उनके ताने सुन रहा था, 'अरे सुनो पॉटी, मैंने सुना है कि वॉरिंगटन ने क़सम खाई है कि वह शनिवार को तुम्हें तुम्हारी झाड़ू पर से गिरा देगा।' लेकिन अब यह बात सुनकर उसका ख़ून नहीं खौला, बल्कि वह हँस दिया। उसने पलटकर जवाब दिया, 'वॉरिंगटन का निशाना इतना ख़राब है कि अगर वह मेरे पास वाले पर निशाना साध रहा होगा, तब मुझे ज़्यादा चिंता होगी।' यह सुनकर रॉन और हर्माइनी हँस पड़े तथा

पैन्सी पार्किन्सन के चेहरे की मुस्कान ग़ायब हो गई।

लेकिन रॉन ने कभी अपमान, तानों और धमकियों का अनंत सिलसिला नहीं झेला था। जब नागशक्ति के विद्यार्थी, जिनमें से कुछ सेवन्थ ईयर में थे और उससे काफ़ी तगड़े थे, उसके पास से गुज़रते समय गलियारों में बुदबुदाते थे, 'अस्पताल में अपना बिस्तर बुक करवा लिया, वीज़्ली ?' तो वह हँसता नहीं था, बल्कि उसका चेहरा हरा हो जाता था। जब ड्रेको मैल्फ़ॉय रॉन के तूफ़ान गिराने की नक़ल करता था (जो वह हमेशा रॉन के सामने आने पर करता था), तो रॉन के कान लाल हो जाते थे और उसके हाथ इतनी बुरी तरह काँपने लगते थे कि उस समय जो भी उसके हाथ में होता था, वह उसे गिरा देता था।

अक्टूबर चीख़ती हवाओं और गरजती बारिश के साथ ख़त्म हुआ। नवंबर जमे हुए लोहे की तरह ठंडा था। हर सुबह पाला पड़ता था और बर्फ़ीली हवा चलती थी, जो खुले हाथों और चेहरों पर चुभती थी। बड़े हॉल का आसमान और छत पीले तथा चाँदी जैसे भूरे हो गए। हॉगवर्ट्स के आस-पास के पहाड़ों की चोटी पर बर्फ़ जम गई और महल का तापमान इतना कम हो गया कि कई विद्यार्थियों को क्लासों के बीच में गलियारों में चलते समय ड्रैगन की खाल के मोटे दस्ताने पहनने पड़े।

मैच की सुबह चमकीली और ठंडी थी। जब हैरी जागा, तो उसने रॉन के पलंग की तरफ़ देखा। वह बिलकुल सीधा बैठा हुआ था, उसके हाथ उसके घुटनों के चारों तरफ़ थे और वह शून्य में ताक रहा था।

हैरी ने पूछा, 'तुम ठीक हो ?'

रॉन ने सिर हिलाया, लेकिन कुछ बोला नहीं। हैरी को याद आया कि एक बार रॉन ने दुर्घटनावश घोंघा-वमन सम्मोहन का इस्तेमाल ख़ुद पर कर लिया था। वह उस समय जितना पीला और पसीना-पसीना दिख रहा था, उतना ही आज भी दिख रहा था। उस समय की तरह ही आज भी वह अपना मुँह नहीं खोलना चाहता था।

'तुम्हें थोड़ा नाश्ता कर लेना चाहिए,' हैरी ने उसका उत्साह बढ़ाते हुए कहा। 'चलो।'

जब वे नीचे पहुँचे, तो बड़ा हॉल तेज़ी से भर रहा था। कोलाहल हमेशा से ज़्यादा तेज़ और माहौल ज़्यादा जोशीला था। जब वे नागशक्ति की टेबल के पास से गुज़रे, तो शोर का तूफ़ान उमड़ पड़ा। हैरी ने चारों तरफ़ देखा। आम तौर पर दिखने वाले हरे और चाँदी जैसे रंग के स्कार्फ़ तथा हैट के अलावा उन सभी ने एक सफ़ेद बैज लगा रखा था, जो मुकुट के आकार का था। न जाने क्यों उनमें से कइयों ने रॉन की तरफ़ देखकर हाथ हिलाया और ज़ोर से हँस दिए। हैरी

ने पास से गुज़रते समय यह देखने की कोशिश की कि बैजों पर क्या लिखा है, लेकिन वह रॉन को जल्दी से उनकी टेबल के पार ले जाना चाहता था, इसलिए वह पढ़ने के लिए ज़्यादा देर तक वहाँ नहीं रुक पाया।

गरुड़द्वार की टेबल पर उनका ज़ोरदार स्वागत हुआ। वहाँ हर कोई लाल और सुनहरे रंग में था, लेकिन इस स्वागत से रॉन का उत्साह बढ़ने के बजाय घट गया तथा उसका बचा-खुचा मनोबल भी टूट गया। वह सबसे पास वाली बेंच पर गिर गया, जैसे मरने से पहले आख़िरी भोजन कर रहा हो।

उसने टूटी हुई आवाज़ में कहा, 'मैं *पागल* हो गया था, जो मैंने यह काम करने के बारे में सोचा।'

'बेवक़ूफ़ मत बनो,' हैरी ने दृढ़ता से कहा और उसकी तरफ़ नाश्ते की प्लेट बढ़ाई। 'तुम अच्छी तरह खेलोगे। मैच से पहले घबराहट सभी को होती है।'

'मैं बहुत ख़राब खिलाड़ी हूँ,' रॉन बोला। 'मैं घटिया हूँ। मैं अपनी ज़िंदगी बचाने के लिए भी नहीं खेल सकता। मैं सोच क्या रहा था?'

'ख़ुद पर क़ाबू रखो,' हैरी ने गंभीरता से कहा। 'उस बचाव की याद करो, जो तुमने उस दिन अपने पैर से किया था। यहाँ तक कि फ्रेड और जॉर्ज भी कह रहे थे कि वह बहुत शानदार बचाव था।'

रॉन ने बड़ी यातना भरे चेहरे से हैरी की तरफ़ देखा।

'वह तो दुर्घटना थी,' उसने दुखी होकर फुसफुसाया। 'मैं ऐसा करना नहीं चाहता था - जब तुम लोगों का ध्यान नहीं था, तो मैं अपनी झाड़ू पर से फिसल गया था और जब मैं वापस चढ़ने की कोशिश कर रहा था, तो मेरी लात तूफ़ान पर पड़ गई थी।'

हैरी ने इस अप्रिय सदमे से जल्दी से उबरते हुए कहा, 'इसी तरह की कुछ और दुर्घटनाएँ हो जाएँ, तो मैच हमारी मुट्ठी में आ जाएगा, ठीक है ना?'

हर्माइनी और जिनी उनके ठीक सामने बैठ गईं। वे लाल और सुनहरे स्कार्फ़, ग्लव्ज़ और गुलाब की कली पहने थीं।

'तुम्हें कैसा लग रहा है?' जिनी ने रॉन से पूछा, जो अब अपने नाश्ते के ख़ाली कटोरे की तली में बचे-खुचे दूध को इस तरह घूर रहा था, जैसे गंभीरता से उसमें डूबने की सोच रहा हो।

हैरी ने कहा, 'वह घबरा रहा है।'

हर्माइनी ने उत्साह से कहा, 'यह तो अच्छा संकेत है। मुझे लगता है कि घबराहट के बिना कोई परीक्षा में अच्छा प्रदर्शन कर ही नहीं सकता है।'

'हैलो,' उनके पीछे से एक अटपटी और सपनीली आवाज़ आई। हैरी ने

ऊपर देखा। लूना लवगुड चीलघात की टेबल से उनकी तरफ़ आ गई थी। कई लोग उसकी तरफ़ घूर रहे थे और कुछ तो खुलकर हँस रहे थे तथा इशारा भी कर रहे थे। उसने आदमक़द शेर के सिर के आकार का हैट पहन रखा था, जो उसके सिर पर किसी तरह से टिका हुआ था।

'मैं गरुड़द्वार का समर्थन कर रही हूँ,' लूना ने अपने हैट की तरफ़ अनावश्यक रूप से इशारा करते हुए कहा। 'देखो तो सही, यह क्या करता है ...'

उसने अपनी छड़ी से हैट को ठोंका। शेर ने अपना मुँह खोला और इतनी असली लगने वाली आवाज़ में दहाड़ा कि आस-पास के सभी विद्यार्थी उछल पड़े।

'अच्छा है, है ना?' लूना ने ख़ुशी से कहा। 'मैं चाहती थी कि यह नागशक्ति का प्रतिनिधित्व करने वाले साँप को चबाए भी, लेकिन समय नहीं था। ख़ैर ... गुड लक, रोनाल्ड!'

वह दूर चली गई। वे लोग अभी लूना के हैट के सदमे से उबरे भी नहीं थे कि एंजेलिना तेज़ी से आती दिखी। उसके साथ केटी और एलिसिया थीं। मैडम पॉमफ़्री ने एलिसिया की भौंहें ठीक कर दी थीं।

एंजेलिना बोली, 'तुम लोग तैयार हो जाओ। हम सीधे पिच पर चलते हैं, ताकि हालात का मुआयना कर लें और कपड़े बदल लें।'

हैरी ने उसे आश्वस्त करते हुए कहा, 'हम बस थोड़ी देर में पहुँचते हैं। रॉन को थोड़ा नाश्ता करना है।'

बहरहाल, दस मिनट बाद ही यह स्पष्ट हो गया कि रॉन अब और कुछ नहीं खा सकता था। हैरी को लगा कि उसे चेंजिंग रूम तक ले जाना ही सबसे अच्छा रहेगा। जब वे टेबल से उठे, तो हर्माइनी भी उठ गई और उसने हैरी का हाथ पकड़कर उसे एक तरफ़ खींच लिया।

वह फुसफुसाकर बोली, 'रॉन को यह मत देखने देना कि नागशक्ति वालों के बैज पर क्या लिखा है?'

हैरी ने उसकी तरफ़ सवालिया निगाह डाली, लेकिन उसने चेतावनी में अपना सिर हिलाया। रॉन उनकी तरफ़ चला आ रहा था और बहुत हताश तथा घबराया हुआ दिख रहा था।

'गुड लक, रॉन,' हर्माइनी ने अपने पंजों के बल खड़े होकर उसका गाल चूमते हुए कहा। 'और तुम्हें भी, हैरी –'

बड़े हॉल के पार जाने पर रॉन थोड़ा होश में आया। उसने अपने गाल का वह हिस्सा छुआ, जहाँ हर्माइनी ने उसे चूमा था। वह थोड़ा हैरान लग रहा था, जैसे उसे यक़ीन ही नहीं हो रहा हो कि अभी-अभी क्या हुआ था। उसकी हालत

ऐसी नहीं थी कि वह अपने चारों तरफ़ ज़्यादा कुछ देख सके, लेकिन हैरी ने नागशक्ति की टेबल के पास से गुज़रते समय मुकुट जैसे आकार के बैज पर उत्सुक निगाह डाली और इस बार उसने उस पर लिखे शब्द पढ़ लिए:

वीज़्ली हमारा राजा है

हैरी को यह अप्रिय एहसास हो गया कि इसका मतलब चाहे जो हो, अच्छा क़तई नहीं हो सकता। इसलिए वह जल्दी से रॉन को प्रवेश हॉल के पार ले गया और पत्थर की सीढ़ियाँ उतरकर बर्फ़ीली हवा में पहुँच गया।

पाले पड़ी घास उनके पैरों के नीचे आवाज़ करने लगी, जब वे ढलवाँ लॉन से होते हुए तेज़ी से स्टेडियम की तरफ़ गए। हवा बिलकुल भी नहीं चल रही थी और आसमान मोती जैसा सफ़ेद था, जिसका मतलब था कि आँखों में सीधी धूप न पड़ने के कारण गेंद देखने में मुश्किल नहीं आएगी। हैरी ने चलते समय रॉन को ये उत्साहवर्धक बातें बताईं, लेकिन उसे यक़ीन नहीं था कि रॉन सुन रहा था।

एंजेलिना पहले ही कपड़े बदल चुकी थी और जब वे चेंजिंग रूम में पहुँचे, तो वह टीम के बाक़ी खिलाड़ियों से बातें कर रही थी। हैरी और रॉन ने अपने दुशाले डाले (रॉन ने कई मिनट तक उसे उल्टा पहनने की कोशिश की, फिर एलिसिया ने उस पर तरस खाकर उसकी मदद कर दी)। फिर वे मैच से पहले वाले उत्साहवर्धक भाषण को सुनने के लिए बैठ गए, जबकि बाहर कोलाहल ज़्यादा तेज़ होता जा रहा था, क्योंकि दर्शक महल से पिच की ओर आ रहे थे।

'**ठीक है**, मुझे अभी-अभी नागशक्ति के खिलाड़ियों के नाम पता चले है,' एंजेलिना ने एक चर्मपत्र की तरफ़ देखते हुए कहा। 'पिछले साल के मारक डेरिक और बोल चले गए हैं, लेकिन ऐसा लगता है जैसे मॉन्टेग्यू ने उनकी जगह पर अच्छे खिलाड़ियों के बजाय हमेशा की तरह गोरिल्ले रख लिए हैं। नए मारकों के नाम हैं क्रैब और गॉइल। मैं उनके बारे में ज़्यादा कुछ नहीं जानती –'

'हम जानते हैं,' हैरी और रॉन ने एक साथ कहा।

'अच्छा, वे दोनों इतने निपुण नहीं लगते हैं कि झाड़ू के एक सिरे और दूसरे सिरे में फ़र्क़ बता सकें,' एंजेलिना ने अपने चर्मपत्र को दोबारा जेब में रखते हुए कहा, 'लेकिन मैं तो हमेशा इसी बात पर हैरान हो जाती थी कि डेरिक और बोल बिना साइनपोस्ट के पिच पर उतरने में कामयाब कैसे हो जाते थे।'

हैरी ने उसे आश्वस्त किया, 'क्रैब और गॉइल भी वैसे ही हैं।'

दर्शकदीर्घा की बेंचों पर हज़ारों क़दमों के चढ़ने की आवाज़ सुनाई दे रही

थी। कुछ लोग गा रहे थे, हालाँकि हैरी को गीत के बोल सुनाई नहीं दे रहे थे। वह घबराहट महसूस कर रहा था, लेकिन वह जानता था कि उसकी घबराहट रॉन की तुलना में कुछ नहीं थी। रॉन तो अपना पेट पकड़कर सामने की तरफ़ घूर रहा था, उसका जबड़ा कसा हुआ था और चेहरे का रंग पीला-भूरा हो गया था।

'समय हो गया,' एंजेलिना ने अपनी घड़ी देखते हुए धीमी आवाज़ में कहा। 'शाबाश खिलाड़ियो ... गुड लक।'

टीम उठकर खड़ी हुई और अपनी झाड़ुएँ कंधे पर रखकर एक लाइन में चेंजिंग रूम से बाहर निकलकर धूप में पहुँच गई। दर्शकों ने शोर मचाकर उनका स्वागत किया, जिसमें हैरी को अब भी गाने की आवाज़ सुनाई दे रही थी, लेकिन यह तालियों और सीटियों की आवाज़ के कारण दब गई थी।

नागशक्ति की टीम खड़ी होकर उनका इंतज़ार कर रही थी। वे भी चाँदी के मुकुट जैसे आकार के बैज पहने हुए थे। नया कप्तान मॉन्टेग्यू डडली डर्स्ली की क़द-काठी का था और उसकी विशाल बाँहें बालों वाले सुअर जैसी थीं। उसके पीछे क्रैब और गॉइल भी मँडरा रहे थे, जो उसके जितने ही भारी-भरकम थे। धूप में मूर्खों की तरह आँखें मिचमिचाते हुए वे मारकों के नए बल्ले घुमा रहे थे। मैल्फ़ॉय एक तरफ़ खड़ा था। उसके सफ़ेद-सुनहरे बाल धूप में चमक रहे थे। उसकी नज़रें हैरी से मिलीं और वह अपने सीने पर लगे बैज को थपथपाते हुए मुस्करा दिया।

'कप्तानो, हाथ मिलाओ,' रेफ़री मैडम हूच ने आदेश दिया। एंजेलिना और मॉन्टेग्यू एक-दूसरे के सामने पहुँचे। हैरी जानता था कि मॉन्टेग्यू एंजेलिना की उँगलियों को तोड़ने की कोशिश कर रहा था, लेकिन उसने दर्द का कोई भाव चेहरे पर नहीं आने दिया। 'अपनी झाड़ुओं पर चढ़ जाओ ...'

मैडम हूच ने अपने मुँह में सीटी लगाई और बजा दी।

सारी गेंदें हवा में उड़ने लगीं और चौदह खिलाड़ी भी। अपनी आँख के कोने से हैरी ने देखा कि रॉन गोलपोस्ट की तरफ़ उड़कर जा रहा है। हैरी ऊपर की तरफ़ गया, एक पहलवान को चकमा दिया और सुनहरी झलक की तलाश में पूरी पिच का चक्कर लगाने लगा। स्टेडियम की दूसरी तरफ़ ड्रेको मैल्फ़ॉय भी ठीक यही कर रहा था।

'और यह जॉनसन है - जॉनसन के पास तूफ़ान है। यह लड़की कितनी बढ़िया खिलाड़ी है, मैं बरसों से यह बात कह रहा हूँ, लेकिन इसके बाद भी वह मेरे साथ घूमने को तैयार नहीं होती है -'

'जॉर्डन!' प्रोफ़ेसर मैक्गॉनेगल चिल्लाईं।

'– सिर्फ़ मज़ाक़ कर रहा था, प्रोफ़ेसर, इससे सुनने वालों की दिलचस्पी बढ़ती है – और उसने वॉरिंगटन को चकमा दे दिया है, उसने मॉन्टेग्यू को पार कर लिया, उसे – आउच – पीछे से क्रैब ने पहलवान से मार दिया है ... मॉन्टेग्यू ने तूफ़ान को पकड़ लिया है, मॉन्टेग्यू पिच पर चला जा रहा है – जॉर्ज वीज़्ली ने बहुत बढ़िया पहलवान मारा, पहलवान सीधे मॉन्टेग्यू के सिर पर पड़ा, उसके हाथ से तूफ़ान छूट गया, जिसे केटी बेल ने पकड़ लिया। गरुड़द्वार की केटी बेल ने एलिसिया स्पिनेट को पास दिया और स्पिनेट चल दी है –'

ली जॉर्डन की कमेंट्री पूरे स्टेडियम में गूँज रही थी और हैरी उसे सुनने की पूरी कोशिश कर रहा था, हालाँकि हवा उसके कान में सीटी बजा रही थी और दर्शक पूरी तेज़ी से चिल्ला तथा गा रहे थे।

'– वॉरिंगटन को चकमा दिया, पहलवान से बची – क़रीबी मामला, एलिसिया – और दर्शकों को मज़ा आ रहा है, ज़रा सुनें तो सही, वे लोग क्या गा रहे हैं?'

और जब ली सुनने के लिए रुका, तो दर्शकदीर्घा के नागशक्ति वाले खंड वाले हरे और चाँदी जैसे रंग के समुद्र में से गाने का स्वर तेज़ और स्पष्ट हो गया:

'वीज़्ली एक भी गोल नहीं बचा सकता,
वह एक भी रिंग सुरक्षित नहीं रख सकता,
इसीलिए नागशक्ति का हर व्यक्ति गाता है,
वीज़्ली हमारा राजा है।

'वीज़्ली कूड़ेघर में पैदा हुआ है,
वह हमेशा तूफ़ान छोड़ देता है
वीज़्ली हमें जिताएगा,
वीज़्ली हमारा राजा है।'

ली चिल्लाया, '– और एलिसिया ने वापस एंजेलिना को पास दिया!' गीत के बोल सुनकर हैरी का ख़ून खौलने लगा। वह जानता था कि ली तेज़ आवाज़ में चिल्लाकर उस गाने को दबाने की कोशिश कर रहा है, ताकि खिलाड़ी उस गीत के बोल न सुन पाएँ। 'शाबाश एंजेलिना – उसे अब सिर्फ़ कीपर को ही चकमा देना है! – **उसने गेंद फेंकी** – आआआह ...'

नागशक्ति के कीपर ब्लेचली ने गोल बचा लिया। उसने तूफ़ान वॉरिंगटन की तरफ़ फेंक दिया, जो उसे लेकर भागा तथा एलिसिया और केटी के बीच से

निकला। जब वह रॉन के क़रीब आता गया, तो नीचे से गाने की आवाज़ तेज़ होती गई।

वीज़्ली हमारा राजा है,
वीज़्ली हमारा राजा है,
वह हमेशा तूफ़ान छोड़ देता है,
वीज़्ली हमारा राजा है।'

हैरी ख़ुद को नहीं रोक पाया। उसने सुनहरी गेंद की तलाश छोड़ दी और मुड़कर रॉन को देखने लगा। विशालकाय वॉरिंगटन रॉन की तरफ़ तेज़ी से जा रहा था और रॉन पिच के आख़िरी छोर पर तीनों रिंग्स के सामने मँडरा रहा था।

'– और वॉरिंगटन तूफ़ान के साथ गोल की तरफ़ बढ़ रहा है, पहलवानों की पहुँच से दूर है, सामने सिर्फ़ कीपर है –'

तभी नागशक्ति के स्टैंड से ज़ोरदार आवाज़ सुनाई दी :

'वीज़्ली एक भी गोल नहीं बचा सकता,
वह एक भी रिंग सुरक्षित नहीं रख सकता ...'

'– तो यह गरुड़द्वार के नए कीपर वीज़्ली का पहला इम्तहान है, जो फ्रेड और जॉर्ज नाम के मारक बंधुओं का भाई है और टीम का नया ख़ून है – हिम्मत रखो, रॉन!'

लेकिन ख़ुशी की आवाज़ें नागशक्ति के सिरे से आईं : रॉन ने तेज़ी से गोता लगाया। तूफ़ान उसके दोनों फैले हुए हाथों के बीच में से होता हुआ बीच वाले रिंग में चला गया।

भीड़ की तालियों और सीटियों के बीच ली की आवाज़ आई, 'नागशक्ति ने गोल कर दिया! तो नागशक्ति दस-शून्य से आगे है – बदक़िस्मती थी, रॉन।'

नागशक्ति के विद्यार्थी और तेज़ी से गाने लगे :

'वीज़्ली कूड़ेघर में पैदा हुआ है,
वह हमेशा तूफ़ान छोड़ देता है ...'

'तूफ़ान एक बार फिर गरुड़द्वार के पास है और केटी बेल पिच पर सरपट जा रही है –' ली बहादुरी से चिल्लाया, हालाँकि गाना अब इतना कानफोड़ू हो चुका

था कि उसकी आवाज़ मुश्किल से सुनाई दे रही थी।

'वीज़्ली हमें जिताएगा,
वीज़्ली हमारा राजा है ...'

'हैरी, तुम क्या कर रहे हो?' एंजेलिना चीख़ी और उसके पास से उड़ती हुई केटी की बराबरी पर पहुँची। '**चलो, उड़ो!**'

हैरी को एहसास हुआ कि वह एक मिनट से भी ज़्यादा समय से हवा में स्थिर होकर मैच देख रहा था और सुनहरी गेंद को खोजने की तरफ़ ध्यान ही नहीं दे रहा था। दहशत से उसने गोता लगाया और दोबारा पिच के चक्कर काटने लगा। उसने चारों तरफ़ घूरा और भीड़ के उस गीत को नज़रअंदाज़ करने की कोशिश की, जो स्टेडियम में गूँज रहा था :

'वीज़्ली हमारा राजा है,
वीज़्ली हमारा राजा है ...'

उसे सुनहरी गेंद कहीं नज़र नहीं आई। उसकी तरह ही मैल्फ़ॉय भी स्टेडियम के चक्कर लगा रहा था। वे पिच के चारों तरफ़ बीच में एक-दूसरे के पास से गुज़रे और विपरीत दिशा में चले गए। हैरी ने सुना कि मैल्फ़ॉय ज़ोर-ज़ोर से गा रहा था :

'वीज़्ली कूड़ेघर में पैदा हुआ है ...'

ली गरजा, '- और एक बार फिर वॉरिंगटन के पास तूफ़ान है। उसने प्यूसी को पास दिया, प्यूसी ने स्पिनेट को पार किया, शाबाश एंजेलिना, तुम उससे छीन सकती हो - लेकिन वह नहीं छीन पाई - लेकिन फ्रेड वीज़्ली के शानदार पहलवान ने, मेरा मतलब है, जॉर्ज वीज़्ली, ओह, किसे परवाह है कि यह काम किसने किया। उस पहलवान के कारण वॉरिंगटन के हाथ से तूफ़ान छूट गया और केटी बेल - से भी छूट गया - अब तूफ़ान मॉन्टेग्यू के पास है, नागशक्ति का कप्तान मॉन्टेग्यू तूफ़ान लेकर पिच पर चला जा रहा है! चलो, गरुड़द्वार वालो, उसे रोको!'

हैरी स्टेडियम के सिरे पर नागशक्ति के गोल के पीछे उड़ रहा था। वह यह नहीं देखना चाहता था कि रॉन वाले सिरे पर क्या हो रहा था। जब वह

नागशक्ति के कीपर के पास से तेज़ी से गुजरा, तो उसने सुना कि ब्लेचली भी नीचे की भीड़ के साथ गा रहा था :

'वीज़्ली एक भी गोल नहीं बचा सकता ...'

'– और प्यूसी ने एक बार फिर एलिसिया को चकमा दे दिया है और वह सीधे गोल की तरफ़ जा रहा है, उसे रोको, रॉन!'

क्या हुआ है, यह पता लगाने के लिए हैरी को देखने की ज़रूरत नहीं थी। गरुड़द्वार के सिरे से भयंकर आह निकली और नागशक्ति वाले जमकर चीख़ने तथा तालियाँ बजाने लगे। नीचे देखने पर हैरी को कुतिया जैसे चेहरे वाली पैन्सी पार्किन्सन दर्शकदीर्घा में दाईं तरफ़ बैठी दिखी। उसकी पीठ पिच की तरफ़ थी और वह किसी ऑर्केस्ट्रा के निर्देशक की तरह नागशक्ति के समर्थकों को निर्देशित कर रही थी, जो गरज रहे थे :

'इसीलिए नागशक्ति का हर व्यक्ति गाता है,
वीज़्ली हमारा राजा है।'

लेकिन बीस-शून्य का अंतर कुछ नहीं था। अब भी गरुड़द्वार आगे निकल सकता था या सुनहरी गेंद पकड़ सकता था। हैरी ने ख़ुद को समझाया कि कुछ गोल हो जाएँ, तो वे हमेशा की तरह आगे निकल जाएँगे। उसे एक चमकती हुई चीज़ दिखी, जिस तक पहुँचने के लिए वह दूसरे खिलाड़ियों के बीच से लहराता हुआ निकला, लेकिन पास पहुँचने पर उसे पता चला कि यह सुनहरी गेंद नहीं, बल्कि मॉन्टेग्यू की घड़ी का पट्टा है।

लेकिन रॉन ने दो गोल और करवा लिए। अब सुनहरी गेंद को पकड़ने की हैरी की इच्छा दहशत में बदल गई थी। काश वह इसे जल्दी से पकड़ सके, ताकि मैच जल्दी ख़त्म हो जाए!

'और गरुड़द्वार की केटी बेल प्यूसी को चमका देकर निकली, मॉन्टेग्यू को पार किया, बहुत बढ़िया, केटी और उसने जॉनसन को तूफ़ान दे दिया है। एंजेलिना जॉनसन ने तूफ़ान को लिया, वॉरिंगटन के पार निकली, गोल की तरफ़ बढ़ रही है, शाबाश, एंजेलिना – **गरुड़द्वार ने स्कोर कर लिया!** अब स्कोर चालीस-दस है, नागशक्ति चालीस-दस से आगे है और प्यूसी के पास तूफ़ान है ...'

गरुड़द्वार की तालियों के बीच हैरी को लूना के अजीब शेर के दहाड़ने की

आवाज़ सुनाई दी, जिससे उसका मनोबल बढ़ गया। सिर्फ़ तीस पॉइंट का अंतर था, जो ज़्यादा नहीं था। वे आसानी से इसे बराबर कर सकते थे। हैरी झुककर एक पहलवान से बचा, जो क्रैब ने उसकी दिशा में मारा था। फिर वह सुनहरी गेंद को पकड़ने के लिए पिच पर चारों तरफ़ देखने लगा। उसकी एक आँख मैल्फ़ॉय पर जमी थी कि शायद वह उसे देखने के लक्षण दिखाए, लेकिन मैल्फ़ॉय भी उसी की तरह स्टेडियम में चारों तरफ़ उड़ रहा था और निराशाजनक खोज में जुटा था ...

'– प्यूसी ने वॉरिंगटन को पास दिया, वॉरिंगटन ने मॉन्टेग्यू को, मॉन्टेग्यू ने प्यूसी को – जॉनसन बीच में आ गई, जॉनसन ने तूफ़ान छीन लिया, जॉनसन ने बेल को दे दिया, यह अच्छा दिख रहा है – मेरा मतलब है बुरा दिख रहा है – नागशक्ति के गॉइल ने बेल को पहलवान मार दिया और अब एक बार फिर तूफ़ान प्यूसी के पास पहुँच चुका है ...'

'वीज़्ली कूड़ेघर में पैदा हुआ है,
वह हमेशा तूफ़ान छोड़ देता है
वीज़्ली हमें जिताएगा ...'

लेकिन हैरी को आख़िरकार सुनहरी गेंद दिख गई। यह छोटी सी गेंद अपने पंख फड़फड़ाती हुई पिच के नागशक्ति वाले छोर पर ज़मीन से कुछ फ़ुट ऊपर मँडरा रही थी।

उसने गोता लगा दिया ...

कुछ ही पल में मैल्फ़ॉय भी हैरी की बाईं तरफ़ नीचे आ रहा था और अपनी झाड़ू पर लेटा हुआ किसी हरे तथा चाँदी के रंग के झोंके की तरह दिख रहा था ...

सुनहरी गेंद ने एक रिंग के निचले हिस्से का चक्कर लगाया और दर्शकदीर्घा के दूसरे सिरे की तरफ़ उड़ चली। दिशा का यह बदलाव मैल्फ़ॉय के लिए ज़्यादा उपयुक्त था, जो ज़्यादा क़रीब था। हैरी ने अपनी फ़ायरबोल्ट घुमाई। अब वह और मैल्फ़ॉय बराबरी पर थे ...

ज़मीन से कुछ फ़ुट दूर हैरी ने अपने दाएँ हाथ को अपनी झाड़ू से उठाया और सुनहरी गेंद की तरफ़ बढ़ाया ... उसकी दाहिनी तरफ़, मैल्फ़ॉय ने भी अपनी बाँह बढ़ाई और उँगलियों से टटोलने लगा ...

दो हताशा भरे सेकंडों में यह हो गया, जब सबकी साँस रुक गई थी। हैरी की उँगलियाँ छटपटाती हुई छोटी सी गेंद पर कस गईं – मैल्फ़ॉय के नाख़ून हैरी

के हाथ के पीछे लगे – हैरी ने अपनी झाड़ू ऊपर खींची, छटपटाती गेंद सबको दिखाई और गरुड़द्वार के दर्शक चीख़कर तालियाँ बजाने लगे ...

वे बच गए थे। इससे कोई फ़र्क़ नहीं पड़ा कि रॉन ने गोल होने दिए थे। किसी को याद नहीं रहेगा, क्योंकि गरुड़द्वार जीत गया था –

भड़ाम।

एक पहलवान हैरी की पीठ में लगा और वह अपनी झाड़ू से आगे की तरफ़ गिर गया। क़िस्मत से वह ज़मीन से सिर्फ़ पाँच-छह फ़ुट ऊपर था, क्योंकि सुनहरी गेंद को पकड़ने के लिए उसने गोता लगा दिया था। इसके बावजूद उसकी हवा निकल गई, क्योंकि वह पिच पर पीठ के बल गिरा था। उसने मैडम हूच की तीखी सीटी सुनी, दर्शकदीर्घा से आता शोर सुना, जिसमें सीटियों, ग़ुस्से से भरी चीख़ों और तानों की आवाज़ें आ रही थीं। फिर एक धम्म के साथ एंजेलिना की तेज़ आवाज़ सुनाई दी।

'तुम ठीक हो?'

'हाँ,' हैरी ने गंभीरता से कहा और उसका हाथ पकड़कर खड़ा हो गया। मैडम हूच नागशक्ति के एक खिलाड़ी की तरफ़ तेज़ी से उड़कर जा रही थीं, हालाँकि इस कोण से उसे यह नहीं दिख पाया कि वह कौन सा खिलाड़ी है।

'वह क्रैब नाम का ठग था,' एंजेलिना ने ग़ुस्से से कहा। 'जैसे ही उसने देखा कि तुमने सुनहरी गेंद पकड़ ली है, उसने पहलवान तुम्हारी तरफ़ मार दिया – लेकिन हम जीत गए, हैरी, हम जीत गए!'

हैरी को अपने पीछे किसी की हँसी सुनाई दी। वह पलटा। सुनहरी गेंद अब भी उसके हाथ में कसकर बंद थी। ड्रेको मैल्फ़ॉय उसके क़रीब ही उतर आया था। आवेश के कारण उसका चेहरा सफ़ेद पड़ गया था, लेकिन वह अब भी ताना मारने में कामयाब हो गया।

'वीज़्ली की गर्दन बचा ली, है ना?' उसने हैरी से कहा। 'मैंने ज़िंदगी में इतना बुरा कीपर नहीं देखा ... लेकिन वह *कूड़ेधर में पैदा हुआ था* ... तुम्हें मेरे बनाए गाने के बोल पसंद आए, पॉटर?'

हैरी ने जवाब नहीं दिया। वह टीम के बाक़ी खिलाड़ियों से मिलने के लिए मुड़ा, जो अब एक-एक करके उतर रहे थे, जीत के उल्लास में हवा में मुक्के मार रहे थे और चीख़ रहे थे। सिवाय रॉन के, जो गोलपोस्ट के पास अपनी झाड़ू से उतर गया था और अकेला ही धीरे-धीरे चेंजिंग रूम की तरफ़ जा रहा था।

'हम और लाइनें लिखना चाहते थे!' मैल्फ़ॉय चिल्लाया, जब केटी और एलिसिया ने हैरी को गले लगाया। 'लेकिन हम मोटी और बदसूरत की तुक नहीं

खोज पाए – हम उसकी माँ के बारे में कुछ बोलना चाहते थे –'

'खट्टे अंगूर,' एंजेलिना ने मैल्फ़ॉय को हिक़ारत से देखते हुए कहा।

'– हम नाकारा असफल आदमी का भी ज़िक्र नहीं कर पाए – उसके पिता के लिए –'

फ्रेड और जॉर्ज को एहसास हो गया कि मैल्फ़ॉय किसका ज़िक्र कर रहा था। हैरी से हाथ मिलाते समय वे सख़्ती से मैल्फ़ॉय की तरफ़ देखने लगे।

'जाने दो!' एंजेलिना ने तत्काल फ्रेड की बाँह पकड़ते हुए कहा। 'जाने दो, फ्रेड, उसे चिल्लाने दो। वह तो इस बात पर खीज रहा है कि वह हार गया, घटिया आदमी –'

'– लेकिन तुम तो वीज़्ली परिवार को पसंद करते हो, है ना, पॉटर?' मैल्फ़ॉय ने व्यंग्य से कहा। 'वहाँ पर छुट्टियाँ बिताते हो? क्या पता तुम उस गटर को कैसे झेल पाते हो, लेकिन मुझे लगता है कि मगलुओं के घर में पलने के बाद वीज़्ली परिवार का कूड़ाघर भी उतना बदबूदार नहीं लगता होगा –'

हैरी ने जॉर्ज को पकड़ लिया। इस दौरान एंजेलिना, एलिसिया और केटी ने फ्रेड को पकड़ लिया था, ताकि वह मैल्फ़ॉय पर छलाँग न लगा दे। मैल्फ़ॉय खुलकर हँस रहा था। हैरी ने मैडम हूच की तलाश में इधर-उधर देखा। लेकिन वे क्रैब को उसके पहलवान के ग़ैर-क़ानूनी हमले के लिए डाँट रही थीं।

'या शायद,' मैल्फ़ॉय ने पीछे हटते समय मुस्कराते हुए कहा, 'वीज़्ली के सुअरों के बाड़े से तुम्हें यह याद आता हो कि *तुम्हारी* माँ के घर में कितनी बुरी बदबू आती थी –'

हैरी को इस बात का एहसास नहीं था कि उसने जॉर्ज को छोड़ दिया था। वह तो बस इतना जानता था कि एक सेकंड बाद वे दोनों मैल्फ़ॉय की तरफ़ तेज़ी से जा रहे थे। वह यह बात पूरी तरह भूल गया था कि सभी टीचर्स देख रहे थे : वह तो बस मैल्फ़ॉय को ज़्यादा से ज़्यादा चोट पहुँचाना चाहता था। उसके पास छड़ी बाहर निकालने का समय नहीं था, इसलिए उसने सुनहरी गेंद वाली मुट्ठी पीछे की और पूरी तेज़ी से मैल्फ़ॉय के पेट में धँसा दी –

'हैरी! **हैरी! जॉर्ज! *नहीं!***'

उसे लड़कियों के चीख़ने, मैल्फ़ॉय के चिल्लाने, जॉर्ज के गाली देने, सीटी बजने और अपने चारों तरफ़ भीड़ के गरजने की आवाज़ सुनाई दी, लेकिन उसे परवाह नहीं थी। जब तक कोई पास से '*बाधितो*' नहीं चिल्लाया और वह उस मंत्र की शक्ति से पीछे नहीं गिर गया, तब तक वह मैल्फ़ॉय के शरीर पर मुक्के मारता रहा।

जब हैरी उठकर खड़ा हुआ, तो मैडम हूच चीख़ीं, 'तुम क्या कर रहे थे?' उन्होंने ही हैरी पर बाधक मंत्र मारा था। उनके एक हाथ में सीटी थी और दूसरे में छड़ी। उनकी झाड़ू कुछ फ़ुट दूर पड़ी थी। मैल्फ़ॉय ज़मीन पर पड़ा हुआ था और रो रहा था। उसकी नाक से ख़ून बह रहा था। जॉर्ज का होंठ सूज गया था। फ्रेड को अब भी तीनों धावक पकड़े हुए थे और क्रैब पीछे से खी-खी कर रहा था। 'मैंने आज तक ऐसा व्यवहार नहीं देखा – तुम दोनों महल में सीधे अपने हाउस प्रमुख के पास जाओ! *अभी!*'

हैरी और जॉर्ज एड़ियों के बल मुड़े और पिच पर चलने लगे। दोनों हाँफ रहे थे और एक-दूसरे से कुछ नहीं बोल रहे थे। भीड़ का शोर और ताने धीमे होते जा रहे थे। आख़िर वे प्रवेश हॉल में पहुँच गए, जहाँ उन्हें अपने क़दमों की आवाज़ के अलावा और कुछ सुनाई नहीं दे रहा था। हैरी को एहसास हुआ कि कोई चीज़ उसके दाएँ हाथ में अब भी छटपटा रही थी, जिसकी उँगलियों से उसने मैल्फ़ॉय के जबड़े पर चोट पहुँचाई थी। नीचे देखने पर उसे पता चला कि सुनहरी गेंद के चाँदी जैसे पंख अब भी उसकी उँगलियों के बीच फड़फड़ा रहे थे और छूटने के लिए संघर्ष कर रहे थे।

वे लोग प्रोफ़ेसर मैक्गॉनेगल के ऑफ़िस के दरवाज़े तक पहुँचे ही थे कि तभी वे उनके पीछे गलियारे में धड़धड़ाती हुई आ गईं। वे गरुड़द्वार का स्कार्फ़ पहने हुए थीं, लेकिन पास आते समय उन्होंने काँपते हाथों से उसे अपने गले से उतार दिया और आगबबूला दिखने लगीं।

'अंदर चलो!' उन्होंने ग़ुस्से से दरवाज़े की तरफ़ इशारा करते हुए कहा। हैरी और जॉर्ज अंदर चले गए। वे अपनी डेस्क के पीछे पहुँच गईं और ग़ुस्से से काँपने लगीं। उन्होंने गरुड़द्वार के स्कार्फ़ को फ़र्श पर एक तरफ़ फेंक दिया।

'*अच्छा?*' उन्होंने कहा। 'मैंने इतना शर्मनाक व्यवहार पहले कभी नहीं देखा। एक पर दो ने हमला किया! कारण बताओ!'

हैरी ने सख़्ती से कहा, 'मैल्फ़ॉय ने हमें ग़ुस्सा दिलाया था!'

'ग़ुस्सा दिलाया था?' प्रोफ़ेसर मैक्गॉनेगल चिल्लाईं और अपनी डेस्क पर एक मुक्का मारा, जिससे बिस्कुट का डिब्बा एक तरफ़ गिरकर खुल गया और फ़र्श पर बिस्कुट फैल गए। 'वह उसी समय हारा था, है ना? ज़ाहिर है, वह तुम्हें ग़ुस्सा दिलाना चाहता था! लेकिन उसने ऐसा क्या कह दिया, जिससे तुम दोनों ने उस पर –'

जॉर्ज गुर्राया, 'उसने मेरे मम्मी-डैडी और हैरी की मम्मी का अपमान किया था।'

'लेकिन मैडम हूच को यह मामला सुलझाने देने के बजाय तुम दोनों ने

मगलुओं की तरह कुश्ती करने का फ़ैसला किया, है ना?' प्रोफ़ेसर मैक्गॉनेगल गरजीं। 'क्या तुम्हें अंदाज़ा है कि तुम लोगों – ?'

'उहूँ, उहूँ।'

हैरी और जॉर्ज दोनों घूम गए। डोलोरेस अंबरिज दरवाज़े पर खड़ी हुई थीं। वे हरा चोगा पहने थीं, जिस वजह से वे बड़ी मेंढकी जैसी लग रही थीं। वे इतने भयंकर, बुरे और ख़तरनाक तरीक़े से मुस्करा रही थीं कि हैरी समझ गया कि वे बहुत बुरा करने वाली हैं।

प्रोफ़ेसर अंबरिज ने बहुत ज़हरीली मीठी आवाज़ में कहा, 'क्या मैं मदद कर सकती हूँ, प्रोफ़ेसर मैक्गॉनेगल?'

प्रोफ़ेसर मैक्गॉनेगल के चेहरे पर ख़ून की सनसनाहट दौड़ गई।

'मदद?' उन्होंने संयत आवाज़ में दोहराया। 'आपका क्या मतलब है, *मदद?*'

प्रोफ़ेसर अंबरिज ऑफ़िस में आगे आ गईं। वे अब भी उतनी ही बुरी तरह मुस्कराए जा रही थीं।

'मैंने सोचा कि आप थोड़े ज़्यादा अधिकारों के लिए कृतज्ञ होंगी।'

हैरी को यह देखकर हैरानी नहीं होती, अगर प्रोफ़ेसर मैक्गॉनेगल के नथुनों से चिंगारियाँ निकलने लगतीं।

'आपने ग़लत सोचा था,' उन्होंने कहा और अंबरिज की तरफ़ पीठ घुमा ली।

'अब तुम दोनों ग़ौर से सुनो। मुझे परवाह नहीं है कि मैल्फ़ॉय ने तुम्हें क्या कहकर ग़ुस्सा दिलाया, मुझे यह भी परवाह नहीं है कि उसने तुम्हारे पूरे परिवार का अपमान किया। तुम्हारा व्यवहार बहुत ही घटिया था और मैं तुम दोनों को एक हफ़्ते की सज़ा देती हूँ! मेरी तरफ़ इस तरह मत देखो, पॉटर, तुम्हें यह सज़ा मिलनी ही चाहिए! और अगर तुम दोनों में से किसी ने कभी –'

'उहूँ, उहूँ।'

प्रोफ़ेसर मैक्गॉनेगल ने अपनी आँखें बंद कर लीं, जैसे धैर्य के लिए प्रार्थना कर रही हों, जब उन्होंने प्रोफ़ेसर अंबरिज की तरफ़ चेहरा घुमाया।

'*हाँ?*'

अंबरिज ने और ज़्यादा खुलकर मुस्कराते हुए कहा, 'मुझे लगता है कि उन्हें सज़ा से ज़्यादा मिलना चाहिए।'

प्रोफ़ेसर मैक्गॉनेगल की आँखें फैल गईं।

'लेकिन दुर्भाग्य से,' उन्होंने बदले में मुस्कराने की कोशिश करते हुए कहा, जिससे ऐसा लगा जैसे उनका जबड़ा जकड़ गया हो, 'मेरा फ़ैसला ही महत्वपूर्ण है, क्योंकि वे मेरे हाउस में हैं, डोलोरेस।'

'देखो मिनर्वा,' प्रोफ़ेसर अंबरिज ने कहा, 'दरअसल तुम्हें यह पता चलेगा कि मेरा फ़ैसला ही महत्वपूर्ण है। वह आदेश कहाँ चला गया? कॉर्नेलियस ने अभी-अभी भेजा है ... मेरा मतलब है,' उन्होंने नक़ली हँसी निकालकर अपने हैंडबैग में टटोला, '*मंत्रीजी* ने अभी-अभी भेजा है ... ओह हाँ ...'

उन्होंने एक चर्मपत्र बाहर निकाला, अपना गला साफ़ किया और उसमें लिखे शब्द पढ़ने लगीं।

'उहूँ, उहूँ ... "शैक्षणिक क़ानून क्रमांक पच्चीस।"'

प्रोफ़ेसर मैक्गॉनेगल ने हिंसक तरीक़े से कहा, 'ओह, एक और क़ानून आ गया!'

'हाँ,' अंबरिज ने मुस्कराते हुए जवाब दिया। 'दरअसल मिनर्वा, तुम्हारे ही कारण मुझे लगा कि हमें और संशोधनों की *ज़रूरत* है ... तुम्हें याद होगा, मैं गरुड़द्वार की क्विडिच टीम के पुनर्गठन की इजाज़त नहीं देना चाहती थी, लेकिन तुमने मेरी बात पर ध्यान नहीं दिया? तुम मामले को डम्बलडोर तक ले गईं, जिन्होंने टीम को खेलने की इजाज़त देने पर ज़ोर दिया? मैं ऐसा कैसे होने दे सकती थी? मैंने तत्काल मंत्रीजी से संपर्क किया और वे मुझसे सहमत थे कि सर्वोच्च प्रशासक के पास विद्यार्थियों के अधिकार कम करने की शक्ति होनी चाहिए, वरना उसके - मेरा मतलब है मेरे - पास साधारण टीचर्स से कम अधिकार होंगे! और मिनर्वा, तुमने देखा ना, मैं कितनी सही थी, जो गरुड़द्वार की टीम को दोबारा बनने से रोकना चाहती थी? *भयंकर* ग़ुस्सा ... वैसे, मैं अपने संशोधन को पढ़ रही थी ... उहूँ, उहूँ ... "सर्वोच्च प्रशासक को तत्काल प्रभाव से हॉगवर्ट्स के विद्यार्थियों से संबंधित सभी सज़ाओं, अनुमतियों एवं अधिकारों की कटौती पर सर्वोच्च अधिकार होगा और स्टाफ़ के बाक़ी सदस्यों द्वारा आदेशित सज़ाओं, अनुमतियों एवं अधिकारों की कटौतियों से संबंधित आदेशों को बदलने की शक्ति होगी। हस्ताक्षर, कॉर्नेलियस फ़ज, जादू मंत्री, ऑर्डर ऑफ़ मर्लिन फ़र्स्ट क्लास, आदि, आदि।"'

उन्होंने चर्मपत्र को मोड़कर वापस अपने हैंडबैग में रख लिया और अब भी मुस्कराती रहीं।

उन्होंने हैरी और जॉर्ज की तरफ़ देखते हुए कहा, 'मैं दरअसल सोचती हूँ कि इन दोनों पर भविष्य में क्विडिच खेलने पर प्रतिबंध लगाना ठीक रहेगा।'

हैरी को महसूस हुआ कि सुनहरी गेंद उसके हाथ में बुरी तरह फड़फड़ा

रही थी।

'प्रतिबंध?' उसने कहा और उसे अपनी आवाज़ बहुत दूर से आती लगी। 'खेलने से ... भविष्य में?'

'हाँ, मिस्टर पॉटर, मुझे लगता है कि आजीवन प्रतिबंध से काम हो जाना चाहिए,' अंबरिज ने कहा। उनकी मुस्कान और चौड़ी हो गई, जब उन्होंने देखा कि वह उनकी बातों को समझने के लिए संघर्ष कर रहा है। 'तुम पर और मिस्टर वीज़्ली पर। और मुझे लगता है, एहतियात के तौर पर इस लड़के के जुड़वाँ भाई पर भी प्रतिबंध लगाना ठीक रहेगा – अगर उसकी टीम के साथियों ने उसे नहीं रोका होता, तो मुझे यक़ीन है कि वह भी मिस्टर मैल्फ़ॉय पर हमला कर देता। ज़ाहिर है, मैं उनकी झाड़ुएँ ज़ब्त करके अपने ऑफ़िस में रख लूँगी, ताकि मेरे लगाए प्रतिबंध का उल्लंघन न हो पाए। लेकिन मैं अतार्किक नहीं हूँ, प्रोफ़ेसर मैक्गॉनेगल,' उन्होंने प्रोफ़ेसर मैक्गॉनेगल की तरफ़ मुड़ते हुए कहा, जो अब किसी बर्फ़ की मूर्ति की तरह स्थिर खड़ी थीं और उन्हें घूर रही थीं। 'बाक़ी की टीम खेल सकती है। मुझे उनमें से *किसी में* हिंसा के लक्षण नहीं दिखे। अच्छा तो ... गुड आफ़्टरनून।'

बेहद संतुष्टि के भाव के साथ अंबरिज कमरे से चली गईं और अपने पीछे भयंकर ख़ामोशी छोड़ गईं।

*

'प्रतिबंध,' एंजेलिना ने हॉल में उस रात को खोखली आवाज़ में कहा। '*प्रतिबंध!* खोजी भी नहीं, मारक भी नहीं ... अब हम क्या करेंगे?'

ऐसा नहीं लग रहा था कि वे मैच जीते हों। जहाँ भी हैरी देखता था, उसे असंतुष्ट और नाराज़ चेहरे दिखते थे। टीम के खिलाड़ी आग के पास लुढ़के हुए थे, रॉन के सिवाय, जो मैच के बाद से अब तक नज़र नहीं आया था।

'यह तो सरासर नाइंसाफ़ी है,' एलिसिया ने कहा। 'मेरा मतलब है, क्रैब ने भी तो सीटी बजने के बाद पहलवान मारा था। क्या उन्होंने *उस* पर प्रतिबंध लगाया है?'

'नहीं,' जिनी ने दुख से कहा। वह और हर्माइनी हैरी के आजू-बाजू बैठी थीं। 'उसे बस लाइनें लिखने की सज़ा मिली है। मैंने डिनर के वक़्त मॉन्टेग्यू को इस बारे में हँसते सुना था।'

'और फ़्रेड पर प्रतिबंध लग गया, जबकि उसने कुछ किया ही नहीं था!' एलिसिया ने ग़ुस्से से अपने घुटने पर मुक्का मारते हुए कहा।

'यह मेरी ग़लती नहीं है कि मैंने कुछ नहीं किया,' फ़्रेड ने अपने चेहरे पर

बहुत बुरा भाव लाते हुए कहा, 'अगर तुम तीनों ने मुझे नहीं पकड़ा होता, तो मैं उस बंदर का कचूमर निकाल देता।'

हैरी ने अँधेरी खिड़की की तरफ़ उदासी से घूरा। बर्फ़ गिर रही थी। जिस सुनहरी गेंद को उसने पहले पकड़ा था, वह अब हॉल में चारों तरफ़ उड़ रही थी। विद्यार्थी मंत्रमुग्ध होकर इसकी उड़ान देख रहे थे और क्रुकशैंक्स इसे पकड़ने के लिए एक कुर्सी से दूसरी कुर्सी पर उछल रही थी।

'मैं सोने जा रही हूँ,' एंजेलिना ने धीरे-धीरे खड़े होते हुए कहा। 'शायद यह बुरा सपना साबित होगा ... शायद कल सुबह जागने पर मुझे पता चलेगा कि मैच हुआ ही नहीं है ...'

उसके बाद एलिसिया और केटी भी जल्दी ही चली गईं। फ्रेड और जॉर्ज कुछ समय बाद सोने चले गए और राह में पड़ने वाले हर विद्यार्थी को ग़ुस्से से घूरते हुए गए। जिनी भी कुछ समय बाद चली गई। अब आग के पास सिर्फ़ हैरी और हर्माइनी ही बचे थे।

हर्माइनी ने धीमी आवाज़ में पूछा, 'क्या तुमने रॉन को देखा?'

हैरी ने अपना सिर हिलाया।

'मुझे लगता है कि वह हमसे मुँह छिपा रहा है,' हर्माइनी बोली। 'तुम्हें क्या लगता है, वह कहाँ - ?'

लेकिन उसी पल, उनके पीछे एक चर्र की आवाज़ आई, जब मोटी औरत आगे की तरफ़ झुक गई और रॉन तस्वीर के छेद में से अंदर आया। उसका चेहरा बहुत पीला दिख रहा था और उसके बालों पर बर्फ़ जमी थी। हैरी और हर्माइनी को देखते ही वह एकदम रुक गया।

हर्माइनी ने चिंता से उठते हुए कहा, 'तुम कहाँ थे?'

'बाहर टहल रहा था,' रॉन बुदबुदाया। वह अब भी अपने क्विडिच के दुशाले पहने था।

'तुम तो जमे हुए दिख रहे हो,' हर्माइनी बोली। 'आग के पास आकर बैठ जाओ!'

रॉन आग के पास तक चलकर आया और हैरी की तरफ़ देखे बिना उससे सबसे दूर वाली कुर्सी पर धँस गया। सुनहरी गेंद उनके सिर के ऊपर उड़ती रही।

रॉन अपने पैरों की तरफ़ देखकर बुदबुदाया, 'मुझे अफ़सोस है।'

'किस बात के लिए?' हैरी ने कहा।

'यह सोचने के लिए कि मैं क्विडिच खेल सकता हूँ,' रॉन ने कहा। 'मैं कल सुबह ही इस्तीफ़ा दे दूँगा।'

'अगर तुम इस्तीफ़ा दे दोगे,' हैरी ने कड़वे लहज़े में कहा, 'तो टीम में सिर्फ़ तीन खिलाड़ी बचेंगे।' जब रॉन हैरान दिखने लगा, तो उसने कहा, 'मुझ पर आजीवन प्रतिबंध लगा दिया गया है। और फ्रेड और जॉर्ज पर भी।'

'क्या?' रॉन ने हैरानी से पूछा।

हर्माइनी ने उसे पूरी कहानी बताई। हैरी दोबारा पूरी बात बताना सहन नहीं कर सकता था। हर्माइनी की बात पूरी होने पर रॉन पहले से ज़्यादा दुखी दिखने लगा।

'यह सब मेरी ग़लती है –'

हैरी ने ग़ुस्से से कहा, 'तुमने मुझे मैल्फ़ॉय को मुक्का मारने के लिए नहीं कहा था।'

'– अगर मैं इतनी बुरी तरह नहीं खेलता –'

'– इसका उससे कोई लेना-देना नहीं है।'

'– उस गाने के कारण मैं बौखला गया था –'

'– उसके कारण कोई भी बौखला सकता था।'

हर्माइनी उठकर खड़ी हुई और खिड़की से टकराती बर्फ़ को देखते हुए खिड़की के पास तक गई।

'देखो, इसे छोड़ दो, ठीक है!' हैरी फट पड़ा। 'तुम हर चीज़ के लिए ख़ुद को दोष मत दो! पहले ही हालत बहुत ख़राब है!'

रॉन ने कुछ नहीं कहा, लेकिन अपने दुशालों के गीले सिरे को उदासी से घूरता रहा। कुछ समय बाद उसने निढाल आवाज़ में कहा, 'मुझे ज़िंदगी में इतना बुरा पहले कभी नहीं लगा।'

हैरी ने कटुता से कहा, 'हमारे साथ शामिल हो जाओ।'

'देखो,' हर्माइनी ने कहा, उसकी आवाज़ थोड़ी काँप रही थी। 'मैं एक बात सोच सकती हूँ, जिसे सुनकर तुम दोनों ख़ुश हो जाओगे।'

'अच्छा?' हैरी ने संदेह से पूछा।

'हाँ,' हर्माइनी ने कहा। वह बर्फ़ से ढँकी काली खिड़की से दूर हटी और मुस्कराते हुए बोली, 'हैग्रिड लौट आया है।'

अध्याय बीस

हैग्रिड की कहानी

संदूक से अदृश्य चोगा और हॉगवर्ट्स का नक़्शा निकालकर लाने के लिए हैरी लड़कों के कमरों की तरफ़ भागा। वह इतनी जल्दी लौटा कि हर्माइनी के आने से पाँच मिनट पहले ही वह और रॉन चलने के लिए तैयार थे। हर्माइनी लड़कियों के कमरे से जब नीचे आई, तो वह स्कार्फ़, ग्लव्ज़ और घरेलू जिन्नों के हैट पहने थी, जिन्हें उसने ख़ुद बुना था।

जब यह देखकर रॉन ने बेसब्री से अपनी जीभ कुटकुटाई, तो हर्माइनी ने बचाव के लहज़े में कहा, 'देखो, बाहर ठंड है!'

वे तस्वीर के छेद से चुपचाप निकले और उन्होंने जल्दी से अदृश्य चोगा ओढ़ लिया। रॉन अब इतना लंबा हो चुका था कि पैर छिपाने के लिए उसे झुककर चलना पड़ता था। धीरे-धीरे और सावधानी से चलते हुए वे सीढ़ियाँ उतरे। फ़िल्च या मिसेज़ नॉरिस को नक़्शे में देखने के लिए वे बीच-बीच में ठहर भी जाते थे। उनकी क़िस्मत अच्छी थी। उन्हें लगभग सिरकटे निक के सिवाय कोई नहीं दिखा, जो हवा में उड़ता जा रहा था और खोया-खोया सा कोई गीत गुनगुना रहा था, जो 'वीज़्ली हमारा राजा है' से मिलता-जुलता था। वे प्रवेश हॉल से बाहर निकलकर बर्फ़ीले मैदान में पहुँच गए, जहाँ सन्नाटा छाया था। हैरी का दिल बल्लियों उछलने लगा, जब उसने हैग्रिड के घर में रोशनी के छोटे सुनहरे चौकोर टुकड़े देखे और उसकी चिमनी से धुआँ निकलते देखा। वह जल्दी-जल्दी चलने लगा। बाक़ी दोनों उसके पीछे-पीछे टकराते हुए चल रहे थे। वे मोटी होती बर्फ़ पर चर्र-चर्र आवाज़ करते हुए तब तक चलते रहे, जब तक कि वे हैग्रिड के केबिन के सामने वाले लकड़ी के दरवाज़े तक नहीं पहुँच गए। हैरी ने अपनी मुट्ठी से तीन बार दस्तक दी। अंदर एक कुत्ता तेज़ी से भौंकने लगा।

'हैग्रिड, हम हैं!' हैरी ने कीहोल में से आवाज़ दी।

'हमें मालूम होना चाहिए था!' एक रूखी आवाज़ आई।

उन्होंने चोगे में एक-दूसरे की तरफ़ मुस्कराकर देखा। हैग्रिड की आवाज़ से उन्हें पता चल गया कि इस बात से वह ख़ुश हुआ था। 'घर आए अभी तीन सेकंड भी नहीं हुए ... रास्ते से हटो, *फ़ैंग ... रास्ते से हटो, आलसी कुत्ते ...*'

कुंडी सरक गई, दरवाज़ा चर्र से खुला और हैग्रिड का सिर दरार में प्रकट हुआ।

हर्माइनी की चीख़ निकल गई।

'शैतान की आँख, चुप रहो!' हैग्रिड ने तेज़ी से तीनों के सिर के ऊपर से घूरते हुए कहा। 'तुम लोग अदृश्य चोगा ओढ़े हुए हो, है ना? चलो, अंदर आ जाओ, अंदर आ जाओ!'

'मुझे अफ़सोस है!' हर्माइनी ने कहा, जब वे तीनों हैग्रिड के पास से होते हुए अंदर गए। हैग्रिड उन्हें देख सके, इसलिए उन्होंने चोगा उतार दिया। हर्माइनी आगे बोली, 'मैं तो बस – ओह, *हैग्रिड!*'

'कुछ नहीं है, कुछ नहीं है!' हैग्रिड ने जल्दी से कहा और दरवाज़ा बंद कर दिया। फिर वह जल्दी से सभी पर्दे लगाने लगा। हर्माइनी अब भी उसकी तरफ़ दहशत से देखती रही।

हैग्रिड के बालों पर ख़ून जम चुका था और उसकी बाईं आँख एक फूले हुए छेद में बदल गई थी। उसकी आँख पर बैंगनी और काले निशान थे। उसके चेहरे और हाथों पर बहुत से घाव थे, जिनमें से कुछ में से तो अब भी ख़ून बह रहा था। वह धीरे-धीरे चल रहा था, जिससे हैरी को शक हुआ कि शायद उसकी कुछ हड्डियाँ भी टूटी होंगी। यह स्पष्ट था कि वह अभी-अभी घर लौटा था। एक कुर्सी पर उसका मोटा, काला यात्री चोगा पड़ा था और एक झोला दीवार से टिका हुआ था, जो इतना बड़ा था कि इसमें कई छोटे बच्चे समा सकते थे। हैग्रिड ख़ुद सामान्य व्यक्ति से दोगुने आकार का था। इस वक़्त वह लँगड़ाता हुआ आग के पास जा रहा था और उसके ऊपर एक ताँबे की केतली रख रहा था।

'तुम्हें क्या हुआ?' हैरी ने पूछा, जबकि फ़ैंग उन सभी के चारों तरफ़ नाचता रहा और उनके चेहरे चाटने की कोशिश करता रहा।

'तुम्हें बताया ना, *कुछ नहीं हुआ,*' हैग्रिड ने दृढ़ता से कहा। 'एक कप चाय चलेगी?'

'रहने भी दो,' रॉन ने कहा, 'तुम्हारी हालत बहुत ख़स्ता दिख रही है!'

'हमने तुमसे कहा ना, *हम ठीक हैं,*' हैग्रिड ने सीधे खड़े होकर उन सभी की ओर मुस्कराते हुए कहा, हालाँकि वह दर्द से थोड़ा कराह भी रहा था, 'क़सम से,

तुम लोगों को दोबारा देखना अच्छा लग रहा है – तुम्हारी गर्मियाँ अच्छी बीती होंगी, है ना ?'

रॉन बोला, 'हैग्रिड, तुम पर हमला हुआ है!'

हैग्रिड ने दृढ़ता से कहा, 'आख़िरी बार कह रहे हैं, कुछ नहीं हुआ है!'

रॉन ने पूछा, 'अगर हममें से कोई चेहरे के बजाय एक पौंड मांस के लोथड़े के साथ लौटे, तो क्या तुम यह कहोगे कि कुछ नहीं हुआ ?'

हर्माइनी ने चिंता से कहा, 'हैग्रिड, तुम्हें जाकर मैडम पॉमफ़्री से मिलना चाहिए। कुछ घाव बहुत गहरे दिख रहे हैं।'

हैग्रिड ने उन्हें चुप कराते हुए कहा, 'हम इसका इंतज़ाम कर रहे हैं, ठीक है ?'

वह लकड़ी की बड़ी टेबल तक चलकर गया, जो उसके केबिन के बीच में रखी थी। हैग्रिड ने उस पर पड़े तौलिए को हटा दिया। उसके नीचे ख़ून से लथपथ, हरे रंग का गोश्त का टुकड़ा था, जो कार के टायर से थोड़ा बड़ा था।

'तुम इसे खाने वाले हो, हैग्रिड ?' रॉन ने क़रीब से देखने के लिए आगे झुकते हुए कहा। 'यह ज़हरीला दिख रहा है।'

'यह ऐसा ही दिखता है, यह ड्रैगन का गोश्त है,' हैग्रिड ने कहा। 'और हम इसे खाने के लिए नहीं लाए हैं।'

उसने गोश्त का टुकड़ा उठाकर अपने चेहरे की बाईं तरफ़ चिपका लिया। उसकी दाढ़ी पर हरा ख़ून बहने लगा और उसने संतुष्टि की हल्की आह भरी।

'यह अच्छा है। देखो, इससे जलन कम होती है।'

हैरी ने पूछा, 'अब हमें बताओ कि तुम्हारे साथ क्या हुआ ?'

'नहीं बता सकते, हैरी। बहुत गोपनीय है। हमारी नौकरी चली जाएगी।'

हर्माइनी ने धीरे से पूछा, 'क्या दानवों ने तुम्हें पीटा, हैग्रिड ?'

हैग्रिड की उँगलियाँ ड्रैगन के गोश्त से फिसल गईं और गोश्त उसके सीने पर पहुँच गया।

'दानव ?' हैग्रिड ने गोश्त के टुकड़े को बेल्ट तक पहुँचने से पहले ही पकड़ते हुए कहा और उसे दोबारा अपने चेहरे से चिपका लिया, 'दानवों के बारे में किसने कहा ? तुम्हें यह कहाँ से पता चला ? किसने तुम्हें बताया कि हम – किसने कहा कि हम – अह ?'

हर्माइनी ने माफ़ी माँगने के स्वर में कहा, 'हमने अंदाज़ा लगा लिया।'

'ओह, तुमने अंदाज़ा लगा लिया, अंदाज़ा ?' हैग्रिड ने उसे उस आँख से

घूरते हुए कहा, जो ड्रैगन के गोश्त से नहीं छिपी थी।

रॉन ने कहा, 'यह एक तरह से ... स्पष्ट था।' हैरी ने सिर हिलाया।

हैग्रिड ने उनकी तरफ़ ग़ुस्से से घूरा, फिर नाक से तेज़ी से हवा निकाली। उसने गोश्त के टुकड़े को दोबारा टेबल पर फेंक दिया और केतली के पास पहुँचा, जो अब सीटी बजाने लगी थी।

'तुम तीनों जैसे बच्चे आज तक नहीं देखे, जो ज़रूरत से ज़्यादा जानना चाहते हैं,' वह बुदबुदाया और उबले हुए पानी को बाल्टी जितने बड़े तीन मगों में डाला। 'और हम तुम्हारी तारीफ़ नहीं कर रहे हैं। कुछ लोग तो कहेंगे, फटे में टाँग डालने वाले। दख़ल देने वाले।'

लेकिन उसकी दाढ़ी हिलने लगी।

'तो तुम दानवों की तलाश में गए थे?' हैरी ने टेबल पर बैठते हुए मुस्कराकर पूछा।

हैग्रिड ने उन सभी के सामने चाय रख दी और बैठ गया। उसने ड्रैगन का गोश्त दोबारा उठाकर चेहरे से चिपका लिया।

उसने गुर्राते हुए कहा, 'हाँ, हम गए थे।'

हर्माइनी ने धीरे से पूछा, 'और वे तुम्हें मिल गए?'

'देखो, सच कहा जाए, तो उन्हें खोजना ज़्यादा मुश्किल नहीं होता,' हैग्रिड ने कहा। 'काफ़ी बड़े होते हैं, है ना?'

रॉन ने पूछा, 'वे कहाँ रहते हैं?'

'पहाड़ों पर,' हैग्रिड ने लाचारी से कहा।

'तो मगलू उन्हें क्यों नहीं देख -?'

'वे देख लेते हैं,' हैग्रिड ने स्याह अंदाज़ में कहा। 'बस उनकी मौतें हमेशा पर्वतारोहण की दुर्घटनाएँ मानी जाती हैं!'

उसने अपने स्टीक को थोड़ा सरकाया, ताकि यह उसकी सबसे बुरी चोट पर पहुँच जाए।

'छोड़ो भी हैग्रिड, हमें बताओ कि तुम क्या करने गए थे!' रॉन ने पूछा। 'हमें बताओ कि दानवों ने तुम पर कैसे हमला किया और हैरी तुम्हें बताएगा कि उस पर दमपिशाचों ने कैसे हमला किया था -'

हैग्रिड का घूँट उसके गले में अटक गया और उसी समय उसके हाथ से गोश्त का टुकड़ा भी गिर गया। जब हैग्रिड खाँसा और गोश्त का टुकड़ा हल्की सी आवाज़ के साथ फिसलकर गिर पड़ा, तो टेबल पर थूक, चाय और ड्रैगन के

ख़ून की काफ़ी मात्रा फैल गई।

हैग्रिड गुर्राया, 'तुम्हारा क्या मतलब है, दमपिशाचों ने हमला किया?'

हर्माइनी ने आँखें फाड़कर उससे पूछा, 'क्या तुम्हें पता नहीं है?'

'हमें कुछ भी पता नहीं है कि हमारे जाने के बाद यहाँ क्या-क्या हुआ। हम एक गोपनीय मिशन पर गए थे, है ना? हम यह नहीं चाहते थे कि उल्लू हमारे पीछे आएँ - बेहूदा दमपिशाच! तुम मज़ाक़ कर रहे हो?'

'नहीं, मैं सच कह रहा हूँ, वे लिटिल व्हिंगिंग में आए थे और उन्होंने मेरे कज़िन और मुझ पर हमला कर दिया। इसके बाद जादू मंत्रालय ने मुझे स्कूल से निकाल दिया -'

'क्या?'

'- और मुझे सुनवाई में जाना पड़ा, लेकिन पहले तुम दानवों के बारे में बताओ।'

'तुम्हें स्कूल से निकाल दिया गया था?'

'हमें अपनी गर्मियों के हाल-चाल बताओ, फिर मैं तुम्हें अपनी गर्मियों के हाल-चाल बताऊँगा।'

हैग्रिड अपनी खुली आँख से उसे ग़ुस्से से देखता रहा। हैरी भी अपने चेहरे पर मासूम संकल्प का भाव लेकर उसे देखता रहा।

'ओह, ठीक है,' हैग्रिड ने हार मानती हुई आवाज़ में कहा।

वह झुका और उसने ड्रैगन के गोश्त का टुकड़ा फ़ैंग के मुँह से निकाल लिया।

'ओह हैग्रिड, नहीं, यह सेहत के लिए अच्छा नहीं -' हर्माइनी ने कहना शुरू किया, लेकिन तब तक हैग्रिड उस गोश्त को अपनी सूजी हुई आँख पर दोबारा रख चुका था।

चाय का एक और घूँट लेने के बाद वह बोला, 'अच्छा, हम सत्र ख़त्म होने के ठीक बाद चल पड़े थे -'

हर्माइनी ने बीच में पूछा, 'मैडम मैक्सिम भी तुम्हारे साथ गई थीं?'

'हाँ, यह सही है,' हैग्रिड ने कहा और उसके चेहरे पर एक नर्म भाव उभर आया। यह नर्म भाव उस जगह पर था, जो दाढ़ी या हरे गोश्त से नहीं छिपी थी। 'हाँ, हम दोनों ही गए थे। और हम तुम्हें बता दें, मैडम मैक्सिम यानी ऑलंपे मुश्किलों से नहीं घबराती है। देखो, वह सुसंस्कृत और विदुषी है। हमें मालूम था कि हम कहाँ जा रहे थे, इसलिए हम सोच रहे थे कि उसे पहाड़ों पर चढ़ना

कैसा लगेगा, वह गुफाओं में कैसे सोएगी, लेकिन उसने एक बार भी शिकायत नहीं की।'

'तुम जानते थे कि तुम कहाँ जा रहे थे?' हैरी ने दोहराया। 'तुम जानते थे कि दानव कहाँ थे?'

हैग्रिड बोला, 'देखो, डम्बलडोर जानते थे, और उन्होंने हमें बता दिया था।'

रॉन ने पूछा, 'क्या वे छिपे हुए हैं? क्या उनके छिपने की जगह गोपनीय है?'

'दरअसल नहीं,' हैग्रिड ने अपना खिचड़ी सिर हिलाते हुए कहा। 'सच तो यह है कि ज़्यादातर जादूगरों को इस बात की परवाह ही नहीं रहती है कि वे कहाँ हैं, उन्हें तो बस यह परवाह रहती है कि वे उनसे काफ़ी दूर रहें। लेकिन वे जहाँ रहते हैं, वहाँ पहुँचना बहुत मुश्किल होता है, कम से कम इंसानों के लिए, इसलिए हमें डम्बलडोर के निर्देशों की ज़रूरत थी। वहाँ पहुँचने में हमें एक महीना लग गया –'

'एक *महीना?*' रॉन ने पूछा, जैसे उसने आज तक इतनी लंबी यात्रा के बारे में नहीं सुना हो। 'लेकिन – तुमने आवागमन कुंजी का सहारा क्यों नहीं लिया?'

रॉन को देखते समय हैग्रिड की बची हुई आँख में एक अजीब भाव आ गया। यह करुणा जैसा भाव था।

उसने रूखेपन से कहा, 'हम पर नज़र रखी जा रही थी, रॉन।'

'तुम्हारा क्या मतलब है?'

'तुम नहीं समझते हो,' हैग्रिड ने कहा। 'मंत्रालय डम्बलडोर और उनके साथ रहने वालों पर नज़र रख रहा है और –'

'हमें मालूम है,' हैरी ने तत्काल कहा, जो हैग्रिड की बाक़ी की कहानी सुनने के लिए उतावला था, 'हम जानते हैं कि मंत्रालय डम्बलडोर पर नज़र रख रहा है –'

रॉन ने दहशत में पूछा, 'तो तुम वहाँ पहुँचने के लिए जादू का इस्तेमाल नहीं कर पाए? तुम्हें *पूरे रास्ते* मगलुओं की तरह रहना पड़ा?'

'पूरे रास्ते तो नहीं,' हैग्रिड ने बचते हुए कहा। 'हमें तो बस सावधान रहना था, क्योंकि ऑलंपे और मैं दोनों ही थोड़े अलग दिखते हैं –'

रॉन ने एक दबी हुई हँसी निकाली और जल्दी से चाय का एक घूँट पी लिया।

'– तो हमारा पीछा करना मुश्किल नहीं था। हम यह नाटक कर रहे थे कि

हम साथ-साथ छुट्टियाँ मनाने जा रहे थे, इसलिए हम फ़्रांस पहुँच गए और हमने ऐसा जताया कि हम ऑलंपे के स्कूल की तरफ़ जा रहे हैं, क्योंकि हम जानते थे कि मंत्रालय का एक व्यक्ति हमारा पीछा कर रहा है। हमें धीमे चलना पड़ा, क्योंकि हमें दरअसल जादू करने की मनाही है और हम जानते थे कि मंत्रालय हमें दबोचने का बहाना ढूँढ़ रहा है। लेकिन हम पीछा करने वाले को चकमा देने में कामयाब हो गए, डी-जॉन के पास -'

'ऊऊऊह, डाइजॉन ?' हर्माइनी ने रोमांचित होकर कहा। 'मैं छुट्टियों में वहाँ गई थी।'

रॉन के चेहरे का भाव देखकर वह चुप हो गई।

'उसके बाद हमने थोड़े जादू का इस्तेमाल किया और यह बुरी यात्रा नहीं थी। पोलैंड की सीमा पर हमें दो पागल दैत्य मिल गए और मिंस्क के एक शराबख़ाने में हमारा एक ख़ूनी पिशाच से थोड़ा मतभेद हो गया, लेकिन उसके अलावा हमारी यात्रा बहुत अच्छी रही।

'और फिर हम उस जगह पर पहुँच गए और उनका पता-ठिकाना खोजते हुए पहाड़ों पर चढ़ने लगे ...

'हमें उनके पास पहुँचने पर जादू छोड़ना पड़ा। इसका एक कारण यह था कि वे जादूगरों को पसंद नहीं करते हैं और हम उनके पास से ख़ाली हाथ नहीं लौटना चाहते थे। इसका दूसरा कारण यह था कि डम्बलडोर ने हमें चेतावनी दे दी थी कि तुम-जानते-हो-कौन भी दानवों का समर्थन हासिल करने की कोशिश करेगा। उन्होंने हमें बता दिया था कि शायद उसने उनके पास पहले ही अपना दूत भेज दिया होगा। उन्होंने हमसे यह भी कहा था कि उनके पास पहुँचने पर हम सावधान रहें, क्योंकि वहाँ प्राणभक्षी भी हो सकते हैं।'

हैग्रिड ने रुककर चाय का एक लंबा घूँट लिया।

'आगे बताओ!' हैरी ने तत्काल कहा।

'वे मिल गए,' हैग्रिड ने सीधे से बता दिया। 'एक रात को हम एक पहाड़ की चोटी पर चढ़े। नीचे तलहटी में दानव लेटे हुए थे। नीचे बहुत सी जगहों पर आग जल रही थी और विशाल छायाएँ दिख रही थीं ... उन्हें देखकर ऐसा लग रहा था, जैसे छोटे-छोटे पहाड़ हिल रहे हों।'

रॉन ने धीरे से पूछा, 'वे कितने बड़े होते हैं ?'

'लगभग बीस फ़ुट,' हैग्रिड ने कहा। 'कुछ तो पच्चीस फ़ुट तक के हो सकते हैं।'

हैरी ने पूछा, 'और वे कितने थे ?'

'हमें लगता है, सत्तर-अस्सी होंगे,' हैग्रिड ने कहा।

हर्माइनी बोली, 'बस इतने ही?'

'हाँ,' हैग्रिड ने दुख से कहा, 'अस्सी बचे हैं, जबकि एक वक़्त उनकी संख्या बहुत ज़्यादा थी। दुनिया भर में उनकी सैकड़ों प्रजातियाँ थीं। लेकिन वे कई सदियों से नष्ट हो रहे हैं। ज़ाहिर है, कुछ को तो जादूगरों ने मार डाला, लेकिन ज़्यादातर आपस में ही लड़ मरे। और अब वे पहले से ज़्यादा तेज़ी से मर रहे हैं। उन्हें एक-दूसरे के इतने क़रीब रहने के लिए नहीं बनाया गया है। डम्बलडोर कहते हैं कि यह हमारी ग़लती है। जादूगरों ने ही उन्हें हमसे दूर जाकर रहने के लिए विवश किया है और उनके पास अपनी सुरक्षा के लिए एकजुट होने के अलावा कोई विकल्प नहीं था।'

हैरी ने कहा, 'तो तुमने उन्हें देख लिया। फिर क्या हुआ?'

हैग्रिड ने कहा, 'देखो, हमने सुबह होने का इंतज़ार किया। हम अँधेरे में चोरी से उनके पास नहीं जाना चाहते थे, वरना हम ख़तरे में पड़ जाते। रात को लगभग तीन बजे वे अपनी जगह बैठे-बैठे ही सो गए। हम सोने की हिम्मत नहीं जुटा पाए। एक बात तो यह थी कि हमें डर था कि कोई दानव जागकर हमारे पास न आ जाए और दूसरी यह कि उनके खर्राटों की आवाज़ बहुत तेज़ थी। सुबह होने तक तो ऐसा लगा, जैसे हिमस्खलन हो रहा हो।

'ख़ैर, सुबह की रोशनी होने पर हम उनसे मिलने गए।'

'बस ऐसे ही?' रॉन ने स्तब्ध दिखते हुए पूछा। 'तुम सीधे दानवों के शिविर में घुस गए?'

हैग्रिड बोला, 'डम्बलडोर ने हमें बता दिया था कि हमें यह काम कैसे करना है। गुर्ग को तोहफ़े दो, उसके प्रति सम्मान दिखाओ।'

हैरी ने पूछा, '*किसे* तोहफ़े दो?'

'गुर्ग को - यानी मुखिया को।'

रॉन ने पूछा, 'तुम्हें यह कैसे पता चला कि कौन सा दानव गुर्ग था?'

हैग्रिड मज़े लेते हुए मुस्कराया।

'कोई दिक्क़त नहीं आई,' उसने कहा। 'वह सबसे बड़ा, सबसे बदसूरत और सबसे आलसी दानव था। वह बैठा-बैठा हुक़्म चला रहा था कि दूसरे उसके लिए खाना लेकर आएँ। मरी हुई बकरियाँ और इसी तरह की चीज़ें। उसका नाम कार्कस था। वह बाईस-तेईस फ़ुट लंबा होगा और उसका वज़न दो बड़े हाथियों जितना होगा। उसकी चमड़ी गेंडे की खाल जैसी थी।'

हर्माइनी ने साँस रोककर पूछा, 'और तुम ऊपर चलकर उसके पास गए?'

'नहीं ... हम *नीचे* उतरकर उसके पास पहुँचे, क्योंकि वह घाटी में लेटा हुआ था। वे लोग चार ऊँचे पहाड़ों की तराई में थे, पास में ही एक पहाड़ी झील थी और कार्कस झील के पास लेटा-लेटा बाक़ी दानवों को हुक्म दे रहा था कि वे उसे और उसकी पत्नी को खाना दें। ऑलंपे और हम पहाड़ी से नीचे उतरे -'

रॉन ने हैरानी से पूछा, 'तुम्हें देखकर उन्होंने तुम्हें मारने की कोशिश नहीं की?'

हैग्रिड ने कंधे उचकाते हुए कहा, 'बेशक कई दानव ऐसा करना चाहते थे, लेकिन हमने वही किया, जो डम्बलडोर ने हमसे करने को कहा था। हमने अपना तोहफ़ा ऊँचा उठा लिया। हमने अपनी निगाह गुर्ग पर जमाए रखी और बाक़ी दानवों को नज़रअंदाज़ कर दिया। इस पर बाक़ी दानव ख़ामोश खड़े रहे और हमें घूरते रहे। हम सीधे कार्कस के पैरों के पास पहुँच गए। हमने सिर झुकाया और अपना तोहफ़ा उसके सामने रख दिया।'

'दानव को क्या दिया जा सकता है?' रॉन ने उत्सुकता से पूछा। 'खाना?'

'नहीं, खाना तो वह ख़ुद खोज सकता है,' हैग्रिड ने कहा। 'हम उसके पास जादू ले गए थे। दानवों को जादू पसंद होता है, बस उन्हें यह अच्छा नहीं लगता है कि हम उसका इस्तेमाल उनके ख़िलाफ़ करें। चाहे जो हो, पहले दिन हमने उसे अमर ज्वाला की टहनी दी।'

हर्माइनी ने धीरे से 'वाह' कहा, लेकिन हैरी और रॉन ने हैरानी से त्योरियाँ चढ़ा लीं।

'किसकी टहनी - ?'

'अमर ज्वाला,' हर्माइनी ने चिढ़ते हुए कहा। 'तुम लोगों को अब तक यह पता होना चाहिए था। प्रोफ़ेसर फ़्लिटविक ने क्लास में कम से कम दो बार इसका ज़िक्र किया है!'

'चाहे जो हो,' हैग्रिड ने जल्दी से कहा और रॉन को जवाब देने से रोक दिया, 'डम्बलडोर ने इस शाखा पर जादू कर दिया था, ताकि यह हमेशा जलती रहे, जो ज़्यादातर जादूगर नहीं कर सकते। हमने इसे कार्कस के क़दमों के पास बर्फ़ पर रखकर कहा, "दानवों के गुर्ग के लिए एल्बस डम्बलडोर का तोहफ़ा। उन्होंने आपका अभिवादन किया है।"'

हैरी ने उत्सुकता से पूछा, 'कार्कस ने क्या कहा?'

'कुछ नहीं,' हैग्रिड ने कहा। 'उसे अँग्रेजी नहीं आती थी।'

'तुम मज़ाक़ कर रहे हो!'

'लेकिन उससे कोई फ़र्क़ नहीं पड़ा!' हैग्रिड ने बिना विचलित हुए कहा, 'डम्बलडोर ने हमें चेतावनी दे दी थी कि ऐसा हो सकता है। कार्कस जानता था कि क्या करना है। उसने चिल्लाकर अँग्रेजी जानने वाले दो दानवों को बुला लिया और उन्होंने दुभाषिए का काम किया।'

रॉन ने पूछा, 'और उसे तोहफ़ा पसंद आया?'

'ओह हाँ, जब वे समझ गए कि यह क्या था, तो तूफ़ान मच गया,' हैग्रिड ने कहा और ड्रैगन के गोश्त को अपनी फूली आँख के ज़्यादा ठंडे हिस्से पर दबाया। 'बहुत ख़ुश हुआ। इसके बाद हमने कहा, "एल्बस डम्बलडोर गुर्ग से आग्रह करते हैं कि वह उनके दूत से बात कर लें। उनका दूत अगले दिन एक और तोहफ़ा लेकर आएगा।"'

हर्माइनी ने पूछा, 'तुमने गुर्ग से उसी दिन बात क्यों नहीं की?'

'डम्बलडोर चाहते थे कि हम यह काम बहुत धीरे-धीरे करें,' हैग्रिड ने कहा। 'उन्हें यह देख लेने दें कि हम अपने वादे निभाते हैं। *हम कल फिर आएँगे और एक नया तोहफ़ा देंगे।* और अगर हम अगले दिन एक नया तोहफ़ा देते हैं, तो इससे अच्छा प्रभाव पड़ता है, है ना? उन्हें पहले तोहफ़े की जाँच करने का समय दो और जान लेने दो कि यह अच्छा है। इससे वे और तोहफ़ों के लिए ज़्यादा उत्सुक हो जाएँगे। वैसे भी कार्कस जैसे दानवों के साथ यह होता है कि अगर उन्हें ज़रूरत से ज़्यादा जानकारी दे दो, तो वे चीज़ों को आसान बनाने के लिए आपको मार डालते हैं। इसलिए हम सिर झुकाकर रास्ते से हट गए और दूर जाकर एक अच्छी छोटी गुफा में रात बिताई। अगली सुबह हम दोबारा गए। इस बार हमने पाया कि कार्कस बैठकर हमारा इंतज़ार कर रहा था और उत्सुक था।'

'और तुमने उससे बात की?'

'ओह हाँ। पहले तो हमने उसे तोहफ़े में बेहतरीन लड़ाकू हेलमेट दिया - जिसे पिशाचों ने बनाया था और जिसे तोड़ा नहीं जा सकता था - फिर हमने बैठकर बातें कीं।'

'उसने क्या कहा?'

'ज़्यादा नहीं,' हैग्रिड ने कहा। 'ज़्यादातर सुनता रहा। लेकिन संकेत अच्छे थे। उसने डम्बलडोर के बारे में सुन रखा था। उसने सुना था कि डम्बलडोर ने ब्रिटेन के आख़िरी दानवों को मारने के ख़िलाफ़ संघर्ष किया था। कार्कस डम्बलडोर की बात सुनने में काफ़ी रुचि लेता दिख रहा था। कुछ और दानव भी, ख़ासकर अँग्रेजी समझने वाले, क़रीब आकर सुनने लगे। जब हम उस दिन वहाँ से लौटे, तो हमें कामयाबी की उम्मीद थी। हमने अगले दिन सुबह एक और

तोहफ़े के साथ आने का वादा किया।

'लेकिन उस रात को सब कुछ गड़बड़ हो गया।'

रॉन ने जल्दी से पूछा, 'क्या मतलब ?'

'जैसा हमने कहा, दानव साथ रहने के लिए नहीं बने हैं,' हैग्रिड ने दुख से कहा। 'इतने बड़े समूह में रहने के लिए नहीं। वे ख़ुदमुख़्तार होते हैं। वे हर कुछ हफ़्ते बाद एक-दूसरे से झगड़ने लगते हैं। दानव एक-दूसरे से लड़ते हैं और दानवियाँ एक-दूसरे से लड़ती हैं। पुरानी प्रजातियाँ एक-दूसरे से लड़ती हैं। ज़ाहिर है, इन झगड़ों का कारण खाना, आग या सोने की जगह नहीं होती है। उनकी प्रजाति लुप्त होने की कगार पर है, इसलिए कोई भी यह सोचेगा कि उन्हें एक-दूसरे को सहारा देना चाहिए, लेकिन ...'

हैग्रिड ने गहरी आह भरी।

'उस रात को लड़ाई छिड़ गई। हम अपनी गुफा के बाहर से नीचे घाटी की तरफ़ देखते रहे। यह घंटों तक चली। बहुत ज़्यादा शोर हो रहा था। जब सूरज निकला, तो बर्फ़ लाल हो चुकी थी और उसका सिर झील के पास पड़ा हुआ था।'

'किसका सिर ?' हर्माइनी ने आह भरी।

'कार्कस का,' हैग्रिड ने भारी आवाज़ में कहा। 'अब उसकी जगह एक नया गुर्ग बन गया था। उसका नाम गोल्गोमैथ था,' उसने गहरी आह भरी। 'देखो, हमने इस बात की कल्पना नहीं की थी कि पहले गुर्ग के साथ दोस्ताना संपर्क के दो दिन बाद ही गुर्ग बदल जाएगा। हमारे मन में यह अजीब भावना थी कि गोल्गोमैथ हमारी बात सुनने के लिए इतना उत्सुक नहीं होगा, लेकिन हमें कोशिश तो करनी ही थी।'

रॉन ने हैरानी से पूछा, 'तुम उससे बात करने गए ? तुमने उसे दूसरे दानव का सिर काटते देखा था, उसके बावजूद ?'

'और क्या,' हैग्रिड ने कहा। 'हम इतनी दूर इसलिए नहीं गए थे कि दो दिन बाद ही हार मानकर लौट आएँ! हम अगले तोहफ़े को लेकर नीचे गए, जो हम कार्कस को देने वाले थे।

'अपना मुँह खोलने से पहले ही हम जान गए कि हमारी कोशिश सफल नहीं होगी। वह वहाँ पर कार्कस का हेलमेट पहने बैठा था और हमारे क़रीब पहुँचने पर उसने हमारी तरफ़ ग़ुस्से से देखा। वह बहुत बड़ा था - सबसे बड़ा दानव। उसके बाल काले थे, दाँत भी काले थे और उसके गले में हड्डियों का हार था। कुछ तो इंसानों की हड्डियाँ लग रही थीं। तो हमने कोशिश की -

ड्रैगन की खाल का एक बड़ा रोल दिखाया और कहा, "दानवों के मुखिया के लिए तोहफ़ा–" अगले ही पल उसके दो साथियों ने हमें पकड़कर हवा में उल्टा लटका दिया।'

हर्माइनी ने अपने मुँह पर हाथ रख लिए।

हैरी ने पूछा, 'तुम छूटे *कैसे?*'

हैग्रिड बोला, 'अगर ऑलंपे नहीं होती, तो कभी नहीं छूट पाते। उसने अपनी छड़ी बाहर निकाली और बहुत तेज़ी से जादू कर दिया। हमने इतना तेज़ जादू पहले कभी नहीं देखा। बहुत ही अद्भुत। जिन दो दानवों ने हमें पकड़ रखा था, उसने उनकी आँखों पर कंजंक्टिवाइटिस शाप कर दिया, जिससे उन्होंने हमें तत्काल छोड़ दिया – लेकिन इससे हम मुश्किल में पड़ गए, क्योंकि हमने उनके ख़िलाफ़ जादू कर दिया था और दानव जादूगरों की इसी बात से चिढ़ते हैं। हमें यह काम करना ही था, लेकिन हम जानते थे कि अब हम उनके शिविर में नहीं जा सकते।'

'ओह, हैग्रिड,' रॉन ने धीरे से कहा।

हर्माइनी ने पूछा, 'अगर तुम वहाँ पर सिर्फ़ तीन दिन रहे, तो तुम्हें घर लौटने में इतना समय कैसे लग गया?'

'हम तीन दिन में ही हार मानकर नहीं लौटे!' हैग्रिड ने आवेश में कहा। 'डम्बलडोर तो हमारे भरोसे बैठे थे!'

'लेकिन तुम्हीं ने तो अभी कहा कि तुम किसी तरीक़े से वहाँ नहीं जा सकते थे!'

'दिन की रोशनी में नहीं जा सकते थे। हमें इसके बारे में दोबारा सोचना पड़ा। दो-तीन दिन गुफा में रहकर देखते रहे। और हमने जो देखा, वह हमें अच्छा नहीं लगा।'

हर्माइनी ने सहमी हुई आवाज़ में पूछा, 'क्या उसने और सिर उखाड़े?'

'नहीं,' हैग्रिड ने कहा, 'काश ऐसा हुआ होता।'

'क्या मतलब?'

'हमारा मतलब है, हमें जल्दी ही पता चल गया कि उसे सभी जादूगरों से मिलना नापसंद नहीं था – सिर्फ़ हमसे मिलना नापसंद था।'

हैरी ने तत्काल कहा, 'प्राणभक्षी?'

'हाँ,' हैग्रिड ने भारी आवाज़ में कहा। 'उनमें से दो हर दिन उससे मिलते थे, उसे तोहफ़े देते थे और वह उन्हें उल्टा नहीं लटकाता था।'

रॉन ने पूछा, 'तुम्हें कैसे पता चला कि वे प्राणभक्षी थे?'

'क्योंकि हम उनमें से एक को पहचानते थे,' हैग्रिड गुर्राया। 'मैकनेअर, याद है? वह जो बकबीक को मारने आया था? वह सिरफिरा है। उसे भी ख़ून-ख़राबा उतना ही पसंद है, जितना कि गोल्गोमैथ को था। कोई हैरानी नहीं कि उनकी आपस में इतनी पट रही थी।'

हर्माइनी ने हताशा में पूछा, 'तो मैकनेअर ने दानवों को राज़ी कर लिया कि वे तुम-जानते-हो-कौन का साथ दें?'

'गरुड़अश्वो, चुप रहो, अभी हमने अपनी कहानी पूरी नहीं की है!' हैग्रिड ने ग़ुस्से से कहा। मज़े की बात यह थी कि शुरुआत में तो वह उन्हें कुछ भी नहीं बताना चाहता था, लेकिन अब उसे सुनाने में मज़ा आ रहा था। 'हमने और ऑलंपे ने इस बारे में बातचीत की। हम इस नतीजे पर पहुँचे कि अगर मुखिया तुम-जानते-हो-कौन के पक्ष में है, तो इसका यह मतलब नहीं है कि सभी दानव उसके पक्ष में होंगे। हमने सोचा कि हमें दूसरे दानवों को राज़ी करने की कोशिश करनी चाहिए, जो गोल्गोमैथ को मुखिया के रूप में पसंद नहीं करते थे।'

रॉन ने पूछा, 'तुम्हें कैसे पता चला कि वे कौन से थे?'

'देखो, मार-मारकर उनका कचूमर बना दिया गया था,' हैग्रिड ने धैर्य से कहा। 'जो ज़रा भी समझदार थे, वे गोल्गोमैथ के रास्ते से हटकर हमारी तरह गुफाओं में छिप गए थे। इसलिए हमने रात को गुफाओं में झाँककर देखने का फ़ैसला किया, ताकि शायद हम उनमें से कुछ को राज़ी कर सकें।'

रॉन ने सम्मान के साथ कहा, 'तुम रात को दानवों की तलाश में अँधेरी गुफाओं में गए?'

हैग्रिड बोला, 'देखो, हमें दानवों की ज़्यादा चिंता नहीं थी, हमें तो प्राणभक्षियों की ज़्यादा चिंता थी। डम्बलडोर ने हमें बता दिया था कि बनते कोशिश हमें उनसे नहीं उलझना है और दिक़्क़त यह थी कि उन्हें भी पता था कि हम आस-पास हैं - शायद गोल्गोमैथ ने उन्हें हमारे बारे में बता दिया था। रात को जब दानव सो रहे थे और हम गुफाओं में झाँकना चाहते थे, तो मैकनेअर और दूसरा जादूगर पहाड़ों में हमारी तलाश में भटक रहे थे। हमें ऑलंपे को रोकना पड़ा, वरना वह तो उन पर हमला कर देती,' हैग्रिड ने कहा और उसके मुँह के कोनों ने उसकी दाढ़ी को ऊपर उठा दिया, 'वह उन पर हमला करने के लिए छटपटा रही थी ... जब उसे ग़ुस्सा आता है, तो वह देखने लायक़ होती है ... बिलकुल आग की लपट ... शायद यह फ़्रांसीसी होने के कारण होगा ...'

हैग्रिड नम आँखों से आग को निहारने लगा। हैरी ने उसे याद करने के लिए तीस सेकंड का समय दिया और फिर ज़ोर से अपना गला साफ़ किया।

'फिर क्या हुआ ? क्या तुम दूसरे दानवों के पास गए ?'

'क्या ? ओह ... ओह, हाँ, हम गए। हाँ, कार्कस के मरने के बाद तीसरी रात को हम अपनी गुफा से बाहर निकले। हम प्राणभक्षियों से बचकर खोजी अभियान पर निकले। हमने कुछ गुफाओं में झाँककर देखा, लेकिन वहाँ कोई नहीं मिला - लेकिन छठी गुफा में हमें तीन दानव मिल गए, जो छिपे हुए थे।'

रॉन ने कहा, 'गुफा ठसाठस भरी होगी।'

हैग्रिड ने कहा, 'पैर रखने तक की जगह नहीं थी।'

हर्माइनी ने पूछा, 'तुम्हें देखते ही उन्होंने तुम पर हमला नहीं किया ?'

हैग्रिड बोला, 'अगर उनकी हालत ठीक होती, तो शायद वे ऐसा ही करते। लेकिन वे तीनों बुरी तरह घायल थे। गोल्गोमैथ के साथियों ने उन्हें पीट-पीट कर अधमरा कर दिया था। होश में आने पर वे रेंगकर सबसे पास वाली गुफा में छिप गए। खैर, उनमें से एक अँग्रेजी जानता था और उसने बाक़ी दानवों को हमारी बात समझा दी। उन्हें हमारी बातें बुरी नहीं लगीं। इसलिए हम जाकर घायलों से मिलते रहे ... मुझे लगता है कि एक वक़्त तो ऐसा था, जब हमने उनमें से छह या सात को मना लिया था ?'

रॉन ने उत्साह से कहा, 'छह या सात ? यह तो बुरा नहीं है - क्या वे हमारे दल में शामिल हो जाएँगे और तुम-जानते-हो-कौन से लड़ने लगेंगे ?'

लेकिन हर्माइनी ने पूछा, 'हैग्रिड, "एक वक़्त" से तुम्हारा क्या मतलब है ?'

हैग्रिड ने उसकी तरफ़ दुख भरी निगाह से देखा।

'गोल्गोमैथ के साथियों ने गुफाओं पर धावा बोल दिया। उसके बाद तो बचे हुए दानव हमारी शक्ल तक देखने को तैयार नहीं थे।'

रॉन ने निराश दिखते हुए कहा, 'तो ... तो एक भी दानव नहीं आ रहा है ?'

'नहीं,' हैग्रिड ने एक गहरी आह भरते हुए कहा। ड्रैगन का गोश्त अपने चेहरे के ज़्यादा ठंडे हिस्से से चिपकाते हुए वह बोला, 'लेकिन हमने वह कर दिया, जो हम करने गए थे। हमने उन्हें डम्बलडोर का संदेश दे दिया। उनमें से कुछ ने उसे सुना और मुझे लगता है कि वे उसे नहीं भूलेंगे। हो सकता है कि गोल्गोमैथ को नापसंद करने वाले दानव कहीं दूर चले जाएँ। हो सकता है कि वे यह याद रखें कि डम्बलडोर उनके प्रति दोस्ताना हैं ... हो सकता है कि वे लोग हमारे साथ आ जाएँ।'

अब बर्फ़ खिड़की पर जमा हो रही थी। हैरी को एहसास हुआ कि उसके

दुशालों के घुटने गीले थे। फ़ैंग हैरी की गोद में सिर रखकर लार टपका रहा था।

'हैग्रिड ?' हर्माइनी ने कुछ देर बाद धीरे से कहा।

'हूं ?'

'जब तुम वहाँ थे, तो क्या तुमने ... क्या तुम्हें पता चला ... क्या तुम्हें ... अपनी ... अपनी ... माँ के बारे में पता चला ?'

हैग्रिड ने अपनी सही-सलामत आँख से हर्माइनी को देखा, जिससे वह थोड़ी घबरा गई।

'मुझे अफ़सोस है ... मैं ... मैं भूल गई थी –'

हैग्रिड ने कहा, 'मर गईं। उन्होंने हमें बताया, बरसों पहले मर गईं।'

'ओह ....मुझे ... मुझे सचमुच अफ़सोस है,' हर्माइनी ने बहुत धीरे से कहा। हैग्रिड ने अपने विशाल कंधे उचका दिए।

'कोई ज़रूरत नहीं है,' उसने कहा। 'हमें उनकी ज़्यादा याद नहीं है। वे बहुत बढ़िया माँ नहीं थीं।'

वह एक बार फिर ख़ामोश हो गया। हर्माइनी ने घबराकर हैरी और रॉन की तरफ़ देखा। स्पष्ट रूप से वह चाहती थी कि अगली बात वे शुरू करें।

रॉन ने हैग्रिड के ख़ून से सने चेहरे की तरफ़ इशारा करते हुए कहा, 'हैग्रिड, लेकिन तुमने अभी तक यह नहीं बताया कि तुम्हारी यह हालत कैसे हुई?'

'या तुम्हें आने में इतनी देर कैसे लग गई,' हैरी ने कहा। 'सिरियस ने बताया था कि मैडम मैक्सिम तो बहुत पहले आ गई थीं –'

रॉन ने पूछा, 'तुम पर किसने हमला किया ?'

'हम पर हमला नहीं हुआ!' हैग्रिड ने ज़ोर से कहा। 'हम –'

लेकिन उसके बाक़ी शब्द दरवाज़े पर अचानक हुई दस्तक के शोर में डूब गए। हर्माइनी ने साँस खींची। उसका मग छूट गया और फ़र्श पर गिरकर टूट गया। फ़ैंग ज़ोर से भौंका। चारों दरवाज़े के पास वाली खिड़की को घूरने लगे। कोई नाटी और मोटी छाया पतले पर्दे के पार लहरा रही थी।

'*वही हैं!*' रॉन फुसफुसाकर बोला।

'जल्दी से इसके नीचे आ जाओ!' हैरी ने जल्दी से कहा। उसने अदृश्य चोगा उठाया, उसे अपने और हर्माइनी के ऊपर डाला, जबकि रॉन टेबल के पार से घूमता हुआ चोगे के नीचे घुस गया। वे तीनों एक कोने में चले गए। फ़ैंग दरवाज़े पर बुरी तरह भौंक रहा था। हैग्रिड बहुत दुविधा में था।

'हैग्रिड, हमारे मग छिपा देना!'

हैग्रिड ने हैरी और रॉन के मग उठाकर फ़ैंग की बास्केट में कुशन के नीचे रख दिए। फ़ैंग अब दरवाज़े पर कूद रहा था। हैग्रिड ने उसे अपने पैर से धकाते हुए दरवाज़ा खोल दिया।

प्रोफ़ेसर अंबरिज अपने हरे ऊनी चोगे और उसी रंग के हैट में दरवाज़े के बाहर खड़ी थीं। उनके होंठ सिकुड़े हुए थे और हैग्रिड का चेहरा देखने के लिए वे पीछे झुकी थीं, क्योंकि वे मुश्किल से उसकी नाभि तक पहुँच पा रही थीं।

'*तो,*' उन्होंने धीरे-धीरे लेकिन ज़ोर से कहा, जैसे किसी बहरे व्यक्ति से बात कर रही हों। 'तुम ही हैग्रिड हो, है ना?'

जवाब का इंतज़ार किए बिना वे कमरे में आ गईं और उनकी बाहर निकलती आँखें हर दिशा में घूमने लगीं।

'दूर हटो,' उन्होंने फ़ैंग की तरफ़ अपना हैंडबैग लहराते हुए कहा, जो उन पर उछल रहा था और उनका चेहरा चाटने की कोशिश कर रहा था।

'देखिए - हम अशिष्टता नहीं करना चाहते हैं,' हैग्रिड ने उनकी तरफ़ घूरते हुए कहा, 'लेकिन आप आख़िर हैं कौन?'

'मेरा नाम डोलोरेस अंबरिज है।'

उनकी आँखें पूरे केबिन का मुआयना कर रही थीं। दो बार उनकी निगाह उस कोने तक गई, जहाँ हैरी रॉन और हर्माइनी के बीच सैंडविच बना खड़ा था।

'डोलोरेस अंबरिज?' हैग्रिड ने पूरी तरह दुविधा में कहा। 'हमारे ख़्याल से आप मंत्रालय में थीं - क्या आप फ़ज के साथ काम नहीं करती हैं?'

'मैं मंत्रीजी की सीनियर अंडरसेक्रेटरी थी,' अंबरिज ने केबिन में चारों तरफ़ चक्कर लगाते हुए कहा और दीवार से टिके झोले से लेकर यात्री चोगे तक सभी छोटी-छोटी बातों पर ग़ौर करती रहीं। 'अब मैं गुप्त कलाओं से रक्षा विषय की टीचर हूँ -'

'आप बड़ी बहादुर हैं,' हैग्रिड ने कहा, 'उस काम को करने की इच्छा बहुत कम लोगों की होगी।'

'- और हॉगवर्ट्स की सर्वोच्च प्रशासक भी,' अंबरिज ने कहा और इस बात का कोई संकेत नहीं दिया कि उन्होंने हैग्रिड की बात सुनी थी।

'वह क्या है?' हैग्रिड ने त्योरियाँ चढ़ाकर कहा।

'यही मैं पूछने जा रही थी,' अंबरिज ने कहा और फ़र्श पर चीनी मिट्टी के टुकड़ों की तरफ़ इशारा किया, जो हर्माइनी के मग के थे।

'ओह,' हैग्रिड ने कहा और लाचारी से उस कोने की तरफ़ देखा, जहाँ

हैरी, रॉन और हर्माइनी छिपे खड़े थे, 'ओह, वह तो ... फ़ैंग ने किया था। उसने मग तोड़ दिया था। इसलिए हमें उसके बजाय इसका इस्तेमाल करना पड़ा।'

हैग्रिड ने उस मग की तरफ़ इशारा किया, जिससे वह पी रहा था। उसका एक हाथ अब भी अपनी आँख से टिके ड्रैगन के गोश्त पर रखा था। अंबरिज उसके सामने खड़ी हो गईं और केबिन के बजाय अब ग़ौर से उसका हुलिया देखने लगीं।

उन्होंने धीरे से कहा, 'मुझे कुछ आवाज़ें सुनाई दी थीं।'

हैग्रिड ने दृढ़ता से जवाब दिया, 'हम फ़ैंग से बातें कर रहे थे।'

'और वह भी तुमसे बातें कर रहा था?'

'हाँ ... एक तरह से,' हैग्रिड ने थोड़ी बेचैनी से कहा। 'हम कई बार कहते हैं कि फ़ैंग इंसान जैसा ही है -'

अंबरिज ने रेशमी अंदाज़ में कहा, 'महल से तुम्हारे केबिन तक तीन लोगों के पैरों के निशान आए हैं।'

हर्माइनी की साँस बाहर निकल गई। हैरी ने उसके मुँह पर हाथ रख दिया। सौभाग्य से उस वक़्त फ़ैंग प्रोफ़ेसर अंबरिज के दुशालों के कोनों को जमकर सूँघ रहा था, इसलिए उन्हें हर्माइनी के साँस छोड़ने की आवाज़ सुनाई नहीं दी।

'देखिए, हम अभी-अभी लौटे हैं,' हैग्रिड ने झोले की तरफ़ अपना विशाल हाथ लहराते हुए कहा। 'शायद कोई पहले मिलने आया होगा और हम उसे नहीं मिले होंगे।'

'लेकिन तुम्हारे केबिन के दरवाज़े से जाने वाले क़दमों के निशान नहीं हैं।'

'देखिए, हम ... हम नहीं जानते कि ऐसा क्यों है ...' हैग्रिड ने घबराहट में अपनी दाढ़ी खींची और मदद की तलाश में उस कोने की तरफ़ निगाह डाली, जहाँ हैरी, रॉन और हर्माइनी खड़े थे, 'ओह ...'

अंबरिज पलटीं और पूरे केबिन में घूमकर चारों तरफ़ ध्यान से देखने लगीं। उन्होंने झुककर पलंग के नीचे झाँका और फिर हैग्रिड की अलमारी देखी। वे उस जगह से दो इंच दूर से निकलीं, जहाँ हैरी, रॉन और हर्माइनी दीवार से टिके खड़े थे। जब वे पास से निकलीं, तो हैरी ने तो अपना पेट भी अंदर कर लिया। हैग्रिड खाना बनाने के लिए जिस विशाल कड़ाही का इस्तेमाल करता था, उसमें सावधानी से देखने के बाद वे मुड़कर पूछने लगीं, 'तुम्हें क्या हुआ है? ये चोटें कैसे लगीं?'

हैग्रिड ने जल्दी से अपने चेहरे से ड्रैगन के गोश्त को हटा दिया, जो हैरी

की राय में एक ग़लती थी, क्योंकि अब उसकी आँख के चारों तरफ़ की काली और बैंगनी चोटें साफ़ दिख रही थीं। यही नहीं, उसके चेहरे पर ताज़ा और जमा हुआ ख़ून भी दिख रहा था। उसने कमज़ोर आवाज़ में कहा, 'ओह, हमारे ... हमारे साथ दुर्घटना हो गई थी।'

'किस तरह की दुर्घटना?'

'हम गिर गए थे।'

उन्होंने ठंडेपन से दोहराया, 'तुम गिर गए थे।'

'हाँ। एक दोस्त के घोड़े पर से। हम झाड़ू पर नहीं उड़ते हैं। हमारे आकार को देखें, हमें नहीं लगता कि कोई झाड़ू हमारा वज़न सँभाल सकती है। हमारा एक दोस्त अब्रैक्सान घोड़ों को पालता है, हमें नहीं पता कि आपने उन्हें कभी देखा है या नहीं, बहुत बड़े और पंखदार होते हैं। हमने उन पर थोड़ी सवारी की और तभी -'

हैग्रिड की बकवास के बीच में ठंडेपन से हस्तक्षेप करते हुए अंबरिज ने पूछा, 'तुम गए कहाँ थे?'

'हम गए -'

'कहाँ थे, हाँ,' उन्होंने कहा। 'सत्र शुरू हुए दो महीने हो चुके हैं। वैकल्पिक टीचर को तुम्हारी क्लासें लेनी पड़ रही हैं। तुम्हारा कोई साथी टीचर मुझे तुम्हारे पते-ठिकाने की जानकारी नहीं दे पाया। तुम कोई पता छोड़कर नहीं गए थे, जहाँ तुमसे संपर्क किया जा सके। तुम गए कहाँ थे?'

थोड़ी देर ख़ामोशी छाई रही, जिसमें हैग्रिड अपनी नई खुली आँख से उन्हें घूरता रहा। हैरी को उसके दिमाग़ के तेज़ी से काम करने की जैसे आवाज़ सुनाई दे रही थी।

उसने कहा, 'हम - हम अपनी सेहत ठीक करने गए थे।'

'सेहत ठीक करने,' प्रोफ़ेसर अंबरिज ने दोहराया। उनकी आँखें हैग्रिड के रंगहीन और सूजे हुए चेहरे पर पड़ीं, जिस पर से ड्रैगन का ख़ून धीरे-धीरे उसके कुरते पर टपक रहा था। 'अच्छा।'

'हाँ,' हैग्रिड ने कहा, 'थोड़ी - ताज़ी हवा खाने -'

अंबरिज ने मीठी आवाज़ में कहा, 'हाँ, गेमकीपर के रूप में ताज़ी हवा मुश्किल से ही मिलती होगी।' हैग्रिड के चेहरे का वह छोटा सा हिस्सा, जो काला या बैंगनी नहीं था, लाल हो गया।

'देखिए, हवा-पानी बदलने गए थे -'

अंबरिज ने तेज़ी से पूछा, 'पहाड़ों पर?'

हैरी ने हताशा से सोचा, *वे जानती हैं।*

'पहाड़?' हैग्रिड ने दोहराया, जो स्पष्ट रूप से तेज़ी से सोच रहा था। 'नहीं, हमारे लिए तो दक्षिणी फ्रांस ही ठीक है। थोड़ी सी धूप ... और समुद्र का किनारा।'

'अच्छा?' अंबरिज ने कहा। 'तुम्हारी चमड़ी तो सूर्य की रोशनी से ज़्यादा जली हुई दिख नहीं रही है।'

'हाँ ... चमड़ी संवेदनशील जो है,' हैग्रिड ने मुस्कान लाने की कोशिश करते हुए कहा। हैरी ने देखा कि उसके दो दाँत भी ग़ायब थे। अंबरिज ने उसकी तरफ़ ठंडेपन से देखा, जिससे उसकी मुस्कान कमज़ोर पड़ गई। फिर उन्होंने अपने हैंडबैग को अपनी बाँह पर थोड़ा ऊपर खिसकाया और बोलीं, 'ज़ाहिर है, मैं मंत्रीजी को तुम्हारे देर से लौटने के बारे में सूचित करूँगी।'

'ठीक है,' हैग्रिड ने सिर हिलाते हुए कहा।

'तुम्हें यह भी पता होना चाहिए कि सर्वोच्च प्रशासक होने के नाते यह मेरा दुर्भाग्यपूर्ण लेकिन आवश्यक कर्तव्य है कि मैं अपने साथी टीचर्स का इंस्पेक्शन करूँ। इसलिए मैं कह सकती हूँ कि हम जल्दी ही फिर मिलेंगे।'

वे तेज़ी से पलटीं और दरवाज़े तक गईं।

हैग्रिड ने सूनेपन से दोहराया, 'आप हमारा इंस्पेक्शन कर रही हैं?'

'ओह हाँ,' अंबरिज ने धीरे से कहा और अपने हाथ को दरवाज़े के हैंडल पर रखकर उसकी तरफ़ पलटकर देखा। 'मंत्रालय ने ठान लिया है कि वह उन टीचर्स को बाहर निकाल देगा, जो संतोषजनक नहीं हैं। गुडनाइट हैग्रिड।'

वे चली गईं और झटके से अपने पीछे दरवाज़ा बंद कर गईं। हैरी अदृश्य चोगा उतारने ही वाला था, लेकिन हर्माइनी ने उसकी कलाई पकड़ ली।

'अभी नहीं,' उसने उसके कान में कहा। 'हो सकता है वे अभी नहीं गई हों।'

हैग्रिड भी इसी दिशा में सोच रहा था। वह कमरे के पार गया और उसने पर्दे को एक इंच खोल दिया।

उसने धीमी आवाज़ में कहा, 'वे महल की तरफ़ लौट रही हैं। हे भगवान ... टीचर्स का इंस्पेक्शन कर रही हैं, ऐसा क्या?'

'हाँ,' हैरी ने चोगा खींचते हुए कहा। 'ट्रिलोनी पहले ही प्रोबेशन पर हैं ...'

'हूँ ... हैग्रिड, अब यह बताओ, क्लास में तुम हमें क्या पढ़ाने की योजना बना रहे हो?'

'ओह, उसके बारे में चिंता मत करो। हमने बहुत सारी चीज़ों की योजना बना रखी है,' हैग्रिड ने उत्साह से कहा और ड्रैगन के गोश्त को टेबल से उठाकर दोबारा अपनी आँख से चिपका लिया। 'हमने तुम्हारे **ओ.डब्ल्यू.एल.** वाले ईयर के लिए दो-तीन प्राणी बचाकर रखे थे। तुम देखना तो सही, वे सचमुच बहुत ख़ास हैं।'

हर्माइनी ने झिझकते हुए पूछा, 'अच्छा ... किस तरह से ख़ास हैं?'

'हम नहीं बताएँगे,' हैग्रिड ख़ुश होकर बोला। 'हम बताकर तुम्हारा मज़ा ख़राब नहीं करना चाहते।'

'देखो हैग्रिड,' हर्माइनी ने बहुत उतावलेपन से कहा और सारा नाटक छोड़ दिया। 'अगर तुम क्लास में किसी ख़तरनाक प्राणी को ले आए, तो प्रोफ़ेसर अंबरिज ज़्यादा ख़ुश नहीं होंगी।'

'ख़तरनाक?' हैग्रिड ने बड़े प्यार से देखते हुए कहा। 'बेवक़ूफ़ मत बनो, मैं तुम लोगों को कोई ख़तरनाक चीज़ नहीं दूँगा! मेरा मतलब है, वे अपना ख़्याल ख़ुद रख सकते हैं -'

हर्माइनी ने गंभीरता से कहा, 'हैग्रिड, तुम्हें अंबरिज के इंस्पेक्शन में पास होना है और ऐसा करने के लिए यह अच्छा रहेगा, अगर वे यह देखें कि तुम हमें पोरलॉक्स की देखभाल करना सिखा रहे हो, नार्ल्स और हेजहॉग के बीच फ़र्क़ करना सिखा रहे हो, इसी तरह की चीज़!'

'लेकिन हर्माइनी, ये चीज़ें ज़्यादा दिलचस्प नहीं हैं,' हैग्रिड ने कहा। 'हमारे पास जो चीज़ है, वह बहुत ज़्यादा प्रभावी है। हम उसे बरसों से पाल रहे हैं। हमें लगता है कि ब्रिटेन में सिर्फ़ हमारे ही पास इसका एकमात्र पालतू समूह है।'

'हैग्रिड ... प्लीज़ ...' हर्माइनी ने कहा। अब उसकी आवाज़ में सचमुच हताशा का पुट था। 'अंबरिज उन टीचर्स को बाहर निकालने का कोई बहाना तलाश रही हैं, जिन्हें वे डम्बलडोर के ज़्यादा क़रीब समझती हैं। प्लीज़, हैग्रिड, हमें कोई नीरस चीज़ पढ़ाओ, जो हमारे **ओ.डब्ल्यू.एल.** में आने वाली हो।'

लेकिन हैग्रिड ने सिर्फ़ जम्हाई ली और कोने में रखे विशाल पलंग की तरफ़ एक आँख से हसरत भरी निगाह डाली।

'सुनो, दिन बहुत लंबा था और अब काफ़ी रात हो चुकी है,' उसने हर्माइनी के कंधे को हल्का सा थपथपाया, जिससे हर्माइनी के घुटने मुड़ गए और वह धम्म से फ़र्श पर गिर गई। 'ओह - सॉरी -' उसने हर्माइनी का दुशाला पकड़कर उसे उठाते हुए कहा। 'देखो, हमारे बारे में चिंता मत करो। हम तुमसे वादा करते हैं कि हमने तुम्हारी क्लास के लिए एक बेहतरीन योजना बनाई है ...

बेहतर होगा कि अब तुम लोग लौट जाओ और अपने पीछे अपने पैरों के निशान मिटाना मत भूलना!'

'मुझे नहीं पता कि उसे तुम्हारी बात समझ में आई थी,' रॉन ने कुछ समय बाद कहा, जब यह जाँच करने के बाद कि रास्ता साफ़ था, वे तेज़ गिरती बर्फ़ के बीच होते हुए महल तक लौटे। चलते समय उनके पीछे क़दमों के निशान नहीं दिख रहे थे, क्योंकि हर्माइनी लोपन सम्मोहन करती जा रही थी।

'तो मैं उसके पास कल फिर जाऊँगी,' हर्माइनी ने संकल्प के साथ कहा। 'अगर ज़रूरत पड़ी, तो मैं उसकी क्लास की पूरी योजना बना दूँगी। अगर वे ट्रिलोनी को बाहर निकाल दें, तो मुझे परवाह नहीं है, लेकिन मैं उन्हें हैग्रिड को नहीं निकालने दूँगी!'

अध्याय इक्कीस

साँप की आँख

रविवार सुबह हर्माइनी दो फ़ुट ऊँची बर्फ़ पर चलकर हैग्रिड के केबिन की तरफ़ गई। हैरी और रॉन भी उसके साथ जाना चाहते थे, लेकिन उनके होमवर्क का पहाड़ इतनी ख़तरनाक ऊँचाई तक पहुँच चुका था कि उन्हें मन मसोसकर हॉल में ही रुकना पड़ा। वे बाहर मैदान से आती ख़ुशी भरी आवाज़ों को नज़रअंदाज़ करने की कोशिश कर रहे थे, जहाँ विद्यार्थी जमी हुई झील पर स्केटिंग का लुत्फ़ ले रहे थे, बर्फ़गाड़ी पर सवारी कर रहे थे और सबसे बुरी बात यह थी कि बर्फ़ के गोलों पर जादू करके उन्हें गरुड़द्वार की मीनार की खिड़कियों पर फेंक रहे थे।

जब रॉन का धैर्य आख़िर जवाब दे गया, तो वह अपना सिर खिड़की से बाहर निकालकर चिल्लाया, 'ओए! मैं प्रिफ़ेक्ट हूँ! अब अगर बर्फ़ का एक और गोला इस खिड़की पर पड़ा तो - **आउच!**'

उसने अपना सिर तेज़ी से अंदर कर लिया। उसका पूरा चेहरा बर्फ़ से ढँक चुका था।

'फ़्रेड और जॉर्ज हैं,' उसने खिड़की बंद करते हुए कटुता से कहा। 'मूर्ख कहीं के ...'

हर्माइनी लंच से ठीक पहले हैग्रिड के यहाँ से लौट आई। वह थोड़ी काँप रही थी और उसके दुशाले घुटनों तक भीगे हुए थे।

उसे अंदर आते देख रॉन ने उससे पूछा, 'क्या हुआ ? उसकी क्लासों की योजना बना दी ?'

'मैंने कोशिश की थी,' उसने नीरसता से कहा और हैरी के पास वाली कुर्सी में धँस गई। उसने अपनी छड़ी बाहर निकाली और जटिल तरीक़े से लहराकर उसकी नोक से गर्म हवा निकाली। उसने छड़ी की नोक अपने दुशालों की तरफ़ घुमाई और उन्हें सुखाने लगी। 'जब मैं वहाँ पहुँची, तो वह वहाँ नहीं

था। मैं कम से कम आधे घंटे तक दरवाज़ा खटखटाती रही। फिर वह जंगल में से निकलकर आया –'

हैरी ने आह भरी। अँधेरा जंगल ऐसे प्राणियों से भरा पड़ा था, जो हैग्रिड की नौकरी ले सकते थे। उसने पूछा, 'उसने वहाँ क्या रखा हुआ है? उसने कुछ बताया?'

'नहीं,' हर्माइनी ने दुखी होकर कहा। 'वह कहता है कि वह हमें हैरान करना चाहता है। मैंने उसे अंबरिज के बारे में बताने की कोशिश की, लेकिन वह समझने को तैयार ही नहीं है। वह यही कहता रहा कि कोई भी सही दिमाग़ वाला व्यक्ति शिमेराज़ के बजाय नार्ल्स का अध्ययन नहीं करेगा – ओह, मुझे नहीं लगता कि उसके *पास* शिमेरा है,' उसने हैरी और रॉन के चेहरों पर दहशत के भाव देखकर आगे जोड़ दिया, 'लेकिन ऐसा कोशिश की कमी के कारण नहीं है। उसने तो कहा था कि उनके अंडे पाना बहुत मुश्किल होता है। मैंने उससे हज़ार बार कहा कि ग्रबली-प्लैंक की योजना पर चलना उसके लिए ज़्यादा अच्छा रहेगा। सच्ची, मुझे नहीं लगता कि उसने मेरी आधी बात भी सुनी होगी। वह थोड़े अजीब मूड में है। वह अब भी यह बताने को तैयार नहीं है कि उसे वे चोटें कैसे लगीं।'

अगले दिन नाश्ते के वक़्त स्टाफ़ टेबल पर हैग्रिड के लौट आने का सभी विद्यार्थियों ने उत्साह से स्वागत नहीं किया। फ्रेड, जॉर्ज और ली जैसे कुछ विद्यार्थी ख़ुशी से गरजे और गरुड़द्वार तथा मेहनतकश की टेबलों के बीच से भागकर हैग्रिड का विशाल हाथ मिलाने गए। बाक़ी विद्यार्थियों ने पार्वती और लैवेंडर की तरह उदासी से एक-दूसरे को देखकर अपने सिर हिलाए। हैरी जानता था कि उनमें से कइयों को प्रोफ़ेसर ग्रबली-प्लैंक के पढ़ाने का तरीक़ा ज़्यादा पसंद था और इससे भी बुरी बात यह थी कि उसके भी दिमाग़ का एक छोटा, पूर्वाग्रह से रहित हिस्सा जानता था कि उनके पास एक अच्छा कारण था : ग्रबली-प्लैंक की दिलचस्प क्लास की परिभाषा यह नहीं थी कि उसमें किसी के सिर कटने का जोखिम हो।

काफ़ी डर के साथ हैरी, रॉन और हर्माइनी मंगलवार को हैग्रिड के केबिन की तरफ़ गए। ठंड से मुक़ाबला करने के लिए उन्होंने बहुत मोटे कपड़े पहन रखे थे। हैरी को चिंता थी कि हैग्रिड उन्हें न जाने क्या पढ़ाएगा? इसके अलावा, उसे यह चिंता भी थी कि अगर अंबरिज इंस्पेक्शन करती हैं, तो बाक़ी विद्यार्थी, ख़ास तौर पर मैल्फ़ॉय और उसके चमचे, कैसा व्यवहार करेंगे?

बहरहाल, जब वे बर्फ़ से जूझते हुए हैग्रिड के पास जा रहे थे, तो सर्वोच्च प्रशासक कहीं नज़र नहीं आ रही थीं। हैग्रिड जंगल के किनारे पर खड़ा-खड़ा

उनका इंतज़ार कर रहा था। उसे देखकर बहुत राहत नहीं मिली। शनिवार की रात को जो चोटें बैंगनी थीं, उन पर अब हरा-पीला रंग आ गया था और कुछ घावों से तो अब भी ख़ून निकल रहा था। हैरी इस बात को नहीं समझ पाया : क्या हैग्रिड पर किसी ऐसे प्राणी ने हमला किया था, जिसका ज़हर घावों को भरने नहीं देता ? जैसे इस भयंकर तस्वीर को पूरा करने के लिए हैग्रिड अपने कंधे पर आधी मरी हुई भैंस जैसी चीज़ उठाए था।

'हम आज वहाँ चलेंगे!' हैग्रिड ने ख़ुशी से आते हुए विद्यार्थियों को बताया और अपने पीछे के अँधेरे पेड़ों की तरफ़ सिर हिलाया। 'वहाँ थोड़े ज़्यादा पेड़ हैं! वैसे भी, वे अँधेरा पसंद करते हैं।'

'कौन अँधेरा पसंद करता है ?' हैरी ने सुना कि मैल्फ़ॉय दहशत में क्रैब और गॉइल से पूछ रहा था। 'उसने क्या कहा, कौन अँधेरा पसंद करता है – क्या तुमने सुना ?'

हैरी को याद आया कि इससे पहले मैल्फ़ॉय सिर्फ़ एक बार ही जंगल में गया था। उस वक़्त उसने बहुत ज़्यादा बहादुरी नहीं दिखाई थी। वह मन ही मन मुस्कराया। क्विडिच मैच के बाद जिस भी चीज़ से मैल्फ़ॉय को दिक्क़त होती थी, उसके लिए हैरी ख़ुशी-ख़ुशी तैयार था।

'तैयार हो ?' हैग्रिड विद्यार्थियों को देखते हुए चहका। 'ठीक है, अच्छा, तो हम जंगल की यात्रा को तुम लोगों के फ़िफ़्थ ईयर के लिए बचा रहे थे। हमें लगा कि हम इन प्राणियों को उनके प्राकृतिक परिवेश में देखने चलें। हम आज जिन प्राणियों के बारे में सीखेंगे, वे बहुत दुर्लभ हैं। हमें लगता है कि हम शायद ब्रिटेन में एकमात्र व्यक्ति हैं, जिसने उन्हें प्रशिक्षित करने में सफलता पाई है।'

'और तुम्हें यक़ीन है ना कि वे सचमुच प्रशिक्षित हो गए हैं ?' मैल्फ़ॉय ने पूछा, जिसकी आवाज़ पहले से ज़्यादा दहशत भरी लग रही थी। 'देखो, यह पहली बार नहीं होगा, जब तुम बेक़ाबू जंगली प्राणियों को क्लास में लाओगे, है ना ?'

नागशक्ति के विद्यार्थी सहमति में बुदबुदाए। गरुड़द्वार के कुछ विद्यार्थियों को देखकर लगा, जैसे वे भी सोच रहे हों कि मैल्फ़ॉय की बात में दम है।

'ज़ाहिर है, वे प्रशिक्षित हैं,' हैग्रिड ने त्योरी चढ़ाकर कहा तथा मरी हुई भैंस को अपने कंधे पर थोड़ी और ऊपर खिसकाया।

मैल्फ़ॉय ने पूछा, 'तुम्हारे चेहरे को क्या हुआ ?'

'अपने काम से काम रखो!' हैग्रिड ग़ुस्से से बोला। 'अब अगर तुम्हारे मूर्खतापूर्ण सवाल ख़त्म हो गए हों, तो हमारे पीछे आओ!'

वह मुड़ा और सीधे जंगल में चला गया। उसके पीछे-पीछे जाने की किसी की भी ज़्यादा इच्छा नहीं थी। हैरी ने रॉन और हर्माइनी की तरफ़ देखा, जिन्होंने आह भरते हुए सिर हिलाया और वे तीनों हैग्रिड के पीछे चल दिए। बाक़ी विद्यार्थी उनके पीछे चलने लगे।

वे लगभग दस मिनट तक चलते रहे। फिर वे एक ऐसी जगह पहुँच गए, जहाँ पेड़ इतने पास-पास थे कि घुप्प अँधेरा था और ज़मीन भी नहीं दिख रही थी। एक हुँकार के साथ हैग्रिड ने आधी भैंस को ज़मीन पर पटक दिया, पीछे हटा और अपना चेहरा विद्यार्थियों की तरफ़ घुमाया। ज़्यादातर विद्यार्थी पेड़ों के पीछे से उसकी तरफ़ आ रहे थे और चारों तरफ़ घबराकर देख रहे थे, मानो उन्हें किसी भी पल हमले की उम्मीद हो।

'पास आ जाओ, पास आ जाओ,' हैग्रिड ने उन्हें प्रोत्साहित किया। 'देखो, वे लोग गोश्त की गंध से अपने आप खिंचे चले आएँगे, लेकिन हम फिर भी उन्हें बुला लेते हैं। उन्हें यह जानकर अच्छा लगेगा कि हम बुला रहे हैं।'

वह मुड़ा और उसने अपने चेहरे के बाल हटाने के लिए अपना खिचड़ी सिर हिलाया। फिर उसने एक अजीब सी चीख़ निकाली, जो अँधेरे पेड़ों के बीच किसी भयंकर चिड़िया की आवाज़ जैसी लगी। कोई भी नहीं हँसा। ज़्यादातर विद्यार्थी तो इतने डरे हुए थे कि उनके मुँह से चूँ भी नहीं निकली।

हैग्रिड ने दोबारा वही आवाज़ निकाली। एक मिनट गुज़र गया, जिसमें सभी विद्यार्थी अपने पीछे और पेड़ों के चारों तरफ़ घबराकर देखते रहे, ताकि जो भी आ रहा हो, वे उसकी पहली झलक देख सकें। और फिर, जब हैग्रिड ने अपने बाल तीसरी बार हिलाकर अपना विशाल सीना फुलाया, तो हैरी ने रॉन को कोहनी मारी और दो मुड़े हुए पेड़ों के बीच की जगह की तरफ़ इशारा किया।

अँधेरे में दो सूनी, सफ़ेद, चमकती आँखें बड़ी होती जा रही थीं और एक पल बाद ही ड्रैगन जैसा चेहरा, गर्दन और एक बड़े, काले, पंख वाले घोड़े का कंकाल जैसा शरीर अँधेरे से प्रकट हुआ। इसने विद्यार्थियों को कुछ सेकंड तक देखा, लंबी काली पूँछ लहराई और फिर सिर झुकाकर नुकीले दाँतों से मरी हुई भैंस का गोश्त चीरने लगा।

हैरी को बहुत राहत का एहसास हुआ। आख़िर यह सबूत था कि उसने इन प्राणियों की कल्पना नहीं की थी, वे असली थे : हैग्रिड भी उनके बारे में जानता था। उसने उत्सुकता से रॉन की तरफ़ देखा, लेकिन रॉन तो अब भी पेड़ों के बीच चारों तरफ़ देख रहा था और कुछ पल बाद वह फुसफुसाया, 'हैग्रिड फिर से आवाज़ क्यों नहीं लगा रहा है?'

ज़्यादातर विद्यार्थियों के चेहरे पर रॉन की तरह ही दुविधा और घबराहट

थी। वे अब भी उनसे कुछ फ़ुट दूर खड़े घोड़े के बजाय चारों तरफ़ देख रहे थे। सिर्फ़ दो ही विद्यार्थियों को देखकर ऐसा लग रहा था, जैसे वे उन्हें देख सकते हों : एक तो नागशक्ति का दुबला-पतला लड़का था, जो गॉइल के ठीक पीछे खड़े होकर उस घोड़े को गोश्त खाते देख रहा था और उसके चेहरे पर भारी वितृष्णा के भाव थे। दूसरा नेविल था, जिसकी आँखें लंबी काली पूँछ को हिलती देख रही थीं।

'ओह, यह लो, एक और आ गया!' हैग्रिड ने गर्व से कहा, जब अँधेरे वृक्षों के बीच से दूसरा काला घोड़ा प्रकट हो गया। उस घोड़े ने अपने चमड़े जैसे पंख शरीर से सटाए और सिर झुकाकर गोश्त खाने लगा। 'अपने हाथ उठाकर बताओ, उन्हें कौन देख सकता है?'

हैरी को बहुत ख़ुशी हुई कि आख़िरकार अब वह इन घोड़ों के रहस्य को समझने वाला है। उसने अपना हाथ उठा दिया। हैग्रिड ने उसकी तरफ़ देखकर सिर हिलाया।

'हाँ ... हाँ, हम जानते थे कि तुम उन्हें देख सकोगे, हैरी,' उसने गंभीरता से कहा। 'और तुम, नेविल, अह? और -'

'माफ़ करना,' मैल्फ़ॉय ने व्यंग्यात्मक आवाज़ में कहा, 'लेकिन हमें कौन सा प्राणी दिखना चाहिए?'

जवाब में हैग्रिड ने ज़मीन पर भैंस के गोश्त की तरफ़ इशारा कर दिया। सभी विद्यार्थी कुछ सेकंड तक उसकी तरफ़ घूरते रहे। कई विद्यार्थियों के मुँह से आह निकल गई और पार्वती की चीख़ निकल पड़ी। हैरी समझ गया कि ऐसा क्यों हुआ होगा : गोश्त के टुकड़े हवा में ग़ायब हो रहे थे और यह बहुत अजीब दिख रहा होगा।

'यह कौन कर रहा है?' पार्वती ने दहशत भरी आवाज़ में पूछा और सबसे पास वाले पेड़ के पीछे छिप गई। 'इसे कौन खा रहा है?'

'थेस्ट्रॉल्स,' हैग्रिड ने गर्व से कहा और हर्माइनी ने धीरे से *'ओह!'* कहा, जैसे समझ गई हो। 'हॉगवर्ट्स में उनका पूरा झुंड है। अब, थेस्ट्रॉल्स के बारे में कौन जानता है -?'

'लेकिन वे तो सचमुच, सचमुच अपशकुन होते हैं!' पार्वती ने दहशत से बीच में बोलते हुए कहा। 'जो लोग उन्हें देखते हैं, उनके साथ हर तरह की दुर्भाग्यपूर्ण घटनाएँ होती हैं। प्रोफ़ेसर ट्रिलोनी ने मुझे एक बार बताया था -'

'नहीं, नहीं, नहीं,' हैग्रिड ने मुस्कराते हुए कहा, 'यह तो सिर्फ़ अंधविश्वास है कि वे अपशकुन होते हैं। वे बहुत ही चतुर और उपयोगी होते हैं! ज़ाहिर है,

इस झुंड को ज़्यादा काम नहीं करना पड़ता है। इसका उपयोग तो ख़ास तौर पर स्कूल की गाड़ियों को खींचने के लिए होता है। जब डम्बलडोर अंतर्ध्यान नहीं होना चाहते, तो वे कभी-कभार इन पर बैठकर लंबी यात्रा भी कर लेते हैं – देखो, दो और आ गए, देखो –'

दो और घोड़े चुपचाप पेड़ों के पीछे से आ गए। उनमें से एक पार्वती के बहुत क़रीब से निकला, जो काँप गई और यह कहती हुई पेड़ से चिपक गई, 'मुझे लगता है, मुझे किसी चीज़ ने छुआ था। मुझे लगता है यह मेरे पास है!'

'चिंता मत करो, यह तुम्हें चोट नहीं पहुँचाएगा,' हैग्रिड ने धैर्य से कहा। 'ठीक है, अब कौन बता सकता है कि कुछ लोग उन्हें क्यों देख सकते हैं, जबकि बाक़ी लोग नहीं देख सकते?'

हर्माइनी ने अपना हाथ उठाया।

हैग्रिड ने उसकी तरफ़ मुस्कराते हुए कहा, 'अच्छा बताओ।'

उसने कहा, 'सिर्फ़ वही लोग थेस्ट्रॉल्स को देख सकते हैं, जिन्होंने किसी की मौत देखी हो।'

'बिलकुल सही कहा,' हैग्रिड ने गंभीरता से कहा, 'गरुड़द्वार को दस पॉइंट। अब थेस्ट्रॉल्स –'

'उहूँ, उहूँ।'

प्रोफ़ेसर अंबरिज आ गई थीं। वे हैरी से कुछ फ़ुट दूर खड़ी थीं। वे अपना हरा हैट तथा चोगा पहने थीं और उनका क्लिपबोर्ड तैयार था। हैग्रिड, जिसने कभी अंबरिज की नक़ली खाँसी नहीं सुनी थी, कुछ चिंता से सबसे क़रीब वाले थेस्ट्रॉल को देख रहा था। उसे लग रहा था, जैसे वह आवाज़ उसी ने निकाली थी।

'उहूँ, उहूँ।'

'ओह, हैलो!' हैग्रिड ने मुस्कराकर कहा, जब उसे पता चल गया कि आवाज़ कहाँ से आई थी।

'तुम्हें वह चिट्ठी मिल गई, जो मैंने आज सुबह तुम्हारे केबिन में भेजी थी?' अंबरिज ने उसी तेज़, धीमी आवाज़ में कहा, जिसका इस्तेमाल उन्होंने पहले उसके साथ किया था। ऐसा लग रहा था जैसे वे किसी ऐसे व्यक्ति से बात कर रही हों, जो विदेशी हो और जिसका दिमाग़ बहुत धीमा चलता हो। 'उसमें मैंने तुम्हें सूचित किया था कि मैं तुम्हारी क्लास का इंस्पेक्शन करूँगी?'

'ओह हाँ,' हैग्रिड ने उत्साह से कहा। 'ख़ुशी हुई कि आपको जगह मिल गई! अच्छा, जैसा आप देख सकती हैं – या, मुझे नहीं पता – क्या आप देख सकती हैं? हम आज थेस्ट्रॉल्स का अध्ययन कर रहे हैं –'

'क्या कहा ?' प्रोफ़ेसर अंबरिज ने ज़ोर से कहा और अपने हाथ कान पर रखकर त्योरियाँ चढ़ा लीं। 'तुमने क्या कहा ?'

हैग्रिड थोड़ा दुविधाग्रस्त दिखने लगा।

'अर - *थेस्ट्रॉल्स!*' उसने ज़ोर से कहा। 'बड़े - पंखदार घोड़े!'

उसने अपने विशाल हाथ आशा से लहराए। प्रोफ़ेसर अंबरिज ने अपनी भौंहें उठाकर उसे देखा और अपने क्लिपबोर्ड पर लिखा : '*घटिया ... इशारों ... की ... भाषा ... का ... इस्तेमाल ... करता ... है।*'

'अच्छा ... तो ...' हैग्रिड ने विद्यार्थियों की तरफ़ मुड़कर थोड़ा परेशान दिखते हुए कहा। 'हूँ ... तो हम क्या कह रहे थे ?'

'*अल्पकालीन ... याददाश्त ... कमज़ोर ... लगती ... है,*' अंबरिज इतनी ज़ोर से बुदबुदाईं कि आस-पास के विद्यार्थी उनकी बात सुन सकें। ड्रेको मैल्फ़ॉय को तो ऐसा लग रहा था, जैसे क्रिसमस एक महीने जल्दी आ गया हो। दूसरी तरफ़, हर्माइनी का चेहरा गुस्से के कारण लाल पड़ गया था।

'ओह हाँ,' हैग्रिड ने अंबरिज के क्लिपबोर्ड की तरफ़ परेशानी भरी निगाह डाली, लेकिन बहादुरी से आगे बोलता रहा। 'हाँ, हम तुम्हें बता रहे थे कि हमने यह समूह कैसे बनाया। हाँ तो, हमने एक नर और पाँच मादाओं से शुरू किया। इसका,' उसने सबसे पहले प्रकट होने वाले घोड़े को थपथपाया, 'नाम टेनीब्रस है, यह मुझे सबसे प्रिय है, जंगल में सबसे पहले पैदा हुआ था -'

अंबरिज ने उसकी बात काटते हुए ज़ोर से कहा, 'क्या तुम्हें पता है कि जादू मंत्रालय ने थेस्ट्रॉल्स को "ख़तरनाक" की श्रेणी में रखा है ?'

हैरी का दिल किसी पत्थर की तरह डूब गया, लेकिन हैग्रिड हँस दिया।

'थेस्ट्रॉल्स ख़तरनाक नहीं होते हैं! वे बिलकुल ठीक होते हैं। अगर कोई उन्हें परेशान करता है, तो वे उसका थोड़ा-बहुत गोश्त काट सकते हैं -'

'*हिंसा ... के ... विचार ... पर ... ख़ुश ... होता ... है,*' अंबरिज बुदबुदाईं और अपने क्लिपबोर्ड पर लिखने लगीं।

'नहीं - देखिए!' हैग्रिड ने अब थोड़ा चिंतित दिखते हुए कहा। 'हमारा मतलब है, अगर कोई कुत्ते को परेशान करेगा, तो वह भी काट लेगा, है ना - लेकिन थेस्ट्रॉल्स की बुरी छवि तो मौत वाली चीज़ के कारण बनी है - लोग उन्हें अपशकुन मानते हैं, है ना ? समझते ही नहीं हैं, है ना ?'

अंबरिज ने जवाब नहीं दिया। उन्होंने अपनी आख़िरी टिप्पणी पूरी की और फिर हैग्रिड की तरफ़ देखते हुए दोबारा बहुत ज़ोर से और धीरे-धीरे कहा, 'तुम पढ़ाना जारी रखो। मैं टहलती हूँ,' उन्होंने चलने का नाटक किया (मैल्फ़ॉय

और पैन्सी पार्किन्सन मुँह दबाकर हँसने लगे) 'विद्यार्थियों के बीच' (उन्होंने सभी विद्यार्थियों की तरफ़ इशारा किया) 'और उनसे सवाल पूछती हूँ।' उन्होंने बोलने का संकेत करने के लिए अपने मुँह की तरफ़ इशारा किया।

हैग्रिड ने उनकी तरफ़ घूरा। वह यह नहीं समझ पा रहा था कि वे ऐसा क्यों सोच रही थीं कि वह सामान्य अँग्रेजी नहीं समझ सकता। हर्माइनी की आँखों में तो अब आवेश के आँसू आ चुके थे।

'चुड़ैल कहीं की, दुष्ट चुड़ैल!' वह फुसफुसाई, जब अंबरिज पैन्सी पार्किन्सन के पास गईं। 'मैं जानती हूँ कि तुम क्या कर रही हो, तुम घटिया, गंदी, पापी -'

'अच्छा ... ख़ैर,' हैग्रिड दोबारा अपने विषय पर आने के लिए स्पष्ट रूप से संघर्ष कर रहा था, 'तो - थेस्ट्रॉल्स। हाँ। उनमें बहुत सी अच्छी बातें हैं ...'

प्रोफ़ेसर अंबरिज ने पैन्सी पार्किन्सन से तेज़ आवाज़ में पूछा, 'क्या तुम प्रोफ़ेसर हैग्रिड की भाषा अच्छी तरह समझ सकती हो?'

हर्माइनी की ही तरह पैन्सी की आँखों में भी आँसू थे, लेकिन ये हँसी के आँसू थे। दरअसल, उसका जवाब समझ में नहीं आ रहा था, क्योंकि वह अपनी हँसी रोकने की कोशिश कर रही थी।

'नहीं ... क्योंकि ... देखिए ... ऐसा लगता है ... कि वे ज़्यादातर समय ... हुंकार भरते रहते हैं ...'

अंबरिज ने अपने क्लिपबोर्ड पर लिख लिया। हैग्रिड के चेहरे का सही-सलामत थोड़ा सा हिस्सा लाल हो गया, लेकिन उसने ऐसा जताने की कोशिश की, जैसे उसने पैन्सी का जवाब नहीं सुना हो।

'अर ... हाँ ... थेस्ट्रॉल्स की अच्छी बातें। देखो, जब उन्हें पालतू बना लिया जाता है, इस समूह की तरह, तो कोई दिशा नहीं भटक सकता। उनमें दिशा का अद्‌भुत ज्ञान होता है। बस उन्हें बता दो कि कहाँ जाना चाहते हो -'

'ज़ाहिर है, यह तभी होगा, जब वे आपकी बात समझ सकते हों,' मैल्फ़ॉय ने ज़ोर से कहा और पैन्सी पार्किन्सन इस बार हँसी के कारण गिर गई। प्रोफ़ेसर अंबरिज ने उन दोनों की तरफ़ प्यार से देखा और फिर नेविल की तरफ़ मुड़ीं।

उन्होंने पूछा, 'लॉंगबॉटम, क्या तुम थेस्ट्रॉल्स को देख सकते हो?'

नेविल ने हाँ में सिर हिला दिया।

उन्होंने भावहीन आवाज़ में पूछा, 'तुमने किसकी मौत देखी थी?'

नेविल ने कहा, 'मेरे ... मेरे दादाजी की।'

'और तुम इनके बारे में क्या सोचते हो?' उन्होंने पूछा और अपना गाँठदार हाथ उन घोड़ों की तरफ़ लहराया, जो अब तक भैंस का इतना गोश्त खा चुके थे कि हड्डियाँ नज़र आने लगी थीं।

'ऊँ,' नेविल ने घबराकर हैग्रिड की तरफ़ देखते हुए कहा। 'देखिए, वे ... **अच्छे** ... होते हैं ...'

'*विद्यार्थी ... इतने ... डरते ... हैं ... कि ... वे ... यह ... भी ... नहीं ... कह ... सकते ... कि ... उन्हें ... डर ... लग ... रहा ... है,*' अंबरिज बुदबुदाई और अपने क्लिपबोर्ड पर लिखने लगीं।

'नहीं!' नेविल ने थोड़ा परेशान होकर कहा। 'नहीं, मैं डरता नहीं हूँ!'

'ठीक है,' अंबरिज ने नेविल का कंधा थपथपाया और प्यारे अंदाज़ में मुस्कराईं, जो हैरी को व्यंग्यात्मक लगा। 'देखो हैग्रिड,' उन्होंने एक बार फिर हैग्रिड की तरफ़ मुड़कर देखा और पहले की तरह ही ज़ोर से और धीरे-धीरे बोलने लगीं, 'मुझे लगता है कि मेरे पास काफ़ी जानकारी आ चुकी है। तुम्हें' (उन्होंने हवा में से अपने सामने कुछ निकालने का अभिनय किया) 'अपने इंस्पेक्शन के परिणाम' (उन्होंने क्लिपबोर्ड की तरफ़ इशारा किया) 'दस दिन में मिल जाएँगे।' उन्होंने अपनी दस गाँठदार उँगलियाँ ऊपर कीं। फिर पहले से ज़्यादा मुस्कराती हुईं और अपने हरे हैट के नीचे मेंढकी जैसी दिखती हुईं वे तेज़ी से उनके बीच से चली गईं। मैल्फ़ॉय और पैन्सी पार्किन्सन हँसने में लगे थे, हर्माइनी आवेश के मारे काँप रही थी और नेविल दुविधाग्रस्त तथा परेशान लग रहा था।

'गंदी, झूठी, बदमाश बुढ़िया!' हर्माइनी ने आधे घंटे बाद कहा, जब वे उस पगडंडी पर चलकर महल की तरफ़ लौट रहे थे, जो उन्होंने बर्फ़ पर जाते वक़्त बनाई थी। 'तुमने देखा कि वह क्या कर रही थी? वह संकर जाति के लोगों के बारे में पूर्वाग्रह से ग्रस्त है – वह हैग्रिड को दैत्य की तरह मंदबुद्धि साबित करने की कोशिश कर रही थी, सिर्फ़ इसलिए क्योंकि उसकी माँ दानवी थीं – और ओह, यह ठीक नहीं है, यह सचमुच बुरा सबक़ नहीं था – मेरा मतलब है, विस्फोटक अग्निडंक तो बुरे थे, लेकिन थेस्ट्रॉल्स तो अच्छे हैं – दरअसल हैग्रिड के लिहाज़ से तो वे बहुत अच्छे हैं!'

रॉन बोला, 'अंबरिज ने कहा था कि वे ख़तरनाक हैं।'

'देखो, जैसा हैग्रिड ने कहा था, वे अपना ख़्याल ख़ुद रख सकते हैं,' हर्माइनी ने अधीरता से कहा, 'और मुझे लगता है कि ग्रबली-प्लैंक जैसी टीचर हमें आम तौर पर उन्हें **एन.ई.डब्ल्यू.टी.** स्तर से पहले नहीं दिखातीं, लेकिन देखो, वे बहुत रोचक हैं, है ना? कुछ लोग उन्हें देख सकते हैं और कुछ नहीं देख

सकते! काश मैं देख पाती!'

'क्या सचमुच?' हैरी ने धीरे से पूछा।

वह अचानक स्तब्ध रह गई।

'ओह हैरी – मुझे अफ़सोस है – नहीं, नहीं, मैं उन्हें नहीं देखना चाहती – मैंने भी कितनी मूर्खतापूर्ण बात कह दी!'

'कोई बात नहीं,' हैरी ने जल्दी से कहा। 'चिंता मत करो।'

रॉन ने कहा, 'मुझे हैरानी है कि इतने सारे लोग उन्हें देख सकते थे। एक क्लास में तीन लोग –'

'हाँ वीज़्ली, हम सोच रहे थे,' एक दुष्ट आवाज़ आई। बर्फ़ के कारण उनमें से किसी को मैल्फ़ॉय, क्रैब और गॉइल के क़रीब आने की आवाज़ सुनाई नहीं दी थी, जो अब उनके ठीक पीछे आ चुके थे। 'अगर वे तुम्हें दिख जाते, तो क्या उसके बाद तुम्हें तूफ़ान ज़्यादा अच्छी तरह दिखने लगता?'

मैल्फ़ॉय, क्रैब और गॉइल हँसी से लोटपोट होते हुए उनसे आगे निकल गए। महल की तरफ़ जाते समय वे 'वीज़्ली हमारा राजा है' गाना गाने लगे। रॉन के कान लाल हो गए।

हर्माइनी ने कहा, 'उनकी तरफ़ ध्यान मत दो, जाने दो।' उसने अपनी छड़ी निकालकर मंत्र पढ़ा, जिससे भाप उत्पन्न हो गई। भाप के सहारे हर्माइनी ग्रीनहाउसों तक जाने वाले बर्फ़ीले रास्ते को आसान बनाना चाहती थी।

दिसंबर आ गया। इसके साथ ही और ज़्यादा बर्फ़ गिरने लगी। फ़िफ़्थ ईयर के विद्यार्थियों पर तो जैसे होमवर्क का बर्फ़ीला पहाड़ गिर गया। क्रिसमस के क़रीब आने से रॉन और हर्माइनी की प्रिफ़ेक्ट की ज़िम्मेदारियाँ बढ़ गईं। उन्हें महल की सजावट के काम की देख-रेख के लिए बुलाया गया (रॉन ने कहा, 'तुम चमकदार पन्नियाँ लगाने की कोशिश करके तो देखो, जबकि पीव्ज़ उनका दूसरा सिरा पकड़कर तुम्हारा गला घोंटने की कोशिश कर रहा हो')। उन्हें फ़र्स्ट और सेकंड ईयर के विद्यार्थियों की निगरानी करनी पड़ती थी, जो भारी ठंड के कारण ब्रेक के दौरान बाहर के बजाय भीतर रह रहे थे (रॉन ने कहा, 'वे बहुत ही आवारा और उद्दंड क़िस्म के हैं। हम जब फ़र्स्ट ईयर में थे, तो निश्चित रूप से इतने बदतमीज़ नहीं थे')। इसके अलावा, उन्हें आर्गस फ़िल्च के साथ शिफ़्ट में गलियारों की चौकीदारी भी करनी पड़ती थी, जिसे लगता था कि छुट्टियों में विद्यार्थी लड़कर मनोरंजन करेंगे (रॉन ग़ुस्से से बोला, 'उसके दिमाग़ में गोबर भरा है')। वे इतने ज़्यादा व्यस्त हो गए कि हर्माइनी ने घरेलू जिन्नों के हैट बुनने भी छोड़ दिए और

इस बात पर परेशान होने लगी कि उसके पास सिर्फ़ तीन हैट बचे थे।

'बेचारे घरेलू जिन्न, जिन्हें मैं आज़ाद नहीं कर पाई। मेरे हैट नहीं बनाने के कारण उन्हें यहाँ क्रिसमस पर रुकना पड़ेगा!'

हैरी का उसे यह बताने का दिल नहीं हुआ कि उसकी बुनी हुई सारी चीज़ें डॉबी उठा रहा था। वह अपने जादू का इतिहास के निबंध पर झुक गया। वैसे भी वह क्रिसमस के बारे में नहीं सोचना चाहता था। हॉगवर्ट्स में आने के बाद वह पहली बार यहाँ से दूर छुट्टियाँ मनाना चाहता था। क्विडिच पर प्रतिबंध लगा था। उसे इस बात की चिंता थी कि हैग्रिड को प्रोबेशन पर न रख दिया जाए। इस वक़्त यहाँ उसे बहुत बुरा लग रहा था। वह सिर्फ़ एक ही चीज़ के बारे में उम्मीद से देखता था और वह थी **डीए** की मीटिंग। छुट्टियों में मीटिंग भी नहीं हो पाएगी, क्योंकि **डीए** के ज़्यादातर साथी अपने परिवार से मिलने जा रहे थे। हर्माइनी अपने माता-पिता के साथ स्कीइंग करने जा रही थी। इस ख़बर में रॉन ने बड़ी दिलचस्पी ली, क्योंकि वह नहीं जानता था कि मगलू पैरों पर लकड़ी के सँकरे पटिए बाँधकर बर्फ़ीले पहाड़ों पर नीचे फिसलते हैं। रॉन अपने घर जा रहा था। हैरी कई दिन तक उससे ईर्ष्या करता रहा। आख़िरकार हैरी ने उससे पूछ ही लिया कि वह क्रिसमस पर घर कैसे जा रहा है। यह सुनकर रॉन बोला, 'लेकिन तुम भी तो चल रहे हो! क्या मैंने तुम्हें नहीं बताया था ? मम्मी ने मुझे कई सप्ताह पहले जो चिट्ठी लिखी थी, उसमें उन्होंने तुम्हें भी घर पर साथ लाने को कहा था!'

हर्माइनी ने अपनी आँखें गोल-गोल घुमाईं, लेकिन हैरी का दिल बल्लियों उछलने लगा : रॉन के घर क्रिसमस मनाने का विचार सचमुच अद्भुत था, हालाँकि हैरी को इस बात का मलाल भी हो रहा था कि वह सिरियस के साथ छुट्टियाँ नहीं मना पाएगा। वह सोच रहा था कि क्या वह मिसेज़ वीज़्ली को मना सकता है कि वे त्योहार के वक़्त उसके गॉडफ़ादर को भी आमंत्रित कर लें। वैसे वह जानता था कि डम्बलडोर सिरियस को ग्रिमॉल्ड चौक से बाहर निकलने की इजाज़त नहीं देंगे, और इसके अलावा मिसेज़ वीज़्ली भी सिरियस को नहीं बुलाना चाहेंगी, क्योंकि उन दोनों में अक्सर मतभेद होते रहते थे। सिरियस ने आग में पिछली बार दिखने के बाद से हैरी से कोई संपर्क नहीं किया था। हालाँकि हैरी जानता था कि अंबरिज की लगातार निगरानी के कारण उससे संपर्क करने की कोशिश करना मूर्खता होगी, लेकिन उसे यह कल्पना पसंद नहीं आई कि सिरियस अपनी माँ के पुराने घर में अकेला रहे और शायद क्रीचर के साथ इकलौता पटाख़ा खींचे।

छुट्टियों के पहले की आख़िरी **डीए** मीटिंग के लिए हैरी आवश्यकता कक्ष में जल्दी आ गया और इस बात के लिए उसने ख़ुद को बधाइयाँ दीं, क्योंकि

मशालें रोशन होने पर उसने देखा कि डॉबी ने वहाँ भी क्रिसमस की सजावट कर दी थी। डॉबी के अलावा कोई और छत से सौ सुनहरे गुब्बारे नहीं लटका सकता था, जिनमें से हर एक पर हैरी की तस्वीर हो और लिखा हो : **'क्रिसमस की दिली शुभकामनाएँ हैरी!'**

हैरी ने आख़िरी गुब्बारे को उतारा ही था कि दरवाज़ा खुला और लूना लवगुड अंदर आ गई। वह हमेशा की तरह खोई-खोई लग रही थी।

'हैलो,' उसने अस्पष्टता से कहा और बची-खुची सजावट को देखा। 'बहुत अच्छे हैं, क्या तुमने उन्हें लगाया था?'

हैरी ने कहा, 'नहीं, यह काम डॉबी नाम के घरेलू जिन्न का था।'

'मिसलटो,' लूना ने सपनीली आवाज़ में कहा और सफ़ेद बेरियों के बड़े झुरमुट की तरफ़ इशारा किया, जो लगभग हैरी के सिर पर रखा था। वह उसके नीचे से कूदकर दूर हट गया। लूना ने बहुत गंभीरता से कहा, 'बहुत अच्छा किया। इसमें अक्सर नार्गल्स भरे रहते हैं।'

हैरी यह पूछने से बच गया कि नार्गल्स क्या होते हैं, क्योंकि उसी समय एंजेलिना, केटी और एलिसिया आ गई थीं। वे तीनों हाँफ रही थीं और बहुत ठंडी दिख रही थीं।

'अच्छा,' एंजेलिना ने नीरस आवाज़ में कहा और अपना चोगा उतारकर एक कोने में फेंक दिया, 'हमने आख़िर तुम्हारा विकल्प खोज लिया है।'

हैरी ने चकराकर पूछा, 'मेरा विकल्प खोज लिया है?'

'तुम्हारा, फ्रेड और जॉर्ज का,' एंजेलिना ने अधीरता से कहा। 'हमें खोजी मिल गई है!'

हैरी ने जल्दी से पूछा, 'कौन?'

केटी ने जवाब दिया, 'जिनी वीज़्ली।'

हैरी मुँह खोलकर उसे देखता रहा।

'हाँ, मैं जानती हूँ,' एंजेलिना ने छड़ी निकालकर बाँह घुमाई, 'लेकिन वह सचमुच बहुत अच्छी है। ज़ाहिर है, तुम्हारे जितनी अच्छी तो नहीं है,' उसने उसे बहुत बुरी तरह देखते हुए कहा, 'लेकिन चूँकि हम तुम्हें नहीं रख सकते ...'

हैरी का मन हुआ कि वह पलटकर जवाब दे दे : क्या वह एक पल के लिए भी यह कल्पना कर सकती है कि टीम से निकाले जाने के बारे में हैरी को उससे सौ गुना अफ़सोस नहीं होगा?

उसने अपनी आवाज़ को सामान्य रखने की कोशिश करते हुए पूछा,

'और मारक ?'

'एंड्रयू कर्क,' एलिसिया ने बिना उत्साह के कहा, 'और जैक स्लोपर। दोनों ही बहुत अच्छे नहीं हैं, लेकिन जो लोग ट्रायल्स में आए थे, उनमें से बाक़ी के बहुत मूर्ख थे ...'

रॉन, हर्माइनी और नेविल के आने से यह निराशाजनक बातचीत ख़त्म हो गई। पाँच मिनट के भीतर कमरा इतना भर गया कि हैरी एंजेलिना की ग़ुस्से और हिक़ारत भरी नज़रों को देखने से बच गया।

'**ठीक है**,' उसने उन सभी को व्यवस्थित करते हुए कहा। 'मैं सोचता हूँ कि आज शाम को हमें उन सभी चीज़ों को दोहराना चाहिए, जो हमने अब तक की हैं, क्योंकि छुट्टियों से पहले यह हमारी आख़िरी मीटिंग है और तीन हफ़्ते के अंतराल से पहले कोई नई चीज़ शुरू करने से कोई फ़ायदा नहीं है –'

'हम कुछ नया नहीं सीख रहे हैं ?' ज़कारियस स्मिथ ने असंतुष्ट फुसफुसाहट में कहा, जो इतनी तेज़ थी कि पूरे कमरे में सुनाई दे गई। 'अगर मुझे पहले पता होता, तो मैं आता ही नहीं।'

फ्रेड ने ज़ोर से कहा, 'हमें सचमुच अफ़सोस है कि हैरी ने तुम्हें यह बात नहीं बताई।'

कई विद्यार्थी खी-खी करने लगे। हैरी ने देखा कि चो हँस रही थी और उसे अपने पेट में जानी-पहचानी खलबली महसूस हुई, जैसे वह सीढ़ी उतरते समय एक पायदान पर पैर रखना भूल गया हो।

'– हम जोड़ियाँ बनाकर प्रैक्टिस करते हैं,' हैरी ने कहा। 'हम दस मिनट तक बाधा सम्मोहन का अभ्यास करेंगे। फिर हम कुशन बाहर निकालकर स्तब्धीकरण मंत्र का अभ्यास कर सकते हैं।'

आदेश का पालन करते हुए उन सभी ने जोड़ियाँ बना लीं। हैरी हमेशा की तरह नेविल का पार्टनर बन गया। जल्दी ही कमरा '*बाधितो!*' की चिल्लाहटों से भर गया। विद्यार्थी एक मिनट के लिए स्तब्ध हो जाते थे, जिस दौरान उनका पार्टनर दूसरी जोड़ियों को प्रैक्टिस करते हुए देखता रहता था। फिर वे होश में आ जाते थे और मंत्र पढ़ते थे।

नेविल में इतना सुधार हो चुका था कि वह पहचान में नहीं आ रहा था। कुछ समय बाद जब हैरी लगातार तीन बार बेहोश होने के बाद होश में आया, तो उसने नेविल से रॉन और हर्माइनी के साथ प्रैक्टिस करने को कहा, ताकि वह कमरे में चारों तरफ़ घूमकर बाक़ी विद्यार्थियों को देख सके। जब वह चो के पास से गुज़रा, तो वह उसकी तरफ़ देखकर मुस्कराई। हैरी ने उसके पास से बार-बार

गुज़रने के प्रलोभन से बचने की कोशिश की।

दस मिनट तक बाधा सम्मोहन का अभ्यास करने के बाद उन्होंने सारे फ़र्श पर कुशन फैला दिए और स्तब्धीकरण मंत्र का अभ्यास करने लगे। जगह सचमुच बहुत कम थी, इसलिए वे सभी एक साथ उस मंत्र का अभ्यास नहीं कर सकते थे। इस कारण आधे विद्यार्थी कुछ समय तक दूसरों को मंत्र पढ़ते देखते थे और उसके बाद जगह बदल लेते थे। उन सभी को देखते समय हैरी का सीना गर्व से फूल गया। यह सच था कि नेविल ने डीन पर निशाना लगाते समय पद्मा पाटिल को स्तब्ध कर दिया था, पर यह भी बहुत बड़ी बात थी। सभी ने बहुत कुछ सीख लिया था।

एक घंटे बाद हैरी ने सबको रोक दिया।

उसने उन सभी की तरफ़ मुस्कराते हुए कहा, 'तुम सभी सचमुच अच्छे होते जा रहे हो। जब हम छुट्टियों से लौटेंगे, तो हम कुछ बड़ी चीज़ें कर सकते हैं - शायद पितृदेव सम्मोहन भी।'

रोमांच की बुदबुदाहट होने लगी। हमेशा की तरह विद्यार्थी दो-दो, तीन-तीन करके जाने लगे। ज़्यादातर विद्यार्थियों ने विदा लेते समय हैरी को 'हैप्पी क्रिसमस' कहा। खुश महसूस करते हुए उसने रॉन और हर्माइनी के साथ कुशन इकट्ठे किए और उन्हें क़रीने से जमा दिया। रॉन और हर्माइनी उसके जाने से पहले ही चले गए। वह थोड़ी देर रुका रहा, क्योंकि चो अब भी वहाँ थी और वह आशा कर रहा था कि वह भी उसे 'हैप्पी क्रिसमस' कहेगी।

'नहीं, तुम जाओ,' उसने सुना कि चो अपनी सहेली मैरीटा से कह रही थी। उसका दिल उछलकर उसके गले में पहुँच गया।

वह कुशन के ढेर को जमाने का नाटक करने लगा। उसे पूरा यक़ीन था कि अब वे अकेले थे और वह उसके बोलने का इंतज़ार करने लगा। इसके बजाय उसे एक ज़ोरदार सिसकी सुनाई दी।

मुड़कर उसने देखा कि चो कमरे के बीच में खड़ी हुई थी और उसके चेहरे पर आँसू बह रहे थे।

'क्या - ?'

वह नहीं जानता था कि क्या करे। वह वहाँ खड़ी-खड़ी चुपचाप रो रही थी।

'क्या हुआ ?' उसने धीरे से कहा।

चो ने अपना सिर हिलाया और अपनी आस्तीन से आँखें पोंछीं।

'मुझे - अफ़सोस है,' उसने भारी आवाज़ में कहा। 'मुझे लगता है ...

लगता है ... ये सारी चीज़ें सीखने के बाद ... मुझे लगता है ... कि अगर *वह* यह सब जानता ... तो शायद वह अब भी ज़िंदा होता।'

हैरी का दिल अपनी सामान्य जगह से नीचे खिसककर उसकी नाभि के आस-पास पहुँच गया। उसे यह पता होना चाहिए था। वह सेडरिक के बारे में बात करना चाहती थी।

'उसे यह आता था,' हैरी ने भारी आवाज़ में कहा। 'वह जादू में निपुण था, वरना वह कभी उस भूलभुलैया के बीच तक नहीं पहुँच पाता। लेकिन अगर वोल्डेमॉर्ट किसी को मारना चाहता है, तो उसके बचने की कोई संभावना नहीं रहती है।'

वोल्डेमॉर्ट का नाम सुनते ही चो ने हिचकी ली, लेकिन बिना चिहुँके हैरी की तरफ़ घूरती रही।

वह धीरे से बोली, '*तुम* तो बचपन में ही उससे बच गए थे।'

'हाँ,' हैरी ने थके अंदाज़ में दरवाज़े की तरफ़ बढ़ते हुए कहा। 'मुझे उसका कारण नहीं मालूम। किसी और को भी नहीं मालूम। इसलिए इसमें गर्व करने की कोई बात नहीं है।'

'ओह, मत जाओ!' चो ने दोबारा रोने जैसी आवाज़ में कहा। 'मुझे सचमुच अफ़सोस है कि मैं इस तरह परेशान हो रही हूँ ... मैं नहीं चाहती हूँ ...'

उसने दोबारा हिचकी ली। हालाँकि उसकी आँखें लाल और फूली हुई थीं, लेकिन इसके बावजूद वह बहुत सुंदर दिख रही थी। हैरी बहुत दुखी हो गया। उसे सिर्फ़ 'हैप्पी क्रिसमस' सुनकर बहुत ख़ुशी हुई होती।

'मैं जानती हूँ कि तुम्हें यह भयंकर लग रहा होगा,' उसने अपनी आँखें अपनी आस्तीन पर दोबारा पोंछते हुए कहा। 'मैं सेडरिक का ज़िक्र कर रही हूँ, जबकि तुमने उसे मरते देखा था ... मुझे लगता है कि तुम उस बात को भूलना चाहते होगे?'

हैरी कुछ नहीं बोला। यह बिलकुल सच था, लेकिन यह कहना ठीक नहीं होता।

'तुम सचमुच बहुत अच्छे टीचर हो,' चो ने कमज़ोर मुस्कराहट के साथ कहा। 'मैं पहले कभी किसी को स्तब्ध नहीं कर पाती थी।'

'धन्यवाद,' हैरी ने अजीब तरीक़े से कहा।

वे काफ़ी देर तक एक-दूसरे को देखते रहे। हैरी के मन में प्रबल इच्छा हो रही थी कि वह कमरे से भाग जाए। दूसरी तरफ़, वह अपने पैर भी नहीं हिला सकता था।

'मिसलटो,' चो ने धीरे से कहा और उसके सिर के ऊपर छत की तरफ़ इशारा किया।

'हाँ,' हैरी ने कहा। उसका मुँह बहुत सूख गया था। 'वैसे शायद इसमें नार्गल्स भरे होंगे।'

'नार्गल्स क्या होते हैं?'

'क्या पता,' हैरी ने कहा। वह अब क़रीब आ गई थी। हैरी का दिमाग़ स्तब्ध होने लगा था। 'तुम्हें लूनी से पूछना होगा। मेरा मतलब है लूना से।'

चो ने एक अजीब सी आवाज़ निकाली, जो सिसकी और हँसी के बीच थी। वह अब उसके और ज़्यादा क़रीब आ चुकी थी। अब वह इतनी क़रीब थी कि हैरी उसकी नाक के चकत्ते गिन सकता था।

'तुम मुझे सचमुच पसंद हो, हैरी।'

वह सोच नहीं सकता था। उसके भीतर सरसराहट का एहसास फैल रहा था, जो उसके हाथ-पैर और दिमाग़ को सुन्न कर रहा था।

वह इतनी ज़्यादा क़रीब थी। वह उसकी पलकों पर चिपका एक-एक आँसू देख सकता था ...

*

वह आधे घंटे बाद गरुड़द्वार के हॉल में लौटा। हर्माइनी और रॉन आग के पास वाली अपनी पसंदीदा कुर्सियों पर बैठे थे। बाक़ी सभी विद्यार्थी सोने चले गए थे। हर्माइनी एक बहुत लंबी चिट्ठी लिख रही थी। वह पहले ही आधा चर्मपत्र भर चुकी थी, जो टेबल के सिरे से लटक रहा था। रॉन आग के पास वाली दरी पर लेटा हुआ था और रूपांतरण के होमवर्क को पूरा करने की कोशिश कर रहा था।

जब हैरी हर्माइनी की बग़ल वाली कुर्सी में धँस गया, तो रॉन ने पूछा, 'तुम्हें देर कैसे हो गई?'

हैरी ने जवाब नहीं दिया। वह सदमे की हालत में था। उसका आधा हिस्सा रॉन और हर्माइनी को बताना चाहता था कि अभी-अभी क्या हुआ था, लेकिन दूसरा हिस्सा उस रहस्य को अपने साथ क़ब्र तक ले जाना चाहता था।

'तुम ठीक तो हो, हैरी?' हर्माइनी ने अपनी क़लम के ऊपर से उसकी तरफ़ देखते हुए पूछा।

हैरी ने अधूरे मन से कंधे उचका दिए। सच तो यह था कि वह यह नहीं जानता था कि वह बिलकुल ठीक था या नहीं। 'क्या हुआ?' रॉन ने पूछा और

अपनी कोहनी के सहारे अपना चेहरा ऊँचा कर लिया, ताकि हैरी को ठीक से देख सके। 'क्या हुआ?'

हैरी यह नहीं जानता था कि उन्हें कैसे बताए। उसे तो यह भी यक़ीन नहीं था कि वह उन्हें यह बात बताना चाहता था। जैसे ही उसने यह फ़ैसला किया कि वह कुछ नहीं बोलेगा, हर्माइनी ने मामले को अपने हाथ में ले लिया।

उसने गंभीरता से पूछा, 'चो के कारण? क्या मीटिंग के बाद उसने तुम्हें घेर लिया?'

हैरान होते हुए हैरी ने सिर हिला दिया। रॉन हँस पड़ा और तभी रुका, जब हर्माइनी ने उस पर चेतावनी भरी निगाह डाली।

रॉन ने नक़ली गंभीरता से पूछा, 'तो - अर - वह क्या चाहती थी?'

'वह -' हैरी ने थोड़े भर्राए स्वर में बोलना शुरू किया। फिर उसने गला साफ़ किया और दोबारा बोलने की कोशिश की। 'वह - अर -'

हर्माइनी ने तेज़ी से पूछा, 'क्या तुमने उसे चूमा?'

रॉन इतनी तेज़ी से उठकर बैठा कि उसकी स्याही की दवात दरी पर फैल गई। इसे पूरी तरह नज़रअंदाज़ करते हुए उसने उत्सुकता से हैरी को घूरा।

'बताओ ना?' उसने पूछा।

हैरी ने रॉन के जिज्ञासा तथा प्रसन्नता के मिले-जुले भाव से हर्माइनी की हल्की त्योरी की तरफ़ देखा और हाँ में सिर हिला दिया।

'अहा!'

रॉन अपना मुक्का लहराकर विजयी अंदाज़ में उछला और इतनी ज़ोर से हँसा कि खिड़की के पास के कई भयभीत दिख रहे सेकंड ईयर के विद्यार्थी उछल पड़े। हैरी के चेहरे पर अनिच्छा से एक मुस्कान आ गई, जब उसने रॉन को दरी पर लुढ़कते देखा। हर्माइनी ने रॉन को हिक़ारत से देखा और फिर से अपनी चिट्ठी लिखने लगी।

'तो?' रॉन ने आख़िर हैरी की तरफ़ देखते हुए कहा। 'कैसा लगा?'

हैरी ने एक पल सोचा।

'गीला,' उसने सच्चाई बता दी।

रॉन ने एक आवाज़ निकाली, लेकिन यह बताना मुश्किल था कि यह उल्लास का संकेत था या घिन का।

हैरी ने भारीपन से कहा, 'क्योंकि वह रो रही थी।'

'ओह,' रॉन ने कहा और अब उसकी मुस्कान थोड़ी कम हो गई। 'क्या

तुम चूमने में इतने बुरे हो?'

'क्या पता,' हैरी ने कहा, जिसने इस पर विचार नहीं किया था और वह तत्काल थोड़ा चिंतित महसूस करने लगा। 'शायद मैं हूँ।'

'ज़ाहिर है, तुम नहीं हो,' हर्माइनी ने खोई-खोई आवाज़ में कहा। वह अब भी अपनी चिट्ठी लिखने में मशगूल थी।

रॉन ने बहुत तीखी आवाज़ में पूछा, 'तुम्हें कैसे पता?'

'क्योंकि इन दिनों चो अपना आधा समय रोने में बिता रही है,' हर्माइनी ने कहा। 'वह खाते समय रोती है, बाथरूम में रोती है, हर जगह रोती है।'

रॉन ने मुस्कराते हुए कहा, 'तुम्हें क्या लगता है, थोड़े चूमने से वह ख़ुश हो जाएगी।'

हर्माइनी दवात में क़लम डुबाते हुए गंभीर आवाज़ में बोली, 'रॉन, मैंने आज तक तुमसे ज़्यादा असंवेदनशील आदमी नहीं देखा।'

रॉन ने नाराज़गी से कहा, 'ऐसा क्यों? बताओ तो सही, चूमने पर कोई रोता है क्या?'

हैरी ने थोड़ी हताशा से पूछा, 'हाँ, ऐसा कौन करता है?'

हर्माइनी ने उन दोनों को देखा और उसके चेहरे पर करुणा का भाव था।

उसने पूछा, 'क्या तुम यह नहीं समझ पा रहे हो कि चो इस समय कैसा महसूस कर रही है?'

'नहीं,' हैरी और रॉन ने एक साथ कहा।

हर्माइनी ने आह भरी और अपनी क़लम रख दी।

'देखो, स्पष्ट है कि सेडरिक की मौत के कारण वह बहुत दुखी है। इसके अलावा शायद वह दुविधा में भी होगी, क्योंकि पहले उसे सेडरिक पसंद था और अब वह हैरी को पसंद करती है और वह यह नहीं सोच पा रही होगी कि उसे कौन ज़्यादा पसंद है। फिर वह अपराधी महसूस कर रही होगी, यह सोच रही होगी कि हैरी को चूमना सेडरिक की याद का अपमान है। उसे यह चिंता भी सता रही होगी कि अगर वह हैरी के साथ घूमने लगेगी, तो बाक़ी विद्यार्थी उसके बारे में क्या कहेंगे। और वह शायद यह भी तय नहीं कर पा रही होगी कि हैरी के प्रति उसकी भावनाएँ क्या हैं; क्योंकि सेडरिक की मौत के समय वह उसके साथ था। यह सब आपस में बहुत गुत्थमगुत्था है और दर्दनाक है। इसके अलावा, उसे यह डर भी होगा कि उसे चीलघात की क्विडिच टीम से निकाल दिया जाएगा, क्योंकि वह आजकल बहुत बुरा खेल रही है।'

उसकी इस बात के अंत में ख़ामोशी छा गई। फिर रॉन बोला, 'कोई

इतनी सारी भावनाएँ एक साथ कैसे महसूस कर सकता है? उसका दिमाग़ फट जाएगा।'

'तुम्हारी भावनाएँ चाय की चम्मच में आ सकती हैं, इसका यह मतलब नहीं है कि बाक़ी लोगों के साथ भी ऐसा ही होगा,' हर्माइनी ने अपनी क़लम दोबारा उठाते हुए बुरा मुँह बनाकर कहा।

'उसी ने यह सब शुरू किया था,' हैरी ने कहा। 'मैं ऐसा कभी नहीं करता – वह तो मेरे पास अचानक आ गई थी – और फिर वह रोने लगी – मुझे समझ में नहीं आया कि मैं क्या करूँ –'

रॉन ने इस विचार पर दहशत में आते हुए कहा, 'हम तुम्हें दोष नहीं दे रहे हैं, दोस्त।'

'तुम्हें उसके प्रति अच्छा व्यवहार करना था,' हर्माइनी ने चिंता से ऊपर देखते हुए कहा। 'तुमने अच्छा व्यवहार किया था, है ना?'

'देखो,' हैरी ने कहा और उसे अपना चेहरा गर्म लगने लगा, 'मैंने – उसकी पीठ थपथपाई थी।'

हर्माइनी ऐसे देख रही थी, जैसे बड़ी मुश्किल से अपनी हँसी रोक रही हो।

'देखो, मुझे लगता है कि मामला इससे भी बुरा हो सकता था,' उसने कहा। 'क्या तुम दोबारा उससे मिलोगे?'

'मिलना ही पड़ेगा, है ना?' हैरी ने कहा। '**डीए** मीटिंगें तो होंगी, है ना?'

हर्माइनी ने अधीरता से कहा, 'तुम मेरा मतलब अच्छी तरह से समझते हो।'

हैरी कुछ नहीं बोला। हर्माइनी के शब्दों ने भयंकर आशंकाओं का एक नया संसार खोल दिया था। उसने यह कल्पना करने की कोशिश की कि वह चो के साथ कहीं जा रहा है – शायद हॉग्समीड – और उसके साथ घंटों अकेला है। ज़ाहिर है, चूमने के बाद वह यह उम्मीद कर रही होगी कि वह उसे बाहर ले जाने का प्रस्ताव रखेगा ... इस विचार से ही उसके पेट में दर्दनाक मरोड़ उठने लगी।

'ओह,' हर्माइनी ने एक बार फिर अपनी चिट्ठी में खोते हुए कहा, 'तुम्हें उसे बाहर ले जाने के बहुत मौक़े मिलेंगे।'

'अगर वह उसे न ले जाना चाहे?' रॉन ने कहा, जो अपने चेहरे पर एक असामान्य चतुर भाव लाकर हैरी को देख रहा था।

'मूर्ख मत बनो,' हर्माइनी ने कहा। 'हैरी उसे सदियों से पसंद करता है। है ना, हैरी?'

हैरी ने जवाब नहीं दिया। हाँ, वह चो को सदियों से पसंद करता था,

लेकिन जब भी वह उन दोनों के साथ रहने की कल्पना करता था, तो चो हमेशा ख़ुश नज़र आती थी। उसकी कल्पना में चो बेक़ाबू होकर उसके कंधे पर सुबकती नहीं थी।

'वैसे तुम यह उपन्यास किसे लिख रही हो ?' रॉन ने हर्माइनी से पूछा और चर्मपत्र के उस हिस्से को पढ़ने क़ी कोशिश की, जो अब फ़र्श पर घिसट रहा था। हर्माइनी ने चर्मपत्र फ़ौरन ऊपर उठा लिया, ताकि रॉन उसे न पढ़ पाए।

'विक्टर।'

'*क्रम ?*'

'हम और किस विक्टर को जानते हैं ?'

रॉन कुछ नहीं बोला, लेकिन असंतुष्ट दिखने लगा। वे लगभग बीस मिनट तक ख़ामोश बैठे रहे। रॉन ने बड़ी अधीरता और बहुत काटा-पीटी के बाद रूपांतरण का निबंध पूरा कर लिया। हर्माइनी चर्मपत्र के आख़िरी सिरे तक लगातार लिखती रही। फिर उसने चर्मपत्र को सावधानी से तह किया और सीलबंद कर दिया। हैरी आग में घूरता रहा और यह सोचता रहा कि काश इस वक़्त सिरियस का सिर वहाँ प्रकट हो जाए और उसे लड़कियों के बारे में कुछ सलाह दे दे। लेकिन आग धीरे-धीरे बुझती रही, जब तक कि लाल सुर्ख़ अंगारे राख नहीं बन गए। चारों तरफ़ नज़रें डालने पर हैरी ने पाया कि पूरे हॉल में सिर्फ़ वे लोग ही बचे थे।

ज़ोर की जम्हाई लेते हुए हर्माइनी बोली, 'अच्छा तो गुड नाइट!' फिर वह लड़कियों के कमरों की तरफ़ जाने वाली सीढ़ी की तरफ़ चल दी।

'उसे क्रम में आख़िर क्या नज़र आता है ?' रॉन ने पूछा, जब वह और हैरी लड़कों के कमरों की सीढ़ियों पर चढ़ने लगे।

हैरी ने इस बारे में सोचते हुए कहा, 'देखो, मुझे लगता है कि उसकी उम्र थोड़ी ज़्यादा है, है ना ... और वह अंतर्राष्ट्रीय क्विडिच खिलाड़ी है ...'

'हाँ, लेकिन इसके अलावा,' रॉन ने थोड़ी उत्तेजित आवाज़ में कहा। 'मेरा मतलब है, वह अटपटा और मूर्ख है, है ना ?'

'थोड़ा अटपटा तो है, हाँ,' हैरी ने कहा, जिसके विचार अब भी चो के इर्द-गिर्द घूम रहे थे।

उन्होंने ख़ामोशी से दुशाले उतारकर पायजामे पहने। डीन, सीमस और नेविल पहले ही सो चुके थे। हैरी ने अपना चश्मा पलंग के पास वाली टेबल पर रखा और पलंग पर चढ़ गया, लेकिन उसने पलंग के चारों तरफ़ पर्दे नहीं लगाए। वह नेविल के पलंग के पास वाली खिड़की से बाहर दिखते सितारों भरे

आसमान को ताकता रहा। काश उसे कल रात को यह अंदाज़ा होता कि चौबीस घंटे के भीतर वह चो चैंग को चूम लेगा ...

उसकी दाहिनी तरफ़ से रॉन बुदबुदाया, 'गुड नाइट।'

'गुड नाइट,' हैरी ने जवाब दिया।

शायद अगली बार ... अगर ऐसा अगली बार हो तो ... वह थोड़ी ज़्यादा ख़ुश रहेगी। उसे उससे घूमने चलने के लिए पूछना चाहिए था, वह शायद इसकी उम्मीद कर रही होगी और अब उससे सचमुच नाराज़ होगी ... या शायद वह बिस्तर पर लेटी-लेटी अब भी सेडरिक को याद करके रो रही होगी? वह नहीं जानता था कि क्या सोचे। हर्माइनी के स्पष्टीकरण से सारा मामला आसानी से समझ में आने के बजाय ज़्यादा जटिल लगने लगा था।

उसने करवट बदलते हुए सोचा, उन्हें हमें यहाँ यही सिखाना चाहिए कि लड़कियों के दिमाग़ कैसे काम करते हैं ... यह ज्योतिष से ज़्यादा उपयोगी विषय रहेगा ...

नेविल ने नींद में सूँ-सूँ की। रात में कहीं पर उल्लू के बोलने की आवाज़ सुनाई दी।

हैरी ने सपना देखा कि वह **डीए** के कमरे में वापस पहुँच गया था। चो उस पर आरोप लगा रही थी कि वह झूठे वादे करके उसे वहाँ ले आया था। चो का आरोप था कि हैरी 150 चॉकलेट मेंढक कार्ड देने के लालच में उसे वहाँ लाया था। हैरी ने विरोध किया ... चो चिल्लाने लगी, *'सेडरिक ने मुझे ढेर सारे चॉकलेट मेंढक कार्ड दिए थे, देखो!'* उसने अपने दुशालों के भीतर से मुट्ठी भर कार्ड निकालकर हवा में उछाल दिए। फिर वह हर्माइनी में बदल गई, जिसने कहा, *'देखो हैरी, तुमने उससे वादा किया था ... मुझे लगता है, अच्छा यही रहेगा कि तुम उसे इसके बजाय कुछ और दे दो ... अपनी फ़ायरबोल्ट दे दो।'* हैरी विरोध कर रहा था कि वह चो को अपनी फ़ायरबोल्ट नहीं दे सकता, क्योंकि वह तो अंबरिज के पास थी और वैसे भी पूरा मामला मूर्खतापूर्ण था। वह तो **डीए** के कमरे में सिर्फ़ क्रिसमस के कुछ गुब्बारे लगाने आया था, जो डॉबी के सिर जैसे थे ...

सपना बदल गया ...

उसका शरीर चिकना, सशक्त और लचीला महसूस हो रहा था। वह अँधेरे, ठंडे पत्थर पर धातु की चमकती छड़ों के बीच रेंग रहा था ... वह फ़र्श पर पेट के बल रेंग रहा था ... अँधेरा था, लेकिन वह अपने आस-पास की चीज़ों को अजीब से रंगों में चमकते देख रहा था ... वह अपना सिर घुमा रहा था ... पहली नज़र में गलियारा ख़ाली था ... लेकिन नहीं ... एक आदमी आगे फ़र्श पर बैठा

हुआ था। उसकी ठुड्डी उसके सीने पर लटकी हुई थी। उसकी आकृति अँधेरे में चमक रही थी ...

हैरी ने अपनी जीभ बाहर निकाली ... उसे हवा में उस आदमी की गंध आ रही थी ... वह आदमी ऊँघ रहा था ... वह गलियारे के सिरे पर एक दरवाज़े के सामने बैठा था ...

हैरी का मन हुआ कि वह उस आदमी को काट ले ... लेकिन उसे अपनी इच्छा पर क़ाबू रखना होगा ... उसे ज़्यादा महत्वपूर्ण काम करना था ...

लेकिन वह आदमी हिल रहा था ... जब वह उछलकर खड़ा हुआ, तो उसके पैरों से चाँदी जैसे रंग का चोगा हट गया। हैरी को अपने ऊपर उसकी धुँधली आकृति दिखी। उसने देखा कि बेल्ट से एक छड़ी निकल रही थी ... उसके पास कोई चारा नहीं था ... उसने फ़र्श से अपना सिर उठाया और एक बार, दो बार, तीन बार अपने दाँत उस आदमी के मांस में गहराई से गड़ा दिए। उसे अपने जबड़ों के नीचे उसकी पसलियों के टूटने और गर्म ख़ून बहने का एहसास हुआ ...

वह आदमी दर्द के मारे चिल्लाने लगा ... फिर वह ख़ामोश होकर गिर गया ... वह दीवार से टिककर बेहोश हो गया ... फ़र्श पर ख़ून बह रहा था ...

उसका माथा बुरी तरह दुखने लगा ... यह इतनी ज़ोर से दुख रहा था, जैसे फट जाएगा ...

'हैरी! **हैरी!**'

उसने अपनी आँखें खोल लीं। उसके पूरे शरीर पर बर्फ़ जैसा पसीना था। उसके बिस्तर की चादरें उसके चारों तरफ़ लिपटी हुई थीं। उसे ऐसा लग रहा था, जैसे उसके माथे पर गर्म सुर्ख़ सलाख रखी हो।

'*हैरी!*'

रॉन उसके पास खड़ा हुआ था और बहुत डरा हुआ दिख रहा था। हैरी के पलंग के पैताने के पास कई और आकृतियाँ थीं। उसने अपना सिर हाथों में दबाया, क्योंकि दर्द के मारे वह अपनी आँखें नहीं खोल पा रहा था ... वह पलटा और उसने दरी के किनारे पर उल्टी कर दी।

'वह बीमार है,' एक डरी हुई आवाज़ आई, 'क्या हमें किसी को बुलाना चाहिए ?'

'हैरी! *हैरी!*'

उसे रॉन को बताना होगा। उसे बताना बहुत महत्वपूर्ण था ... गहरी साँसें लेते हुए हैरी पलंग से उठा और दोबारा उल्टी न करने का संकल्प किया।

दर्द उसे अंधा किए दे रहा था।

'तुम्हारे डैडी,' उसने हाँफते हुए कहा। उसका सीना ऊपर-नीचे हो रहा था। 'तुम्हारे डैडी ... पर हमला हुआ है ...'

'क्या ?' रॉन को कुछ समझ में नहीं आया।

'तुम्हारे डैडी! उन्हें काट लिया गया है, यह गंभीर है, हर जगह ख़ून था ...'

'मैं मदद लेने जा रहा हूँ,' वही डरी हुई आवाज़ बोली और हैरी ने सुना कि कोई कमरे से बाहर भागकर जा रहा है।

'हैरी, दोस्त,' रॉन अनिश्चितता से बोला, 'तुम ... तुम तो बस सपना देख रहे थे ...'

'नहीं!' हैरी ने आवेश में कहा। यह बहुत महत्वपूर्ण था कि रॉन समझ ले। 'यह सपना नहीं था ... सामान्य सपना नहीं था ... मैं वहाँ था, मैंने इसे देखा था ... मैंने *यह किया था ...*'

उसे सीमस और डीन के बुदबुदाने की आवाज़ सुनाई दे रही थी, लेकिन उसे परवाह नहीं थी। उसके माथे का दर्द अब थोड़ा कम हो रहा था, हालाँकि वह अब भी पसीना-पसीना था और बुरी तरह काँप रहा था। उसने एक बार फिर उल्टी की और रॉन तत्काल बचता हुआ पीछे उछल गया।

'हैरी, तुम्हारी तबियत ठीक नहीं है,' उसने हिलते हुए कहा। 'नेविल मदद लेने गया है।'

'मैं ठीक हूँ!' हैरी का गला रुँध गया। उसने पायजामे से अपना मुँह पोंछ लिया और बुरी तरह काँपने लगा। 'मेरे साथ कोई गड़बड़ नहीं है। तुम्हें अपने डैडी के बारे में चिंता करनी चाहिए - हमें यह पता लगाना होगा कि वे कहाँ हैं - उनके शरीर से बुरी तरह ख़ून बह रहा था - यह मैंने - यह एक बड़े साँप ने किया था।'

उसने पलंग से उतरने की कोशिश की, लेकिन रॉन ने उसे वापस धकेल दिया। डीन और सीमस अब भी पास में कहीं पर फुसफुसा रहे थे। हैरी यह नहीं जानता था कि एक मिनट गुज़रा था या दस मिनट गुज़रे थे। वह तो काँपता हुआ बस वहीं बैठा रहा और दर्द को अपने निशान से बहुत धीरे-धीरे कम होता महसूस करता रहा ... फिर सीढ़ियों के ऊपर किसी के चढ़ने की आवाज़ आई और उसे नेविल की आवाज़ दोबारा सुनाई दी।

'यहाँ पर, प्रोफ़ेसर।'

प्रोफ़ेसर मैक्गॉनेगल अपने चौकड़ी वाले ड्रेसिंग गाउन में कमरे में तेज़ी से

आईं। उनकी नाक पर चश्मा थोड़ा तिरछा लगा हुआ था।

'क्या हुआ, पॉटर ? कहाँ दर्द हो रहा है ?'

उन्हें देखकर उसे इतनी ख़ुशी पहले कभी नहीं हुई थी। उसे इस वक़्त मायापंछी के समूह के एक सदस्य की ज़रूरत थी, किसी ऐसे व्यक्ति की, जो उसके बारे में ख़ामख़्वाह चिंता न करे और अनुपयोगी काढ़े न पिलाए।

'रॉन के डैडी,' उसने उठकर बैठते हुए कहा। 'उन पर एक साँप ने हमला कर दिया है और मामला गंभीर है। मैंने इसे होते देखा है।'

'तुम्हारा क्या मतलब है, तुमने इसे होते देखा है ?' प्रोफ़ेसर मैक्गॉनेगल ने अपनी काली भौंहें सिकोड़ते हुए पूछा।

'मैं नहीं जानता ... मैं सोया हुआ था और मैं वहाँ पहुँच गया ...'

'तुम्हारा मतलब है, तुमने यह सपने में देखा था ?'

'नहीं!' हैरी ने ग़ुस्से में कहा। क्या कोई नहीं समझेगा ? 'मैं पहले तो किसी बिलकुल अलग चीज़ के बारे में, किसी मूर्खतापूर्ण चीज़ के बारे में सपना देख रहा था ... और अचानक उसकी जगह पर यह आ गया। यह असली था, यह मनगढ़ंत नहीं है। मिस्टर वीज़्ली फ़र्श पर सोए हुए थे और उन पर एक बहुत बड़े साँप ने हमला कर दिया। उनके शरीर से बहुत ख़ून बह रहा था, वे गिर गए, किसी को यह पता लगाना होगा कि वे कहाँ हैं ...'

प्रोफ़ेसर मैक्गॉनेगल अपने तिरछे चश्मे से उसे घूरती रहीं, जैसे उसकी हालत देखकर दहशत में हों।

हैरी ने लगभग चिल्लाते हुए कहा, 'मैं झूठ नहीं बोल रहा हूँ और मैं पागल नहीं हूँ! मैंने आपको बताया ना, मैंने यह होते देखा है!'

प्रोफ़ेसर मैक्गॉनेगल ने धीरे से कहा, 'मुझे तुम्हारी बात पर यक़ीन है, पॉटर। अपना ड्रेसिंग गाउन पहन लो – हम हेडमास्टर के पास चलते हैं।'

अध्याय बाईस

सेंट मंगोज़ जादुई रोग एवं दुर्घटना अस्पताल

हैरी को इस बात से बड़ी राहत मिली कि मैक्गॉनेगल ने उसकी बात गंभीरता से ली थी। वह बिना झिझके पलंग से फ़ौरन कूद गया। उसने फटाफट ड्रेसिंग गाउन पहना और चश्मा नाक पर चढ़ा लिया।

प्रोफ़ेसर मैक्गॉनेगल ने कहा, 'वीज़्ली, तुम्हें भी चलना चाहिए।'

नेविल, डीन और सीमस के पास से गुज़रते हुए वे दोनों प्रोफ़ेसर मैक्गॉनेगल के पीछे-पीछे कमरे से बाहर निकल गए। घुमावदार सीढ़ियों से उतरकर वे हॉल में पहुँचे, तस्वीर के छेद से निकले और चाँदनी में नहाए गलियारे में चलने लगे। हैरी को महसूस हुआ कि उसके भीतर की दहशत किसी भी पल बाहर निकल सकती है। वह दौड़ना चाहता था। वह डम्बलडोर को चिल्लाकर बताना चाहता था। उन लोगों के धीरे-धीरे चलते समय मिस्टर वीज़्ली का ख़ून तेज़ी से बह रहा था और अगर वे दाँत ज़हरीले हुए (हैरी ने बहुत कोशिश की कि वह यह न सोचे, 'मेरे दाँत'), तो कितना बुरा हो सकता है? वे मिसेज़ नॉरिस के पास से गुज़रे, जिसने अपनी लैंप जैसी आँखें उन पर डालीं और धीरे से आवाज़ निकाली, लेकिन प्रोफ़ेसर मैक्गॉनेगल ने 'शू!' कर दिया। मिसेज़ नॉरिस दूर चली गई और कुछ मिनट में वे पत्थर के उस गारगॉइल के पास पहुँच गए, जो डम्बलडोर के ऑफ़िस के प्रवेश द्वार की रखवाली कर रहा था।

प्रोफ़ेसर मैक्गॉनेगल बोलीं, 'फ़िज़िंग व्हिज़बी।'

गारगॉइल सजीव होकर एक तरफ़ हट गया। उसके पीछे की दीवार दो हिस्सों में बँट गई। पत्थर की घुमावदार सीढ़ियाँ दिखने लगीं, जो चलती हुई ऊपर जा रही थीं। वे तीनों चलती हुई सीढ़ियों पर खड़े हो गए। उनके पीछे दीवार धम्म से बंद हो गई और वे घूमते हुए तब तक ऊपर की तरफ़ चढ़ते रहे,

जब तक कि वे बलूत की लकड़ी के बहुत चमकदार दरवाज़े तक नहीं पहुँच गए। इस दरवाज़े पर गरुड़ के आकार की पीतल की कुंडी लगी थी।

आधी रात से ज़्यादा होने के बाद भी कमरे के भीतर से आवाज़ें आ रही थीं, बहुत सारी आवाज़ें। ऐसा लग रहा था, जैसे डम्बलडोर कम से कम एक दर्जन लोगों से बातें कर रहे हों।

प्रोफ़ेसर मैक्गॉनेगल ने गरुड़ के आकार की कुंडी से तीन बार दस्तक दी। आवाज़ें तत्काल बंद हो गईं, मानो किसी ने उनका स्विच बंद कर दिया हो। दरवाज़ा अपने आप खुल गया और प्रोफ़ेसर मैक्गॉनेगल हैरी तथा रॉन को भीतर ले गईं।

कमरा आधे अँधेरे में था। चाँदी के अजीब से यंत्र टेबलों पर ख़ामोश खड़े थे और अब भी धुएँ की लकीरें छोड़ रहे थे, जैसा वे हमेशा करते थे। दीवारों पर पूर्व हेडमास्टर और हेडमिस्ट्रेसेस अपनी-अपनी तस्वीरों के फ़्रेम में ऊँघ रहे थे। दरवाज़े के पीछे हंस जितना बड़ा एक शानदार लाल-सुनहरा पक्षी ऊँघ रहा था और उसका सिर उसके पंख के नीचे था।

'ओह, प्रोफ़ेसर मैक्गॉनेगल आप हैं ... और ... *ओह।*'

डम्बलडोर अपनी डेस्क के पीछे ऊँची पीठ वाली कुर्सी में बैठे थे। वे मोमबत्ती की रोशनी के घेरे में आगे झुके, जो उनके सामने रखे काग़ज़ों पर रोशनी कर रही थी। वे एक शानदार कढ़ाई वाला बैंगनी और सुनहरा ड्रेसिंग गाउन पहने थे। गाउन के नीचे सफ़ेद नाइटशर्ट थी, लेकिन वे पूरी तरह जागे हुए लग रहे थे। उनकी हल्की नीली पैनी आँखें प्रोफ़ेसर मैक्गॉनेगल पर जमी हुई थीं।

'प्रोफ़ेसर डम्बलडोर, पॉटर को एक ... एक बुरा सपना आया था,' प्रोफ़ेसर मैक्गॉनेगल ने कहा। 'वह कहता है ...'

हैरी ने जल्दी से कहा, 'यह सपना नहीं था।'

प्रोफ़ेसर मैक्गॉनेगल ने मुड़कर हैरी को देखा और त्योरियाँ चढ़ा लीं।

'ठीक है, पॉटर, अब हेडमास्टर को इसके बारे में तुम ही बता दो।'

हैरी बोला, 'देखिए, मैं ... मैं सो रहा *था* ...' डम्बलडोर को समझाने की हताशा और दहशत में भी वह इस बात पर चिढ़ रहा था कि वे उसकी तरफ़ नहीं, बल्कि अपनी जुड़ी हुई उँगलियों की तरफ़ देख रहे थे। 'लेकिन यह कोई साधारण सपना नहीं था ... यह सच्चा था ... मैंने इसे होते देखा था ...' उसने एक गहरी साँस खींची, 'रॉन के डैडी - मिस्टर वीज़्ली - पर एक बड़े साँप ने हमला कर दिया है।'

उसके मुँह से निकलकर ये शब्द हवा में गूँजने लगे। वे थोड़े मूर्खतापूर्ण,

यहाँ तक कि मज़ाक़िया भी लगने लगे। एक ख़ामोशी छा गई, जिसमें डम्बलडोर कुर्सी पर पीछे टिके रहे और सोचते हुए छत की तरफ़ देखते रहे। रॉन सफ़ेद चेहरे और सदमे के साथ कभी हैरी को, तो कभी डम्बलडोर को देख रहा था।

'तुमने यह कैसे देखा?' डम्बलडोर ने धीरे से पूछा। वे अब भी हैरी की तरफ़ नहीं देख रहे थे।

'देखिए ... मैं नहीं जानता,' हैरी ने थोड़े ग़ुस्से से कहा – आख़िर इससे क्या फ़र्क़ पड़ता है? 'मुझे लगता है, मेरे दिमाग़ में –'

'तुम मेरी बात का मतलब नहीं समझे,' डम्बलडोर ने उसी शांत अंदाज़ में कहा। 'मेरा मतलब है ... क्या तुम याद कर सकते हो – अर – कि हमले के वक़्त तुम कहाँ पर थे? तुम शिकार के पास खड़े थे या ऊपर से इस घटना को देख रहे थे?'

यह इतना अजीब सवाल था कि हैरी मुँह फाड़े डम्बलडोर की ओर देखता रह गया। ऐसा लग रहा था, जैसे उन्हें सब कुछ पता हो ...

'मैं ही साँप था,' उसने कहा। 'मैंने यह सब साँप के नज़रिए से देखा था।'

एक पल तक कोई भी कुछ नहीं बोला। रॉन का चेहरा पीला पड़ चुका था। डम्बलडोर ने रॉन की तरफ़ देखते हुए ज़्यादा तीखी आवाज़ में पूछा, 'क्या आर्थर बुरी तरह घायल है?'

'हाँ,' हैरी ने ज़ोर देकर कहा – वे लोग समझने में इतनी देर क्यों लगा रहे हैं? क्या उन्हें यह एहसास नहीं है कि दाँत काफ़ी पहले गड़ चुके हैं और अब तक उनका कितना सारा ख़ून बह चुका होगा? और डम्बलडोर उसकी तरफ़ देखने का शिष्टाचार क्यों नहीं निभा रहे हैं?

लेकिन डम्बलडोर खड़े हो गए। वे इतनी तेज़ी से खड़े हुए कि हैरी उछल पड़ा। डम्बलडोर ने छत के बहुत क़रीब लटक रही पुरानी तस्वीरों में से एक को संबोधित किया: 'एवरार्ड? और डिलिस, आप भी!'

झब्बेदार काली धारी और भूरे चेहरे वाला जादूगर तथा उसके पास वाले फ्रेम के लंबे सफ़ेद घुँघर वाली बूढ़ी जादूगरनी गहरी नींद में लग रहे थे, लेकिन उन्होंने फ़ौरन अपनी आँखें खोल लीं।

डम्बलडोर ने पूछा, 'आप लोग सुन रहे थे?'

जादूगर ने सिर हिलाया। जादूगरनी बोली, 'ज़ाहिर है।'

डम्बलडोर ने कहा, 'उस आदमी के बाल लाल हैं और उसने चश्मा लगा रखा है। एवरार्ड, आप चेतावनी दे दें। यह सुनिश्चित करें कि उसे सही लोग खोज लें –'

दोनों सिर हिलाकर अपने फ्रेम से चल दिए। बहरहाल, पास की तस्वीरों में प्रकट होने के बजाय (जैसा हॉगवर्ट्स में आम तौर पर होता था) कोई भी दोबारा नहीं दिखा। एक फ्रेम में अब काले पर्दे के अलावा कुछ नहीं दिख रहा था, जबकि दूसरे में चमड़े की बस एक आकर्षक कुर्सी थी। हैरी ने देखा कि दीवार पर टँगे कई हेडमास्टर और हेडमिस्ट्रेसेस हालाँकि विश्वसनीय खर्राटे भर रहे थे, लेकिन वे अपनी पलकों के नीचे से उसे चोरी-चोरी देख रहे थे। अचानक उसे समझ में आ गया कि उनके दरवाज़ा खटखटाते समय डम्बलडोर किससे बातें कर रहे थे।

'एवराई और डिलिस हॉगवर्ट्स के सबसे प्रख्यात हेडमास्टरों में से हैं,' डम्बलडोर ने कहा। वे अब हैरी, रॉन और प्रोफ़ेसर मैक्गॉनेगल के पास से घूमकर सोते हुए पक्षी की तरफ़ जा रहे थे, जो दरवाज़े के पास अपने अड्डे पर बैठा था। 'उनकी ख्याति इतनी ज़्यादा है कि दोनों की तस्वीरें जादूगरों की सभी महत्वपूर्ण संस्थाओं में लगी हुई हैं। चूँकि वे अपनी तस्वीरों में आराम से आ-जा सकते हैं, इसलिए वे हमें बता सकते हैं कि दूसरी जगह क्या हो रहा है ...'

हैरी ने कहा, 'लेकिन मिस्टर वीज़्ली कहीं भी हो सकते हैं!'

'आप तीनों बैठ जाएँ,' डम्बलडोर ने कहा, जैसे हैरी कुछ बोला ही न हो, 'एवराई और डिलिस अभी कुछ मिनट तक नहीं लौटेंगे। प्रोफ़ेसर मैक्गॉनेगल, कृपया कुछ कुर्सियों की व्यवस्था कर लें।'

प्रोफ़ेसर मैक्गॉनेगल ने ड्रेसिंग गाउन की जेब से छड़ी निकालकर लहराई। हवा में से तीन कुर्सियाँ प्रकट हो गईं। ये कुर्सियाँ लकड़ी की थीं और सीधी पीठ वाली थीं। ये उस तरह की आरामदेह गद्दीदार कुर्सियाँ नहीं थीं, जो डम्बलडोर ने हैरी की सुनवाई के समय हवा से प्रकट की थीं। हैरी बैठ गया और डम्बलडोर को देखता रहा। डम्बलडोर अब एक उँगली से ज्वाला के पंखदार सुनहरे सिर को सहला रहे थे। मायापंछी तत्काल जाग गया। उसने अपना सुंदर सिर उठाया और अपनी चमकीली आँखों से डम्बलडोर को देखने लगा।

डम्बलडोर ने बहुत धीरे से उस पक्षी से कहा, 'हमें चेतावनी की ज़रूरत है।'

आग की एक लपट उठी और मायापंछी चला गया।

डम्बलडोर अब चाँदी के एक नाज़ुक यंत्र के पास पहुँचे। हैरी को पता नहीं था कि इस यंत्र से क्या होता है। वे उस यंत्र को लेकर अपनी डेस्क तक पहुँचे, उन लोगों के सामने बैठे और अपनी छड़ी की नोक से उसे हल्के से ठोंका।

यंत्र में तत्काल जान आ गई और उसमें से लयदार आवाज़ें निकलने लगीं। ऊपर वाली छोटी सी चाँदी की नली से पीला हरा धुआँ निकलने लगा।

डम्बलडोर भौंहें चढ़ाकर धुएँ को ग़ौर से देखने लगे। कुछ सेकंड बाद धुआँ बढ़ गया, गहरा हो गया और हवा में छल्ले बनाने लगा ... उसके सिरे से एक साँप का सिर बन गया, जिसका मुँह चौड़ा खुला था। हैरी सोच रहा था कि क्या वह यंत्र उसके सपने की पुष्टि कर रहा है : उसने उत्सुकता से डम्बलडोर की तरफ़ देखा, ताकि उनकी किसी मुद्रा से वह समझ जाए कि वह सही था, लेकिन डम्बलडोर ने ऊपर नहीं देखा।

'बिलकुल, बिलकुल,' डम्बलडोर जैसे ख़ुद से बोले और बिना किसी हैरानी के धुएँ की लकीर को देखते रहे। 'लेकिन मूल रूप से विभाजित ?'

हैरी को इस सवाल का सिर-पैर समझ में नहीं आया। बहरहाल, धुएँ का साँप तत्काल दो साँपों में बँट गया और अब दोनों ही हवा में घुमड़ने लगे। थोड़े संतोष के भाव से डम्बलडोर ने यंत्र को अपनी छड़ी से हल्के से ठोंका : आवाज़ धीमी हो गई और ख़त्म हो गई। धुएँ के साँप हल्के पड़ गए और धुंध में बदलकर ग़ायब हो गए।

डम्बलडोर ने यंत्र को दोबारा उसकी छोटी जर्जर टेबल पर रख दिया। हैरी ने देखा कि तस्वीरों में से कई पुराने हेडमास्टर उसे देख रहे थे। लेकिन जब उन्हें एहसास हुआ कि हैरी उन्हें देख रहा था, तो वे तत्काल सोने का नाटक करने लगे। हैरी यह पूछना चाहता था कि यह अजीब सा चाँदी का यंत्र किसलिए था, लेकिन इससे पहले कि वह पूछ पाता, उनकी दाहिनी तरफ़ की दीवार के ऊपरी हिस्से से एक आवाज़ आई। एवरार्ड नाम का जादूगर अपनी तस्वीर में लौट आया था और थोड़ा हाँफ रहा था।

'डम्बलडोर!'

डम्बलडोर ने तत्काल पूछा, 'क्या ख़बर है ?'

'मैं तब तक चिल्लाया, जब तक कि कोई भागता हुआ वहाँ नहीं आ गया,' जादूगर ने कहा, जो अपने पीछे लगे पर्दे से माथा पोंछ रहा था, 'मैंने उससे कहा कि मैंने नीचे की मंज़िल पर किसी की आवाज़ सुनी है - वह तय नहीं कर पा रहा था कि मेरी बात पर भरोसा करे या नहीं, लेकिन वह जाँच करने के लिए नीचे चला गया - आप तो जानते ही हैं, नीचे तस्वीरें नहीं हैं, इसलिए मैं वहाँ नहीं जा सकता था। ख़ैर, कुछ मिनट बाद वे उसे उठाकर ले आए। उसकी हालत अच्छी नहीं दिख रही थी। वह ख़ून में लथपथ था। उनके जाते समय मैं अच्छी तरह से देखने के लिए एलफ़्रिडा क्रेग की तस्वीर तक भागा था -'

'अच्छी बात है,' डम्बलडोर ने कहा, जब रॉन तेज़ी से हिला। 'मुझे लगता है कि डिलिस ने उसे आते हुए देख लिया होगा, फिर -'

और कुछ पल बाद ही, सफ़ेद घूँघर वाली जादूगरनी भी अपनी तस्वीर में

लौट आई। वह खाँसती हुई अपनी कुर्सी में धँस गई और बोली, 'हाँ डम्बलडोर, वे उसे सेंट मंगोज़ ले गए हैं ... वे उसे मेरी तस्वीर के पास से ले गए ... उसकी हालत ख़राब दिख रही थी ...'

'धन्यवाद,' डम्बलडोर ने कहा। उन्होंने मुड़कर प्रोफ़ेसर मैक्गॉनेगल को देखा।

'मिनर्वा, मैं चाहता हूँ कि आप जाकर बाक़ी वीज़्ली बच्चों को जगा दें।'

'ठीक है ...'

प्रोफ़ेसर मैक्गॉनेगल उठकर खड़ी हुईं और तेज़ी से दरवाज़े तक गईं। हैरी ने रॉन की तरफ़ कनखियों से देखा, जो दहशत में लग रहा था।

प्रोफ़ेसर मैक्गॉनेगल ने दरवाज़े पर ठहरते हुए पूछा, 'और डम्बलडोर - मॉली को ख़बर कौन देगा?'

'वह काम ज्वाला कर देगा, जब वह किसी के आने की चेतावनी देने का काम पूरा कर लेगा,' डम्बलडोर ने कहा। 'लेकिन हो सकता है वह यह बात पहले से ही जानती हो ... उसकी घड़ी कमाल की है ...'

हैरी जानता था कि डम्बलडोर उस घड़ी का ज़िक्र कर रहे थे, जो समय नहीं, बल्कि वीज़्ली परिवार के सदस्यों का पता-ठिकाना और स्थिति बताती थी। एक टीस के साथ उसने सोचा कि मिस्टर वीज़्ली वाला काँटा इस वक़्त *जानलेवा ख़तरे* की तरफ़ इशारा कर रहा होगा। लेकिन रात बहुत हो चुकी थी। शायद मिसेज़ वीज़्ली सो चुकी होंगी और घड़ी नहीं देख रही होंगी। यह याद करके हैरी काँप गया कि मिसेज़ वीज़्ली का बहुरूपिया मिस्टर वीज़्ली के बेजान शरीर में बदल गया था, उसका चश्मा तिरछा हो गया था और उनके चेहरे से ख़ून बह रहा था ... लेकिन मिस्टर वीज़्ली नहीं मरेंगे ... वे नहीं मर सकते ...

डम्बलडोर अब हैरी और रॉन के पीछे की अलमारी में कुछ खोज रहे थे। वे उसमें से एक पुरानी काली केतली निकालकर लाए, जिसे उन्होंने सावधानी से अपनी डेस्क पर रख दिया। वे अपनी छड़ी उठाकर बुदबुदाए, 'आवागमनो!' एक पल के लिए केतली काँपी, एक अजीब नीली रोशनी में चमकी, फिर शांत होकर पहले जैसी काली दिखने लगी।

डम्बलडोर एक और तस्वीर के पास गए। उसमें एक चतुर दिखने वाला जादूगर था, जिसकी दाढ़ी नुकीली थी। वह नागशक्ति के हरे और चाँदी जैसे रंग के कपड़े पहने था और इतनी गहरी नींद में लग रहा था कि जब डम्बलडोर ने उसे जगाने की कोशिश की, तो उसने उनकी आवाज़ नहीं सुनी।

'फ़िनीज़। *फ़िनीज़।*'

तस्वीरों में लगे जादूगर और जादूगरनियाँ अब सोने का नाटक नहीं कर रहे थे। वे अपने फ्रेमों में इधर-उधर सरक रहे थे, ताकि घटना को ज़्यादा अच्छी तरह से देख सकें। जब चतुर दिखने वाला जादूगर सोने का नाटक करता रहा, तो उनमें से कुछ भी उसका नाम चिल्लाने लगे।

'फ़िनीज़! *फ़िनीज़!* **फ़िनीज़!**'

वह अब नाटक नहीं कर सकता था। वह नाटकीय ढंग से हिला और उसने आँखें खोल लीं।

'किसी ने मुझे पुकारा?'

'मुझे तुम्हारी ज़रूरत है। फ़िनीज़, मैं चाहता हूँ कि तुम अपनी दूसरी तस्वीर में जाओ,' डम्बलडोर ने कहा। 'मैं एक और संदेश भेजना चाहता हूँ।'

'मेरी दूसरी तस्वीर में?' फ़िनीज़ ने थकी हुई आवाज़ में कहा और एक लंबी, बनावटी जम्हाई ली (उसकी आँखें कमरे में चारों तरफ़ घूमीं और हैरी पर ठहर गईं)। 'ओह नहीं डम्बलडोर, आज रात को मैं बहुत थका हुआ हूँ।'

फ़िनीज़ की आवाज़ हैरी को जानी-पहचानी लगी। वह सोचने लगा कि उसने इसे पहले कहाँ सुना था? लेकिन इससे पहले कि वह सोच पाता, आस-पास लगी तस्वीरें विरोध में हो-हल्ला मचाने लगीं।

'आदेश की अवहेलना!' लाल नाक वाले एक मोटे जादूगर ने गरजकर कहा और अपने मुक्के लहराए। 'कर्तव्य से विमुखता!'

'हम हॉगवर्ट्स के वर्तमान हेडमास्टर के आदेशों का पालन करने के लिए वचनबद्ध हैं!' एक कमज़ोर दिखने वाले बूढ़े जादूगर ने चिल्लाकर कहा, जिन्हें देखकर हैरी पहचान गया कि वे डम्बलडोर के पूर्ववर्ती अर्मान्डो डिपेट हैं। 'फ़िनीज़, आपको शर्म आनी चाहिए!'

'क्या मैं उसे तैयार करूँ, डम्बलडोर?' एक जादूगरनी ने असामान्य मोटी छड़ी उठाकर कहा, जो लकड़ी के मुद्गर जैसी लग रही थी।

'ओह, बहुत *अच्छा,*' फ़िनीज़ नाम के जादूगर ने छड़ी को थोड़ा डरकर देखते हुए कहा, 'हालाँकि हो सकता है अब तक उसने मेरी तस्वीर फेंक दी हो। उसने ज़्यादातर पारिवारिक चीज़ें तो पहले ही फेंक –'

'सिरियस जानता है कि उसे तुम्हारी तस्वीर सँभालकर रखनी है,' डम्बलडोर ने कहा और हैरी तत्काल समझ गया कि उसने फ़िनीज़ की आवाज़ कहाँ सुनी थी : ग्रिमॉल्ड चौक के बेडरूम के ख़ाली दिखने वाले फ्रेम में। 'आपको उसे यह संदेश देना है कि आर्थर वीज़्ली गंभीर रूप से घायल हो गए हैं और आर्थर की पत्नी, बच्चे तथा हैरी पॉटर जल्दी ही उसके घर पहुँचने वाले हैं। आप

समझ गए ?'

'आर्थर वीज़्ली घायल, पत्नी, बच्चे और हैरी पॉटर रहने आ रहे हैं,' फ़िनीज़ ने नीरस आवाज़ में दोहराया। 'हाँ, हाँ ... बहुत अच्छा ...'

वह तस्वीर के फ्रेम में एक तरफ़ हुआ और ग़ायब हो गया। ठीक उसी पल दरवाज़ा एक बार फिर खुल गया। प्रोफ़ेसर मैक्गॉनेगल फ्रेड, जॉर्ज और जिनी को लेकर अंदर आ गई थीं। वे तीनों अस्त-व्यस्त और सदमे में दिख रहे थे तथा अब भी नाइटसूट पहने थे।

'हैरी - क्या हुआ ?' जिनी ने पूछा, जो डरी हुई दिख रही थी। 'प्रोफ़ेसर मैक्गॉनेगल कहती हैं कि तुमने डैडी को घायल होते देखा -'

'तुम्हारे डैडी मायापंछी के समूह का काम करते हुए घायल हो गए हैं,' डम्बलडोर ने हैरी के जवाब देने से पहले कहा। 'उन्हें सेंट मंगोज़ जादुई रोग एवं दुर्घटना अस्पताल ले जाया गया है। मैं तुम लोगों को सिरियस के घर भेज रहा हूँ, जो अस्पताल आने-जाने के लिहाज़ से तुम्हारे घर से ज़्यादा आरामदेह रहेगा। वहीं पर तुम्हें तुम्हारी मम्मी मिल जाएँगी।'

'हम जा कैसे रहे हैं ?' फ्रेड ने कहा, जो सदमे में दिख रहा था। 'छू पाउडर से ?'

'नहीं,' डम्बलडोर ने कहा। 'छू पाउडर इस वक़्त सुरक्षित नहीं है। नेटवर्क की निगरानी हो रही है। तुम लोग आवागमन कुंजी से जाओगे।' उन्होंने पुरानी केतली की तरफ़ इशारा किया, जो मासूमियत से उनकी डेस्क पर रखी हुई थी। 'हम फ़िनीज़ नाइजेलस की वापसी का इंतज़ार कर रहे हैं ... तुम लोगों को भेजने से पहले मैं यह सुनिश्चित करना चाहता हूँ कि रास्ता साफ़ हो -'

तभी ऑफ़िस के बीचोबीच आग की एक लपट दिखी और एक सुनहरा पंख धीरे से तैरकर फ़र्श पर गिर गया।

'यह ज्वाला की चेतावनी है,' डम्बलडोर ने पंख को पकड़ते हुए कहा। 'प्रोफ़ेसर अंबरिज को पता चल गया है कि तुम लोग अपने पलंग पर नहीं हो ... मिनर्वा, जाकर उन्हें रोको - उन्हें कोई भी कहानी सुना दो -'

प्रोफ़ेसर मैक्गॉनेगल इतनी फ़ुर्ती से गईं कि उनके गाउन की बस झलक ही दिख पाई।

'वह कहता है कि उसे ख़ुशी होगी,' डम्बलडोर के पीछे से एक बोरियत भरी आवाज़ आई। फ़िनीज़ नाम का जादूगर अपने नागशक्ति वाले बैनर के सामने दोबारा प्रकट हो चुका था। 'मेरे पर-पर-पोते की रुचि बड़े अजीब मेहमानों में है।'

'यहाँ आओ,' डम्बलडोर ने हैरी और वीज़्ली परिवार के बच्चों से कहा। 'और जल्दी करो, इससे पहले कि यहाँ कोई और आ जाए।'

हैरी और बाक़ी बच्चे डम्बलडोर की डेस्क के चारों तरफ़ इकट्ठे हो गए।

'तुम सभी पहले आवागमन कुंजी का इस्तेमाल कर चुके हो?' डम्बलडोर ने पूछा। सभी ने सिर हिला दिया और काली केतली के किसी हिस्से को छूने के लिए अपना हाथ बढ़ा दिया। 'बहुत बढ़िया। तीन की गिनती पर, एक ... दो ...'

यह एक सेकंड में हो गया। डम्बलडोर जब 'तीन' बोलने से पहले पल भर रुके, तो हैरी ने उनकी तरफ़ देखा - वे बहुत क़रीब थे - और डम्बलडोर की साफ़ नीली निगाह हैरी के चेहरे पर पड़ी।

तत्काल हैरी का निशान जलने लगा और सफ़ेद हो गया, जैसे पुराना घाव फिर से खुल गया हो। हैरी के अंदर नफ़रत की इतनी तेज़ लहर उठी, जिसे वह नहीं चाहता था, पसंद नहीं करता था, लेकिन जो बहुत प्रबल थी। उस पल वह हमला करना चाहता था - उन्हें काटना चाहता था - उनके शरीर में अपने ज़हरीले दाँत गड़ाना चाहता था -

'... तीन।'

हैरी की नाभि के पीछे ज़ोरदार झटका लगा। उसके पैरों के नीचे से फ़र्श ओझल हो गया। उसका हाथ केतली से चिपक गया। वह दूसरों से टकरा रहा था, जब वे रंगों के भँवर और हवा के झोंकों में तेज़ी से उड़ रहे थे। केतली उन्हें आगे की तरफ़ खींच रही थी ... और फिर उसके पैर ज़मीन पर इतनी तेज़ी से टकराए कि उसके घुटने मुड़ गए, केतली ज़मीन पर गिर पड़ी और क़रीब से क्रीचर की आवाज़ आई :

'दोबारा आ गए, बदज़ात बच्चो। क्या यह सच है कि इनका बाप मर रहा है?'

'बाहर जाओ!' एक दूसरी आवाज़ गरजी।

हैरी उठकर खड़ा हुआ और चारों तरफ़ देखने लगा। वे लोग ग्रिमॉल्ड चौक के बारह नंबर के उदास तलघर वाले किचन में आ गए थे। रोशनी सिर्फ़ आग और एक हिलती हुई मोमबत्ती से आ रही थी। वहाँ साफ़ दिख रहा था कि सिरियस अकेला रात का खाना खा रहा था, जो उसने अधूरा छोड़ दिया था। क्रीचर अपनी कमर के कपड़े को ऊपर खींचते हुए हॉल के दरवाज़े से ग़ायब हो रहा था और दुष्टता से पीछे देख रहा था। सिरियस चिंतित दिखता हुआ जल्दी से उनकी तरफ़ आ रहा था। उसकी दाढ़ी नहीं बनी थी और वह अपने दिन के कपड़ों में ही था। उसके पास से मंडंगस जैसी शराब की बदबू भी आ रही थी।

'क्या हुआ ?' उसने जिनी को उठाने के लिए मदद का हाथ बढ़ाते हुए पूछा। 'फ़िनीज़ नाइजेलस ने बताया कि आर्थर बुरी तरह घायल हो गया है –'

फ्रेड ने कहा, 'हैरी से पूछो।'

'हाँ, मैं भी पूरी बात सुनना चाहता हूँ,' जॉर्ज ने कहा।

जुड़वाँ भाई और जिनी उसे घूर रहे थे। क्रीचर के क़दमों की आहट बाहर सीढ़ियों पर रुक गई थी।

'देखो –' हैरी ने शुरू किया। लेकिन यह तो मैक्गॉनेगल और डम्बलडोर को बताने से भी ज़्यादा बुरा था। 'मुझे एक – एक तरह का – सपना दिखा ...'

और फिर उसने उन्हें बताया कि उसने क्या देखा था, हालाँकि उसने सपने में थोड़ा बदलाव कर दिया। उसने इस तरह बताया, जैसे उसने साँप को हमला करते देखा था। उसने यह नहीं बताया कि उसने साँप की आँखों से हमला होते देखा था। रॉन का चेहरा अब भी बहुत सफ़ेद था। उसने हैरी पर एक सरसरी निगाह डाली, लेकिन कुछ नहीं बोला। जब हैरी ने अपनी बात पूरी कर ली, तो फ्रेड, जॉर्ज और जिनी एक पल के लिए उसे घूरते रहे। हैरी को पता नहीं था कि यह उसका वहम था या नहीं, लेकिन उसे लगा कि उनकी निगाह में दोषारोपण की झलक थी। अगर वे हमले को देखने के लिए उसे दोष दे रहे थे, तो उसे ख़ुशी थी कि उसने उन्हें यह नहीं बताया कि वह उस साँप के भीतर था।

फ्रेड ने सिरियस की ओर मुड़ते हुए पूछा, 'क्या मम्मी यहाँ हैं ?'

'उन्हें तो शायद अब तक यह पता भी नहीं होगा कि क्या हुआ है,' सिरियस ने कहा। 'महत्वपूर्ण बात यह थी कि अंबरिज के पहुँचने से पहले तुम्हें वहाँ से निकाल लिया जाए। मुझे उम्मीद है कि डम्बलडोर अब मॉली को इस घटना की जानकारी दे रहे होंगे।'

'हमें सेंट मंगोज़ पहुँचना होगा,' जिनी ने व्यग्रता से कहा। उसने अपने भाइयों की तरफ़ देखा, जो अब भी पायजामे में थे। 'सिरियस, क्या तुम हमें चोगे दे सकते हो ?'

सिरियस ने कहा, 'ज़रा ठहरो, तुम इस तरह भागते हुए सेंट मंगोज़ नहीं जा सकते!'

फ्रेड ने विद्रोही स्वर में कहा, 'हम सेंट मंगोज़ क्यों नहीं जा सकते ? आख़िर वे हमारे डैडी हैं!'

'और तुम क्या बताओगे कि तुम्हें आर्थर पर हुए हमले के बारे में कैसे पता चल गया, जबकि अभी तो अस्पताल वालों ने उनकी पत्नी को भी यह ख़बर नहीं दी है ?'

जॉर्ज ने गर्म होते हुए कहा, 'इससे क्या फ़र्क़ पड़ता है?'

सिरियस ने ग़ुस्से से कहा, 'इससे फ़र्क़ पड़ता है, क्योंकि हम इस बात की तरफ़ ध्यान आकर्षित नहीं करना चाहते हैं कि हैरी को सैकड़ों मील दूर होने वाली घटनाओं की झलक दिख रही है! क्या तुम्हें अंदाज़ा है कि मंत्रालय इस जानकारी का क्या करेगा?'

फ़्रेड और जॉर्ज को देखकर ऐसा लग रहा था, जैसे उन्हें इस बात की क़तई परवाह नहीं थी कि मंत्रालय किसी भी जानकारी का क्या करेगा। रॉन का चेहरा अब भी राख जैसा था और वह ख़ामोश था।

जिनी बोली, 'कोई और भी तो हमें बता सकता था ... हमें यह बात हैरी के अलावा किसी और से भी तो पता चल सकती थी।'

'जैसे कौन?' सिरियस ने अधीरता से कहा। 'सुनो, तुम्हारे डैडी मायापंछी के समूह का काम करते समय घायल हुए हैं और परिस्थितियाँ वैसे भी संदिग्ध हैं। घटना के कुछ पल बाद ही उनके बच्चों को यह ख़बर पता चलने से संदेह और बढ़ जाएगा। इससे मायापंछी के समूह को गंभीर नुक़सान हो सकता है -'

फ़्रेड चिल्लाया, 'हमें किसी समूह-वमूह की परवाह नहीं है!'

जॉर्ज चिल्लाया, 'हम अपने डैडी के बारे में बातें कर रहे हैं, जो मौत से जूझ रहे हैं!'

सिरियस भी उतने ही ग़ुस्से में बोला, 'तुम्हारे डैडी जानते थे कि इसका अंजाम क्या हो सकता है? मायापंछी के समूह के लिए मुश्किलें पैदा करने पर वे तुम्हें धन्यवाद नहीं देंगे! इसीलिए तुम समूह में नहीं हो - तुम समझते ही नहीं हो - ऐसी चीज़ें होती हैं, जिनके लिए जान देने में भी नहीं हिचकना चाहिए!'

'तुम्हारे लिए यह कहना आसान है, क्योंकि तुम यहाँ पर सुरक्षित हो!' फ़्रेड गरजा। 'मैं देख रहा हूँ कि तुम ख़ुद तो कोई जोखिम नहीं ले रहे हो!'

सिरियस के चेहरे पर जो थोड़ा-बहुत रंग था, वह भी उड़ गया। एक पल के लिए तो ऐसा लगा, जैसे वह फ़्रेड को मारना चाहता हो, लेकिन फिर उसने ख़ुद को सँभाल लिया और शांत स्वर में बोला।

'मैं जानता हूँ कि यह मुश्किल है, लेकिन हम सबको इस तरह व्यवहार करना है, जैसे हमें कुछ पता नहीं चला है। हमें यहीं रहना है, जब तक कि हमें तुम्हारी मम्मी से पता न चले, ठीक है?'

फ़्रेड और जॉर्ज अब भी बग़ावत के मूड में दिख रहे थे। बहरहाल, जिनी सबसे क़रीब वाली कुर्सी की तरफ़ कुछ क़दम बढ़ी और उस पर धँस गई। हैरी ने रॉन की तरफ़ देखा, जिसने सिर झुकाने और कंधे उचकाने के बीच की एक

अजीब हरकत की और वे दोनों भी बैठ गए। जुड़वाँ भाइयों ने एक मिनट तक सिरियस को ग़ुस्से से घूरा और फिर वे भी जिनी के पास बैठ गए।

'यह ठीक है,' सिरियस ने उत्साह बढ़ाते हुए कहा, 'चलो, अब हम ... अब हम इंतज़ार करते समय कुछ पी लेते हैं। *आगमनो बटरबियर!'*

उसने बोलते समय अपनी छड़ी हिलाई और आधा दर्जन बोतलें पैन्ट्री से बाहर निकलकर उनकी तरफ़ उड़ती हुई आ गईं। उन्होंने टेबल पर फिसलकर सिरियस के रात के खाने के बचे-खुचे अवशेषों को तितर-बितर किया और उन छहों के सामने बढ़िया तरीक़े से रुक गईं। वे सभी बटरबियर पीने लगे। कुछ समय तक किचन में सिर्फ़ अँगीठी की लकड़ियों के तड़कने और टेबल पर बोतलों के रखने की आवाज़ें आ रही थीं।

हैरी सिर्फ़ इसलिए पी रहा था, ताकि वह अपने हाथों का कुछ कर सके। उसके पेट में उबलता हुआ भयंकर अपराधबोध भरा था। अगर वह नहीं होता, तो वे सब भी यहाँ नहीं होते। वे सभी इस वक़्त बिस्तर में सो रहे होते। और ख़ुद को यह बताने से कोई फ़ायदा नहीं था कि उसने चेतावनी देकर मिस्टर वीज़्ली का समय रहते पता लगवा लिया, क्योंकि वह यह बात भी अच्छी तरह जानता था कि उसी ने मिस्टर वीज़्ली पर हमला किया था।

हालाँकि उसका बटरबियर वाला हाथ काँप रहा था, लेकिन उसने शांत रहने की कोशिश करते हुए सोचा, *मूर्ख मत बनो, तुम्हारे दाँत ज़हरीले नहीं हैं, तुम तो अपने पलंग पर लेटे हुए थे, तुम किसी पर हमला नहीं कर रहे थे ...*

लेकिन फिर उसने ख़ुद से पूछा, तो फिर डम्बलडोर के ऑफ़िस में कुछ समय पहले क्या हुआ था? मैं डम्बलडोर पर भी तो हमला करना चाहता था...।

उसने बोतल ज़्यादा ज़ोर से रख दी, जिससे बटरबियर टेबल पर छलक गई। लेकिन इस तरफ़ किसी का ध्यान नहीं गया। तभी हवा में आग की लपट दिखी, जिससे उनके सामने की गंदी प्लेटें चमकने लगीं। वे सदमे से चीख़े। एक चर्मपत्र हल्की आवाज़ के साथ टेबल पर आ गिरा, जिसके साथ सुनहरे मायापंछी की पूँछ का एक पंख भी था।

'ज्वाला!' सिरियस ने तत्काल कहा और चर्मपत्र को झपटकर उठा लिया। 'यह डम्बलडोर की लिखावट नहीं है - यह तुम्हारी माँ का संदेश होगा - देखो -'

उसने चिट्ठी जॉर्ज के हाथ में थमा दी, जिसने उसे फाड़कर खोला और ज़ोर से पढ़ा : *डैडी अब भी ज़िंदा हैं। मैं सेंट मंगोज़ जा रही हूँ। जहाँ हो, वहीं रहो। जितनी जल्दी हो सकेगा, ख़बर भेजूँगी। मम्मी।'*

जॉर्ज ने टेबल पर चारों तरफ़ देखा।

'अब भी ज़िंदा हैं ...' उसने धीरे से कहा। 'लेकिन इससे तो ऐसा लगता है कि ...'

उसे वाक्य पूरा करने की ज़रूरत नहीं थी। इससे हैरी को भी ऐसा लगा, जैसे मिस्टर वीज़्ली ज़िंदगी और मौत के बीच झूल रहे थे। अब भी बहुत पीले चेहरे वाले रॉन ने अपनी माँ की चिट्ठी के पीछे वाले हिस्से को घूरा, जैसे उसे उम्मीद हो कि वहाँ उसे राहत के कुछ शब्द मिल जाएँगे। फ्रेड ने चर्मपत्र जॉर्ज के हाथों से खींचकर पढ़ा, फिर हैरी की तरफ़ देखा, जिसके हाथ एक बार फिर अपनी बटरबियर की बोतल पर काँपने लगे थे। अपनी कँपकँपी रोकने के लिए उसने बोतल और कसकर पकड़ ली।

हैरी ने पहले कभी बैठे-बैठे इतनी लंबी रात नहीं काटी थी। सिरियस ने एक बार आधे-अधूरे मन से यह सुझाव दिया कि वे सभी सो जाएँ, लेकिन वीज़्ली बंधुओं की हिक़ारत भरी नज़र से उसे जवाब मिल गया। वे टेबल के चारों तरफ़ ख़ामोशी में बैठे रहे और मोमबत्ती को छोटा होते देखते रहे, जब तक कि वह पिघलकर मोम नहीं बन गई। कभी-कभार वे बोतल को अपने होंठों तक उठा लेते थे। वे सिर्फ़ समय काटने के लिए बोल रहे थे। वे अटकलें लगा रहे थे कि क्या हो रहा होगा। वे एक-दूसरे को आश्वस्त कर रहे थे कि अगर कोई बुरी ख़बर होती, तो उन्हें तत्काल पता चल जाती, क्योंकि मिसेज़ वीज़्ली काफ़ी समय पहले सेंट मंगोज़ पहुँच गई होंगी।

फ्रेड की झपकी लग गई और उसका सिर उसके कंधे पर लुढ़क गया। जिनी कुर्सी पर बिल्ली की तरह दुबकी थी, लेकिन उसकी आँखें खुली थीं। हैरी को उनमें आग का प्रतिबिंब दिखाई दे रहा था। रॉन अपने हाथों में सिर छिपाए बैठा था और यह बताना असंभव था कि वह जाग रहा था या सो रहा था। हैरी और सिरियस बार-बार एक-दूसरे की तरफ़ देख लेते थे। वे दोनों ही बाहरी लोग थे, जो परिवार के दुख में शामिल थे। वे सभी इंतज़ार करते रहे ... इंतज़ार करते रहे ...

रॉन की घड़ी में जब सुबह के पाँच बजकर दस मिनट हुए, तो किचन का दरवाज़ा खुला और मिसेज़ वीज़्ली अंदर दाख़िल हुईं। वे बहुत पीली दिख रही थीं, लेकिन जब सभी ने एक साथ उनकी तरफ़ देखा और फ्रेड, रॉन तथा हैरी अपनी कुर्सियों से आधे उठ गए, तो उन्होंने एक फीकी मुस्कान दी।

'आर्थर बिलकुल ठीक हो जाएँगे,' उन्होंने कहा और उनकी आवाज़ थकान के कारण कमज़ोर थी। 'वे सो रहे हैं। हम सभी बाद में जाकर उनसे मिल सकते हैं। बिल इस वक़्त उनके पास है। वह ऑफ़िस से सुबह की छुट्टी ले रहा है।'

फ्रेड अपनी कुर्सी में दोबारा धँस गया और उसने अपने चेहरे पर हाथ रख लिए। जॉर्ज और जिनी खड़े होकर तेज़ी से अपनी माँ के गले लग गए। रॉन ने काँपती हँसी निकाली और अपनी बटरबियर एक ही साँस में पी डाली।

'नाश्ता!' सिरियस ने चहकते हुए कहा और उछलकर खड़ा हो गया। 'वह घटिया घरेलू जिन्न कहाँ गया? क्रीचर! **क्रीचर!**'

लेकिन क्रीचर ने उसकी बात का कोई जवाब नहीं दिया।

'ओह, छोड़ो,' सिरियस बुदबुदाया और उसने अपने सामने के लोगों को गिना। 'तो सात लोगों के लिए नाश्ता ... मुझे लगता है, बेकन और अंडे! इसके अलावा चाय और टोस्ट –'

हैरी जल्दी से मदद करने के लिए स्टोव के पास पहुँच गया। वह वीज़्ली परिवार की ख़ुशी में बाधक नहीं बनना चाहता था और वह उस पल से डर रहा था, जब मिसेज़ वीज़्ली उससे सपना दोहराने के लिए कहेंगी। बहरहाल, उसने अभी ड्रेसर से प्लेटें निकाली ही थीं कि मिसेज़ वीज़्ली ने प्लेटें उसके हाथ से ले लीं और उसे गले लगा लिया।

उन्होंने रुँधे गले से कहा, 'हैरी, अगर तुम नहीं होते, तो जाने क्या होता? उन्हें घंटों तक आर्थर का पता नहीं चलता और तब तक बहुत देर हो चुकी होती, लेकिन तुम्हारी बदौलत आर्थर जीवित हैं। डम्बलडोर ने इस बारे में एक बहुत अच्छा बहाना खोज लिया है कि आर्थर किस कारण वहाँ पर थे। तुम्हें अंदाज़ा नहीं है कि ऐसा नहीं होने पर कितनी मुश्किल हो जाती, बेचारे स्टर्गिस को देखो ...'

हैरी से उनकी कृतज्ञता बर्दाश्त नहीं हो रही थी, लेकिन सौभाग्य से उन्होंने उसे जल्दी ही छोड़ दिया। फिर वे सिरियस की तरफ़ मुड़कर उसे धन्यवाद देंन लगीं कि उसने रात भर उनके बच्चों की देखभाल की। सिरियस ने कहा कि उसे मदद करके बहुत ख़ुशी हुई थी और उसने यह प्रस्ताव भी रखा कि जब तक मिस्टर वीज़्ली अस्पताल में रहें, तब तक वे सभी वहीं रहें।

'ओह सिरियस, मैं बहुत शुक्रगुज़ार हूँ ... लगता है कि उन्हें अभी कुछ समय अस्पताल में रहना पड़ेगा और यहाँ रहने पर हम उनके ज़्यादा क़रीब रह सकते हैं ... ज़ाहिर है, इसका मतलब है कि हम क्रिसमस यहीं मनाएँगे।'

'जितने ज़्यादा हों, उतना ही अच्छा है!' सिरियस ने सच्ची गर्मजोशी से कहा। मिसेज़ वीज़्ली उसकी तरफ़ देखकर मुस्कराईं और एप्रन पहनकर नाश्ता बनाने लगीं।

'सिरियस,' हैरी बुदबुदाया, क्योंकि अब उससे एक पल भी सहन नहीं हो रहा था। 'क्या मैं तुमसे जल्दी से बात कर सकता हूँ? अर – *अभी?*'

वह सिरियस के आगे-आगे अँधेरी पैन्ट्री में चला गया। बिना किसी भूमिका के हैरी ने अपने गॉडफ़ादर को अपने सपने का हर विवरण सुना दिया, जिसमें यह तथ्य भी शामिल था कि वह ख़ुद ही वह साँप था, जिसने मिस्टर वीज़्ली पर हमला किया था।

जब वह साँस लेने के लिए रुका, तो सिरियस ने पूछा, 'क्या तुमने डम्बलडोर को यह बात बताई थी?'

'हाँ,' हैरी ने अधीरता से कहा, 'लेकिन उन्होंने मुझे इसका मतलब नहीं बताया। देखो, आजकल वे मुझे कुछ भी नहीं बताते हैं।'

सिरियस ने शांति से कहा, 'मुझे यक़ीन है कि अगर कोई चिंता की बात होती, तो वे तुम्हें ज़रूर बता देते।'

'लेकिन इतना ही नहीं है,' हैरी ने एक आवाज़ में कहा, जो फुसफुसाहट से थोड़ी सी ही ऊपर थी। 'सिरियस, मुझे ... मुझे लगता है कि मैं पागल हो रहा हूँ। डम्बलडोर के ऑफ़िस में आवागमन-कुंजी पकड़ने से पहले ... एक पल के लिए तो मुझे ऐसा लगा जैसे मैं साँप था, मैं साँप जैसा *महसूस* कर रहा था – डम्बलडोर की तरफ़ देखते समय मेरा निशान दुखने लगा – सिरियस, मैं उन पर हमला करना चाहता था!'

उसे सिरियस का थोड़ा सा चेहरा ही दिखाई दे रहा था। बाक़ी का चेहरा अँधेरे में था।

'यह उस सपने का परिणाम होगा, बस इतनी सी बात है,' सिरियस ने कहा। 'तुम तब सपने के बारे में ही सोच रहे थे और –'

'ऐसा नहीं है,' हैरी ने अपना सिर हिलाते हुए कहा, 'ऐसा लगता था, जैसे मेरे भीतर कोई चीज़ सिर उठा रही थी, जैसे मेरे भीतर कोई *साँप* था।'

'तुम्हें नींद की ज़रूरत है,' सिरियस ने दृढ़ता से कहा। 'तुम नाश्ता करो और सीधे पलंग पर पहुँच जाओ। लंच के बाद तुम बाक़ी लोगों के साथ आर्थर से मिलने जा सकते हो। हैरी, तुम्हें सदमा लगा है। तुम ख़ुद को ऐसी चीज़ के लिए अपराधी मान रहे हो, जिसे तुमने सिर्फ़ देखा था। वैसे यह बहुत अच्छा रहा कि तुमने देख *लिया,* वरना आर्थर मर सकता था। बस चिंता करना छोड़ दो।'

उसने हैरी का कंधा थपथपाया और हैरी को अँधेरे में अकेला छोड़कर पैन्ट्री से चला गया।

*

हैरी को छोड़कर बाक़ी सभी लोग सो गए। हैरी बेडरूम तक गया, जहाँ गर्मी की छुट्टियों के आख़िरी कुछ सप्ताह में वह और रॉन सोते थे। रॉन तो बिस्तर पर

पहुँचने के कुछ मिनट बाद ही सो गया, लेकिन हैरी पूरे कपड़े पहने बैठा रहा, पलंग की ठंडी छड़ों से टिका रहा और ख़ुद को जान-बूझकर कष्ट में रखता रहा, ताकि उसे नींद न आ जाए। उसे डर था कि अगर वह सो गया, तो हो सकता है कि नींद में वह दोबारा साँप बन जाए। हो सकता है, जागने पर उसे पता चले कि उसने रॉन को या फिर घर में रेंगकर किसी और को काट लिया है ...

जब रॉन जागा, तो हैरी ने नाटक किया कि उसने भी नींद पूरी कर ली है। जब वे लंच कर रहे थे, तभी हॉगवर्ट्स से उनके संदूक आ गए, ताकि वे सेंट मंगोज़ जाने के लिए मगलुओं की तरह कपड़े पहन सकें। हैरी के अलावा सभी लोग ख़ुशी-ख़ुशी बातें कर रहे थे, जब उन्होंने अपने दुशालों की जगह जीन्स और शर्ट्स पहन लीं। जब टौंक्स और बावरे-नैन उन्हें अस्पताल ले जाने के लिए आए, तो उन्होंने ख़ुशी-ख़ुशी उनका स्वागत किया। वे उस हैट पर हँसे, जो बावरे-नैन ने ऐसे कोण पर पहन रखा था, ताकि उनकी जादुई आँख छिप जाए। उन्होंने यह तसल्ली भी दी कि छोटे और चमकदार गुलाबी बालों वाली टौंक्स स्टेशन पर कम ध्यान आकर्षित करेगी।

हैरी के सपने में टौंक्स ने बहुत दिलचस्पी ली। वह यह जानना चाहती थी कि मिस्टर वीज़्ली पर हमले वाला सपना कैसा था, लेकिन उस बारे में बात करने में हैरी ने ज़रा भी दिलचस्पी नहीं दिखाई।

'तुम्हारे परिवार में कोई *ज्योतिषी* रक्त तो नहीं है?' उसने जिज्ञासा से पूछा, जब वे शहर के बीच की तरफ़ जाने वाली धड़धड़ाती हुई ट्रेन में पास-पास बैठे थे।

'नहीं,' हैरी ने कहा और प्रोफ़ेसर ट्रिलोनी की बात सोचकर उसे यह अपना अपमान लगा।

'नहीं,' टौंक्स ने विचार करते हुए कहा, 'नहीं, मुझे लगता है कि तुम भविष्यवाणी नहीं कर रहे थे, है ना? मेरा मतलब है, तुम भविष्य नहीं देख रहे थे, तुम तो वर्तमान देख रहे थे ... यह अजीब है, है ना? वैसे काफ़ी काम का है ...'

हैरी कुछ नहीं बोला। सौभाग्य से वे अगले स्टेशन पर उतर गए। यह स्टेशन लंदन के बीचोबीच था। ट्रेन से उतरने की हड़बड़ी में उसने अपने और सबसे आगे चल रही टौंक्स के बीच में फ़्रेड और जॉर्ज को आ जाने दिया। वे सभी टौंक्स के पीछे-पीछे चलती सीढ़ियों पर चढ़ गए। मूडी सबसे पीछे चल रहे थे। उनका हैट नीचे झुका था और उनका गाँठदार हाथ कोट के बटनों के बीच में धँसकर छड़ी पकड़े था। हैरी को एहसास था कि उनकी छिपी हुई आँख उसे कसकर घूर रही थी। अपने सपने के बारे में किसी और सवाल से बचने की कोशिश करते हुए उसने बावरे-नैन से पूछा कि सेंट मंगोज़ कहाँ छिपा था।

जाड़े की हवा में बाहर निकलते समय मूडी बुदबुदाए, 'यहाँ से ज़्यादा दूर नहीं है।' वे ऐसी सड़क पर आ गए थे, जहाँ बड़े-बड़े स्टोर थे और क्रिसमस की ख़रीदारी करने वालों की भीड़ लगी थी। उन्होंने हैरी को अपने थोड़ा आगे धकाया और उसके ठीक पीछे चलते रहे। हैरी जानता था कि झुके हुए हैट के नीचे उनकी आँख सभी दिशाओं में घूम रही होगी। मूडी बोले, 'अस्पताल के लिए अच्छी जगह खोजना आसान नहीं था। छूमंतर गली में कहीं भी इतनी जगह नहीं थी और हम इसे मंत्रालय की तरह भूमिगत नहीं रख सकते थे - यह सेहत के लिए अच्छा नहीं रहता। आख़िर उन लोगों ने यहाँ की एक इमारत पर क़ब्ज़ा कर लिया। मूल बात यह थी कि बीमार जादूगर आते-जाते समय भीड़ में शामिल हो सकते हैं।'

उन्होंने हैरी का कंधा पकड़ लिया, ताकि ख़रीदारी करने वालों के उस समूह की वजह से वे अलग-अलग न हो जाएँ, जो बिजली के सामान की दुकान में जा रहा था।

एक पल बाद मूडी बोले, 'अब चलो।'

वे एक बड़े, पुराने दिख रहे, लाल ईंट के डिपार्टमेंट स्टोर के बाहर आ गए, जिसका नाम पर्ज एंड डाउज़ लिमिटेड था। इसका हुलिया गंदा और भद्दा दिख रहा था। विंडोज़ में कुछ डमी लगे थे, जिनकी विग आड़ी-तिरछी थी। वे बेतरतीब खड़े हुए थे और कम से कम दस साल पुराने फ़ैशन का सामान प्रदर्शित कर रहे थे। धूल भरे सभी दरवाज़ों पर बड़े-बड़े साइनबोर्ड लगे थे : 'मरम्मत के लिए बंद।' हैरी ने सुना कि प्लास्टिक के शॉपिंग बैग से लदी एक मोटी औरत अपनी सहेली से कह रही थी, 'यह स्टोर *कभी खुलता ही नहीं है* ...'

'ठीक है,' टौंक्स ने उस विंडो की तरफ़ इशारा करते हुए कहा, जहाँ एक बहुत बदसूरत महिला डमी खड़ी थी। इसकी नक़ली भौंहें लटक रही थीं और यह एक हरी नायलॉन ड्रेस की मॉडलिंग कर रही थी। 'सभी लोग तैयार हैं?'

सभी सिर हिलाते हुए उसके आस-पास आ गए। मूडी ने हैरी को आगे करने के लिए कंधों के बीच में एक और धक्का दिया। टौंक्स काँच के इतने क़रीब पहुँच गई कि उसकी साँस से काँच पर धुँध जमने लगी। उस बदसूरत डमी को देखते हुए उसने कहा, 'हम यहाँ आर्थर वीज़्ली को देखने आए हैं।'

हैरी ने सोचा कि टौंक्स भी बड़ी मूर्खतापूर्ण उम्मीद कर रही है कि काँच के पार से डमी उसकी बात सुन लेगी, जबकि पीछे बसें जा रही हैं और सड़क पर ख़रीदारी करने वालों का शोर मचा हुआ है। फिर उसने ख़ुद को याद दिलाया कि डमी तो वैसे भी नहीं सुन सकती है। अगले पल उसका मुँह सदमे में खुला रह गया, जब डमी ने हल्के से सिर हिलाया और अपनी उँगली से क़रीब आने का

इशारा किया। टौंक्स ने जिनी और मिसेज़ वीज़्ली की कोहनियाँ पकड़ीं तथा काँच के पार जाकर ओझल हो गई।

फ्रेड, जॉर्ज और रॉन उनके पीछे गए। हैरी ने बाहर की भीड़ की तरफ़ देखा। उनमें से कोई भी पर्ज एंड डाउज़ लिमिटेड के बदसूरत विंडो डिस्प्ले की तरफ़ नज़र उठाकर भी नहीं देख रहा था। उनमें से किसी का भी ध्यान इस तरफ़ नहीं गया था कि छह लोग उनके सामने हवा में ग़ायब हो गए थे।

'चलो,' मूडी गुर्राए और हैरी की पीठ में एक कोहनी चुभाई। एक साथ वे आगे बढ़े। हैरी को लगा, जैसे वह ठंडे पानी के बीच से गुज़र रहा है, लेकिन दूसरी तरफ़ पहुँचने के बाद माहौल गर्म और सूखा था।

वहाँ पर बदसूरत डमी या उस जगह का कोई संकेत नहीं था, जहाँ वह खड़ी थी। सामने भीड़ भरा रिसेप्शन था, जहाँ जादूगर और जादूगरनियाँ लकड़ी की कुर्सियों पर बैठे थे। उनमें से कुछ बिलकुल सामान्य दिख रहे थे और *साप्ताहिक जादूगरनी* के पुराने अंक पढ़ रहे थे। बाक़ी लोगों में भयंकर विकृतियाँ दिख रही थीं, जैसे हाथी पाँव या सीने से बाहर निकलते अतिरिक्त हाथ। यहाँ भी बाहर की सड़क जैसा ही शोरगुल था, क्योंकि कई मरीज़ बहुत अजीब आवाज़ें निकाल रहे थे : सामने वाली क़तार के बीच में बैठी एक जादूगरनी पसीना-पसीना हो रही थी और *दैनिक जादूगर* से ख़ुद को तेज़ी से हवा कर रही थी। उसके मुँह से भाप और तेज़ सीटी जैसी आवाज़ निकल रही थी। एक गंदा दिख रहा जादूगर कोने में बैठा था। वह जब भी हिलता था, तो घंटी जैसी आवाज़ होने लगती थी। घंटी की हर आवाज़ के साथ उसका सिर इतनी बुरी तरह हिलने लगता था कि उसे इसे स्थिर करने के लिए अपने दोनों कान पकड़ने पड़ते थे।

नीबू जैसे हरे दुशालों में जादूगर और जादूगरनियाँ आ-जा रहे थे। वे सवाल पूछते समय अंबरिज की तरह क्लिपबोर्ड पर नोट्स लिख रहे थे। हैरी ने देखा कि उनके सीने पर एक आकृति मढ़ी हुई थी : एक छड़ी और हड्डी का क्रॉस।

उसने रॉन से धीरे से पूछा, 'क्या ये डॉक्टर हैं ?'

'डॉक्टर ?' रॉन ने हैरान दिखते हुए कहा। 'वे मगलू, जो लोगों की चीर-फाड़ करते हैं ? नहीं, ये तो उपचारक हैं।'

तभी कोने वाला जादूगर फिर से घंटी बजाने लगा। उसकी आवाज़ के ऊपर मिसेज़ वीज़्ली की आवाज़ सुनाई दी, 'यहाँ आओ!' वे उनके पीछे एक क़तार में खड़े हो गए, जहाँ सुनहरे बालों वाली एक मोटी जादूगरनी बैठी थी, जिसकी डेस्क पर लिखा था *पूछताछ*। उसके पीछे की दीवार नोटिसों और

पोस्टरों से ढँकी थी, जिन पर लिखा था : **साफ़ कड़ाही काढ़ों को ज़हरीला बनने से रोकती है; विषहर औषधियाँ विष के समान हैं, जब तक कि सुयोग्य उपचारक उनकी अनुशंसा न करें।** वहाँ पर लंबे सफ़ेद घूँघर वाली जादूगरनी की एक बड़ी तस्वीर लगी थी, जिस पर लिखा था :

डिलिस डर्वेन्ट
सेंट मंगोज़ उपचारक 1722–1741
हॉगवर्ट्स जादूगरी और तंत्र विद्यालय की हेडमिस्ट्रेस
1741–1768

डिलिस वीज़्ली समूह को आधी बंद आँखों से इस तरह देख रही थीं, जैसे उन्हें गिन रही हों। जब हैरी से उनकी आँख मिली, तो उन्होंने हल्के से आँख मारी, अपनी तस्वीर में एक तरफ़ खिसकीं और ग़ायब हो गईं।

इस दौरान क़तार में सामने खड़ा एक युवा जादूगर अजीब तरीक़े से नाच रहा था और दर्द की कराहों के बीच डेस्क के पीछे बैठी जादूगरनी को अपनी दुख भरी दास्तान सुनाने की कोशिश कर रहा था।

'ये जूते – आउच – मेरे भाई ने मुझे दिए थे – ओह – वे मेरे – **आउच** – पैर काट रहे हैं – उनकी तरफ़ देखो। लगता है उन पर किसी तरह का – **आह** – बुरा मंत्र कर दिया है और मैं उन्हें – **आआआह** – उतार नहीं पा रहा हूँ।' वह एक पैर से दूसरे पैर पर इस तरह उछलता रहा, जैसे सुर्ख़ अंगारों पर नाच रहा हो।

'जूतों से आपको पढ़ने में तो कोई दिक्क़त नहीं आ रही होगी, है ना?' सुनहरे बालों वाली जादूगरनी ने चिढ़कर एक बड़े साइनबोर्ड की तरफ़ इशारा किया, जो उसकी डेस्क के बाईं तरफ़ लगा था। 'आपको मंत्र क्षति, चौथी मंज़िल जाना चाहिए। जैसा कि मंज़िल मार्गदर्शिका में कहा गया है। अगला!'

जब वह जादूगर लँगड़ाकर नाचता हुआ एक तरफ़ गया, तो वीज़्ली समूह कुछ क़दम आगे बढ़ा और हैरी ने मंज़िल मार्गदर्शिका पढ़ी :

वस्तु-संबंधी दुर्घटनाएँ .... भूतल
कड़ाही के विस्फोट, छड़ी का पलटवार, झाड़ू की दुर्घटनाएँ आदि

प्राणीजनित चोटें .... पहली मंज़िल
काटना, डंक मारना, जलना, शूल चुभना आदि

जादुई विषाणु .... दूसरी मंज़िल
संक्रामक रोग जैसे ड्रैगन पॉक्स, वैनिशिंग सिकनेस, स्क्रोफंग्युलस आदि

काढ़े और पौधे के ज़हर .... तीसरी मंज़िल
फोड़े-फुंसी, वमन, अनियंत्रित हँसी आदि

मंत्र क्षति.. चौथी मंज़िल
मंत्र, शाप, ग़लत तरीक़े से हुए सम्मोहन आदि

आगंतुकों के लिए टीरूम/हॉस्पिटल का स्टोर........... पाँचवीं मंज़िल

अगर आपको यह समझ में नहीं आ रहा हो कि कहाँ जाना है या आप बोल नहीं पा रहे हों या आपको याद नहीं हो कि आप यहाँ क्यों आए हैं, तो हमारी स्वागत-जादूगरनी को आपकी मदद करने में ख़ुशी होगी।

अब क़तार में सबसे आगे एक बहुत बूढ़ा और झुका हुआ जादूगर खड़ा था, जिसने सुनने वाला भोंपू लगा रखा था। उसने घरघराती आवाज़ में कहा, 'मैं यहाँ ब्रोडरिक बोड से मिलने आया हूँ!'

'उनचास नंबर का वार्ड, लेकिन मुझे लगता है कि आप अपना समय बर्बाद कर रहे हैं,' जादूगरनी ने कहा। 'आपको पता है, उसका दिमाग़ पूरी तरह से घूमा हुआ है - वह अब भी ख़ुद को टीपॉट मान रहा है। अगला!'

एक परेशान दिख रहा जादूगर अपनी छोटी सी बेटी को टखनों से पकड़कर गोद में लिए था, जबकि लड़की उसके सिर के चारों तरफ़ उन विशाल पंखों को लहरा रही थी, जो उसके सूट के पीछे उग आए थे।

'चौथी मंज़िल,' जादूगरनी ने बोरियत भरी आवाज़ में बिना पूछे कह दिया। वह आदमी डेस्क के पास वाले दोहरे दरवाज़ों से चला गया। वह अपनी बेटी को अजीब आकार के गुब्बारे की तरह पकड़कर ले जा रहा था। जादूगरनी बोली, 'अगला!'

मिसेज़ वीज़्ली डेस्क की तरफ़ आगे बढ़ीं।

'हैलो,' उन्होंने कहा, 'मेरे पति आर्थर वीज़्ली को आज सुबह किसी दूसरे वार्ड में पहुँचाया जाना था, क्या आप बता सकती हैं - ?'

'आर्थर वीज़्ली ?' जादूगरनी ने अपने सामने रखी लंबी सूची पर उँगली

फेरते हुए कहा। 'हाँ, पहली मंज़िल, दाहिनी तरफ़ का दूसरा दरवाज़ा, डी लेवेलिन वार्ड।'

'धन्यवाद,' मिसेज़ वीज़्ली ने कहा। 'सब लोग आओ।'

वे दोहरे दरवाज़ों से उनके पीछे-पीछे चल दिए। वे एक सँकरे गलियारे में पहुँच गए, जिसमें मशहूर उपचारकों की तस्वीरें लगी थीं। तैरती मोमबत्तियों से भरे स्फटिक के बुलबुले छत पर रोशनी फेंक रहे थे और साबुन के विशाल बुलबुलों जैसे दिख रहे थे। गलियारा पार करते समय नीबू जैसे हरे दुशालों में बहुत से जादूगर और जादूगरनियाँ दरवाज़ों से अंदर-बाहर गए। जब वे एक दरवाज़े के पार निकले, तो उन्हें गलियारे में एक बदबूदार पीली गैस भरी मिली। बीच-बीच में उन्हें दूर से कराहने और रोने की आवाज़ें भी आती रहीं। वे सीढ़ियाँ चढ़कर प्राणीजनित चोटों वाले गलियारे में दाख़िल हो गए। वहाँ दाहिनी तरफ़ के दूसरे दरवाज़े पर लिखा था : *'ख़तरनाक' डी लेवेलिन वार्ड : गंभीर दंश*। इसके नीचे ब्रास होल्डर में एक कार्ड था, जिस पर लिखा था : *प्रभारी उपचारक : हिप्पोक्रेट्स स्मेथविक। प्रशिक्षु उपचारक : ऑगस्टस पाई।*

'मॉली, हम लोग बाहर इंतज़ार करते हैं,' टौंक्स ने कहा। 'आर्थर एक साथ बहुत से आगंतुकों से नहीं मिलना चाहेगा ... पहले परिवार वालों को जाना चाहिए।'

बावरे-नैन ने इस विचार पर गुर्राकर अपनी सहमति दे दी और गलियारे की दीवार से पीठ टिका ली। उनकी जादुई आँख सभी दिशाओं में घूम रही थी। हैरी भी पीछे टिक गया, लेकिन मिसेज़ वीज़्ली एक हाथ बढ़ाकर उसे दरवाज़े तक ले गईं और बोलीं, 'हैरी, मूर्ख मत बनो। आर्थर तुम्हें धन्यवाद देना चाहते हैं।'

वार्ड छोटा था और थोड़ा गंदा दिख रहा था। उसकी एकमात्र छोटी खिड़की दरवाज़े के सामने वाली दीवार में ऊँचाई पर लगी थी। ज़्यादातर रोशनी छत के बीच में इकट्ठे स्फटिक के बुलबुलों की चमक से हो रही थी। दीवारें लकड़ी के पटियों की थीं और दीवार पर एक दुष्ट से दिख रहे जादूगर की तस्वीर लगी थी, जिसके नीचे लिखा था : *अरक्यूहार्ट रेक्हैरो, 1612-1697, आँत-निष्कासन शाप के आविष्कारक।*

वहाँ सिर्फ़ तीन मरीज़ थे। मिस्टर वीज़्ली वार्ड के आख़िरी सिरे वाले पलंग पर थे, जो छोटी सी खिड़की के पास था। हैरी को यह देखकर ख़ुशी और तसल्ली मिली कि वे कई तकियों से टिककर अपने बिस्तर पर आती धूप की एकमात्र किरण में *दैनिक जादूगर* पढ़ रहे थे। जब वे लोग उनके पास पहुँचे, तो उन्होंने ऊपर देखा। उन्हें देखकर वे मुस्करा दिए।

'हैलो!' उन्होंने *दैनिक जादूगर* को एक तरफ़ फेंकते हुए कहा। 'मॉली, बिल अभी-अभी गया है। उसे ऑफ़िस जाना था, लेकिन वह बाद में आएगा।'

'कैसे हो, आर्थर ?' मिसेज़ वीज़्ली ने उनका गाल चूमने के लिए झुकते हुए पूछा और उनके चेहरे को चिंता से देखा। 'तुम अब भी थोड़े पीले दिख रहे हो।'

'मैं बिलकुल ठीक हूँ,' मिस्टर वीज़्ली ने उत्साह से कहा और अपना अच्छा हाथ जिनी की तरफ़ बढ़ा दिया, ताकि वह उससे लिपट सके। 'अगर वे पट्टियाँ उतार सकें, तो मैं आज ही घर चल सकता हूँ।'

फ़्रेड ने पूछा, 'तो वे लोग पट्टियाँ क्यों नहीं उतार सकते, डैडी ?'

'जब भी वे कोशिश करते हैं, तो हर बार बुरी तरह से ख़ून बहने लगता है,' मिस्टर वीज़्ली ने ख़ुशी से कहा। फिर उन्होंने पलंग के पास वाले केबिनेट पर रखी अपनी छड़ी उठाकर लहरा दी, जिससे छह अतिरिक्त कुर्सियाँ उनके पलंग के पास प्रकट हो गईं। उन सभी के बैठने के बाद मिस्टर वीज़्ली ने आगे कहा, 'लगता है कि उस साँप के दाँतों में कोई असाधारण क़िस्म का ज़हर था, जो घावों को भरने नहीं देता है। उपचारकों को यक़ीन है कि वे कोई न कोई विषहर खोज ही लेंगे। उनका दावा है कि उन्होंने मुझसे बुरे मामले ठीक किए हैं। इस दौरान मुझे हर घंटे रक्तवर्धक काढ़ा पीना पड़ता है। लेकिन वहाँ वाला आदमी,' उन्होंने अपनी आवाज़ नीची करके सामने वाले पलंग की तरफ़ इशारा करते हुए कहा, जिस पर एक व्यक्ति हरा और बीमार सा दिखता हुआ छत को घूर रहा था। 'उसे एक *नरभेड़िए* ने काट लिया है, बेचारा। उसका कोई इलाज नहीं है।'

'नरभेड़िया ?' मिसेज़ वीज़्ली दहशत में फुसफुसाईं। 'क्या उसे सामान्य वार्ड में रखना सुरक्षित है ? उसे तो प्राइवेट रूम में होना चाहिए!'

'अभी पूर्णिमा में दो सप्ताह हैं,' मिस्टर वीज़्ली ने उन्हें धीरे से याद दिलाया। 'उपचारक आज सुबह उससे बात कर रहे थे और उसे समझाने की कोशिश कर रहे थे कि वह लगभग सामान्य जीवन जी सकेगा। मैंने उससे कहा – ज़ाहिर है, मैंने किसी का नाम नहीं लिया – लेकिन मैंने कहा कि मैं व्यक्तिगत रूप से एक नरभेड़िए को जानता हूँ। वह बहुत अच्छा इंसान है और अपनी स्थिति को अच्छी तरह से सँभाल सकता है।'

जॉर्ज ने पूछा, 'उसने क्या कहा ?'

'उसने कहा कि अगर मैं चुप नहीं रहा, तो वह मुझे काट लेगा,' मिस्टर वीज़्ली ने दुख से कहा। 'और *वहाँ* वाली महिला,' उन्होंने दरवाज़े के बग़ल वाले तीसरे पलंग की तरफ़ इशारा किया, 'उपचारकों को यह नहीं बता रही है कि उसे किस चीज़ ने काटा है। इससे हम सभी को यह लगता है कि ज़रूर यह

कोई ग़ैर-क़ानूनी चीज़ होगी। चाहे जो हो, उसने उसके पैर का एक बड़ा टुकड़ा खा लिया। जब भी वे उसके पैरों की पट्टियाँ उतारते हैं, तो बहुत बुरी बदबू आती है।'

फ्रेड ने अपनी कुर्सी पलंग के ज़्यादा क़रीब खिसकाते हुए पूछा, 'तो डैडी, हमें बताएँ कि क्या हुआ था ?'

'देखो, तुम पहले से ही जानते हो, है ना ?' मिस्टर वीज़्ली ने हैरी की तरफ़ अर्थपूर्ण ढंग से मुस्कराते हुए कहा। 'यह बहुत सीधी सी बात है – मैंने दिन भर काफ़ी काम किया था, मेरी झपकी लग गई और साँप ने आकर मुझे डंस लिया।'

'क्या आप पर हुए हमले की ख़बर *दैनिक जादूगर* में छपी है ?' फ्रेड ने उस अख़बार की तरफ़ इशारा करते हुए पूछा, जिसे मिस्टर वीज़्ली ने एक तरफ़ पटक दिया था।

'नहीं, ज़ाहिर है, नहीं,' मिस्टर वीज़्ली ने थोड़ी कटु मुस्कराहट के साथ कहा, 'मंत्रालय नहीं चाहेगा कि किसी को यह पता चले कि एक गंदा बड़ा साँप –'

'आर्थर!' मिसेज़ वीज़्ली ने उन्हें चेतावनी दी।

'– मुझ तक – पहुँच गया,' मिस्टर वीज़्ली ने जल्दी से कहा, हालाँकि हैरी को पूरा यक़ीन था कि उन्होंने बात बदल दी थी।

जॉर्ज ने पूछा, 'डैडी, जब यह हुआ, उस वक़्त आप कहाँ थे ?'

'यह मेरा मामला है,' मिस्टर वीज़्ली ने कहा, हालाँकि वे मुस्करा भी रहे थे। उन्होंने *दैनिक जादूगर* को उठाकर खोला और बोले, 'जब तुम लोग आए, उस वक़्त मैं विली विडरशिन्स की गिरफ़्तारी के बारे में पढ़ रहा था। तुम जानते हो, यह पता चला था कि इस गर्मी में उन निष्कासन टॉयलेटों के पीछे विली का हाथ था ? उसका एक मंत्र उलट गया, जिससे टॉयलेट में विस्फोट हो गया और वह मलबे में बेहोश मिला। वह टॉयलेट की गंदगी में सिर से पैर तक सना हुआ था।'

फ्रेड ने धीमी आवाज़ में बीच में पूछा, 'आप कहते हैं कि आप "ड्यूटी पर" थे। लेकिन आप कर क्या रहे थे ?'

'तुमने अपने डैडी की बात सुन ली,' मिसेज़ वीज़्ली फुसफुसाईं। 'उस बात को रहने दो! आर्थर, विली विडरशिन्स के बारे में आगे बताओ।'

मिस्टर वीज़्ली ने गंभीरता से कहा, 'मुझसे यह मत पूछो कि यह कैसे हुआ, लेकिन वह टॉयलेट के आरोप से मुक्त हो गया। दरअसल मेरा अंदाज़ा है कि गैलियनों से यह सौदा हुआ होगा –'

'आप उस चीज़ की रक्षा कर रहे थे, है ना?' जॉर्ज ने धीरे से कहा। 'हथियार की? उस चीज़ की, जिसके पीछे तुम-जानते-हो-कौन है?'

मिसेज़ वीज़्ली ने उसे झिड़क दिया, 'जॉर्ज, चुप रहो!'

'ख़ैर,' मिस्टर वीज़्ली ने ऊँची आवाज़ में कहा, 'इस बार विली को काटने वाली चाबियाँ बेचते हुए पकड़ा गया है, जो वह मगलुओं को बेच रहा था। मुझे नहीं लगता कि वह इस आरोप से बच पाएगा, क्योंकि इस ख़बर के अनुसार दो मगलुओं की उँगलियाँ चली गई हैं और वे इस समय आपातकालीन अस्थिवर्धन और स्मृति संशोधन के लिए सेंट मंगोज़ में भर्ती हैं। ज़रा सोचो तो सही, सेंट मंगोज़ में मगलू भर्ती हैं! मैं सोच रहा हूँ कि वे किस वार्ड में होंगे?'

और उन्होंने उत्सुकता से चारों तरफ़ देखा, जैसे किसी साइनबोर्ड को देखने की उम्मीद कर रहे हों।

'क्या तुमने यह नहीं बताया था कि तुम-जानते-हो-कौन के पास एक साँप है, हैरी?' फ्रेड ने पूछा और प्रतिक्रिया के लिए अपने पिता की तरफ़ देखा। 'एक बहुत बड़ा साँप? तुमने इसे उस रात को देखा था, जब वह वापस लौटा था, है ना?'

मिसेज़ वीज़्ली ने चिढ़कर कहा, 'बहुत हो गया। आर्थर, बावरे-नैन और टौंक्स बाहर हैं। वे भी आकर तुम्हें देखना चाहते हैं। और तुम लोग बाहर जाकर इंतज़ार करो,' उन्होंने अपने बच्चों और हैरी से कहा। 'तुम लोग चलते समय आकर विदा ले लेना। चलो।'

वे लोग वापस गलियारे में पहुँच गए। बावरे-नैन और टौंक्स ने अंदर जाकर वार्ड का दरवाज़ा बंद कर लिया। फ्रेड ने अपनी भौंहें उठाईं।

'अच्छा,' उसने धीरे से कहा और अपनी जेबें टटोलीं, 'अपनी मर्ज़ी चलाओ। हमें कुछ मत बताओ।'

'इन्हें खोज रहे हो?' जॉर्ज ने अपने हाथ में एक चीज़ बढ़ाते हुए कहा, जो मांस के रंग के धागों के गुच्छे जैसी दिख रही थी।

'तुम मेरे दिल की बात समझ लेते हो,' फ्रेड ने मुस्कराते हुए कहा। 'चलो देखते हैं कि क्या सेंट मंगोज़ के वार्ड के दरवाज़ों पर अभेद्य सम्मोहन है?'

उसने और जॉर्ज ने गुच्छे को सीधा किया और पाँच विस्तारक कानों को एक-दूसरे से अलग किया। फ्रेड और जॉर्ज उन्हें बाँटने लगे। हैरी लेने में झिझका।

'चलो हैरी, ले भी लो! तुमने डैडी की जान बचाई है। अगर किसी को उनकी बातें छिपकर सुनने का हक़ है, तो वह तुम्हें है।'

अनिच्छा से मुस्कराते हुए हैरी ने धागे का एक सिरा लेकर अपने कान में लगा लिया, जैसा जुड़वाँ भाइयों ने किया था।

फ़्रेड फुसफुसाया, 'अच्छा, **ठीक है!**'

मांस के रंग के धागे लंबे दुबले-पतले कीड़ों की तरह कसमसाए और दरवाज़े के नीचे से रेंगकर अंदर चले गए। पहले तो हैरी को कुछ सुनाई नहीं दिया, लेकिन फिर वह उछल पड़ा, जब उसने टौंक्स के फुसफुसाने की आवाज़ इतनी स्पष्टता से सुन ली, जैसे वह उसी के पास खड़ी हो।

'... उन्होंने पूरे इलाक़े को छान मारा, लेकिन साँप कहीं नहीं मिला। ऐसा लगता है कि तुम पर हमला करने के बाद वह ग़ायब हो गया था, आर्थर... लेकिन तुम-जानते-हो-कौन को यह उम्मीद कैसे थी कि साँप उसके अंदर जा सकता है?'

'मुझे लगता है कि उसने उसे टोह लेने के लिए भेजा होगा,' मूडी ने गुर्राकर कहा, 'क्योंकि अब तक वह सफल नहीं हो पाया है, है ना? नहीं, मुझे लगता है कि वह ज़्यादा स्पष्ट तरीक़े से जानना चाहता होगा कि उसके सामने क्या है। अगर आर्थर वहाँ नहीं होता, तो उस साँप को चारों तरफ़ देखने का ज़्यादा समय मिल जाता। तो, पॉटर का कहना है कि उसने इस पूरी घटना को होते देखा है?'

'हाँ,' मिसेज़ वीज़्ली ने थोड़ी परेशान दिखते हुए कहा। 'देखो, डम्बलडोर को तो जैसे यह उम्मीद थी कि हैरी इस तरह की चीज़ देखेगा।'

'हाँ,' मूडी ने कहा, 'हम सभी जानते हैं कि पॉटर बच्चा अजीब है।'

मिसेज़ वीज़्ली ने फुसफुसाकर कहा, 'जब मैंने आज सुबह डम्बलडोर से बात की, तो वे हैरी को लेकर परेशान लग रहे थे।'

'ज़ाहिर है, वे परेशान होंगे,' मूडी गुर्राए। 'वह लड़का तुम-जानते-हो-कौन के साँप के भीतर से घटनाओं को देख रहा है। स्पष्ट है कि पॉटर इस बात का मतलब नहीं समझता है। लेकिन अगर तुम-जानते-हो-कौन उस पर क़ाबू कर रहा है –'

हैरी ने विस्तारक कान को अपने कान से बाहर निकाल लिया। उसका दिल बहुत तेज़ी से उछलने लगा और उसका चेहरा गर्म हो गया। उसने मुड़कर बाक़ी लोगों की तरफ़ देखा। वे सभी उसे घूर रहे थे। उनके कान में धागे अब भी लगे हुए थे, लेकिन अचानक उनके चेहरे पर डर का भाव आ गया था।

अध्याय तेईस

बंद वार्ड में क्रिसमस

क्या इसीलिए डम्बलडोर हैरी से नज़रें नहीं मिला रहे थे? क्या उन्हें यह आशंका थी कि हैरी की आँखों से वोल्डेमॉर्ट झाँकने लगेगा? या उन्हें यह डर था कि शायद उसकी आँखों का हरा रंग अचानक लाल हो जाएगा और उसकी पुतलियों की जगह पर बिल्ली जैसे छेद हो जाएँगे? हैरी को याद आया कि वोल्डेमॉर्ट का साँप जैसा चेहरा एक बार प्रोफ़ेसर क्विरिल के सिर के पीछे से कैसे निकला था। अपने सिर के पीछे हाथ फेरकर वह सोचने लगा कि अगर वोल्डेमॉर्ट उसकी खोपड़ी में से बाहर निकला, तो उसे कैसा महसूस होगा।

वह ख़ुद को गंदा और संक्रमित समझने लगा। उसे लग रहा था, जैसे वह किसी घातक विषाणु से ग्रस्त है और अस्पताल से लौटते समय मासूम, निष्कलंक लोगों के साथ ट्रेन में बैठने क़ाबिल नहीं है, जिनका तन-मन वोल्डेमॉर्ट के कलंक से मुक्त था ... वह अब यह बात जान चुका था कि उसने सिर्फ़ साँप को देखा ही नहीं था; वह तो ख़ुद साँप *था* ...

तभी उसके दिमाग़ में एक बड़ा भयंकर विचार आया। उसके दिमाग़ की सतह पर एक याद उभर आई, जिससे उसकी आँतें साँपों की तरह घुमड़ने और लहराने लगीं।

वोल्डेमॉर्ट समर्थकों के अलावा किसी चीज़ के पीछे था?

हथियार जैसी कोई चीज़, जिसे वह सिर्फ़ चोरी से हासिल कर सकता है ... कोई ऐसी चीज़ जो पिछली बार उसके पास नहीं थी।

हैरी ने सोचा, मैं ही वह हथियार हूँ। अँधेरी सुरंग से गुज़र रही ट्रेन में हिलते समय उसे ऐसा लगा, मानो उसकी नसों में ज़हर बह रहा था, जो उसे पसीना-पसीना कर रहा था। वोल्डेमॉर्ट मेरा ही इस्तेमाल करने की कोशिश कर रहा है। इसीलिए डम्बलडोर ने मेरे आस-पास पहरेदार तैनात कर रखे हैं। वे

मेरी सुरक्षा के लिए नहीं हैं, बल्कि दूसरों की सुरक्षा के लिए हैं। लेकिन डम्बलडोर सफल नहीं हो पा रहे हैं। वे हॉगवर्ट्स में हर वक़्त मेरी निगरानी नहीं करवा सकते ... मैंने ही कल रात को मिस्टर वीज़्ली पर हमला किया *था*। वह मैं ही था। वोल्डेमॉर्ट ने मुझसे यह काम करवाया और हो सकता है कि वह मेरे भीतर हो। हो सकता है, वह इस समय भी मेरे विचारों को पढ़ रहा हो-

जब ट्रेन अँधेरी सुरंग में धड़धड़ाती हुई चल रही थी, तो मिसेज़ वीज़्ली ने जिनी के पार झुककर उससे पूछा, 'हैरी बेटा, तुम ठीक तो हो? तुम्हारी हालत ख़राब दिख रही है। क्या तुम बीमार महसूस कर रहे हो?'

सभी उसे देख रहे थे। उसने तेज़ी से अपना सिर हिलाया और होम इंश्योरेंस के एक विज्ञापन को घूरने लगा।

ग्रिमॉल्ड चौक में घास के एक टुकड़े पर चलते समय मिसेज़ वीज़्ली चिंता भरी आवाज़ में बोलीं, 'हैरी बेटा, तुम्हें *यक़ीन* है कि तुम बिलकुल ठीक हो? तुम्हारा चेहरा बहुत पीला दिख रहा है ... क्या आज सुबह तुम्हें नींद नहीं आई? तुम सीधे अपने बिस्तर पर जाना और डिनर से पहले दो घंटे सो लेना, ठीक है?'

उसने सिर हिलाकर हामी भरी। यह एक बढ़िया बहाना था, जिससे वह सबसे बात करने से बच सकता था। वह यही तो चाहता था। इसलिए जैसे ही मिसेज़ वीज़्ली ने सामने वाला दरवाज़ा खोला, वह दैत्य के पैर वाले छाता स्टैंड के पास से होता हुआ तेज़ी से सीढ़ियाँ चढ़ा और अपने तथा रॉन के बेडरूम में घुस गया।

वहाँ पहुँचकर वह दोनों पलंगों और फ़िनीज़ नाइजेलस की ख़ाली तस्वीर के पास चहलक़दमी करने लगा। उसके दिमाग़ में बहुत सारे सवाल और उनसे भी ज़्यादा भयानक विचार भरे हुए थे।

वह साँप कैसे बन गया? शायद वह इच्छाधारी नरपशु था ... नहीं, वह नहीं हो सकता। अगर ऐसा होता, तो उसे यह बात पता होती ... शायद *वोल्डेमॉर्ट* इच्छाधारी नरपशु था ... हाँ, हैरी ने सोचा, यह बात ठीक लगती है। ज़ाहिर है, वह साँप में बदल *सकता है* ... चूँकि वह मुझ पर क़ाबू कर रहा है, इसलिए हम दोनों ही रूप बदल लेते हैं ... लेकिन फिर भी इससे यह बात स्पष्ट नहीं होती है कि मैं पाँच मिनट में ही लंदन जाकर अपने पलंग पर कैसे लौट आया ... लेकिन वोल्डेमॉर्ट डम्बलडोर के बाद दुनिया का सबसे ताक़तवर जादूगर है। शायद लोगों को इतनी तेज़ी से लाना-ले जाना उसके लिए कोई बड़ी बात नहीं होगी।

और फिर दहशत के भयंकर एहसास के साथ उसके मन में यह पागलपन भरा ख़्याल आया - *अगर वोल्डेमॉर्ट मुझ पर क़ाबू कर रहा है, तो मैं उसे इस*

समय मायापंछी के समूह के मुख्यालय का स्पष्ट दृश्य दिखा रहा हूँ! वह जान जाएगा कि समूह में कौन-कौन है और सिरियस कहाँ है ... और मैंने ऐसी बहुत सी बातें सुनी हैं, जो मुझे नहीं सुननी चाहिए थीं - वह हर बात, जो सिरियस ने मुझे पहली रात को बताई थी ...

अब एक ही रास्ता था : उसे जल्द से जल्द ग्रिमॉल्ड चौक छोड़कर चल देना चाहिए। वह बाक़ी लोगों के बिना हॉगवर्ट्स में क्रिसमस बिता लेगा, ताकि वे लोग कम से कम छुट्टियों में तो सुरक्षित रहें ... लेकिन नहीं, यह नहीं चलेगा, हॉगवर्ट्स में भी बहुत से विद्यार्थी होंगे, जिन्हें वह घायल कर सकता है। अगर अगला शिकार सीमस, डीन या नेविल हुआ, तो क्या होगा? उसने चहलक़दमी बंद कर दी और फ़िनीज़ नाइजेलस के ख़ाली फ्रेम को घूरता हुआ खड़ा रहा। उसके पेट की गहराई में सीसे जैसी भारी अनुभूति हो रही थी। उसके पास कोई विकल्प नहीं था : वह प्रिविट ड्राइव लौट जाएगा और बाक़ी जादूगरों से दूर रहेगा।

उसने सोचा, अगर यह काम करना ही है, तो देर करने से कोई फ़ायदा नहीं है। उसने पूरी ताक़त से यह ख़्याल दिमाग़ से निकालने की कोशिश की कि डर्स्ली परिवार की प्रतिक्रिया क्या होगी, जब वे उम्मीद से छह महीने पहले उसे अपनी चौखट पर खड़ा देखेंगे। फिर वह तेज़ी से अपने संदूक की तरफ़ गया और उसका ढक्कन बंद करके उस पर ताला लगा दिया। इसके बाद उसने हेडविग की तलाश की, लेकिन तभी उसे याद आया कि वह अब भी हॉगवर्ट्स में ही है। उसने सोचा, यह अच्छा हुआ, क्योंकि उसका पिंजरा नहीं ले जाना पड़ेगा। वह अपने संदूक का एक सिरा पकड़कर दरवाज़े की तरफ़ घसीटने लगा। वह अभी आधी दूर तक ही पहुँचा था कि तभी एक हिक़ारत भरी आवाज़ आई, 'भाग रहे हो?'

उसने पलटकर देखा। फ़िनीज़ नाइजेलस अपनी तस्वीर वाले कैनवास में प्रकट हो गया था और झुककर हैरी को दिलचस्पी से देख रहा था।

'नहीं, भाग नहीं रहा हूँ,' हैरी ने कहा और संदूक को घसीटकर कुछ दूर आगे तक ले गया।

फ़िनीज़ नाइजेलस ने अपनी नुकीली दाढ़ी को थपथपाते हुए कहा, 'मुझे लगता था कि गरुड़द्वार हाउस में सिर्फ़ बहादुर लोग ही पहुँचते हैं? तुम्हें तो मेरे हाउस में होना चाहिए था। हम नागशक्ति वाले बहादुर तो होते हैं, लेकिन मूर्ख नहीं होते। उदाहरण के लिए, अगर विकल्प मौजूद हो, तो हम हमेशा अपनी गर्दन बचाने का विकल्प चुनते हैं।'

'मैं अपनी गर्दन नहीं बचा रहा हूँ,' हैरी ने कहा और संदूक को दीमक

खाए गलीचे के टुकड़े के ऊपर उठाकर दरवाज़े के ठीक सामने ले गया।

'ओह, *अब समझा,*' फ़िनीज़ नाइजेलस ने अपनी दाढ़ी सहलाते हुए कहा, 'तुम कायरों की तरह नहीं भाग रहे हो - तुम तो *महानता* दिखा रहे हो।'

हैरी ने उसे नज़रअंदाज़ कर दिया। उसका हाथ दरवाज़े के हैंडल पर था, तभी फ़िनीज़ नाइजेलस ने आलस से कहा, 'मैं एल्बस डम्बलडोर का एक संदेश लाया हूँ।'

हैरी घूमा।

'क्या?'

'जहाँ हो, वहीं रहो।'

'मैं तो हिला भी नहीं हूँ!' हैरी ने कहा। उसका हाथ अब भी दरवाज़े के हैंडल पर था। 'संदेश क्या है?'

'मूर्ख, वही तो मैंने तुम्हें अभी बताया है,' फ़िनीज़ नाइजेलस बोला। 'डम्बलडोर ने कहा है, "*जहाँ हो वहीं रहो*"।'

'क्यों?' हैरी ने उत्सुकता से कहा और अपने संदूक के हत्थे को छोड़ दिया। 'वे मुझे यहाँ पर क्यों रोकना चाहते हैं? उन्होंने और क्या कहा?'

'और कुछ नहीं,' फ़िनीज़ नाइजेलस ने पतली काली भौंह उठाई, जैसे उसे हैरी उद्दंड लग रहा हो।

हैरी का ग़ुस्सा उसी तरह सतह पर आ गया, जैसे कोई साँप लंबी घास पर फन उठा रहा हो। वह थका हुआ था, बुरी तरह दुविधाग्रस्त था, पिछले बारह घंटों में दहशत, राहत और फिर दहशत में जिया था, लेकिन इसके बावजूद डम्बलडोर उससे बात नहीं करना चाहते थे!

'तो यह बात है, है ना?' उसने ज़ोर से कहा। '"*जहाँ हो, वहीं रहो*"? जब मुझ पर दमपिशाचों ने हमला किया था, तब भी हर कोई मुझसे यही कह रहा था! जहाँ हो, वहीं रहो हैरी, तब तक बड़े लोग इस मामले को सुलझाते हैं! हम तुम्हें कुछ नहीं बताएँगे, क्योंकि तुम्हारा छोटा सा दिमाग़ इसे झेल नहीं पाएगा!'

फ़िनीज़ नाइजेलस ने ज़्यादा तेज़ी से कहा, 'देखो, इसीलिए तो मुझे टीचर होने से *नफ़रत* थी! लड़कों को ख़ुद पर इतना ज़्यादा भरोसा होता है कि वे हर चीज़ के बारे में बिलकुल सही होते हैं। मेरे छोटे से ग़ुस्सैल खच्चर, क्या तुम्हें यह नहीं लगता कि अगर हॉगवर्ट्स का हेडमास्टर अपनी योजना की हर छोटी-छोटी बात तुम्हें नहीं बता रहा है, तो इसका कोई बहुत अच्छा कारण होगा? तुम्हें बहुत कष्ट महसूस हो रहा है, लेकिन क्या तुम्हें यह एहसास नहीं है कि डम्बलडोर का कहना मानने से तुम्हें कभी नुक़सान नहीं हुआ है? नहीं। नहीं, सभी लड़कों

की तरह तुम्हें भी पूरा यक़ीन है कि तुम अकेले ही सोचते और महसूस करते हो, तुम अकेले ही ख़तरे को पहचानते हो, तुम अकेले ही इतने चतुर हो कि शैतानी शहंशाह की योजना का अंदाज़ा लगा सकते हो –'

हैरी ने तेज़ी से कहा, 'तो वह मेरे बारे में कोई योजना बना रहा है?'

'क्या मैंने ऐसा कहा?' फ़िनीज़ नाइजेलस ने अपने रेशमी दस्तानों को उलटते-पलटते हुए कहा। 'अब मुझे माफ़ करो, मेरे पास किशोरावस्था के दुख-दर्द सुनने से ज़्यादा अच्छे काम हैं ... गुड डे।'

वह अपने फ्रेम के कोने तक टहलकर गया और ओझल हो गया।

'भाड़ में जाओ!' हैरी ख़ाली फ्रेम के सामने गरजा। 'और डम्बलडोर को बता देना कि इस बुरी ख़बर के लिए धन्यवाद!'

ख़ाली कैनवास ख़ामोश रहा। तैश में हैरी संदूक को अपने बिस्तर के पैताने तक वापस लाया और दीमक खाए हिस्से पर चेहरे के बल गिर गया। उसकी आँखें बंद थीं। उसका शरीर भारी हो रहा था तथा दर्द से टूटा जा रहा था।

उसे महसूस हुआ, जैसे वह मीलों सफ़र करके आया हो ... उसे अब यक़ीन नहीं हो रहा था कि चौबीस घंटे से भी कम समय पहले चो चैंग मिसलटो के नीचे उसके पास आई थी ... वह बहुत थका हुआ था ... वह सोने में डर रहा था ... लेकिन वह यह नहीं जानता था कि वह नींद से कितने समय तक लड़ सकता है ... डम्बलडोर ने उससे कहा था कि वह यहीं रुका रहे ... इसका मतलब यह है कि उसे सोने की इजाज़त है ... लेकिन वह मन ही मन डर रहा था ... कहीं वह सब दोबारा न हो जाए?

वह छायाओं में डूब रहा था ...

ऐसा लग रहा था, जैसे उसके दिमाग़ में एक फ़िल्म चलने का इंतज़ार कर रही थी। वह एक वीरान गलियारे में चलकर एक सपाट काले दरवाज़े की तरफ़ जा रहा था। खुरदुरे पत्थर की दीवारों, मशालों और एक खुले दरवाज़े से होता हुआ वह पत्थर की सीढ़ियाँ उतर गया, जो नीचे जाकर बाईं तरफ़ मुड़ जाती थीं ...

वह काले दरवाज़े तक पहुँच गया, लेकिन उसे खोल नहीं पाया ... वह उसे घूरता रहा ... वह उसके भीतर घुसने के लिए बहुत उतावला था ... उसके पीछे जो भी था, उसे वह दिल से चाहता था ... यह पुरस्कार बहुत ही बड़ा था ... काश उसका निशान दुखना बंद हो जाए ... फिर वह ज़्यादा स्पष्टता से सोच सकेगा ...

तभी बहुत दूर से रॉन की आवाज़ आई, 'मम्मी ने कहा है कि डिनर तैयार है, लेकिन अगर तुम सोना चाहो, तो वे तुम्हारे लिए अलग निकालकर रख लेंगी।'

हैरी ने अपनी आँखें खोलीं, लेकिन रॉन तब तक कमरे से बाहर जा चुका था।

हैरी ने सोचा, वह मेरे साथ अकेले में नहीं रहना चाहता। मूडी की बात सुनने के बाद आख़िर वह क्यों रहना चाहेगा?

उसे लगा कि उनमें से कोई भी उससे नहीं मिलना चाहता होगा, क्योंकि अब वे जान चुके हैं कि उसके भीतर क्या था।

वह डिनर करने के लिए नीचे नहीं जाना चाहता था। वह ख़ुद को ज़बर्दस्ती उन पर थोपना नहीं चाहता था। उसने करवट बदली और कुछ समय बाद दोबारा सो गया। वह काफ़ी देर बाद जागा। उस समय सुबह के शुरुआती घंटे चल रहे थे। भूख के कारण उसके पेट में दर्द हो रहा था और रॉन खर्राटे ले रहा था। कमरे में चारों तरफ़ देखते समय उसे फ़िनीज़ नाइजेलस की स्याह आकृति दिखी, जो अपनी तस्वीर में एक बार फिर आ चुका था। हैरी को लगा कि डम्बलडोर ने शायद उसे उसकी निगरानी के लिए भेजा होगा, ताकि वह किसी और पर हमला न कर दे।

अस्वच्छ होने का भाव गहराता गया। उसका आधा मन हो रहा था कि उसे डम्बलडोर की बात नहीं माननी चाहिए थी ... अगर ग्रिमॉल्ड चौक में जीवन इसी तरह चलने वाला है, तो इससे अच्छा तो यह होता कि वह प्रिविट ड्राइव में ही रहता।

*

अगली सुबह बाक़ी सभी लोग क्रिसमस की सजावट करते रहे। हैरी को सिरियस इतने अच्छे मूड में पहले कभी नहीं दिखा था। वह कैरोल्स गा रहा था और बहुत ख़ुश दिख रहा था कि क्रिसमस पर उसका घर भरा हुआ है। उसकी आवाज़ ठंडे ड्राइंग रूम के फ़र्श के पार से गूँजती हुई ऊपर आ रही थी, जहाँ हैरी अकेला बैठा था। खिड़कियों के बाहर आसमान सफ़ेद हो रहा था। यह देखकर हैरी को आशंका हुई कि शायद बर्फ़ गिरेगी। पूरे समय हैरी इस बात पर वहशी आनंद महसूस करता रहा कि वह बाक़ी लोगों को अपने बारे में बात करने का मौक़ा दे रहा था। जब उसने लंच के समय सीढ़ियों पर मिसेज़ वीज़्ली को अपना नाम पुकारते सुना, तो वह और ऊपर चला गया तथा उनकी बात अनसुनी कर दी।

शाम को लगभग छह बजे बाहर के दरवाज़े की घंटी बजी और मिसेज़

ब्लैक दोबारा चीख़ने लगीं। हैरी ने सोचा कि मंडंगस या मायापंछी के समूह का कोई और सदस्य आया होगा। वह बकबीक के कमरे की दीवार से आराम से टिककर बैठ गया, जहाँ वह छिपा हुआ था। बकबीक को मरे हुए चूहे खिलाते समय वह इस बात को नज़रअंदाज़ करने की कोशिश करता रहा कि वह ख़ुद कितना भूखा था। जब किसी ने कुछ मिनट बाद दरवाज़ा भड़भड़ाया, तो उसे थोड़ा सदमा लगा।

'मैं जानती हूँ कि तुम अंदर हो,' हर्माइनी की आवाज़ आई। 'बाहर आओ। मैं तुमसे बात करना चाहती हूँ।'

'*तुम* यहाँ क्या कर रही हो?' हैरी ने दरवाज़ा खोलते हुए पूछा। बकबीक अब भी भूसे से भरे फ़र्श पर अपने पंजे मार रहा था, ताकि अगर चूहे का कोई टुकड़ा रह गया हो, तो वह उसे उठा ले। 'तुम तो अपने मम्मी-डैडी के साथ स्कीइंग करने गई थीं?'

हर्माइनी ने कहा, '*सच* तो यह है कि स्कीइंग में मुझे ज़्यादा मज़ा नहीं आता है, इसलिए मैं क्रिसमस मनाने के लिए यहाँ चली आई।' उसके बालों में बर्फ़ के टुकड़े फँसे हुए थे और उसका चेहरा ठंड से गुलाबी हो गया था। 'लेकिन रॉन को यह मत बताना। मैंने उसे बताया है कि स्कीइंग सचमुच अच्छी होती है, क्योंकि उसे यह सुनकर बड़ा मज़ा आता है। मम्मी-डैडी थोड़े निराश हुए, लेकिन मैंने उन्हें बता दिया कि गंभीर विद्यार्थी परीक्षा की तैयारी करने के लिए हॉगवर्ट्स में ही रुक रहे हैं। वे चाहते हैं कि मैं परीक्षा में अच्छा प्रदर्शन करूँ। वे समझ जाएँगे। ख़ैर छोड़ो,' उसने तेज़ी से कहा, 'चलो, हम तुम्हारे बेडरूम में चलते हैं। रॉन की मम्मी ने वहाँ आग जला दी है और सैंडविच भेज दिए हैं।'

हैरी उसके पीछे-पीछे दूसरी मंज़िल पर पहुँच गया। बेडरूम में दाख़िल होने पर उसे यह देखकर हैरानी हुई कि रॉन और जिनी वहाँ बैठकर उसका इंतज़ार कर रहे थे।

हैरी कुछ बोल पाता, इससे पहले ही हर्माइनी ने अपनी जैकेट उतारी और हवाई अंदाज़ में बोली, 'मैं नाइट बस से आई हूँ। डम्बलडोर ने मुझे अगले दिन ही सारी घटना बता दी थी, लेकिन वहाँ से निकलने से पहले मुझे सत्र ख़त्म होने का इंतज़ार करना पड़ा। अंबरिज तो इसी बात पर ग़ुस्सा थीं कि तुम लोग उनकी नाक के नीचे से ग़ायब हो गए, हालाँकि डम्बलडोर ने उन्हें बता दिया था कि मिस्टर वीज़्ली सेंट मंगोज़ में भर्ती हैं और उन्होंने तुम सभी को उनसे मिलने जाने की इजाज़त दे दी थी। तो ...'

वह जिनी के पास बैठ गई। दोनों लड़कियाँ और रॉन हैरी को देखने लगे।

हर्माइनी ने पूछा, 'तुम्हें कैसा लग रहा है?'

'बढ़िया,' हैरी ने थोड़ी सख़्ती से कहा।

वह अधीरता से बोली, 'ओह हैरी, झूठ मत बोलो। रॉन और जिनी कह रहे हैं कि सेंट मंगोज़ से लौटने के बाद तुम सबसे छिपते फिर रहे हो।'

'अच्छा ऐसा कह रहे हैं?' हैरी ने ग़ुस्से से रॉन और जिनी को देखा। रॉन अपने पैरों की तरफ़ देखने लगा, लेकिन जिनी के चेहरे पर शिकन तक नहीं आई।

जिनी बोली, 'तुम ऐसा ही कर रहे हो! और तुम हममें से किसी की भी तरफ़ देख नहीं रहे हो!'

हैरी ग़ुस्से से बोला, 'तुम ही लोग मेरी तरफ़ नहीं देख रहे हो!'

हर्माइनी ने थोड़ा मुस्कराते हुए कहा, 'शायद तुम लोग अलग-अलग समय एक-दूसरे को देख रहे होगे, इसी कारण ऐसा लगा होगा।'

हैरी ने मुड़ते हुए कहा, 'बड़ी मज़ेदार बात है!'

हर्माइनी ने तीखी आवाज़ में कहा, 'यह सोचना छोड़ दो कि सब लोग तुम्हें ग़लत समझ रहे हैं। देखो, बाक़ी लोगों ने मुझे वह बात बता दी है, जो तुमने कल विस्तारित कानों से सुनी थी –'

'अच्छा?' हैरी गुर्राया, उसके हाथ जेब में थे और वह बाहर बर्फ़ की मोटी परत को गिरते देख रहा था। 'सभी मेरे बारे में बात कर रहे हैं, है ना? देखो, मुझे इसकी आदत पड़ रही है।'

'हम *तुमसे* बात करना चाहते थे, हैरी,' जिनी ने कहा, 'लेकिन जब से हम लौटे हैं, तब से तुम छिपते फिर रहे हो, इसलिए –'

'मैं किसी से बात नहीं करना चाहता,' हैरी ने कहा, जो अब और ज़्यादा परेशान महसूस कर रहा था।

'यह तो मूर्खता है,' जिनी ने ग़ुस्से से कहा, 'क्योंकि तुम मेरे सिवाय किसी को नहीं जानते हो, जिस पर तुम-जानते-हो-कौन ने क़ाबू किया था। मैं तुम्हें बता सकती हूँ कि उस वक़्त कैसा महसूस होता है?'

हैरी बिलकुल स्थिर खड़ा रहा और जब उसे इस बात का मतलब समझ में आ गया, तो वह तेज़ी से घूम गया।

उसने कहा, 'मैं भूल गया था।'

जिनी ठंडे स्वर में बोली, 'तुम कितने ख़ुशक़िस्मत हो!'

'मुझे अफ़सोस है,' हैरी ने दिल से कहा। 'तो ... तो, क्या तुम्हें लगता है कि वह मुझ पर क़ाबू कर रहा है?'

'देखो, क्या तुम्हें वह हर चीज़ याद रहती है, जो तुम कर रहे हो?' जिनी ने पूछा। 'क्या ऐसा भी समय रहता है, जिसके बारे में तुम यह नहीं जानते हो कि तुम क्या कर रहे थे?'

हैरी ने अपने दिमाग़ पर ज़ोर डाला।

उसने जवाब दिया, 'नहीं।'

जिनी बोली, 'तो फिर तुम-जानते-हो-कौन ने तुम पर कभी क़ाबू नहीं किया है। जब उसने मुझ पर क़ाबू किया था, तो मुझे याद नहीं रहता था कि घंटों तक मैं क्या कर रही थी। मैं ख़ुद को कहीं और पाती थी, लेकिन यह नहीं जानती थी कि मैं वहाँ कैसे पहुँची।'

हैरी की हिम्मत नहीं हुई कि उसकी बात पर यक़ीन कर ले, लेकिन इसके बावजूद उसका जी हल्का हो गया।

'मैंने तुम्हारे डैडी और साँप के बारे में जो सपना देखा था –'

हर्माइनी ने कहा, 'हैरी, तुमने ऐसे सपने पहले भी देखे हैं। पिछले साल भी तुम्हें इस बात की झलक मिल जाती थी कि वोल्डेमॉर्ट क्या कर रहा है।'

हैरी ने सिर हिलाते हुए कहा, 'यह सपना अलग था। मैं साँप के *भीतर* था। ऐसा लग रहा था, जैसे मैं ही साँप *था* ... हो सकता है, वोल्डेमॉर्ट मुझे किसी तरह लंदन ले गया हो – ?'

हर्माइनी ने बुरी तरह चिढ़कर कहा, 'किसी दिन तुम *हॉगवर्ट्स : एक इतिहास* पढ़ लेना। शायद उससे तुम्हें यह समझ आ जाएगा कि हॉगवर्ट्स के भीतर कोई अंतर्ध्यान या प्रकट नहीं हो सकता। यहाँ तक कि वोल्डेमॉर्ट भी तुम्हें तुम्हारे कमरे के बाहर उड़ाकर नहीं ले जा सकता था, हैरी।'

रॉन बोला, 'उस समय तुम अपने बिस्तर पर ही थे। जगाने से पहले मैंने तुम्हें कम से कम एक मिनट तक नींद में कसमसाते हुए देखा था।'

हैरी कमरे में इधर से उधर चहलक़दमी करने लगा और सोचने लगा। वे लोग जो कह रहे थे, वह न सिर्फ़ राहत भरा था, बल्कि समझदारी भरा भी लग रहा था ... बिना सोचे हुए उसने पलंग पर रखी प्लेट में से एक सैंडविच उठाया और अपने मुँह में भर लिया।

हैरी ने सोचा, *चलो इससे यह चिंता छूटी कि मैं ही हथियार हूँ।* उसका दिल ख़ुशी और राहत से फूल गया। जब उसने सुना कि सिरियस उनके कमरे के पास से होता हुआ बकबीक के कमरे की तरफ़ जा रहा था और पूरी तेज़ी से 'गॉड रेस्ट ये, मेरी हिप्पोग्रिफ़्स' गा रहा था, तो उसका भी मन हुआ कि वह भी उसके साथ-साथ गाने लगे।

*

क्रिसमस पर प्रिविट ड्राइव लौटने की बात वह सोच भी कैसे सकता था? सिरियस इस बात से ख़ुश था कि घर भरा हुआ था। ख़ास तौर पर हैरी के वहाँ रहने से वह बहुत ख़ुश था। उसकी ख़ुशी हर तरफ़ छलक रही थी। अब वह गर्मियों वाला उदास मेज़बान नहीं था। अब तो जैसे उसने ठान लिया था कि सबको वहाँ कम से कम उतना मज़ा आए, जितना हॉगवर्ट्स में आता। इसलिए वह उनकी मदद से क्रिसमस तक बिना थके सफ़ाई और सजावट करता रहा। परिणाम यह हुआ कि जब वे क्रिसमस की पूर्व-संध्या पर सोने गए, तो मकान पहचान में ही नहीं आ रहा था। गंदे फ़ानूसों पर अब जाले नहीं लटक रहे थे, बल्कि हॉली और सुनहरे तथा चाँदी जैसे रंग की झंडियाँ लगी थीं। जादुई बर्फ़ छने हुए गलीचों पर चमक रही थी। मंडंगस एक बड़ा क्रिसमस ट्री ले आया था। सजीव परियों से सजे इस क्रिसमस ट्री के कारण सिरियस का वंशवृक्ष छिप गया था। हॉल की दीवार पर रखे घरेलू जिन्नों के सिरों पर भी फ़ादर क्रिसमस के हैट और दाढ़ियाँ लग चुकी थीं।

जब क्रिसमस की सुबह हैरी जागा, तो उसके बिस्तर के पैताने पर तोहफ़ों का ढेर लगा था। रॉन पहले ही अपने तोहफ़े खोल रहा था और उसका ढेर थोड़ा बड़ा था।

'इस बार अच्छा सामान मिला है,' उसने हैरी को काग़ज़ों के बादल के बीच से बताया। 'झाड़ू के दिशासूचक के लिए धन्यवाद। यह बहुत बढ़िया है। हर्माइनी के तोहफ़े से काफ़ी अच्छा है – उसने मुझे *होमवर्क प्लानर* दिया है –'

हैरी ने अपने तोहफ़ों की तरफ़ देखा। एक तोहफ़े पर उसे हर्माइनी की लिखाई दिख गई। उसने उसे भी एक पुस्तक दी थी, जो डायरी जैसी लग रही थी। बहरहाल, जब भी वह उसका पेज खोलता था, तो वह ज़ोर से ऐसी बातें बोलती थी : '*होमवर्क आज कर लो, वरना कल पछताओगे!*'

सिरियस और ल्यूपिन ने हैरी को बहुत अच्छी पुस्तकों का सेट दिया था, जिनका शीर्षक था, '*व्यावहारिक सुरक्षात्मक जादू और गुप्त कलाओं के ख़िलाफ़ इसका प्रयोग।*' इन पुस्तकों में सभी मंत्रों और प्रतिकारक मंत्रों के प्रयोग के हिलते हुए रंगीन चित्र दिए गए थे। हैरी ने पहले खंड को उत्सुकता से पलटा। उसे समझ में आ गया कि यह पुस्तक **डीए** के लिए बहुत उपयोगी साबित होगी। हैग्रिड ने उसे बालों वाला भूरा पर्स भेजा था, जिसमें नुकीले दाँत लगे थे। यह चोरी से बचने का अचूक उपाय था, लेकिन दुर्भाग्य से हैरी पर्स में पैसे नहीं रख सकता था, वरना उसकी उँगलियाँ चिर जातीं। टौंक्स ने फ़ायरबोल्ट का एक छोटा, चलित मॉडल दिया था, जिसे हैरी कमरे में चारों तरफ़ उड़ते देखता रहा।

वह हसरत से सोच रहा था कि काश उसके पास उसका पूरे आकार का संस्करण होता। रॉन ने उसे हर स्वाद की टॉफ़ियों का बहुत बड़ा डिब्बा दिया था। मिस्टर और मिसेज़ वीज़्ली ने हमेशा की तरह हाथ से बुना स्वेटर तथा मिंस पाई दी थी। डॉबी ने एक बहुत भयंकर पेंटिंग दी थी, जिसे देखकर हैरी को लगा कि वह उसने ख़ुद बनाई होगी। उसने अभी पेंटिंग को उल्टा घुमाया ही था, ताकि देख सके कि इस तरह से वह बेहतर नज़र आती है या नहीं, तभी एक ज़ोरदार *कड़ाक* के साथ फ़्रेड और जॉर्ज उसके पलंग के पैताने के पास प्रकट हो गए।

'क्रिसमस की बधाइयाँ,' जॉर्ज ने कहा। 'थोड़ी देर नीचे मत जाना।'

रॉन ने पूछा, 'क्यों?'

फ़्रेड ने भारीपन से कहा, 'मम्मी फिर से रोने लगी हैं। पर्सी ने क्रिसमस के उपहार वाला स्वेटर लौटा दिया है।'

'बिना चिट्ठी के,' जॉर्ज ने बात पूरी करते हुए कहा। 'उसने यह तक नहीं पूछा कि डैडी कैसे हैं। वह मिलने भी नहीं गया।'

फ़्रेड ने पलंग के पास आते हुए हैरी की पेंटिंग को देखा, 'हमने उन्हें तसल्ली देने की कोशिश की। हमने उनसे कह दिया कि पर्सी तो चूहे की लेंडी से भी गया-गुज़रा है।'

जॉर्ज ने एक चॉकलेट मेंढक खाते हुए कहा, 'लेकिन उससे काम नहीं बना। अब ल्यूपिन उन्हें समझा रहे हैं। उनकी बात से मम्मी का मूड ठीक हो जाए, उसके बाद ही नाश्ते के लिए नीचे जाना अच्छा रहेगा।'

'वैसे यह है क्या?' फ़्रेड ने डॉबी की पेंटिंग को देखते हुए पूछा। 'ऐसा लगता है कि कोई बंदर है, जिसकी दो काली आँखें हैं।'

'यह हैरी है!' जॉर्ज ने पेंटिंग के पीछे की तरफ़ इशारा करते हुए कहा, 'पीछे लिखा हुआ है।'

'बिलकुल हूबहू तस्वीर बनाई है,' फ़्रेड ने मुस्कराकर कहा। इस ताने से चिढ़कर हैरी ने उस पर नई होमवर्क डायरी फेंककर मारी। डायरी सामने वाली दीवार से टकराकर फ़र्श पर जा गिरी, जहाँ से वह चहककर बोली, '*अगर तुमने हर "आई" पर बिंदी लगा दी है और हर "टी" को काट दिया है, तो फिर तुम जो चाहो, कर सकते हो!*'

वे खड़े होकर कपड़े पहनने लगे। उन्हें सुनाई दे रहा था कि घर में सभी लोग एक-दूसरे को क्रिसमस की बधाइयाँ दे रहे थे। नीचे जाते समय उन्हें सीढ़ियों पर हर्माइनी मिली।

'पुस्तक के लिए धन्यवाद,' उसने ख़ुशी से कहा। 'मैं सदियों से *न्यू थ्योरी*

ऑफ़ न्यूमरोलॉजी चाहती थी! और रॉन, वह सेंट सचमुच असाधारण है।'

'कोई दिक्क़त नहीं,' रॉन ने कहा। 'वैसे यह किसके लिए है?' उसने उस तोहफ़े की तरफ़ इशारा किया, जो वह हाथ में ले जा रही थी।

'क्रीचर के लिए,' हर्माइनी ने उत्साह से कहा।

'अच्छा होगा कि इसमें कपड़े न हों!' रॉन ने उसे चेतावनी दी। 'तुम जानती हो, सिरियस ने क्या कहा था : क्रीचर हमारे बारे में बहुत ज़्यादा जानता है, हम उसे आज़ाद नहीं कर सकते!'

हर्माइनी ने कहा, 'इसमें कपड़े नहीं हैं, हालाँकि अगर मेरा वश चलता, तो मैं निश्चित रूप से उसे उस गंदे पुराने चिथड़े की जगह पर कोई दूसरा कपड़ा पहनने को दे देती। नहीं, यह तो हाथ से बनी रजाई है। मैंने सोचा कि इससे उसका बेडरूम चमक जाएगा।'

'कौन सा बेडरूम?' हैरी ने कहा और अपनी आवाज़ फुसफुसाहट जैसी कर ली, क्योंकि वे सिरियस की माँ की तस्वीर के सामने से गुज़र रहे थे।

हर्माइनी बोली, 'सिरियस कहता है कि यह बेडरूम जैसा तो नहीं है, बल्कि एक तरह की *माँद* है। वह किचन से दूर वाली अलमारी में बॉइलर के नीचे सोता है।'

जब वे बेसमेंट में पहुँचे, तो वहाँ उन्हें मिसेज़ वीज़्ली अकेली मिलीं। वे स्टोव के पास खड़ी थीं और जब उन्होंने सभी को 'मेरी क्रिसमस' कहा, तो उनकी भर्राई आवाज़ से ऐसा लग रहा था, जैसे उन्हें सर्दी हो गई हो। सभी ने अपनी निगाह फेर ली।

'तो यह क्रीचर का बेडरूम है?' रॉन ने पैन्ट्री के सामने वाले कोने में एक गंदे दरवाज़े की तरफ़ चलते हुए कहा। हैरी ने उसे कभी खुला नहीं देखा था।

'हाँ,' हर्माइनी ने कहा, जो अब थोड़ी घबराई दिख रही थी। 'अर ... मुझे लगता है कि हमें खटखटाकर अंदर घुसना चाहिए।'

रॉन ने अपनी उँगलियों के पिछले हिस्से से दरवाज़े पर दस्तक दी, लेकिन कोई जवाब नहीं मिला।

'वह ऊपर की मंज़िल पर चोरी से घूम रहा होगा,' उसने कहा और झट से दरवाज़ा खोल दिया। '*अह!*'

हैरी ने अंदर झाँका। अंदर ज़्यादातर हिस्से में पुराने ज़माने का बहुत बड़ा बॉइलर रखा था, लेकिन पाइपों के नीचे वाली जगह पर क्रीचर ने अपने लिए एक घोंसला जैसा बना लिया था। फ़र्श पर बहुत से चिथड़ों और पुराने बदबूदार कंबलों का ढेर पड़ा था। इसके बीच में एक छोटी सी जगह से पता चलता था कि

क्रीचर हर रात को कहाँ सोता था। सामान में यहाँ-वहाँ बासी ब्रेड के टुकड़े और चीज़ के फफूँद लगे टुकड़े भी थे। दूर वाले एक कोने में छोटी-छोटी चीज़ें और सिक्के चमक रहे थे। हैरी को अंदाज़ा था कि क्रीचर ने उन्हें सिरियस की मकान की सफ़ाई से बचाया होगा। वह चाँदी में मढ़ी परिवार की तस्वीरें लाने में भी सफल हो गया था, जिन्हें सिरियस ने गर्मियों में फेंक दिया था। उनका काँच भले ही टूट गया हो, लेकिन उनके भीतर अब भी छोटे-छोटे श्वेत-श्याम लोग थे, जो दंभ से उसे देख रहे थे, जिनमें – उसे अपने पेट में एक झटका सा महसूस हुआ – वह भारी पलकों वाली साँवली औरत भी शामिल थी, जिसका मुकदमा उसने डम्बलडोर के स्मृति पात्र में देखा था : बेलाट्रिक्स लेस्ट्रेंज। ऐसा लग रहा था, जैसे उसकी तस्वीर क्रीचर को सबसे ज़्यादा प्रिय थी। उसने इसे बाक़ी सभी तस्वीरों के सामने रखा था और इसके काँच को स्पेलोटेप से जोड़ दिया था।

हर्माइनी ने अपने पैकेट को चिथड़ों और कंबलों के बीच में सफ़ाई से रखते हुए कहा, 'मुझे लगता है कि मैं उसका उपहार यहीं छोड़ दूँ।' फिर वह धीरे से दरवाज़ा बंद करते हुए बोली, 'यह उसे बाद में मिल जाएगा। यह अच्छा रहेगा।'

दरवाज़ा बंद करते ही उन्हें सिरियस दिखा, जो पैन्ट्री से एक बड़ी टर्की लेकर आ रहा था। वह बोला, 'मेरे दिमाग़ में एक बात आई है। क्या किसी ने क्रीचर को हाल में देखा है?'

हैरी ने कहा, 'जब हम यहाँ आए थे, उस रात के बाद से मैंने उसे नहीं देखा। उस समय तुम उसे किचन से बाहर निकलने का आदेश दे रहे थे।'

'हाँ ...' सिरियस ने त्योरियाँ चढ़ाकर कहा। 'मुझे लगता है कि मैंने भी उसे उसी समय आख़िरी बार देखा था ... वह ऊपर की मंज़िल पर कहीं छिपा होगा।'

हैरी बोला, 'वह घर छोड़कर तो नहीं चला गया? मेरा मतलब है, जब तुमने कहा था, "*बाहर निकलो,*" तो हो सकता है, उसने सोचा हो कि तुम उसे घर से निकल जाने का आदेश दे रहे हो?'

सिरियस ने जवाब दिया, 'नहीं, नहीं, घरेलू जिन्न तब तक नहीं जा सकते, जब तक कि उन्हें कपड़े न दिए जाएँ। वे परिवार के मकान से बँधे रहते हैं।'

हैरी ने उसकी बात का विरोध करते हुए कहा, 'अगर वे सचमुच चाहें, तो मकान छोड़ भी सकते हैं। डॉबी ने ऐसा ही किया था। तीन साल पहले वह मैल्फ़ॉय का घर छोड़कर मुझे चेतावनी देने आया था। बाद में उसे ख़ुद को सज़ा देनी पड़ी थी, लेकिन फिर भी उसने यह काम किया था।'

सिरियस एक पल के लिए थोड़ा परेशान दिखने के बाद बोला, 'मैं बाद में उसकी तलाश करूँगा। मुझे उम्मीद है कि वह ऊपर की मंज़िल पर मेरी माँ की पुरानी सलवार या ऐसी ही किसी चीज़ के लिए आँसू बहाता मिलेगा। यह भी हो सकता है कि वह एयरिंग कपबोर्ड में घुसकर मर गया हो ... लेकिन मुझे ज़्यादा उम्मीद नहीं करनी चाहिए।'

फ्रेड, जॉर्ज और रॉन हँस दिए। बहरहाल, हर्माइनी के चेहरे पर हिक़ारत का भाव साफ़ नज़र आ रहा था।

जब उन्होंने क्रिसमस का लंच कर लिया, तो वीज़्ली परिवार, हैरी और हर्माइनी मिस्टर वीज़्ली से एक बार फिर मिलने जाने की योजना बनाने लगे। बावरे-नैन और ल्यूपिन भी साथ में जा रहे थे। मंडंगस क्रिसमस पुडिंग और ट्राइफ़ल के लिए समय पर आ गया था। वह इस मौक़े के लिए कार 'उधार' ले आया था, क्योंकि क्रिसमस के दिन ट्रेनें नहीं चलती थीं। हैरी को शक था कि वह कार को इसके मालिक की इजाज़त के बिना लाया होगा। बहरहाल, उसने मंत्र से कार को उतना बड़ा बना लिया था, जितनी वीज़्ली परिवार की पुरानी फ़ोर्ड एंग्लिया हुआ करती थी। हालाँकि बाहर से यह सामान्य आकार की दिखती थी, लेकिन कार चलाने वाले मंडंगस को छोड़कर अंदर दस लोग आराम से बैठे थे। मिसेज़ वीज़्ली इसमें बैठने से पहले झिझक रही थीं। हैरी जानता था कि वे मंडंगस को पसंद नहीं करती थीं, लेकिन वे जादू के बिना यात्रा करना भी पसंद नहीं करती थीं। उनकी इन दोनों नापसंदगियों में संघर्ष हो रहा था - लेकिन आख़िरकार, बाहर की ठंड तथा उनके बच्चों के आग्रह की जीत हुई और वे पीछे वाली सीट पर फ्रेड तथा बिल के बीच में बैठ गईं।

सेंट मंगोज़ की यात्रा काफ़ी जल्दी हुई, क्योंकि सड़कों पर बहुत कम गाड़ियाँ चल रही थीं। जादूगरों और जादूगरनियों के छोटे समूह अस्पताल में घुसने के लिए चोरी से इधर-उधर देख रहे थे, हालाँकि सड़क सुनसान थी। हैरी और बाक़ी लोग कार से बाहर निकले। मंडंगस कोने में कार खड़ी करके उनका इंतज़ार करने लगा। वे सामान्य तरीक़े से टहलते हुए उस खिड़की तक पहुँचे, जहाँ हरे नायलॉन वाली डमी खड़ी थी और फिर एक-एक करके वे अंदर चले गए।

रिसेप्शन पर जश्न का माहौल था। जिन स्फटिक के गोलों से सेंट मंगोज़ में रोशनी होती थी, उन पर लाल और सुनहरा रंग कर दिया गया था, जिससे वे चमकदार क्रिसमस बॉबल्स जैसे दिखने लगे थे। हर दरवाज़े पर हॉली टँगी थी। जादुई बर्फ़ से ढँके सफ़ेद क्रिसमस ट्री हर कोने में चमक रहे थे। हर एक के ऊपर सोने का एक चमकदार सितारा लगा था। यहाँ पिछली बार से कम भीड़ थी,

लेकिन कमरे में आधी दूर जाने पर हैरी को एक जादूगरनी ने एक तरफ़ धका दिया, जिसके बाएँ नथुने में एक बर्तन फँस गया था।

'पारिवारिक विवाद, अह ?' डेस्क के पीछे बैठी सुनहरे बालों वाली जादूगरनी ने मुस्कराकर कहा। 'आप तीसरी हैं, जिसे मैंने आज देखा है ... मंत्र क्षति, चौथी मंज़िल।'

उन्हें मिस्टर वीज़्ली तकियों पर टिके मिले। उनकी गोद में एक ट्रे रखी थी, जिसमें टर्की के लंच के अवशेष थे और उनके चेहरे पर थोड़ा संकोची भाव था।

जब सभी ने मिस्टर वीज़्ली को क्रिसमस की बधाइयाँ और तोहफ़े दिए, तो मिसेज़ वीज़्ली ने पूछा, 'सब कुछ ठीक है, आर्थर ?'

'बढ़िया, बढ़िया,' मिस्टर वीज़्ली ने कुछ ज़्यादा ही जोश से कहा। 'तुम – उपचारक स्मेथविक से तो नहीं मिलीं, है ना ?'

'नहीं,' मिसेज़ वीज़्ली ने संदेह से पूछा, 'क्यों ?'

'कुछ नहीं, कुछ नहीं,' मिस्टर वीज़्ली ने अटपटे ढंग से कहा और अपने तोहफ़ों का ढेर खोलने लगे। 'अच्छा, सबका दिन अच्छा रहा ? तुम लोगों को क्रिसमस पर क्या-क्या मिला ? ओह *हैरी* – यह तो सचमुच *शानदार* है!' उन्होंने अभी-अभी फ़्यूज़-वायर और स्क्रू ड्राइवरों का तोहफ़ा खोला था, जो हैरी ने दिया था।

मिसेज़ वीज़्ली मिस्टर वीज़्ली के जवाब से पूरी तरह संतुष्ट नहीं दिख रही थीं। जब उनके पति हैरी से हाथ मिलाने के लिए आगे झुके, तो मिसेज़ वीज़्ली ने उनकी नाइटशर्ट के नीचे पट्टियाँ देखीं।

'आर्थर,' वे तेज़ी से बोलीं, 'तुम्हारी पट्टियाँ बदल गईं। तुम्हें एक दिन पहले पट्टियाँ क्यों बदलवानी पड़ीं ? उपचारकों ने मुझे बताया था कि वे कल पट्टियाँ बदलेंगे।'

'क्या ?' मिस्टर वीज़्ली ने थोड़ा डरकर कहा और चादर अपने सीने तक खींच ली। 'नहीं, नहीं – यह कुछ नहीं है – यह तो – मैं –'

मिसेज़ वीज़्ली की पैनी निगाह के सामने उनकी हवा निकल रही थी।

'देखो – परेशान मत होना, मॉली, लेकिन ऑगस्टस पाई के मन में एक विचार आया ... तुम तो जानती हो, वह प्रशिक्षु उपचारक है, बहुत बढ़िया युवक है और पूरक चिकित्सा में उसकी गहरी दिलचस्पी है ... मेरा मतलब है ... मगलू उपचार में ... उन्हें *टाँके* कहते हैं, मॉली और वे मगलू घावों पर बहुत अच्छा असर करते हैं –'

मिसेज़ वीज़्ली ने एक भयंकर आवाज़ निकाली, जो चीख़ और गुर्राहट के बीच की थी। ल्यूपिन बिस्तर से दूर टहलने लगे और उस नरभेड़िए के पास चले गए, जो अकेला लेटा था और मिस्टर वीज़्ली के पास जमा भीड़ को हसरत से देख रहा था। बिल बुदबुदाकर बोला कि वह चाय पीने जा रहा है। फ्रेड और जॉर्ज भी मुस्कराते हुए उसके साथ चल दिए।

'क्या तुम मुझसे यह कहना चाहते हो,' मिसेज़ वीज़्ली ने कहा। उनकी आवाज़ हर शब्द के साथ ज़्यादा तेज़ होती जा रही थी और उन्हें यह ध्यान ही नहीं था कि उनके साथ आए लोग बचने के लिए भाग रहे थे, 'कि तुम मगलू उपचारों से खिलवाड़ कर रहे हो?'

'खिलवाड़ नहीं कर रहे थे, मॉली,' मिस्टर वीज़्ली ने माफ़ी माँगने के अंदाज़ में कहा, 'यह तो एक ऐसी चीज़ थी - जिसके बारे में पाई और मैंने सोचा कि हम कोशिश करके देख लेते हैं - लेकिन दुर्भाग्य से - इस तरह के घावों में - यह उतनी अच्छी तरह कामयाब नहीं हो पाया, जितनी हमें उम्मीद थी -'

'*मतलब ?*'

'अच्छा ... अच्छा, मैं नहीं जानता कि तुम्हें पता भी है या नहीं कि टाँके क्या होते हैं ?'

'मुझे तो ऐसा लगता है, जैसे तुम अपनी चमड़ी दोबारा सिलवाने की कोशिश कर रहे थे,' मिसेज़ वीज़्ली नें हँसी उड़ाते हुए कहा, 'लेकिन आर्थर, तुम भी इतने मूर्ख तो नहीं हो सकते -'

हैरी ने खड़े होते हुए कहा, 'मैं भी चाय पीने जाता हूँ।'

हर्माइनी, रॉन और जिनी लगभग भागते हुए दरवाज़े तक गए। जब दरवाज़ा झूलकर उनके पीछे बंद हुआ, तो उन्हें मिसेज़ वीज़्ली के चीख़ने की आवाज़ आई, **'तुम्हारा क्या मतलब है, यह सामान्य विचार था?'**

'बिलकुल डैडी जैसी हरकत,' जिनी ने अपना सिर हिलाते हुए कहा, जब वे गलियारे में पहुँच गए। 'टाँके ... मैं पूछती हूँ ...'

'देखो, वे मगलू घावों को बहुत जल्दी ठीक कर देते हैं,' हर्माइनी ने न्यायपूर्ण ढंग से कहा। 'मुझे लगता है कि उस साँप के ज़हर में कोई चीज़ उन्हें घोल देती होगी। क्या पता, टीरूम कहाँ है ?'

हैरी ने स्वागत-जादूगरनी की डेस्क के ऊपर के साइनबोर्ड को याद करते हुए कहा, 'पाँचवीं मंज़िल पर।'

वे गलियारे में चल दिए। दोहरे दरवाज़ों से निकलकर वे एक हिलती-डुलती सीढ़ी पर चढ़ने लगे, जिसमें दोनों ओर क्रूर दिख रहे उपचारकों की तस्वीरें लगी

थीं। तस्वीरों में खड़े कई उपचारकों ने उन्हें आवाज़ लगाकर बताया कि उन्हें अजीब सी बीमारियाँ हैं। यही नहीं, उन्होंने इनके भयंकर उपचार भी सुझा दिए। जब एक मध्ययुगीन जादूगर ने रॉन को बताया कि उसे स्पैटरग्रॉइट हो गया है, तो वह बहुत बुरा मान गया।

'यह क्या होता है?' रॉन ने ग़ुस्से से पूछा, जब उपचारक छह अन्य तस्वीरों में भागकर उसके पीछे-पीछे चलता रहा और बाक़ी तस्वीर वालों को रास्ते से धकाता गया।

'यह त्वचा का बहुत गंभीर रोग होता है, नवयुवक, जो तुम्हारे चेहरे पर चेचक जैसे निशान बना देगा। इस समय तुम्हारा चेहरा जितना बुरा है, आगे चलकर यह इससे भी भयंकर हो जाएगा –'

रॉन के कान लाल हो गए और वह आवेश में बोला, 'किसका चेहरा बुरा है?'

'– इसका एकमात्र इलाज यह है कि मेंढक का लिवर अपने गले में कसकर बाँध लो और पूर्णमासी को ईल मछली की आँखों से भरे पीपे में नंगे खड़े हो जाओ –'

'मुझे स्पैटरग्रॉइट नहीं हुआ है!'

'लेकिन नवयुवक, तुम्हारे चेहरे पर ये बुरे से दाग़ –'

'ये चकत्ते हैं!' रॉन ने ग़ुस्से से कहा। 'अब अपनी तस्वीर में जाओ और मुझे अकेला छोड़ दो!'

वह बाक़ी लोगों की तरफ़ मुड़ा, जो जान-बूझकर गंभीर चेहरा बनाए हुए थे।

'यह कौन सी मंज़िल है?'

हर्माइनी ने कहा, 'मुझे लगता है कि पाँचवीं होगी।'

'नहीं, यह चौथी है,' हैरी ने कहा, 'एक और –'

लेकिन जैसे ही वे उस मंज़िल पर पहुँचे, वे तत्काल रुक गए। वे दोहरे दरवाज़ों में लगी एक छोटी खिड़की को घूर रहे थे, जिस पर गलियारे के शुरू में साइनबोर्ड लगा था **मंत्र क्षति**। एक आदमी खिड़की के काँच पर अपनी नाक दबाकर उनकी तरफ़ देख रहा था। उसके लहराते हुए सुनहरे बाल थे, चमकीली नीली आँखें थीं और चौड़ी मुस्कान थी, जिससे बहुत सफ़ेद दाँत दिख रहे थे।

'हे भगवान!' रॉन ने उस आदमी की तरफ़ घूरते हुए कहा।

'ओह, यह क्या,' हर्माइनी ने अचानक कहा। 'प्रोफ़ेसर लॉकहार्ट!'

गुप्त कलाओं से रक्षा के उनके पूर्व टीचर ने दरवाज़ों को धकाया। लंबे लिलांक ड्रेसिंग गाउन में वे उनकी तरफ़ आए।

'हैलो!' उन्होंने कहा। 'मुझे उम्मीद है कि तुम्हें मेरा ऑटोग्राफ़ चाहिए होगा, है ना?'

'ज़्यादा नहीं बदले हैं, है ना?' हैरी ने जिनी से बुदबुदाकर कहा, जो मुस्करा दी।

'अर - आप कैसे हैं, प्रोफ़ेसर?' रॉन ने थोड़े अपराधबोध से कहा। रॉन की गड़बड़ छड़ी ने ही प्रोफ़ेसर लॉकहार्ट की याददाश्त को इतनी ज़्यादा क्षति पहुँचाई थी कि उन्हें सेंट मंगोज़ अस्पताल में आना पड़ा था, हालाँकि लॉकहार्ट उस वक़्त हैरी और रॉन की याददाश्त को हमेशा के लिए मिटाने की कोशिश कर रहे थे, इसलिए हैरी की सहानुभूति सीमित थी।

'मैं बहुत अच्छा हूँ, धन्यवाद!' लॉकहार्ट ने उत्साह से कहा और अपनी जेब से मोर के पंख वाली थोड़ी घिसी-पिटी क़लम निकाली। 'तुम्हें कितने ऑटोग्राफ़ चाहिए? क्या तुम्हें पता है, मैं अब मिलाकर लिख सकता हूँ?'

'अर - हमें इस वक़्त कुछ नहीं चाहिए, धन्यवाद,' रॉन ने कहा और हैरी की तरफ़ भौंहें उठाईं। हैरी ने पूछा, 'प्रोफ़ेसर, क्या आपको गलियारों में घूमना चाहिए? क्या आपको वार्ड में नहीं रहना चाहिए?'

लॉकहार्ट के चेहरे से मुस्कराहट धीरे-धीरे ग़ायब हो गई। कुछ पल तक हैरी को लगातार देखने के बाद उन्होंने पूछा, 'क्या हम पहले कहीं मिल चुके हैं?'

'अर ... हाँ, हम मिल चुके हैं,' हैरी ने कहा। 'आप हमें हॉगवर्ट्स में पढ़ाते थे, याद है?'

'पढ़ाता था?' लॉकहार्ट ने दोहराया और थोड़ी उलझन में दिखने लगे। 'मैं? क्या सचमुच?'

और फिर उनके चेहरे पर मुस्कराहट अचानक प्रकट हुई, जिसे देखकर उन्हें थोड़ी दहशत होने लगी।

'मुझे लगता है, तुम्हें अपना सारा ज्ञान दे दिया होगा, है ना? अच्छा, तो ऑटोग्राफ़ चाहिए? तो एक दर्जन ठीक रहेंगे, ताकि तुम अपने सारे दोस्तों को बाँट सको और कोई भी न छूटे!'

लेकिन तभी गलियारे के दूर वाले सिरे के दरवाज़े से एक सिर बाहर निकला और एक आवाज़ आई, 'गिल्ड्रॉय, शरारती लड़के, तुम कहाँ निकल गए?'

माँ जैसी दिखने वाली एक उपचारक अपने बालों में पन्नियों का हार लगाए थी। वह गलियारे में तेज़ी से आई और हैरी तथा बाक़ी लोगों की तरफ़

गर्मजोशी से मुस्कराई।

'ओह गिल्ड्रॉय, तुमसे मिलने के लिए लोग आए हैं! कितना *बढ़िया* है और आज क्रिसमस भी है! तुम लोगों को पता है, उससे मिलने *कभी कोई नहीं* आता है? बेचारा! और मुझे इसका कारण नहीं पता! वह बहुत प्यारा है, है ना?'

'हम ऑटोग्राफ़ दे रहे हैं!' गिल्ड्रॉय ने उपचारक की तरफ़ मुस्कराते हुए कहा। 'उन्हें ढेर सारे चाहिए, मना करने के बाद भी नहीं मान रहे हैं! हमारे पास पर्याप्त तस्वीरें तो हैं ना!'

'उसकी बात तो सुनो,' उपचारक ने लॉकहार्ट की बाँह पकड़ी और लॉकहार्ट की तरफ़ देखकर मुस्कराईं, जैसे लॉकहार्ट दो साल का शरारती बच्चा हो। 'कुछ साल पहले वह मशहूर था। हमें उम्मीद है कि ऑटोग्राफ़ देने की यह इच्छा इस बात का संकेत है कि उसकी याददाश्त वापस आ सकती है। क्या तुम लोग इस तरफ़ चलोगे? तुम जानते हो, वह एक बंद वार्ड में रहता है। जब मैं क्रिसमस के तोहफ़े अंदर ले जा रही थी, तो वह बाहर निकल गया होगा। आम तौर पर दरवाज़े पर ताला रहता है ... वैसे वह ख़तरनाक नहीं है! लेकिन,' उन्होंने फुसफुसाते हुए कहा, 'वह तो खुद के लिए एक ख़तरा है ... नहीं जानता कि वह कौन है। इधर-उधर भटकता रहता है और उसे पता नहीं रहता कि कैसे लौटना है ... तुम लोगों ने अच्छा किया जो उससे मिलने आ गए।'

'अर,' रॉन ने ऊपर की मंज़िल की तरफ़ इशारा करते हुए कहा, 'दरअसल, हम लोग तो – अर –'

लेकिन उपचारक बड़ी उम्मीद से उनकी तरफ़ मुस्करा रही थी और उसे 'चाय पीने जा रहे थे' की रॉन की कमज़ोर बुदबुदाहट सुनाई नहीं दी। उन्होंने एक-दूसरे की तरफ़ लाचारी से देखा, फिर गलियारे में लॉकहार्ट और उनकी उपचारक के पीछे-पीछे चल दिए।

रॉन ने तेज़ी से कहा, 'हम ज़्यादा देर नहीं रुकेंगे।'

उपचारक जैनस ने थिकी वार्ड के दरवाज़े की तरफ़ अपनी छड़ी करके कहा, '*अलोहोमोरा।*' दरवाज़ा तत्काल खुल गया और उपचारक ने गिल्ड्रॉय की बाँह पकड़कर उन्हें उनके पलंग के पास की एक कुर्सी पर बैठा दिया।

'इस वार्ड में हमारे दीर्घकालीन मरीज़ रहते हैं,' उपचारक ने हैरी, रॉन, हर्माइनी और जिनी को धीमी आवाज़ में बताया। 'स्थायी मंत्र क्षति। ज़ाहिर है, गहन उपचारक काढ़ों, सम्मोहनों और थोड़ी सी क़िस्मत की मदद से हम कुछ सुधार कर सकते हैं। गिल्ड्रॉय को थोड़ा एहसास होने लगा है और हमें मिस्टर बोड में अच्छा सुधार देखने को मिला है, जिनकी बोलने की शक्ति अब लौट रही है, हालाँकि वे अभी तक ऐसी भाषा नहीं बोल पाए हैं, जिसे हम समझ सकें। अच्छा,

तो मुझे क्रिसमस के तोहफ़े पहुँचाने का काम पूरा करना है। मैं तुम लोगों को बातचीत के लिए अकेला छोड़ देती हूँ।'

हैरी ने चारों तरफ़ देखा। वार्ड को देखकर साफ़ लग रहा था कि यह इसके निवासियों का स्थायी घर बन चुका था। मिस्टर वीज़्ली के वार्ड के बजाय इस वार्ड में पलंगों के आस-पास ज़्यादा व्यक्तिगत सामान था। गिल्ड्रॉय के पास वाली दीवार पर उनकी ख़ुद की तस्वीरें लगी थीं, जो सभी दाँत दिखाते हुए मुस्करा रही थीं और नए आगंतुकों की तरफ़ देखकर हाथ हिला रही थीं। उसने उनमें से कई पर बच्चों जैसी लिखावट में ऑटोग्राफ़ दे दिए थे। जिस पल उपचारक ने गिल्ड्रॉय को उनकी कुर्सी पर बैठाया, उन्होंने अपनी तरफ़ तस्वीरों का ढेर खींचा, एक क़लम उठाई और उन सभी पर तेज़ी से साइन करने लगे।

'तुम इन्हें लिफ़ाफ़ों में रख सकती हो,' उन्होंने जिनी से कहा और साइन की हुई तस्वीरें एक-एक करके उसकी गोद में फेंकने लगे। 'लोग मुझे भूले नहीं हैं। मुझे अब भी बहुत सारी फ़ैन मेल मिलती है ... ग्लैडिस गज़न तो हर *सप्ताह* लिखती है ... काश मुझे पता होता कि वह ऐसा *क्यों* करती है ...' वे थोड़े हैरान दिखते हुए मुस्कराए और नए उत्साह से साइन करने लगे। 'मुझे लगता है, मेरी सुंदरता के कारण ...'

सामने वाले पलंग पर पीली चमड़ी वाला एक उदास जादूगर लेटा-लेटा छत को घूर रहा था। वह कुछ बड़बड़ा रहा था और उसे एहसास ही नहीं था कि उसके आस-पास कोई है। दो पलंग दूर एक औरत लेटी थी, जिसका पूरा चेहरा बालों से ढँका था। हैरी को याद आया कि इसी तरह का हादसा हर्माइनी के साथ सेकंड ईयर में हुआ था, हालाँकि सौभाग्य से उसे स्थायी नुक़सान नहीं हुआ था। वार्ड के दूर वाले सिरे पर दो पलंगों के चारों तरफ़ फूल वाले पर्दे लगे थे, ताकि मरीज़ों और उनसे मिलने वालों को थोड़ी गोपनीयता मिल सके।

'यह लो, एग्नेस,' उपचारक ने बालों से ढँके चेहरे वाली औरत से कहा और उसे क्रिसमस के तोहफ़ों का एक छोटा ढेर दिया। 'देखा, तुम्हें कोई नहीं भूला है, है ना? और तुम्हारे बेटे ने यह बताने के लिए उल्लू भेजा है कि वह आज रात को आ रहा है, तो यह अच्छा है, है ना?'

एग्नेस कई बार ज़ोर से भौंकी।

'और देखो ब्रोडरिक, तुम्हारे लिए गमले में एक पौधा आया है और एक प्यारा कैलेंडर, जिसमें हर महीने के लिए एक अलग गरुड़अश्व की तस्वीर है। इससे रौनक़ आ जाएगी, है ना?' उपचारक ने बड़बड़ाते हुए आदमी के पास जाते हुए कहा। फिर उपचारक ने उसके पलंग के पास के केबिनेट पर लंबे, लहराते काँटों वाला एक थोड़ा बदसूरत पौधा रख दिया और अपनी छड़ी से

दीवार पर कैलेंडर लगा दिया। 'और - ओह, मिसेज़ लाँगबॉटम, क्या आप अभी से जा रही हैं?'

हैरी ने अपना सिर घुमाया। वार्ड के सिरे पर लगे दो पलंगों से पर्दे हट गए थे और दो मिलने वाले पलंगों के बीच से आ रहे थे। उनमें से एक दबंग सी बूढ़ी महिला थी, जो लंबी हरी ड्रेस और लोमड़ी के बालों का दीमक खाया नुकीला हैट पहने थी, जो एक गिद्ध से सजा था और उनके पीछे पूरी तरह निराश - *नेविल* था।

हैरी को अचानक समझ में आ गया कि सिरे वाले पलंगों पर कौन लोग होंगे। उसने दूसरों का ध्यान हटाने के लिए कोई चीज़ खोजने की कोशिश की, ताकि नेविल की तरफ़ किसी का ध्यान न जाए और कोई उससे सवाल न पूछे। लेकिन रॉन भी 'लाँगबॉटम' नाम सुनकर देखने लगा था और इससे पहले कि हैरी उसे रोक पाता, वह चिल्ला पड़ा था, '*नेविल!*'

नेविल उछला और इस तरह झुक गया, जैसे उसके पास से कोई गोली निकल गई हो।

'हम हैं, *नेविल!*' रॉन ने उत्साह से उठते हुए कहा। 'क्या तुमने देखा? लॉकहार्ट यहाँ हैं! तुम किससे मिलने आए हो?'

'तुम्हारे दोस्त हैं, नेविल?' नेविल की दादी ने शालीनता से पूछा और उन सभी के पास आईं।

नेविल को देखकर लग रहा था कि वह यहाँ नहीं रुकना चाहता था। उसके मोटे चेहरे पर एक हल्की बैंगनी चमक आ गई थी और वह किसी से आँख नहीं मिला रहा था।

'ओह, हाँ,' उसकी दादी ने हैरी की तरफ़ ग़ौर से देखते हुए कहा और उससे हाथ मिलाने के लिए अपना झुर्रीदार, पंजे जैसा हाथ बढ़ाया। 'हाँ, हाँ, ज़ाहिर है, मैं जानती हूँ कि तुम कौन हो। नेविल तुम्हारी बहुत तारीफ़ करता है।'

'अर - धन्यवाद,' हैरी ने हाथ मिलाते हुए कहा। नेविल ने उसकी तरफ़ नहीं देखा, बल्कि अपने पैरों को देखता रहा और उसके चेहरे का रंग पूरे समय गहरा होता जा रहा था।

'और तुम लोग स्पष्ट रूप से वीज़्ली होगे,' मिसेज़ लाँगबॉटम ने कहा और अपना हाथ शाही अंदाज़ में रॉन और जिनी की तरफ़ बारी-बारी बढ़ाया। 'हाँ, मैं तुम्हारे माता-पिता को जानती हूँ - ज़ाहिर है, ज़्यादा अच्छी तरह तो नहीं - लेकिन अच्छे लोग हैं, अच्छे लोग हैं ... और तुम हर्माइनी ग्रेंजर होगी?'

हर्माइनी थोड़ी हैरान दिखने लगी कि मिसेज़ लाँगबॉटम उसका नाम

जानती थीं, लेकिन उसने हाथ मिला लिया।

'हाँ, नेविल ने मुझे तुम्हारे बारे में सब कुछ बताया है। तुमने कई मुश्किल स्थितियों में इसकी मदद की थी, है ना? यह अच्छा लड़का है,' उन्होंने नेविल की तरफ़ अपनी थोड़ी पतली नाक करके उसका मूल्यांकन करते हुए कहा, 'लेकिन मुझे यह कहते हुए अफ़सोस है कि यह अपने पिता जितना प्रतिभाशाली नहीं है।' उन्होंने अपना सिर वार्ड के सिरे वाले दो पलंगों की दिशा में हिलाया, जिससे उनके हैट पर लगा गिद्ध बुरी तरह काँपने लगा।

'क्या?' रॉन ने हैरत से पूछा। (हैरी रॉन के पैर पर पैर मारना चाहता था, लेकिन जब आपने दुशालों के बजाय जीन्स पहन रखी हो, तो इस तरह की चीज़ सबसे छिपाकर करना मुश्किल होता है।) 'नेविल, सिरे वाले पलंग पर तुम्हारे डैडी हैं?'

'यह क्या?' मिसेज़ लॉंगबॉटम ने तीखी आवाज़ में कहा। 'नेविल, तुमने अपने दोस्तों को अपने माता-पिता के बारे में नहीं बताया?'

नेविल ने एक गहरी साँस खींची और छत की तरफ़ देखकर सिर हिला दिया। हैरी को याद नहीं था कि उसे इससे ज़्यादा अफ़सोस किसी के लिए हुआ था, लेकिन उसे कोई तरीक़ा नहीं सूझ रहा था कि वह इस स्थिति से बाहर निकलने में नेविल की मदद कैसे करे।

'देखो, इसमें शर्म की कोई बात नहीं है!' मिसेज़ लॉंगबॉटम ने ग़ुस्से से कहा। 'नेविल, तुम्हें तो *गर्व* होना चाहिए! उन्होंने अपनी सेहत और बुद्धिमत्ता इसलिए नहीं खोई है, ताकि उनके इकलौते बेटे को उन पर शर्म आए!'

'मुझे शर्म नहीं आती है,' नेविल ने बहुत धीरे से कहा। वह अब भी हैरी और बाक़ी लोगों की तरफ़ नहीं देख रहा था। रॉन पंजों के बल खड़े होकर पलंगों पर लेटे लोगों को देखने की कोशिश कर रहा था।

'यह बताने का तुम्हारा बड़ा अजीब अंदाज़ है!' मिसेज़ लॉंगबॉटम ने कहा। फिर वे हैरी, रॉन, हर्माइनी और जिनी की तरफ़ मुड़कर गर्व से बोलीं, 'तुम-जानते-हो-कौन के समर्थकों ने मेरे बेटे-बहू को यातना देकर पागल कर दिया था।'

हर्माइनी और जिनी ने दहशत में अपने मुँह पर हाथ रख लिए। रॉन ने नेविल के माता-पिता की झलक देखने की कोशिश में अपनी गर्दन उठाना बंद कर दी और बुरी तरह आहत दिखने लगा।

'वे ऑरर थे और जादूगर समुदाय में बहुत सम्मानित थे,' मिसेज़ लॉंगबॉटम ने आगे कहा। 'बहुत प्रतिभाशाली थे! मैं – हाँ एलिस, क्या हुआ?'

नेविल की माँ नाइटड्रेस में ही वार्ड में आ गई थीं। उनका चेहरा अब उतना मोटा और ख़ुश नहीं दिख रहा था, जितना हैरी ने मूडी के मायापंछी के समूह की पुरानी तस्वीर में देखा था। अब उनका चेहरा पतला और थका हुआ था। उनके बाल अब सफ़ेद हो चुके थे। उनकी आँखें बेजान थीं और उनकी चमक जा चुकी थी। वे बोलना नहीं चाहती थीं या शायद बोल नहीं सकती थीं। बहरहाल, उन्होंने नेविल की तरफ़ इशारा किया और अपने हाथ में पकड़ी हुई कोई चीज़ दिखाई।

मिसेज़ लॉंगबॉटम ने थोड़े थके अंदाज़ में कहा। 'एलिस, फिर से? बहुत अच्छा! नेविल, जाओ और उसे ले लो।'

लेकिन नेविल पहले ही अपना हाथ बढ़ा चुका था, जिसमें उसकी माँ ने ड्रूबल्स बेस्ट ब्लोइंग ग़म की ख़ाली पन्नी दे दी।

'बहुत बढ़िया,' नेविल की दादी ने नक़ली ख़ुशी से भरी आवाज़ में कहा और नेविल की माँ का कंधा थपथपा दिया।

नेविल धीरे से बोला, 'धन्यवाद, मम्मी।'

उसकी माँ गुनगुनाती हुई दोबारा वार्ड में चली गईं। नेविल ने बाक़ी लोगों की तरफ़ विद्रोही अंदाज़ में देखा, जैसे उनसे कह रहा हो कि हँसकर तो देखो, लेकिन हैरी को नहीं लगा कि उसने जीवन में इससे दुखद दृश्य कभी देखा हो।

'अच्छा, तो हम चलते हैं,' मिसेज़ लॉंगबॉटम ने आह भरते हुए कहा और अपने लंबे हरे दस्ताने खींचे। 'तुम लोगों से मिलकर बहुत अच्छा लगा। नेविल, उस रैपर को कूड़ेदान में डाल दो। अब तक उसने तुम्हें इतनी सारी पन्नियाँ दे दी हैं कि तुम्हारे पूरे बेडरूम में बिछ सकती हैं।'

लेकिन नेविल ने चुपके से उस चॉकलेट की पन्नी को अपनी जेब में रख लिया।

उनके बाहर निकलते ही दरवाज़ा बंद हो गया।

'मुझे पता नहीं था,' हर्माइनी ने रोतली आवाज़ में कहा।

'मुझे भी नहीं,' रॉन ने भर्राई आवाज़ में कहा।

'मुझे भी नहीं,' जिनी फुसफुसाकर बोली।

उन लोगों ने हैरी को देखा।

उसने उदासी से कहा, 'मुझे पता था। डम्बलडोर ने मुझे बताया था, लेकिन उन्होंने मुझसे यह वादा करवा लिया था कि मैं किसी को भी नहीं बताऊँगा ... इसीलिए बेलाट्रिक्स लेस्ट्रेंज को अज़्काबान भेजा गया था। उसने नेविल के माता-पिता पर पीड़ीकृत शाप का इस्तेमाल तब तक किया था, जब

तक कि उनका दिमाग़ नहीं चल गया।'

हर्माइनी दहशत में फुसफुसाई, 'यह काम बेलाट्रिक्स लेस्ट्रेंज ने किया था? वह औरत, जिसकी तस्वीर क्रीचर ने अपनी माँद में लगा रखी है?'

एक लंबी ख़ामोशी छाई रही, जो लॉकहार्ट की ग़ुस्से भरी आवाज़ से ही टूटी।

'देखा, मैंने जोड़-जोड़कर लिखना यूँ ही नहीं सीखा है!'

अध्याय चौबीस

गुप्तविद्या

सिरियस को क्रीचर अटारी में मिला। वह धूल में लथपथ था, इसलिए उसने अंदाज़ा लगाया कि वह अपनी अलमारी में छिपाने के लिए ब्लैक ख़ानदान के पुराने अवशेषों की तलाश कर रहा होगा। हालाँकि सिरियस क्रीचर की इस कहानी से संतुष्ट दिख रहा था, लेकिन हैरी परेशान था। दोबारा प्रकट होने के बाद से क्रीचर कुछ ज़्यादा ही अच्छे मूड में दिख रहा था। उसकी कटु बुदबुदाहट थोड़ी कम हो गई थी और अब वह सामान्य से ज़्यादा विनम्र तरीक़े से दूसरों के आदेश मानने लगा था। एक-दो बार हैरी ने देखा कि क्रीचर उसे दिलचस्पी से घूर रहा था, लेकिन जैसे ही उसे लगा कि हैरी का ध्यान उसकी तरफ़ है, वह तत्काल दूसरी तरफ़ देखने लगा।

हैरी ने अपने अस्पष्ट संदेह सिरियस को नहीं बताए, जिसकी ख़ुशी क्रिसमस के बाद तेज़ी से काफ़ूर हो रही थी। जब हॉगवर्ट्स वापस जाने की तारीख़ क़रीब आने लगी, तो मिसेज़ वीज़्ली के शब्दों में उसे 'उदासी के दौरे' पड़ने लगे, जिसमें वह ग़ुमसुम और चिड़चिड़ा हो जाता था तथा अक्सर बकबीक के कमरे में घंटों बंद रहता था। उसकी उदासी दरवाज़े के नीचे से किसी ज़हरीली गैस की तरह घुसकर पूरे घर में फैल गई, जिससे वे सभी उसके शिकार हो गए।

हैरी सिरियस को दोबारा क्रीचर के साथ अकेला नहीं छोड़ना चाहता था। सच तो यह था कि ज़िंदगी में पहली बार वह हॉगवर्ट्स नहीं लौटना चाहता था। स्कूल जाने का मतलब था एक बार फिर डोलोरेस अंबरिज की तानाशाही में रहना, जिन्होंने उन लोगों की अनुपस्थिति में अब तक एक दर्जन क़ानून पारित करवा लिए होंगे। क्विडिच पर प्रतिबंध लग चुका था, इसलिए अब क्विडिच खेलने की उमंग भी नहीं थी। इस बात की पूरी संभावना थी कि होमवर्क का बोझ बढ़ जाएगा, क्योंकि परीक्षाएँ अब क़रीब आ रही थीं। और डम्बलडोर पहले जितने ही दूर-दूर थे। सच तो यह था कि अगर **डीए** नहीं होता, तो हैरी

शायद सिरियस से आग्रह करता कि वह उसे हॉगवर्ट्स न भेजे और ग्रिमॉल्ड चौक में रहने की इजाज़त दे दे।

छुट्टियों के आख़िरी दिन एक ऐसी घटना हुई, जिससे हैरी स्कूल लौटने से बहुत बुरी तरह दहल गया।

हैरी और रॉन जादूगरों वाला शतरंज खेल रहे थे। हर्माइनी, जिनी और क्रुकशैंक्स उनका खेल देख रही थीं। उसी समय मिसेज़ वीज़्ली ने दरवाज़े में अपना सिर डालते हुए कहा, 'हैरी बेटा, ज़रा किचन तक आना। प्रोफ़ेसर स्नेप को तुमसे कुछ बात करनी है।'

हैरी को तत्काल उनकी बात समझ में नहीं आई। उसका एक हाथी रॉन के प्यादे के साथ हिंसक युद्ध कर रहा था और वह उसका उत्साह बढ़ा रहा था।

'उसे रौंद डालो - *रौंद डालो*, वह प्यादा ही तो है, मूर्ख। माफ़ कीजिए, मिसेज़ वीज़्ली, आपने कुछ कहा?'

'प्रोफ़ेसर स्नेप, बेटा। किचन में। उन्हें कुछ बात करनी है।'

हैरी का मुँह दहशत में खुला रह गया। उसने रॉन, हर्माइनी और जिनी की तरफ़ देखा। वे सभी उसकी तरफ़ मुँह फाड़कर देख रहे थे। हर्माइनी पिछले पंद्रह मिनट से क्रुकशैंक्स को बड़ी मुश्किल से क़ाबू में किए थी। जैसे ही हर्माइनी की पकड़ ढीली हुई, उसे मौक़ा मिल गया और वह ख़ुशी से बोर्ड पर कूद पड़ी, जिससे शतरंज की बिसात पर बिछे मोहरे पूरी तेज़ी से चिल्लाते हुए बचने के लिए इधर-उधर भागने लगे।

'स्नेप?' हैरी ने सूनेपन से कहा।

'*प्रोफ़ेसर* स्नेप, बेटा,' मिसेज़ वीज़्ली ने उसे सुधारते हुए कहा। 'अब चलो, जल्दी करो! वे कहते हैं कि उनके पास ज़्यादा समय नहीं है।'

जब मिसेज़ वीज़्ली लौट गईं, तो रॉन ने घबराकर पूछा, 'वे तुमसे क्या बात करना चाहते हैं? तुमने कोई गड़बड़ तो नहीं की है, है ना?'

'नहीं!' हैरी ग़ुस्से से बोला और अपने दिमाग़ पर ज़ोर डालकर सोचने लगा कि उसने ऐसा क्या किया था, जिससे स्नेप उसका पीछा करते-करते ग्रिमॉल्ड चौक तक आ गए। क्या आख़िरी होमवर्क में उसे '**टी**' मिला है?

एक-दो मिनट बाद उसने किचन का दरवाज़ा खोला। अंदर सिरियस और स्नेप किचन की लंबी टेबल के आमने-सामने बैठे थे और एक-दूसरे को ग़ुस्से से घूर रहे थे। उनके बीच की ख़ामोशी में आपसी नफ़रत साफ़ झलक रही थी। सिरियस के सामने टेबल पर एक चिट्ठी पड़ी थी।

'अर,' हैरी ने अपने आने का संकेत देते हुए कहा।

स्नेप ने मुड़कर उसकी तरफ़ देखा, लेकिन उनका चेहरा चिपचिपे काले बालों के पर्दों के बीच किसी फ्रेम की तरह स्थिर रहा।

'बैठ जाओ, पॉटर।'

सिरियस अपनी कुर्सी की पीठ से टिक गया और छत की तरफ़ देखते हुए ज़ोर से बोला, 'देखो! स्नेप, मुझे ख़ुशी होगी, अगर तुम यहाँ पर आदेश न झाड़ो। देखो, यह मेरा घर है।'

स्नेप के पीले चेहरे पर एक बदसूरत चमक आ गई। हैरी स्नेप के सामने सिरियस के पास वाली कुर्सी पर बैठ गया।

स्नेप ने जानी-पहचानी व्यंग्यात्मक मुस्कान के साथ कहा, 'मुझे तुमसे अकेले में मिलना था, पॉटर, लेकिन ब्लैक -'

'मैं इसका गॉडफ़ादर हूँ,' सिरियस ने पहले से ज़्यादा तेज़ आवाज़ में कहा।

'मैं यहाँ डम्बलडोर के आदेश से आया हूँ,' स्नेप ने कहा, जिनकी आवाज़ तुलनात्मक रूप से धीमी होती जा रही थी, 'लेकिन ब्लैक, तुम यहीं रुके रहो, मैं जानता हूँ कि तुम ... शामिल रहना पसंद करते हो।'

'इसका क्या मतलब है?' सिरियस ने पूछा और अपनी कुर्सी तेज़ धमाके के साथ पीछे गिरा दी।

'यही कि तुम्हें इस बात की कुंठा होगी कि तुम मायापंछी के समूह के लिए कोई *उपयोगी* काम नहीं कर सकते,' स्नेप ने उस शब्द पर थोड़ा ज़ोर देते हुए कहा।

अब झेंपने की बारी सिरियस की थी। स्नेप का होंठ विजय में सिकुड़ गया और वे हैरी की तरफ़ मुड़े।

'पॉटर, हेडमास्टर ने मुझे तुम्हें यह बताने भेजा है कि इस टर्म में तुम गुप्तविद्या का अध्ययन करोगे।'

हैरी ने सूनेपन से कहा, 'किसका अध्ययन करूँगा?'

स्नेप की व्यंग्यात्मक मुस्कान और गहरी हो गई।

'गुप्तविद्या, पॉटर। बाहरी घुसपैठ के ख़िलाफ़ मस्तिष्क की जादुई रक्षा। यह जादू की बड़ी जटिल शाखा है, लेकिन बहुत ही उपयोगी है।'

हैरी का दिल बहुत तेज़ी से धड़कने लगा। बाहरी घुसपैठ के ख़िलाफ़ रक्षा? लेकिन वे सब तो इस नतीजे पर पहुँचे थे कि उस पर क़ाबू नहीं किया जा रहा था ...

'मुझे इस गुप्त चीज़ का अध्ययन क्यों करना है?' उसके मुँह से निकल

गया।

'क्योंकि हेडमास्टर को लगता है कि यह अच्छा रहेगा,' स्नेप ने कहा। 'तुम सप्ताह में एक बार इसका अभ्यास करोगे, लेकिन तुम किसी को नहीं बताओगे कि तुम क्या कर रहे हो, डोलोरेस अंबरिज को तो बिलकुल भी नहीं। समझ गए?'

'हाँ,' हैरी ने कहा। 'मुझे कौन सिखाएगा?'

स्नेप ने एक भौंह उठाई।

'मैं।'

हैरी को इस तरह का भयंकर एहसास हुआ, जैसे उसके अंदरूनी अंग पिघल रहे हों। स्नेप के साथ अतिरिक्त प्रशिक्षण - उसकी तक़दीर इतनी ख़राब क्यों है? उसने जल्दी से सहारे के लिए सिरियस की तरफ़ देखा।

सिरियस ने आक्रामक तरीक़े से पूछा, 'डम्बलडोर ख़ुद हैरी को क्यों नहीं सिखा सकते? तुम क्यों सिखाओगे?'

स्नेप ने रेशमी अंदाज़ में कहा, 'मुझे लगता है कि यह हेडमास्टर का विशेषाधिकार है कि वे अप्रिय काम दूसरों को सौंप सकते हैं। मैं तुम्हें आश्वस्त करता हूँ कि मैं यह काम माँगने के लिए उनके सामने गिड़गिड़ाया नहीं था।' वे उठकर खड़े हो गए। 'पॉटर, मैं सोमवार शाम छह बजे तुम्हारा इंतज़ार करूँगा। मेरे ऑफ़िस में। अगर कोई पूछे, तो कह देना कि तुम जादुई काढ़े की अतिरिक्त पढ़ाई कर रहे हो। जिसने भी तुम्हें मेरी क्लास में देखा है, वह इस बात से इंकार नहीं कर सकता कि तुम्हें अतिरिक्त पढ़ाई की ज़रूरत है।'

वे चलने के लिए मुड़े। उनका काला यात्री चोगा उनके पीछे लहरा रहा था।

'एक मिनट ठहरो,' सिरियस ने कहा और अपनी कुर्सी पर तनकर बैठ गया।

स्नेप मुड़कर व्यंग्यात्मक मुस्कान के साथ उसके सामने हो गए।

'मैं थोड़ी जल्दी में हूँ, ब्लैक। तुम्हारे पास तो फ़ुरसत ही फ़ुरसत है, लेकिन मेरे पास इतनी फ़ुरसत नहीं है।'

सिरियस ने खड़े होते हुए कहा, 'तो फिर मैं मुद्दे पर आता हूँ।' वह स्नेप से लंबा था। हैरी ने देखा कि स्नेप की मुट्ठी चोगे की जेब में थी। हैरी को यक़ीन था कि उन्होंने अपनी छड़ी पकड़ रखी होगी। सिरियस ने आगे कहा, 'अगर मुझे मालूम पड़ा कि तुम गुप्तविद्या सिखाने के बहाने हैरी को परेशान कर रहे हो, तो तुम्हें मुझे जवाब देना पड़ेगा।'

स्नेप ने व्यंग्यात्मक अंदाज़ में कहा, 'कितना मर्मस्पर्शी है! लेकिन निश्चित रूप से तुमने इस तरफ़ ध्यान दिया होगा कि पॉटर काफ़ी हद तक अपने पिता जैसा है?'

सिरियस ने गर्व से कहा, 'हाँ!'

'तो फिर तुम यह भी जानते होगे कि यह इतना घमंडी है कि आलोचना का इस पर कोई असर नहीं होता है,' स्नेप ने रेशमी अंदाज़ में कहा।

सिरियस ने अपनी कुर्सी एक तरफ़ धकाई और स्नेप की तरफ़ बढ़ा। चलते-चलते उसने अपनी छड़ी बाहर निकाल ली। स्नेप ने भी अपनी छड़ी निकाल ली। वे एक-दूसरे की तरफ़ बढ़ने लगे। सिरियस आगबबूला दिख रहा था। स्नेप इंतज़ार कर रहे थे और उनकी आँखें सिरियस की छड़ी से उसके चेहरे की तरफ़ जा रही थीं।

'सिरियस,' हैरी ने ज़ोर से कहा, लेकिन ऐसा लगा कि सिरियस ने उसकी बात सुनी ही नहीं।

सिरियस बोला, 'मैंने तुम्हें चेतावनी दे दी है, स्नाइवेलस।' उसका चेहरा स्नेप के चेहरे से बमुश्किल एक फ़ुट दूर होगा। 'डम्बलडोर भले ही सोचते हों कि तुम सुधर गए हो, लेकिन मैं सच्चाई जानता हूँ –'

'ओह, तो फ़िर तुम यह बात उन्हें क्यों नहीं बता देते?' स्नेप ने फुसफुसाकर कहा। 'या तुम्हें यह डर है कि वे उस आदमी की बात को बहुत गंभीरता से नहीं लेंगे, जो छह महीनों से अपनी माँ के घर में छिपा बैठा है?'

'मुझे बताओ, लूसियस मैल्फ़ॉय आजकल कैसा है? वह तो बहुत ख़ुश होगा कि उसका पालतू कुत्ता हॉगवर्ट्स में काम कर रहा है?'

'कुत्तों का ज़िक्र आया है, तो मैं एक बात कह दूँ,' स्नेप ने धीरे से कहा, 'क्या तुम जानते हो कि जब तुमने पिछली बार बाहर घूमने का जोखिम लिया था, तो लूसियस मैल्फ़ॉय ने तुम्हें पहचान लिया था? तुम बहुत चतुराई से एक सुरक्षित स्टेशन प्लेटफ़ॉर्म पर दिख गए ... इससे तुम्हें अच्छा बहाना मिल गया कि तुम भविष्य में अपने बिल से बाहर न निकलो, है ना?'

सिरियस ने अपनी छड़ी उठा ली।

'**नहीं!**' हैरी चिल्लाया और टेबल पर छलाँग लगाकर उसने उन दोनों के बीच आने की क़ोशिश की। 'सिरियस, मत करो!'

'क्या तुम मुझे कायर कह रहे हो?' सिरियस गरजा और हैरी को रास्ते से हटाने की कोशिश की, लेकिन हैरी हिलने को तैयार नहीं था।

स्नेप ने कहा, 'हाँ, कह रहा हूँ।'

'हैरी - बीच - में - से - हट - जाओ!' सिरियस गुर्राया और उसे अपने दूसरे हाथ से एक तरफ़ धका दिया।

उसी समय किचन का दरवाज़ा खुला और पूरा वीज़्ली परिवार तथा हर्माइनी भीतर आ गए। वे सभी बहुत ख़ुश दिख रहे थे। मिस्टर वीज़्ली उनके बीच में गर्व से चल रहे थे। वे धारीदार पायजामे में थे और एक बरसाती ओढ़े थे।

'ठीक हो गया!' उन्होंने उत्साह से किचन में कहा। 'बिलकुल ठीक हो गया!'

वह और वीज़्ली परिवार के बाक़ी लोग चौखट पर जम गए, जब उन्होंने अपने सामने के दृश्य को देखा, जो बीच हवा में ठहर सा गया था। सिरियस और स्नेप दोनों ही अपनी छड़ियाँ एक-दूसरे के चेहरे की तरफ़ तानकर दरवाज़े की तरफ़ देखने लगे थे और हैरी उन दोनों के बीच स्थिर खड़ा था। उसका एक-एक हाथ दोनों की तरफ़ था और वह उन्हें अलग करने की कोशिश कर रहा था।

'हे भगवान,' मिस्टर वीज़्ली ने मुस्कराना छोड़ते हुए कहा, 'यहाँ क्या हो रहा है?'

सिरियस और स्नेप ने अपनी छड़ियाँ नीचे कर लीं। हैरी ने कभी एक को, तो कभी दूसरे को देखा। दोनों के ही चेहरे पर नफ़रत का भाव था, लेकिन इतने सारे लोगों के अप्रत्याशित आ धमकने से दोनों ही होश में आ गए थे। स्नेप ने अपनी छड़ी जेब में रख ली और मुड़कर बिना कुछ कहे तेज़ी से किचन से बाहर जाने लगे। दरवाज़े पर उन्होंने पीछे पलटकर देखा।

'पॉटर, सोमवार को शाम छह बजे।'

इसके बाद वे चले गए। सिरियस ने ग़ुस्से से उन्हें जाते हुए देखा। उसकी छड़ी उसकी बग़ल में थी।

मिस्टर वीज़्ली ने दोबारा पूछा, 'यहाँ क्या हो रहा था?'

'कुछ नहीं, आर्थर,' सिरियस ने कहा, जो इतनी तेज़ी से साँसें ले रहा था, जैसे लंबी दौड़ लगाकर आ रहा हो। 'स्कूल के दो पुराने दोस्तों के बीच दोस्ताना बातचीत हो रही थी।' बहुत कोशिश के बाद वह मुस्कराया। 'तो ... तुम ठीक हो गए? यह तो अच्छी ख़बर है, सचमुच अच्छी ख़बर है।'

'हाँ, है ना?' मिसेज़ वीज़्ली ने कहा और अपने पति को एक कुर्सी तक ले गईं। 'उपचारक स्मेथविक का जादू आख़िर सफल हो गया। साँप के दाँतों में जो भी ज़हर था, उसका तोड़ उन्होंने खोज लिया और आर्थर ने मगलू चिकित्सा में टाँग न फँसाने का सबक़ सीख लिया, *है ना आर्थर?*' उन्होंने थोड़े ख़तरनाक अंदाज़ में आगे कहा।

'हाँ मॉली,' मिस्टर वीज़्ली ने दबी आवाज़ में कहा।

उस रात की दावत ख़ुशनुमा होनी चाहिए थी, क्योंकि मिस्टर वीज़्ली ठीक होकर लौट आए थे। हैरी जानता था कि सिरियस माहौल को ख़ुशनुमा बनाने की कोशिश कर रहा था, लेकिन जब वह फ्रेड और जॉर्ज के मज़ाक़ पर जबरन नहीं हँसता था या सभी से ज़्यादा खाने का आग्रह नहीं करता था, तो उसका चेहरा उदास और चिंतित दिखने लगता था। हैरी और सिरियस के बीच में मंडंगस और बावरे-नैन बैठे थे, जो मिस्टर वीज़्ली को बधाई देने आए थे। हैरी सिरियस से बात करना चाहता था। वह उसे बताना चाहता था कि उसे स्नेप की बातों पर ध्यान नहीं देना चाहिए। वह कहना चाहता था कि स्नेप उसे जान-बूझकर उकसा रहे थे और बाक़ी लोग सिरियस को कायर नहीं मानते हैं। सभी यह मानते थे कि ग्रिमॉल्ड चौक में रहकर सिरियस डम्बलडोर के आदेश का पालन कर रहा है। लेकिन उसे यह बात कहने का मौक़ा ही नहीं मिला। सिरियस के उदास चेहरे को देखते हुए हैरी ने बीच-बीच में सोचा कि अगर उसे मौक़ा मिल भी जाए, तो भी क्या वह यह कहने की हिम्मत जुटा सकता है। इसके बजाय उसने रॉन और हर्माइनी को दबे स्वर में बता दिया कि उसे स्नेप से गुप्तविद्या पढ़नी है।

'डम्बलडोर चाहते हैं कि तुम वोल्डेमॉर्ट के बारे में सपने देखना बंद कर दो,' हर्माइनी ने तत्काल कहा। 'देखो, अगर ये सपने रुक जाएँ, तो तुम्हें अफ़सोस नहीं होगा, है ना?'

'स्नेप के साथ अतिरिक्त प्रशिक्षण?' रॉन आतंकित होकर बोला। 'इसके बजाय तो मैं बुरे सपने देखना ज़्यादा पसंद करूँगा!'

उन लोगों को अगले दिन नाइट बस से हॉगवर्ट्स जाना था। एक बार फिर टौंक्स और ल्यूपिन उन्हें छोड़ने जाने वाले थे। जब अगली सुबह हैरी, रॉन और हर्माइनी नीचे आए, तो वे दोनों किचन में नाश्ता कर रहे थे और फुसफुसाकर बातचीत कर रहे थे। जैसे ही हैरी ने दरवाज़ा खोला, उन्होंने जल्दी से देखा और ख़ामोश हो गए।

फटाफट नाश्ता करने के बाद उन सभी ने जनवरी की ठंडी भूरी सुबह का मुक़ाबला करने के लिए जैकेट और स्कार्फ़ पहन लिए। हैरी को अपने सीने में खिंचाव महसूस हो रहा था। वह सिरियस से अलविदा नहीं कहना चाहता था। इस बार उससे विदा लेना बुरा लग रहा था। उसे नहीं पता था कि अगली बार वे एक-दूसरे को कब देखेंगे। उसे लग रहा था कि सिरियस से तसल्ली की कोई न कोई बात कह देनी चाहिए, ताकि वह कोई मूर्खतापूर्ण काम न कर बैठे - हैरी को इस बात की चिंता थी कि स्नेप के कायरता के आरोप के कारण सिरियस इतनी बुरी तरह आहत हो गया होगा कि वह ग्रिमॉल्ड चौक के बाहर निकलकर

कोई मूर्खतापूर्ण काम करने की योजना बना रहा होगा। बहरहाल, इससे पहले कि वह यह सोच पाए कि उसे क्या कहना है, सिरियस ने उसे इशारा करके अपने पास बुला लिया।

उसने हैरी के हाथों में एक पेपरबैक पुस्तक के आकार का पैकेट दिया। बुरी तरह पैक किए हुए इस पैकेट को देते हुए वह बोला, 'मैं चाहता हूँ कि तुम इसे अपने पास रखो।'

हैरी ने पूछा, 'यह क्या है ?'

'अगर स्नेप तुम्हें परेशान करे तो तुम इसके माध्यम से मुझे बता सकते हो। नहीं, इसे यहाँ मत खोलना!' सिरियस ने मिसेज़ वीज़्ली की तरफ़ सावधानी से देखते हुए कहा, जो जुड़वाँ भाइयों को हाथ से बुने ग्लव्ज़ पहनने के लिए मना रही थीं। 'मुझे लगता है, मॉली इससे ख़ुश नहीं होगी – लेकिन अगर तुम्हें कभी मेरी ज़रूरत पड़े, तो इसका इस्तेमाल कर लेना, ठीक है ?'

'**ठीक है**,' हैरी ने पैकेट को अपनी जैकेट की अंदरूनी जेब में ठूँसते हुए कहा, लेकिन वह जानता था कि चाहे यह जो भी चीज़ हो, वह उसका इस्तेमाल कभी नहीं करेगा। स्नेप गुप्तविद्या के प्रशिक्षण में उसके साथ चाहे जितना बुरा सलूक करें, हैरी कभी सिरियस को ग्रिमॉल्ड चौक जैसी सुरक्षित जगह से बाहर निकलने का प्रलोभन नहीं देगा।

'चलो,' सिरियस ने हैरी के कंधे पर धौल जमाकर मुस्कराते हुए कहा। इससे पहले कि हैरी कुछ और कह पाता, वे ऊपर की मंज़िल की तरफ़ जाने लगे। वे सामने वाले दरवाज़े के आगे रुक गए, जिस पर भारी जंज़ीरें और कुंडियाँ लगी थीं। वीज़्ली परिवार उनके चारों तरफ़ आ गया।

मिसेज़ वीज़्ली ने उसे गले लगाते हुए कहा, 'अलविदा हैरी, अपना ध्यान रखना।'

'मिलते हैं, हैरी। मुझ पर हमला करने वाले साँपों पर नज़र रखना!' मिस्टर वीज़्ली ने उससे हाथ मिलाते समय हँसते हुए कहा।

'ठीक है – हाँ,' हैरी ने अनमने ढंग से कहा। सिरियस को सावधान रहने की चेतावनी देने का यह आख़िरी मौक़ा था। वह मुड़ा। उसने अपने गॉडफ़ादर की आँखों में झाँका और कुछ बोलने के लिए अपना मुँह खोला, लेकिन इससे पहले कि वह कुछ बोल पाता, सिरियस ने उसे एक हाथ से गले लगा लिया और रूखी आवाज़ में बोला, 'अपना ध्यान रखना, हैरी।' अगले ही पल, हैरी बर्फ़ जैसी ठंडी हवा में बाहर पहुँच गया। आज टौंक्स लोहे जैसे भूरे बालों वाली लंबी औरत बन गई थी। वह उसे सीढ़ियों के नीचे ले गई।

बारह नंबर मकान का दरवाज़ा उनके पीछे धड़ाम से बंद हो गया। वे ल्यूपिन के पीछे-पीछे बाहर वाली सीढ़ियाँ उतरे। फ़ुटपाथ पर पहुँचकर हैरी ने चारों तरफ़ देखा। बारह नंबर का मकान तेज़ी से सिकुड़ रहा था। इसके दोनों तरफ़ के मकानों ने इसे दबाया और ओझल कर दिया। एक पल बाद यह ग़ायब हो चुका था।

टौंक्स ने घबराए अंदाज़ में चौक की तरफ़ देखकर कहा, 'चलो, जल्दी चलो, जितनी जल्दी बस में बैठ जाएँ, उतना अच्छा है।' ल्यूपिन ने अपनी दाईं बाँह उठाई।

धड़ाक।

एक बहुत बैंगनी, तीन-मंज़िला बस हवा से निकलकर उनके सामने प्रकट हो गई। रुकने से पहले बस सबसे क़रीबी लैंपपोस्ट से टकराते-टकराते बची, जो उछलकर इसके रास्ते से हट गया।

बैंगनी यूनिफ़ॉर्म में एक दुबला-पतला, मुँहासे वाला, जग जैसे कान वाला युवक फ़ुटपाथ पर कूदा और बोला, 'नाइट बस में आपका स्वागत –'

'हाँ, हाँ, हम जानते हैं,' टौंक्स ने जल्दी से कहा। 'चलो, चलो, जल्दी बैठो –'

उसने हैरी को सीढ़ियों की तरफ़ तेज़ी से धकाया और कंडक्टर से आगे निकाला, जो हैरी को ग़ौर से देख रहा था।

'अरे – यह तो हैरी है –!'

'अगर तुमने चिल्लाकर इसका नाम लिया, तो मैं तुम्हें भुलक्कड़पन का स्थायी शाप दे दूँगी,' टौंक्स ने ख़तरनाक अंदाज़ में कहा। फिर उसने जिनी और हर्माइनी को भी आगे बढ़ा दिया।

रॉन ने ख़ुशी से कहा, 'मैं हमेशा से इस बस में सफ़र करना चाहता था।' वह सीढ़ियाँ चढ़कर हैरी के पास आ गया और चारों तरफ़ देखने लगा।

पिछली बार हैरी ने रात के वक़्त नाइट बस में यात्रा की थी और इसकी तीनों मंज़िलें पीतल के पलंगों से भरी थीं। आज सुबह के समय खिड़कियों के पास अलग-अलग क़िस्म की बहुत सी कुर्सियाँ बेतरतीब ढंग से लगी थीं। बस के ग्रिमॉल्ड चौक में अचानक रुकने से कुछ कुर्सियाँ गिर गई थीं। कुछ जादूगर तथा जादूगरनियाँ उठकर खड़े हो रहे थे और बड़बड़ा रहे थे। किसी के शॉपिंग बैग का सामान पूरी बस में फैल गया था, जिस कारण बस के फ़र्श पर मेंढक के अंडे, कॉकरोच और कस्टर्ड क्रीम फैल गए थे।

'लगता है, हमें अलग-अलग बैठना पड़ेगा,' टौंक्स ने तेज़ी से कहा और

चारों तरफ़ ख़ाली जगह खोजने लगी। 'फ्रेड, जॉर्ज और जिनी, तुम लोग पीछे वाली उन सीटों पर बैठ जाओ ... रीमस तुम्हारे साथ बैठ जाएगा।'

वह, हैरी, रॉन और हर्माइनी सबसे ऊपर के डेक पर चढ़े, जहाँ सबसे आगे दो ख़ाली कुर्सियाँ थीं और दो पीछे थीं। कंडक्टर स्टैन शनपाइक हैरी और रॉन के पीछे-पीछे उत्साह से आ गया। हैरी के गुज़रने पर लोग अपना सिर घुमाकर उसे देखने लगे। उसके बैठने के बाद सभी चेहरे दोबारा सामने की तरफ़ घूम गए।

जब हैरी और रॉन ने स्टैन को ग्यारह-ग्यारह सिकल दिए, तो बस ख़तरनाक तरीक़े से लहराती हुई दोबारा चलने लगी। यह ग्रिमॉल्ड चौक के चारों तरफ़ गरजी, फ़ुटपाथों पर चढ़ी और फिर ज़ोरदार **धमाके** के साथ आगे बढ़ी, जिससे वे सभी पीछे की तरफ़ फिंका गए। रॉन की कुर्सी पलट गई और उसकी गोद में बैठा पिगविजियन तेज़ी से उड़ता हुआ बस के सामने वाले हिस्से में पहुँच गया। वहाँ ज़ाकर वह हर्माइनी के कंधे पर बैठ गया। एक मोमबत्ती स्टैंड को पकड़ने के कारण हैरी गिरने से बाल-बाल बचा था। उसने खिड़की से बाहर झाँककर देखा : इस समय वे एक हाईवे पर तेज़ी से जा रहे थे।

'बर्मिंघम के थोड़े ही बाहर हैं,' स्टैन ने ख़ुशी से कहा और हैरी के अनपूछे सवाल का जवाब दे दिया, जब रॉन फ़र्श से उठने की कोशिश कर रहा था। 'तुम ठीक तो हो, हैरी? मैंने तुम्हारा नाम गर्मियों में अख़बार में बहुत बार पढ़ा था, लेकिन उसमें तुम्हारे बारे में बहुत अच्छी बातें नहीं लिखी थीं। मैंने अर्न से कहा, मैंने कहा, जब हम उससे मिले थे, तब तो वह ऐसा नहीं था, ये बातें तो यूँ ही हैं, है ना?'

उसने उन्हें टिकट दिए और मंत्रमुग्ध होकर हैरी को निहारता रहा। यह स्पष्ट था कि स्टैन को इस बात की परवाह नहीं थी कि कोई कितना पागल है, बशर्ते वह इतना मशहूर हो कि अख़बार में उसका नाम छप जाए। नाइट बस ख़तरनाक तरीक़े से लहराती रही और एक बार तो यह कारों की लाइन की उल्टी तरफ़ से निकल गई। हैरी ने सामने की तरफ़ देखा। हर्माइनी ने अपनी आँखों पर हाथ रख लिए थे और पिगविजियन उसके कंधे पर ख़ुशी से लहरा रहा था।

धड़ाक।

कुर्सियाँ दोबारा पीछे की तरफ़ फिसलीं। अब नाइट बस बर्मिंघम की सड़क से उछलकर एक सुनसान देहाती सड़क पर पहुँच गई थी, जिसमें कई घुमावदार मोड़ थे। जब वे कोने पर चढ़ जाते थे, तो सड़क के दोनों किनारों की बागड़ उनके आगे से उछलकर दूर हो जाती थी। इसके बाद वे एक व्यस्त शहर

की एक मुख्य सड़क पर पहुँच गए, फिर ऊँची पहाड़ियों से घिरे एक पुल पर, फिर ऊँचे फ़्लैटों के बीच की हवादार सड़क पर। हर बार जगह बदलने पर **धड़ाक** की ज़ोरदार आवाज़ होती रही।

रॉन फ़र्श से छठी बार उठते हुए बुदबुदाया, 'मैंने अपना मन बदल लिया है। मैं अब इसमें कभी नहीं बैठना चाहता हूँ।'

'सुनो, इसके बाद हॉगवर्ट्स का स्टॉप है,' स्टैन ने उत्साह से कहा। 'तुम्हारे साथ वाली उस दबंग औरत ने जल्दी पहुँचाने के लिए हमें थोड़ी टिप दी है। वैसे सबसे पहले हम मैडम मार्श को पहुँचाएँगे –' नीचे की मंज़िल से ऊ–ऊ की आवाज़ आई और उसके बाद उल्टी करने की आवाज़ आई '– उनकी तबियत ठीक नहीं है।'

कुछ मिनट बाद नाइट बस एक छोटे शराबख़ाने के बाहर चीं करके रुकी, जो टक्कर से बचने के लिए एक तरफ़ को दुबक गया था। स्टैन बदक़िस्मत मैडम मार्श को बस से बाहर उतारने लगा। दूसरी मंज़िल के यात्रियों की राहत भरी बुदबुदाहट साफ़ सुनाई दे रही थी। बस दोबारा चल दी, इसने गति पकड़ ली, जब तक कि –

धड़ाक।

वे लोग बर्फ़ भरे हॉग्समीड से गुज़र रहे थे। हैरी को हॉग्स हेड की झलक दिखी, जिसके सामने लगा सिरकटे सुअर का साइन बोर्ड ठंडी हवा में हिल रहा था। बर्फ़ के टुकड़े बस के सामने की बड़ी खिड़की से टकराने लगे। और फिर वे हॉगवर्ट्स के गेट के बाहर रुक गए।

ल्यूपिन और टौंक्स ने बस से सामान उतारने में उनकी मदद की। इसके बाद वे उनसे विदा लेने के लिए नीचे उतरे। हैरी ने नाइट बस की तीनों मंज़िलों की तरफ़ देखा। सभी यात्री खिड़कियों पर आँख लगाकर उसे देख रहे थे।

'मैदान में पहुँचने पर तुम सुरक्षित रहोगे,' टौंक्स ने वीरान सड़क पर सावधानी से देखते हुए कहा। 'टर्म अच्छा रहे, **ठीक है?**'

ल्यूपिन ने सभी से हाथ मिलाते हुए कहा, 'अपना ध्यान रखना।' जब बाक़ी सभी लोग टौंक्स से विदा ले रहे थे, तो ल्यूपिन हैरी से बहुत धीमी आवाज़ में बोले 'हैरी, मैं जानता हूँ कि तुम स्नेप को पसंद नहीं करते हो, लेकिन वह एक बेहतरीन गुप्तविद्या-ज्ञाता है और हम सब – जिसमें सिरियस भी शामिल है – चाहते हैं कि तुम अपनी रक्षा करना सीख लो, इसलिए कड़ी मेहनत करना, ठीक है?'

'हाँ, ठीक है,' ल्यूपिन के असमय झुर्रीदार हो गए चेहरे को देखते हुए हैरी

ने भारी आवाज़ में कहा। 'तो फिर मिलते हैं।'

वे छहों महल की तरफ़ जाने वाली फिसलन भरी सड़क पर मुश्किल से चलने लगे और अपने संदूक खिसकाने लगे। हर्माइनी कहने लगी कि सोने से पहले वह घरेलू जिन्नों के हैट बुनेगी। बलूत की लकड़ी के सामने वाले दरवाज़े पर पहुँचकर हैरी ने पलटकर देखा। नाइट बस जा चुकी थी। अगली शाम को जो होने वाला था, उसके बारे में सोचते हुए उसका आधा मन यह कह रहा था कि अगर वह इस समय भी उसमें ही बैठा होता, तो कितना अच्छा होता!

*

हैरी का अगला दिन शाम की दहशत में बीता। सुबह काढ़े की दो क्लासों से उसका डर ज़रा भी कम नहीं हुआ, क्योंकि स्नेप हमेशा जितने ही बुरे थे। उसका मूड इस बात से और भी ख़राब हो गया था कि **डीए** के सदस्य क्लासों के बीच गलियारों में उसके पास आकर लगातार पूछ रहे थे कि क्या उस रात को मीटिंग है।

हैरी को बार-बार कहना पड़ रहा था, 'जब अगली मीटिंग होगी, तो मैं तुम्हें हर बार वाले तरीक़े से बता दूँगा। लेकिन आज रात को मीटिंग नहीं हो सकती, आज मुझे – अर – काढ़े की अतिरिक्त पढ़ाई के लिए जाना है।'

'तुम *काढ़े की अतिरिक्त पढ़ाई* कर रहे हो?' ज़कारियस स्मिथ ने घमंड दिखाते हुए पूछा, जब उसने लंच के बाद हैरी को प्रवेश हॉल में घेर लिया। 'हे भगवान, काढ़े में तुम बहुत भयंकर होगे। स्नेप आम तौर पर अतिरिक्त क्लासें नहीं लेते हैं, है ना?'

जब स्मिथ चिढ़ाने वाले उत्साही अंदाज़ में दूर जाने लगा, तो रॉन उसकी तरफ़ ग़ुस्से से घूरता रहा।

उसने अपनी छड़ी उठाकर स्मिथ के कंधों के बीच निशाना साधते हुए कहा, 'क्या मैं उसे शाप दे दूँ? मैं अब भी उसे यहाँ से मंत्र मार सकता हूँ।'

'रहने दो,' हैरी ने निराशा से कहा। 'सब लोग यही सोच रहे होंगे, है ना? कि मैं सचमुच मूर्ख –'

'हाय हैरी,' पीछे से एक आवाज़ सुनाई दी। हैरी ने पलटकर देखा। वहाँ चो खड़ी थी।

'ओह हाय,' हैरी ने कहा, हालाँकि चो को देखते ही उसके पेट में अजीब सी खलबली मच गई थी।

'हम लाइब्रेरी में हैं, हैरी,' हर्माइनी ने दृढ़ता से कहा और रॉन की कोहनी

पकड़कर उसे संगमरमर की सीढ़ी की तरफ़ घसीट ले गई।

चो ने पूछा, 'क्रिसमस अच्छी रही?'

हैरी ने कहा, 'हाँ, बुरी नहीं रही।'

'मेरी तो थोड़ी ख़ामोश थी,' चो ने कहा। किसी कारण से वह थोड़ी शरमा रही थी। 'देखो ... अगले महीने हॉग्समीड की एक और यात्रा है, क्या तुमने नोटिस देखा?'

'क्या? ओह नहीं, आने के बाद मैं नोटिसबोर्ड पर नज़र नहीं डाल पाया।'

'हाँ, यह वैलेंटाइन डे पर है ...'

'अच्छा,' हैरी ने कहा और सोचने लगा कि वह उसे यह बात क्यों बता रही है। 'अच्छा, तो मुझे लगता है, तुम शायद यह पूछना चाहती हो - ?'

'अगर तुम चाहो,' चो ने उत्सुकता से कहा।

हैरी उसे घूरकर देखने लगा। वह यह कहने वाला था, 'मुझे लगता है, तुम शायद यह पूछना चाहती हो कि **डीए** की अगली मीटिंग कब है?' लेकिन चो की प्रतिक्रिया इससे मेल नहीं खा रही थी।

'मैं - अर -' हैरी ने कहा।

'ओह, अगर तुम नहीं चलना चाहते हो, तो **कोई बात नहीं**,' चो दुखी होकर बोली। 'चिंता मत करो। मिलते हैं।'

वह दूर चली गई। हैरी पीछे से उसे घूरता रहा। उसका दिमाग़ बहुत तेज़ी से काम कर रहा था। फिर उसे बात समझ में आ गई।

'चो! सुनो - **चो!**'

वह उसके पीछे भागा और उसे संगमरमर की सीढ़ी पर आधे रास्ते में पकड़ लिया।

'अर - क्या तुम मेरे साथ वैलेंटाइन डे पर हॉग्समीड चलोगी?'

उसने कहा, 'ऊऊऊह, हाँ!' उसका चेहरा शर्म से लाल हो गया और वह उसकी तरफ़ देखकर मुस्कराने लगी।

'तो ठीक है ... अच्छा ... तो यह तय रहा,' हैरी ने कहा। उसे महसूस हुआ कि आख़िर यह दिन पूरी तरह से बुरा नहीं रहा। वह उछलता हुआ लाइब्रेरी गया, ताकि दोपहर की क्लासों से पहले रॉन और हर्माइनी को साथ ले ले।

बहरहाल, चो चैंग से सफलतापूर्वक मुलाक़ात तय कर लेने की ख़ुशी भी शाम को छह बजे तक उसकी दहशत को कम नहीं कर पाई। स्नेप के ऑफ़िस की

तरफ़ बढ़ते हर क़दम के साथ उसकी दहशत बढ़ती जा रही थी।

दरवाज़े के पास पहुँचकर वह रुक गया। वह सोच रहा था कि काश वह किसी दूसरी जगह होता। फिर उसने एक गहरी साँस ली और दरवाज़ा खटखटाकर अंदर पहुँच गया।

अँधेरे कमरे में शेल्फ़ों की क़तारें लगी थीं। उन पर काँच की सैकड़ों शीशियाँ रखी थीं। इन शीशियों में जानवरों और पौधों के चिपचिपे टुकड़े कई रंगों के काढ़ों में आधे डूबे थे। एक कोने में अलमारी थी, जिसमें काढ़ा बनाने का सामान भरा हुआ था। स्नेप ने एक बार हैरी पर इसमें से सामान चुराने का आरोप लगाया था, जो पूरी तरह निराधार नहीं था। बहरहाल, हैरी का ध्यान डेस्क की तरफ़ गया, जहाँ मोमबत्ती की रोशनी में पत्थर का एक खोखला पात्र रखा था। उस पर प्राचीन लिपियाँ और प्रतीक उकेरे गए थे। हैरी इसे देखते ही पहचान गया – यह डम्बलडोर का स्मृति पात्र था। वह सोचने लगा कि यह यहाँ पर क्यों रखा है। फिर अँधेरे से स्नेप की ठंडी आवाज़ आते ही वह उछल पड़ा।

'पॉटर, दरवाज़ा बंद कर दो।'

आदेश का पालन करते समय उसे यह भयंकर एहसास हुआ कि वह ख़ुद को क़ैद कर रहा था। जब तक वह कमरे में आगे आया, तब तक स्नेप रोशनी में आ चुके थे और अपनी डेस्क के सामने वाली कुर्सी की तरफ़ बैठने का इशारा कर रहे थे। हैरी बैठ गया। स्नेप भी बैठ गए। उनकी ठंडी काली आँखें बिना झपके हैरी पर जमी हुई थीं और उनके चेहरे की हर लकीर में नापसंदगी साफ़ झलक रही थी।

उन्होंने कहा, 'तो पॉटर, तुम जानते हो कि तुम यहाँ क्यों आए हो? हेडमास्टर ने मुझसे कहा है कि मैं तुम्हें गुप्तविद्या पढ़ाऊँ। मैं सिर्फ़ यही उम्मीद कर सकता हूँ कि तुम इसमें काढ़े से ज़्यादा निपुणता दिखाओगे।'

'जी,' हैरी बोला।

स्नेप ने दुष्टता से आँखें सिकोड़ते हुए कहा, 'पॉटर, यह सामान्य क्लास तो नहीं है, लेकिन मैं अब भी तुम्हारा टीचर हूँ और इसलिए तुम मुझे हर समय "सर" या "प्रोफ़ेसर" कहोगे।'

'जी ... सर,' हैरी ने कहा।

अपनी सिकुड़ी हुई आँखों से हैरी को एक पल तक देखने के बाद स्नेप आगे बोले, 'अब, गुप्तविद्या। जैसा मैंने तुम्हारे प्यारे गॉडफ़ादर के किचन में तुम्हें बताया था, जादू की यह शाखा मस्तिष्क को बाहरी घुसपैठ और प्रभाव से बचाती है।'

हैरी ने सीधे स्नेप की आँखों में देखते हुए पूछा, 'डम्बलडोर यह क्यों सोचते हैं कि मुझे इसकी ज़रूरत है, सर ?' वह सोच रहा था कि स्नेप इस बात का जाने क्या जवाब देंगे।

स्नेप ने एक पल के लिए उसकी तरफ़ देखा और फिर नफ़रत से बोले, 'यहाँ तक कि तुम्हारी जितनी मोटी बुद्धि वाला भी अब तक यह बात समझ गया होगा, पॉटर ? शैतानी शहंशाह गुप्त-घुसपैठ में बहुत माहिर हैं -'

'वह क्या होता है ? *सर ?*'

'यह सामने वाले के मस्तिष्क की भावनाएँ और स्मृतियाँ निकालने की योग्यता है -'

'वह मन की बात पढ़ सकता है ?' हैरी ने जल्दी से कहा। उसे लग रहा था कि उसका सबसे बुरा डर सच था।

स्नेप की काली आँखें चमकने लगीं और वे बोले, 'तुम फ़र्क़ नहीं समझ पाते हो। तुम बारीक अंतर नहीं समझ पाते हो। इसी कमज़ोरी के कारण तुम इतने ख़राब काढ़े बनाते हो।'

स्नेप एक पल के लिए ठहरे और आगे बोलने से पहले हैरी का अपमान करने की ख़ुशी का स्वाद लेते रहे।

'सिर्फ़ मगलू लोग ही "मन की बात पढ़ने" की बात करते हैं। मन कोई किताब नहीं है, जिसे इच्छानुसार खोलकर फ़ुरसत से पढ़ा जा सके। विचार खोपड़ी के भीतर उकेरे नहीं रहते हैं, जिसे कोई घुसपैठिया पढ़ ले। मस्तिष्क जटिल और बहु-स्तरीय होता है, पॉटर - या कम से कम, ज़्यादातर मस्तिष्क ऐसे ही होते हैं।' वे मुस्कराए। 'बहरहाल, यह सच है कि जो लोग गुप्त-घुसपैठ में माहिर होते हैं, वे कुछ परिस्थितियों में अपने शिकार के मस्तिष्क में प्रवेश कर सकते हैं और उसके विचारों की सही व्याख्या कर सकते हैं। उदाहरण के लिए, जब कोई शैतानी शहंशाह से झूठ बोलता है, तो उन्हें हमेशा पता चल जाता है। सिर्फ़ गुप्तविद्या में निपुण लोग ही उन भावनाओं और स्मृतियों में घुसपैठ रोक सकते हैं, जिनसे झूठ पकड़ में आता है। इसलिए वे उनके सामने भी सफलतापूर्वक झूठ बोल सकते हैं।'

स्नेप के समझाने के बावजूद हैरी को लग रहा था कि गुप्तविद्या का मतलब मन की बात पढ़ना ही था। उसे यह ज़रा भी अच्छी नहीं लग रही थी।

'तो वह जान सकता है कि इस समय हम क्या सोच रहे हैं ? सर ?'

स्नेप ने कहा, 'शैतानी शहंशाह काफ़ी दूर हैं। इसके अलावा, हॉगवर्ट्स की दीवारें और मैदान कई प्राचीन मंत्रों तथा सम्मोहनों के कारण अभेद्य हैं, ताकि

यहाँ रहने वालों की शारीरिक व मानसिक सुरक्षा सुनिश्चित हो सके। पॉटर, जादू में समय और दूरी महत्वपूर्ण होती है। गुप्त-घुसपैठ में अक्सर आँखों का संपर्क अनिवार्य होता है।'

'अच्छा तो, मुझे गुप्तविद्या क्यों सीखनी है?'

स्नेप ने हैरी को देखा और अपने चेहरे पर एक लंबी, पतली उँगली घुमाने लगे।

'पॉटर, तुम पर सामान्य नियम लागू नहीं होते हैं। जो शाप तुम्हें नहीं मार पाया था, उससे तुम्हारे और शैतानी शहंशाह के बीच एक अजीब डोर जुड़ गई है। प्रमाणों से पता चलता है कि जब तुम्हारा मस्तिष्क बहुत शिथिल और संवेदनशील होता है - जैसे जब तुम सो रहे होते हो - तो तुम्हें शैतानी शहंशाह के विचार और भाव पता चल जाते हैं। हेडमास्टर सोचते हैं कि अब ऐसा होना ठीक नहीं है। वे चाहते हैं कि मैं तुम्हें शैतानी शहंशाह के प्रति मस्तिष्क बंद करना सिखाऊँ।'

हैरी का दिल दोबारा तेज़ी से धड़कने लगा। इसमें से कोई भी चीज़ सही नहीं लग रही थी।

'लेकिन प्रोफ़ेसर डम्बलडोर इसे बंद क्यों करवाना चाहते हैं?' उसने अचानक पूछ लिया। 'मुझे भी यह ज़्यादा पसंद नहीं है, लेकिन यह उपयोगी साबित हुआ है, है ना? मेरा मतलब है ... मैंने साँप को मिस्टर वीज़्ली पर हमला करते देखा था। अगर ऐसा नहीं होता, तो प्रोफ़ेसर डम्बलडोर उन्हें नहीं बचा पाते, है ना? सर?'

स्नेप हैरी को कुछ पल तक घूरते रहे। वे अब भी अपने चेहरे पर उँगली फेर रहे थे। दोबारा बोलते समय उन्होंने धीरे-धीरे और एक-एक शब्द बोला, जैसे अपने हर शब्द को तौल रहे हों।

'ऐसा लगता है कि शैतानी शहंशाह को कुछ समय पहले तक तुम्हारे और उनके आपसी संबंध के बारे में पता नहीं था। ऐसा लगता है कि अब तक तुम उनके जाने बिना उनकी भावनाएँ और विचार अनुभव कर रहे थे। बहरहाल, क्रिसमस के पहले तुमने जो सपना देखा था - ?'

'साँप और मिस्टर वीज़्ली वाला?'

'बीच में मत बोलो, पॉटर,' स्नेप ने ख़तरनाक आवाज़ में कहा। 'जैसा मैं कह रहा था, क्रिसमस के पहले तुमने जो सपना देखा था, वह शैतानी शहंशाह के विचारों में इतनी ज़बर्दस्त घुसपैठ साबित हुई -'

'मैं साँप के सिर के भीतर था, उसके सिर के भीतर नहीं था!'

'पॉटर, मैंने तुमसे कहा ना, बीच में मत बोलो?'

लेकिन हैरी को स्नेप के ग़ुस्से की परवाह नहीं थी। आख़िर अब उसे पूरा मामला समझ में आता दिख रहा था। वह कुर्सी पर इतना आगे खिसक आया था कि उसे पता ही नहीं चला कि वह बिलकुल कोने पर तनकर बैठा था, जैसे दौड़ने के लिए तैयार हो।

'अगर मैं वोल्डेमॉर्ट के विचारों को महसूस कर सकता हूँ, तो ऐसा कैसे हो गया कि मैंने साँप की आँखों से देखा?'

स्नेप ने उसे झिड़कते हुए कहा, '*शैतानी शहंशाह का नाम मत लो!*'

एक बुरी ख़ामोशी छा गई। स्मृति पात्र के पार से वे एक-दूसरे को ग़ुस्से से घूरते रहे।

हैरी ने धीरे से कहा, 'प्रोफ़ेसर डम्बलडोर भी तो उसका नाम लेते हैं।'

'डम्बलडोर बहुत शक्तिशाली जादूगर हैं,' स्नेप बुदबुदाए। '*वे* उनका नाम लेने में सुरक्षित महसूस कर सकते हैं ... बाक़ी लोग ...' उन्होंने अनजाने में अपनी बाईं बाँह मली। हैरी जानता था कि स्नेप की बाँह में उस जगह पर मौत का निशान गुदा हुआ था।

हैरी ने विनम्रता से बोलने की कोशिश करते हुए कहा, 'मैं तो बस यह जानना चाहता था कि ऐसा क्यों हुआ?'

स्नेप गुर्राए, 'तुम साँप के सिर में इसलिए गए थे, क्योंकि उस पल शैतानी शहंशाह भी वहीं पर थे। वे उस वक़्त साँप पर क़ाबू कर रहे थे, इसलिए तुमने सपने में देखा कि तुम भी उसके भीतर हो।'

'और वोल - उसे - एहसास हो गया कि मैं वहाँ था?'

'ऐसा ही लगता है,' स्नेप ने ठंडेपन से कहा।

'आपको कैसे पता?' हैरी ने व्यग्रता से पूछा। 'यह प्रोफ़ेसर डम्बलडोर का अंदाज़ा है, या -'

'मैंने तुमसे कहा था,' स्नेप ने अपनी कुर्सी पर अकड़कर बैठते हुए कहा और उनकी आँखें छेद जैसी दिखने लगीं, 'कि मुझे "सर" कहो।'

'हाँ सर,' हैरी ने अधीरता से कहा, 'लेकिन आपको कैसे मालूम - ?'

'तुम्हारे लिए इतना ही जानना काफ़ी है कि हमें मालूम है,' स्नेप ने झिड़कते हुए कहा। 'महत्वपूर्ण बात यह है कि शैतानी शहंशाह को अब पता चल चुका है कि तुम उनके विचारों और भावनाओं तक पहुँच सकते हो। उन्होंने यह निष्कर्ष भी निकाल लिया है कि यह प्रक्रिया उल्टी भी काम कर सकती है, यानी

वे जान चुके हैं कि वे भी तुम्हारे विचारों और भावनाओं तक पहुँच सकते हैं –'

हैरी ने पूछा, 'और वे मुझसे काम करवाने की कोशिश कर सकते हैं?' उसने जल्दी से बाद में जोड़ दिया, '*सर?*'।

'बिलकुल,' स्नेप ने ठंडी और बेफ़िक्र आवाज़ में कहा। 'इसी कारण हम गुप्तविद्या पढ़ रहे हैं।'

स्नेप ने दुशाले के अंदर की जेब से अपनी छड़ी बाहर निकाली, जिससे हैरी तनाव में आ गया। लेकिन स्नेप ने छड़ी सिर्फ़ अपने माथे से लगाई और इसकी नोक बालों की चिपचिपी जड़ों पर रख दी। जब उन्होंने उसे वहाँ से हटाया, तो उसके साथ चाँदी जैसा पदार्थ किसी मोटे धागे की तरह खिंचने लगा। यह धागा तभी टूटा, जब उन्होंने छड़ी को अपने माथे से दूर खींचा। धागा स्मृतिपात्र में गिर गया, जहाँ यह घुमड़कर चाँदी जैसा सफ़ेद हो गया, जो द्रव और गैस के बीच की कोई चीज़ लग रही थी। स्नेप ने अपने माथे पर छड़ी दो बार और लगाई तथा चाँदी जैसे पदार्थ को पत्थर के पात्र में डाल दिया। फिर अपने व्यवहार के बारे में कोई सफ़ाई दिए बिना उन्होंने सावधानी से स्मृति पात्र उठाया, उसे दूर हटाकर एक शेल्फ़ पर रख दिया और अपनी छड़ी तैयार करके हैरी के सामने आ गए।

'पॉटर, उठकर खड़े हो जाओ और अपनी छड़ी निकाल लो।'

हैरी घबराकर खड़ा हो गया। वे एक-दूसरे के सामने थे। उनके बीच में सिर्फ़ डेस्क थी।

स्नेप ने कहा, 'तुम मुझे निरस्त्र करने या किसी दूसरे तरीक़े से अपना बचाव करने के लिए अपनी छड़ी का इस्तेमाल कर सकते हो।'

हैरी ने स्नेप की छड़ी को डरकर देखते हुए पूछा, 'लेकिन आप क्या करने वाले हैं?'

'मैं तुम्हारे मस्तिष्क में घुसपैठ करने की कोशिश करूँगा,' स्नेप ने धीरे से कहा। 'देखते हैं, तुम कितना प्रतिरोध कर पाते हो? मैंने सुना है कि तुमने सम्मोहन शाप का बहुत अच्छी तरह प्रतिरोध किया था। गुप्तविद्या में भी उसी तरह की शक्तियों की ज़रूरत होती है ... ख़ुद को तैयार कर लो, अभी। *गुप्त-घुसपैठ!*

हैरी तैयार हो पाता और प्रतिरोध की शक्ति जुटा पाता, इससे पहले ही स्नेप ने वार कर दिया। ऑफ़िस उसकी आँखों के सामने तैरने लगा और ओझल हो गया। उसके दिमाग़ में यादें किसी फ़िल्म की तरह धड़धड़ाती हुई स्पष्टता से चलीं, जिससे उसे आस-पास का दृश्य दिखाई नहीं दे रहा था।

वह पाँच साल की उम्र में डडली को नई लाल साइकल की सवारी करते देख रहा था और उसका दिल ईर्ष्या से फटा जा रहा था ... वह नौ साल का था और रिपर नाम का बुलडॉग उसका पीछा कर रहा था, वह एक पेड़ पर चढ़ गया था, जबकि डर्स्ली परिवार के सदस्य नीचे लॉन में खड़े होकर हँस रहे थे ... वह बोलती टोपी पहने हुआ था और वह बोल रही थी कि उसे नागशक्ति में भेजना अच्छा रहेगा ... हर्माइनी अस्पताल में लेटी थी, उसका चेहरा मोटे काले बालों से ढँका था ... सौ दमपिशाच काली झील के पास उसके क़रीब आ रहे थे ... चो चैंग मिसलटो के नीचे उसके क़रीब आ रही थी ...

जब चो की याद ज़्यादा क़रीब आई, तो हैरी के दिमाग़ के भीतर एक आवाज़ आई, '*नहीं, तुम उसे नहीं देखोगे, तुम उसे नहीं देखोगे, यह निजी मामला है –*'

उसे अपने घुटने में तेज़ दर्द महसूस हुआ। स्नेप का ऑफ़िस दोबारा दिखने लगा। उसे एहसास हुआ कि वह फ़र्श पर गिर गया था। उसका एक घुटना स्नेप की डेस्क के पाए से टकरा गया था। उसने स्नेप की तरफ़ देखा, जिन्होंने अपनी छड़ी नीचे कर ली थी और इस वक़्त अपनी कलाई मल रहे थे। वहाँ पर जलने का निशान बन गया था।

स्नेप धीरे से बोले, 'क्या तुम ज्वाला मंत्र पढ़ना चाहते थे?'

'नहीं,' हैरी ने कटुता से कहा और फ़र्श से उठने लगा।

'मुझे भी यही लगा था,' स्नेप ने कहा और उसे ग़ौर से देखा। 'तुमने मुझे बहुत ज़्यादा अंदर जाने दिया। तुम नियंत्रण खो बैठे थे।'

हैरी ने पूछा, 'क्या आपने वह हर चीज़ देखी, जो मैंने देखी थी?' हालाँकि वह जवाब नहीं सुनना चाहता था।

स्नेप ने होंठ सिकोड़कर कहा, 'उन चीज़ों की झलक देखी। वह कुत्ता किसका था?'

हैरी बुदबुदाया, 'मेरी मार्ज आंटी का।' इस वक़्त वह स्नेप से नफ़रत कर रहा था।

'देखो, पहली कोशिश के हिसाब से यह उतना बुरा नहीं था,' स्नेप ने अपनी छड़ी एक बार फिर उठाते हुए कहा। 'तुम आख़िरकार मुझे रोकने में सफल हो गए, हालाँकि तुमने चिल्लाने में समय और शक्ति गँवाई। तुम्हें अपना ध्यान केंद्रित करना होगा। अपने मस्तिष्क से प्रतिरोध करो। तुम्हें छड़ी के इस्तेमाल की ज़रूरत नहीं पड़ेगी।'

'मैं कोशिश कर रहा हूँ,' हैरी ने ग़ुस्से से कहा, 'लेकिन आप मुझे यह नहीं

बता रहे हैं कि यह काम कैसे करना है!'

'तहज़ीब से, पॉटर,' स्नेप ने ख़तरनाक तरीक़े से कहा। 'अब मैं चाहता हूँ कि तुम अपनी आँखें बंद कर लो।'

हैरी ने उन्हें हिक़ारत से देखा और फिर आँखें बंद कर लीं। वैसे उसे यह विचार अच्छा नहीं लग रहा था कि जब स्नेप उसके सामने छड़ी तानकर खड़े हों, तो वह अपनी आँखें बंद कर ले।

'अपना दिमाग़ ख़ाली कर लो, पॉटर,' स्नेप की ठंडी आवाज़ आई। 'सारी भावनाएँ निकल जाने दो ...'

लेकिन हैरी स्नेप पर इतना ज़्यादा नाराज़ था कि उसका ग़ुस्सा नसों में ज़हर की तरह बह रहा था। अपने ग़ुस्से को निकल जाने दे? यह तो उतना ही मुश्किल था, जितना कि पैरों को शरीर से अलग करना ...

'तुम यह काम नहीं कर रहे हो, पॉटर ... तुम्हें इससे ज़्यादा अनुशासन की ज़रूरत पड़ेगी ... अब ध्यान केंद्रित करो ...'

हैरी ने अपना दिमाग़ ख़ाली करने की कोशिश की और यह कोशिश की कि वह कुछ न सोचे, कुछ न याद करे, कुछ न महसूस करे ...

'चलो एक बार फिर कोशिश करते हैं ... तीन की गिनती पर ... एक-दो-तीन – गुप्त-घुसपैठ!'

उसके सामने एक बड़ी काली ड्रैगन गरज रही थी ... उसके मम्मी-डैडी एक जादुई दर्पण में से उसकी तरफ़ देखकर हाथ हिला रहे थे ... सेडरिक डिगोरी अपनी सूनी आँखों से उसे घूरता हुआ ज़मीन पर पड़ा था ...

'**नहींहींहींहीं!**'

हैरी दोबारा घुटनों के बल गिर गया था। उसका चेहरा उसके हाथों में छिपा हुआ था। उसका सिर इतनी तेज़ी से दुख रहा था, जैसे किसी ने उसकी खोपड़ी खोलने की कोशिश की हो।

'खड़े हो जाओ!' स्नेप ने तीखी आवाज़ में कहा। 'खड़े हो जाओ! तुम कोशिश नहीं कर रहे हो, तुम ज़रा भी कोशिश नहीं कर रहे हो। तुम मुझे ऐसी यादों तक पहुँचने दे रहे हो, जिनसे तुम डरते हो। तुम खुद मुझे हथियार दे रहे हो!'

हैरी खड़ा हो गया। उसका दिल तेज़ी से धड़कने लगा, जैसे उसने अभी-अभी सचमुच सेडरिक को क़ब्रिस्तान में मरते देखा हो। स्नेप हमेशा से थोड़े ज़्यादा नाराज़ दिख रहे थे, लेकिन उतने नहीं, जितना कि हैरी था।

वह दाँत भींचकर बोला, 'मैं – कोशिश – कर – रहा – हूँ।'

'मैंने तुमसे कहा था ना कि तुम भावनाओं को अपने दिमाग़ से पूरी तरह निकाल देना!'

हैरी गुर्राते हुए बोला, 'देखिए, मुझे अभी ऐसा करने में बहुत मुश्किल आ रही है!'

'तब तो तुम शैतानी शहंशाह के आसान शिकार बन जाओगे!' स्नेप ने वहशी आवेश में कहा। 'जो मूर्ख लोग अपने दिल को आस्तीन पर लेकर चलते हैं, जो अपनी भावनाओं पर नियंत्रण नहीं रख सकते, जो दुख भरी यादों में खोए रहते हैं और बहुत जल्दी उत्तेजित हो जाते हैं – दूसरे शब्दों में, जो लोग कमज़ोर होते हैं, वे उनकी शक्तियों का मुक़ाबला नहीं कर सकते! वे तुम्हारे दिमाग़ में बहुत आसानी से घुसपैठ कर लेंगे, पॉटर!'

'मैं कमज़ोर नहीं हूँ,' हैरी ने धीमी आवाज़ में कहा। अब वह इतने तैश में आ गया था कि स्नेप पर हमला करना चाहता था।

स्नेप बोले, 'तो फिर इसे साबित करके दिखाओ! ख़ुद पर विजय पाओ! अपने ग़ुस्से पर क़ाबू करो, अपने दिमाग़ को अनुशासित करो! हम फिर से कोशिश करते हैं! तैयार हो जाओ, अभी! *गुप्त-घुसपैठ!*'

वह वरनॉन अंकल को लेटरबॉक्स बंद करते देख रहा था ... सौ दमपिशाच झील की दूसरी तरफ़ से उड़ते हुए उसकी तरफ़ आ रहे थे ... वह एक बिना खिड़की के गलियारे में मिस्टर वीज़्ली के साथ भागा जा रहा था ... वे लोग गलियारे के सिरे वाले काले दरवाज़े के क़रीब पहुँच रहे थे ... हैरी को लग रहा था कि इसी दरवाज़े से जाना होगा ... लेकिन मिस्टर वीज़्ली उसे बाईं तरफ़ ले गए, पत्थर की सीढ़ियों से नीचे ...

'मुझे पता चल गया! मुझे पता चल गया!'

वह एक बार फिर स्नेप के ऑफ़िस के फ़र्श पर घुटनों के बल गिर गया था। उसका निशान दुख रहा था, लेकिन अभी-अभी उसके मुँह से जीत की आवाज़ निकली थी। उसने दोबारा खड़े होकर स्नेप को अपनी तरफ़ घूरते पाया। उनकी छड़ी उठी हुई थी। ऐसा लगा, जैसे इस बार हैरी के प्रतिरोध करने से पहले ही स्नेप ने जादू हटा दिया था।

उन्होंने हैरी को ग़ौर से देखते हुए पूछा, 'पॉटर, क्या हुआ था?'

'मैंने देखा – मुझे याद आया,' हैरी ने हाँफते हुए कहा। 'मुझे अभी-अभी एहसास हुआ ...'

'क्या एहसास हुआ?' स्नेप ने तीखी आवाज़ में पूछा।

हैरी ने तत्काल जवाब नहीं दिया। अपने सिर को मलते हुए वह अब भी

उस अचानक हुए एहसास का आनंद ले रहा था ...

वह बंद दरवाज़े पर ख़त्म होने वाले बिना खिड़की के गलियारे के बारे में महीनों से सपने देख रहा था और उसे अब तक एक बार भी यह नहीं लगा था कि ऐसी कोई जगह सचमुच थी। बहरहाल, अपनी याद में दोबारा झाँकने के बाद उसे यह पता चल गया कि वह मंत्रालय के उस गलियारे के सपने देख रहा था, जिसमें वह मिस्टर वीज़्ली के साथ अदालत की तरफ़ जाते समय बारह अगस्त को दौड़ा था। यह रहस्य विभाग की ओर जाने वाला गलियारा था और जब वोल्डेमॉर्ट के साँप ने मिस्टर वीज़्ली को डंसा था, तो वे वहीं थे।

उसने स्नेप की तरफ़ देखा।

'रहस्य विभाग में क्या है?'

स्नेप ने धीरे से पूछा, 'तुमने क्या पूछा?' हैरी को यह देखकर बहुत संतुष्टि मिली कि स्नेप परेशान हो गए थे।

हैरी ने कहा, 'मैंने पूछा, रहस्य विभाग में क्या है, *सर*?'

'क्यों,' स्नेप ने धीरे से कहा, 'तुम यह क्यों पूछ रहे हो?'

हैरी ने स्नेप के चेहरे को ग़ौर से देखते हुए कहा, 'क्योंकि जिस गलियारे को मैंने अभी-अभी देखा था - मैं महीनों से उसके बारे में सपने देख रहा हूँ - मैंने अभी-अभी उसे पहचाना है - यह रहस्य विभाग की तरफ़ जाता है ... और मुझे लगता है कि वोल्डेमॉर्ट उसमें से कोई चीज़ निकालना चाहता है -'

'मैंने तुमसे कहा था कि तुम शैतानी शहंशाह का नाम मत लिया करो!'

दोनों एक-दूसरे को ग़ुस्से से घूरते रहे। हैरी के निशान में दोबारा दर्द होने लगा था, लेकिन उसे परवाह नहीं थी। स्नेप आंदोलित दिख रहे थे, लेकिन जब वे दोबारा बोले, तो वे शांत और निश्चिंत दिखने की कोशिश कर रहे थे।

'रहस्य विभाग में बहुत सी चीज़ें हैं, पॉटर। उनमें से कुछ को ही तुम समझ पाओगे और उनमें से कोई भी तुम्हारे मतलब की नहीं है। मेरी बात समझ में आ गई?'

'हाँ,' हैरी ने अब भी अपने दुखते निशान को सहलाते हुए कहा, जो अब ज़्यादा तेज़ दर्द कर रहा था।

'मैं चाहता हूँ कि तुम बुधवार को इसी समय फिर आओ। हम तब अपना काम दोबारा शुरू करेंगे।'

'ठीक है,' हैरी ने कहा। वह स्नेप के ऑफ़िस से बाहर निकलने और रॉन तथा हर्माइनी के पास जाने के लिए छटपटा रहा था।

'तुम्हें हर रात को सोने से पहले अपने मस्तिष्क से सारी भावनाएँ

बाहर निकालनी हैं, अपने दिमाग़ को ख़ाली करना है, इसे शांत करना है, समझ गए ?'

'जी,' हैरी ने कहा, जो सुन ही नहीं रहा था।

'और यह याद रखना, पॉटर ... अगर तुमने प्रैक्टिस नहीं की, तो मुझे पता चल जाएगा ...'

'ठीक है,' हैरी बुदबुदाया। उसने अपना स्कूलबैग उठाकर कंधे पर लटकाया और जल्दी से ऑफ़िस के दरवाज़े की तरफ़ चल दिया। दरवाज़ा खोलते समय उसने स्नेप की तरफ़ पलटकर देखा, जिनकी पीठ हैरी की तरफ़ थी और वे अपनी छड़ी के सिरे से स्मृतिपात्र से विचार निकालकर अपने सिर के भीतर सावधानी से जमा रहे थे। हैरी एक भी शब्द बोले बिना बाहर चला गया और अपने पीछे दरवाज़ा सावधानी से बंद कर गया। उसका निशान अब भी दर्द से धड़क रहा था।

हैरी को रॉन और हर्माइनी लाइब्रेरी में मिले, जहाँ वे अंबरिज का दिया नया होमवर्क कर रहे थे। वहाँ बैठे लगभग सभी विद्यार्थी फ़िफ़्थ ईयर के थे, जो पास वाले लैंप की रोशनी में पढ़ाई कर रहे थे। उनकी नाक पुस्तकों से सटी हुई थी और क़लमें सरपट भाग रही थीं। पर्दे लगी खिड़कियों के बाहर का आसमान धीरे-धीरे स्याह होता जा रहा था। सिर्फ़ मैडम पिन्स के जूतों की चूँ-चूँ की आवाज़ आ रही थी, जो विद्यार्थियों के आस-पास ख़तरनाक तरीक़े से मँडराती थीं और अपनी क़ीमती पुस्तकें छूने वालों की गर्दन के पीछे से झाँकती थीं।

हैरी की कँपकँपी छूट गई। उसका निशान अब भी दुख रहा था। उसे लगा, जैसे उसे बुखार आ रहा हो। जब वह रॉन और हर्माइनी के सामने बैठा, तो उसने सामने वाली खिड़की में अपनी झलक देखी। उसका चेहरा बहुत सफ़ेद था और उसका निशान पहले से ज़्यादा स्पष्ट दिख रहा था।

'कैसा रहा ?' हर्माइनी ने फुसफुसाकर पूछा और फिर थोड़ी चिंतित होकर आगे बोली, 'तुम ठीक तो हो, हैरी ?'

'हाँ ... अच्छा हूँ ... क्या पता,' हैरी ने बेचैनी से कहा और आह भरने लगा, क्योंकि एक बार फिर उसके निशान में दर्द की लहर उठी थी। 'सुनो ... मुझे अभी-अभी एक बात पता चली ...'

उसने उन्हें वह सब कुछ बता दिया, जो उसने अभी-अभी देखा था और यह भी कि वह किस नतीजे पर पहुँचा था।

'तो ... तो तुम कह रहे हो ...' रॉन फुसफुसाया, जब मैडम पिन्स पास से तेज़ी से चूँ-चूँ करती गईं, 'कि हथियार – वह चीज़ जिसके पीछे तुम-जानते-हो-कौन

पड़ा है – जादू मंत्रालय में है?'

हैरी फुसफुसाया, 'रहस्य विभाग में। इसे वहाँ होना ही चाहिए। जब तुम्हारे डैडी सुनवाई के वक़्त मुझे अदालत ले जा रहे थे, तो मैंने वह दरवाज़ा देखा था। और यह निश्चित रूप से वही दरवाज़ा है, जिसकी रखवाली करते समय उन्हें साँप ने काटा था।'

हर्माइनी ने एक लंबी, धीमी आह भरी।

उसने कहा, 'ज़ाहिर है।'

'क्या ज़ाहिर है?' रॉन ने थोड़ी अधीरता से पूछा।

'रॉन, इसके बारे में सोचो ... स्टर्गिस पोडमोर जादू मंत्रालय में एक दरवाज़े के भीतर घुसने की कोशिश कर रहा था ... यह वही दरवाज़ा होगा! इतनी सारी बातें संयोग से नहीं हो सकतीं!

रॉन ने पूछा, 'ऐसा क्यों हुआ कि स्टर्गिस हमारी तरफ़ होने के बावजूद अंदर घुसने की कोशिश कर रहा था?'

'क्या पता,' हर्माइनी ने कहा। 'यह थोड़ा अजीब है ...'

हैरी ने रॉन से पूछा, 'तो रहस्य विभाग में क्या है? क्या तुम्हारे डैडी ने कभी इसका ज़िक्र किया है?'

रॉन ने त्योरियाँ चढ़ाते हुए कहा, 'मैं तो बस इतना जानता हूँ कि वहाँ पर काम करने वालों को "चुप्पा" कहा जाता है, क्योंकि कोई भी दरअसल यह नहीं जानता है कि वे क्या करते हैं। हथियार रखने के लिए बड़ी अजीब जगह है।'

हर्माइनी बोली, 'यह बिलकुल भी अजीब नहीं है, यह तो आदर्श जगह है। मुझे लगता है कि मंत्रालय कोई बहुत ख़ुफ़िया चीज़ विकसित कर रहा होगा ... हैरी, तुम ठीक तो हो?'

क्योंकि हैरी ने अभी-अभी अपने दोनों हाथ माथे पर इस तरह फेरे थे, जैसे उस पर प्रेस करने की कोशिश कर रहा हो।

हैरी ने अपने काँपते हुए हाथ नीचे कर लिए और बोला, 'हाँ, लेकिन मुझे ... मुझे गुप्तविद्या ज़्यादा पसंद नहीं आई।'

हर्माइनी ने सहानुभूति से कहा, 'मुझे लगता है कि अगर किसी के दिमाग़ पर बार-बार हमला किया जाए, तो वह हिल जाएगा। देखो, अब हमें हॉल में चलना चाहिए। हम वहाँ थोड़े ज़्यादा आरामदेह रहेंगे।'

लेकिन हॉल में हँसी और रोमांच की चीख़ें भरी हुई थीं। फ़्रेड और जॉर्ज वहाँ पर अपनी जोक शॉप के नए-नवेले सामान की नुमाइश कर रहे थे।

'सिरविहीन हैट!' जॉर्ज चिल्लाया, जब फ्रेड ने विद्यार्थियों को एक नुकीला हैट दिखाया, जो मुलायम गुलाबी पंखों से सज़ा था। 'क़ीमत सिर्फ़ दो गैलियन! फ्रेड को देखो, अभी!'

फ्रेड ने मुस्कराते हुए हैट अपने सिर पर लगाया। एक पल के लिए वह मूर्ख दिखा, फिर हैट और सिर दोनों ही ग़ायब हो गए।

कई लड़कियों की चीख़ निकल गई, लेकिन बाक़ी विद्यार्थी हँसी के मारे दोहरे हो गए।

जॉर्ज चिल्लाया, 'और अब दोबारा नीचे!' फ्रेड के हाथ ने एक पल के लिए अपने कंधे के ऊपर हवा में कुछ टटोला। फिर जब उसने वहाँ से गुलाबी पंखों वाला हैट हटा लिया, तो उसका सिर दोबारा दिखने लगा।

हर्माइनी ने अपने होमवर्क से नज़रें हटाकर फ्रेड और जॉर्ज को ग़ौर से देखा। फिर वह हैरी से बोली, 'ये हैट कैसे काम करते हैं? मेरा मतलब है, स्पष्ट है कि यह किसी तरह का अदृश्य जादू है, लेकिन यह बहुत चतुराई भरा है कि अदृश्यता के क्षेत्र को सम्मोहित वस्तु की सीमा से आगे तक बढ़ा दिया जाए ... मुझे लगता है कि यह सम्मोहन ज़्यादा समय तक नहीं चल पाएगा।'

हैरी ने जवाब नहीं दिया। उसका जी मचल रहा था।

हैरी ने जिन पुस्तकों को अभी-अभी निकाला था, उन्हें वापस अपने बैग में रखते हुए बोला, 'मैं इसे कल करूँगा!'

हर्माइनी ने उत्साह बढ़ाते हुए कहा, 'अच्छा, तो इसे अपने होमवर्क प्लानर में लिख लो! ताकि तुम इसे भूल न जाओ!'

हैरी और रॉन ने एक-दूसरे की तरफ़ देखा। फिर हैरी ने अपने बैग में से प्लानर निकाला।

जब हैरी ने उसमें अंबरिज के होमवर्क को लिखा, तो प्लानर ने उसे झिड़क दिया, '*इसे बाद के लिए मत छोड़ो, मूर्ख लड़के!*' हर्माइनी इसकी तरफ़ देखकर मुस्कराई।

'मैं सोने जा रहा हूँ,' हैरी ने होमवर्क प्लानर को अपने बैग में ठूँसते हुए कहा। वह सोच रहा था कि पहला मौक़ा मिलते ही वह इस प्लानर को आग में फेंक देगा।

हॉल के पार जाते समय वह जॉर्ज से बचा, जिसने उसके सिर पर सिरविहीन टोपी रखने की कोशिश की। फिर वह लड़कों के कमरों की तरफ़ जाने वाली सीढ़ियों की शांति और ठंडक में पहुँच गया। उसका जी दोबारा मचल रहा था, जैसा उस रात को हुआ था, जब उसने साँप का सपना देखा था। लेकिन

उसने सोचा कि कुछ देर लेटने के बाद वह बिलकुल ठीक हो जाएगा।

उसने अपने कमरे का दरवाज़ा खोला। अभी उसने भीतर एक क़दम रखा था, तभी उसे इतना तेज़ दर्द हुआ, जैसे किसी ने उसके सिर के ऊपरी हिस्से के दो टुकड़े कर दिए हों। वह नहीं जानता था कि वह कहाँ था, वह खड़ा था या लेटा था, उसे तो अपना नाम तक याद नहीं था।

उसके कानों में पागलों जैसी हँसी गूँज रही थी ... वह आज जितना ख़ुश था, उतना काफ़ी समय से नहीं हुआ था ... उल्लासपूर्ण, अति प्रसन्न, विजयी ... एक बहुत, बहुत अद्भुत घटना हो गई थी ...

'हैरी? **हैरी?**'

किसी ने उसके चेहरे पर चाँटा मारा। पागलों जैसी हँसी में दर्द की चिल्लाहट जुड़ गई। ख़ुशी अब दूर जा रही थी, हँसी अब भी चल रही थी ...

उसने अपनी आँखें खोलीं और ऐसा करने के बाद उसे एहसास हुआ कि वह जंगली हँसी उसी के मुँह से निकल रही थी। जिस पल उसे इस बात का एहसास हुआ, हँसी ग़ायब हो गई। हैरी फ़र्श पर हाँफता हुआ पड़ा रहा और छत को घूरता रहा। उसके माथे का निशान बुरी तरह दुख रहा था। रॉन बहुत चिंतित दिखता हुआ उसके ऊपर झुक गया।

उसने पूछा, 'क्या हुआ?'

'क्या ... पता ...' हैरी ने हाँफते हुए और बैठते हुए कहा। 'वह सचमुच ख़ुश है ... सचमुच ख़ुश ...'

'तुम-जानते-हो-कौन?'

'कोई अच्छी बात हुई है,' हैरी बड़बड़ाया। वह उतनी ही बुरी तरह काँप रहा था, जितना मिस्टर वीज़्ली पर साँप के हमले को देखने के बाद काँपा था और उसका उल्टी करने का बहुत ज़्यादा मन कर रहा था। 'कोई ऐसी घटना हो गई है, जिसकी उसे उम्मीद थी।'

ये शब्द उसी तरह आए, जिस तरह गरुड़द्वार के चेंजिंग रूम में आए थे। ऐसा लग रहा था, जैसे हैरी के मुँह से कोई अजनबी बोल रहा हो, लेकिन वह जानता था कि यह सच था। उसने गहरी साँसें लीं और अपनी इच्छा को दृढ़ किया कि वह रॉन पर उल्टी नहीं करेगा। उसे बहुत ख़ुशी थी कि डीन और सीमस इस बार उसकी हालत देखने के लिए मौजूद नहीं थे।

'हर्माइनी ने मुझसे कहा था कि मैं आकर तुम्हें देख लूँ,' रॉन ने धीमी आवाज़ में कहा और हैरी को उठाया। 'उसने कहा था कि तुम्हारी मानसिक हालत इस समय बहुत कमज़ोर होगी, क्योंकि स्नेप तुम्हारे मस्तिष्क के साथ

छेड़छाड़ कर रहे थे ... फिर भी, मुझे लगता है कि आगे चलकर इससे मदद मिलेगी, है ना?'

उसने हैरी की तरफ़ संदेह से देखा और पलंग तक जाने में उसकी मदद की। हैरी ने बिना किसी विश्वास के सिर हिलाया और अपने तकिए पर गिर गया। उस शाम को बार-बार गिरने की वजह से उसका पूरा शरीर दुख रहा था और उसका निशान टीस मार रहा था। वह यह एहसास किए बिना नहीं रह सका कि गुप्तविद्या के पहले अभ्यास के बाद उसके मस्तिष्क का प्रतिरोध मज़बूत होने के बजाय कमज़ोर हो गया था। फिर उसने दहशत से सोचा कि आख़िर ऐसा क्या हो गया था, जिसकी वजह से लॉर्ड वोल्डेमॉर्ट चौदह सालों में सबसे ज़्यादा ख़ुश हुआ था।

अध्याय पच्चीस

रीटा स्कीटर

अगली सुबह हैरी को अपने सवाल का जवाब मिल गया। जब हर्माइनी ने अपने *दैनिक जादूगर* को खोलकर पहले पन्ने पर नज़र डाली, तो उसकी चीख़ निकल गई, जिससे आस-पास बैठे विद्यार्थी उसे घूरने लगे।

हैरी और रॉन ने एक साथ पूछा, 'क्या हुआ ?'

जवाब में उसने टेबल पर अख़बार फैला दिया और दस ब्लैक एंड व्हाइट फ़ोटोग्राफ़्स की तरफ़ इशारा किया, जिनसे पूरा पेज भरा हुआ था। उनमें से नौ जादूगर थे और दसवीं जादूगरनी थी। तस्वीरों में कुछ जादूगर व्यंग्य से मुस्करा रहे थे। बाक़ी घमंड से अपनी उँगलियाँ फ्रेम पर ठोंक रहे थे। हर फ़ोटो के नीचे जादूगर का नाम और अपराध लिखा था, जिसके लिए उसे अज़्काबान भेजा गया था।

एंटोनिन डोलोहोव! इस नाम के ऊपर एक लंबे, पीले, मुड़े हुए चेहरे वाले जादूगर का फ़ोटो था, जो व्यंग्यात्मक तरीक़े से हैरी की तरफ़ देख रहा था। उसके नीचे लिखा था, *गिडियन और फ़ेबियन प्रुएट की नृशंस हत्या के लिए क़ैद।*

एल्गरनॉन रुकवुड! इस नाम के ऊपर चेचक के दाग़ और चिपचिपे बालों वाले एक जादूगर का फ़ोटो था, जो अपने फ्रेम के किनारे से टिका हुआ था तथा ऊबा हुआ दिख रहा था। उसके नीचे लिखा था, *तुम-जानते-हो-कौन को जादू मंत्रालय के रहस्य बताने के लिए क़ैद।*

लेकिन हैरी की निगाह जादूगरनी के फ़ोटो की तरफ़ खिंची चली गई। जैसे ही उसने पन्ने को देखा, जादूगरनी का चेहरा उसी पल उसके सामने उभर आया। उसके लंबे काले बाल फ़ोटो में बिखरे हुए और रूखे दिख रहे थे, हालाँकि हैरी ने जब उसे पहले देखा था, तो वे चिकने, मोटे और चमकदार थे। उसने अपनी भारी पलकों वाली आँखों से हैरी को ग़ुस्से से देखा और उसके पतले मुँह

के चारों तरफ़ एक अक्खड़, तिरस्कार भरी मुस्कान तैर गई। सिरियस की तरह ही यहाँ भी बहुत अच्छे चेहरे के अवशेष दिख रहे थे, लेकिन किसी चीज़ ने - शायद अज़्काबान ने - उसकी ज़्यादातर सुंदरता छीन ली थी।

बेलाट्रिक्स लेस्ट्रेंज, फ़्रैंक और एलिस लॉंगबॉटम को यातना देने तथा उन्हें स्थायी रूप से अक्षम करने के लिए क़ैद।

हर्माइनी ने हैरी को कोहनी मारी और फ़ोटोग्राफ़्स के ऊपर लिखी हेडलाइन की तरफ़ इशारा किया। बेलाट्रिक्स पर ध्यान केंद्रित होने के कारण हैरी अब तक उस हेडलाइन को नहीं पढ़ पाया था।

अज़्काबान जेल से सामूहिक फ़रारी
मंत्रालय को अंदेशा है कि ब्लैक फ़रार प्राणभक्षियों का 'प्रेरणास्रोत' है

'ब्लैक?' हैरी ने ज़ोर से कहा। 'नहीं - ?'

'श्श्श!' हर्माइनी ने हताशा से फुसफुसाया। 'इतनी ज़ोर से नहीं - इसे पढ़ तो लो!'

जादू मंत्रालय ने कल देर रात यह ख़बर दी कि अज़्काबान से कई क़ैदी एक साथ फ़रार हो गए हैं।

जादू मंत्री कॉर्नेलियस फ़ज ने अपने प्राइवेट ऑफ़िस में पत्रकारों से बातचीत में इस बात की पुष्टि की कि दस अति-सुरक्षा वाले क़ैदी कल शाम को अज़्काबान से भाग निकले हैं। इन क़ैदियों के ख़तरनाक रिकॉर्ड के बारे में वे मगलू प्रधानमंत्री को जानकारी दे चुके हैं।

फ़ज ने कल रात को कहा, 'बहुत दुर्भाग्यपूर्ण है कि हम ढाई साल पहले की ही स्थिति में आ गए हैं, जब हत्यारा सिरियस ब्लैक फ़रार हो गया था। हम ऐसा मानते हैं कि फ़रार होने की ये दोनों घटनाएँ जुड़ी हुई हैं। इतने बड़े पैमाने पर हुई फ़रारी में बाहरी मदद की आशंका से इंकार नहीं किया जा सकता। हमें यह नहीं भूलना चाहिए कि ब्लैक अज़्काबान से भागने वाला पहला क़ैदी था और वह इस काम में दूसरों की मदद कर सकता है। फ़रार होने वालों में ब्लैक की कज़िन बेलाट्रिक्स लेस्ट्रेंज भी शामिल है और हमें लगता है कि ये अपराधी ब्लैक को अपना लीडर मानते होंगे। बहरहाल, हम अपराधियों को पकड़ने के लिए एड़ी-चोटी

का ज़ोर लगा रहे हैं और जादुई समुदाय से चौकस तथा सावधान रहने का आग्रह करते हैं। किसी भी स्थिति में इन अपराधियों से कोई संपर्क नहीं किया जाना चाहिए।'

रॉन ने आश्चर्य से कहा, 'देखा हैरी, इसीलिए वह कल रात को ख़ुश था।'

हैरी गुर्राया, 'मुझे यक़ीन नहीं होता है कि फ़ज इस सामूहिक फ़रारी के लिए *सिरियस* पर दोष मढ़ रहे हैं?'

'उनके पास और रास्ता भी क्या है?' हर्माइनी ने कटुता से कहा। 'वे यह तो कह नहीं सकते, "माफ़ करना, डम्बलडोर ने मुझे चेतावनी दी थी कि ऐसा हो सकता है। डम्बलडोर ने कहा था कि अज़्काबान के पहरेदार लॉर्ड वोल्डेमॉर्ट के दल में शामिल हो सकते हैं ..." – *इस नाम से डरना* छोड़ो, रॉन – "और अब वोल्डेमॉर्ट के सबसे प्रबल समर्थक भी भाग गए हैं।" मेरा मतलब है, फ़ज पिछले छह महीनों से सबको बता रहे हैं कि तुम और डम्बलडोर झूठे हो, है ना?'

हर्माइनी ने अख़बार पलटा और अंदर के पन्ने की रिपोर्ट पढ़ने लगी, जबकि हैरी बड़े हॉल में चारों तरफ़ देखने लगा। वह यह नहीं समझ पाया कि उसके साथी विद्यार्थी भयभीत क्यों नहीं हैं या कम से कम पहले पन्ने पर छपी भयंकर ख़बर पर बातचीत क्यों नहीं कर रहे हैं। इसका कारण यह था कि बहुत कम विद्यार्थी हर्माइनी की तरह हर दिन अख़बार लेते थे। इसीलिए वे सभी होमवर्क और क्विडिच जैसी चीज़ों के बारे में बातें कर रहे थे, जबकि इन दीवारों के बाहर दस और प्राणभक्षी वोल्डेमॉर्ट के दल में शामिल हो चुके थे।

उसने स्टाफ़ टेबल पर नज़र डाली। वहाँ पर कहानी अलग थी : डम्बलडोर प्रोफ़ेसर मैक्गॉनेगल के साथ गहरी चर्चा में डूबे हुए थे और बहुत गंभीर दिख रहे थे। प्रोफ़ेसर स्प्राउट *दैनिक जादूगर को* केचप की बोतल से टिकाकर पहले पन्ने को इतनी तल्लीनता से पढ़ रही थीं कि उनका ध्यान इस तरफ़ नहीं गया कि उनकी स्थिर चम्मच से अंडे का पीला हिस्सा धीरे-धीरे उनकी गोद में टपक रहा था। इस दौरान टेबल के दूसरे सिरे पर प्रोफ़ेसर अंबरिज दलिया खाने में जुटी थीं। आज उनकी मेंढकी जैसी बाहर निकलती आँखें बड़े हॉल में ग़लत व्यवहार करते विद्यार्थियों को नहीं खोज रही थीं। दलिया निगलते समय उनकी त्योरियाँ चढ़ी हुई थीं और बीच-बीच में वे उस तरफ़ दुष्ट दृष्टि डाल देती थीं, जहाँ डम्बलडोर और मैक्गॉनेगल तल्लीनता से बातें कर रहे थे।

'ओह, ओह –' हर्माइनी ने अख़बार को घूरते हुए कहा।

'अब क्या हुआ?' हैरी ने जल्दी से पूछा। वह आशंकित महसूस कर रहा था।

'यह तो ... भयंकर है,' हर्माइनी ने कहा। वह बहुत सदमे में दिख रही थी। उसने अख़बार के दस नंबर पेज को मोड़कर हैरी तथा रॉन को दे दिया।

जादू मंत्रालय के कर्मचारी की दुखद मृत्यु

सेंट मंगोज़ अस्पताल में कल जादू मंत्रालय के कर्मचारी 49 वर्षीय ब्रोडरिक बोड का निधन हो गया। वे अपने पलंग पर मृत पाए गए। एक गमले में लगे पौधे ने उनका गला घोंट दिया था। घटनास्थल पर पहुँचे उपचारक मिस्टर बोड को दोबारा जीवित नहीं कर पाए, जो अपनी मृत्यु के कुछ सप्ताह पहले ऑफ़िस में हुए एक हादसे में घायल हो गए थे। अस्पताल ने इस घटना की पूरी जाँच के आदेश दे दिए हैं।

उपचारक मिरियम स्ट्राउट घटना के वक़्त मिस्टर बोड के वार्ड की प्रभारी थीं और उन्हें पूरी तनख़्वाह के साथ निलंबित कर दिया गया है। वे कल टिप्पणी के लिए उपलब्ध नहीं हो सकीं, लेकिन अस्पताल के एक जादूगर प्रवक्ता ने यह बयान दिया :

'सेंट मंगोज़ को मिस्टर बोड की मृत्यु पर गहरा अफ़सोस है, जिनकी सेहत इस दुखद घटना से पहले लगातार सुधर रही थी।

'वार्डों की सजावट के बारे में हम सख़्त निर्देशों का पालन करते हैं, लेकिन ऐसा लगता है कि उपचारक स्ट्राउट ने क्रिसमस की व्यस्तता के चलते मिस्टर बोड के पलंग के पास वाली टेबल पर रखे पौधे के ख़तरों को नज़रअंदाज़ कर दिया। जब मिस्टर बोड के बोलने और हिलने-डुलने में सुधार हुआ, तो उपचारक स्ट्राउट ने उन्हें प्रोत्साहित किया कि वे उस पौधे की देखभाल ख़ुद करें। उन्हें यह एहसास नहीं था कि यह पौधा मासूम फ़्लिटरब्लूम नहीं था, बल्कि लड़ाकू पेड़ की क़लम थी। जैसे ही मिस्टर बोड ने उसे छुआ, उसने तत्काल उनका गला दबा दिया।

'सेंट मंगोज़ अब तक यह पता नहीं लगा पाया है कि वार्ड में उस पौधे को किसने पहुँचाया। जादूगर समुदाय से आग्रह है कि अगर किसी को इस बारे में कोई जानकारी हो, तो वे मदद के लिए आगे आएँ।'

'बोड ...' रॉन ने कहा। 'बोड। इस नाम से एक घंटी जैसी बजती है ...'

'हमने उसे देखा था।' हर्माइनी फुसफुसाई। 'सेंट मंगोज़ में, याद है? वह

लॉकहार्ट के सामने वाले पलंग पर था और छत की तरफ़ घूरे जा रहा था। और हमने लड़ाकू पेड़ को भी कमरे में आते देखा था। उपचारक ने कहा था कि यह क्रिसमस का तोहफ़ा था।'

हैरी ने दोबारा ख़बर की तरफ़ देखा। उसके गले में दहशत की भावना उठ रही थी।

'ऐसा कैसे हुआ कि हम लड़ाकू पेड़ को नहीं पहचान पाए? हमने इसे पहले भी देखा था ... हम इस घटना को रोक सकते थे।'

रॉन तीखी आवाज़ में बोला, 'किसे उम्मीद थी कि लड़ाकू पेड़ गमले के पौधे के रूप में छिपकर अस्पताल में आ जाएगा? यह हमारी ग़लती नहीं है! जिसने भी उसे वह पौधा भिजवाया था, ग़लती तो उसी की है! वह सचमुच मूर्ख होगा, जिसने इतनी भी जाँच नहीं की कि वह क्या ख़रीद रहा था?'

'ओह, छोड़ो भी, रॉन!' हर्माइनी ने हिलते हुए कहा। 'मुझे नहीं लगता कि कोई लड़ाकू पेड़ को गमले में लगा देगा और उसे यह एहसास नहीं होगा कि यह उसे छूने वाले व्यक्ति को मारने की कोशिश करेगा? यह – यह तो हत्या है ... बहुत ही चतुराई से की गई हत्या ... अगर पौधे को किसी ग़ुमनाम तरीक़े से भेजा गया था, तो कैसे पता चल पाएगा कि यह काम किसने किया था?'

हैरी लड़ाकू पेड़ के बारे में नहीं सोच रहा था। वह तो उस दिन को याद कर रहा था, जब वह सुनवाई वाले दिन मंत्रालय में नवें गलियारे तक लिफ़्ट से नीचे जा रहा था और एक पीले चेहरे वाला आदमी एट्रियम से अंदर आया था।

उसने धीरे से कहा, 'मैं बोड से मिला था। मैंने उन्हें मंत्रालय में तुम्हारे डैडी के साथ देखा था।'

रॉन का मुँह खुला रह गया।

'मैंने डैडी के मुँह से उनके बारे में सुना था! वे चुप्पे थे – रहस्य विभाग में काम करते थे!'

उन्होंने एक पल के लिए एक-दूसरे की तरफ़ देखा। हर्माइनी ने अख़बार अपनी तरफ़ खींचकर बंद किया, एक पल के लिए सामने के पन्ने पर दस भगोड़े प्राणभक्षियों के फ़ोटोग्राफ़्स को ग़ुस्से से घूरा और फिर उछलकर खड़ी हो गई।

रॉन ने हैरानी से कहा, 'तुम कहाँ चल दीं?'

'एक चिट्ठी भेजने,' हर्माइनी ने अपने बैग को कंधे पर लटकाते हुए कहा। 'यह ... अच्छा, मैं नहीं जानती कि ... लेकिन यह कोशिश करनी ही चाहिए ... और यह काम मैं ही कर सकती हूँ।'

'उसकी इसी हरकत से बहुत *चिढ़* होती है,' रॉन बड़बड़ाया, जब वह और

हैरी टेबल से उठकर बड़े हॉल से बाहर निकलने लगे। 'वह क्या करने वाली है, यह बताने से वह मर तो नहीं जाएगी? इसमें उसे बस दस सेकंड ही तो लगेंगे – अरे, हैग्रिड!'

हैग्रिड प्रवेश हॉल के दरवाज़े के पास खड़ा था और चीलघात के विद्यार्थियों की भीड़ के निकलने का इंतज़ार कर रहा था। अब भी वह उतनी ही बुरी तरह घायल था, जितना कि दानवों के पास से लौटकर आने वाले दिन था। आज उसकी नाक पर एक नया घाव था।

'तुम दोनों ठीक हो?' हैग्रिड ने मुस्कराने की कोशिश करते हुए पूछा, लेकिन उसके चेहरे पर दर्द भरा भाव उभर आया।

'तुम ठीक हो, हैग्रिड?' हैरी ने पूछा और उसके पीछे-पीछे चल दिया, जब हैग्रिड चीलघात के विद्यार्थियों के पीछे चलने लगा।

'ठीक हैं, ठीक हैं,' हैग्रिड ने हवाई अंदाज़ में कहा। उसने एक हाथ लहराया, जिससे पास से निकल रहे प्रोफ़ेसर वेक्टर डर गए, क्योंकि उनका सिर बाल-बाल बच गया था। 'बस व्यस्त थे। हमेशा के काम – पढ़ाई की तैयारी – सैलेमेंडर्स की खाल सड़ रही थी – और हम प्रोबेशन पर हैं,' वह बुदबुदाया।

'*तुम प्रोबेशन पर हो?*' रॉन ने बहुत ज़ोर से कहा, जिससे पास से गुज़र रहे कई विद्यार्थी जिज्ञासा से उधर देखने लगे। रॉन फुसफुसाया, 'माफ़ करना – मेरा मतलब है – तुम प्रोबेशन पर हो?'

'हाँ,' हैग्रिड ने कहा। 'सच कहें, तो हमें यही उम्मीद थी। तुम लोगों ने शायद ध्यान नहीं दिया होगा, लेकिन हम जानते हैं कि इंस्पेक्शन बहुत अच्छा नहीं रहा था ... ख़ैर,' उसने गहरी आह भरी। 'अच्छा रहेगा कि हम जाकर उन सैलेमेंडर्स पर थोड़ा मिर्ची का पाउडर मल दें, वरना उनकी पूँछें लटक जाएँगी। मिलते हैं, हैरी ... रॉन ...'

वह सामने के दरवाज़े से निकला और पत्थर की सीढ़ियाँ उतरकर नम मैदान की तरफ़ चला गया। हैरी उसे जाते हुए देखता रहा और यह सोचता रहा कि उसे जाने कितनी बुरी ख़बरें झेलनी पड़ेंगी।

*

हैग्रिड प्रोबेशन पर था, यह बात अगले कुछ दिनों में पूरे स्कूल को पता चल गई। हैरी इस बात पर नाराज़ था कि कोई भी इससे परेशान नहीं दिख रहा था। दरअसल कुछ विद्यार्थी तो बहुत ही ख़ुश दिख रहे थे, जिनमें ड्रेको मैल्फ़ॉय का नाम सबसे ऊपर था। जहाँ तक सेंट मंगोज़ में रहस्य विभाग के कर्मचारी की असामान्य मौत का सवाल था, सिर्फ़ हैरी, रॉन और हर्माइनी ही इस बारे में

जानते थे या परवाह करते थे। गलियारों में अब बातचीत का सिर्फ़ एक ही विषय था : दस फ़रार प्राणभक्षी, जिनकी कहानी अख़बार पढ़ने वाले कुछ विद्यार्थियों के माध्यम से आख़िरकार पूरे स्कूल में फैल गई थी। इस तरह की अफ़वाहें फैल रही थीं कि कुछ फ़रार क़ैदी हॉग्समीड में दिखे हैं, कि वे चीख़ती हवेली में छिपे हुए हैं और हॉगवर्ट्स में घुसने वाले हैं, जैसा सिरियस ब्लैक ने एक बार किया था।

जादूगर परिवारों के बच्चे इन प्राणभक्षियों का नाम बचपन से सुनते आ रहे थे। इनका नाम वोल्डेमॉर्ट जितनी ही दहशत से लिया जाता था। वोल्डेमॉर्ट की दहशत के युग में उन्होंने जो ज़ुर्म किए थे, वे बहुत संगीन थे। उन्होंने हॉगवर्ट्स के कई विद्यार्थियों के रिश्तेदारों को मार डाला था। गलियारों में चलते समय इन विद्यार्थियों को अब दिलचस्पी से देखा जाने लगा था, हालाँकि वे इसे पसंद नहीं करते थे। सूज़न बोन्स के अंकल, आंटी और कज़िन को इन्हीं दस अपराधियों में से एक ने मारा था। उसने एक दिन जड़ी-बूटी विज्ञान की क्लास में दुखी होकर कहा कि उसे अब समझ में आ रहा था कि हैरी को कैसा महसूस होता होगा।

'मैं नहीं जानती कि तुम इसे कैसे झेल लेते हो - यह भयंकर है,' उसने साफ़-साफ़ कह दिया और अपने स्क्रीचस्नेप के बीजों की ट्रे पर बहुत ज़्यादा ड्रैगन खाद डाल दी, जिससे वे बेचैन होकर कसमसाने और चिल्लाने लगे।

यह सच था कि इन दिनों विद्यार्थी गलियारों में हैरी की तरफ़ देखकर कुछ ज़्यादा ही बातचीत और इशारे कर रहे थे, बहरहाल इन कानाफूसियों के अंदाज़ में थोड़ा फ़र्क़ था। वे अब शत्रुतापूर्ण नहीं, बल्कि जिज्ञासापूर्ण थीं। एक-दो बार उसने बातचीत के जो अंश सुने, उससे उसे यह पता चला कि विद्यार्थी *दैनिक जादूगर* में छपे स्पष्टीकरण से संतुष्ट नहीं थे कि दस प्राणभक्षी अज़्काबान की क़ैद से कैसे और क्यों भागे थे। दुविधा तथा डर के कारण उन्हें शंका होने लगी थी। अब वे मानने लगे थे कि हैरी और डम्बलडोर पिछले साल से जो बता रहे थे, शायद वही सच है।

सिर्फ़ विद्यार्थियों की ही मनोदशा में बदलाव नहीं हुआ था। यह बहुत सामान्य बात हो गई थी कि दो-तीन टीचर्स गलियारों में धीरे-धीरे महत्वपूर्ण बातचीत में मशगूल नज़र आते थे। जैसे ही वे विद्यार्थियों को आते देखते थे, वे चुप हो जाते थे।

'ज़ाहिर है, वे अब स्टाफ़ रूम में खुलकर बात नहीं कर सकते, वहाँ पर अंबरिज जो हैं,' हर्माइनी ने धीमी आवाज़ में कहा, जब वह, हैरी और रॉन एक दिन प्रोफ़ेसर मैक्गॉनेगल, फ़्लिटविक और स्प्राउट के पास से गुज़रे, जो सम्मोहन

के क्लासरूम के बाहर खड़े होकर बातें कर रहे थे।

रॉन ने तीनों टीचर्स को मुड़कर देखते हुए कहा, 'लगता है, उन्हें कोई नई बात पता चली है!'

'अगर उन्हें पता चली भी है, तो भी वे हमें नहीं बताएँगे, है ना?' हैरी ने ग़ुस्से से कहा। 'उस आदेश के बाद तो नहीं ... जिसका नंबर जाने क्या है?' अज़्काबान से क़ैदियों के भागने की ख़बर के बाद वाली सुबह को हाउसों के नोटिसबोर्ड पर नए नोटिस लग गए थे :

हॉगवर्ट्स की सर्वोच्च प्रशासक के आदेश से

सभी टीचर्स को प्रतिबंधित किया जाता है कि वे विद्यार्थियों को ऐसी कोई जानकारी नहीं देंगे, जो उनके विषय से संबंधित न हो।

यह शैक्षणिक क़ानून क्रमांक छब्बीस के अनुपालन में है।

हस्ताक्षर : डोलोरेस जेन अंबरिज, सर्वोच्च प्रशासक

इस आदेश का विद्यार्थियों ने ख़ूब मज़ाक़ उड़ाया। ली जॉर्डन ने अंबरिज का ध्यान इस ओर दिलाया कि नए नियम की शर्त के अनुसार वे फ्रेड और जॉर्ज को क्लास के पीछे बैठकर एक्सप्लोडिंग स्नैप खेलने से नहीं रोक सकती हैं।

'एक्सप्लोडिंग स्नैप का गुप्त कलाओं से रक्षा से कोई संबंध नहीं है, प्रोफ़ेसर! यह आपके विषय से संबंधित जानकारी नहीं है!'

जब हैरी ने अगली बार ली को देखा, तो उसके हाथ के पिछले हिस्से से बुरी तरह ख़ून बह रहा था। हैरी ने उसे मर्टलेप काढ़े का मरहम लगाने का सुझाव दे दिया।

हैरी को लगा था कि अज़्काबान से क़ैदियों के भागने के बाद अंबरिज थोड़ी ढीली पड़ जाएँगी। उसे लग रहा था कि उन्हें इस भयंकर घटना पर शर्म आएगी, जो उनके चहेते फ़ज की नाक के नीचे हुई थी। लेकिन ऐसा लग रहा था, जैसे इससे उनकी यह इच्छा और प्रबल हो गई थी कि वे पूरे हॉगवर्ट्स पर नियंत्रण कर लें। लग रहा था, जैसे वे कम से कम एक टीचर को निकालने का संकल्प कर चुकी थीं। अब इकलौता सवाल यह था कि पहले कौन जाएगा, प्रोफ़ेसर ट्रिलोनी या हैग्रिड?

ज्योतिष और जादुई प्राणियों की देखभाल की हर क्लास में अंबरिज और उनका क्लिपबोर्ड दिखने लगा। वे मीनार के ख़ुशबूदार धुएँ के बीच आग के आस-पास मँडराती रहती थीं और बीच-बीच में प्रोफ़ेसर ट्रिलोनी को टोकती

रहती थीं। वे प्रोफ़ेसर ट्रिलोनी की आवेशपूर्ण बातों के बीच में उनसे पक्षीविज्ञान और पशुविज्ञान के बारे में मुश्किल सवाल पूछने लगती थीं। वे तो इस बात पर भी ज़ोर देती थीं कि विद्यार्थियों के जवाब देने से पहले ही वे उनके जवाबों के बारे में भविष्यवाणी करें। वे प्रोफ़ेसर ट्रिलोनी से भाग्य दर्पण, चाय की पत्तियों और करामाती पत्थरों में अपनी निपुणता साबित करने को कहती थीं। हैरी को लग रहा था कि प्रोफ़ेसर ट्रिलोनी इतने दबाव से जल्दी ही टूट जाएँगी। उसने गलियारे में उन्हें कई बार देखा था - यह अपने आप में बहुत असामान्य घटना थी, क्योंकि वे आम तौर पर अपने मीनार वाले कमरे में ही रहती थीं। वे बुरी तरह बड़बड़ाती रहती थीं, अपने हाथ मलते हुए मुड़-मुड़कर दहशत से देखती थीं और उनके पास से कुकिंग शेरी की ज़ोरदार बदबू आती थी। अगर हैरी हैग्रिड के बारे में इतना चिंतित नहीं होता, तो उसे उनकी हालत पर अफ़सोस होता - लेकिन अगर उनमें से किसी एक को नौकरी से निकाला जाने वाला था, तो हैरी की राय स्पष्ट थी कि हॉगवर्ट्स में किसे रहना चाहिए।

दुर्भाग्य से हैग्रिड का प्रदर्शन भी ट्रिलोनी से बेहतर नहीं था। हालाँकि वह हर्माइनी की सलाह पर चल रहा था और क्रिसमस के पहले से उसने उन्हें क्रप से ज़्यादा डरावना कोई प्राणी नहीं दिखाया था। मुड़ी हुई पूँछ को छोड़कर यह प्राणी जैक रसेल टेरियर जैसा ही था - लेकिन उसकी हिम्मत भी जवाब दे गई थी। वह बुरी तरह विचलित था और क्लास के दौरान डरा-डरा रहता था। वह बार-बार अपनी बातों का ओर-छोर भूल जाता था। वह सवालों के ग़लत जवाब दे रहा था और हर समय अंबरिज को परेशानी से देखता रहता था। उसने हैरी, रॉन और हर्माइनी से ख़ुद को दूर कर लिया था तथा अँधेरे के बाद मिलने आने पर प्रतिबंध लगा दिया था।

उसने उनसे साफ़-साफ़ कह दिया था, 'अगर उसने तुम्हें पकड़ लिया, तो हम सभी की गर्दनें फँस जाएँगी।' वे लोग उसकी नौकरी को जोखिम में डालने वाला कोई काम नहीं करना चाहते थे, इसलिए वे शाम को उसके केबिन की तरफ़ जाने से बचते रहे।

हैरी को यह लगा कि अंबरिज धीरे-धीरे उसे हर उस चीज़ से महरूम कर रही थीं, जिनके कारण हॉगवर्ट्स में रहना मज़ेदार था : हैग्रिड के केबिन की यात्रा, सिरियस की चिट्ठियाँ, उसकी फ़ायरबोल्ट और क्विडिच। उसके पास प्रतिशोध लेने का बस एक ही तरीक़ा था - वह **डीए** में दोगुनी मेहनत करने लगा।

हैरी यह देखकर ख़ुश था कि दस प्राणभक्षियों के फ़रार होने की ख़बर के बाद सभी विद्यार्थी कड़ी मेहनत करने लगे थे - यहाँ तक कि ज़कारियस स्मिथ भी। लेकिन सबसे ज़्यादा सुधार नेविल में हुआ था। उसके माता-पिता के हमलावरों के भागने की ख़बर से उसमें एक अजीब और थोड़ा दहशत भरा

परिवर्तन हुआ था। उसने एक बार भी इस बात का ज़िक्र नहीं किया कि वह सेंट मंगोज़ के वार्ड में हैरी, रॉन और हर्माइनी से मिला था। इसलिए उसकी भावनाओं का ध्यान रखते हुए वे भी इस बारे में चुप्पी साधे रहे। न ही उसने बेलाट्रिक्स और उसके क्रूर साथियों के भागने के बारे में कुछ कहा। सच तो यह था कि नेविल **डीए** मीटिंगों में अब बहुत कम बोलता था, लेकिन वह हैरी के सिखाए हर नए मंत्र और प्रतिकारक मंत्र पर जमकर मेहनत करता था। उसका मोटा चेहरा एकाग्रता में भिंच जाता था और वह चोटों या दुर्घटनाओं की परवाह किए बिना मेहनत करता रहता था। उसमें इतनी तेज़ी से सुधार हो रहा था कि देखकर डर लगने लगता था। जब हैरी ने छुटपुट मंत्रों को हमलावर की तरफ़ पलटाने वाला कवच सम्मोहन सिखाया, तो सिर्फ़ हर्माइनी ही उसे नेविल से ज़्यादा जल्दी सीख पाई।

नेविल **डीए** की मीटिंगों में जितनी प्रगति कर रहा था, उतनी हैरी गुप्तविद्या में नहीं कर पा रहा था। स्नेप के साथ हैरी की प्रैक्टिस शुरुआत से ही बुरी थी और उसमें कोई सुधार नहीं हो रहा था। उल्टे हैरी को तो लग रहा था कि हर सबक़ के बाद उसकी हालत पहले से ज़्यादा ख़राब होती जा रही थी।

गुप्तविद्या सीखने से पहले उसका निशान कभी-कभार ही दुखता था। ऐसा आम तौर पर रात को होता था या तब होता था, जब वह वोल्डेमॉर्ट के विचारों या मनोदशा की अजीब झलक महसूस करता था। बहरहाल, अब उसका निशान हर वक़्त दुखता रहता था। अक्सर उसे अजीब सी चिढ़ या ख़ुशी का एहसास होता था, जिसका उसके साथ हो रही तात्कालिक घटनाओं से कोई संबंध नहीं होता था। ऐसे समय उसके माथे में हमेशा तेज़ दर्द होने लगता था। उसे यह भयंकर एहसास हो रहा था कि वह धीरे-धीरे एक तरह का एंटीना बन रहा था, जो वोल्डेमॉर्ट के मूड में होने वाले छोटे-छोटे परिवर्तनों को पकड़ लेता है। उसे यक़ीन था कि उसकी अति-संवेदनशीलता गुप्तविद्या के प्रशिक्षण के बाद से ही शुरू हुई है। यही नहीं, अब वह लगभग हर रात को सपने में रहस्य विभाग के गलियारे में जाने लगा था। सपनों के आख़िर में वह हमेशा उस काले दरवाज़े को हसरत से ताकता रहता था।

जब हैरी ने यह बात हर्माइनी और रॉन को बताई, तो हर्माइनी चिंतित दिखते हुए बोली, 'शायद यह किसी तरह की बीमारी है, बुखार या ऐसी ही कोई चीज़। हो सकता है यह पहले बिगड़ती हो, उसके बाद ही ठीक होती हो।'

'स्नेप के साथ गुप्तविद्या के अभ्यास से तो हालत बिगड़ रही है,' हैरी ने सपाट लहज़े में कहा। 'मैं निशान के दुखने से तंग आ गया हूँ और हर रात को उस गलियारे में चलते-चलते बोर हो गया हूँ।' उसने ग़ुस्से में आकर अपना माथा मला। 'काश वह दरवाज़ा खुल जाए। मैं उसे ताकते-ताकते परेशान हो

चुका हूँ -'

हर्माइनी ने तीखे स्वर में कहा, 'यह हँसी की बात नहीं है, हैरी। डम्बलडोर नहीं चाहते हैं कि तुम उस गलियारे के बारे में सपने देखो, वरना वे स्नेप से गुप्तविद्या नहीं सिखवाते। तुम्हें इसमें थोड़ी ज़्यादा मेहनत करनी पड़ेगी।'

'मैं मेहनत कर रहा हूँ!' हैरी ने परेशान होकर कहा। 'तुम इसे कभी करके देखो - जब स्नेप तुम्हारे दिमाग़ के भीतर घुसने की कोशिश कर रहे हों - यह छोटी-मोटी बात नहीं है!'

'शायद ...' रॉन ने धीरे से कहा।

'शायद क्या ?' हर्माइनी ने तेज़ी से पूछा।

'शायद यह हैरी की ग़लती नहीं है कि वह अपना दिमाग़ बंद नहीं कर पा रहा है,' रॉन ने रहस्यमय अंदाज़ में कहा।

हर्माइनी ने पूछा, 'तुम्हारा क्या मतलब है ?'

'देखो, शायद स्नेप हैरी की मदद करने की कोशिश नहीं कर रहे हैं ...'

हैरी और हर्माइनी उसे घूरने लगे। रॉन उनकी तरफ़ अर्थपूर्ण निगाह से देख रहा था।

'शायद,' उसने दोबारा धीमी आवाज़ में कहा, 'वे हैरी के दिमाग़ को थोड़ा और खोलने की कोशिश कर रहे हैं ... ताकि तुम-जानते-हो-कौन आसानी से-'

'चुप रहो, रॉन,' हर्माइनी ने ग़ुस्से से कहा। 'तुमने स्नेप पर पहले भी हज़ार बार शक किया है, लेकिन तुम्हारा शक *कभी* सही साबित नहीं हुआ! यह काफ़ी होना चाहिए कि डम्बलडोर को उन पर भरोसा है और वे मायापंछी के समूह में काम करते हैं।'

रॉन ने हठी अंदाज़ में कहा, 'स्नेप कभी प्राणभक्षी थे और हमें अब तक कोई पुख़्ता सबूत नहीं मिला है कि उन्होंने *सचमुच* पाला बदल लिया है।'

हर्माइनी ने जवाब दिया, 'डम्बलडोर उन पर भरोसा करते हैं, और अगर हम डम्बलडोर पर भरोसा नहीं कर सकते, तो किसी पर भी नहीं कर सकते।'

*

बहुत सारी चिंताएँ और बहुत सारे काम थे। होमवर्क अविश्वसनीय तेज़ी से बढ़ गया था। फ़िफ़्थ ईयर के विद्यार्थी अक्सर आधी रात के बाद तक होमवर्क करते रहते थे। होमवर्क के अलावा **डीए** की ख़ुफ़िया मीटिंगें और स्नेप का प्रशिक्षण था। इन सभी बातों में जनवरी बड़ी तेज़ी से गुज़र गया। हैरी को पता चल पाए, इससे पहले ही फरवरी आ गया। इसके साथ ही ज़्यादा गर्म मौसम आ गया और

उस सत्र की हॉग्समीड की दूसरी यात्रा भी। चो के सामने हॉग्समीड चलने का प्रस्ताव रखने के बाद से हैरी को चो से बातचीत करने का ज़्यादा समय नहीं मिल पाया था, लेकिन अचानक उसके सामने यह सवाल आ गया कि वह उसके साथ पूरा वैलेंटाइन डे कैसे बिताएगा।

चौदह तारीख़ की सुबह वह बड़े ध्यान से तैयार हुआ। वह और रॉन उल्लुओं के आने के समय नाश्ता करने पहुँचे। हेडविग वहाँ नहीं थी – और हैरी को उसके आने की उम्मीद भी नहीं थी। टेबल पर बैठते समय उन्होंने देखा कि हर्माइनी एक अपरिचित भूरे उल्लू की चोंच से चिट्ठी निकाल रही थी।

'समय भी हो गया था! अगर यह आज नहीं आती ...' उसने कहा और उत्सुकता से लिफ़ाफ़ा फाड़कर एक छोटा सा चर्मपत्र बाहर निकाला। उसकी आँखें तेज़ी से संदेश पर दौड़ीं और उसके चेहरे पर ख़ुशी का भाव आ गया।

उसने हैरी की तरफ़ देखते हुए कहा, 'सुनो हैरी, यह सचमुच महत्त्वपूर्ण बात है। क्या तुम मुझसे दोपहर के समय थ्री ब्रूमस्टिक्स में मिल सकते हो?'

'क्या पता,' हैरी ने अनिश्चितता से कहा। 'चो उम्मीद कर रही होगी कि मैं पूरा दिन उसके साथ बिताऊँ। हमारे बीच इस बारे में बातचीत नहीं हुई है कि हम क्या करने वाले हैं।'

'अगर लाना पड़े, तो उसे भी साथ ले आना,' हर्माइनी ने व्यग्रता से कहा। 'लेकिन तुम ज़रूर आना!'

'अच्छा ... ठीक है, लेकिन क्यों?'

'मेरे पास अभी बताने का समय नहीं है। मुझे इसका जल्दी से जवाब देना है।'

इतना कहकर वह तेज़ी से बड़े हॉल से निकल गई। उसके एक हाथ में चिट्ठी थी और दूसरे में टोस्ट का टुकड़ा था।

'तुम चल रहे हो?' हैरी ने रॉन से पूछा, लेकिन उसने उदास होकर अपना सिर हिला दिया।

'मैं हॉग्समीड बिलकुल नहीं आ सकता। एंजेलिना पूरे दिन प्रैक्टिस करवाना चाहती है। जैसे इससे कोई मदद मिलेगी। हमारी टीम जितनी बुरी है, उतनी मैंने कभी नहीं देखी। तुम्हें स्लोपर और कर्क को देखना चाहिए। वे बहुत बुरे हैं, मुझसे भी बुरे।' उसने बहुत लंबी आह भरी। 'क्या पता एंजेलिना मुझे इस्तीफ़ा क्यों नहीं देने देती है?'

हैरी ने चिढ़कर कहा, 'ऐसा इसलिए है, क्योंकि जब तुम फ़ॉर्म में होते हो, तो अच्छा खेलते हो!'

रॉन के प्रति सहानुभूति दिखाना उसके लिए बहुत मुश्किल था, क्योंकि वह मेहनतकश के ख़िलाफ़ होने वाले आगामी मैच में खेलने की कोई भी क़ीमत देने को तैयार था। रॉन हैरी की भावनाएँ समझ गया, इसलिए उसने नाश्ते के दौरान क्विडिच का दोबारा ज़िक्र नहीं किया। इसके बाद दोनों ने थोड़े ठंडेपन से एक-दूसरे से विदा ली। रॉन क्विडिच पिच की तरफ़ बढ़ गया और हैरी चाय की चम्मच के पीछे अपना प्रतिबिंब देखते हुए अपने बाल सीधे करने की कोशिश करने लगा। फिर वह चो से मिलने के लिए अकेला ही प्रवेश हॉल की तरफ़ चल दिया। वह बहुत घबरा रहा था और सोच रहा था कि वह उससे आख़िर किस विषय पर बात करेगा।

चो बलूत की लकड़ी के सामने वाले दरवाज़े के पास उसका इंतज़ार कर रही थी। वह बहुत सुंदर लग रही थी और उसके बाल एक लंबी पोनीटेल में बँधे थे। जब हैरी उसकी तरफ़ बढ़ा, तो उसे अपने पैर शरीर से ज़्यादा लंबे लग रहे थे। उसे अचानक यह भी एहसास हुआ कि उसके झूलते हुए हाथ कितने गड़बड़ दिख रहे होंगे।

'हाय,' चो ने धीरे से हाँफते हुए कहा।

'हाय,' हैरी ने कहा।

वे एक पल के लिए एक-दूसरे को एकटक देखते रहे। फिर हैरी बोला, 'अच्छा – तो – चलें?'

'ओह – हाँ ...'

वे उन लोगों की क़तार में शामिल हो गए, जिन्हें फ़िल्च साइन करके बाहर जाने दे रहा था। वे एक-दूसरे की तरफ़ देख-देखकर मुस्करा रहे थे, लेकिन कुछ बोल नहीं रहे थे। खुली हवा में पहुँचकर हैरी ने चैन की साँस ली। खड़े होकर अजीब दिखने के बजाय ख़ामोशी से साथ-साथ चलना ज़्यादा आसान था। जब वे क्विडिच स्टेडियम के पास से निकले, तो हैरी ने देखा कि रॉन और जिनी दर्शकदीर्घा के ऊपर प्रैक्टिस कर रहे थे। बड़ी हसरत से उसने सोचा कि वह वहाँ पर उनके साथ क्यों नहीं था।

चो ने कहा, 'तुम्हें क्विडिच की बहुत याद आती होगी, है ना?'

हैरी ने मुड़कर देखा। चो उसे देख रही थी।

'हाँ,' हैरी ने आह भरी। 'आती है।'

चो ने हैरी से पूछा, 'याद है, जब हम थर्ड ईयर में पहली बार एक-दूसरे के ख़िलाफ़ खेले थे?'

'हाँ,' हैरी ने मुस्कराते हुए कहा। 'तुमने मेरा रास्ता रोक लिया था।'

'और वुड ने तुमसे कहा था कि तुम शराफ़त छोड़ दो और मुझे झाड़ू पर से गिरा दो,' चो ने कहा और याद करते हुए मुस्कराई। 'मैंने सुना है कि वह प्राइड ऑफ़ पोरट्री नाम की टीम में खेल रहा है। क्या यह बात सही है?'

'नहीं, वह पडलमियर युनाइटेड टीम में खेल रहा है। पिछले साल वर्ल्ड कप के दौरान वह मुझे मिला था।'

'ओह, मैंने भी तुम्हें वहाँ देखा था, याद है? हम लोग एक ही कैंपसाइट पर थे। वर्ल्ड कप अच्छा था, है ना?'

क्विडिच वर्ल्ड कप का विषय थोड़ी देर तक चलता रहा और उन्हें गेट से बाहर तक ले गया। हैरी को यक़ीन ही नहीं हो रहा था कि चो से बात करना कितना आसान था – दरअसल उतना ही आसान, जितना कि रॉन और हर्माइनी से बात करना था। उसे अभी आत्मविश्वास और ख़ुशी का एहसास हुआ ही था कि तभी नागशक्ति की लड़कियों का एक बड़ा झुंड उनके पास से गुज़रा, जिसमें पैन्सी पार्किन्सन भी थी।

'पॉटर और चैंग!' पैन्सी बाक़ी लड़कियों की खी-खी के बीच चीख़ी। 'ओह चैंग, मुझे तुम्हारी पसंद अच्छी नहीं लगी ... कम से कम डिगोरी अच्छा तो दिखता था!'

लड़कियाँ तेज़ी से आगे चली गईं। वे बीच-बीच में मुड़कर हैरी और चो को देखती जा रही थीं। इसके साथ ही वे बोलती और चीख़ती भी जा रही थीं। चो और हैरी के बीच अजीब सी ख़ामोशी छा गई। हैरी को क्विडिच के बारे में कोई और बात नहीं सूझी। उधर चो का चेहरा थोड़ा लाल हो गया और वह अपने पैरों की तरफ़ देखती रही।

हॉग्समीड में दाख़िल होते ही हैरी ने पूछा, 'तो ... कहाँ चलें?' हाई स्ट्रीट विद्यार्थियों से भरी हुई थी, जो फ़ुटपाथ पर चलते समय दुकानों के काँच के अंदर झाँक रहे थे।

'ओह, कहीं भी चलते हैं,' चो ने कंधे उचकाते हुए कहा। 'हूँ.. पहले दुकानों पर नज़र डाल लें?'

वे दर्वेश और बैंजेस की तरफ़ गए। उसकी विंडो पर एक बड़ा पोस्टर लगा था, जिसे हॉग्समीड के कुछ लोग देख रहे थे। हैरी और चो के पास पहुँचने पर वे एक तरफ़ हट गए। सामने दस फ़रार प्राणभक्षियों की तस्वीरें लगी थीं। जादू मंत्रालय के आदेश से छपे इस पोस्टर में यह ऐलान था कि जो जादूगरनी या जादूगर इनमें से किसी फ़रार क़ैदी को पकड़ने के बारे में जानकारी देगा, उसे एक हज़ार गैलियन का पुरस्कार दिया जाएगा।

'यह अजीब है, है ना,' चो ने प्राणभक्षियों की तस्वीरों को देखते हुए कहा,

'याद है जब सिरियस ब्लैक भागा था, तो उसकी तलाश में दमपिशाच पूरे हॉग्समीड में मँडरा रहे थे। और अब दस प्राणभक्षियों के फ़रार होने के बावजूद एक भी दमपिशाच नज़र नहीं आ रहा है ...'

'हाँ,' हैरी ने कहा और अपनी आँखें बेलाट्रिक्स लेस्ट्रेंज के चेहरे से हटाकर हाई स्ट्रीट पर नज़र घुमाईं। 'हाँ, यह अजीब है।'

उसे दमपिशाचों के हॉग्समीड में न होने पर ज़रा भी अफ़सोस नहीं था, लेकिन उसने अचानक सोचा कि उनका न होना बहुत महत्वपूर्ण था। उन्होंने न सिर्फ़ प्राणभक्षियों को फ़रार होने दिया था, बल्कि वे उन्हें ढूँढ़ने की कोशिश भी नहीं कर रहे थे ... ऐसा लग रहा था, जैसे वे अब सचमुच मंत्रालय के नियंत्रण के बाहर थे।

हैरी और चो ने देखा कि दस फ़रार प्राणभक्षियों की तस्वीरें हर दुकान की विंडो में लगी हुई थीं। जब वे स्क्रिवनशैफ़्ट की दुकान के पास से गुज़रे, तो बारिश होने लगी। ठंडे पानी की भारी बूँदें हैरी के चेहरे और गर्दन से टकराने लगीं।

जब बारिश थोड़ी तेज़ होने लगी, तो चो ने पूछा, 'हूँ ... कॉफ़ी पीना पसंद करोगे?'

'हाँ, ठीक है,' हैरी ने चारों तरफ़ देखा। 'कहाँ?'

'ओह, यहाँ पर पास में ही एक बहुत अच्छी जगह है। तुम कभी मैडम पडीफ़ुट की दुकान में गए हो?' उसने उत्साह से पूछा और उसे एक बग़ल वाली सड़क पर ले गई। वहाँ पर एक छोटी टीशॉप थी, जिसे हैरी ने पहले कभी नहीं देखा था। यह एक सँकरी, धुंध भरी छोटी जगह थी, जहाँ हर चीज़ झालर या डोरियों से सजी थी। हैरी को अंबरिज के ऑफ़िस की कड़वी याद आ गई।

चो ने चहकते हुए पूछा, 'अच्छी है ना?'

'अर ... हाँ,' हैरी ने झूठ बोल दिया।

'देखो, उन्होंने इसे वैलेंटाइन डे के लिए ख़ास तौर पर सजाया है!' चो ने बहुत से सुनहरे देवदूतों की तरफ़ इशारा करते हुए कहा, जो हर छोटी, गोलाकार टेबल के ऊपर मँडरा रहे थे और नीचे बैठे लोगों पर थोड़ी-थोड़ी देर में गुलाबी काग़ज़ फेंक रहे थे।

'आआआह ...'

वे आख़िरी ख़ाली बची टेबल पर बैठ गए, जो धुंध भरी खिड़की के पास थी। चीलघात की क्विडिच टीम का कप्तान रॉजर डेवीज़ सुनहरे बालों वाली एक सुंदर लड़की के साथ डेढ़ फ़ुट दूर बैठा था। उन दोनों ने एक-दूसरे का हाथ पकड़ रखा था। इससे हैरी परेशान हो गया। टीशॉप में चारों तरफ़ सिर्फ़ जोड़े ही बैठे

थे, जो एक-दूसरे का हाथ थामे थे। शायद चो उम्मीद कर रही होगी कि वह भी *उसका* हाथ थाम ले।

'बच्चो, मैं तुम लोगों के लिए क्या लाऊँ?' मैडम पडीफ़ुट ने पूछा। वे काफ़ी मोटी थीं, इसलिए उन्हें उनकी और रॉजर डेवीज़ की टेबल के बीच से निकलने में थोड़ी मुश्किल हुई।

चो ने कहा, 'दो कॉफ़ी!'

जब तक कॉफ़ी आई, तब तक रॉजर डेवीज़ और उसकी गर्लफ्रेंड शकर के कटोरे के ऊपर एक-दूसरे को चूमने लगे। हैरी सोच रहा था कि काश वे ऐसा न करें। उसे महसूस हुआ कि डेवीज़ एक मिसाल पेश कर रहा था और चो भी उससे ऐसा ही करने की उम्मीद करेगी। उसे अपना चेहरा गर्म लगने लगा। उसने खिड़की से बाहर घूरने की कोशिश की, लेकिन वहाँ पर इतनी धुंध थी कि बाहर की सड़क नहीं दिख रही थी। चो की तरफ़ देखने के पल को टालने के लिए उसने छत की तरफ़ देखा, जैसे उसके पेंट की जाँच कर रहा हो। ऊपर मँडरा रहे देवदूतों ने उसके चेहरे पर मुट्ठी भर गुलाबी काग़ज़ फेंक दिए।

इसी तरह कुछ मिनट बीत गए। फिर चो ने अंबरिज का ज़िक्र छेड़ दिया। हैरी राहत के साथ इस विषय पर बातें करने लगा। दोनों ने उन्हें बुरा-भला कहा, जिसमें कई सुखद मिनट गुज़र गए। बहरहाल, **डीए** मीटिंगों के दौरान इस विषय पर इतनी ज़्यादा बातचीत हो चुकी थी कि यह ज़्यादा देर नहीं चल सकता था। एक बार फिर ख़ामोशी छा गई। हैरी को पास वाली टेबल से चूमा-चाटी की आवाज़ें आ रही थीं। उसने कुछ कहने के लिए चारों तरफ़ विषय की तलाश की।

'अर ... सुनो, क्या तुम मेरे साथ लंच के समय थ्री ब्रूमस्टिक्स चलोगी? मैं वहाँ हर्माइनी ग्रेंजर से मिलने जा रहा हूँ।'

चो ने अपनी भौंहें उठाईं।

'तुम हर्माइनी ग्रेंजर से मिलने जाओगे? आज?'

'हाँ। देखो, उसने मुझसे मिलने को कहा था, इसलिए मैंने सोचा कि मैं उससे मिल ही लूँ। क्या तुम मेरे साथ चलना पसंद करोगी? वैसे उसने कहा था कि अगर तुम नहीं भी आओगी, तो भी चलेगा।'

'ओह ... देखो ... यह तो उसने बहुत अच्छा किया।'

लेकिन चो की आवाज़ से ऐसा नहीं लगा कि उसे यह बहुत अच्छा लगा था। इसके विपरीत, उसका बोलने का अंदाज़ ठंडा था और अचानक उसका चेहरा थोड़ा सख़्त दिखने लगा।

कुछ मिनट ख़ामोशी में गुज़र गए। हैरी ने अपनी कॉफ़ी इतनी तेज़ी से

ख़त्म की कि उसे जल्दी ही एक और कप की ज़रूरत पड़ गई। उनके पास बैठे रॉजर डेवीज़ और उसकी गर्लफ्रेंड के होंठ तो जैसे चिपक ही गए थे।

चो का हाथ उसकी कॉफ़ी के पास टेबल पर रखा हुआ था। हैरी उसे पकड़ने का ज़बर्दस्त मनोवैज्ञानिक दबाव महसूस कर रहा था। उसने ख़ुद से कहा, *यह काम कर दो।* दहशत और रोमांच की मिली-जुली भावनाओं का सोता उसके सीने में बहने लगा। उसने सोचा, *बस हाथ बढ़ाकर उसका हाथ पकड़ लो।* आश्चर्यजनक बात यह थी कि अपने हाथ को बारह इंच बढ़ाकर चो का हाथ छूना बहुत मुश्किल लग रहा था। इसके बजाय तो हवा में तेज़ी से उड़ती सुनहरी गेंद को पकड़ना आसान था ...

उसने अपने हाथ को आगे बढ़ाया ही था कि चो ने अपना हाथ टेबल के नीचे कर लिया। अब वह रॉजर डेवीज़ और उसकी गर्लफ्रेंड के चुंबन को दिलचस्पी से देख रही थी।

उसने धीमी आवाज़ में कहा, 'दो सप्ताह पहले रॉजर ने मुझसे साथ आने के लिए कहा था। मैंने उसे मना कर दिया था।'

हैरी ने टेबल के पार हाथ बढ़ाने के बहाने को छिपाने के लिए शकर के कटोरे को पकड़ लिया। उसे समझ में नहीं आया कि वह उसे यह बात क्यों बता रही है। अगर वह चाहती थी कि वह पास वाली टेबल पर बैठी होती और रॉजर डेवीज़ उसे जी भरकर चूमता, तो फिर वह उसके साथ आने के लिए तैयार क्यों हुई थी?

हैरी कुछ नहीं बोला। देवदूत ने उनके ऊपर एक बार फिर मुट्ठी भरकर गुलाबी काग़ज़ फेंके। कुछ काग़ज़ तो उस बची हुई ठंडी कॉफ़ी में गिरे, जिसे हैरी पीने ही वाला था।

चो ने कहा, 'मैं पिछले साल सेडरिक के साथ यहाँ आई थी।'

उसकी बात जिस पल हैरी को समझ में आई, उसका दिल बर्फ़ जितना ठंडा हो गया। उसे यक़ीन नहीं हो रहा था कि वह इस समय सेडरिक के बारे में बात करना चाहती थी, जबकि उनके आस-पास चूमते जोड़े थे और उनके सिर के ऊपर एक देवदूत तैर रहा था।

जब चो दोबारा बोली, तो उसकी आवाज़ थोड़ी ऊँची थी।

'मैं तुमसे बहुत समय से एक बात पूछना चाहती थी ... क्या सेडरिक ने - क्या उसने मरने से पहले मेरा - ज़ि - ज़ि - ज़िक्र किया था?'

यह दुनिया में आख़िरी विषय था, जिस पर हैरी बातचीत करना चाहता था - चो के साथ तो बिलकुल भी नहीं।

'देखो – नहीं –' उसने धीरे से कहा। 'देखो, उसके पास कुछ कहने का समय ही नहीं था। अच्छा तो ... क्या तुमने छुट्टियों में क्विडिच देखा? तुम तो टॉरनेडोज़ की समर्थक हो, है ना?'

उसकी आवाज़ नक़ली उत्साह से भरी हुई थी। वह दहशत में आ गया, जब उसने देखा कि चो की आँखों में दोबारा आँसू तैर रहे थे, जिस तरह क्रिसमस के पहले की आख़िरी **डीए** मीटिंग के बाद तैर रहे थे।

'देखो,' हैरी ने हताशा से कहा और झुककर इतना क़रीब आ गया, ताकि कोई दूसरा उनकी बात न सुन पाए, 'हम इस वक़्त सेडरिक की बात नहीं करते हैं ... हम किसी और चीज़ के बारे में बात करते हैं ...'

लेकिन ज़ाहिर है, उसने ग़लत बात कह दी थी।

'मुझे लगा था,' चो ने कहा और उसके आँसू टेबल पर फैलने लगे, 'मुझे लगा था कि *तुम* – तुम – तुम समझ जाओगे! मुझे इस बारे में बात करने की *ज़रूरत* है! निश्चित रूप से तुम्हें भी इस बारे में बात करने की ज़रूरत है! मेरा मतलब है, तुमने इसे होते देखा था, है – है ना?'

हर चीज़ किसी बुरे सपने की तरह ग़लत हो रही थी। रॉजर डेवीज़ की गर्लफ्रेंड ने अपने होंठ छुड़ा लिए थे और रोती हुई चो को मुड़कर देख रही थी।

हैरी फुसफुसाकर बोला, 'देखो – मैं इस बारे में रॉन और हर्माइनी से बात कर चुका हूँ, लेकिन –'

'ओह, तुम हर्माइनी ग्रेंजर से तो ज़रूर बात करोगे!' चो ने तीखी आवाज़ में कहा। उसका चेहरा अब आँसुओं से चमक रहा था। उसकी आवाज़ सुनकर कई और चूमने वाले जोड़े अलग-अलग होकर घूरने लगे। 'लेकिन तुम मुझसे बात नहीं करोगे! शा – शायद सबसे अच्छा यही रहेगा कि हम ... कि हम बिल चुका दें और तुम जाकर हर्माइनी ग्रेंजर से मिल लो, जिसके लिए तुम मरे जा रहे हो!'

हैरी हैरानी से उसे घूरता रहा, जब उसने झालर वाला नैपकिन निकालकर अपना चेहरा पोंछा।

'चो?' उसने धीरे से कहा और सोचा कि काश रॉजर अपनी गर्लफ्रेंड को पकड़कर एक बार फिर चूमने लगे, ताकि वह उसकी और चो की तरफ़ न देख पाए।

'अच्छा छोड़ो!' उसने कहा और अब वह नैपकिन में रोने लगी थी। 'जब तुम्हें मेरे बाद दूसरी लड़कियों से मिलना था, तो फिर तुम मुझसे मिलने आए ही क्यों? ... हर्माइनी के बाद तुम और कितनी लड़कियों से मिलने वाले हो?'

'यह बात नहीं है!' हैरी ने कहा और आख़िर यह समझकर उसे राहत मिली कि वह किस बात से चिढ़ रही थी। वह हँस दिया। एक पल बाद ही उसे समझ में आ गया कि यह भी एक ग़लती थी।

चो उछलकर खड़ी हो गई। पूरा टीरूम ख़ामोश था और सभी लोग अब उन्हें देख रहे थे।

'मैं तुमसे बाद में मिलती हूँ, हैरी,' चो ने नाटकीय अंदाज़ में कहा। फिर वह हिचकियाँ लेती हुई दरवाज़े की तरफ़ भागी और उसे झटके से खोलकर तेज़ बारिश में चली गई।

'चो!' हैरी ने आवाज़ लगाई, लेकिन दरवाज़ा झूलकर बंद हो चुका था।

टीशॉप में पूरी ख़ामोशी थी। सबकी निगाह हैरी पर टिकी थी। उसने टेबल पर एक गैलियन फेंका, गुलाबी काग़ज़ों को अपने बालों से हटाया और चो के पीछे-पीछे दरवाज़े से बाहर निकल गया।

अब बारिश तेज़ हो चुकी थी और चो कहीं दिखाई नहीं दे रही थी। हैरी समझ ही नहीं पाया कि गड़बड़ कहाँ हुई थी। आधा घंटे पहले तो दोनों की पटरी अच्छी जम रही थी।

'लड़कियाँ!' वह ग़ुस्से से बुदबुदाया और जेब में हाथ डालकर बारिश में डूबी सड़क पर छप-छप करके चलने लगा। 'आख़िर वह सेडरिक के बारे में बात क्यों करना चाहती थी ? वह हमेशा ऐसा विषय क्यों खोजना चाहती है, जिससे वह नल की तरह आँसू बहा सके ?'

वह दाईं तरफ़ मुड़ा और छप-छप करके भागने लगा। कुछ ही मिनटों में वह थ्री ब्रूमस्टिक्स के दरवाज़े पर पहुँच गया। वह जानता था कि हर्माइनी इतनी जल्दी नहीं आई होगी, लेकिन उसने सोचा कि वहाँ कोई तो मिलेगा, जिसके साथ वह बीच का समय काट लेगा। उसने अपनी आँखों के सामने से गीले बाल हटाकर चारों तरफ़ देखा। हैग्रिड एक कोने में अकेला और उदास बैठा था।

'हाय हैग्रिड!' हैरी ने कहा और भरी हुई टेबलों के बीच से होता हुआ उसके पास कुर्सी खींचकर बैठ गया।

हैग्रिड उछल पड़ा। उसने हैरी की तरफ़ ऐसे देखा, जैसे उसे मुश्किल से पहचान पा रहा हो। हैरी ने देखा कि उसके चेहरे पर दो ताज़े घाव और कई नई चोटें थीं।

'ओह, तुम हो, हैरी,' हैग्रिड ने कहा। 'तुम ठीक तो हो ?'

'हाँ, मैं ठीक हूँ,' हैरी ने झूठ बोल दिया। हैग्रिड इतना उदास दिख रहा था कि हैरी अपनी परेशानियों के बारे में नहीं बताना चाहता था। फिर उसने पूछा, 'अर - तुम **ठीक** हो ?'

'हम ?' हैग्रिड ने कहा। 'ओह हाँ, हम बहुत बढ़िया हैं, हैरी, बहुत बढ़िया।'

उसने अपने बाल्टी जितने बड़े गिलास की गहराइयों में देखा और आह भरी। हैरी नहीं जानता था कि वह उससे क्या कहे। वे एक पल के लिए चुपचाप बैठे रहे। फिर हैग्रिड ने अचानक कहा, 'हम और तुम एक ही नाव में सवार हैं, है ना हैरी ?'

'अर -' हैरी ने कहा।

'हाँ ... हमने यह बात पहले भी कही है ... हम दोनों ही बाहरी लोग हैं,' हैग्रिड ने समझदारी से सिर हिलाते हुए कहा। 'और दोनों ही अनाथ हैं। हाँ ... दोनों ही अनाथ हैं।'

उसने अपने गिलास से एक बड़ा घूँट लिया।

'अच्छा परिवार होने से बहुत फ़र्क़ पड़ता है,' उसने कहा। 'हमारे डैडी अच्छे थे। और तुम्हारे मम्मी-डैडी भी अच्छे थे। अगर वे ज़िंदा होते, तो हमारी ज़िंदगी अलग होती, है ना ?'

'हाँ ... ऐसा ही लगता है,' हैरी ने सावधानी से कहा। हैग्रिड बड़े ही अजीब मूड में दिख रहा था।

'परिवार,' हैग्रिड ने उदासी से कहा। 'चाहे तुम जो भी कहो, ख़ून महत्त्वपूर्ण होता है ...'

और उसने अपनी आँखों सै आँसू पोंछ लिया।

हैरी के मुँह से आख़िर निकल ही गया, 'हैग्रिड, तुम्हें ये चोटें कैसे लगीं ?'

'आह ?' हैग्रिड ने हैरान होते हुए कहा, 'कौन सी चोटें ?'

'ये सब!' हैरी ने हैग्रिड के चेहरे की तरफ़ इशारा करते हुए कहा।

हैग्रिड ने उसकी बात को हवा में उड़ाते हुए कहा, 'ओह ... ये तो सामान्य चोटें और घाव हैं, हैरी। हमारा काम इसी तरह का है।'

उसने अपना गिलास ख़ाली करके टेबल पर रखा और उठकर खड़ा हो गया।

'हम तुमसे मिलते हैं, हैरी ... अपना ध्यान रखना।'

वह दुखी दिखता हुआ शराबख़ाने से बाहर निकल गया और तेज़ बारिश में ओझल हो गया। उसे जाते देखकर हैरी दुखी हो गया। हैग्रिड दुखी था और वह कोई चीज़ छिपा रहा था, लेकिन उसने मदद न लेने का संकल्प कर लिया था। क्या हो रहा था ? लेकिन इससे पहले कि हैरी इस बारे में आगे कुछ सोच पाए, उसे अपने नाम की पुकार सुनाई दी।

'हैरी! हैरी, यहाँ आ जाओ!'

हर्माइनी दूर बैठकर उसकी तरफ़ हाथ हिला रही थी। वह उठकर खड़ा हुआ और भीड़ भरे शराबख़ाने में उसकी तरफ़ बढ़ा। थोड़े क़रीब पहुँचने पर उसे एहसास हुआ कि हर्माइनी अकेली नहीं थी। टेबल पर उसके पास दो और लोग बैठे थे। हर्माइनी के इन लोगों के साथ शराब पीने के लिए बैठने की सबसे कम संभावना थी। उनमें से एक थी लूना लवगुड और दूसरी थी रीटा स्कीटर, जो *दैनिक जादूगर* की पूर्व-पत्रकार थी और हर्माइनी को बहुत नापसंद थी।

'तुम काफ़ी जल्दी आ गए!' हर्माइनी ने कहा और थोड़ा सरकते हुए उसे बैठने की जगह दी। 'मुझे लगा था कि तुम चो के साथ रहोगे। मुझे कम से कम एक घंटे तक तुम्हारे आने की उम्मीद नहीं थी!'

'चो?' रीटा ने तत्काल अपनी सीट से मुड़ते हुए कहा और हैरी को दिलचस्पी से देखने लगी। '*लड़की?*'

उसने मगरमच्छ की खाल वाला हैंडबैग उठाया और उसमें कुछ टटोलने लगी।

'अगर हैरी सौ लड़कियों के साथ भी रहे, तो भी *तुम्हें* इससे कोई फ़र्क़ नहीं पड़ना चाहिए,' हर्माइनी ने रीटा से ठंडेपन से कहा। 'इसलिए तुम इस समय उसे अंदर ही रहने दो।'

रीटा अपने बैग से हरी क़लम बाहर निकालने ही वाली थी। यह सुनकर उसने झटके से अपना बैग बंद कर दिया। उसने इतना बुरा मुँह बनाया, जैसे उसे ज़बर्दस्ती दुर्गंधद्रव पिला दिया गया हो।

'तुम लोग क्या कर रही हो?' हैरी ने बैठते हुए हर्माइनी, रीटा और लूना से पूछा।

रीटा ने अपने ड्रिंक का एक बड़ा घूँट लेते हुए कहा, 'जब तुम आए थे, तब मिस आदर्श मुझे तुम्हारे बारे में बता रही थीं। मुझे लगता है कि मुझे इससे *बात* करने की इजाज़त तो है, है ना?' उसने हर्माइनी से पूछा।

'हाँ,' हर्माइनी ने ठंडेपन से कहा।

बेरोज़गारी रीटा को रास नहीं आई थी। जो बाल बड़े-बड़े घूँघर में रहा करते थे, अब बिखरे हुए और सीधे थे और उसके चेहरे के चारों तरफ़ लटके हुए थे। उसके दो इंच लंबे नाख़ूनों पर लगा लाल पेंट उखड़ चुका था और उसके पंखदार चश्मे से दो नक़ली रत्न ग़ायब थे। अपने ड्रिंक का एक और बड़ा घूँट लेकर वह अपने मुँह के कोने से बोली, 'चो सुंदर है, है ना हैरी?'

'हैरी के प्रेम प्रसंगों के बारे में एक शब्द भी कहा, तो हमारा समझौता

ख़त्म हो जाएगा,' हर्माइनी ने चिढ़कर कहा।

'कौन सा समझौता?' रीटा ने अपने हाथ के पिछले हिस्से से अपना मुँह पोंछा। 'तुमने अभी तक किसी समझौते का ज़िक्र नहीं किया है, मिस आदर्श। तुमने तो बस मुझे यहाँ बुलाया था। ओह, एक न एक दिन ...' उसने एक गहरी काँपती हुई साँस खींची।

'हाँ, हाँ, एक न एक दिन तुम हैरी और मेरे बारे में बहुत सी भयंकर ख़बरें लिखोगी,' हर्माइनी ने उदासीनता से कहा। 'किसे परवाह है? जिसे हो उसे खोज लो।'

'उन्होंने इस साल मेरी मदद के बिना ही हैरी के बारे में काफ़ी भयंकर ख़बरें लिख डाली हैं,' रीटा ने कहा और अपने गिलास के ऊपर से उसकी तरफ़ कनखियों से देखा। फिर उसने फुसफुसाकर आगे कहा, 'इससे तुम्हें कैसा लगा, हैरी? उलझन हुई? परेशानी हुई? ग़लत समझे जाने का एहसास हुआ?'

हर्माइनी ने कठोर और स्पष्ट आवाज़ में कहा, 'वह नाराज़ है, क्योंकि उसने जादू मंत्री को सच्चाई बताई थी, लेकिन जादू मंत्री इतने मूर्ख हैं कि उसकी बात पर यक़ीन नहीं कर रहे हैं।'

'तो तुम दरअसल इसी बात पर अड़े हुए हो कि तुम-जानते-हो-कौन लौट आया है?' रीटा ने अपना गिलास नीचे करते हुए हैरी पर पैनी निगाह डाली, जबकि उसकी उँगली हसरत से मगरमच्छ की खाल वाले बैग के बटन पर जम गई। 'तुम उस बकवास पर अब भी अडिग हो, जो डम्बलडोर तुम-जानते-हो-कौन के लौटने के बारे में सबको बता रहे हैं, जिसे सिर्फ़ तुमने देखा था?'

'सिर्फ़ मैंने ही नहीं देखा,' हैरी गुर्राया। 'वहाँ पर एक दर्जन प्राणभक्षी भी थे। उनके नाम जानना चाहती हो?'

'मुझे बहुत अच्छा लगेगा,' रीटा ने कहा, जो एक बार फिर अपने बैग में कुछ टटोल रही थी और उसकी तरफ़ ऐसे निहार रही थी, जैसे उसने आज तक उससे सुंदर चीज़ देखी ही न हो। 'एक बड़ी हेडलाइन : "पॉटर का आरोप ..." एक सब-हेडिंग, *"हैरी पॉटर के अनुसार प्राणभक्षी अब भी हमारे बीच हैं।"* और *फिर तुम्हारे बड़े फ़ोटो के नीचे, "तुम-जानते-हो-कौन के हमले से बचने वाले 15 वर्षीय किशोर हैरी पॉटर ने कल जादूगर समुदाय के प्रतिष्ठित और शीर्षस्थ सदस्यों पर प्राणभक्षी होने का आरोप लगाकर सनसनी फैला दी ..."'*

तीव्र-कथन क़लम उसके हाथ में थी और उसके मुँह से आधी दूर थी, तभी उसका ख़ुश चेहरा मुरझा गया।

उसने अपनी क़लम नीची करके हर्माइनी की तरफ़ क़हर ढाती नज़रों से

देखते हुए कहा, 'लेकिन ज़ाहिर है, मिस आदर्श मुझे वह लेख नहीं लिखने देना चाहेगी, है ना?'

हर्माइनी ने मीठे अंदाज़ में कहा, 'सच तो यह है कि मिस आदर्श *यही* चाहती है।'

रीटा ने उसकी तरफ़ घूरकर देखा। हैरी ने भी ऐसा ही किया। दूसरी तरफ़ लूना ने अपनी साँस के नीचे सपनीले अंदाज़ में 'वीज़्ली हमारा राजा है' गाया और अपने ड्रिंक को डंडी पर लगे कॉकटेल ओनियन से हिलाया।

रीटा ने हर्माइनी से धीमी आवाज़ में पूछा, 'तुम *चाहती* हो कि वह तुम-जानते-हो-कौन के बारे में जो कहता है, मैं उस पर लेख लिखूँ?'

'हाँ, मैं यही चाहती हूँ,' हर्माइनी ने कहा। 'सच्ची कहानी। सभी तथ्य। वही जो हैरी बताता है। वह तुम्हें सारी बातें बताएगा। वह तुम्हें उन प्राणभक्षियों के नाम बता देगा, जिन्हें उसने वहाँ देखा था। वह तुम्हें बताएगा कि वोल्डेमॉर्ट अब कैसा दिखता है - ख़ुद को सँभालो,' उसने हिक़ारत से कहा और नैपकिन को टेबल के पार उछाल दिया, क्योंकि वोल्डेमॉर्ट के नाम पर रीटा इतनी बुरी तरह उछली थी कि उसकी फ़ायरव्हिस्की का आधा गिलास उसके कपड़ों पर छलक गया था।

रीटा ने अपने गंदे रेनकोट का सामने वाला हिस्सा पोंछा। वह अब भी हर्माइनी को घूर रही थी। फिर उसने कहा, '*दैनिक जादूगर* इसे नहीं छापेगा। शायद तुमने इस तरफ़ ध्यान न दिया हो, लेकिन कोई भी उसकी इस हवाई कहानी पर यक़ीन नहीं करता है। सभी मानते हैं कि वह पागलपन भरी बातें करता है। अब, अगर तुम मुझे अपने तरीक़े से यह लेख लिखने की इजाज़त दो -'

हर्माइनी ने ग़ुस्से से कहा, 'हमें यह बताने वाला लेख नहीं चाहिए कि हैरी का दिमाग़ किस तरह चल गया है! तुम्हारी मेहरबानी से ऐसे लेख पहले ही बहुत छप चुके हैं! मैं उसे सच्चाई बताने का मौक़ा देना चाहती हूँ!'

रीटा ने ठंडेपन से कहा, 'उस तरह की ख़बर का कोई बाज़ार नहीं है।'

हर्माइनी चिढ़कर बोली, 'तुम्हारा मतलब है कि *दैनिक जादूगर* इसे इसलिए नहीं छापेगा, क्योंकि फ़ज नहीं छापने देंगे।'

रीटा ने हर्माइनी को काफ़ी देर तक घूरा। फिर उसकी तरफ़ झुकते हुए उसने व्यावहारिक अंदाज़ में कहा, 'फ़ज *दैनिक जादूगर* पर नियंत्रण तो कर रहे हैं, लेकिन बात वही है। वे ऐसी कोई ख़बर नहीं छापेंगे, जो हैरी को अच्छी रोशनी में दिखाए। कोई भी इस तरह की ख़बर नहीं पढ़ना चाहता है। यह सार्वजनिक छवि के ख़िलाफ़ है। अज़्काबान से क़ैदियों के भागने से जादूगर पहले ही काफ़ी चिंतित हैं। लोग तो यह यक़ीन ही नहीं करना चाहते हैं कि

तुम-जानते-हो-कौन लौट आया है।'

हर्माइनी ने पैने स्वर में कहा, 'तो *दैनिक जादूगर* लोगों को वह बताता है जो वे सुनना चाहते हैं, है ना?'

रीटा दोबारा खड़ी हो गई, उसने अपनी भौंहें ऊपर उठाईं और फ़ायरव्हिस्की का गिलास ख़ाली कर दिया।

उसने ठंडेपन से कहा, 'मूर्ख लड़की! *दैनिक जादूगर* बिक्री के लिए चलता है।'

'मेरे डैडी सोचते हैं कि यह बहुत बेकार अख़बार है,' लूना ने अप्रत्याशित ढंग से बहस में कूदते हुए कहा। अपने कॉकटेल ओनियन को चूसते हुए वह अपनी बड़ी-बड़ी बाहर निकली आँखों से रीटा को निहारती रही। 'वे महत्वपूर्ण ख़बरें प्रकाशित करते हैं, जो उनके हिसाब से जनता को पता होनी चाहिए। उन्हें पैसे कमाने की परवाह नहीं है।'

रीटा ने लूना की तरफ़ हिक़ारत से देखा।

उसने कहा, 'मुझे लगता है कि तुम्हारे डैडी किसी छोटे गाँव का साप्ताहिक अख़बार निकालते होंगे? शायद, *मगलुओं के साथ मधुर संबंध बनाने के 25 तरीक़े* जैसे लेख छापते होंगे और लाओ तथा उड़ो सेल की अगली तारीख़ें छापते होंगे?'

'नहीं,' लूना ने कहा और अपने ओनियन को जिलीवाटर में दोबारा डुबाते हुए कहा, 'वे *द क्विबलर* के संपादक हैं।'

रीटा इतनी जमकर हँसी कि पास वाली टेबल के लोग दहशत में उधर देखने लगे।

उसने व्यंग्य से कहा, '"महत्वपूर्ण ख़बरें, जो जनता को पता होनी चाहिए", अह? मैं उस चिथड़े के पन्नों से अपने बगीचे में खाद डाल सकती हूँ।'

हर्माइनी ने ख़ुशनुमा अंदाज़ में कहा, 'देखो, तुम इसकी प्रतिष्ठा बढ़ा सकती हो, है ना? लूना कहती है कि उसके डैडी को हैरी का इंटरव्यू छापने में बहुत ख़ुशी होगी। वे ही इसे प्रकाशित करेंगे।'

रीटा ने उन दोनों को एक पल के लिए घूरा, फिर जमकर हँसने लगी।

'*द क्विबलर!*' उसने खिलखिलाते हुए कहा। 'तुम्हें लगता है कि अगर उसका इंटरव्यू *द क्विबलर* में छपेगा, तो लोग उसकी बात को गंभीरता से लेंगे?'

'कुछ लोग नहीं लेंगे,' हर्माइनी ने सामान्य आवाज़ में कहा। 'लेकिन अज़्काबान से क़ैदियों के फ़रार होने की जो कहानी *दैनिक जादूगर* ने बताई है, उसमें कई सुराख़ हैं। मुझे लगता है कि बहुत से लोग इस बात पर हैरान हो रहे

होंगे कि जो हुआ है, उसका कोई बेहतर स्पष्टीकरण क्यों नहीं है? अगर कोई वैकल्पिक ख़बर उपलब्ध होगी, भले ही यह एक–' उसने लूना की तरफ़ कनखियों से देखा, 'एक-*असामान्य* पत्रिका में छपे, तो वे लोग उसे पढ़ना चाहेंगे।'

रीटा कुछ समय तक कुछ नहीं बोली, बल्कि एक तरफ़ सिर झुकाकर हर्माइनी को तौलती रही।

वह अचानक बोली, 'ठीक है, एक मिनट के लिए मान लेते हैं कि मैं यह काम कर दूँगी। मुझे कितनी फ़ीस मिलेगी?'

लूना सपनीले अंदाज़ में बोली, 'मुझे नहीं लगता कि डैडी अपनी पत्रिका में लिखने वालों को पैसे देते हैं। लोग इसलिए लिखते हैं, क्योंकि यह सम्मान की बात है और ज़ाहिर है, वे अपना नाम छपा हुआ देखना चाहते हैं।'

रीटा स्कीटर को देखकर ऐसा लगा, जैसे उसके मुँह में कसैला दुर्गंधद्रव भरा हो। वह हर्माइनी की तरफ़ मुड़ी।

'मैं यह काम *मुफ़्त में* करूँगी?'

'हाँ,' हर्माइनी ने शांति से घूँट लेते हुए कहा। 'वरना तुम बहुत अच्छी तरह जानती हो कि मैं अधिकारियों को बता दूँगी कि तुम ग़ैर-क़ानूनी इच्छाधारी नरपशु हो। ज़ाहिर है, *दैनिक जादूगर* तुम्हें अज़्काबान के अनुभवों के बारे में लिखने के लिए काफ़ी पैसे देगा।'

रीटा को देखकर ऐसा लगा, जैसे वह हर्माइनी के ड्रिंक से बाहर निकलते पेपर अम्ब्रेला को पकड़कर उसकी नाक में घुसाना चाहती हो।

रीटा ने थोड़ी काँपती हुई आवाज़ में कहा, 'मुझे नहीं लगता कि मेरे पास कोई विकल्प है, है ना?' उसने एक बार फिर मगरमच्छ की खाल वाला बैग खोला, उसमें से एक चर्मपत्र बाहर निकाला और अपनी तीव्र-कथन क़लम उठाई।

लूना उत्साह से बोली, 'डैडी ख़ुश होंगे।' रीटा के जबड़े में एक मांसपेशी हिलने लगी।

हर्माइनी ने हैरी की तरफ़ मुड़ते हुए कहा, '**अच्छा** हैरी, जनता को सच्चाई बताने के लिए तैयार हो?'

'हाँ,' रीटा को तीव्र-कथन क़लम तैयार करते हुए देखकर हैरी बोला।

हर्माइनी ने अपने गिलास के नीचे से एक चेरी निकालते हुए धीरे से कहा, 'तो रीटा, अब शुरू हो जाओ।'

अध्याय छब्बीस

देखा और अनदेखा

लूना को पता नहीं था कि हैरी का रीटा को दिया इंटरव्यू *द क्विबलर* में कब छपेगा, क्योंकि उसके डैडी अगले अंक में क्रम्पल-हॉर्न्ड स्नोरकैक्स के हाल में नज़र आने पर एक लंबा लेख छापने वाले थे, '- और ज़ाहिर है, वह बहुत महत्वपूर्ण लेख है, इसलिए शायद हैरी का इंटरव्यू उससे अगले अंक में छपेगा,' लूना ने कहा।

वोल्डेमॉर्ट की वापसी वाली रात के बारे में बताना हैरी के लिए आसान नहीं था। रीटा ने उससे हर छोटी-छोटी बात पूछी थी। हैरी ने भी उसके हर सवाल का जवाब दिया था, क्योंकि वह जानता था कि यह दुनिया को सच्चाई बताने का बहुत बड़ा मौक़ा है। वह सोच रहा था कि इस लेख पर लोगों की प्रतिक्रिया कैसी होगी। उसे लग रहा था कि इससे बहुत से लोगों को यक़ीन हो जाएगा कि वह पूरी तरह पागल है, इसलिए भी क्योंकि उसका लेख क्रम्पल-हॉर्न्ड स्नोरकैक्स के बारे में छपी बकवास के साथ छपेगा। लेकिन बेलाट्रिक्स लेस्ट्रेंज और अन्य प्राणभक्षियों के भागने के कारण हैरी के मन में *कुछ करने* की प्रबल इच्छा थी, भले ही उसकी कोशिश कामयाब हो या न हो ...

'देखते हैं, तुम्हारा इंटरव्यू छपने के बाद अंबरिज क्या सोचती हैं,' डीन ने सोमवार की रात को डिनर पर कहा। सीमस डीन की दूसरी तरफ़ बैठकर अपनी प्लेट में ढेर सारा चिकन और हैम पाई डाल रहा था, लेकिन हैरी जानता था कि वह ध्यान से सुन रहा था।

'सही किया, हैरी,' सामने बैठे नेविल ने कहा। उसका चेहरा थोड़ा पीला था, लेकिन उसने धीमी आवाज़ में आगे कहा, 'यह बहुत ... मुश्किल रहा होगा ... उसके बारे में बात करना, है ना?'

हैरी बुदबुदाया, 'हाँ, लेकिन लोगों को पता चलना चाहिए कि वोल्डेमॉर्ट क्या कर सकता है, है ना?'

'सही है,' नेविल ने सिर हिलाते हुए कहा, 'और उसके प्राणभक्षी भी ... लोगों को पता होना चाहिए ...'

नेविल ने अपना वाक्य अधूरा छोड़ दिया और अपने भुने आलू की तरफ़ ध्यान देने लगा। सीमस ने ऊपर देखा, लेकिन हैरी से नज़र मिलते ही तत्काल अपनी प्लेट की तरफ़ देखने लगा। कुछ समय बाद डीन, सीमस और नेविल हॉल की तरफ़ चले गए। हैरी और हर्माइनी टेबल पर रॉन का इंतज़ार कर रहे थे, जो क्विडिच प्रैक्टिस के कारण अब तक डिनर करने नहीं आया था।

चो चैंग अपनी सहेली मैरीटा के साथ हॉल में आई। हैरी के पेट में उथल-पुथल होने लगी, लेकिन चो ने गरुड़द्वार की टेबल की तरफ़ नज़र उठाकर भी नहीं देखा और उसकी तरफ़ पीठ करके बैठ गई।

'ओह, मैं तो तुमसे पूछना ही भूल गई थी,' हर्माइनी ने उत्साह से चीलघात की टेबल की तरफ़ देखते हुए कहा, 'चो के साथ तुम्हारी डेटिंग कैसी रही? तुम इतनी जल्दी कैसे लौट आए थे?'

'अर ... देखो ... यह ...' हैरी ने एक डिश अपनी तरफ़ खींचकर उसमें से परोसते हुए कहा, 'यह बहुत बुरा फ़्लॉप शो साबित हुई।'

फिर उसने उसे बता दिया कि मैडम पडीफ़ुट की टीशॉप में क्या हुआ था।

'... फिर,' उसने कुछ मिनट बाद अपनी बात पूरी की, जब उसकी प्लेट में रखी डिश का आख़िरी टुकड़ा ग़ायब हुआ, 'वह उछली और बोली, "मैं तुमसे बाद में मिलती हूँ, हैरी," और बाहर भाग गई!' हैरी ने अपनी चम्मच नीचे रखकर हर्माइनी की तरफ़ देखा। 'मेरा मतलब है, उसने ऐसा क्यों किया? आख़िर हुआ क्या था?'

हर्माइनी ने आह भरते हुए चो के सिर के पिछले हिस्से पर नज़र डाली।

'ओह हैरी,' उसने दुख से कहा। 'देखो, मुझे अफ़सोस है, लेकिन तुम बहुत ही फूहड़ थे।'

'मैं, फूहड़?' हैरी ने ग़ुस्से से कहा। 'एक मिनट पहले तक हम लोग अच्छी तरह बातें कर रहे थे, लेकिन अगले ही मिनट वह मुझे बताने लगी कि रॉजर डेवीज़ ने उसके सामने डेटिंग का प्रस्ताव रखा था और वह किस तरह उस मूर्खतापूर्ण टीशॉप में सेडरिक के साथ चूमा-चाटी करती थी - इसके बारे में मुझे कैसा महसूस होना चाहिए था?'

'देखो,' हर्माइनी ने ऐसे शांत अंदाज़ में कहा, जैसे कोई अति-भावुक बच्चे को यह सिखा रहा हो कि एक और एक दो होते हैं, 'तुम्हें उसे यह नहीं बताना चाहिए था कि तुम अपनी डेटिंग छोड़कर मुझसे मिलना चाहते थे।'

'लेकिन, लेकिन,' हैरी ने कहा, 'लेकिन तुम्हीं ने तो कहा था कि बारह बजे मिलना और उसे भी साथ लाना। मैं उसे बताए बिना यह काम कैसे करता?'

हर्माइनी ने अब भी उसी धैर्य भरे अंदाज़ में कहा, 'तुम्हें उसे दूसरे तरीक़े से बताना चाहिए था। तुम्हें कहना चाहिए था कि इससे तुम्हें चिढ़ हो रही है, लेकिन मैंने तुमसे थ्री ब्रूमस्टिक्स में मिलने का वादा *करवा लिया* था। तुम्हें कहना चाहिए था कि तुम मुझसे नहीं मिलना चाहते हो और पूरे दिन उसके साथ ही रहना चाहते हो। तुम्हें कहना चाहिए था कि अगर वह तुम्हारे साथ आएगी, तो तुम मुझसे जल्दी ही छुटकारा पा लोगे। और यह भी अच्छा रहता, अगर तुम कह देते कि मैं कितनी बदसूरत हूँ,' हर्माइनी ने बाद में यह भी जोड़ दिया।

'लेकिन तुम बदसूरत नहीं हो,' हैरी ने चकराते हुए कहा।

हर्माइनी हँस पड़ी।

'हैरी, तुम तो रॉन से भी गए-गुज़रे हो ... नहीं, नहीं, तुम नहीं हो,' उसने आह भरी, जब चिड़चिड़ा दिख रहा रॉन हॉल में छप-छप करता और कीचड़ उड़ाता हुआ आया। 'देखो - जब तुमने चो को बताया कि तुम मुझसे मिलने आ रहे हो, तो वह विचलित हो गई, इसीलिए उसने तुम्हें जलाने की कोशिश की। वह पता लगाना चाहती थी कि तुम उसे कितना पसंद करते हो?'

'तो वह यह चाहती थी?' हैरी ने कहा, जब रॉन उनके सामने वाली बेंच पर बैठ गया और आस-पास की सभी डिशें अपनी तरफ़ खींचने लगा। 'उसने मुझसे सीधे से क्यों नहीं पूछ लिया कि क्या मैं उसे तुमसे ज़्यादा पसंद करता हूँ? क्या यह ज़्यादा आसान नहीं होता?'

हर्माइनी ने कहा, 'लड़कियाँ अक्सर सीधे सवाल नहीं पूछती हैं।'

'उन्हें पूछना चाहिए!' हैरी ने ज़ोर देकर कहा। 'फिर मैं उसे बता सकता था कि मैं उसका दीवाना हूँ! फिर उसे सेडरिक की मौत के बारे में आँसू बहाने की ज़रूरत महसूस नहीं होती!'

'मैं यह नहीं कह रही हूँ कि उसने जो किया था, वह समझदारी भरा था,' हर्माइनी ने कहा, जब जिनी भी उनके पास आ गई। वह भी रॉन की तरह ही कीचड़ में लथपथ और असंतुष्ट थी। 'मैं तो तुम्हें बस यह बताने की कोशिश कर रही हूँ कि वह उस वक़्त कैसा महसूस कर रही थी।'

अपने आलू को काटते हुए रॉन ने हर्माइनी से कहा, 'तुम्हें तो एक पुस्तक लिखनी चाहिए और लड़कियों के पागलपन भरे कामों का अनुवाद करना चाहिए, ताकि लड़के उन्हें समझ सकें।'

'हाँ,' हैरी ने उत्साह से कहा और चीलघात की टेबल की तरफ़ देखने

लगा। चो अभी-अभी खड़ी हुई थी। वह उसकी तरफ़ देखे बिना ही बड़े हॉल से बाहर चली गई। थोड़ा निराश महसूस करते हुए उसने रॉन और जिनी की तरफ़ देखा। 'तो क्विडिच प्रैक्टिस कैसी रही?'

'बुरे सपने की तरह थी,' रॉन ने चिड़चिड़ी आवाज़ में कहा।

'ओह छोड़ो भी,' हर्माइनी ने जिनी की तरफ़ देखते हुए कहा। 'मुझे यक़ीन है कि यह इतनी बुरी नहीं रही होगी -'

'यह इतनी ही बुरी थी,' जिनी ने कहा। 'यह भयंकर थी। एंजेलिना तो बाद में रुआँसी हो गई थी।'

रॉन और जिनी डिनर के बाद नहाने चले गए। हैरी और हर्माइनी गरुड़द्वार के व्यस्त हॉल में लौटकर अपने होमवर्क के पहाड़ से मुक़ाबला करने लगे। हैरी आधे घंटे तक खगोल-विज्ञान के नए सितारों के चार्ट से जूझता रहा, तभी फ्रेड और जॉर्ज आ गए।

फ्रेड ने चारों तरफ़ देखते हुए पूछा, 'रॉन और जिनी यहाँ नहीं हैं?' जब हैरी ने अपना सिर हिलाया, तो उसने कुर्सी खींचते हुए कहा, 'अच्छा है। हमने उनकी प्रैक्टिस देखी थी। उनकी हार तय है। हमारे बिना उनका बड़ा बुरा हाल है।'

'छोड़ो भी, जिनी बुरी नहीं है,' जॉर्ज ने न्यायपूर्ण ढंग से कहा और फ्रेड की बग़ल में बैठ गया। 'दरअसल मुझे नहीं मालूम कि वह इतना अच्छा कैसे खेल लेती है, जबकि हमने उसे कभी अपने साथ नहीं खिलाया।'

हर्माइनी ने पुरातन लिपियों की पुस्तकों के मोटे ढेर के पीछे से कहा, 'वह छह साल की उम्र से बगीचे के झाड़ूघर में से तुम्हारी झाड़ुएँ बारी-बारी से चुराकर छिपकर प्रैक्टिस करती थी।'

'ओह,' जॉर्ज ने थोड़ा प्रभावित दिखते हुए कहा। 'अच्छा - तो इससे बात समझ में आती है।'

'क्या रॉन ने एक भी गोल बचाया?' हर्माइनी ने *मैजिकल हायरोग्लिफ़्स एंड लोगोग्राम्स* के ऊपर से झाँकते हुए पूछा।

फ्रेड ने अपनी आँखें गोल-गोल घुमाते हुए कहा, 'देखो, अगर उसे कोई न देखे, तो वह गोल बचा सकता है। इसलिए शनिवार के मैच में जब भी तूफ़ान उसके क़रीब आए, हमें दर्शकों से कहना होगा कि वे अपनी पीठ घुमाकर आपस में बात करने लगें।'

वह दोबारा उठकर खड़ा हो गया और बेचैनी से खिड़की के पास जाकर अँधेरे मैदान को घूरने लगा।

'तुम जानते हो, क्विडिच ही इकलौती चीज़ थी, जिसकी वजह से यह जगह रुकने लायक़ थी।'

हर्माइनी ने उसकी तरफ़ सख़्ती से देखा।

'तुम्हारी परीक्षाएँ आ रही हैं!'

'हमने तुम्हें पहले भी बताया था, हमें **एन.ई.डब्ल्यू.टी.** की परवाह नहीं है,' फ़्रेड ने कहा। 'गोतामार टॉफ़ियाँ अब तैयार हो चुकी हैं। हमने पता लगा लिया है कि उन फोड़ों से मुक्ति कैसे पाई जाती है। मर्टलेप काढ़े की दो बूँदों से वे ग़ायब हो जाते हैं। यह विचार हमें ली ने सुझाया था।'

जॉर्ज ने जमकर जम्हाई ली और रात के बादल भरे आसमान की तरफ़ असंतोष से देखा।

'मैं यह मैच नहीं देखना चाहता। अगर ज़कारियस स्मिथ ने हमें हरा दिया, तो मैं आत्महत्या कर लूँगा।'

फ़्रेड ने दृढ़ता से कहा, 'इससे अच्छा तो यह रहेगा कि तुम उसे मार डालो!'

हर्माइनी एक बार फिर पुरातन लिपियों के अनुवाद पर झुक चुकी थी। उसने बेध्यानी से कहा, 'क्विडिच के साथ यही दिक़्क़त है। इससे हाउसों के बीच अनावश्यक दुर्भावना और तनाव पैदा होता है।'

उसने अपनी *स्पेलमैन्स सिलेबरी* पुस्तक खोजने के लिए ऊपर देखा। तब जाकर उसे नज़र आया कि फ़्रेड, जॉर्ज और हैरी उसकी तरफ़ हिक़ारत तथा अविश्वास के मिले-जुले भाव से घूर रहे थे।

'हाँ, इससे ऐसा ही होता है!' उसने अधीरता से कहा। 'इसे सिर्फ़ खेल ही क्यों नहीं मानते हो?'

हैरी ने अपना सिर हिलाते हुए कहा, 'हर्माइनी, तुम भावनाओं को समझने और पढ़ाई करने में अच्छी हो, लेकिन तुम क्विडिच के बारे में ज़रा भी नहीं समझती हो।'

'हो सकता है,' हर्माइनी ने अनुवाद के काम में लगते हुए बुझे स्वर में कहा। 'लेकिन कम से कम मेरी ख़ुशी रॉन के गोल बचाने की योग्यता पर निर्भर नहीं करती है।'

हालाँकि हैरी हर्माइनी के सामने यह बात स्वीकार करने के बजाय खगोल विज्ञान की मीनार से कूदना पसंद करता, लेकिन अगले शनिवार का मैच देखने के बाद वह भी यही चाहता था कि उसे क्विडिच की परवाह नहीं होती।

मैच के बारे में जो सबसे अच्छी बात कही जा सकती थी, वह यह थी कि

यह जल्दी ही ख़त्म हो गया। गरुड़द्वार के दर्शकों को सिर्फ़ बाईस मिनट का कष्ट झेलना पड़ा। यह कहना कठिन था कि सबसे बुरी चीज़ क्या थी : हैरी को लगा कि यह तय करना मुश्किल था। इसके लिए कई चीज़ों में कड़ा मुक़ाबला था : रॉन का चौदहवाँ असफल बचाव, स्लोपर का पहलवान के बजाय एंजेलिना के चेहरे पर बल्ला मारना और ज़कारियस स्मिथ के तूफ़ान लेकर आने पर कर्क का चीख़कर अपनी झाड़ू पर पीछे की तरफ़ गिर पड़ना। यह चमत्कार था कि गरुड़द्वार सिर्फ़ दस पॉइंट से हारा था : जिनी मेहनतकश हाउस के खोजी समरबी की नाक के नीचे से सुनहरी गेंद पकड़ने में कामयाब हो गई थी, जिससे अंतिम स्कोर 240–230 हो गया।

'अच्छा पकड़ा,' हैरी ने हॉल में जिनी से कहा, जहाँ का माहौल ऐसा था, जैसे वहाँ बहुत दुखद अंत्येष्टि हो रही हो।

उसने कंधे उचकाते हुए कहा, 'मेरी क़िस्मत अच्छी थी। सुनहरी गेंद ज़्यादा तेज़ नहीं थी और समरबी को सर्दी थी। उसे छींक आ गई और उसकी आँखें बिलकुल ग़लत मौक़े पर बंद हो गईं। वैसे भी, जब तुम टीम में आ जाओगे –'

'जिनी, मुझ पर *आजीवन* प्रतिबंध लगा है।'

'जब तक अंबरिज स्कूल में हैं, प्रतिबंध तभी तक है,' जिनी ने उसे सुधारते हुए कहा। 'दोनों में फ़र्क़ है। वैसे भी, जब तुम लौट आओगे, तो मैं धावक बनने की कोशिश करूँगी। एंजेलिना और एलिसिया दोनों ही अगले साल स्कूल से जा रही हैं। वैसे भी मुझे सुनहरी गेंद पकड़ने के बजाय गोल करना ज़्यादा अच्छा लगता है।'

हैरी ने मुड़कर रॉन को देखा, जो एक कोने में कंधे झुकाकर बैठा था और अपने घुटनों को घूर रहा था। उसके हाथ में बटरबियर की बोतल थी।

'एंजेलिना उसे अब भी इस्तीफ़ा नहीं देने दे रही है,' जिनी ने कहा, जैसे उसने हैरी के मन की बात समझ ली हो। 'वह कहती है कि उसमें प्रतिभा है।'

हैरी को यह सुनकर अच्छा लगा कि एंजेलिना रॉन पर इतना भरोसा कर रही थी, लेकिन साथ ही उसने यह भी सोचा कि उसे रॉन पर तरस खाकर टीम छोड़ने की इजाज़त दे देनी चाहिए। रॉन जब पिच से लौटा था, तब नागशक्ति वाले बड़े उत्साह से 'वीज़्ली हमारा राजा है' गा रहे थे। अब नागशक्ति वाले क्विडिच कप जीतने की स्थिति में आ चुके थे।

फ़्रेड और जॉर्ज वहाँ आ गए।

'मुझमें इतनी हिम्मत नहीं है कि उसे तसल्ली दूँ,' फ़्रेड ने रॉन की झुकी हुई

आकृति को देखकर कहा। 'वैसे ... जब उसने चौदहवाँ गोल छोड़ा था –'

उसने अपने हाथ इस तरह लहराए, जैसे वह पवनचक्की चला रहा हो।

'– अच्छा, मैं इसे पार्टियों के लिए बचाकर रखता हूँ, है ना ?'

इसके बाद जल्दी ही रॉन ख़ुद को घसीटकर अपने पलंग पर ले गया। रॉन की भावनाओं का सम्मान करते हुए हैरी ने कमरे में जाने से पहले कुछ देर तक इंतज़ार किया, ताकि अगर वह चाहे, तो सोने का नाटक कर सके। यही हुआ भी। जब हैरी कमरे में घुसा, तो रॉन थोड़ी ज़्यादा ज़ोर से खर्राटे ले रहा था, जो विश्वसनीय नहीं लग रहे थे।

हैरी पलंग पर पहुँच गया और मैच के बारे में सोचने लगा। बाहर से खड़े होकर मैच देखना बहुत ही कुंठाजनक था। वह जिनी के प्रदर्शन से बहुत प्रभावित था, लेकिन वह जानता था कि अगर वह होता, तो सुनहरी गेंद थोड़ी ज़्यादा जल्दी पकड़ लेता ... मैच में एक पल ऐसा आया था, जब सुनहरी गेंद कर्क के टखने के पास फड़फड़ा रही थी। अगर जिनी देर नहीं करती, तो वह गरुड़द्वार को जीत दिला सकती थी।

अंबरिज हैरी और हर्माइनी से कुछ लाइन नीचे बैठी थीं। एक-दो बार उन्होंने मुड़कर हैरी की तरफ़ देखा। मेंढकी जैसा उनका चौड़ा मुँह खिंचा हुआ था और वे बड़ी ख़ुशी से मुस्करा रही थीं। उस दृश्य की याद से हैरी को ग़ुस्सा आ गया। बहरहाल, कुछ मिनट बाद उसे याद आया कि उसे सोने से पहले अपने दिमाग़ से सभी भाव ख़ाली करने थे, जैसा स्नेप हर गुप्तविद्या की क्लास के आख़िर में उससे कह रहे थे।

उसने एक-दो पल कोशिश की, लेकिन अंबरिज की यादों के बाद स्नेप का विचार तो और भी भयानक था। अब भावनाएँ ख़ाली करने के बजाय हैरी यह सोचने लगा कि वह इन दोनों से कितनी बुरी तरह नफ़रत करता है। धीरे-धीरे रॉन के खर्राटे बंद हो गए और साँस लेने की धीमी, गहरी आवाज़ आने लगी। हैरी को नींद आने में समय लगा। उसका शरीर थका हुआ था, लेकिन उसके दिमाग़ को शांत होने में काफ़ी समय लग गया।

उसने सपने में देखा कि नेविल और प्रोफ़ेसर स्प्राउट आवश्यकता कक्ष में नाच रहे थे, जबकि प्रोफ़ेसर मैक्गॉनेगल बैगपाइप बजा रही थीं। उसने उन्हें कुछ देर तक ख़ुशी से देखा, फिर जाकर **डीए** के दूसरे सदस्यों को बुलाने का फ़ैसला किया।

लेकिन जब वह कमरे में लौटा, तो उसके सामने पगले बार्नाबास की दीवारदरी नहीं थी, बल्कि पत्थर की एक दीवार पर मशाल जल रही थी। उसने अपना सिर धीरे से बाईं तरफ़ हिलाया। वहाँ पर बिना खिड़की के गलियारे के

आख़िरी सिरे पर एक काला दरवाज़ा था।

वह उसकी तरफ़ रोमांच से बढ़ने लगा। उसे यह अजीब एहसास हो रहा था कि आख़िर इस बार वह कामयाब हो जाएगा और उसे खोलने का कोई तरीक़ा खोज लेगा ... वह उससे कुछ फ़ुट दूर था। रोमांच की उत्तेजना के साथ उसने देखा कि दाईं तरफ़ नीली रोशनी की एक चमकदार पट्टी थी ... दरवाज़ा खुला था ... उसने उसे चौड़ा खोलने के लिए अपना हाथ बढ़ाया और –

तभी रॉन ने एक ज़ोरदार खर्राटा लिया, जिससे हैरी की नींद खुल गई। उसका दायाँ हाथ अँधेरे में उसके सामने फैला हुआ था – उस दरवाज़े को खोलने के लिए, जो सैकड़ों मील दूर था। निराशा और अपराधबोध के मिले-जुले एहसास से उसने अपना हाथ नीचे कर लिया। वह जानता था कि उसे दरवाज़ा नहीं दिखना चाहिए था, लेकिन साथ ही वह यह जानने के लिए उतावला था कि इसके पीछे क्या है! उसे रॉन पर ग़ुस्सा आने लगा ... काश वह एक मिनट बाद खर्राटा लेता!

*

सोमवार की सुबह जिस समय वे लोग नाश्ता करने के लिए बड़े हॉल में घुसे, उसी समय उल्लू डाक लेकर आए। सिर्फ़ हर्माइनी को ही *दैनिक जादूगर* का इंतज़ार नहीं था। लगभग सभी विद्यार्थी फ़रार प्राणभक्षियों के बारे में ज़्यादा जानकारी पाने के लिए उत्सुक थे। हालाँकि कई लोगों के अनुसार वे नज़र आए थे, लेकिन वे अब तक पकड़ में नहीं आए थे। हर्माइनी ने उल्लू को एक नट देकर उत्सुकता से अख़बार खोला। हैरी ऑरेंज जूस पीने लगा। उसे पूरे साल में सिर्फ़ एक चिट्ठी मिली थी, इसलिए जब एक उल्लू उसके सामने आकर धम्म से बैठा, तो उसे लगा कि वह ग़लत जगह आ गया होगा।

'तुम्हें किसके पास जाना है?' हैरी ने उल्लू से पूछा और अपने ऑरेंज जूस को उसकी चोंच के नीचे से आलस से हटाया। फिर उसने आगे झुककर देखा कि लिफ़ाफ़े पर किसका नाम लिखा है। उस पर लिखा था :

हैरी पॉटर
बड़ा हॉल
हॉगवर्ट्स स्कूल

त्योरियाँ चढ़ाते हुए उसने उल्लू से लिफ़ाफ़ा लेने के लिए हाथ बढ़ाया। लेकिन इससे पहले कि वह ऐसा कर पाता, तीन, चार, पाँच और उल्लू पंख फड़फड़ाते हुए उसके पास नीचे उतर आए। बाद में आने वाले उल्लू अच्छी जगह बैठने के

लिए पहले वाले उल्लू से संघर्ष करने लगे। इस संघर्ष में एक उल्लू का पैर बटर की कटोरी में पहुँच गया और दूसरे ने नमकदानी लुढ़का दी। सभी अपनी चिट्ठी हैरी को सबसे पहले देने की कोशिश कर रहे थे।

'क्या हो रहा है ?' रॉन ने हैरानी में पूछा, जब गरुड़द्वार की टेबल पर बैठे सभी विद्यार्थी देखने के लिए आगे झुक गए। इसी बीच सात और उल्लू भी चीख़ते तथा पंख फड़फड़ाते हुए पहले वाले उल्लुओं के पास उतर चुके थे।

हर्माइनी ने अपने हाथ पंखों के बीच डालकर एक लंबा पैकेट निकाला और बोली, 'मैं जानती हूँ कि इसका क्या मतलब है – इसे सबसे पहले खोलो!'

हैरी ने भूरे पैकेट को खोला। उसमें से *द क्विबलर* पत्रिका का मार्च का अंक निकला। इसके कवर पर उसका चेहरा मुस्करा रहा था। तस्वीर के आर-पार बड़े-बड़े लाल अक्षरों में ये शब्द लिखे थे :

हैरी पॉटर का सनसनीख़ेज़ खुलासा :
तुम-जानते-हो-कौन के बारे में सच्चाई और जिस
रात को मैंने उसे लौटते देखा

'यह अच्छा है, है ना ?' लूना ने कहा, जो गरुड़द्वार की टेबल के पास आ गई थी और इस समय फ्रेड तथा रॉन के बीच सिकुड़कर बेंच पर बैठ गई थी। 'पत्रिका कल ही प्रकाशित हुई है। मैंने डैडी से कहा था कि वे तुम्हें एक मुफ़्त प्रति भिजवा दें। मैं उम्मीद करती हूँ,' उसने वहाँ जमा उल्लुओं की तरफ़ हाथ लहराया, जो अब भी हैरी के सामने टेबल पर खड़े थे, 'कि ये पाठकों की चिट्ठियाँ होंगी।'

'यही मुझे भी लगा था,' हर्माइनी ने उत्साह से कहा। 'हैरी, अगर तुम बुरा न मानो, तो क्या हम – ?'

'ज़रूर, ज़रूर,' हैरी ने थोड़ा चकराते हुए कहा।

रॉन और हर्माइनी लिफ़ाफ़े खोलने लगे।

'यह एक आदमी की चिट्ठी है, जो सोचता है कि तुम्हारा दिमाग़ चल गया है,' रॉन ने अपनी चिट्ठी की तरफ़ देखते हुए कहा। 'ओह अच्छा ...'

'यह महिला सुझाव देती है कि तुम्हें सेंट मंगोज़ में बिजली के झटके दिए जाने चाहिए,' हर्माइनी ने निराश दिखते हुए कहा और दूसरी चिट्ठी को गुड़ी-मुड़ी किया।

'यह **ठीक** दिखती है,' हैरी ने धीरे से कहा और पैस्ली में रहने वाली एक जादूगरनी की एक लंबी चिट्ठी पर नज़र डाली। 'सुनो, वह कहती है कि उसे मुझ पर यक़ीन है!'

'यह दुविधा में है,' फ्रेड ने कहा, जो उत्साह से चिट्ठी खोलने में शामिल हो गया था। '*यह वाला जादूगर कहता है कि तुम पागल नहीं लगते हो, लेकिन वह दरअसल यह यक़ीन नहीं करना चाहता है कि तुम-जानते-हो-कौन वापस लौट आया है, इसलिए वह नहीं जानता कि अब क्या सोचे।* ओह, चर्मपत्र की कितनी बर्बादी है!'

'यह एक जादूगर की है, जिसे तुम्हारी बात पर यक़ीन हो गया है, हैरी!' हर्माइनी ने रोमांच से कहा। '*तुम्हारे इंटरव्यू को पढ़ने के बाद मैं इस नतीजे पर पहुँचने के लिए विवश हुआ हूँ कि दैनिक जादूगर ने तुम्हारे साथ बहुत अन्यायपूर्ण व्यवहार किया है ... हालाँकि मैं यह नहीं सोचना चाहता कि तुम-जानते-हो-कौन लौट आया है, लेकिन मुझे मजबूरन यह मानना पड़ रहा है कि तुम सच बोल रहे हो* ... ओह, यह तो बहुत अच्छा है!'

'यह जादूगरनी सोचती है कि तुम पागल कुत्ते की तरह बेवजह भौंक रहे हो,' रॉन ने कहा और चिट्ठी ऊपर उछाल दी, '... लेकिन यह औरत कहती है कि तुमने उसका हृदय-परिवर्तन कर दिया है और अब वह तुम्हें असली हीरो मानने लगी है - उसने अपनी तस्वीर भी भेजी है - वाह!'

'यहाँ क्या हो रहा है?' एक लड़की जैसी बनावटी मीठी आवाज़ आई।

हैरी ने ऊपर देखा। उसके हाथ लिफ़ाफ़ों से भरे थे। प्रोफ़ेसर अंबरिज फ्रेड और लूना के पीछे खड़ी थीं। उनकी मेंढकी जैसी बाहर निकली आँखें उल्लुओं और हैरी के सामने टेबल पर फैली चिट्ठियों को देख रही थीं। कई विद्यार्थी दिलचस्पी से उन्हें देख रहे थे।

उन्होंने धीरे से पूछा, 'मिस्टर पॉटर, इतनी सारी चिट्ठियाँ क्यों आई हैं?'

'क्या अब यह भी गुनाह हो गया?' फ्रेड ने ज़ोर से पूछा। 'चिट्ठियाँ आना?'

'सावधान मिस्टर वीज़ली, वरना मैं तुम्हें सज़ा दे दूँगी,' अंबरिज ने कहा। 'हाँ, तो मिस्टर पॉटर?'

हैरी झिझका, लेकिन उसे समझ में नहीं आया कि वह अपने इस कारनामे को कैसे छिपा सकता है। निश्चित रूप से कुछ समय बाद *द क्विबलर* की प्रति अंबरिज के पास पहुँच जाएगी।

हैरी ने कहा, 'लोगों ने मुझे चिट्ठियाँ लिखी हैं, क्योंकि मैंने पिछले जून में हुई घटना के बारे में एक इंटरव्यू दिया था।'

किसी कारण से यह कहते समय उसने स्टाफ़ टेबल की तरफ़ देखा। हैरी को यह अजीब एहसास हुआ कि एक पल पहले तक डम्बलडोर उसकी तरफ़ देख

रहे थे, लेकिन जैसे ही उसने हेडमास्टर की तरफ़ देखा, वे प्रोफ़ेसर फ़्लिटविक के साथ चर्चा में जुट गए।

'इंटरव्यू?' अंबरिज ने दोहराया। उनकी आवाज़ सामान्य से ज़्यादा पतली और ऊँची हो गई थी। 'तुम्हारा क्या मतलब है?'

'मेरा मतलब है कि एक रिपोर्टर ने मुझसे सवाल पूछे थे और मैंने जवाब दिए थे,' हैरी ने कहा। 'यह देखिए –'

और उसने *द क्विबलर* पत्रिका उनके सामने फेंक दी। वे उसके कवर को घूरने लगीं। उनका पीला, मोटा चेहरा बदसूरत बैंगनी हो गया।

'तुमने यह काम कब किया?' उन्होंने पूछा और उनकी आवाज़ थोड़ी काँप रही थी।

हैरी ने कहा, 'पिछले हॉग्समीड वीकएंड में।'

उन्होंने हैरी की तरफ़ देखा। वे आगबबूला हो रही थीं और पत्रिका उनकी गाँठदार उँगलियों में काँप रही थी।

'मिस्टर पॉटर, अब तुम्हारी हॉग्समीड यात्राएँ बंद,' उन्होंने फुसफुसाकर कहा। 'तुम्हारी हिम्मत कैसे हुई ... तुमने यह कैसे ...' उन्होंने एक गहरी साँस ली। 'मैंने बार-बार तुम्हें यह सिखाने की कोशिश की है कि तुम्हें झूठ नहीं बोलना है। ज़ाहिर है, संदेश अब भी गहराई तक नहीं जा पाया है। गरुड़द्वार के पचास पॉइंट कम और एक हफ़्ते की सज़ा।'

वे दूर चली गईं। *द क्विबलर* उनके सीने से चिपकी हुई थी और कई विद्यार्थियों की आँखें उन पर जमी हुई थीं।

थोड़ी देर बाद ही पूरे स्कूल में बड़े-बड़े नोटिस लग चुके थे। सिर्फ़ हाउसों के नोटिसबोर्ड पर ही नहीं, बल्कि गलियारों और क्लासरूमों में भी।

हॉगवर्ट्स की सर्वोच्च प्रशासक के आदेश से

जिस विद्यार्थी के पास **द क्विबलर** *नाम की पत्रिका पाई जाएगी, उसे स्कूल से निकाल दिया जाएगा।*

यह शैक्षणिक क़ानून क्रमांक सत्ताईस के अनुपालन में है।

हस्ताक्षर : डोलोरेस जेन अंबरिज, सर्वोच्च प्रशासक

जब भी हर्माइनी इस नोटिस को देखती थी, तो न जाने क्यों वह बहुत ख़ुश दिखने लगती थी।

हैरी ने पूछा, 'तुम इतनी ख़ुश क्यों हो रही हो?'

'ओह हैरी, क्या तुम्हें समझ में नहीं आ रहा है?' हर्माइनी ने कहा। 'अगर वे यह सुनिश्चित करवाना चाहती थीं कि इस स्कूल का हर विद्यार्थी तुम्हारा इंटरव्यू पढ़ ले, तो उस पर प्रतिबंध लगाने से अच्छा तरीक़ा और कोई नहीं था!'

हर्माइनी की बात बिलकुल सही थी। हालाँकि हैरी को स्कूल में कहीं भी द *क्विबलर* नहीं दिखी, लेकिन शाम तक हर जगह विद्यार्थी उसके इंटरव्यू की बातें एक-दूसरे को सुना रहे थे। क्लासों के बाहर लाइन में, लंच के दौरान और क्लासों में पीछे की कुर्सियों पर सभी इसके बारे में फुसफुसा रहे थे। हर्माइनी ने उसे बताया कि जब वह पुरातन लिपियों की क्लास से पहले लड़कियों के टॉयलेट गई थी, तो वहाँ भी इस बारे में बातें चल रही थीं।

हर्माइनी की आँखें चमकने लगीं, जब उसने हैरी से कहा, 'फिर उन्होंने मुझे देख लिया। सबको पता है कि मैं तुम्हारी दोस्त हूँ, इसलिए उन्होंने मुझ पर सवालों की बमबारी कर दी। और हैरी, मैं सोचती हूँ कि उन्हें तुम पर यक़ीन है, मैं सचमुच ऐसा ही सोचती हूँ। मुझे लगता है कि आख़िरकार अब लोग तुम्हारी बात मान गए हैं!'

इस दौरान प्रोफ़ेसर अंबरिज पूरे स्कूल में घूम रही थीं और विद्यार्थियों को पकड़कर पुस्तकों तथा जेबों की तलाशी ले रही थीं। हैरी जानता था कि वे द *क्विबलर* पत्रिका खोज रही थीं, लेकिन विद्यार्थी उनसे कई क़दम आगे थे। हैरी के इंटरव्यू वाले पन्नों पर विद्यार्थियों ने जादू कर दिया था, ताकि वे किसी दूसरे व्यक्ति को पाठ्यपुस्तक के पन्ने जैसे दिखें और सिर्फ़ उनके पढ़ते समय ही असली रूप में आएँ। या फिर वे जादुई रूप से ख़ाली दिखते थे, जब तक कि वे ख़ुद दोबारा न पढ़ना चाहें। जल्दी ही यह लगने लगा कि स्कूल का हर विद्यार्थी इसे पढ़ चुका था।

ज़ाहिर है, शैक्षणिक क़ानून क्रमांक छब्बीस के तहत टीचर्स पर इंटरव्यू का ज़िक्र करने से प्रतिबंध लगा दिया गया था, लेकिन इसके बावजूद उन्होंने अपनी भावनाएँ व्यक्त करने के तरीक़े खोज लिए। प्रोफ़ेसर स्प्राउट ने गरुड़द्वार को बीस पॉइंट दे दिए, जब हैरी ने उन्हें पानी का जग दिया। मुस्कराते हुए प्रोफ़ेसर फ़्लिटविक ने सम्मोहन के अंत में उसे शकर के चीख़ने वाले चूहों का बक्सा दिया और 'श्श!' कहकर जल्दी से चले गए। प्रोफ़ेसर ट्रिलोनी ज्योतिष की क्लास में सुबकने लगीं और उन्होंने हैरान विद्यार्थियों तथा बहुत ही नाराज़ अंबरिज के सामने यह घोषणा की कि हैरी जल्दी *नहीं* मरेगा, बल्कि उसकी उम्र बहुत लंबी होगी, वह जादू मंत्री बनेगा और उसके बारह बच्चे होंगे।

लेकिन हैरी को सबसे ज़्यादा ख़ुशी इस बात से हुई कि जब वह अगले

दिन रूपांतरण की क्लास में जा रहा था, तो चो उसके पास आ गई। इससे पहले कि वह जान पाता कि क्या हुआ था, चो ने उसका हाथ पकड़ लिया और उसके कान में धीरे से कहा, 'मुझे सचमुच, सचमुच अफ़सोस है। वह इंटरव्यू देना बहुत बहादुरी का काम था ... उसे पढ़कर मैं रोने लगी।'

उसे यह सुनकर अफ़सोस हुआ कि चो ने इस बात पर भी आँसू बहाए थे, लेकिन वह बहुत ख़ुश था कि उनमें दोबारा बातचीत होने लगी थी। उसकी ख़ुशी और भी बढ़ गई, जब चो जल्दी से उसका गाल चूमकर तेज़ी से चली गई। जैसे ही वह रूपांतरण के क्लासरूम के बाहर पहुँचा, एक और अच्छी घटना हुई : सीमस लाइन से बाहर निकलकर उसके सामने आ गया।

वह हैरी के बाएँ घुटने की तरफ़ देखते हुए बुदबुदाया, 'मैं तो बस यह कहना चाहता था, मुझे तुम्हारी बात पर यक़ीन है। मैंने वह पत्रिका अपनी मम्मी को भिजवा दी है।'

मैल्फ़ॉय, क्रैब और गॉइल की प्रतिक्रिया से हैरी की ख़ुशी चरम सीमा पर पहुँच गई। वे लोग दोपहर में लाइब्रेरी में अपने सिर सटाए बैठे थे। उनके साथ एक घटिया दिखने वाला लड़का भी था, जिसके बारे में हर्माइनी ने फुसफुसाकर बताया कि उसका नाम थियोडोर नॉट था। उन्होंने हैरी की तरफ़ मुड़कर देखा। हैरी शेल्फ़ पर *आंशिक ओझलीकरण* पुस्तक खोज रहा था। गॉइल ने अपनी उँगलियाँ ख़तरनाक तरीक़े से चटकाईं और मैल्फ़ॉय ने क्रैब से निश्चित रूप से फुसफुसाकर कोई बुरी बात कही। हैरी जानता था कि वे लोग ऐसा क्यों कर रहे थे : उसने उन सभी के पिताओं के नाम प्राणभक्षियों के रूप में लिए थे।

लाइब्रेरी से बाहर निकलते समय हर्माइनी चहकते हुए बोली, 'और सबसे अच्छी बात यह है कि वे तुम्हारी बात नहीं काट सकते, क्योंकि इसके लिए उन्हें यह स्वीकार करना पड़ेगा कि उन्होंने लेख पढ़ा है!'

इससे भी अच्छी बात लूना ने डिनर के दौरान बताई। उसने कहा कि द *क्विबलर* का यह अंक जितनी तेज़ी से बिका है, उतना कोई अंक नहीं बिका था।

'डैडी उसे दोबारा छाप रहे हैं!' उसने हैरी से कहा और उसकी आँखें रोमांच से बाहर निकल रही थीं। 'उन्हें यक़ीन नहीं हो रहा है! वे कहते हैं कि लोग-बाग क्रम्पल-हॉर्न्ड स्नोरकैक्स के बजाय इसमें ज़्यादा दिलचस्पी ले रहे हैं!'

उस रात को हैरी गरुड़द्वार के हॉल में हीरो बन गया। फ्रेड और जॉर्ज ने द *क्विबलर* के सामने वाले कवर पर वृहदीकरण सम्मोहन करके उसे दीवार पर लटका दिया, ताकि हैरी का विशाल सिर हॉल में देखता रहे और बीच-बीच में तेज़ आवाज़ में कहता रहे, **'मंत्रालय वाले मूर्ख हैं'** और **'अंबरिज, गोबर**

खाओ।' हर्माइनी को यह बहुत मज़ेदार नहीं लगा। उसने कहा कि इससे उसकी एकाग्रता भंग हो रही थी। वह चिढ़कर जल्दी ही सोने चली गई। हैरी को भी एक-दो घंटे बाद यह मानना पड़ा कि यह पोस्टर उतना मज़ेदार नहीं रह गया था, क्योंकि अब बोलने वाला सम्मोहन कमज़ोर पड़ने लगा था, जिससे यह अक्सर ज़्यादा ऊँची आवाज़ में सिर्फ़ 'गोबर' और 'अंबरिज' जैसे शब्द बोलने लगा था तथा बीच के शब्द ग़ायब हो गए थे। दरअसल, इससे उसका सिर दुखने लगा और उसका निशान दोबारा टीस मारने लगा। उसे बहुत से विद्यार्थी घेरे हुए थे और उससे इंटरव्यू में कही बातें दोहराने का आग्रह कर रहे थे। उन लोगों के मुँह से निराशाजनक आहें निकलीं, जब उसने यह ऐलान किया कि वह भी जल्दी सोने जाना चाहता है।

जब वह कमरे में पहुँचा, तो कमरा ख़ाली था। उसने अपना माथा एक पल के लिए पलंग के पास वाली खिड़की के ठंडे काँच से टिका लिया। इससे उसके निशान को ठंडक मिली। फिर वह कपड़े बदलकर पलंग पर चढ़ गया। वह सोचने लगा कि काश उसका सिरदर्द ख़त्म हो जाए। उसका जी भी मचल रहा था। उसने करवट ली, अपनी आँखें बंद कीं और लगभग तत्काल सो गया ...

वह एक अँधेरे कमरे में खड़ा था, जिसमें पर्दे लगे थे। वहाँ सिर्फ़ क़तार में लगी मोमबत्तियाँ जल रही थीं। उसके हाथ सामने रखी कुर्सी की पीठ पर भिंचे थे। उसके हाथों की उँगलियाँ बहुत लंबी और सफ़ेद थीं, जैसे उन्होंने कई सालों से धूप नहीं देखी हो। कुर्सी के गहरे रंग के मख़मल पर उसकी उँगलियाँ बड़ी-बड़ी पीली मकड़ियों की तरह दिख रही थीं।

कुर्सी के आगे फ़र्श पर एक काले दुशालों वाला आदमी झुका हुआ था।

'ऐसा लगता है कि मुझे ग़लत सलाह दी गई थी,' हैरी ने एक ऊँची, ठंडी आवाज़ में कहा, जो ग़ुस्से से भरी हुई थी।

फ़र्श पर झुके आदमी ने कहा, 'मालिक, मैं माफ़ी चाहता हूँ!' मोमबत्ती की रोशनी में उसके सिर का पिछला हिस्सा चमकने लगा। वह काँप रहा था।

हैरी ने उसी ठंडी, क्रूर आवाज़ में कहा, 'मैं तुम्हें दोष नहीं दे रहा हूँ, रुकवुड!'

उसने कुर्सी को छोड़ दिया और उसके पास से घूमकर फ़र्श पर झुके आदमी के क़रीब पहुँचा। वह उसके पास खड़ा हो गया और सामान्य से ज़्यादा ऊँचाई से नीचे देखने लगा।

हैरी ने पूछा, 'तुम्हें लगता है कि यही सच है, रुकवुड?'

'हाँ, मालिक, हाँ ... आख़िर मैं उस विभाग में काम करता था ...'

'एवरी ने मुझे बताया था कि बोड उसे ला सकता है।'

'मालिक, बोड उसे कभी नहीं ला सकता था ... बोड जानता होगा कि वह ऐसा नहीं कर सकता ... निस्संदेह इसीलिए वह मैल्फ़ॉय के सम्मोहन शाप से इतनी कसकर लड़ा होगा ...'

हैरी फुसफुसाया, 'खड़े हो जाओ, रुकवुड!'

आदेश का पालन करने की हड़बड़ी में झुका हुआ आदमी गिरते-गिरते बचा। उसके चेहरे पर चेचक के दाग़ थे, जो मोमबत्ती की रोशनी में साफ़ नज़र आ रहे थे। खड़े होने के बाद भी वह झुका रहा, जैसे सलाम कर रहा हो। बीच-बीच में वह हैरी के चेहरे की तरफ़ दहशत से देखता जा रहा था।

'तुमने मुझे यह बताकर अच्छा किया,' हैरी ने कहा। 'ठीक है ... ऐसा लगता है कि मैंने बेकार की योजनाओं में इतने महीने बर्बाद किए ... लेकिन कोई बात नहीं ... अब हम दोबारा शुरू करते हैं। रुकवुड, लॉर्ड वोल्डेमॉर्ट तुम्हारे आभारी हैं ...'

'मालिक ... हाँ, मेरे मालिक,' रुकवुड ने कहा और उसकी आवाज़ राहत के मारे भर्रा रही थी।

'मुझे तुम्हारी मदद की ज़रूरत पड़ेगी। मुझे उस सारी जानकारी की ज़रूरत पड़ेगी, जो तुम मुझे दे सकते हो।'

'ज़ाहिर है, मेरे मालिक, ज़ाहिर है ... कोई भी काम ...'

'बहुत बढ़िया ... तुम जा सकते हो। एवरी को मेरे पास भेज देना।'

रुकवुड ने सलाम किया और दरवाज़े से बाहर चला गया।

अँधेरे कमरे में हैरी अकेला रह गया। वह दीवार की तरफ़ मुड़ा। अँधेरे हिस्से में एक चटका हुआ, पुराना आईना दीवार पर टँगा था। हैरी उसकी तरफ़ बढ़ा। उसका प्रतिबिंब अँधेरे में ज़्यादा बड़ा और स्पष्ट होने लगा ... उसका चेहरा कंकाल से भी ज़्यादा सफ़ेद था ... उसकी लाल आँखों में पुतलियों की जगह पर छेद थे ...

'नहींहींहींहीं!'

'क्या हुआ?' पास से एक आवाज़ आई।

हैरी पागलों की तरह छटपटाने लगा और पर्दों में उलझकर अपने पलंग से नीचे गिर गया। कुछ पल तक तो वह यह भी नहीं जानता था कि वह कहाँ है। उसे यक़ीन था कि वह दोबारा उस कंकाल जैसे चेहरे को आईने में देखेगा, लेकिन तभी उसे बहुत क़रीब से रॉन की आवाज़ सुनाई दी।

'तुम पागलों की तरह छटपटाना छोड़ो, ताकि मैं तुम्हें बाहर निकाल सकूँ!'

रॉन ने पर्दे खींचकर अलग कर दिए और हैरी ने चाँदनी में उसे घूरकर देखा। वह पीठ के बल लेटा हुआ था और उसका निशान दर्द के मारे टीस मार रहा था। रॉन को देखकर ऐसा लग रहा था, जैसे वह सोने की तैयारी कर रहा था। उसकी एक बाँह उसके दुशालों के बाहर थी।

रॉन ने हैरी को खड़ा करते हुए पूछा, 'क्या किसी पर फिर हमला हुआ है? क्या डैडी थे? क्या साँप था?'

'नहीं – सभी सकुशल हैं –' हैरी ने हाँफते हुए कहा, जिसका माथा आग में जलता हुआ महसूस हो रहा था। 'बस एवरी सकुशल नहीं है ... वह मुश्किल में है ... उसने ग़लत जानकारी दी थी ... वोल्डेमॉर्ट सचमुच ग़ुस्सा है ...'

हैरी कराहा और निशान को सहलाता हुआ पलंग पर लुढ़क गया।

'लेकिन अब रुकवुड वोल्डेमॉर्ट की मदद करने वाला है ... वह दोबारा सही रास्ते पर आ गया है ...'

'तुम किसके बारे में बात कर रहे हो?' रॉन ने डरी हुई आवाज़ में पूछा। 'क्या तुम्हारा मतलब है ... क्या तुमने अभी-अभी तुम-जानते-हो-कौन को देखा है?'

'मैं ही तुम-जानते-हो-कौन *था*,' हैरी ने कहा और उसने अपने हाथ अँधेरे में फैलाकर अपने सामने कर लिए, ताकि यह तसल्ली कर सकें कि वे सफ़ेद और लंबी उँगलियों वाले तो नहीं हैं। 'वह रुकवुड के साथ था। याद है, रुकवुड प्राणभक्षी है और अज़्काबान से फ़रार हो चुका है? रुकवुड ने उसे अभी-अभी बताया है कि बोड वह काम नहीं कर सकता था।'

'क्या नहीं कर सकता था?'

'किसी चीज़ को लाना था ... उसने बताया कि बोड जानता होगा कि वह यह काम नहीं कर सकता था ... बोड सम्मोहन शाप के वश में था ... उसने कहा था कि मैल्फ़ॉय के डैडी ने उसे यह शाप दिया था।'

'बोड पर किसी चीज़ को लाने के लिए सम्मोहन किया गया था?' रॉन ने पूछा। 'लेकिन हैरी, यह तो –'

'हथियार होगा,' हैरी ने उसके अधूरे वाक्य को पूरा कर दिया। 'मैं जानता हूँ।'

कमरे का दरवाज़ा खुला। डीन और सीमस अंदर आ गए। हैरी ने अपने पैर उछालकर पलंग पर कर लिए। वह इस तरह नहीं दिखना चाहता था, जैसे कोई अजीब बात हुई हो, क्योंकि सीमस ने अभी-अभी यह सोचना बंद किया था कि हैरी का दिमाग़ चल गया था।

'क्या तुम यह कह रहे हो,' रॉन बुदबुदाया और उसने पलंग के पास वाली टेबल पर रखे जग से पानी लेने के बहाने से अपना सिर हैरी के पास कर लिया, 'कि तुम ही तुम-जानते-हो-कौन *थे?*'

'हाँ,' हैरी ने धीरे से कहा।

रॉन ने पानी का एक बहुत बड़ा घूँट लिया, जो उसकी ठुड्डी से बहता हुआ सीने तक आ गया।

जब डीन और सीमस आवाज़ें करते हुए इधर-उधर घूमने लगे और दुशाले उतारते समय बातें करने लगे, तो रॉन बोला, 'तुम्हें यह बात डम्बलडोर को बतानी चाहिए -'

'मैं किसी को नहीं बताने वाला,' हैरी ने कहा। 'अगर मैं गुप्तविद्या में निपुण हो जाता, तो यह सब नहीं देख पाता। मुझे अब तक इस चीज़ को बाहर रखना सीख लेना चाहिए था। वे यही चाहते हैं।'

'वे' से उसका मतलब डम्बलडोर से था। वह अपने पलंग पर दोबारा चला गया और रॉन की तरफ़ पीठ करके लेट गया। कुछ समय बाद उसे रॉन के गद्दे के चरमराने की आवाज़ आई। वह समझ गया कि रॉन भी लेट गया है। हैरी के माथे का निशान दोबारा जलने लगा। उसने अपनी आवाज़ दबाने के लिए अपने तकिए को कसकर काटा। वह जानता था कि कहीं पर एवरी को सज़ा दी जा रही थी।

*

हैरी और रॉन ने हर्माइनी को सारी बातें बताने के लिए अगली सुबह ब्रेक के वक़्त तक का इंतज़ार किया। वे यह पूरी तरह सुनिश्चित करना चाहते थे कि कोई उनकी बात न सुन सके। ठंडे और हवादार कोने में खड़े-खड़े हैरी ने उसे अपने सपने का हर विवरण बताया। उसकी बात पूरी होने के बाद हर्माइनी थोड़ी देर तक कुछ नहीं बोली। वह फ्रेड और जॉर्ज की तरफ़ दर्द भरी नज़रों से घूरती रही। वे दोनों सिरविहीन दिख रहे थे और अहाते के दूसरे कोने पर अपने चोगों के अंदर से जादुई हैट बेच रहे थे।

आख़िरकार हर्माइनी ने फ्रेड और जॉर्ज से अपनी निगाह हटाते हुए धीरे से कहा, 'तो उन्होंने उसे इसीलिए मारा था। जब बोड ने उस हथियार को चुराने की कोशिश की, तो उसके साथ कोई अजीब घटना हुई। मैं सोचती हूँ कि हथियार पर सुरक्षात्मक मंत्र होंगे, ताकि लोग उसे छू न पाएँ। इसीलिए वह सेंट मंगोज़ में भर्ती था, उसका दिमाग़ विचित्र हो गया था और वह बोल नहीं सकता था। लेकिन याद है, उपचारक ने हमें क्या बताया था? वह ठीक हो रहा था।

और अपराधी उसे ठीक होने देने का जोखिम नहीं ले सकता था, है ना? मेरा मतलब है, जब बोड ने उस हथियार को छुआ होगा, तो जो भी अजीब चीज़ हुई होगी, उसके सदमे से शायद सम्मोहन शाप का प्रभाव ख़त्म हो गया होगा। अगर उसकी आवाज़ लौट आती, तो वह बता सकता था कि वह क्या कर रहा था, है ना? तब सबको पता चल जाता कि उसे हथियार चुराने के लिए भेजा गया था। ज़ाहिर है, लूसियस मैल्फ़ॉय के लिए उसे शाप देना बहुत ही आसान रहा होगा। वह हमेशा मंत्रालय में ही तो रहता है, है ना?'

'वह मेरी सुनवाई वाले दिन भी वहीं पर मँडरा रहा था,' हैरी ने कहा। 'अरे – थोड़ा रुको ...' उसने धीरे से कहा। 'वह उस दिन रहस्य विभाग वाले गलियारे में था! तुम्हारे डैडी ने कहा था कि वह शायद चोरी से यह पता लगाने की कोशिश कर रहा था कि मेरी सुनवाई में क्या हुआ था, लेकिन मान लो –'

'स्टर्गिस,' हर्माइनी ने स्तब्ध होते हुए कहा।

रॉन ने हैरानी से पूछा, 'क्या कहा?'

'स्टर्गिस पोडमोर –' हर्माइनी ने कहा, 'किसी दरवाज़े के भीतर घुसने की कोशिश करते हुए गिरफ़्तार हुआ था! लूसियस मैल्फ़ॉय ने उसे भी सम्मोहन शाप दिया होगा! मैं शर्त लगाती हूँ कि उसी दिन तुमने उसे वहाँ देखा होगा, हैरी। स्टर्गिस के पास मूडी का अदृश्य चोगा था, ठीक है? अगर वह अदृश्य होकर दरवाज़े के पास पहरा दे रहा होगा, तो हो सकता है मैल्फ़ॉय ने उसके हिलने की आवाज़ सुन ली हो – या अंदाज़ा लगा लिया हो कि कोई वहाँ पर था – या फिर इस अंदाज़े से सम्मोहन शाप दे दिया हो कि वहाँ पर कोई पहरेदार होगा? इसके बाद जब स्टर्गिस को मौक़ा मिला – शायद यह उसकी गार्ड ड्यूटी की बारी होगी – तो उसने वोल्डेमॉर्ट के लिए हथियार चुराने के उद्देश्य से विभाग में घुसने की कोशिश की – रॉन, डरो मत – लेकिन उसे पकड़ लिया गया और अज़्काबान भेज दिया गया ...'

उसने हैरी की तरफ़ देखा।

'और अब रुकवुड ने वोल्डेमॉर्ट को बता दिया है कि हथियार तक कैसे पहुँचना है?'

'मैं पूरी बात नहीं सुन पाया, लेकिन ऐसा ही लग रहा था,' हैरी ने कहा। 'रुकवुड वहाँ काम करता था ... शायद वोल्डेमॉर्ट ने रुकवुड को यह काम करने भेजा होगा?'

हर्माइनी ने सिर हिलाया और सोच में डूबी रही। फिर अचानक वह बोली, 'लेकिन हैरी, तुम्हें यह सब नहीं देखना चाहिए था।'

'क्या?' हैरी ने हैरानी से पूछा।

हर्माइनी गंभीर दिखते हुए बोली, 'तुम तो यह सीख रहे थे कि तुम्हें इस तरह की चीज़ों के प्रति अपना दिमाग़ कैसे बंद रखना है?'

'मैं जानता हूँ,' हैरी ने कहा। 'लेकिन –'

'देखो, मुझे लगता है कि अभी-अभी तुमने जो देखा है, उसे हमें भूलने की कोशिश करनी चाहिए,' हर्माइनी ने दृढ़ता से कहा। 'और तुम्हें आगे से गुप्तविद्या सीखने में थोड़ी ज़्यादा मेहनत करनी चाहिए।'

हैरी हर्माइनी से इतना ग़ुस्सा हो गया कि उसने रात तक उससे बात नहीं की। उसका दिन बहुत बुरा साबित हुआ। जब विद्यार्थी गलियारों में फ़रार प्राणभक्षियों के बारे में बातें नहीं कर रहे थे, तो वे मेहनतकश के ख़िलाफ़ हुए मैच में गरुड़द्वार के बुरे प्रदर्शन पर हँस रहे थे। नागशक्ति के लोग 'वीज़्ली हमारा राजा है' इतनी ज़ोर से और बार-बार गा रहे थे कि शाम तक फ़िल्च ने चिढ़कर गलियारों में उसे गाने पर प्रतिबंध लगा दिया।

उस सप्ताह स्थिति में कोई ख़ास सुधार नहीं हुआ। हैरी को काढ़े में दो और '**डी**' मिले। उसे अब भी यह चिंता सता रही थी कि हैग्रिड को निकाला जा सकता है। इसके अलावा वह उस सपने में बारे में सोचता रहा, जिसमें वह वोल्डेमॉर्ट बन गया था – हालाँकि उसने रॉन और हर्माइनी से दोबारा इसका ज़िक्र नहीं किया। वह हर्माइनी की एक और झिड़की नहीं सुनना चाहता था। उसका बहुत मन था कि वह सिरियस से इसके बारे में बात करे, लेकिन उसका तो सवाल ही नहीं उठता था, इसलिए उसने मामले को अपने मस्तिष्क में पीछे धकेलने की कोशिश की।

दुर्भाग्य से, उसके दिमाग़ का पीछे वाला हिस्सा भी अब उतना सुरक्षित नहीं था, जितना पहले हुआ करता था।

'उठो, पॉटर।'

रुकवुड के सपने के दो सप्ताह बाद हैरी एक बार फिर स्नेप के ऑफ़िस के फ़र्श पर घुटनों के बल बैठा था और अपने मस्तिष्क की यादों को हटाने की कोशिश कर रहा था। उसे एक बार फिर बहुत शुरुआती यादें आ गई थीं, जिनके बारे में उसे पता भी नहीं था। इनमें से ज़्यादातर उस अपमान के बारे में थीं, जो डडली और उसका गैंग अक्सर प्राइमरी स्कूल में करते थे।

'वह आख़िरी याद,' स्नेप ने कहा। 'वह क्या थी?'

'क्या पता?' हैरी ने कहा और उठकर खड़ा हो गया। अब उसे छवियों और ध्वनियों के अंबार में से यादों को अलग-अलग करने में बहुत मुश्किल आ

रही थी। 'आपका मतलब है वह वाली, जिसमें मेरे कज़िन ने मुझे टॉयलेट में खड़ा करने की कोशिश की थी?'

'नहीं,' स्नेप ने धीरे से कहा। 'वह वाली, जिसमें एक अँधेरे कमरे के बीच में एक आदमी झुका हुआ था ...'

हैरी ने कहा, 'यह कुछ ... नहीं था।'

स्नेप की काली आँखें हैरी की आँखों से मिलीं। हैरी को स्नेप की बात याद थी कि आँखों का संपर्क गुप्त-घुसपैठ के लिए अनिवार्य है, इसलिए वह पलकें झपकाकर दूसरी तरफ़ देखने लगा।

स्नेप ने पूछा, 'वह आदमी और वह कमरा तुम्हारे दिमाग़ के भीतर कैसे आए, पॉटर?'

'यह –' हैरी ने स्नेप को छोड़कर बाक़ी हर तरफ़ देखते हुए कहा, 'यह तो – एक सपना था, जो मैंने देखा था।'

'सपना?' स्नेप ने दोहराया।

एक पल के लिए ख़ामोशी छाई रही, जिस दौरान हैरी लगातार एक बड़े मृत मेंढक को घूरता रहा, जो बैंगनी द्रव वाले जार में पड़ा था।

'तुम जानते हो कि हम यहाँ पर क्या कर रहे हैं, है ना पॉटर?' स्नेप ने धीमी और ख़तरनाक आवाज़ में पूछा। 'तुम जानते हो कि मैं इस नीरस काम में अपनी शामें क्यों बर्बाद कर रहा हूँ?'

'हाँ,' हैरी ने कहा।

'मुझे बताओ पॉटर कि हम यहाँ पर क्यों हैं।'

'ताकि मैं गुप्तविद्या सीख सकूँ,' हैरी ने कहा, जो अब एक मरी हुई ईल को घूर रहा था।

'सही कहा, पॉटर। हालाँकि तुम मंदबुद्धि हो –' हैरी ने स्नेप की तरफ़ बहुत नफ़रत से देखा '– लेकिन मैं सोचता था कि दो महीने तक सिखाने के बाद तुमने थोड़ी-बहुत प्रगति तो की होगी। शैतानी शहंशाह के बारे में तुमने और कितने सपने देखे हैं?'

'बस वही वाला,' हैरी ने झूठ बोल दिया।

स्नेप ने अपनी काली, ठंडी आँखों को थोड़ा सिकोड़ते हुए कहा, 'शायद तुम्हें इन सपनों को देखने में मज़ा आता होगा, पॉटर। शायद इनसे तुम ख़ुद को ख़ास या – महत्त्वपूर्ण – समझते होगे?'

'नहीं, बिलकुल नहीं,' हैरी ने कहा। उसका जबड़ा कस गया और उसकी

उँगलियाँ उसकी छड़ी के हत्थे पर कस गईं।

'ठीक है, पॉटर,' स्नेप ने ठंडेपन से कहा, 'क्योंकि तुम न तो ख़ास हो, न ही महत्वपूर्ण हो और यह पता लगाना तुम्हारा काम नहीं है कि शैतानी शहंशाह अपने प्राणभक्षियों से क्या कहते हैं?'

हैरी ने कह दिया, 'नहीं - यह तो आपका काम है, है ना?'

वह यह बात कहना नहीं चाहता था। यह तो ग़ुस्से में उसके मुँह से निकल गई थी। एक लंबे पल तक वे एक-दूसरे की तरफ़ घूरते रहे। हैरी जानता था कि वह बहुत ज़्यादा दूर चला गया था। लेकिन स्नेप के चेहरे पर एक अजीब, लगभग संतुष्ट भाव था, जब उन्होंने आगे कहा।

'हाँ पॉटर,' उन्होंने कहा और उनकी आँखें चमकने लगीं। 'यह मेरा काम है। अब अगर तुम तैयार हो, तो हम दोबारा शुरू करते हैं।'

उन्होंने अपनी छड़ी दोबारा उठा ली : 'एक -दो - तीन - *गुप्त-घुसपैठ!*'

सौ दमपिशाच मैदान में झील के पार से हैरी की तरफ़ उड़कर आ रहे थे ... उसने अपना चेहरा एकाग्रता में सिकोड़ लिया ... वे अब क़रीब आ रहे थे ... उसे उनके नक़ाब के नीचे काले छेद दिख रहे थे ... लेकिन उसे अपने सामने खड़े स्नेप भी दिख रहे थे, उनकी आँखें हैरी के चेहरे पर जमी थीं और वे धीरे-धीरे बुदबुदा रहे थे ... और न जाने क्यों स्नेप ज़्यादा स्पष्ट होते जा रहे थे तथा दमपिशाच धुँधले पड़ते जा रहे थे ...

हैरी ने अपनी छड़ी उठा ली।

'*रक्षाकवच!*'

स्नेप लड़खड़ा गए - उनकी छड़ी ऊपर की तरफ़ उठी और हैरी से दूर चली गई - अचानक हैरी के दिमाग़ में ऐसी यादें भर गईं, जो उसकी नहीं थीं - मुड़ी नाक वाला एक आदमी एक झुकी हुई औरत पर चिल्ला रहा था, जबकि काले बालों वाला एक छोटा लड़का एक कोने में रो रहा था ... एक चिपचिपे बालों वाला किशोर अँधेरे बेडरूम में अकेला बैठा हुआ था और अपनी छड़ी छत की तरफ़ लहराकर मक्खियाँ मार रहा था ... एक लड़की हँस रही थी, जब एक दुबला-पतला लड़का जादुई झाड़ू पर चढ़ने की कोशिश कर रहा था -

'**बस!**'

हैरी को महसूस हुआ, जैसे किसी ने उसके सीने पर जमकर प्रहार कर दिया हो। वह लड़खड़ाकर कई क़दम पीछे चला गया। वह स्नेप के कमरे की दीवारों से टिके कुछ शेल्फ़ों से टकराया और उसे किसी चीज़ के तड़कने की आवाज़ आई। स्नेप थोड़े काँप रहे थे और उनका चेहरा बहुत सफ़ेद था।

हैरी के दुशाले का पीछे वाला हिस्सा गीला हो गया था। टकराने के कारण उसके पीछे का एक जार टूट गया था और उसका चिपचिपा द्रव हैरी के दुशाले पर लग गया था।

'*मरम्मतो,*' स्नेप ने कहा और जार दोबारा ठीक हो गया। 'अच्छा, पॉटर ... इस बार निश्चित रूप से सुधार था ...' धीरे-धीरे हाँफते हुए स्नेप ने उस स्मृति पात्र को सीधा किया, जिसमें उन्होंने पढ़ाना शुरू करने से पहले एक बार फिर अपने विचार रख दिए थे। वे एक तरह से यह जाँच कर रहे थे कि वे विचार अब भी वहीं थे या नहीं। स्नेप ने आगे कहा, 'मुझे याद नहीं है कि मैंने तुम्हें बताया था कि कवच सम्मोहन का प्रयोग करना है ... लेकिन इसमें कोई शक नहीं कि यह प्रभावी था ...'

हैरी कुछ नहीं बोला। उसे महसूस हुआ कि कुछ बोलना ख़तरनाक हो सकता है। उसे यक़ीन था कि उसने अभी-अभी स्नेप की यादों को तोड़ दिया था और उनके बचपन के दृश्य देख लिए थे। यह सोचना दहशत भरा था कि जो छोटा लड़का अपने माता-पिता को लड़ते देखकर रो रहा था, वही अपनी आँखों में नफ़रत लिए उसके सामने खड़ा था।

स्नेप ने कहा, 'हम दोबारा कोशिश करते हैं, ठीक है?'

हैरी दहशत में आ गया। उसे पूरा यक़ीन था कि अभी-अभी जो हुआ था, अब उसे उसकी क़ीमत चुकानी पड़ेगी। वे उसी स्थिति में आ गए, जबकि उनके बीच में डेस्क थी। हैरी को महसूस हुआ कि इस बार दिमाग़ ख़ाली करना उसके लिए पहले से ज़्यादा मुश्किल होगा।

'तीन की गिनती पर,' स्नेप ने अपनी छड़ी एक बार फिर उठाते हुए कहा। 'एक -दो -'

हैरी को सँभलने और दिमाग़ को ख़ाली करने का ज़रा भी समय नहीं मिला। इससे पहले ही स्नेप चिल्ला उठे, '*गुप्त-घुसपैठ!*'

वह गलियारे में रहस्य विभाग की तरफ़ चला जा रहा था - पत्थर की दीवारों के पार, मशालों के पार - सूना काला दरवाज़ा अब बड़ा होता जा रहा था। वह इतनी तेज़ी से चल रहा था कि वह इससे टकराने वाला था, वह उससे कुछ दूर था और एक बार फिर उसे हल्की नीली रोशनी दिखाई दे रही थी -

दरवाज़ा खुल गया था! वह आख़िर उसके पार निकल गया और एक काली दीवार तथा फ़र्श वाले गोलाकार कमरे में पहुँच गया, जिसमें नीली रोशनी वाली मोमबत्तियाँ जल रही थीं। और उसके चारों तरफ़ बहुत से दरवाज़े थे - उसे जाना था - लेकिन उसे किस दरवाज़े से जाना चाहिए - ?

'पॉटर!'

हैरी ने अपनी आँखें खोलीं। वह दोबारा चित्त लेटा हुआ था और उसे याद भी नहीं था कि वह वहाँ कैसे पहुँचा था। वह इस तरह हाँफ रहा था, जैसे वह सचमुच रहस्य विभाग के गलियारे में दौड़कर काले दरवाज़े से होते हुए गोलाकार कमरे में पहुँचा हो।

'इसका कारण बताओ!' स्नेप ग़ुस्से में उससे पूछ रहे थे।

'मुझे ... नहीं पता कि क्या हुआ,' हैरी ने खड़े होते हुए सच बोल दिया। ज़मीन से टकराने के कारण उसके सिर के पीछे एक गूमड़ हो गया था और उसे बुखार जैसा महसूस होने लगा। 'मैंने यह पहले कभी नहीं देखा था। मेरा मतलब है, मैंने आपको बताया था, मैंने दरवाज़े के बारे में सपना देखा था ... लेकिन यह पहले कभी खुला नहीं दिखा था ...'

'तुम अच्छी तरह मेहनत नहीं कर रहे हो!'

किसी कारण स्नेप दो मिनट पहले से भी ज़्यादा ग़ुस्से में दिखने लगे, जब हैरी ने अपने टीचर की यादों को देख लिया था।

'पॉटर, तुम इतने आलसी और लापरवाह हो। कोई हैरानी नहीं कि शैतानी शहंशाह -'

'क्या आप मुझे एक बात बता सकते हैं, *सर?*' हैरी ने तैश में आते हुए कहा। 'आप वोल्डेमॉर्ट को शैतानी शहंशाह क्यों कहते हैं? मैंने सिर्फ़ प्राणभक्षियों को ही ऐसा कहते सुना है।'

स्नेप ने गुर्राते हुए अपना मुँह खोला - तभी कमरे के बाहर किसी औरत की चीख़ सुनाई दी।.

स्नेप का सिर ऊपर की तरफ़ हो गया और वे छत को घूरने लगे।

उन्होंने बुदबुदाया, 'क्या - ?'

हैरी को दबा हुआ शोर सुनाई दे रहा था, जो प्रवेश हॉल की तरफ़ से आता लग रहा था। स्नेप ने त्योरियाँ चढ़ाकर उसकी तरफ़ देखा।

'पॉटर, जब तुम यहाँ आ रहे थे, तब क्या तुमने कोई असामान्य चीज़ देखी थी?'

हैरी ने अपना सिर इंकार में हिला दिया। उनके ऊपर कहीं पर वह औरत दोबारा चीख़ी। स्नेप अपने ऑफ़िस के दरवाज़े तक गए। उनकी छड़ी तैयार थी और वे बाहर निकलकर ओझल हो गए। हैरी एक पल के लिए झिझका और फिर वह भी उनके पीछे-पीछे चल दिया।

चीख़ें सचमुच प्रवेश हॉल की तरफ़ से ही आ रही थीं। जब हैरी तहख़ाने से ऊपर जाने वाली पत्थर की सीढ़ियों की तरफ़ भागा, तो चीख़ें तेज़ हो गईं। ऊपर पहुँचने पर उसने देखा कि प्रवेश हॉल खचाखच भरा था। बड़े हॉल में डिनर चल रहा था और बहुत से विद्यार्थी वहाँ से बाहर निकलकर देख रहे थे कि क्या हो रहा था। विद्यार्थी संगमरमर की सीढ़ियों पर ठसाठस खड़े थे। हैरी नागशक्ति के विद्यार्थियों के समूह को धकाता हुआ आगे बढ़ा। उसने देखा कि देखने वालों ने एक बड़ा गोला बना लिया था। उनमें से कुछ सदमे में थे, जबकि बाक़ी डरे हुए थे। प्रोफ़ेसर मैक्गॉनेगल हैरी के सामने हॉल के दूसरे छोर पर थीं। उन्हें देखकर ऐसा लग रहा था, जैसे इस दृश्य से उन्हें घिन हो रही थी।

प्रोफ़ेसर ट्रिलोनी प्रवेश हॉल के बीच में खड़ी थीं। उनके एक हाथ में छड़ी थी और दूसरे में शेरी की ख़ाली बोतल थी। वे पूरी तरह पगलाई दिख रही थीं। उनके बाल खड़े हुए थे, उनका चश्मा तिरछा था, जिससे एक आँख दूसरी से बहुत ज़्यादा बड़ी दिख रही थी। उनके बहुत से शॉल और स्कार्फ़ उनके कंधे पर बेतरतीब लटक रहे थे, जिससे यह पता चल रहा था कि वे बेक़ाबू हो चुकी थीं। उनके पास फ़र्श पर दो बड़े संदूक रखे थे, जिनमें से एक उल्टा था। ऐसा लग रहा था, जैसे उन संदूकों को किसी ने उनके पीछे नीचे फेंका हो। प्रोफ़ेसर ट्रिलोनी दहशत में सीढ़ियों के नीचे खड़ी किसी चीज़ को घूर रही थीं, जिसे हैरी नहीं देख पाया।

'नहीं!' वे चीख़ीं। '**नहीं!** ऐसा नहीं हो सकता ... यह नहीं ... मैं इसे मानने से इंकार करती हूँ!'

'तुम्हें इसके होने का एहसास नहीं था?' एक लड़की जैसी आवाज़ आई, जिसमें निष्ठुरता और आनंद की झलक थी। हैरी थोड़ी दाईं तरफ़ हो गया। उसने देखा कि ट्रिलोनी दहशत से जिसे देख रही थीं, वे और कोई नहीं, बल्कि प्रोफ़ेसर अंबरिज थीं। 'हालाँकि तुम कल के मौसम की भी भविष्यवाणी नहीं कर सकती हो, लेकिन तुम्हें निश्चित रूप से इस बात का एहसास तो हो ही जाना चाहिए था कि मेरे इंस्पेक्शनों में तुम्हारे ख़राब प्रदर्शन और सुधार की कमी को देखते हुए यह अनिवार्य था कि तुम्हें नौकरी से निकाल दिया जाएगा?'

'आप ऐसा नहीं – नहीं कर सकतीं!' प्रोफ़ेसर ट्रिलोनी चीख़ीं और उनके बड़े चश्मे के पीछे से आँसू निकलकर उनके चेहरे पर बहने लगे। 'आप मुझे – मुझे नहीं निकाल सकतीं। मैं यहाँ – यहाँ पर सोलह साल से हूँ! हॉग – हॉगवर्ट्स – मेरा घर है!'

'यह तुम्हारा घर *था*,' प्रोफ़ेसर अंबरिज ने कहा। हैरी ने नफ़रत से उनके मेंढकी जैसे चेहरे पर झलकते आनंद को देखा, जब वे प्रोफ़ेसर ट्रिलोनी को

सुबकते हुए और संदूक पर बैठते हुए देखती रहीं, 'एक घंटे पहले तक यह तुम्हारा घर था, जब जादू मंत्री ने तुम्हारी बर्ख़ास्तगी के आदेश पर अपनी मोहर लगाई। अब मेहरबानी करके चली जाओ। तुम हमें शर्मिंदा कर रही हो।'

लेकिन वे बहुत कुटिल आनंद से देखती रहीं, जब प्रोफ़ेसर ट्रिलोनी काँपीं और कराहती हुई अपने संदूक पर आगे-पीछे हुईं। हैरी को बाईं तरफ़ एक दबी हुई सिसकी सुनाई दी। उसने घूमकर देखा। लैवेंडर और पार्वती धीरे-धीरे रो रही थीं तथा एक-दूसरे को सहारा दे रही थीं। फिर उसे क़दमों की आहट सुनाई दी। प्रोफ़ेसर मैक्गॉनेगल भीड़ के बीच से निकलकर प्रोफ़ेसर ट्रिलोनी की तरफ़ आ रही थीं। वे उनकी पीठ थपथपा रही थीं और अपने दुशालों से एक बड़ा रूमाल निकाल रही थीं।

'देखो सिबिल ... शांत रहो ... इससे अपनी नाक साफ़ कर लो ... यह उतना बुरा नहीं है, जितना तुम सोच रही हो ... तुम्हें हॉगवर्ट्स से नहीं जाना पड़ेगा ...'

'क्या सचमुच, प्रोफ़ेसर मैक्गॉनेगल?' अंबरिज ने ज़हरीली आवाज़ में कहा और कुछ क़दम आगे बढ़ाए। 'आपको ऐसा कहने का क्या अधिकार है?'

'अधिकार मेरा है,' एक गहरी आवाज़ आई।

बलूत की लकड़ी का सामने वाला दरवाज़ा खुल गया। दरवाज़े के पास के विद्यार्थी रास्ते से हट गए, जब डम्बलडोर वहाँ पर नज़र आए। वे मैदान में क्या कर रहे थे, यह हैरी को पता नहीं था, लेकिन दरवाज़े की चौखट पर अजीब सी धुँधली रोशनी में उन्हें देखना बहुत प्रभावी था। दरवाज़े को अपने पीछे खुला छोड़कर वे दर्शकों के गोले के बीच से तेज़ी से चलते हुए प्रोफ़ेसर ट्रिलोनी के पास आए, जो आँसुओं के बीच अपने संदूक पर बैठकर काँप रही थीं।

'आपका, प्रोफ़ेसर डम्बलडोर?' अंबरिज ने बहुत ही अप्रिय हँसी के साथ कहा। 'मुझे लगता है कि आप स्थिति को समझ नहीं रहे हैं। मेरे पास –' उन्होंने अपने दुशालों से एक चर्मपत्र निकाला '– बर्ख़ास्तगी का आदेश है, जिस पर मेरे और जादू मंत्री दोनों के हस्ताक्षर हैं। शैक्षणिक क़ानून क्रमांक तेईस के अनुपालन में हॉगवर्ट्स की सर्वोच्च प्रशासक को यानी मुझे किसी भी ऐसे टीचर का इंस्पेक्शन करने, प्रोबेशन पर रखने और निकालने का अधिकार है, जो जादू मंत्री द्वारा अपेक्षित मानदंडों के अनुरूप काम नहीं कर रहे हों। मैंने यह फ़ैसला कर लिया है कि प्रोफ़ेसर ट्रिलोनी का प्रदर्शन संतोषजनक नहीं है। मैंने उन्हें नौकरी से निकाल दिया है।'

हैरी यह देखकर बहुत हैरान रह गया कि इसके बाद भी डम्बलडोर मुस्कराते रहे। उन्होंने प्रोफ़ेसर ट्रिलोनी की तरफ़ देखा, जो अब भी अपने संदूक

पर बैठकर सुबक रही थीं। फिर वे बोले, 'आप ठीक कह रही हैं, प्रोफ़ेसर अंबरिज। सर्वोच्च प्रशासक होने के नाते आपको मेरे टीचर्स को बर्ख़ास्त करने का पूरा अधिकार है। बहरहाल, आपको उन्हें महल से निकालने का अधिकार नहीं है। मुझे यक़ीन है,' उन्होंने थोड़ा सिर झुकाते हुए कहा, 'कि ऐसा करने की शक्ति अब भी यहाँ के हेडमास्टर के पास है और मैं चाहता हूँ कि प्रोफ़ेसर ट्रिलोनी हॉगवर्ट्स में ही रहें।'

यह सुनकर प्रोफ़ेसर ट्रिलोनी पागलों की तरह हँसीं।

'नहीं – नहीं, मैं चली जाऊँगी, डम्बलडोर! मैं हॉगवर्ट्स छोड़ दूँगी – मैं कहीं और अपनी क़िस्मत आज़माऊँगी –'

'नहीं,' डम्बलडोर ने तीखी आवाज़ में कहा। 'मेरी इच्छा है कि तुम यहीं रहो, सिबिल।'

वे प्रोफ़ेसर मैक्गॉनेगल की तरफ़ मुड़े।

'प्रोफ़ेसर मैक्गॉनेगल, क्या आप सिबिल के साथ ऊपर वाली मंज़िल तक जाएँगी?'

'ज़ाहिर है,' मैक्गॉनेगल ने कहा। 'चलो सिबिल, ऊपर चलते हैं ...'

प्रोफ़ेसर स्प्राउट भीड़ के बीच से तेज़ी से आगे आईं और उन्होंने प्रोफ़ेसर ट्रिलोनी की दूसरी बाँह थाम ली। दोनों ट्रिलोनी को अंबरिज के पास से निकालकर संगमरमर की सीढ़ियों के ऊपर ले गईं। प्रोफ़ेसर फ़्लिटविक अपनी छड़ी सामने रखकर उनके पीछे-पीछे गए। उन्होंने कहा, '*चलितो संदूक!*' प्रोफ़ेसर ट्रिलोनी का संदूक हवा में उठकर उनके पीछे-पीछे सीढ़ियों पर जाने लगा। प्रोफ़ेसर फ़्लिटविक छड़ी उठाकर सबसे पीछे चल रहे थे।

प्रोफ़ेसर अंबरिज बिलकुल स्थिर खड़ी होकर मुस्कराते डम्बलडोर को घूर रही थीं।

उन्होंने फुसफुसाकर कहा, हालाँकि उनकी बात पूरे प्रवेश हॉल में सुनाई दे रही थी, 'आप उनका क्या करेंगे, जब मैं ज्योतिष के किसी नए टीचर को नियुक्त कर दूँगी और उसे रहने के लिए कमरे की ज़रूरत होगी?'

'ओह, उसमें कोई दिक्क़त नहीं है,' डम्बलडोर ने ख़ुशी से कहा। 'देखिए, मैंने पहले ही ज्योतिष का एक नया टीचर खोज लिया है और उसे ग्राउंड फ़्लोर पर रहना ही पसंद है।'

'आपने खोज लिया है – ?' अंबरिज ने तीखी आवाज़ में कहा। '*आपने* खोज लिया है? डम्बलडोर, क्या मैं आपको याद दिला सकती हूँ कि शैक्षणिक क़ानून क्रमांक बाईस के अनुपालन में –'

'मंत्रालय को किसी उपयुक्त उम्मीदवार को नियुक्त करने का अधिकार है, लेकिन तभी - और सिर्फ़ तभी - जब हेडमास्टर किसी को न खोज पाए,' डम्बलडोर ने कहा। 'और मुझे यह कहते हुए ख़ुशी हो रही है कि इस बार मैं कामयाब हो गया हूँ। क्या मैं आपका परिचय नए टीचर से करवा सकता हूँ?'

वे सामने वाले खुले दरवाज़े की तरफ़ मुड़े, जिसमें से रात की धुंध तैरती हुई अंदर आ रही थी। हैरी को टापों की आवाज़ सुनाई दी। हॉल में चारों तरफ़ सदमे भरी बुदबुदाहट होने लगी और दरवाज़े के पास खड़े विद्यार्थी जल्दी से पीछे हट गए। उनमें से कुछ तो आने वाले के लिए रास्ता ख़ाली करने की जल्दी में गिरते-गिरते बचे।

धुंध से एक चेहरा बाहर निकला, जिसे हैरी ने एक बार पहले अँधेरे जंगल में एक ख़तरनाक रात को देखा था : सफ़ेद-सुनहरे बाल और बिलकुल नीली आँखें, आदमी का सिर और धड़, जिसके नीचे घोड़े के पैर थे।

'यह फ़िरेंज है,' डम्बलडोर ने स्तब्ध अंबरिज से चहकते हुए कहा। 'मुझे लगता है कि यह आपको उपयुक्त लगेगा।'

अध्याय सत्ताईस

सेनटॉर और मुख़बिर

'हर्माइनी, अब तुम्हें लग रहा होगा कि तुमने ज्योतिष नहीं छोड़ा होता, तो अच्छा होता,' पार्वती ने मुस्कराते हुए कहा।

यह नाश्ते का समय था। प्रोफ़ेसर ट्रिलोनी की बर्ख़ास्तगी वाली घटना को दो दिन हो चुके थे। पार्वती अपनी छड़ी से पलकें घुमा रही थी और चम्मच के पीछे अपनी छवि देख रही थी। उस सुबह उनकी फ़िरेंज के साथ पहली क्लास थी।

हर्माइनी *दैनिक जादूगर* पढ़ रही थी। उसने उदासीनता से कहा, 'नहीं तो! मुझे घोड़े पसंद नहीं हैं।'

उसने अख़बार का पन्ना मोड़कर उसके कॉलमों पर नज़र दौड़ाई।

लैवेंडर सदमे में आते हुए बोली, 'वह घोड़ा नहीं, सेनटॉर है!'

'*बहुत सुंदर* सेनटॉर ...' पार्वती ने आह भरते हुए कहा।

'चाहे जो हो, उसके फिर भी चार पैर हैं,' हर्माइनी ने ठंडे लहज़े में कहा। 'वैसे मुझे लगता था कि तुम दोनों को ट्रिलोनी के जाने का बड़ा अफ़सोस था?'

'हमें अब भी है!' लैवेंडर ने उसे आश्वस्त किया। 'हम उनके ऑफ़िस में उनसे मिलने गई थीं। हम उनके पास पीले नरगिस के फूल लेकर गई थीं - स्प्राउट जैसे मुरझाए हुए नहीं, बल्कि अच्छे वाले।'

हैरी ने पूछा, 'वे कैसी हैं?'

'बहुत अच्छी नहीं हैं, बेचारी,' लैवेंडर ने सहानुभूतिपूर्वक कहा। 'वे रो रही थीं और कह रही थीं कि वे महल छोड़कर जाना चाहती हैं और अंबरिज के आस-पास नहीं रहना चाहतीं। मैं उन्हें दोष नहीं देती हूँ! अंबरिज ने उनके साथ बहुत बुरा व्यवहार किया था, है ना?'

हर्माइनी ने गंभीरता से कहा, 'मुझे लगता है कि अंबरिज का बहुत बुरा

व्यवहार तो अभी शुरू ही हुआ है।'

'असंभव,' रॉन बोला, जो अंडों और बेकन से भरी बड़ी प्लेट साफ़ करने में जुटा था। 'वे इससे ज़्यादा बुरी नहीं हो सकतीं।'

हर्माइनी ने अख़बार बंद करते हुए कहा, 'तुम मेरी बात याद रखना! वे डम्बलडोर से बदला ज़रूर लेंगी, क्योंकि उन्होंने बिना उनकी सलाह लिए एक नए टीचर को नियुक्त कर दिया है और वह भी एक अर्ध-मानव को। फ़िरेंज को देखकर उनके चेहरे पर कितना अजीब भाव आया था!'

नाश्ते के बाद हर्माइनी अपनी जादुई अंकों का महत्त्व की क्लास में चली गई। हैरी और रॉन पार्वती तथा लैवेंडर के पीछे प्रवेश हॉल में गए और ज्योतिष की क्लास की तरफ़ जाने लगे।

जब पार्वती संगमरमर की सीढ़ियों पर चढ़ने के बजाय उसके पास से निकल गई, तो रॉन ने हैरानी से पूछा, 'हम उत्तरी मीनार की तरफ़ नहीं चल रहे हैं क्या?'

पार्वती ने चिढ़कर उसकी तरफ़ देखा।

'तुम फ़िरेंज से उस सीढ़ी पर चढ़ने की उम्मीद कैसे कर सकते हो? ज्योतिष की क्लास अब क्लासरूम ग्यारह में लगेगी। कल नोटिसबोर्ड पर नोटिस लगा था।'

क्लासरूम ग्यारह ग्राउंड फ़्लोर पर था। यह प्रवेश हॉल से जाने वाले गलियारे में था, जो बड़े हॉल की दूसरी दिशा में था। इस क्लासरूम का नियमित इस्तेमाल नहीं होता था, इसलिए उसमें किसी अलमारी या स्टोररूम जैसा उपेक्षित माहौल था। जब हैरी इसमें रॉन के पीछे दाख़िल हुआ, तो उसने ख़ुद को जंगल के बीच में पाया। वह पल भर के लिए सन्न रह गया।

'आख़िर यह क्या - ?'

क्लासरूम की फ़र्श काईदार थी और उसमें से पेड़ उग रहे थे। उनकी पत्तेदार शाखाएँ छत और खिड़कियों के पार लहरा रही थीं, जिससे कमरा हरी रोशनी की मुड़ी हुई शाखाओं से भरा था। वहाँ पहले से मौजूद विद्यार्थी ज़मीन पर पेड़ के तनों या चट्टानों से टिककर बैठे थे। उनकी बाँहें उनके घुटनों या सीने पर बँधी थीं और वे सभी थोड़े घबराए हुए दिख रहे थे। ख़ाली जगह के बीच में, जहाँ कोई पेड़ नहीं था, फ़िरेंज खड़ा था।

जब हैरी दाख़िल हुआ, तो उसने अपना हाथ बढ़ाते हुए कहा, 'हैरी पॉटर!'

'अर - हाय,' हैरी ने सेनटॉर से हाथ मिलाते हुए कहा, जिसने उसे अपनी बहुत नीली आँखों से अपलक देखा, लेकिन मुस्कराया नहीं। 'अर - तुम्हें देखकर

अच्छा लगा।'

'मुझे भी,' सेनटॉर ने अपना सफ़ेद-सुनहरा सिर झुकाते हुए कहा। 'तक़दीर में लिखा था कि हम दोबारा मिलेंगे।'

हैरी का ध्यान गया कि फ़िरेंज के सीने पर एक पंजे का निशान था। जब वह फ़र्श पर बाक़ी विद्यार्थियों के पास बैठने के लिए मुड़ा, तो उसने देखा कि वे सभी उसे आश्चर्य और श्रद्धा से देख रहे थे। वे बहुत प्रभावित थे कि वह फ़िरेंज से बातचीत कर सकता था, जो उन्हें थोड़ा डरावना लग रहा था।

जब दरवाज़ा बंद हुआ और आख़िरी विद्यार्थी एक पेड़ के ठूँठ पर वेस्टपेपर बास्केट की बग़ल में बैठ गया, तो फ़िरेंज ने कमरे की तरफ़ इशारा किया और बोला।

'प्रोफ़ेसर डम्बलडोर ने मेहरबानी करके इस क्लासरूम को हमारे लिए तैयार कर दिया है। यह मेरे नैसर्गिक परिवेश की तरह दिखता है। मैं तो तुम लोगों को अँधेरे जंगल में पढ़ाना ज़्यादा पसंद करता, जो - पिछले सोमवार तक - मेरा घर था ... लेकिन अब यह संभव नहीं है।'

'प्लीज़ - अर - सर - ?' पार्वती ने अपना हाथ उठाते हुए पूछा, '- क्यों नहीं ? हम वहाँ हैग्रिड के साथ जा चुके हैं। हमें डर नहीं लगता!'

फ़िरेंज बोला, 'यह तुम्हारी बहादुरी का नहीं, बल्कि मेरी स्थिति का सवाल है। मैं जंगल में नहीं लौट सकता। मेरे झुंड ने मुझे बाहर निकाल दिया है।'

'झुंड ?' लैवेंडर ने दुविधा में कहा। हैरी समझ गया कि वह गायों के बारे में सोच रही होगी।

फिर लैवेंडर के चेहरे पर समझ का भाव दिखने लगा। उसने स्तब्ध होकर कहा, *'क्या आप जैसे और भी हैं ?'*

डीन ने उत्साह से पूछा, 'क्या हैग्रिड ने थेस्ट्रॉल्स की तरह आपको भी पाला है ?'

फ़िरेंज ने अपना सिर बहुत धीरे-धीरे डीन की तरफ़ घुमाया, जिसे तत्काल समझ में आ गया कि उसने कोई बहुत बुरी लगने वाली बात कह दी थी।

उसने धीमी आवाज़ में आगे कहा, 'मेरा यह मतलब नहीं था - मेरा मतलब था - सॉरी।'

'सेनटॉर्स इंसानों के दास या खिलौने नहीं हैं,' फ़िरेंज ने धीरे से कहा। सन्नाटा छा गया, फिर पार्वती ने अपना हाथ दोबारा उठा दिया।

'प्लीज़, बताइए सर ... दूसरे सेनटॉर्स ने आपको क्यों बाहर निकाल दिया?'

'क्योंकि मैं प्रोफ़ेसर डम्बलडोर के लिए काम करने को तैयार हो गया,' फ़िरेंज ने कहा। 'वे मानते हैं कि मैंने हमारी प्रजाति को धोखा दिया है।'

हैरी को याद आया कि लगभग चार साल पहले बेन नाम का सेनटॉर फ़िरेंज पर इसलिए चिल्लाया था, क्योंकि उसने हैरी को सुरक्षित जगह पर पहुँचाने के लिए अपनी पीठ पर बैठा लिया था। उसने फ़िरेंज को 'सामान्य खच्चर' कहा था। उसके मन में आया कि कहीं बेन ने ही तो फ़िरेंज के सीने पर लात नहीं मारी थी।

फ़िरेंज ने कहा, 'चलो शुरू करते हैं।' उसने अपनी लंबी पूँछ लहराई, अपना हाथ पत्तों से भरी छत की तरफ़ उठाया और फिर उसे धीरे से नीचे किया। उसके ऐसा करते ही रोशनी कम हो गई। अब ऐसा लग रहा था, जैसे वे गोधूलि वेला में जंगल में बैठे हुए हों। छत पर सितारे उभर आए थे। *ऊह-आह* की आवाज़ें आईं और रॉन ज़ोर से बोला, 'ओहो!'

फ़िरेंज ने शांत आवाज़ में कहा, 'फ़र्श पर लेट जाओ और आसमान की तरफ़ देखो। वहाँ पर हमारी प्रजातियों की तक़दीर लिखी हुई है, लेकिन इसे वही समझ सकते हैं, जिन्हें इसका ज्ञान है।'

हैरी पीठ के बल लेटकर छत की तरफ़ देखने लगा। एक चमकदार लाल सितारा उसकी तरफ़ देखकर आँख मार रहा था।

'मैं जानता हूँ कि तुम लोगों ने खगोलशास्त्र में ग्रहों और उनके चंद्रमाओं के नाम सीख लिए हैं,' फ़िरेंज शांत आवाज़ में बोला, 'और तुमने आसमान में सितारों की गतिंयों का नक़्शा बनाना भी सीख लिया है। सेनटॉर्स सदियों से इन गतियों के रहस्य को समझते आए हैं। हमारे निष्कर्ष हमें बताते हैं कि आसमान में भविष्य की झलक देखी जा सकती है –'

'प्रोफ़ेसर ट्रिलोनी ने हमें ज्योतिष पढ़ाया है!' पार्वती ने रोमांच से कहा और लेटे-लेटे ही अपना हाथ आगे बढ़ाया। 'मंगल के कारण दुर्घटनाएँ होती हैं और आग लगती है। और जब मंगल शनि के साथ इस तरह का कोण बनाता है –' उसने अपने ऊपर हवा में एक समकोण बनाया '– तो इसका मतलब होता है कि लोगों को गर्म चीज़ों से सावधान रहना चाहिए –'

फ़िरेंज धीरे से बोला, 'यह इंसानों की बकवास है।'

पार्वती का हाथ तत्काल नीचे होकर उसकी बग़ल में आ गया।

फ़िरेंज ने काईदार फ़र्श पर अपने खुर मारते हुए कहा, 'छोटी-छोटी चोटें, छोटी-छोटी इंसानी दुर्घटनाएँ! इस विशाल सृष्टि में ये चीज़ें चींटियों के चलने से ज़्यादा महत्वपूर्ण नहीं हैं, इसलिए ग्रहों की गतिविधियों का उन पर ख़ास प्रभाव नहीं पड़ता है।'

पार्वती ने आहत और ग़ुस्से से भरी आवाज़ में कहा, 'लेकिन प्रोफ़ेसर ट्रिलोनी –'

'– एक इंसान हैं,' फ़िरेंज ने कहा, 'और वे तुम्हारी प्रजाति की सीमाओं से बँधी हैं।'

हैरी ने अपना सिर घुमाकर पार्वती की तरफ़ देखा। वह और उसके आस-पास के कई विद्यार्थी बहुत नाराज़ लग रहे थे।

फ़िरेंज उनके सामने चहलक़दमी करने लगा और हैरी को उसकी पूँछ की सरसराहट सुनाई दी। फिर वह आगे बोला, 'हो सकता है कि सिबिल ट्रिलोनी भविष्य देख सकती हों। मुझे इस बारे में पक्का पता नहीं है! बहरहाल, वे अपना ज़्यादातर समय उन मूर्खतापूर्ण बातों में बर्बाद करती हैं, जिन्हें इंसान भविष्यवाणी कहते हैं। बहरहाल, मैं यहाँ पर सेनटॉर्स की बुद्धिमत्ता को समझाने के लिए आया हूँ, जो वस्तुपरक और निरपेक्ष है। हम आसमान में बुराई और परिवर्तन की बड़ी लहरों की तलाश करते हैं, जो कई बार वहाँ दिखाई दे जाती हैं। हम जो देखते हैं, उसके बारे में पक्का यक़ीन करने में बहुत समय लग जाता है। कई बार तो दस साल भी लग सकते हैं।'

फ़िरेंज ने हैरी के ठीक ऊपर के लाल सितारे की तरफ़ इशारा किया।

'पिछले दशक में ऐसे संकेत दिख रहे थे कि जादूगर समुदाय दो युद्धों के बीच की अल्पकालीन शांति में रह रहा है। युद्ध कराने वाला ग्रह मंगल तेज़ी से चमक रहा था और यह इशारा कर रहा था कि युद्ध जल्दी ही दोबारा शुरू होगा। कितनी जल्दी, इस बात् का पता लगाने के लिए सेनटॉर कुछ जड़ी-बूटियों और पत्तियों को जलाकर उनके धुएँ तथा लपटों का अवलोकन करते हैं ...'

हैरी आज तक इससे असामान्य क्लास में नहीं बैठा था। उन्होंने क्लासरूम के फ़र्श पर सुगंधित जड़ी-बूटियाँ जलाईं। फ़िरेंज ने उन्हें कसैले धुएँ में निश्चित आकृतियों और प्रतीकों को पहचानने का तरीक़ा बताया, लेकिन उसे ज़रा भी परवाह नहीं थी कि कोई भी विद्यार्थी उसकी बताई किसी आकृति को नहीं देख पाया। उसका कहना था कि इंसान वैसे भी इस काम में कभी कुशल नहीं होते हैं और सेनटॉर्स को भी इसमें निपुण बनने के लिए बरसों मेहनत करनी पड़ती है। अंत में उसने कहा कि वैसे भी इस तरह की बातों पर ज़्यादा भरोसा करना मूर्खता है, क्योंकि यहाँ तक कि सेनटॉर्स भी कई बार संकेतों का ग़लत विश्लेषण कर लेते हैं। हैरी को जितने भी टीचर्स ने पढ़ाया था, फ़िरेंज उनसे बिलकुल अलग था। ऐसा लग रहा था कि वह जो जानता था, वह सिखाना उसका उद्देश्य नहीं था। उसका उद्देश्य तो यह साबित करना था कि कोई भी चीज़, यहाँ तक कि सेनटॉर्स का ज्ञान भी पूरी तरह विश्वसनीय नहीं था।

जब उन्होंने जड़ी-बूटियों की आग बुझाई, तो रॉन धीमी आवाज़ में बोला, 'वह किसी चीज़ के बारे में कोई पक्की राय नहीं दे पाया, है ना? मेरा मतलब है, मैं उस युद्ध के बारे में थोड़ा और जानना चाहता था, जो हमारे बीच होने वाला है। और तुम?'

तभी क्लासरूम के ठीक बाहर घंटी बजी और सभी विद्यार्थी उछल पड़े। हैरी बिलकुल भूल गया था कि वे अब भी महल के भीतर थे। उसे तो पूरा यक़ीन था कि वे दरअसल जंगल में हैं। क्लास के सभी विद्यार्थी थोड़े परेशान दिखते हुए बाहर निकले।

हैरी और रॉन विद्यार्थियों के पीछे-पीछे बाहर निकलने वाले थे, लेकिन तभी फ़िरेंज ने आवाज़ लगाई, 'हैरी पॉटर, ज़रा सुनना।'

हैरी मुड़ा। सेनटॉर उसके पास आने लगा। रॉन झिझका।

फ़िरेंज ने उससे कहा, 'तुम भी रुक सकते हो, लेकिन दरवाज़ा बंद कर दो।'

रॉन जल्दी से आज्ञा का पालन करने चला गया।

फ़िरेंज ने कहा, 'हैरी पॉटर, तुम हैग्रिड के दोस्त हो, है ना?'

'हाँ,' हैरी ने कहा।

'तो उसे मेरी तरफ़ से चेतावनी दे देना। उसकी कोशिश कामयाब नहीं हो रही है। बेहतर होगा कि वह इसे छोड़ दे।'

'उसकी कोशिश कामयाब नहीं हो रही है?' हैरी ने सूनेपन से दोहराया।

'और बेहतर होगा कि वह यह कोशिश छोड़ दे,' फ़िरेंज ने सिर हिलाते हुए कहा। 'मैं ख़ुद ही हैग्रिड को चेतावनी दे देता, लेकिन मुझे जंगल़ से बाहर निकाल दिया गया है। अब यह समझदारी नहीं है कि मैं जंगल के ज़्यादा क़रीब जाऊँ। हैग्रिड के पास पहले से ही काफ़ी मुश्किलें हैं, इसलिए सेनटॉर्स से लड़ाई मोल लेना ठीक नहीं है।'

हैरी ने घबराकर पूछा, 'लेकिन – हैग्रिड क्या करने की कोशिश कर रहा है?'

फ़िरेंज ने हैरी को निर्विकार भाव से देखा।

वह बोला, 'हैग्रिड ने हाल ही में मेरी बहुत मदद की है। मैं काफ़ी लंबे समय से उसका सम्मान करता हूँ, क्योंकि वह सभी प्राणियों की अच्छी देखभाल करता है। मैं उसका राज़ तुम्हें नहीं बताऊँगा। लेकिन उसे होश में लाना होगा। उसकी कोशिश कामयाब नहीं हो रही है। उसे बता देना, हैरी पॉटर। गुड डे।'

*

द *क्विबलर* में इंटरव्यू छपने के बाद हैरी को जो ख़ुशी महसूस हुई थी, वह काफ़ी समय पहले काफ़ूर हो चुकी थी। जब नीरस मार्च की जगह तेज़ हवाओं वाला अप्रैल आ गया, तो उसे एक बार फिर अपना जीवन चिंताओं और समस्याओं की लंबी शृंखला जैसा लगने लगा।

अंबरिज अब जादुई प्राणियों की देखभाल की सभी क्लासों में आने लगी थीं, इसलिए फ़िरेंज की चेतावनी हैग्रिड तक पहुँचाना बहुत मुश्किल हो गया था। बहरहाल, हैरी ने एक बहाना बनाकर यह काम कर दिया। उसने नाटक किया कि वह अपनी *विचित्र जानवर और उन्हें कहाँ पाया जाए* पुस्तक छोड़ आया था और क्लास के बाद वह उसे लेने चला गया। जब उसने फ़िरेंज के शब्द दोहराए, तो हैग्रिड ने उसे एक पल के लिए अपनी सूजी हुई काली आँखों से देखा। वह स्पष्ट रूप से हैरान लग रहा था। फिर उसने ख़ुद को सँभाल लिया।

उसने रूखेपन से कहा, 'फ़िरेंज अच्छा है, लेकिन उसे कुछ मालूम नहीं है। कोशिश अच्छी तरह कामयाब हो रही है।'

'हैग्रिड तुम कर क्या रहे हो?' हैरी ने गंभीरता से पूछा। 'क्योंकि तुम्हें सावधान रहना होगा। अंबरिज पहले ही ट्रिलोनी को निकाल चुकी हैं और अगर मुझसे पूछा जाए, तो वे बहुत उत्साहित हैं। अगर तुम कोई ऐसा काम करोगे, जो तुम्हें नहीं करना चाहिए, तो तुम –'

'कई चीज़ें नौकरी से ज़्यादा महत्वपूर्ण होती हैं,' हैग्रिड ने कहा, हालाँकि यह कहते समय उसके हाथ थोड़े से काँपे, जिस वजह से नार्ल्स की लीद से भरा कटोरा फ़र्श पर गिरकर टूट गया। 'मेरी चिंता मत करो, हैरी, बस चल दो।'

हैरी के पास और कोई विकल्प नहीं था। वह हैग्रिड को फ़र्श से लीद हटाते हुए छोड़कर आ गया, लेकिन महल की तरफ़ लौटते समय वह काफ़ी निराश महसूस कर रहा था।

इस दौरान टीचर्स और हर्माइनी सभी विद्यार्थियों को बार-बार याद दिलाते रहे कि **ओ.डब्ल्यू.एल.** क़रीब आ रहे हैं। फ़िफ़्थ ईयर के सभी विद्यार्थी तनाव में थे, लेकिन हान्ना एबॉट पहली विद्यार्थी थी, जिसे मैडम पॉमफ़्री ने शांतिदायक काढ़ा पिलाया। वह जड़ी-बूटी विज्ञान की क्लास में रोने लगी थी और यह कहने लगी थी कि वह बहुत मूर्ख है और परीक्षा में नहीं बैठ सकती, इसलिए वह स्कूल छोड़कर घर जाना चाहती है।

अगर **डीए** की प्रैक्टिस नहीं होती, तो हैरी बहुत ज़्यादा दुखी होता। उसे कई बार महसूस होता था कि वह आवश्यकता कक्ष में कड़ी मेहनत करने और सीखने-सिखाने की ख़ुशी महसूस करने के लिए ही ज़िंदा था। वह जब भी **डीए**

के अपने साथियों की तरफ़ देखता था, तो उसका सीना यह देखकर गर्व से फूल जाता था कि उन्होंने कितनी प्रगति कर ली थी। हैरी कई बार सोचने लगता था कि जब **डीए** के सभी सदस्यों को गुप्त कलाओं से रक्षा में 'आउटस्टैंडिंग' मिलेगा, तो अंबरिज की प्रतिक्रिया कैसी होगी।

वे अब पितृदेव सम्मोहन सीखने लगे थे, जिसकी प्रैक्टिस करने में सबकी बहुत दिलचस्पी थी। हालाँकि हैरी ने उन्हें बार-बार याद दिलाया कि दमपिशाचों के ख़तरे के बिना अच्छी रोशनी वाले क्लासरूम में पितृदेव उत्पन्न करना बहुत अलग चीज़ होती है।

'ओह, मज़ा ख़राब मत करो,' चो ने उत्साह से कहा। ईस्टर के पहले की आख़िरी **डीए** मीटिंग में वह आवश्यकता कक्ष में अपने बतख के आकार के पितृदेव को चारों तरफ़ उछलते देखकर बोली, 'यह कितना सुंदर है!'

हैरी ने धैर्य से कहा, 'उसका सुंदर होना महत्वपूर्ण नहीं है। महत्वपूर्ण तो यह है कि वह तुम्हारी रक्षा करता है। हमें दरअसल बहुरूपिए या ऐसी ही किसी चीज़ की ज़रूरत है। मैंने इसी तरह सीखा था, बहुरूपिया दमपिशाच बनने का अभिनय करता था और मैं पितृदेव उत्पन्न करता था –'

'लेकिन वह तो सचमुच डरावना होगा!' लैवेंडर ने कहा, जिसकी छड़ी के सिरे से चाँदी जैसा धुआँ निकल रहा था। 'और मैं दमपिशाचों के बिना भी – यह – नहीं – कर सकती!' उसने ग़ुस्से से आगे कहा।

नेविल को भी मुश्किल आ रही थी। उसका चेहरा एकाग्रता में भिंचा हुआ था, लेकिन उसकी छड़ी की नोक से चाँदी जैसे धुएँ की हल्की लकीरें ही निकल रही थी।

हैरी ने उसे याद दिलाया, 'तुम्हें किसी ख़ुशी वाली घटना के बारे में सोचना चाहिए।'

'मैं कोशिश कर रहा हूँ,' नेविल ने दुखी होकर कहा। वह इतनी ज़्यादा कोशिश कर रहा था कि उसके गोल चेहरे पर पसीना चमकने लगा था।

उधर सीमस भी रोमांचित था, जो डीन के साथ पहली बार **डीए** की मीटिंग में आया था। वह बोला, 'हैरी, मैं सोचता हूँ कि यह हो रहा है! ओह – यह चला गया ... लेकिन यह निश्चित रूप से कोई बालों वाली चीज़ थी, हैरी!'

हर्माइनी का पितृदेव चाँदी जैसा चमकता हुआ ऊदबिलाव था, जो उसके आस-पास घूम रहा था।

इसकी तरफ़ प्यार से देखते हुए वह बोली, 'पितृदेव सुंदर *होते हैं*, है ना?'

आवश्यकता कक्ष का दरवाज़ा खुला और बंद हो गया। हैरी यह देखने के

लिए मुड़ा कि कौन दाख़िल हुआ था, लेकिन वहाँ कोई भी नज़र नहीं आया। कुछ पल बाद उसे एहसास हुआ कि दरवाज़े के पास खड़े विद्यार्थी ख़ामोश हो गए थे। अगले ही पल कोई उसका दुशाला खींच रहा था। नीचे देखने पर उसे बहुत हैरानी हुई कि डॉबी नाम का घरेलू जिन्न अपने आठ ऊनी हैट्स के नीचे से उसे देख रहा था।

'हाय डॉबी!' उसने कहा। 'तुम क्या - क्या गड़बड़ है?'

घरेलू जिन्न की आँखें दहशत के मारे फैल गई थीं और वह काँप रहा था। हैरी के क़रीब खड़े **डीए** के सदस्य ख़ामोश हो गए थे। कमरे में मौजूद हर विद्यार्थी डॉबी को देख रहा था। जो पितृदेव उत्पन्न हुए थे, वे अब चाँदी जैसी धुंध में खो गए थे, जिससे कमरे में पहले से ज़्यादा अँधेरा हो गया।

'हैरी पॉटर, सर ...' घरेलू जिन्न सिर से पैर तक काँपता हुआ बोला, 'हैरी पॉटर, सर ... डॉबी आपको चेतावनी देने आया है ... लेकिन घरेलू जिन्नों पर किसी को चेतावनी देने की पाबंदी है ...'

वह अपना सिर आगे करके दीवार की तरफ़ भागा। हैरी को पता था कि डॉबी ग़लत काम करने पर ख़ुद को सज़ा देता है, इसलिए वह उसे पकड़ने के लिए दौड़ा, लेकिन डॉबी को दीवार से टकराने पर चोट नहीं लगी। आठ हैट्स पहने होने के कारण वह टकराकर वापस आ गया। हर्माइनी सहित कई लड़कियाँ डर और सहानुभूति से चीख़ पड़ीं।

'क्या हुआ, डॉबी?' हैरी ने पूछा और घरेलू जिन्न का छोटा सा हाथ पकड़कर उसे हर उस चीज़ से दूर रखा, जिससे वह ख़ुद को चोट पहुँचा सकता था।

'हैरी पॉटर ... वह ... वह ...'

डॉबी ने अपने ख़ाली हाथ से अपनी नाक पर वार किया। हैरी ने उसका दूसरा हाथ भी पकड़ लिया।

'वह कौन है, डॉबी?'

लेकिन उसके जवाब देने से पहले ही वह समझ गया था। निश्चित रूप से सिर्फ़ एक ही 'वह' थी, जो डॉबी में इतना डर पैदा कर सकती थी? घरेलू जिन्न ने उसकी तरफ़ थोड़े भेंगे अंदाज़ में देखा और बोलने के लिए मुँह हिलाया, हालाँकि उसके मुँह से कोई शब्द नहीं निकला।

'अंबरिज?' हैरी ने दहशत से पूछा।

डॉबी ने सिर हिलाया और हैरी के घुटनों से अपना सिर टकराने की कोशिश की। हैरी ने उसे थोड़ी दूर पकड़े रखा।

'उन्होंने क्या किया? डॉबी – उन्हें इसके बारे में पता तो नहीं चल गया – हमारे बारे में – **डीए** के बारे में?'

जिन्न के घबराए चेहरे में उसे जवाब मिल गया। हैरी ने उसके हाथ पकड़ रखे थे, लेकिन घरेलू जिन्न ने ख़ुद को लात मारने की कोशिश की और फ़र्श पर गिर पड़ा।

हैरी ने धीरे से पूछा, 'क्या वे यहाँ आ रही हैं?'

डॉबी सुबकने लगा और अपने पैर ज़ोर-ज़ोर से फ़र्श पर मारने लगा।

'हाँ, हैरी पॉटर, हाँ!'

हैरी सीधा खड़ा हुआ और दहशत में स्थिर खड़े लोगों को देखता रहा, जो छटपटाते घरेलू जिन्न को ताक रहे थे।

'तुम लोग किस चीज़ का इंतज़ार कर रहे हो?' हैरी गरजा। **'भागो!'**

वे सभी तत्काल एक साथ बाहर की तरफ़ भागे, जिससे दरवाज़े पर जमघट लग गया। फिर सभी बाहर निकल गए। हैरी को गलियारों में उनके भागने की आवाज़ें आईं। वह उम्मीद कर रहा था कि वे लोग भागकर सीधे अपने हॉल में जाने की कोशिश नहीं करेंगे। अभी नौ बजने में दस मिनट थे। काश वे लाइब्रेरी या उल्लूकक्ष में छिप जाएँ, जो ज़्यादा क़रीब थे –

'हैरी, चलो!' हर्माइनी उन लोगों के बीच से चीख़ी, जो बाहर निकलने के लिए संघर्ष कर रहे थे।

उसने डॉबी को ऊपर उठाया, जो अब भी ख़ुद को गंभीर चोट पहुँचाने की कोशिश कर रहा था। फिर वह घरेलू जिन्न को अपनी बाँहों में लेकर विद्यार्थियों के पीछे पहुँच गया।

हैरी ने कहा, 'डॉबी – यह एक आदेश है – किचन में दूसरे जिन्नों के पास जाओ और अगर कोई तुमसे पूछे कि क्या तुमने मुझे चेतावनी दी है, तो झूठ बोल देना कि नहीं दी! और मैं तुम्हें सख़्त आदेश देता हूँ कि तुम ख़ुद को चोट नहीं पहुँचाओगे!' इतना कहने के बाद उसने चौखट पर पहुँचकर डॉबी को छोड़ दिया और बाहर निकलने के बाद दरवाज़ा बंद कर दिया।

'धन्यवाद, हैरी पॉटर!' डॉबी चीख़ा और दौड़ने लगा। हैरी ने इधर-उधर देखा। बाक़ी लोग इतनी तेज़ी से भाग रहे थे कि उसे गलियारे के दोनों सिरों पर भागते हुए पंजों की झलक ही दिख पाई। वह दाहिनी तरफ़ भागने लगा। सामने लड़कों का बाथरूम था। अगर वह उसके भीतर पहुँच जाए, तो वह यह नाटक कर सकता था कि वह उसी के भीतर था।

'आआआह!'

किसी चीज़ ने उसके टखने जकड़ लिए, जिससे वह बुरी तरह गिर गया। छह फ़ुट तक सीने के बल घिसटने के बाद ही वह रुक पाया। पीछे कोई हँस रहा था। हैरी ने पलटकर देखा कि मैल्फ़ॉय ड्रैगन के आकार के एक बदसूरत फूलदान के नीचे वाली जगह पर छिपा हुआ था।

'फंदा मंत्र, पॉटर!' उसने कहा। 'सुनिए, प्रोफ़ेसर – **प्रोफ़ेसर!** मैंने एक को पकड़ लिया है!'

अंबरिज दूर वाले कोने से भागती हुई आईं। वे हाँफ रही थीं, लेकिन बहुत ख़ुशी से मुस्करा रही थीं।

'वही है!' उन्होंने फ़र्श पर हैरी को गिरा देखकर उल्लास से कहा। 'बहुत बढ़िया ड्रेको, बहुत बढ़िया – नागशक्ति को पचास पॉइंट! मैं उसे यहाँ से ले जाती हूँ ... खड़े हो जाओ, पॉटर!'

हैरी खड़ा हो गया और उन दोनों को ग़ुस्से से घूरने लगा। उसने पहले कभी अंबरिज को इतना ख़ुश नहीं देखा था। उन्होंने उसकी बाँह कसकर पकड़ी और ख़ुशी से मुस्कराती हुई मैल्फ़ॉय की तरफ़ मुड़ीं।

उन्होंने कहा, 'ड्रेको, तुम जाकर और विद्यार्थियों को पकड़ने की कोशिश करो। बाक़ी लोगों से लाइब्रेरी में देखने को कहना – जो भी हाँफ रहा हो, उसे पकड़ लो – बाथरूमों की जाँच करो, मिस पार्किन्सन को लड़कियों के बाथरूम की जाँच करने के लिए भेज देना – अब काम शुरू करो – और तुम,' मैल्फ़ॉय के दूर जाने के बाद उन्होंने अपनी सबसे धीमी और सबसे ख़तरनाक आवाज़ में हैरी से कहा, 'पॉटर, तुम मेरे साथ हेडमास्टर के ऑफ़िस में चलो।'

वे कुछ मिनट में पत्थर के गारगॉइल के पास पहुँच गए। हैरी यह सोच रहा था कि बाक़ी कितने लोग पकड़ाए होंगे। उसने रॉन के बारे में सोचा – मिसेज़ वीज़्ली उसकी जान ले लेंगी – और हर्माइनी को कैसा लगेगा, अगर **ओ.डब्ल्यू.एल.** से पहले ही उसे स्कूल से निकाल दिया जाएगा। और सीमस की तो यह पहली मीटिंग थी ... और नेविल इतनी तेज़ी से प्रगति कर रहा था ...

'फ़िज़िंग व्हिज़बी,' अंबरिज ने कहा। पत्थर का गारगॉइल एक तरफ़ को हट गया। उसके पीछे की दीवार दो हिस्सों में बँट गई और वे चलने वाली पत्थर की सीढ़ियों पर चढ़ गए। वे गरुड़ की कुंडी वाले चमचमाते दरवाज़े के पास पहुँच गए, लेकिन अंबरिज ने खटखटाने की जहमत नहीं उठाई। वे हैरी को कसकर पकड़कर धड़धड़ाती हुई सीधे अंदर चली गईं।

ऑफ़िस में कई लोग थे। डम्बलडोर अपनी डेस्क के पीछे बैठे थे। उनके चेहरे पर शांति का भाव था और उनकी लंबी उँगलियाँ जुड़ी हुई थीं। प्रोफ़ेसर मैक्गॉनेगल उनके पास तनकर खड़ी हुई थीं और उनका चेहरा बहुत तनावपूर्ण

था। जादू मंत्री कॉर्नेलियस फ़ज आग के पास अपने पंजों पर आगे-पीछे हो रहे थे। उनके चेहरे को देखकर लग रहा था, जैसे वे स्थिति से काफ़ी ख़ुश थे। दरवाज़े के दोनों तरफ़ दो जादूगर पहरेदारों की तरह तैनात थे। उनमें से एक किंग्सले शैकलबोल्ट था, जबकि दूसरा एक सख़्त दिखने वाला जादूगर था, जिसके बहुत छोटे बाल थे। हैरी उसे नहीं पहचानता था। दीवार के पास पर्सी वीज़्ली का चकत्ते भरा, चश्मा लगा चेहरा रोमांच से मँडरा रहा था। उसके हाथों में क़लम और लंबा चर्मपत्र था। उसे देखकर ऐसा लग रहा था, जैसे वह नोट्स लेने के लिए तैयार था।

तस्वीरों वाले पुराने हेडमास्टर और हेडमिस्ट्रेसेस आज रात को सोने का नाटक नहीं कर रहे थे। वे सभी चौकस और गंभीर मुद्रा में अपने नीचे हो रही घटनाओं को देख रहे थे। जब हैरी दाख़िल हुआ, तो उनमें से कुछ पास वाले फ्रेमों में पहुँच गए और पड़ोसी के कान में उत्सुकता से फुसफुसाने लगे।

दरवाज़ा बंद होने के बाद हैरी ने ख़ुद को अंबरिज की गिरफ़्त से छुड़ाया। कॉर्नेलियस फ़ज के चेहरे पर संतुष्टि का दुष्ट भाव था और वे उसकी तरफ़ ग़ुस्से से घूर रहे थे।

'अच्छा,' उन्होंने कहा। 'ओह, ओह, ओह ...'

हैरी ने उनकी तरफ़ बहुत बुरी निगाह डाली। उसका दिल बहुत तेज़ी से धड़क रहा था, लेकिन उसका दिमाग़ असामान्य रूप से ठंडा और स्पष्ट था।

'वह गरुड़द्वार टॉवर की तरफ़ जा रहा था,' अंबरिज ने कहा। उनकी आवाज़ में अशालीन रोमांच और निष्ठुर आनंद का पुट था। हैरी ने पहले भी उन्हें इतना क्रूर आनंद लेते देखा था, जब वे प्रवेश हॉल में प्रोफ़ेसर ट्रिलोनी को दुख से तड़पते देख रही थीं। अंबरिज ने आगे कहा, 'मैल्फ़ॉय लड़के ने उसे पकड़ा था।'

'अच्छा, उसने पकड़ा?' फ़ज ने सराहना करते हुए कहा। 'मुझे यह बात लूसियस को याद से बतानी होगी। अच्छा, तो पॉटर ... मुझे उम्मीद है कि तुम जानते हो कि तुम्हें यहाँ क्यों लाया गया है?'

हैरी उद्दंडता से 'हाँ' कहने वाला था। उसका मुँह खुल गया था और शब्द निकलने ही वाले थे, तभी उसकी निगाह डम्बलडोर के चेहरे पर पड़ी। डम्बलडोर सीधे हैरी की तरफ़ नहीं देख रहे थे - उनकी निगाह उसके कंधे के पीछे किसी बिंदु पर टिकी थी - लेकिन जैसे ही हैरी ने उनकी तरफ़ देखा, उन्होंने अपना सिर दोनों तरफ़ थोड़ा सा हिलाया।

हैरी ने बीच शब्द में अपनी दिशा बदल ली।

'ह - नहीं।'

फ़ज बोले, 'क्या कहा?'

'नहीं,' हैरी ने दृढ़ता से कहा।

'तुम *नहीं* जानते कि तुम्हें यहाँ क्यों लाया गया है?'

'नहीं, मैं नहीं जानता,' हैरी ने कहा।

फ़ज ने हैरानी से हैरी की तरफ़ देखना छोड़कर प्रोफ़ेसर अंबरिज की तरफ़ देखा। इस क्षणिक असावधानी का लाभ उठाकर हैरी ने डम्बलडोर की तरफ़ जल्दी से एक नज़र डाली, जिन्होंने गलीचे की तरफ़ सिर झुकाया और उसकी तरफ़ हल्के से आँख मार दी।

'तो तुम्हें ज़रा भी पता नहीं है,' फ़ज ने व्यंग्य भरी आवाज़ में कहा, 'कि प्रोफ़ेसर अंबरिज तुम्हें इस ऑफ़िस में क्यों लाई हैं? तुम्हें इस बारे में पता नहीं है कि तुमने स्कूल का नियम तोड़ा है?'

'स्कूल का नियम?' हैरी ने कहा। 'नहीं।'

'या मंत्रालय का क़ानून?' फ़ज ने ग़ुस्से से पूछा।

हैरी ने सपाट अंदाज़ में कहा, 'जहाँ तक मुझे पता है, मैंने ऐसा कुछ नहीं किया।'

उसका दिल अब भी बहुत तेज़ी से धड़क रहा था। उसे ख़ुशी हो रही थी कि उसके झूठ से फ़ज का ब्लड प्रेशर बढ़ रहा था, लेकिन उसे यह समझ नहीं आ रहा था कि वह इससे कैसे बच पाएगा। अगर किसी ने अंबरिज को **डीए** के बारे में ख़बर दे दी थी, तो इसका लीडर होने के नाते उसे तत्काल अपना बोरिया-बिस्तर बाँध लेना चाहिए।

फ़ज की आवाज़ अब ग़ुस्से से भारी हो गई थी, 'तो तुम नहीं जानते कि इस स्कूल में एक ग़ैर-क़ानूनी विद्यार्थी संस्था पकड़ी गई है?'

'मैं नहीं जानता,' हैरी ने अपने चेहरे पर मासूम हैरानी का भाव लाते हुए कहा।

अंबरिज ने उसके पास से रेशमी अंदाज़ में कहा, 'मंत्रीजी, मैं सोचती हूँ कि अगर मैं मुख़बिर को यहीं बुला लाऊँ, तो ज़्यादा अच्छा रहेगा।'

'हाँ, हाँ, ऐसा ही कीजिए,' फ़ज ने सिर हिलाते हुए कहा और अंबरिज के बाहर निकलते समय उन्होंने डम्बलडोर की तरफ़ दुर्भावना से देखा। 'डम्बलडोर, एक अच्छे गवाह से अच्छा कुछ भी नहीं है, है ना?'

'बिलकुल, कॉर्नेलियस,' डम्बलडोर ने गंभीरता से कहा और अपना सिर थोड़ा हिला दिया।

वे लोग कुछ मिनट तक इंतज़ार करते रहे। इस दौरान किसी ने भी एक-दूसरे की तरफ़ नहीं देखा। फिर हैरी को अपने पीछे दरवाज़े के खुलने की आवाज़ सुनाई दी। अंबरिज उसके पास से होती हुई कमरे में आ गईं। उन्होंने चो की घुँघराले बालों वाली सहेली मैरीटा का कंधा पकड़ रखा था, जिसने अपना चेहरा हाथों से छिपा रखा था।

'डरो मत बेटा, डरो मत,' प्रोफ़ेसर अंबरिज ने धीरे से उसकी पीठ थपथपाते हुए कहा, 'अब सब कुछ ठीक है। तुमने सही काम किया है। मंत्रीजी तुमसे बहुत ख़ुश हैं। वे तुम्हारी मम्मी को बता देंगे कि तुम कितनी अच्छी लड़की हो! मंत्रीजी,' उन्होंने फ़ज की तरफ़ देखते हुए आगे कहा, 'मैरीटा की मम्मी मैडम एजकॉम्ब जादुई यातायात विभाग, छू नेटवर्क ऑफ़िस में हैं – आप जानते हैं, वे हॉगवर्ट्स की अँगीठियों की निगरानी करने में हमारी मदद कर रही हैं।'

'बहुत बढ़िया, बहुत बढ़िया!' फ़ज ने ख़ुशी से कहा। 'जैसी माँ, वैसी बेटी, है ना? चलो बेटा, अब ऊपर देखो, शरमाओ मत, हमें बताओ तुम्हें क्या कहना है – ओहो!'

जब मैरीटा ने अपना सिर उठाया, तो फ़ज सदमे में पीछे उछल पड़े और आग में गिरते-गिरते बचे। उनके मुँह से गाली निकल गई और उन्होंने अपने चोगे के सिरे पर पैर पटके, क्योंकि आग में जलने के कारण उसमें से धुआँ निकलने लगा था। मैरीटा चीख़ उठी और अपने दुशाले को अपनी आँखों के ऊपर तक ढँक लिया, लेकिन तब तक सब लोग देख चुके थे कि उसका चेहरा विकृत हो चुका था। उसकी नाक और गाल पर पीप भरे छोटे-छोटे बैंगनी मुँहासे दिख रहे थे, जिनसे '**मुख़बिर**' शब्द लिखा हुआ था।

'अभी मुँहासों पर ध्यान मत दो, बेटा,' अंबरिज ने अधीरता से कहा, 'अपने दुशाले को अपने मुँह से हटाओ और मंत्रीजी को बताओ –'

लेकिन मैरीटा ने एक और चीख़ निकाली तथा अपना सिर इंकार में हिलाने लगी।

'अच्छी बात है, मूर्ख लड़की, तो फिर *मैं ही* बता देती हूँ,' अंबरिज ग़ुस्से में बोलीं। फिर उन्होंने अपने चेहरे पर भद्दी सी मुस्कान लाते हुए आगे कहा, 'अच्छा मंत्रीजी, मिस एजकॉम्ब शाम को डिनर के थोड़ी देर बाद मेरे ऑफ़िस में आई और उसने मुझसे कहा कि वह मुझे कुछ बताना चाहती है। उसने कहा कि अगर मैं सातवीं मंज़िल पर गोपनीय कमरे की तरफ़ जाऊँ, जिसे कई बार आवश्यकता कक्ष के नाम से जाना जाता है, तो मुझे एक अच्छी चीज़ पता चलेगी। मैंने उससे थोड़े सवाल किए और उसने स्वीकार किया कि वहाँ पर किसी तरह की मीटिंग होने वाली है। दुर्भाग्य से, उसी समय यह मंत्र,' उन्होंने मैरीटा के

छिपे हुए चेहरे की तरफ़ अधीरता से हाथ हिलाया, 'काम करने लगा और आईने में अपना चेहरा देखने के बाद यह लड़की इतनी परेशान हो गई कि आगे कुछ नहीं बता पाई।'

'अच्छा,' फ़ज ने कहा और मैरीटा की तरफ़ पिता जैसे दयालु भाव से देखा, 'यह तो बहुत बहादुरी का काम था कि तुमने प्रोफ़ेसर अंबरिज को बता दिया। तुमने बिलकुल सही काम किया। अब क्या तुम मुझे बताओगी कि इस मीटिंग में क्या हुआ ? इसका उद्देश्य क्या था ? वहाँ कौन-कौन था ?'

लेकिन मैरीटा कुछ नहीं बोली। उसने सिर्फ़ अपना सिर हिला दिया। उसकी आँखें चौड़ी और भयभीत थीं।

'क्या हमारे पास इस मंत्र का कोई तोड़ नहीं है ?' फ़ज ने मैरीटा के चेहरे की तरफ़ इशारा करते हुए अधीरता से अंबरिज से पूछा, 'ताकि वह खुलकर बोल सके ?'

'मैं अभी तक इसका तोड़ खोजने में कामयाब नहीं हो पाई हूँ,' अंबरिज ने स्वीकार किया। यह सुनकर हैरी को हर्माइनी की मंत्र पढ़ने की क़ाबिलियत पर गर्व महसूस हुआ। 'लेकिन अगर वह नहीं बोलती है, तब भी कोई दिक़्क़त नहीं है। मैं यहाँ से आगे कहानी सुना देती हूँ।

'मंत्रीजी, आपको याद होगा, मैंने अक्टूबर में आपको एक रिपोर्ट भेजी थी कि पॉटर हॉग्समीड के शराबख़ाने हॉग्स हेड में कुछ साथी विद्यार्थियों से मिला था –'

प्रोफ़ेसर मैक्गॉनेगल ने बीच में पूछ लिया, 'और इस बात का क्या सबूत है ?'

अंबरिज ने दंभ से कहा, 'मिनर्वा, मेरे पास विली विडरशिन्स की गवाही है, जो उस वक़्त बार में मौजूद था। यह सच है कि उसके चेहरे पर बहुत सी पट्टियाँ बँधी थीं, लेकिन उसके कान बिलकुल सही तरीक़े से काम कर रहे थे। उसने पॉटर का कहा हर शब्द सुना और सीधे स्कूल आकर मुझे बताया –'

'ओह, तो *इसीलिए* उसे निष्कासन टॉयलेट्स वाले मामले में सज़ा नहीं दी गई!' प्रोफ़ेसर मैक्गॉनेगल ने अपनी भौंहें उठाते हुए कहा। 'हमारे न्याय तंत्र के पुख़्ता होने का कितना दिलचस्प उदाहरण है!'

'सरासर भ्रष्टाचार!' लाल नाक वाले मोटे जादूगर की तस्वीर ने डम्बलडोर की डेस्क के पीछे वाली दीवार से कहा। 'मंत्रालय हमारे ज़माने में छोटे-मोटे अपराधियों से समझौते नहीं करता था! नहीं सर, हम लोग इतने गिरे हुए नहीं थे!'

'धन्यवाद फ़ोर्टेस्क्यू, अब रहने दें,' डम्बलडोर ने धीरे से कहा।

प्रोफ़ेसर अंबरिज ने आगे कहा, 'इन विद्यार्थियों के साथ पॉटर की मुलाक़ात का उद्देश्य उन्हें एक ग़ैर-क़ानूनी समूह में शामिल होने के लिए तैयार करना था। वह इन लोगों को ऐसे मंत्र और शाप सिखाना चाहता था, जिन्हें मंत्रालय उनकी उम्र के हिसाब से अनुचित मानता है –'

'मुझे लगता है कि यहाँ पर आप ग़लत हैं, डोलोरेस,' डम्बलडोर ने शांति से कहा और अपने आधे चाँद के आकार वाले चश्मे के ऊपर से उनकी तरफ़ देखा, जो उनकी मुड़ी हुई नाक पर आधी दूर तक पहुँच चुका था।

हैरी ने उनकी तरफ़ घूरा। उसे यह समझ में नहीं आ रहा था कि डम्बलडोर उसे इस गुत्थी से बाहर कैसे निकाल पाएँगे। अगर विली विडरशिन्स ने सचमुच हॉग्स हेड में उसका हर शब्द सुना था, तो वह किसी तरह नहीं बच सकता था।

'ओहो!' फ़ज ने अपने पैरों पर दोबारा ऊपर-नीचे होते हुए कहा। 'हाँ डम्बलडोर, अब हमें अपनी सबसे ताज़ी मनगढ़ंत कहानी सुनाएँ, जो आपने पॉटर को मुश्किल से बचाने के लिए गढ़ी है! चलो डम्बलडोर, यह कहो – विली विडरशिन्स झूठ बोल रहा था, है ना? या फिर उस दिन हॉग्स हेड में पॉटर नहीं बल्कि उसका जुड़वाँ भाई था, जो हूबहू उसी के जैसा था? या फिर कोई सामान्य स्पष्टीकरण दो, जिसमें समय का उलटफेर शामिल हो, एक मरा हुआ आदमी शामिल हो, जो जीवित हो गया हो और जिसमें दो अदृश्य दमपिशाच भी शामिल हों?'

पर्सी वीज़्ली जमकर हँस दिया।

'ओह, बहुत बढ़िया, मंत्रीजी, बहुत बढ़िया!'

हैरी का मन हो रहा था कि उसे कसकर लात मार दे। फिर उसे यह देखकर हैरानी हुई कि डम्बलडोर भी यह सुनकर धीरे-धीरे मुस्करा रहे थे।

'कॉर्नेलियस, मैं इस बात से इंकार नहीं करता हूँ – और मुझे यक़ीन है कि हैरी भी नहीं करता है – कि वह उस दिन हॉग्स हेड में था। न ही इस बात से इंकार किया जा सकता है कि वह गुप्त कलाओं से रक्षा के समूह में विद्यार्थियों को शामिल करने की कोशिश कर रहा था। मैं तो सिर्फ़ यह कह रहा हूँ कि डोलोरेस का यह सुझाव ग़लत है कि उस वक़्त इस तरह का समूह ग़ैर-क़ानूनी था। अगर आपको याद हो, तो सभी विद्यार्थी समूहों पर प्रतिबंध लगाने वाला मंत्रालय का आदेश हैरी की हॉग्समीड मीटिंग के दो दिन बाद ही अमल में आया था, इसलिए वह उस वक़्त हॉग्स हेड में कोई नियम नहीं तोड़ रहा था।'

पर्सी को देखकर ऐसा लग रहा था, जैसे उसके चेहरे से कोई भारी चीज़ कसकर टकरा गई हो। फ़ज उछलते-उछलते अचानक रुक गए और उनका मुँह लटक गया।

अंबरिज सबसे पहले सँभलीं।

उन्होंने मीठे अंदाज़ में मुस्कराते हुए कहा, 'हेडमास्टर, यह बात बहुत बढ़िया है, लेकिन अब तो शैक्षणिक क़ानून क्रमांक चौबीस को लागू हुए लगभग छह महीने बीत चुके हैं। अगर पहली मीटिंग ग़ैर-क़ानूनी नहीं थी, तो उसके बाद होने वाली मीटिंगें तो निश्चित रूप से ग़ैर-क़ानूनी थीं।'

'देखिए,' डम्बलडोर ने अपनी जुड़ी हुई उँगलियों के ऊपर से उन्हें थोड़ी दिलचस्पी से देखते हुए कहा, 'वे *ज़रूर होंगी*, अगर वे आदेश लागू होने के बाद हुई *हों*। क्या आपके पास इस बात का कोई सबूत है कि इस तरह की मीटिंगें हुई हैं?'

जब डम्बलडोर यह कह रहे थे, तो हैरी ने अपने पीछे एक आवाज़ सुनी। उसे लगा कि किंग्सले फुसफुसाकर कुछ बोला था। वह क़सम खा सकता था कि चिड़िया के पंख जैसी कोई चीज़ उसे छूती हुई गई थी, लेकिन नीचे देखने पर उसे कुछ दिखाई नहीं दिया।

'सबूत?' अंबरिज ने अपनी मेंढकी जैसी भयंकर मुस्कान के साथ कहा। 'डम्बलडोर, क्या आप सुन नहीं रहे थे? आप क्या सोचते हैं, मिस एजकॉम्ब यहाँ क्यों है?'

डम्बलडोर ने अपनी भौंहें उठाते हुए कहा, 'ओह, क्या वह हमें छह महीने की मीटिंगों के बारे में बता सकती है? मुझे तो यह लग रहा था कि उसने तो सिर्फ़ आज रात को होने वाली मीटिंग के बारे में बताया था।'

'मिस एजकॉम्ब,' अंबरिज फ़ौरन बोलीं, 'हमें बताओ कि ये मीटिंगें कितने लंबे समय से चल रही हैं? बताओ बेटा! तुम्हें सिर्फ़ हाँ या ना में अपना सिर हिलाना है। मुझे यक़ीन है कि इससे मुँहासे और बुरे नहीं होंगे। क्या मीटिंगें पिछले छह महीनों से नियमित रूप से हो रही हैं?'

हैरी के पेट में भयंकर उथलपुथल होने लगी। अब कुछ नहीं हो सकता! उन लोगों को अब ऐसा ठोस सबूत मिल जाएगा, जिसे डम्बलडोर भी नहीं नकार पाएँगे।

'बेटा, बस हाँ या ना में अपना सिर हिलाओ,' अंबरिज ने मैरीटा को उकसाते हुए कहा, 'चलो, इससे मंत्र काम नहीं करेगा।'

कमरे में मौजूद हर व्यक्ति मैरीटा के चेहरे को देख रहा था। ऊपर उठे

दुशाले और उसकी घुँघराली लट के बीच सिर्फ़ उसकी आँखें ही दिख रही थीं। शायद यह आग की रोशनी के कारण था, लेकिन उसकी आँखें अजीब तरह से सूनी लग रही थीं। और फिर – हैरी को यह देखकर बहुत हैरानी हुई – कि मैरीटा ने अपना सिर इंकार में हिला दिया।

अंबरिज ने तत्काल फ़ज की तरफ़ देखा और फिर मैरीटा की तरफ़ देखने लगी।

'मुझे लगता है कि तुम सवाल को समझी नहीं हो? मैं पूछ रही हूँ कि क्या तुम इन मीटिंगों में पिछले छह महीनों से जा रही हो? तुम जा रही हो, है ना?'

एक बार फिर मैरीटा ने अपना सिर इंकार में हिला दिया।

अंबरिज ने थोड़े ग़ुस्से से पूछा, 'तुम अपना सिर इस तरह से क्यों हिला रही हो, बेटा?'

प्रोफ़ेसर मैक्गॉनेगल चिढ़कर बोलीं, 'मुझे लगता है कि उसका मतलब बिलकुल साफ़ है। पिछले छह महीनों से कोई गोपनीय मीटिंग नहीं हुई। क्या यह सही है, मिस एजकॉम्ब?'

मैरीटा ने हाँ में सिर हिला दिया।

'लेकिन आज रात को एक मीटिंग थी!' अंबरिज ने आवेश में कहा। 'मिस एजकॉम्ब, आज एक मीटिंग थी। तुमने मुझे बताया था कि यह आवश्यकता कक्ष में होने वाली है! और पॉटर इसका लीडर था, है ना! पॉटर ने मीटिंग आयोजित की थी, है ना – *तुम अपना सिर इंकार में क्यों हिला रही हो, लड़की?*'

प्रोफ़ेसर मैक्गॉनेगल ने ठंडे लहज़े में कहा, 'देखिए, आम तौर पर जब कोई इस तरह सिर हिलाता है, तो उसका मतलब "नहीं" होता है। जब तक कि मिस एजकॉम्ब किसी ऐसी संकेत-भाषा का इस्तेमाल नहीं कर रही हो, जो इंसानी समझ से परे हो –'

प्रोफ़ेसर अंबरिज ने मैरीटा को पकड़ लिया और उसे अपनी तरफ़ खींचकर बहुत ज़ोर-ज़ोर से हिलाने लगीं। डम्बलडोर तत्काल उठकर खड़े हो गए और उन्होंने अपनी छड़ी उठा ली। किंग्सले आगे बढ़ा और अंबरिज मैरीटा से दूर होकर अपने हाथ हवा में इस तरह लहराने लगीं, जैसे वे जल गए हों।

डम्बलडोर ने कहा, 'डोलोरेस, मैं आपको अपने विद्यार्थियों के साथ दुर्व्यवहार करने की इजाज़त नहीं दे सकता।' वे पहली बार ग़ुस्से में दिख रहे थे।

'शांत रहिए, प्रोफ़ेसर अंबरिज,' किंग्सले ने अपनी गहरी, धीमी आवाज़ में कहा। 'आप ख़ुद को मुसीबत में तो नहीं डालना चाहतीं।'

'नहीं,' अंबरिज ने हाँफते हुए कहा और किंग्सले की ऊँची आकृति को

देखने लगीं। 'मेरा मतलब है, हाँ – तुम ठीक कह रहे हो, शैकलबोल्ट – मैं – मैं आपा खो बैठी थी।'

मैरीटा बिलकुल वहीं खड़ी थी, जहाँ अंबरिज ने उसे छोड़ा था। वह अंबरिज के अचानक हमले से ज़रा भी विचलित नहीं दिख रही थी, न ही अपनी मुक्ति से राहत महसूस कर रही थी। वह अब भी अपने दुशाले को अपनी अजीब सी सूनी आँखों तक उठाए थी और सीधे सामने देख रही थी।

अचानक हैरी को शक हुआ कि किंग्सले क्यों फुसफुसाया होगा और उसे कौन सी चीज़ छूकर निकली होगी।

'डोलोरेस,' फ़ज ने कहा, जैसे किसी चीज़ को आख़िरी बार सही करने की कोशिश कर रहे हों, 'आज रात की मीटिंग – जिसके बारे में हम जानते हैं कि यह निश्चित रूप से हुई थी –'

'हाँ,' अंबरिज ने ख़ुद को सँभालते हुए कहा, 'हाँ ... देखिए, मिस एजकॉम्ब की सूचना मिलते ही मैं तत्काल सातवीं मंज़िल की तरफ़ चल दी। मेरे साथ कुछ *विश्वसनीय* विद्यार्थी थे, ताकि मैं उन्हें मीटिंग में रंगे हाथों पकड़ सकूँ। ऐसा लगता है कि उन्हें पहले से मेरे आने की जानकारी मिल गई थी, क्योंकि जब हम सातवीं मंज़िल पर पहुँचे, तो विद्यार्थी हर दिशा में भाग रहे थे। बहरहाल, इससे कोई फ़र्क़ नहीं पड़ता है। मेरे पास उन सभी के नाम हैं। मिस पार्किन्सन मेरे आदेश पर आवश्यकता कक्ष में भागकर यह देखने गई थी कि वे लोग अपने पीछे कुछ छोड़कर तो नहीं गए थे। हमें सबूत की आवश्यकता थी और कमरे ने हमें सबूत दे दिया।'

हैरी दहशत में आ गया, जब उन्होंने अपनी जेब से उन नामों की सूची निकाली, जो आवश्यकता कक्ष की दीवार पर लगी हुई थी। अंबरिज ने वह सूची फ़ज को थमा दी।

अंबरिज ने धीरे से कहा, 'जिस पल मैंने सूची में पॉटर का नाम देखा, मैं समझ गई कि मामला क्या था।'

'बहुत बढ़िया,' फ़ज ने कहा और उनके चेहरे पर एक मुस्कान फैल गई, 'बहुत बढ़िया, डोलोरेस। और ... अरे यह क्या ...'

उन्होंने डम्बलडोर की तरफ़ देखा, जो अब भी मैरीटा के पास खड़े थे और अपनी छड़ी को ढीले हाथ से पकड़े थे।

फ़ज ने धीरे से कहा, 'देखो, उन्होंने अपना नाम क्या रखा है? डम्बलडोर की सेना।'

डम्बलडोर ने आगे बढ़कर फ़ज के हाथ से चर्मपत्र ले लिया। उन्होंने उस

नाम को देखा, जो हर्माइनी ने महीनों पहले लिखा था। पल भर के लिए उनके मुँह से शब्द नहीं निकले। फिर उन्होंने मुस्कराकर ऊपर देखा।

'अच्छा तो खेल ख़त्म हो गया,' उन्होंने धीरे से कहा। 'कॉर्नेलियस, क्या तुम्हें मेरी लिखित अपराध स्वीकृति चाहिए – या इन गवाहों के सामने बयान देने से ही काम चल जाएगा?'

हैरी ने देखा कि मैक्गॉनेगल और किंग्सले एक-दूसरे को देख रहे थे। उन दोनों के चेहरे पर डर का भाव था। हैरी यह नहीं समझ पाया कि क्या हो रहा था! ज़ाहिर है, मामला फ़ज को भी समझ में नहीं आया था।

'बयान?' फ़ज ने धीरे से कहा। 'क्या – मैं समझा नहीं?'

'डम्बलडोर की सेना, कॉर्नेलियस,' डम्बलडोर ने कहा, जिन्होंने मुस्कराते हुए नामों की सूची फ़ज के चेहरे के सामने लहराई। 'यह पॉटर की सेना नहीं है। यह *डम्बलडोर की सेना* है।'

'लेकिन – लेकिन –'

अचानक फ़ज के चेहरे पर समझ का भाव आ गया। वे डरकर पीछे की तरफ़ कूदे और चीख़ते हुए एक बार फिर आग से बाहर कूदे।

'आप?' उन्होंने फुसफुसाकर कहा और एक बार फिर अपने धुआँ उड़ाते चोगे पर पैर मारकर उसे दुरुस्त किया।

'बिलकुल ठीक,' डम्बलडोर ने चहकते हुए कहा।

'आपने इसे बनाया था?'

'हाँ,' डम्बलडोर ने कहा था।

'आपने इन विद्यार्थियों को अपनी सेना में शामिल किया था?'

'आज इनकी पहली मीटिंग होनी थी,' डम्बलडोर ने सिर हिलाते हुए कहा। 'सिर्फ़ यह देखने के लिए कि क्या वे मेरी सेना में शामिल होने में दिलचस्पी लेंगे। अब मैं जान चुका हूँ कि हमने मिस एजकॉम्ब को बुलाकर ग़लती की थी।'

मैरीटा ने सिर हिलाया। फ़ज ने कभी उसकी तरफ़, तो कभी डम्बलडोर की तरफ़ देखा और उनका सीना गर्व से फूलने लगा।

वे चिल्लाए, 'तो आप मेरे ख़िलाफ़ साज़िश कर रहे थे!'

'हाँ,' डम्बलडोर ने ख़ुशी से कहा।

'**नहीं!**' हैरी चिल्लाया।

किंग्सले ने उसकी तरफ़ चेतावनी भरी नज़र डाली। मैक्गॉनेगल ने ख़तरनाक तरीक़े से अपनी आँखें फैला लीं, लेकिन अचानक हैरी को यह समझ

में आ गया कि डम्बलडोर क्या करने वाले थे और वह उसे नहीं होने दे सकता था।

'नहीं - प्रोफ़ेसर डम्बलडोर -!'

डम्बलडोर ने धीरे से कहा, 'चुप रहो हैरी, वरना मैं तुम्हें अपने ऑफ़िस से निकाल दूँगा।'

'हाँ, चुप रहो पॉटर!' फ़ज गरजे, जो अब भी डम्बलडोर को दहशत भरे आनंद से घूर रहे थे। 'ओह, ओह, ओह - मैं आज रात को यहाँ पॉटर को स्कूल से निकालने आया था और इसके बजाय -'

'इसके बजाय तुम मुझे गिरफ़्तार कर सकते हो,' डम्बलडोर मुस्कराते हुए बोले। 'यह तो वैसा ही हो गया कि नट गुम जाए और बदले में गैलियन मिल जाए, है ना?'

'वीज़्ली!' फ़ज चिल्लाए, जो अब ख़ुशी के मारे काँपने लगे थे, 'वीज़्ली, तुमने यह सब लिख लिया, उनकी हर बात, उनकी अपराध स्वीकृति, तुमने इसे लिख लिया?'

'हाँ, सर, पूरा लिख लिया!' पर्सी ने उत्साह से कहा, जिसकी नाक तेज़ गति से लिखने के कारण स्याही से लथपथ थी।

'यह भी कि वे किस तरह मंत्रालय के ख़िलाफ़ सेना बनाने की कोशिश कर रहे थे? वे किस तरह मुझे पद से हटाने की कोशिश कर रहे थे?'

पर्सी ने अपने नोट्स को ख़ुशी से देखते हुए कहा, 'हाँ, मैंने वह भी लिख लिया है, सर!'

'बहुत बढ़िया,' फ़ज ने कहा, जो अब ख़ुशी से दमक रहे थे, 'वीज़्ली, अपने नोट्स की नक़ल कर लो। एक प्रति *दैनिक जादूगर* को तत्काल भिजवा दो। अगर हम तेज़ उड़ने वाले उल्लू भेजते हैं, तो यह ख़बर सुबह के संस्करण में छप सकती है!' पर्सी कमरे से तत्काल भागा और उसने अपने पीछे दरवाज़ा धड़ाम से बंद कर दिया। फिर फ़ज डम्बलडोर की ओर मुड़े। 'आपको मंत्रालय ले जाया जाएगा, जहाँ आप पर आधिकारिक रूप से आरोप लगाया जाएगा और फिर मुकदमे की सुनवाई तक आपको अज़्काबान भेज दिया जाएगा!'

'ओह,' डम्बलडोर ने धीरे से कहा। 'हाँ। हाँ, मुझे लग रहा था कि हमारे बीच में यह अड़चन आएगी।'

'अड़चन?' फ़ज ने कहा और उनकी आवाज़ अब ख़ुशी के मारे काँप रही थी। 'मुझे तो कोई अड़चन नहीं दिख रही है, डम्बलडोर!'

डम्बलडोर ने माफ़ी माँगने के अंदाज़ में कहा, 'लेकिन मुझे दिख रही है।

'ओह सचमुच ?'

'देखिए – आप इस भ्रम के शिकार हो रहे हैं कि मैं – मुहावरा क्या है ? – *ख़ुद को आपके हवाले कर दूँगा।* मुझे डर है कि मैं ख़ुद को आपके हवाले बिलकुल नहीं करूँगा, कॉर्नेलियस। अज़्काबान जाने का मेरा कोई इरादा नहीं है। ज़ाहिर है, मैं वहाँ से भाग सकता हूँ – लेकिन इसमें समय बर्बाद होगा और सच कहूँ तो ऐसे बहुत से काम हैं, जो मैं इस दौरान करना चाहूँगा।'

अंबरिज का चेहरा लगातार लाल होता जा रहा था। वे इस तरह दिख रही थीं, जैसे उनमें उबलता हुआ पानी भर रहा हो। फ़ज बहुत मूर्खतापूर्ण अंदाज़ में डम्बलडोर की तरफ़ ताकते रहे, जैसे उन्हें अभी-अभी ज़ोरदार आघात से स्तब्ध कर दिया गया हो और उन्हें पता ही न हो कि क्या हुआ था। उन्होंने एक हल्की सी आवाज़ निकाली और फिर मुड़कर किंग्सले तथा छोटे भूरे बालों वाले आदमी की तरफ़ देखा। भूरे बालों वाला आदमी ही अब तक बिलकुल चुपचाप रहा था। उस आदमी ने फ़ज को तसल्ली भरा इशारा किया और फिर दीवार से थोड़ी दूर हिला। हैरी ने देखा कि उसका हाथ धीरे-धीरे अपनी जेब की तरफ़ बढ़ रहा था।

'मूर्खता मत करो, डॉलिश,' डम्बलडोर ने पुचकारते हुए कहा। 'मुझे मालूम है कि तुम बहुत अच्छे ऑरर हो – मुझे याद है कि तुम्हें तुम्हारे सभी **एन. ई.डब्ल्यू.टी.** टेस्ट्स में "आउटस्टैंडिंग" मिला था – लेकिन अगर तुम मुझे शक्ति से अपने *साथ चलने के लिए* मजबूर करोगे, तो मुझे तुम्हें घायल करना पड़ेगा।'

डॉलिश नाम का जादूगर थोड़ी मूर्खता से पलकें मिचमिचाने लगा। उसने दोबारा फ़ज की तरफ़ देखा, लेकिन इस बार वह इस इशारे के लिए देख रहा था कि आगे क्या करना है।

फ़ज ने ख़ुद को सँभालते हुए कहा, 'तो तुम डॉलिश, शैकलबोल्ट, डोलोरेस और मेरा अकेले ही मुक़ाबला करने का इरादा रखते हो, डम्बलडोर ?'

'अरे नहीं,' डम्बलडोर ने मुस्कराते हुए कहा, 'तब तक नहीं, जब तक कि आप इतने मूर्ख न हों कि मुझे ऐसा करने के लिए मजबूर करें।'

'वे अकेले नहीं हैं!' प्रोफ़ेसर मैक्गॉनेगल ने ज़ोर से कहा और अपने दुशाले के भीतर हाथ डाला।

'हाँ मिनर्वा, अकेले!' डम्बलडोर ने तीखी आवाज़ में कहा। 'हॉगवर्ट्स को तुम्हारी ज़रूरत है!'

'बस बहुत बकवास हो गई!' फ़ज ने अपनी छड़ी बाहर निकालते हुए कहा। 'डॉलिश! शैकलबोल्ट! उन्हें *पकड़ लो!*'

कमरे में चारों तरफ़ चाँदी जैसी रोशनी हुई। बंदूक चलने जैसा धमाका हुआ और फ़र्श काँपने लगा। एक हाथ हैरी की गर्दन पर पड़ा, जिसने चाँदी जैसी दूसरी चमक होते ही उसे फ़र्श पर झुका दिया। कई तस्वीरों से चिल्लाने की आवाज़ें आईं। ज्वाला चीख़ा और धुएँ का एक बादल हवा में भर गया। धूल में खाँसते हुए हैरी ने देखा कि उसके सामने एक काली आकृति धड़ाम से ज़मीन पर गिर गई, एक चीख़ने की आवाज़ आई और धम्म से गिरने के बाद कोई चिल्लाया, 'नहीं!' फिर काँच टूटने की आवाज़ आई, ज़ोर से संघर्ष करते क़दमों की आवाज़ आई, एक कराह ... और फिर ख़ामोशी।

हैरी यह देखने के लिए मुड़ा कि उसका गला कौन दबा रहा है। उसने देखा कि प्रोफ़ेसर मैक्गॉनेगल उसके पास उकड़ूँ बैठी थीं। उन्होंने उसे और मैरीटा को झुकाकर नुक़सान से बचा लिया था। धूल अब भी हवा में तैरती हुई नीचे आ रही थी। थोड़ा हाँफते हुए हैरी ने देखा कि एक बहुत लंबी आकृति उनकी तरफ़ आ रही थी।

डम्बलडोर ने पास आकर पूछा, 'तुम सब ठीक हो?'

'हाँ!' प्रोफ़ेसर मैक्गॉनेगल ने खड़े होते हुए और हैरी तथा मैरीटा को खींचते हुए कहा।

धूल साफ़ हो रही थी। ऑफ़िस का मलबा दिखाई देने लगा था। डम्बलडोर की डेस्क पलट गई थी। सभी जर्जर टेबलें ढहकर फ़र्श पर गिर चुकी थीं। उनके चाँदी के यंत्र टुकड़े-टुकड़े हो गए थे। फ़ज, अंबरिज, किंग्सले और डॉलिश फ़र्श पर बेहोश पड़े थे। ज्वाला नाम का फ़ीनिक्स उनके ऊपर चौड़े चक्कर लगा रहा था और धीरे-धीरे गा रहा था।

'दुर्भाग्य से मुझे किंग्सले को भी बेहोश करना पड़ा, वरना मामला बहुत संदिग्ध दिखता,' डम्बलडोर ने धीमी आवाज़ में कहा। 'वह बहुत समझदार है। जब बाक़ी लोगों का ध्यान दूसरी तरफ़ था, तो उसने मिस एजकॉम्ब की याददाश्त को चुटकी में बदल दिया – मिनर्वा, उसे मेरी तरफ़ से धन्यवाद दे देना, ठीक है?

'देखो, वे लोग बहुत जल्दी जाग जाएँगे और यह बहुत अच्छा रहेगा अगर उन्हें पता न चले कि हमारे पास बातचीत करने का समय था – तुम्हें इस तरह दिखाना है जैसे कोई समय नहीं बीता हो, जैसे वे सभी सिर्फ़ ज़मीन पर गिरे थे। उन्हें याद नहीं रहेगा –'

'आप कहाँ जाएँगे, डम्बलडोर?' प्रोफ़ेसर मैक्गॉनेगल ने कहा। 'ग्रिमॉल्ड चौक?'

'ओह नहीं,' डम्बलडोर ने गंभीर मुस्कराहट के साथ कहा। 'मैं छिपने के

लिए नहीं जा रहा हूँ। मैं जानता हूँ कि जल्दी ही फ़ज के होश ठिकाने आ जाएँगे और वे अफ़सोस करेंगे कि काश उन्होंने मुझे हॉगवर्ट्स से नहीं हटाया होता!'

'प्रोफ़ेसर डम्बलडोर ...' हैरी ने कहना शुरू किया।

वह नहीं जानता था कि वह कौन सी बात पहले कहे : उसे कितना अफ़सोस था कि उसने **डीए** शुरू किया था और उसी के कारण यह बखेड़ा हुआ था, या उसे कितना बुरा लग रहा था कि उसे निष्कासन से बचाने के लिए डम्बलडोर हॉगवर्ट्स छोड़कर जा रहे थे? लेकिन उसके कुछ कहने से पहले ही डम्बलडोर बोलने लगे।

उन्होंने व्यग्रता से कहा, 'मेरी बात सुनो, हैरी। तुम्हें पूरा मन लगाकर गुप्तविद्या सीखनी है। समझ गए? हर वह काम करो, जो प्रोफ़ेसर स्नेप कहते हैं। ख़ास तौर पर रात को सोने से पहले इसका अभ्यास करो, ताकि तुम अपने मस्तिष्क को बुरे सपनों से बचा सको – तुम्हें इसका कारण जल्दी ही समझ में आ जाएगा, लेकिन तुम्हें मुझसे वादा करना होगा –'

डॉलिश नाम का जादूगर हिलने लगा था। डम्बलडोर ने हैरी की कलाई पकड़ ली।

'याद रखना – अपने मस्तिष्क को बिलकुल बंद कर लेना –'

लेकिन जैसे ही डम्बलडोर की उँगलियाँ हैरी की चमड़ी पर कसीं, उसके माथे के निशान में दर्द होने लगा। एक बार फिर उसके मन में वही भयंकर, साँप जैसी प्रबल इच्छा हुई कि वह डम्बलडोर पर हमला कर दे, उन्हें काट ले, उन्हें चोट पहुँचा दे –

'तुम समझ जाओगे,' डम्बलडोर फुसफुसाए।

ज्वाला ने ऑफ़िस का चक्कर लगाया और उनकी तरफ़ आ गया। डम्बलडोर ने हैरी को छोड़ दिया और अपना हाथ उठाकर ज्वाला की लंबी सुनहरी पूँछ पकड़ ली। आग की चमक दिखी और वे दोनों चले गए।

'वे कहाँ हैं?' फ़ज चीख़ते हुए फ़र्श से उठे। *'वे कहाँ हैं?'*

'क्या पता?' किंग्सले उठते हुए चिल्लाया।

'वे अंतर्ध्यान तो हो नहीं सकते!' अंबरिज चीख़ीं। 'इस स्कूल के भीतर कोई अंतर्ध्यान नहीं हो सकता –'

'सीढ़ियों पर देखता हूँ!' डॉलिश चिल्लाता हुआ दरवाज़े की तरफ़ भागा। उसने झटके से दरवाज़ा खोला और ग़ायब हो गया। उसके पीछे-पीछे किंग्सले और अंबरिज भी चले गए। फ़ज झिझके, फिर धीरे से खड़े होकर उन्होंने अपने दुशाले के सामने वाले हिस्से से धूल साफ़ की। एक लंबी और दर्दनाक ख़ामोशी छा गई।

'मिनर्वा,' फ़ज ने बुरे स्वर में कहा और अपनी फटी हुई शर्ट की आस्तीन को ठीक किया, 'मुझे डर है कि यह तुम्हारे दोस्त डम्बलडोर का अंत है।'

'आपको ऐसा लगता है ?' प्रोफ़ेसर मैक्गॉनेगल ने हिक़ारत से कहा।

ऐसा लगा, जैसे फ़ज ने उनकी बात सुनी ही नहीं थी। उन्होंने ऑफ़िस के मलबे को देखा। कुछ तस्वीरें उनकी तरफ़ हिस्स की आवाज़ें कर रही थीं। एक-दो ने तो हाथ से अशालीन इशारे भी किए।

'बेहतर होगा कि तुम इन दोनों को बिस्तर पर पहुँचा दो,' फ़ज ने हैरी और मैरीटा की तरफ़ इशारा करते हुए कहा।

प्रोफ़ेसर मैक्गॉनेगल कुछ नहीं बोलीं, बल्कि हैरी और मैरीटा को लेकर दरवाज़े तक पहुँच गईं। जब दरवाज़ा उनके पीछे बंद होने लगा, तो हैरी को फ़िनीज़ नाइजेलस की आवाज़ सुनाई दी।

'मंत्रीजी, मैं कई मामलों में डम्बलडोर से असहमत हो सकता हूँ ... लेकिन आप इस बात से इंकार नहीं कर सकते कि वे कमाल के जादूगर हैं ...'

अध्याय अट्ठाईस

स्नेप की सबसे बुरी याद

जादू मंत्रालय के आदेश से

आज से एल्बस डम्बलडोर के स्थान पर डोलोरेस जेन अंबरिज (सर्वोच्च प्रशासक) हॉगवर्ट्स जादूगरी और तंत्र विद्यालय की हेडमिस्ट्रेस होंगी।

यह शैक्षणिक क़ानून क्रमांक अट्ठाईस के अनुपालन में है।

हस्ताक्षर : कॉर्नेलियस ओसवाल्ड फ़ज, जादू मंत्री

नोटिस रातोरात पूरे स्कूल में लग गए थे, लेकिन उनसे यह स्पष्ट नहीं हो पाया कि महल के भीतर रहने वाले हर विद्यार्थी को यह बात कैसे पता चल गई कि डम्बलडोर दो ऑररर्स, सर्वोच्च प्रशासक, जादू मंत्री और उनके जूनियर असिस्टेंट को हराकर भाग गए थे। हैरी महल में जहाँ भी गया, वहाँ डम्बलडोर के पराक्रम के बारे में ख़ुसुर-पुसर हो रही थी। हालाँकि एक मुँह से दूसरे मुँह तक पहुँचने के कारण कुछ बातें बदल गई थीं (हैरी ने सुना कि सेकंड ईयर की एक लड़की अपनी सहेली को बता रही थी कि फ़ज सेंट मंगोज़ अस्पताल में भर्ती हैं, क्योंकि उनका सिर अब कद्दू बन गया है), लेकिन हैरानी की बात यह थी कि बाक़ी की जानकारी बिलकुल सही थी। मिसाल के तौर पर, सभी यह बात जानते थे कि विद्यार्थियों में से सिर्फ़ हैरी और मैरीटा ने ही डम्बलडोर के ऑफ़िस में यह दृश्य देखा था। चूँकि मैरीटा इस समय अस्पताल में भर्ती थी, इसलिए विद्यार्थी बार-बार हैरी से आँखों देखा हाल सुनाने का आग्रह कर रहे थे।

हैरी की कहानी पूरी तल्लीनता से सुनने के बाद अर्नी मैकमिलन ने जड़ी-बूटी विज्ञान की क्लास से लौटते समय विश्वास से कहा, 'डम्बलडोर जल्दी ही लौट आएँगे। हमारे सेकंड ईयर में भी जादू मंत्री उन्हें ज़्यादा समय तक दूर नहीं रख पाए थे और इस बार भी ऐसा ही होगा। मोटे संन्यासी ने मुझे बताया है –' उसने अपनी आवाज़ नीची कर ली, जैसे कोई साज़िश रच रहा हो। इस वजह से हैरी, रॉन और हर्माइनी को सुनने के लिए उसके क़रीब झुकना पड़ा '– कि महल और मैदान की अच्छी तरह तलाशी लेने के बाद अंबरिज ने कल रात को डम्बलडोर के ऑफ़िस में घुसने की कोशिश की थी। वे गारगॉइल को पार नहीं कर पाईं। हेडमास्टर का ऑफ़िस सील हो गया है।' अर्नी मुस्कराया। 'ज़ाहिर है, इस बात से वे काफ़ी चिढ़ गई होंगी।'

पत्थर की सीढ़ियाँ चढ़कर प्रवेश हॉल में जाते समय हर्माइनी बोली, 'ओह, मुझे लगता है कि वे हेडमास्टर के ऑफ़िस में बैठना चाहती थीं। बाक़ी टीचर्स पर अफ़सरी झाड़ना चाहती होंगी, मूर्ख, मोटी, शक्ति की भूखी बुढ़िया –'

'ग्रेंजर, क्या तुम *सचमुच* इस वाक्य को पूरा करना चाहती हो?'

ड्रेको मैल्फ़ॉय दरवाज़े के पीछे से निकल आया था। उसके पीछे-पीछे क्रैब और गॉइल भी थे। मैल्फ़ॉय का पीला, नुकीला चेहरा दुर्भावना से चमक रहा था।

उसने धीमी आवाज़ में कहा, 'मुझे गरुड़द्वार और मेहनतकश के कुछ पॉइंट कम करने होंगे।'

अर्नी तत्काल बोला, 'मैल्फ़ॉय, सिर्फ़ टीचर्स ही किसी हाउस के पॉइंट कम कर सकते हैं।'

रॉन गुर्राया, 'हाँ, हम भी प्रिफ़ेक्ट्स हैं, भूल गए क्या?'

मैल्फ़ॉय ने ताना मारते हुए कहा, 'वीज़्ली राजा, मैं जानता हूँ कि *प्रिफ़ेक्ट्स* पॉइंट कम नहीं कर सकते।' क्रैब और गॉइल खी-खी करने लगे। 'लेकिन प्रशासकीय दस्ते के सदस्य ऐसा कर सकते हैं –'

'*कौन?*' हर्माइनी ने तीखी आवाज़ में पूछा।

'प्रशासकीय दस्ता, ग्रेंजर,' मैल्फ़ॉय ने अपने प्रिफ़ेक्ट के बैज के ठीक नीचे अपने दुशाले पर चाँदी के एक छोटे से 'आई' की तरफ़ इशारा करते हुए कहा। 'जादू मंत्रालय का समर्थन करने वाले कुछ चुनिंदा विद्यार्थियों को प्रोफ़ेसर अंबरिज ने ख़ुद चुना है। ख़ैर, मुद्दे की बात यह है कि प्रशासकीय दस्ते के सदस्यों *के पास* पॉइंट कम करने की शक्ति है ... इसलिए ग्रेंजर, मैं नई हेडमिस्ट्रेस की बुराई करने के लिए तुम्हारे पाँच पॉइंट कम करता हूँ। मैकमिलन, मेरा विरोध करने के लिए पाँच पॉइंट तुम्हारे कम। पॉटर, तुम्हारे पाँच पॉइंट इसलिए, क्योंकि मैं तुम्हें पसंद नहीं करता हूँ। वीज़्ली, तुम्हारी शर्ट बाहर निकली है,

इसलिए मुझे पाँच पॉइंट कम करने होंगे। और हाँ, मैं तो भूल ही गया था ग्रेंजर, तुम बदज़ात हो, इसलिए दस पॉइंट उसके कम हो गए।'

रॉन ने अपनी छड़ी बाहर निकाली, लेकिन हर्माइनी ने उसे दूर हटा दिया और फुसफुसाकर बोली, 'नहीं!'

'समझदारी का काम, ग्रेंजर,' मैल्फ़ॉय बोला। 'नई हेडमिस्ट्रेस, नया दौर ... ठीक है, पॉटी ... वीज़्ली राजा ...'

वह क्रैब और गॉइल के साथ ही-ही करता हुआ वहाँ से चला गया।

'वह मज़ाक़ कर रहा होगा,' अर्नी ने परेशान दिखते हुए कहा। 'उसे पॉइंट कम करने की इजाज़त नहीं हो सकती ... यह मूर्खतापूर्ण होगा ... इससे तो प्रिफ़ेक्ट सिस्टम बिलकुल महत्वहीन हो जाएगा।'

लेकिन तब तक हैरी, रॉन और हर्माइनी हाउस-पॉइंट रिकॉर्ड करने वाले उन विशाल अवर-ग्लासेस की तरफ़ मुड़ चुके थे, जो उनके पीछे की दीवार में बने हुए थे। सुबह तक गरुड़द्वार और चीलघात बिलकुल बराबरी से सबसे ऊपर थे। उनके देखते-देखते पॉइंट्स की संख्या कम हो गई। दरअसल, सिर्फ़ एक ही ग्लास में परिवर्तन नहीं दिख रहा था और वह नागशक्ति का था, जिसमें पन्ना भरा हुआ था।

फ्रेड की आवाज़ आई, 'देख लिया, है न ?'

वह और जॉर्ज अभी-अभी संगमरमर की सीढ़ियों से उतरे थे। अवर-ग्लासेस के सामने वे हैरी, रॉन, हर्माइनी और अर्नी के पास आ गए।

'मैल्फ़ॉय ने हमारे लगभग पचास पॉइंट कम कर दिए,' हैरी ने आवेश में कहा, जब उसने गरुड़द्वार के कुछ और पॉइंट कम होते देखे।

जॉर्ज बोला, 'हाँ, मॉन्टेग्यू ने ब्रेक के दौरान हमारे पॉइंट कम करने की कोशिश की थी।'

रॉन ने जल्दी से पूछा, 'तुम्हारा क्या मतलब है, "कोशिश की थी" ?'

फ्रेड ने कहा, 'वह शब्द मुँह से पूरी तरह निकाल ही नहीं पाया, क्योंकि हमने उसे पहली मंज़िल की अदृश्य करने वाली अलमारी में सिर के बल अंदर डाल दिया था।'

हर्माइनी बहुत सदमे में दिखने लगी।

'लेकिन तुम लोग भयंकर मुश्किल में फँस जाओगे!'

फ्रेड ने बिना किसी चिंता के कहा, 'तब तक नहीं, जब तक मॉन्टेग्यू वापस नहीं लौट आता है और उसमें कई हफ़्ते लग सकते हैं। मुझे नहीं पता कि वह कहाँ गया होगा ? वैसे भी ... हम यह फ़ैसला कर चुके हैं कि अब हमें मुश्किल

में फँसने की कोई परवाह नहीं है।'

हर्माइनी ने पूछा, 'क्या तुम्हें कभी परवाह थी?'

'ज़ाहिर है, थी,' जॉर्ज ने कहा। 'हमें कभी स्कूल से नहीं निकाला गया, है ना?'

फ्रेड बोला, 'हम हमेशा जानते थे कि सीमारेखा कहाँ है?'

'यह अलग बात है कि हम कभी-कभार अपना एकाध पैर उसके बाहर निकाल देते थे,' जॉर्ज ने कहा।

फ्रेड ने कहा, 'लेकिन हम असली हुड़दंग मचाने से पहले ही हमेशा रुक जाते थे।'

रॉन ने पूछा, 'लेकिन अब?'

'अब -' जॉर्ज बोला।

'- डम्बलडोर के जाने के बाद -' फ्रेड ने कहा।

'हमें लगता है कि थोड़ा हुड़दंग -' जॉर्ज ने कहा।

'- होना ही चाहिए। हमारी प्यारी नई हेडमिस्ट्रेस इसी क़ाबिल हैं!' फ्रेड बोला।

'ऐसा मत करना!' हर्माइनी ने फुसफुसाकर कहा। 'तुम्हें सचमुच ऐसा नहीं करना चाहिए! उन्हें तो तुम्हें बाहर निकालने का बहाना चाहिए!'

'हर्माइनी, तुम समझ नहीं रही हो,' फ्रेड ने उसकी तरफ़ मुस्कराते हुए कहा। 'अब हमें यहाँ रहने की परवाह नहीं है। अगर हमने डम्बलडोर के लिए कुछ करने का संकल्प नहीं कर लिया होता, तो हम इसी समय स्कूल छोड़कर चले जाते। वैसे,' उसने अपनी घड़ी देखते हुए कहा, 'पहला दौर शुरू होने वाला है। अगर मैं तुम्हारी जगह होता, तो लंच करने के लिए इसी समय बड़े हॉल में पहुँच जाता, ताकि टीचर्स देख सकें कि इससे तुम्हारा कोई संबंध नहीं है।'

हर्माइनी ने चिंता से कहा, 'किससे हमारा संबंध नहीं है?'

'तुम्हें पता चल जाएगा,' जॉर्ज ने कहा। 'अब भागो।'

फ्रेड और जॉर्ज मुड़कर विद्यार्थियों की उस बढ़ती भीड़ में ओझल हो गए, जो सीढ़ियाँ उतरकर लंच करने जा रही थी। काफ़ी चिंतित होकर अर्नी ने रूपांतरण के अधूरे होमवर्क का ज़िक्र किया और तेज़ी से चला गया।

'मुझे लगता है कि हमें यहाँ से फ़ौरन चल देना *चाहिए*,' हर्माइनी ने घबराहट में कहा। 'कहीं सचमुच कुछ न हो जाए ...'

'हाँ, बिलकुल ठीक है,' और वे तीनों बड़े हॉल के दरवाज़ों की तरफ़ बढ़े,

लेकिन अभी हैरी ने दौड़ लगाते सफ़ेद बादलों की छत की तरफ़ देखा ही था कि तभी किसी ने उसका कंधा थपथपाया। उसने मुड़कर देखा, चौकीदार फ़िल्च उसके ठीक सामने था। वह तेज़ी से पीछे हटा। फ़िल्च दूर ही अच्छा लगता था।

उसने व्यंग्य भरी मुस्कान के साथ कहा, 'पॉटर, हेडमिस्ट्रेस ने तुम्हें बुलाया है!'

हैरी ने सोचा कि फ्रेड और जॉर्ज ने जाने कौन सी योजना बनाई होगी। उसने मूर्खतापूर्ण ढंग से कह दिया, 'मैंने यह काम नहीं किया।' फ़िल्च के जबड़े हिलने लगे और वह हँसने लगा।

'अपराधी अंतरात्मा, हैं?' उसने घरघराती आवाज़ में कहा, 'मेरे पीछे आओ।'

हैरी ने रॉन और हर्माइनी की तरफ़ देखा, जो चिंतित लग रहे थे। कंधे उचकाकर वह फ़िल्च के पीछे प्रवेश हॉल में चला गया, जबकि दूसरी तरफ़ से भूखे विद्यार्थियों का रेला आ रहा था।

फ़िल्च बहुत अच्छे मूड में दिख रहा था। संगमरमर की सीढ़ियाँ चढ़ते समय वह धीरे-धीरे गुनगुना रहा था। पहली मंज़िल की सीढ़ियों पर पहुँचकर वह बोला, 'पॉटर, यहाँ स्थिति बदल रही है।'

हैरी ने ठंडेपन से कहा, 'हाँ, मैं भी देख रहा हूँ।'

'देखो ... मैं डम्बलडोर से बरसों से कह रहा था कि वे तुम लोगों के साथ बहुत नरमी से पेश आते हैं,' फ़िल्च ने बुरी तरह से हँसते हुए कहा। 'तुम वहशी दरिंदे कभी बदबूदार बम नहीं छोड़ते, अगर तुम्हें पता होता कि मेरे पास तुम्हें कोड़े मारने और तुम्हारी चमड़ी उधेड़ने की शक्ति है, है ना? कोई भी गलियारों में फ़ैंग्ड फ्रिज़बीज़ फेंकने के बारे में नहीं सोचता, अगर मैं तुम्हें जंज़ीर से टखनों के बल अपने ऑफ़िस में उल्टा लटका सकता, है ना? लेकिन पॉटर, शैक्षणिक क़ानून क्रमांक उनतीस के आने के बाद मुझे ये काम करने की इजाज़त मिल जाएगी ... *और* उन्होंने मंत्रीजी से पीव्ज़ को बाहर निकालने के आदेश पर साइन करने को भी कहा है ... *उनके* हेडमिस्ट्रेस बनने के बाद यहाँ की स्थिति बिलकुल ही बदल जाएगी ...'

हैरी ने सोचा कि अंबरिज ने फ़िल्च को अपनी तरफ़ मिलाने की काफ़ी कोशिश की थी। और सबसे बुरी बात यह थी कि वह बहुत महत्त्वपूर्ण हथियार था। स्कूल के ख़ुफ़िया रास्तों और जगहों के बारे में उसका ज्ञान शायद वीज़्ली बंधुओं से ही कम था।

'यह लो,' उसने हैरी की तरफ़ मुस्कराते हुए कहा और प्रोफ़ेसर अंबरिज के दरवाज़े पर तीन बार दस्तक देकर उसे खोल दिया। 'मैडम, पॉटर आ गया है।'

हैरी अंबरिज के ऑफ़िस को अच्छी तरह पहचानता था। वह यहाँ कई बार सज़ा काट चुका था। यह पहले जैसा ही था। फ़र्क़ सिर्फ़ इतना था कि अब उनकी डेस्क पर लकड़ी की एक बड़ी तख़्ती रखी थी, जिस पर सुनहरे अक्षरों में लिखा था : **हेडमिस्ट्रेस**। इसके अलावा, उसने हसरत और दर्द से देखा कि उसकी फ़ायरबोल्ट और फ़्रेड तथा जॉर्ज की क्लीनस्वीप झाडुएँ डेस्क के पीछे वाली दीवार पर लोहे की मोटी खूँटी पर जंज़ीर से बँधी थीं।

अंबरिज डेस्क के पीछे बैठी थीं और गुलाबी चर्मपत्र पर कुछ लिख रही थीं। उन्होंने ऊपर देखा और मुस्कराने लगीं।

वे चाशनी लिपटी आवाज़ में बोलीं, 'आर्गस, धन्यवाद।'

'कोई बात नहीं, मैडम, कोई बात नहीं,' फ़िल्च ने कहा और अपने सिर को उतना नीचे झुका लिया, जितना वह गठिए के दर्द के बावजूद झुका सकता था। फिर वह बाहर चला गया।

'बैठ जाओ,' अंबरिज ने एक कुर्सी की तरफ़ इशारा करते हुए कहा। हैरी बैठ गया। अंबरिज कुछ मिनट तक लिखती रहीं। हैरी ने देखा कि बिल्ली के कुछ गंदे बच्चे उनके सिर के ऊपर की तस्वीर वाली प्लेटों में चारों तरफ़ उछलकूद मचा रहे थे। उसने सोचा, न जाने अब वे कौन सा भयंकर काम करने वाली हैं।

'अच्छा,' उन्होंने आख़िरकार अपनी क़लम नीचे रखकर उसे ग़ौर से देखते हुए कहा, जैसे किसी रस भरी मक्खी को निगलने से पहले मेंढकी देखती है। 'तुम क्या पीना पसंद करोगे?'

'क्या?' हैरी ने कहा। उसे यक़ीन था कि उसने ग़लत सुन लिया है।

'क्या पीना पसंद करोगे, मिस्टर पॉटर,' वे थोड़ा और खुलकर मुस्कराते हुए बोलीं। 'चाय? कॉफ़ी? कद्दू का जूस?'

हर ड्रिंक का नाम लेते समय उन्होंने अपनी छोटी छड़ी लहराई और उस ड्रिंक का कप या गिलास उनकी डेस्क पर प्रकट हो गया।

'कुछ नहीं, धन्यवाद,' हैरी ने कहा।

'मैं चाहती हूँ कि तुम मेरे साथ कुछ तो पियो,' उन्होंने कहा और उनकी आवाज़ अब बहुत ख़तरनाक ढंग से मीठी थी। 'किसी एक को तो चुनना ही पड़ेगा।'

'अच्छा ... तो फिर चाय,' हैरी ने कंधे उचकाते हुए कहा।

वे खड़ी हुईं और उसकी तरफ़ पीठ करके दूध मिलाने लगीं। फिर वे चाय का कप लेकर उसके क़रीब आईं। वे बहुत ही ख़तरनाक अंदाज़ में मीठे ढंग से मुस्करा रही थीं।

'यह लो,' उन्होंने उसे कप थमाते हुए कहा। 'इसे गर्म-गर्म पी लो। अच्छा, तो अब मिस्टर पॉटर ... मुझे लग रहा था कि हमें कल रात की तकलीफ़देह घटनाओं के बारे में थोड़ी बातचीत कर लेनी चाहिए।'

हैरी कुछ नहीं बोला। वे वापस अपनी सीट पर बैठ गईं और इंतज़ार करने लगीं। जब कई लंबे पल ख़ामोशी में बीत गए, तो उन्होंने ख़ुशनुमा आवाज़ में कहा, 'तुम चाय नहीं पी रहे हो!'

उसने कप अपने होंठों तक उठाया और फिर उतनी ही तेज़ी से उसे नीचे कर लिया। अंबरिज के पीछे पेंट किए गए बिल्ली के एक बच्चे की आँखें वैसी ही गोल और नीली थीं, जैसी कि बावरे-नैन मूडी की जादुई आँख थी। उसी समय हैरी के दिमाग़ में आया कि अगर बावरे-नैन को पता चल गया कि हैरी ने किसी शत्रु द्वारा दी गई कोई चीज़ पी है, तो वे क्या कहेंगे।

'क्या हुआ?' अंबरिज ने कहा, जो अब भी उसे ग़ौर से देख रही थीं। 'क्या शकर चाहिए?'

'नहीं,' हैरी ने कहा।

उसने कप को दोबारा अपने होंठों तक उठाया और चुस्की लेने का नाटक किया, हालाँकि वह अपना मुँह कसकर बंद किए हुए था। अंबरिज की मुस्कान चौड़ी हो गई।

'अच्छी बात है,' वे फुसफुसाईं, 'बहुत अच्छी बात है। तो अब बताओ ...' वे थोड़ी आगे झुकीं। *एल्बस डम्बलडोर कहाँ हैं?*'

हैरी ने तत्काल जवाब दिया, 'क्या पता?'

'और पियो, और पियो,' वे अब भी मुस्कराते हुए बोलीं। 'देखो पॉटर, हम बचकाने खेल नहीं खेलेंगे। मैं जानती हूँ, तुम्हें पता है कि वे कहाँ गए हैं। तुम और डम्बलडोर इस मामले में शुरू से ही एक साथ हो। अपनी स्थिति पर विचार करो, पॉटर ...'

हैरी ने दोहराया, 'मैं नहीं जानता कि वे कहाँ हैं?'

उसने दोबारा पीने का नाटक किया। वे अब उसे बहुत ग़ौर से देख रही थीं।

'बहुत बढ़िया,' उन्होंने कहा, हालाँकि वे अप्रसन्न दिख रही थीं। 'तो फिर मुझे बताओ कि सिरियस ब्लैक कहाँ है।'

हैरी का पेट घूम गया और उसके हाथ का कप इतनी जमकर हिला कि प्लेट खड़खड़ाने लगी। हालाँकि उसके दोनों होंठ कसकर बंद थे, लेकिन उसने कप उठाकर अपने मुँह से लगा लिया, ताकि कुछ चाय उसके दुशालों पर

छलक जाए।

उसने थोड़ी जल्दी में कहा, 'मैं नहीं जानता।'

'मिस्टर पॉटर,' अंबरिज ने कहा, 'मैं तुम्हें याद दिला देती हूँ कि मैंने अक्टूबर में गरुड़द्वार हॉल की अँगीठी में अपराधी ब्लैक को लगभग पकड़ ही लिया था। मैं अच्छी तरह जानती हूँ कि वह तुमसे मिलने आया था और अगर मेरे पास कोई सबूत होता, तो तुम दोनों में से कोई भी आज़ाद नहीं होता। मैं दोबारा पूछ रही हूँ, पॉटर ... सिरियस ब्लैक कहाँ है?'

'क्या पता,' हैरी ने ज़ोर से कहा। 'मुझे ज़रा भी अंदाज़ा नहीं है।'

दोनों ने एक-दूसरे की तरफ़ इतनी देर तक घूरा कि हैरी की आँखों में पानी आ गया। फिर अंबरिज उठकर खड़ी हो गईं।

'ठीक है पॉटर, इस बार तो मैं तुम्हारी बात मान लेती हूँ, लेकिन सावधान रहना : मेरे पीछे मंत्रालय की शक्ति है। इस स्कूल से आने-जाने वाले सभी संचार माध्यमों की निगरानी की जा रही है। हॉगवर्ट्स की हर अँगीठी पर नज़र रखने के लिए छू नेटवर्क नियामक कार्यरत है - ज़ाहिर है, मेरी अँगीठी को छोड़कर। मेरा प्रशासकीय दस्ता महल में उल्लुओं द्वारा लाई और ले जाई जा रही चिट्ठियों को पढ़ रहा है। और मिस्टर फ़िल्च महल के सभी ख़ुफ़िया गलियारों पर नज़र रख रहे हैं। अगर मुझे ज़रा सा भी सबूत मिल गया ...'

भड़ाम!

ऑफ़िस का फ़र्श काँप गया। अंबरिज थोड़ी फिसल गईं और सहारे के लिए उन्होंने अपनी डेस्क पकड़ ली। वे सदमे में दिखने लगीं।

'यह क्या था?'

वे दरवाज़े की तरफ़ घूर रही थीं। हैरी ने इस मौक़े का फ़ायदा उठाते हुए अपने चाय के लगभग पूरे भरे कप को सूखे फूलों के सबसे नज़दीकी फूलदान में ख़ाली कर दिया। उसे नीचे की किसी मंज़िल से लोगों के भागने और चीख़ने की आवाज़ें सुनाई दे रही थीं।

'अब तुम लंच करने जाओ, पॉटर!' अंबरिज चिल्लाईं और अपनी छड़ी उठाकर ऑफ़िस के बाहर भाग गईं। हैरी ने कुछ सेकंड तक इंतज़ार किया, ताकि वे पर्याप्त दूर निकल जाएँ। फिर वह भी जल्दी से चल दिया, ताकि यह देख सके कि इस हंगामे का कारण क्या था।

इसे खोजना मुश्किल नहीं था। एक मंज़िल नीचे कोहराम मचा था। किसी ने (और हैरी को बहुत अच्छा अंदाज़ा था कि वह कौन होगा) जादुई पटाख़ों के एक विशाल बक्से पर जादू करके उन्हें चला दिया था।

हरी और सुनहरी चिंगारियों वाले ड्रैगन गलियारों में इधर-उधर उड़ रहे थे। उनसे आग की लपटें निकल रही थीं और धमाके हो रहे थे। पाँच फ़ुट व्यास वाली गुलाबी चकरियाँ उड़नतश्तरियों की तरह ख़तरनाक तरीक़े से आवाज़ करती हुई उड़ रही थीं। चाँदी जैसे चमकते सितारों की लंबी पूँछों वाले रॉकेट दीवार से टकराकर लौट रहे थे। अनार बीच हवा में अपने आप आपत्तिजनक शब्द लिख रहे थे। जहाँ भी हैरी की निगाह गई, वहाँ पटाख़े विस्फोटक सुरंगों की तरह फट रहे थे। बुझ जाने, थम जाने या ओझल हो जाने के बजाय ये जादुई पटाख़े हर पल तेज़ होते जा रहे थे।

फ़िल्च और अंबरिज दहशत में सीढ़ियों पर खड़े थे। हैरी ने देखा कि एक बड़ी चकरी ने यह फ़ैसला किया कि उसे अपनी करामात दिखाने के लिए ज़्यादा जगह की ज़रूरत है। वह ख़तरनाक '*व्हीहीहीही*' के साथ अंबरिज और फ़िल्च की तरफ़ उड़ने लगी। वे दोनों ही डर के मारे चिल्लाए और उन्होंने अपनी गर्दन झुका ली। चकरी खिड़की से बाहर निकलकर मैदान की तरफ़ चली गई। इस दौरान ख़तरनाक तरीक़े से धुआँ उगलने वाले कई ड्रैगन और एक बड़ा बैंगनी चमगादड़ गलियारे के सिरे पर खुले दरवाज़े का लाभ उठाकर बाहर निकल गए और दूसरी मंज़िल की तरफ़ चले गए।

'जल्दी करो, फ़िल्च!' अंबरिज चिल्लाईं, 'अगर हमने कुछ नहीं किया, तो वे पूरे स्कूल में फैल जाएँगे – *स्तब्धो!*'

उनकी छड़ी के सिरे से लाल रोशनी की लहर निकलकर एक रॉकेट पर पड़ी। बीच हवा में स्तब्ध होकर रुकने के बजाय इसमें इतना तेज़ विस्फोट हुआ कि इससे एक जादूगरनी की पेंटिंग के बीच में छेद हो गया, जो एक बगीचे के बीच में बैठी थी। वह जादूगरनी बचकर भागी और कुछ पल बाद दूसरी पेंटिंग में प्रकट हो गई, जहाँ ताश खेल रहे दो जादूगर उसे जगह देने के लिए तेज़ी से खड़े हो गए।

'उन्हें स्तब्ध मत करो, फ़िल्च!' अंबरिज ग़ुस्से से चिल्लाईं, जैसे यह काम फ़िल्च ने ही किया हो।

'आप ठीक कह रही हैं, हेडमिस्ट्रेस!' फ़िल्च बोला। सभी जानते थे कि फ़िल्च नाकारा था और पटाख़ों को उसी तरह स्तब्ध नहीं कर सकता था, जिस तरह वह उन्हें निगल नहीं सकता था। वह पास वाली अलमारी की तरफ़ भागा और उसमें से एक झाड़ू निकालकर पटाखों पर मारने लगा। कुछ ही पल में उसकी झाड़ू के अगले सिरे में आग लग गई।

हैरी ने काफ़ी देख लिया था। हँसते हुए उसने अपना सिर झुकाया और एक ख़ुफ़िया दरवाज़े की तरफ़ भागा। वह जानता था कि वह दरवाज़ा एक

दीवारदरी के पीछे छिपा है। जैसे ही वह दरवाज़े के भीतर गया, उसे फ्रेड और जॉर्ज दिख गए, जो वहाँ छिपकर अंबरिज और फ़िल्च की चीख़ें सुन रहे थे तथा हँसी दबाने के कारण हिल रहे थे।

'शानदार,' हैरी ने धीरे से मुस्कराते हुए कहा। 'बहुत ही शानदार ... तुम लोग तो डॉ. फ़िलिबस्टर का धंधा चौपट कर दोगे। कोई दिक्क़त नहीं होगी ...'

'शुक्रिया,' जॉर्ज ने फुसफुसाकर कहा और अपने चेहरे से हँसी के आँसू पोंछे। 'ओह, मुझे उम्मीद है कि वे उन्हें ओझल करने की कोशिश करें ... इससे वे दस गुने हो जाएँगे।'

पटाख़े जलते रहे और दोपहर भर पूरे स्कूल में उड़ते रहे। हालाँकि पटाख़ों ने काफ़ी व्यवधान पैदा किया, लेकिन बाक़ी टीचर्स को देखकर ऐसा नहीं लगा कि इससे उन्हें ज़्यादा तकलीफ़ हो रही थी।

जब एक ड्रैगन प्रोफ़ेसर मैक्गॉनेगल की क्लास में घुसकर चारों तरफ़ उड़ने लगा तथा तेज़ धमाके के साथ लपटें उगलने लगा, तो उन्होंने चिढ़कर कहा, 'ओह, ओह, मिस ब्राउन, ज़रा भागकर हेडमिस्ट्रेस को बता आओ कि हमारी क्लास में एक पटाख़ा घुस आया है!'

इसका नतीजा यह हुआ कि हेडमिस्ट्रेस बनने के बाद प्रोफ़ेसर अंबरिज का पहला दिन बड़ा ख़राब गुज़रा। उनकी पूरी दोपहर स्कूल में इधर से उधर भागने में बीती। बाक़ी टीचर्स अपने कमरे से पटाख़ों को बाहर निकालने में सक्षम नहीं दिख रहे थे, इसलिए वे बार-बार मदद के लिए प्रोफ़ेसर अंबरिज को बुलाते रहे। जब आख़िरी घंटी बजी और विद्यार्थी अपने बैग लेकर गरुड़द्वार टॉवर की तरफ़ जाने लगे, तो हैरी ने बड़े संतोष के साथ देखा कि अंबरिज प्रोफ़ेसर फ़्लिटविक की क्लास से पसीना-पसीना चेहरे के साथ निकल रही थीं। उनके कपड़ों पर राख लगी हुई थी और उनका हुलिया बहुत ख़राब दिख रहा था।

'बहुत-बहुत धन्यवाद, प्रोफ़ेसर!' प्रोफ़ेसर फ़्लिटविक ने अपनी चूँ-चूँ करती आवाज़ में कहा। 'मैं ख़ुद ही पटाख़ों से छुटकारा पा सकता था, लेकिन मुझे पता नहीं था कि मेरे पास ऐसा करने का *अधिकार* है या नहीं।'

अंबरिज गुर्राने लगीं। प्रोफ़ेसर फ़्लिटविक ने मुस्कराते हुए अपने क्लासरूम का दरवाज़ा उनके गुर्राते चेहरे के सामने बंद कर दिया।

उस रात को गरुड़द्वार के हॉल में फ्रेड और जॉर्ज हीरो थे। यहाँ तक कि हर्माइनी भी रोमांचित भीड़ के बीच रास्ता बनाती हुई उन्हें बधाई देने के लिए आई।

उसने प्रशंसात्मक स्वर में कहा, 'बहुत बढ़िया पटाख़े थे!'

'धन्यवाद,' जॉर्ज ने कहा, जो यह सुनकर बहुत हैरान और ख़ुश हुआ था। 'वीज़्ली के तूफ़ानी अग्निबम। बस एक ही दिक़्क़त है, हमारा पूरा माल ख़त्म हो गया। हमें अब उन्हें दोबारा बनाना पड़ेगा।'

'वैसे हमें इसका ज़रा भी अफ़सोस नहीं है,' फ़्रेड ने कहा, जो गरुड़द्वार के विद्यार्थियों से ऑर्डर लेने में जुटा था। 'हर्माइनी, अगर तुम अपना नाम वेटिंग लिस्ट में लिखवाना चाहो, तो सामान्य बॉक्स की क़ीमत पाँच गैलियन है और डीलक्स बॉक्स की क़ीमत बीस गैलियन है ...'

हर्माइनी उस टेबल की तरफ़ लौटी, जहाँ हैरी और रॉन अपने स्कूलबैगों की तरफ़ बैठकर घूर रहे थे, जैसे उन्हें यह उम्मीद हो कि उनका होमवर्क उछलकर बाहर निकल आएगा और अपने आप होने लगेगा।

'ओह, क्यों न हम एक रात को पढ़ाई की छुट्टी कर दें?' हर्माइनी ने जोश से कहा, जब चाँदी जैसे रंग की पूँछ वाला एक रॉकेट खिड़की के पास से उड़ता हुआ गया। 'आख़िर ईस्टर की छुट्टियाँ शुक्रवार से शुरू हो रही हैं। तब हमारे पास पढ़ाई करने के लिए काफ़ी समय रहेगा।'

रॉन ने उसे हैरानी से घूरते हुए पूछा, 'तुम्हारी तबियत तो ठीक है?'

हर्माइनी चहकते हुए बोली, 'तुम पूछ ही रहे हो, तो मैं बता देती हूँ ... मैं भी *बग़ावत* के मूड में आ गई हूँ।'

जब हैरी और रॉन एक घंटे बाद सोने गए, तब भी पटाख़ों के धमाकों की आवाज़ दूर-दूर तक सुनाई दे रही थी। हैरी के कपड़े बदलते समय एक अनार टॉवर के पास से '**पू**' शब्द लिखता हुआ गया।

पलंग पर पहुँचकर हैरी ने जम्हाई ली। उसने अपना चश्मा उतारा। इसके बाद उसे खिड़की के पास से कभी-कभार गुज़रने वाला पटाख़ा धुँधला दिखने लगा। पटाख़े चमकते बादलों की तरह दिख रहे थे और काले आसमान के बीच सुंदर तथा रहस्यमय लग रहे थे। उसने करवट बदलकर सोचा कि अंबरिज को पहले दिन डम्बलडोर की भूमिका निभाना कैसा लगा होगा। फिर उसने यह भी सोचा कि जब फ़ज को पता चलेगा कि पूरे स्कूल ने अपना ज़्यादातर दिन हंगामे के बीच काटा है, तो उनकी प्रतिक्रिया क्या होगी। मुस्कराते हुए हैरी ने अपनी आँखें बंद कर लीं ...

मैदान में पटाख़ों के धमाके का शोर अब ज़्यादा दूर होता जा रहा था ... या फिर शायद वह नींद में खोता जा रहा था ...

वह सीधे रहस्य विभाग की तरफ़ जाने वाले गलियारे में पहुँच गया। वह काले दरवाज़े की तरफ़ तेज़ी से जा रहा था ... *खुल जाओ ... खुल जाओ* ...

यह खुल गया। वह एक गोलाकार कमरे में पहुँच गया, जिसमें कई दरवाज़े थे ... उसने इसे पार किया और पिछले दरवाज़े जैसे ही एक दरवाज़े पर हाथ रखकर उसे धका दिया।

अब वह एक लंबे आयताकार कमरे में था, जिसमें धातु के टकराने की आवाज़ें आ रही थीं। दीवारों पर रोशनी नाच रही थी, लेकिन हैरी इधर-उधर देखने के लिए नहीं रुका ... उसे आगे जाना था ...

दूर एक दरवाज़ा था ... वह भी उसके छूते ही खुल गया ...

अब वह एक धीमी रोशनी वाले कमरे में था, जो किसी चर्च जितना ऊँचा और चौड़ा था। इसमें ऊँचे-ऊँचे शेल्फ़ों की क़तारों के सिवाय और कुछ भी नहीं था। हर शेल्फ़ पर धूल भरे काँच के छोटे-छोटे गोले रखे थे ... अब हैरी का दिल रोमांच के कारण तेज़ी से धड़कने लगा ... वह जानता था कि उसे कहाँ जाना है ... वह आगे की तरफ़ भागा, लेकिन उसके क़दमों से विशाल, वीरान कमरे में कोई आवाज़ नहीं हुई ...

इस कमरे में कुछ था, जिसे पाने की उसके मन में बहुत प्रबल इच्छा थी ...

उसे कोई चीज़ चाहिए थी ... या किसी और को चाहिए थी ...

उसका निशान दुख रहा था ...

भड़ाम!

हैरी तत्काल जाग गया। वह दुविधा और ग़ुस्से में था। अँधेरा कमरा हँसी की आवाज़ से भर गया।

'बहुत बढ़िया!' सीमस ने कहा, जो खिड़की से टिका हुआ था। 'एक चकरी एक रॉकेट से टकराई है और ऐसा लगता है कि वे जुड़ गए हैं। आकर देखो!'

हैरी को आवाज़ आई कि रॉन और डीन यह देखने के लिए अपने पलंग से उतर गए थे। वह ख़ामोश और स्थिर पड़ा रहा। उसके निशान का दर्द थोड़ा कम हुआ, लेकिन निराशा उस पर हावी होने लगी। उसे ऐसा महसूस हुआ, मानो कोई अच्छी चीज़ उसके हाथ से आख़िरी पल निकल गई हो ... वह इस बार बहुत क़रीब पहुँच गया था।

गरुड़द्वार की मीनार की खिड़कियों के पास से चमकते गुलाबी और चाँदी जैसे पंख वाले पटाख़े उड़ रहे थे। हैरी ने पड़े-पड़े बाक़ी गरुड़द्वार वालों की प्रशंसा भरी आवाज़ें सुनीं, जो नीचे वाले कमरों से आ रही थीं। उसके पेट में खलबली मच गई, जब उसे याद आया कि अगली शाम को उसे गुप्तविद्या का अभ्यास करने जाना है।

*

हैरी का अगला दिन दहशत में बीता। अगर स्नेप को पता चल गया कि वह सपने में रहस्य विभाग में और आगे तक पहुँच गया है, तो वे क्या कहेंगे? उसे अफ़सोस हुआ कि उसने पिछले प्रशिक्षण के बाद से गुप्तविद्या का ज़रा भी अभ्यास नहीं किया था। डम्बलडोर के जाने के बाद बहुत सी घटनाएँ हुई थीं। उसे यक़ीन था कि अगर वह कोशिश भी करता, तो भी अपने दिमाग़ को ख़ाली नहीं कर पाता। बहरहाल, उसे शक था कि स्नेप इस बहाने को मानेंगे।

उसने उस दिन क्लासों के दौरान प्रैक्टिस की, लेकिन उससे कोई फ़ायदा नहीं हुआ। जब वह ख़ामोश होकर अपने सभी विचारों और भावनाओं को बाहर निकालने की कोशिश करता था, तो हर्माइनी उससे पूछने लगती थी कि क्या गड़बड़ है। वैसे भी अपने दिमाग़ को ख़ाली करने का सबसे अच्छा समय वह नहीं था, जब टीचर्स विद्यार्थियों से रिवीज़न के सवाल पूछ रहे हों।

बुरे से बुरे को सहज भाव से लेने के मूड में हैरी डिनर के बाद स्नेप के ऑफ़िस की तरफ़ चल दिया। बहरहाल, वह प्रवेश हॉल में आधी दूरी पर ही पहुँचा था कि तभी चो तेज़ी से उसके पास आ गई।

'हाँ,' हैरी ने कहा और स्नेप के साथ अपनी मुलाक़ात को थोड़ी देर तक टालने का बहाना मिलने से उसे ख़ुशी हुई। उसने प्रवेश हॉल के कोने की तरफ़ इशारा किया, जहाँ विशाल अवर-ग्लासेस थे। गरुड़द्वार का खंड अब लगभग ख़ाली था। 'तुम **ठीक** हो? अंबरिज तुमसे तो **डीए** के बारे में नहीं पूछ रही थीं?'

'ओह नहीं,' चो ने जल्दी से कहा। 'नहीं, मैं तो सिर्फ़ ... मैं तो सिर्फ़ यह कहना चाहती थी ... हैरी, मुझे सपने में भी उम्मीद नहीं थी कि मैरीटा चुगली कर देगी ...'

'अच्छा,' हैरी ने अनमने ढंग से कहा। उसे लग रहा था कि चो को अपनी सहेलियाँ थोड़ी ज़्यादा सावधानी से चुननी चाहिए थीं। यह बहुत संतोषजनक था कि मैरीटा अब भी अस्पताल में थी और मैडम पॉमफ़्री उसके मुँहासों को ज़रा सा भी ठीक नहीं कर पाई थीं।

'वह दरअसल बहुत अच्छी है,' चो ने कहा। 'उससे तो बस एक ग़लती हो गई थी -'

हैरी ने उसकी तरफ़ हैरानी से देखा।

'*बहुत अच्छी है, जिससे एक ग़लती हो गई है?* उसने तो हम सबको बेच दिया, जिसमें तुम भी शामिल हो!'

'देखो ... हम सब बच तो गए, है ना?' चो ने आग्रह करते हुए कहा।

'देखो, उसकी मम्मी मंत्रालय में काम करती हैं, उसके लिए यह सचमुच मुश्किल था –'

'रॉन के डैडी भी तो मंत्रालय में काम करते हैं!' हैरी ने ग़ुस्से से कहा। 'और अगर तुमने ध्यान दिया हो, तो उसके चेहरे पर **मुख़बिर** शब्द नहीं लिखा है –'

चो तैश में बोली, 'यह हर्माइनी ग्रेंजर ने बहुत भयंकर काम किया था। उसे हमें बता देना चाहिए था कि उसने उस सूची पर जादू कर दिया था –'

हैरी ने ठंडेपन से कहा, 'मुझे लगता है कि यह बहुत अच्छा काम था!' चो का चेहरा लाल हो गया और उसकी आँखें तेज़ी से चमकने लगीं।

'ओह हाँ, मैं तो भूल ही गई थी – ज़ाहिर है, अगर यह प्यारी *हर्माइनी का* काम था –'

हैरी ने चेतावनी देते हुए कहा, 'दोबारा मत रोने लगना!'

वह चिल्लाई, 'मैं नहीं रोने वाली!'

'हाँ ... अच्छा ... ठीक है,' उसने कहा। 'मुझे इस वक़्त बहुत सी परेशानियों से जूझना है।'

'तो फिर जाकर उन्हीं से जूझो!' चो ने आवेश में कहा और मुड़कर दूर चली गई।

ग़ुस्से से भरा हुआ हैरी स्नेप के तहख़ाने तक जाने वाली सीढ़ियाँ उतरा। हालाँकि वह अनुभव से जानता था कि अगर वह ग़ुस्से और द्वेष से भरा होगा, तो स्नेप के लिए उसके दिमाग़ में घुसपैठ करना ज़्यादा आसान होगा, लेकिन इसके बावजूद वह अपनी भावनाओं पर क़ाबू नहीं रख पाया। इसके बजाय वह सोचता रहा कि उसे चो से मैरीटा के बारे में और क्या-क्या कह देना चाहिए था। फिर वह तहख़ाने के दरवाज़े तक पहुँच गया।

जब हैरी ने अंदर पहुँचने के बाद दरवाज़ा बंद किया, तो स्नेप रूखेपन से बोले, 'तुम्हें देर हो गई, पॉटर।'

स्नेप हैरी की तरफ़ पीठ किए थे। वे हमेशा की तरह अपने कुछ विचार डम्बलडोर के स्मृतिपात्र में रख रहे थे। उन्होंने चाँदी जैसे आख़िरी धागे को पत्थर के पात्र में डाला और हैरी की तरफ़ मुड़े।

उन्होंने पूछा, 'तुमने प्रैक्टिस की ?'

'हाँ,' हैरी ने स्नेप की डेस्क के पाए की तरफ़ देखते हुए झूठ बोल दिया।

'अच्छा, हमें जल्दी ही पता चल जाएगा, है ना ?' स्नेप ने रेशमी अंदाज़ में कहा। 'छड़ी बाहर निकालो, पॉटर।'

हैरी हमेशा की तरह तैयार होकर स्नेप के सामने खड़ा हो गया। उन दोनों के बीच में डेस्क थी। चो पर ग़ुस्से के कारण उसका दिल तेज़ी से धड़क रहा था और वह इस बात पर चिंतित भी था कि स्नेप उसके दिमाग़ से कितनी चीज़ें बाहर निकालने वाले हैं।

'तीन की गिनती पर,' स्नेप ने आलस से कहा। 'एक – दो –'

तभी स्नेप के ऑफ़िस के दरवाज़े पर भड़भड़ की आवाज़ हुई और ड्रेको मैल्फ़ॉय धड़धड़ाता हुआ अंदर आ गया।

'प्रोफ़ेसर स्नेप, सर – ओह – मुझे अफ़सोस है –'

मैल्फ़ॉय ने थोड़ी हैरानी से हैरी को देखा।

स्नेप ने अपनी छड़ी झुकाते हुए कहा, 'कोई बात नहीं, ड्रेको। पॉटर काढ़े की अतिरिक्त पढ़ाई करने के लिए यहाँ आया है।'

मैल्फ़ॉय बहुत ख़ुश हो गया। जब अंबरिज ने हैग्रिड का इंस्पेक्शन किया था, उसके बाद से हैरी ने उसे पहले कभी इतना ख़ुश नहीं देखा था।

'मुझे पता नहीं था,' उसने हैरी की तरफ़ व्यंग्य से मुस्कराते हुए कहा। हैरी का चेहरा जलने लगा। वह मैल्फ़ॉय को सच्चाई बताने के लिए बहुत बेताब था – या इससे भी बेहतर था, उसे अच्छा सा शाप देने के लिए।

स्नेप ने पूछा, 'अच्छा ड्रेको, क्या बात है?'

'सर, प्रोफ़ेसर अंबरिज को आपकी मदद की ज़रूरत है,' मैल्फ़ॉय ने कहा। 'सर, उन्हें मॉन्टेग्यू मिल गया है। उसका सिर चौथी मंज़िल के एक टॉयलेट के भीतर घुसा हुआ है।'

स्नेप ने पूछा, 'वह वहाँ कैसे पहुँच गया?'

'क्या पता सर? वह थोड़ा दुविधाग्रस्त है।'

स्नेप ने कहा, 'बहुत अच्छी बात है। पॉटर, हम अपना सबक़ कल शाम को शुरू करेंगे।'

वे मुड़े और ऑफ़िस से बाहर निकल गए। मैल्फ़ॉय ने स्नेप की पीठ के पीछे से हैरी से इशारे से कहा, '*काढ़े की पढ़ाई?*' और फिर उनके पीछे चला गया।

आगबबूला होकर हैरी ने छड़ी दुशाले के भीतर रखी और कमरे से बाहर निकलने लगा। कम से कम उसके पास प्रैक्टिस करने के लिए चौबीस घंटे और थे। वह जानता था कि इस बार बाल-बाल बचने के लिए उसे मैल्फ़ॉय का कृतज्ञ होना चाहिए, हालाँकि यह मुश्किल काम था, क्योंकि इसके कारण मैल्फ़ॉय को पूरे स्कूल को यह बताने का मौक़ा मिल जाएगा कि हैरी पढ़ने में बहुत कमज़ोर है

और उसे जादुई काढ़े की अतिरिक्त पढ़ाई करनी पड़ती है।

वह अभी ऑफ़िस के दरवाज़े पर ही पहुँचा था कि तभी उसे एक चीज़ दिख गई : काँपती रोशनी का एक टुकड़ा दरवाज़े की चौखट पर नाच रहा था। वह खड़े होकर उसकी तरफ़ देखने लगा। उसने कुछ याद करने की कोशिश की ... फिर उसे याद आ गया। यह उसी तरह की रोशनी थी, जो उसने कल रात को सपने में देखी थी। रहस्य विभाग के दूसरे कमरे में रोशनी थी।

वह पलटा। रोशनी स्नेप की डेस्क पर रखे स्मृतिपात्र में से आ रही थी। चाँदी जैसा सफ़ेद पदार्थ अंदर घुमड़ रहा था। स्नेप के विचार ... जिन्हें वे हैरी को नहीं दिखाना चाहते थे। अगर वह संयोग से उनकी रक्षा को तोड़ दे, तो भी वह उन्हें नहीं देख पाए ...।

हैरी ने स्मृतिपात्र को घूरा और उसके भीतर उत्सुकता कुलबुलाने लगी ... आख़िर ऐसी कौन सी चीज़ थी, जो स्नेप हैरी से छिपाने के लिए इतने उतावले थे?

चाँदी जैसी रोशनी दीवार पर काँपी ... हैरी ने कुछ सोचते हुए डेस्क की तरफ़ दो क़दम बढ़ाए। क्या स्नेप रहस्य विभाग के बारे में जानकारी छिपा रहे थे?

हैरी ने पीछे देखा। उसका दिल अब पहले से ज़्यादा तेज़ी से धड़क रहा था। स्नेप को मॉन्टेग्यू को टॉयलेट से निकालने में कितना वक़्त लगेगा? वे उसके बाद सीधे अपने ऑफ़िस में आएँगे या मॉन्टेग्यू को अस्पताल ले जाएँगे? निश्चित रूप से वे उसे अस्पताल तक ले जाएँगे ... मॉन्टेग्यू नागशक्ति की क्विडिच टीम का कप्तान था। स्नेप यह सुनिश्चित करना चाहेंगे कि वह पूरी तरह ठीक रहे।

हैरी कुछ क़दम बढ़ाकर स्मृतिपात्र के पास पहुँचा और उसकी गहराई में देखने लगा। वह झिझकते हुए सुनने लगा और उसने अपनी छड़ी दोबारा निकाल ली। ऑफ़िस और उसके पार वाले गलियारे से कोई आवाज़ नहीं आ रही थी। उसने स्मृतिपात्र के पदार्थ को अपनी छड़ी की नोक से थोड़ा सा कुरेदा।

चाँदी जैसा पदार्थ बहुत तेज़ी से घूमने लगा। हैरी आगे की तरफ़ झुका। उसने देखा कि यह पारदर्शी हो गया था। एक बार फिर वह एक कमरे में झाँक रहा था, जैसे यह छत में गोलाकार खिड़की हो ... दरअसल, अगर उससे समझने में ग़लती नहीं हो रही थी, तो वह बड़े हॉल में देख रहा था।

उसकी साँस स्नेप के विचारों की सतह पर कोहरा डाल रही थी ... उसका दिमाग़ सुन्न लग रहा था .... इस याद में जाने की उसकी बहुत प्रबल इच्छा थी, लेकिन ऐसा करना पागलपन होगा ... वह काँप रहा था ... स्नेप किसी भी पल लौट सकते हैं ... लेकिन हैरी ने चो के ग़ुस्से और मैल्फ़ॉय के चिढ़ाते चेहरे को

याद किया, जिससे उसके मन में दुस्साहस की भावना आ गई।

उसने एक गहरी साँस खींची और अपना चेहरा स्नेप के विचारों की सतह में घुसा दिया। तत्काल ऑफ़िस का फ़र्श काँपा और हैरी सिर के बल स्मृतिपात्र में गिरने लगा ...

वह सर्द कालेपन के बीच गिर रहा था और तेज़ी से घूम रहा था, और फिर –

वह बड़े हॉल के बीच में खड़ा था, लेकिन चारों हाउस टेबलें वहाँ नहीं थीं। इसके बजाय वहाँ सौ से ज़्यादा छोटी टेबलें लगी थीं, जिनका मुँह एक ही तरफ़ था। हर टेबल पर एक विद्यार्थी सिर झुकाए बैठा था और चर्मपत्र पर लिख रहा था। क़लमों के चलने या चर्मपत्रों के सरकने की ही आवाज़ें आ रही थीं। परीक्षा चल रही थी।

ऊँची खिड़कियों से धूप आकर झुके हुए सिरों पर पड़ रही थी। चमकती रोशनी में विद्यार्थियों के सिर बादामी, ताँबई और सुनहरे दिख रहे थे। हैरी ने सावधानी से चारों तरफ़ देखा। स्नेप यहीं कहीं होंगे ... आख़िर यह *उनकी* याद थी ...

वे हैरी के ठीक पीछे वाली टेबल पर थे। हैरी ने घूरा। किशोरावस्था में स्नेप दुबले-पतले थे और उनका चेहरा पीला था, जैसे अँधेरे में रखा पौधा होता है। उनके सीधे बाल चिपचिपे थे तथा टेबल की सतह को छू रहे थे। लिखते समय उनकी मुड़ी हुई नाक चर्मपत्र से मुश्किल से आधा इंच ऊपर होगी। हैरी ने स्नेप के पीछे देखा और परीक्षा का नाम पढ़ा : **गुप्त कलाओं से रक्षा – सामान्य जादूगरी स्तर (ओ.डब्ल्यू.एल.)।**

तो स्नेप पंद्रह-सोलह साल के होंगे, यानी हैरी की उम्र के आस-पास। उनका हाथ चर्मपत्र पर तेज़ी से चल रहा था। उन्होंने अपने सबसे क़रीबी साथियों से कम से कम एक फ़ुट ज़्यादा लिख लिया होगा, हालाँकि उनकी लिखाई छोटी और पास-पास थी।

'पाँच मिनट और बचे हैं!'

यह आवाज़ सुनकर हैरी उछल पड़ा। उसने मुड़कर देखा कि प्रोफ़ेसर फ़्लिटविक के सिर का ऊपरी हिस्सा टेबलों के बीच कुछ दूरी पर चल रहा था। प्रोफ़ेसर फ़्लिटविक बिखरे हुए काले बालों वाले एक लड़के के पास से गुज़र रहे थे ... बहुत ही बिखरे हुए काले बाल ...

हैरी इतनी जल्दी हिला कि अगर वह ठोस होता, तो कई टेबलें गिर जातीं। इसके बजाय वह सपनों की तरह दो क़तारों के बीच से उड़ता हुआ तीसरी क़तार में पहुँच गया। काले बालों वाले लड़के के सिर का पिछला हिस्सा

क़रीब आया और ... अब वह कमर सीधी करके चर्मपत्र अपनी तरफ़ खींच रहा था, जैसे अपने लिखे हुए जवाबों को दोबारा पढ़ रहा हो ...

हैरी डेस्क के सामने रुक गया और उसने अपने पंद्रह साल के डैडी को देखा।

उसके पेट में रोमांच का विस्फोट हो गया। ऐसा लग रहा था, जैसे वह ख़ुद की तरफ़ देख रहा हो, हालाँकि कुछ चीज़ें अलग थीं। जेम्स की आँखें बादामी थीं, उनकी नाक हैरी की नाक से थोड़ी ज़्यादा लंबी थी और उनके माथे पर कोई निशान नहीं था। लेकिन हैरी की तरह ही उनका भी चेहरा पतला था। वही शक्ल और वही भौंहें। हैरी की तरह ही जेम्स के बाल भी पीछे की तरफ़ खड़े रहते थे। उनके हाथ हैरी जैसे ही थे और जेम्स के खड़े होने पर हैरी को यह पता चल गया कि उनके क़द में भी बमुश्किल एकाध इंच का ही फ़र्क़ होगा।

जेम्स ने जमकर जम्हाई ली और अपने बालों पर हाथ फेरा, हालाँकि इससे उनके बाल पहले से भी ज़्यादा बिखर गए। फिर प्रोफ़ेसर फ़्लिटविक की तरफ़ उड़ती नज़र डालकर वे अपनी सीट पर मुड़े और पीछे चार टेबल दूर बैठे लड़के की तरफ़ देखकर मुस्कराए।

हैरी को रोमांच का एक और सदमा लगा, जब उसने देखा कि सिरियस अँगूठा ऊपर करके जेम्स को जीत का इशारा कर रहा है। सिरियस अपनी कुर्सी पर टिका था और उसे दो पायों पर झुला रहा था। वह बहुत अच्छा दिख रहा था। उसके काले बाल उसकी आँखों पर इतने आकर्षक अंदाज़ में लहरा रहे थे, जिस तरह जेम्स या हैरी के कभी नहीं लहरा सकते थे। उसके पीछे बैठी लड़की उसकी तरफ़ हसरत भरी निगाहों से देख रही थी, हालाँकि सिरियस का ध्यान उसकी तरफ़ नहीं था। और उस लड़की से दो सीट छोड़कर - हैरी के पेट में एक और सुखद झटका लगा - रीमस ल्यूपिन बैठे थे। वे थोड़े पीले दिख रहे थे (क्या पूर्णिमा क़रीब थी?) और परीक्षा में खोए थे। अपने जवाब को पढ़ते समय उन्होंने क़लम के सिरे से अपनी ठुड्डी खुजाई और थोड़ी सी त्योरियाँ चढ़ा लीं।

तो इसका मतलब था कि वर्मटेल भी यहीं कहीं होगा ... और निश्चित रूप से कुछ ही सेकंड बाद हैरी को वह दिख गया : एक छोटा, चूहे जैसे बाल वाला लड़का, जिसकी नुकीली नाक थी। वर्मटेल परेशान दिख रहा था, अपने नाख़ून चबा रहा था और अपने पेपर की तरफ़ घूरते हुए अँगूठे से फ़र्श खरोंच रहा था। बीच-बीच में वह उम्मीद भरी नज़रों से अपने पड़ोसी के चर्मपत्र को देख लेता था। हैरी ने एक पल के लिए वर्मटेल को देखा और फिर जेम्स की तरफ़ देखने लगा, जो अब बचे हुए चर्मपत्र के टुकड़े को हिला रहे थे। उन्होंने एक सुनहरी गेंद निकाली और उस पर **'एल.ई.'** लिख दिया। इन शब्दों का क्या मतलब था?

'*क़लम नीचे रख दो!*' प्रोफ़ेसर फ़्लिटविक ने चूँ-चूँ करती आवाज़ में कहा। 'तुम भी, स्टेबिन्स! अपनी-अपनी जगह पर बैठे रहो। मैं तुम्हारे चर्मपत्र इकट्ठे करता हूँ! *आगमनो!*'

सौ से ज़्यादा चर्मपत्र हवा में उड़े और प्रोफ़ेसर फ़्लिटविक की खुली बाँहों में पहुँच गए। चर्मपत्रों के झटके से वे कुछ फ़ुट पीछे जाकर गिर गए। कई विद्यार्थी हँस पड़े। आगे वाली डेस्कों से दो-तीन विद्यार्थी उठे और उन्होंने प्रोफ़ेसर फ़्लिटविक को पकड़कर खड़ा कर दिया।

'धन्यवाद ... धन्यवाद,' प्रोफ़ेसर फ़्लिटविक ने हाँफते हुए कहा। 'बहुत बढ़िया, अब तुम लोग जा सकते हो!'

हैरी ने अपने डैडी की तरफ़ देखा, जो अब तेज़ी से अपने लिखे हुए '**एल.ई.**' अक्षर मिटा रहे थे। वे उछलकर खड़े हुए तथा क़लम और पेपर को अपने बैग में रख लिया। फिर उन्होंने बैग पीठ पर लटकाया और सिरियस के आने का इंतज़ार करने लगे।

हैरी ने चारों तरफ़ देखा। उसे कुछ दूरी पर स्नेप की झलक दिख गई, जो टेबलों के बीच से चलकर प्रवेश हॉल के दरवाज़े की तरफ़ जा रहे थे। वे अब भी अपनी परीक्षा के पेपर में खोए हुए थे। गोल कंधों वाले स्नेप मकड़ी की तरह झटके से चल रहे थे और उनके चिपचिपे बाल उनके चेहरे के चारों तरफ़ लहरा रहे थे।

बतियाती लड़कियों का एक समूह स्नेप को जेम्स, सिरियस और ल्यूपिन से दूर किए थे। ख़ुद को उनके बीच में रखकर हैरी स्नेप को भी देखता रहा और जेम्स तथा उनके दोस्तों की बातें सुनने की कोशिश भी करता रहा।

प्रवेश हॉल में पहुँचने पर सिरियस ने कहा, 'मूनी, तुम्हें सवाल नंबर दस पसंद आया?'

'बहुत पसंद आया,' ल्यूपिन ने तेज़ी से कहा। '*नरभेड़िए को पहचानने के पाँच लक्षण बताएँ।* बहुत बढ़िया सवाल था।'

जेम्स ने बनावटी चिंता से पूछा, 'तुमने सभी लक्षण बता दिए?'

'और क्या,' ल्यूपिन ने गंभीरता से कहा, जब वे सामने वाले दरवाज़े के चारों तरफ़ जमा भीड़ में शामिल हो गए, जो धूप भरे मैदान में पहुँचने के लिए उतावली हो रही थी। 'एक : वह मेरी कुर्सी पर बैठा था। दो : वह मेरे कपड़े पहने है। तीन : उसका नाम रीमस ल्यूपिन है।'

सिर्फ़ वर्मटेल ही नहीं हँसा।

'मैंने थूथन का आकार, आँखों की पुतलियाँ और मुड़ी हुई पूँछ लिखा

था,' उसने चिंता से कहा, 'लेकिन मैं किसी और लक्षण के बारे में सोच नहीं पाया -'

'वर्मटेल, तुम कितने मूर्ख हो ?' जेम्स ने अधीरता से कहा। 'तुम महीने में एक बार नरभेड़िए के साथ घूमते हो -'

ल्यूपिन ने आग्रह किया, 'धीरे बोलो।'

हैरी ने चिंता से पीछे देखा। स्नेप क़रीब ही थे और अब भी अपनी परीक्षा के सवालों में खोए हुए थे - लेकिन यह स्नेप की याद थी और हैरी जानता था कि अगर स्नेप मैदान में पहुँचने के बाद अलग दिशा में चले जाएँगे, तो हैरी भी जेम्स के पीछे नहीं जा पाएगा। बहरहाल, उसे यह देखकर बहुत राहत मिली कि जब जेम्स और उनके तीनों दोस्त लॉन से होते हुए झील की तरफ़ चले, तो स्नेप भी पीछे-पीछे आने लगे। वे अब भी अपनी परीक्षा के पेपर को देख रहे थे और उन्हें ज़रा भी पता नहीं था कि वे किधर जा रहे हैं। उनसे थोड़ा सा आगे चलकर हैरी जेम्स और बाक़ी लोगों पर क़रीबी नज़र रखे हुए था।

'देखो, मुझे तो पेपर मिठाई का टुकड़ा लगा,' उसने सिरियस को कहते सुना। 'मुझे बहुत हैरानी होगी, अगर मुझे कम से कम "आउटस्टैंडिंग" न मिले।'

'मुझे भी,' जेम्स ने कहा। उन्होंने अपना हाथ अपनी जेब में डाला और एक छटपटाती सुनहरी गेंद निकाल ली।

'तुम्हें यह कहाँ से मिली ?'

'उड़ा ली,' जेम्स ने सामान्य अंदाज़ में कहा। वे सुनहरी गेंद के साथ खेलने लगे। वे उसे एक फ़ुट दूर जाने देते थे और फिर दोबारा पकड़ लेते थे। उनकी भाँपने की शक्ति गज़ब की थी। वर्मटेल उन्हें आश्चर्य और आदर के साथ देखता रहा।

वे झील के किनारे लगे उसी पेड़ की छाया में रुके, जहाँ हैरी, रॉन और हर्माइनी ने एक बार रविवार को अपना होमवर्क किया था। वे उसके नीचे घास पर बैठ गए। हैरी ने अपने कंधे के पीछे दोबारा देखा। उसे यह देखकर ख़ुशी हुई कि स्नेप झाड़ियों के नीचे की छाया में घास पर बैठ गए थे। वे पहले की तरह ही इस वक़्त भी अपने **ओ.डब्ल्यू.एल.** के पेपर में खोए हुए थे, जिससे हैरी पेड़ और झाड़ियों के बीच की घास पर कहीं भी बैठकर पेड़ के नीचे बैठे चारों लोगों को देख सकता था। धूप झील की चिकनी सतह पर चमक रही थी। अभी-अभी बड़े हॉल से निकलकर आने वाली कुछ लड़कियाँ किनारे पर बैठकर हँसी-ठिठोली कर रही थीं। वे अपने जूते-मोज़े उतारकर अपने पैरों को पानी में ठंडा कर रही थीं।

ल्यूपिन एक पुस्तक बाहर निकालकर पढ़ने लगे। सिरियस ने घास पर

बैठे विद्यार्थियों को देखा। वह थोड़ा दंभी और ऊबा हुआ, लेकिन बहुत आकर्षक लग रहा था। जेम्स अब भी अपनी सुनहरी गेंद से खेल रहे थे और इसे थोड़ी ज़्यादा दूर तक उड़ने दे रहे थे। वे उसे लगभग निकल जाने देते थे, लेकिन हमेशा आख़िरी पल पर पकड़ लेते थे। वर्मटेल मुँह फाड़कर उन्हें देख रहा था। जब भी जेम्स कोई मुश्किल से पकड़ी जा सकने वाली गेंद पकड़ लेते थे, तो हर बार वर्मटेल आह भरकर तालियाँ बजाने लगता था। जब यह सिलसिला पाँच मिनट तक चलता रहा, तो हैरी सोचने लगा कि जेम्स वर्मटेल को चुप क्यों नहीं कराते हैं, लेकिन जेम्स को तो यह अच्छा लग रहा था। हैरी ने ध्यान दिया कि उसके डैडी अपने बालों को जबरन बिखरा लेते थे और पानी के पास बैठी लड़कियों की तरफ़ बार-बार देखने लगते थे।

'उसे अंदर रख लो,' सिरियस ने आख़िरकार कहा, जब जेम्स ने एक बहुत अच्छा कैच पकड़ा और वर्मटेल तालियाँ बजाने लगा, 'कहीं रोमांच के कारण वर्मटेल का दुशाला गीला न हो जाए।'

वर्मटेल का चेहरा थोड़ा गुलाबी हो गया, लेकिन जेम्स मुस्कराने लगे।

उन्होंने सुनहरी गेंद जेब में रखते हुए कहा, 'अगर तुम्हें पसंद नहीं है, तो मैं इसे रख लेता हूँ।' हैरी को यह स्पष्ट आभास हो रहा था कि सिर्फ़ सिरियस के लिए ही जेम्स शान झाड़ने की आदत छोड़ सकते थे।

'मैं बोर हो गया हूँ,' सिरियस ने कहा। 'काश आज पूर्णिमा होती!'

'तुम्हारी ही ऐसी इच्छा हो सकती है,' ल्यूपिन ने अपनी पुस्तक के पीछे से कहा। 'हमें अब भी रूपांतरण की परीक्षा देनी है। अगर तुम बोर हो गए हो, तो मुझसे सवाल पूछ लो। यह लो ...' और उन्होंने अपनी पुस्तक बढ़ा दी।

लेकिन सिरियस ने हँसते हुए कहा। 'मुझे उस बकवास की तरफ़ देखने की ज़रूरत नहीं है। मुझे सब कुछ याद है।'

'इससे तुम्हारी बोरियत दूर हो जाएगी, पैडफ़ुट,' जेम्स ने धीरे से कहा। 'देखो तो सही, वहाँ कौन बैठा है ...'

सिरियस ने अपना सिर घुमाया। फिर वह बहुत स्थिर हो गया, जैसे कोई कुत्ता ख़रगोश की गंध आने पर होता है।

'बहुत बढ़िया,' उसने धीरे से कहा। '*स्नाइवेलस*।'

हैरी ने मुड़कर देखा कि सिरियस किस तरफ़ देख रहा था।

स्नेप अब खड़े हो गए थे और अपने **ओ.डब्ल्यू.एल.** के पेपर को बैग में रख रहे थे। जब वे झाड़ियों की छाया से दूर होकर घास पर चलने लगे, तो सिरियस और जेम्स खड़े हो गए।

ल्यूपिन और वर्मटेल बैठे रहे। ल्यूपिन अब भी अपनी पुस्तक को घूर रहे थे, हालाँकि उनकी आँखें नहीं हिल रही थीं और उनकी भौंहों के बीच एक त्योरी उभर आई थी। वर्मटेल दिलचस्पी से कभी सिरियस और जेम्स को, तो कभी स्नेप को देख रहा था।

जेम्स ज़ोर से बोले, 'सब ठीक है, स्नाइवेलस ?'

स्नेप ने इतनी तेज़ी से प्रतिक्रिया की, जैसे उन्हें हमले की उम्मीद हो। उन्होंने अपना बैग पटका, दुशाले में हाथ डाला और उनकी छड़ी हवा में आधी दूरी पर ही थी, तभी जेम्स चिल्लाए, 'निरस्त्र भव!'

स्नेप की छड़ी हवा में बारह फ़ुट ऊपर उड़ी और उनके पीछे घास पर हल्की सी आवाज़ के साथ गिर गई। सिरियस ज़ोर से हँसने लगा।

'बाधितो!' उसने अपनी छड़ी स्नेप की तरफ़ करते हुए कहा, जो अपनी गिरी हुई छड़ी की तरफ़ छलाँग लगा रहे थे, लेकिन इस मंत्र के कारण वे गिर गए।

चारों तरफ़ के विद्यार्थी बातचीत करते-करते रुक गए। उनमें से कुछ उठकर खड़े हो गए और क़रीब आने लगे। कुछ डरे हुए दिख रहे थे, बाक़ी को मज़ा आ रहा था।

स्नेप हाँफते हुए ज़मीन पर पड़े रहे। जेम्स और सिरियस उनकी तरफ़ छड़ी उठाकर बढ़े। चलते समय जेम्स घूम-घूमकर पानी के किनारे बैठी लड़कियों को देखते रहे। वर्मटेल भी अब उठ चुका था और भूखे अंदाज़ में देख रहा था। घटना को अच्छी तरह से देखने के लिए वह ल्यूपिन से आगे चल रहा था।

जेम्स ने पूछा, 'परीक्षा कैसी रही, स्नाइवेली ?'

सिरियस ने दुष्टता से कहा, 'मैं उसे देख रहा था। उसकी नाक चर्मपत्र में घुसी हुई थी। चर्मपत्र पर तेल के बहुत से निशान होंगे। जाँचने वाला एक शब्द भी नहीं पढ़ पाएगा।'

आस-पास के कई विद्यार्थी हँसने लगे। यह स्पष्ट था कि स्नेप अपने सहपाठियों में लोकप्रिय नहीं थे। वर्मटेल मुस्कराने लगा। स्नेप उठने की कोशिश कर रहे थे, लेकिन उन पर मंत्र का असर अब भी क़ायम था। वे इस तरह छटपटा रहे थे, जैसे अदृश्य रस्सियों से बँधे हों।

'ज़रा - ठहरो,' उन्होंने हाँफते हुए कहा और जेम्स को बेहद नफ़रत से देखा, 'ज़रा - ठहरो!'

सिरियस ने ठंडेपन से कहा, 'किस चीज़ के लिए ठहरूँ ? स्नाइवेली, तुम क्या करने वाले हो ? हमारे दुशालों से अपनी नाक पोंछने वाले हो ?'

स्नेप के मुँह से गालियों और मंत्रों की बौछार होने लगी, लेकिन उनकी छड़ी दस फ़ुट दूर थी, इसलिए कुछ नहीं हुआ।

'अपना मुँह धो लो,' जेम्स ने ठंडे लहज़े में कहा। '*स्वच्छो!*'

स्नेप के मुँह से साबुन के गुलाबी बुलबुले बाहर निकलने लगे। झाग उनके होंठों पर था, जिसके कारण वे बोल नहीं पा रहे थे और उनका गला रुँध रहा था -

'उसे **छोड़ दो!**'

जेम्स और सिरियस ने मुड़कर देखा। जेम्स का ख़ाली हाथ तत्काल अपने बालों की तरफ़ चला गया।

झील के किनारे की एक लड़की वहाँ आ गई थी। उसके गहरे लाल रंग के मोटे बाल उसके कंधों पर झूल रहे थे। उसकी आँखें हरी और बादाम के आकार की थीं - हैरी की आँखें।

हैरी की मम्मी।

'सब ठीक है, इवान्स?' और जेम्स की आवाज़ अचानक ख़ुशी भरी, ज़्यादा गहरी और परिपक्व हो गई।

'उसे छोड़ दो,' लिली ने दोहराया। वे जेम्स की तरफ़ बहुत नापसंदगी से देख रही थीं। 'उसने तुम्हारा क्या बिगाड़ा है?'

'देखो,' जेम्स ने इस बात पर ज़ोर देते हुए कहा, 'असल बात यह है कि वह ज़िंदा है, अगर तुम मेरी बात का मतलब समझ सकती हो ...'

आस-पास के कई विद्यार्थी हँसने लगे, जिनमें सिरियस और वर्मटेल भी शामिल थे। लेकिन ल्यूपिन नहीं हँसे, जो अब भी अपनी पुस्तक में खोए हुए दिख रहे थे। लिली भी नहीं हँसी।

लिली ने ठंडेपन से कहा, 'तुम्हें लगता है कि तुम्हारी हरकतें बड़ी दिलचस्प हैं, लेकिन तुम सिर्फ़ घमंडी और दूसरों को सताने वाले लफ़ंगे हो, पॉटर। उसे छोड़ दो।'

'इवान्स, अगर तुम मेरे साथ घूमने लगो, तो मैं उसे छोड़ दूँगा,' जेम्स ने तत्काल कहा। 'मेरे साथ घूमने लगोगी, तो मैं स्नाइवेली पर कभी अपनी छड़ी नहीं तानूँगा।'

उधर स्नेप पर बाधा मंत्र का प्रभाव अब ख़त्म हो रहा था। स्नेप अब अपनी गिरी हुई छड़ी की तरफ़ धीरे-धीरे खिसकने लगे थे और रेंगते समय साबुन के बुलबुले थूकते जा रहे थे।

लिली ने कहा, 'अगर मुझे तुममें और विशाल समुद्रफ़ेनी में से किसी एक

को चुनना हो, तब भी मैं तुम्हारे साथ नहीं जाऊँगी।'

'क़िस्मत ख़राब है, प्रौंग्स,' सिरियस ने तेज़ी से कहा और स्नेप की तरफ़ मुड़ा। **'ओए!'**

लेकिन तब तक बहुत देर हो चुकी थी। स्नेप ने अपनी छड़ी जेम्स की तरफ़ कर दी थी। रोशनी की एक चमक दिखी और जेम्स के चेहरे पर एक तरफ़ घाव हो गया। उनके दुशाले ख़ून से लथपथ हो गए। जेम्स मुड़े। एक पल बाद ही रोशनी का एक और धमाका हुआ। स्नेप हवा में उलटे लटक रहे थे। उनके दुशाले उनके सिर के नीचे तक आ गए थे। उनके मरियल, पीले पैर दिख रहे थे और गंदा अंडरवियर भी।

कई विद्यार्थी तालियाँ बजाने लगे। सिरियस, जेम्स और वर्मटेल हँसी से दोहरे हो गए।

लिली के ग़ुस्से से भरे चेहरे पर एक पल के लिए ऐसा भाव आ गया, जैसे वह भी हँसने वाली हो। फिर उसने कहा, 'उसे नीचे उतार दो!'

'क्यों नहीं,' जेम्स ने कहा और अपनी छड़ी ऊपर की तरफ़ हिलाई। स्नेप ज़मीन पर गिर गए। अपने दुशालों से ख़ुद को आज़ाद करते हुए और अपनी छड़ी ऊपर करके वे जल्दी से खड़े हो गए, लेकिन तभी सिरियस बोला, '*पूर्ण शरीर-बंधन!*' स्नेप लहराए और किसी तख़्ते की तरह ज़मीन पर गिर गए।

'उसे छोड़ दो!' लिली चिल्लाई। अब लिली ने भी अपनी छड़ी बाहर निकाल ली थी। जेम्स और सिरियस ने उसे सावधानी से देखा।

जेम्स ने गंभीरता से कहा, 'देखो इवान्स, ऐसा कुछ मत करना, जिससे मुझे तुम्हें शाप देना पड़े।'

'तो फिर अपना शाप वापस लो!'

जेम्स ने गहरी आह भरी और फिर स्नेप की ओर मुड़कर प्रतिकारक मंत्र पढ़ दिया।

'यह लो,' उन्होंने कहा, जब स्नेप अपने पैरों पर खड़े होने के लिए जूझने लगे। 'स्नाइवेलस, तुम ख़ुशक़िस्मत हो कि इवान्स यहाँ थी –'

'मुझे उस जैसी गंदी बदज़ात लड़की की मदद की ज़रूरत नहीं है!'

लिली ने पलकें झपकाईं।

'अच्छी बात है,' उसने ठंडे लहज़े में कहा। 'मैं भविष्य में तुम्हारी फ़िक्र नहीं करूँगी। और *स्नाइवेलस*, अगर मैं तुम्हारी जगह होती, तो अपना अंडरवियर धो लेती।'

'इवान्स से माफ़ी माँगो!' जेम्स स्नेप की तरफ़ दहाड़े और अपनी छड़ी

ख़तरनाक तरीक़े से तान ली।

लिली ने चिल्लाकर जेम्स से कहा, 'मैं नहीं चाहती कि *तुम* उससे ज़बर्दस्ती माफ़ी मँगवाओ। तुम भी उतने ही बुरे हो, जितना कि वह है।'

'क्या ?' जेम्स ने हैरानी से कहा, 'मैं तुम्हें उस नाम से - **कभी नहीं** बुला सकता!'

'तुम अपने बालों पर हाथ फेरते हो। तुम्हें लगता है कि तुम बिखरे बालों में बहुत शानदार दिखते हो, क्योंकि इससे लगता है, जैसे तुम अभी-अभी अपनी झाड़ू से उतरे हो। तुम गलियारों में अपनी मूर्खतापूर्ण सुनहरी गेंद के साथ इतराते फिरते हो और हर उस विद्यार्थी को अपने मंत्र का शिकार बनाते हो, जो तुम्हें चिढ़ाता है, क्योंकि तुम ऐसा कर सकते हो - मुझे हैरानी है कि तुम्हारे इतने फूले हुए सिर के बावजूद झाड़ू तुम्हारा वज़न कैसे उठा लेती है। तुम्हें देखकर तो मैं **पागल** हो जाती हूँ।'

वे मुड़ीं और जल्दी से दूर चली गईं।

'**इवान्स!**' जेम्स उनके पीछे से चिल्लाया। 'सुनो, **इवान्स!**'

लेकिन इवान्स ने पलटकर नहीं देखा।

'उसे क्या हुआ ?' जेम्स ने पूछा और इस तरह जताने की असफल कोशिश की, जैसे यह एक सामान्य सवाल हो, जो उनके लिए क़तई महत्वपूर्ण नहीं था।

सिरियस ने कहा, 'मेरे हिसाब से वह तुम्हें थोड़ा घमंडी मानती है, दोस्त।'

'ठीक है,' जेम्स ने कहा, जो अब नाराज़ दिखने लगे थे, 'ठीक है -'

एक और रोशनी का धमाका हुआ। स्नेप एक बार फिर हवा में उलटे लटक रहे थे।

'कौन चाहता है कि मैं स्नाइवेली का पैंट उतार दूँ ?'

लेकिन जेम्स ने स्नेप का पैंट उतारा या नहीं, यह हैरी को कभी पता नहीं चल पाया। एक हाथ उसकी ऊपरी बाँह पर चिमटी की तरह कस गया। कराहते हुए हैरी यह देखने के लिए मुड़ा कि उसे किसने पकड़ा है। दहशत के साथ उसने देखा कि उसके पास वयस्क स्नेप खड़े हुए थे, जो आगबबूला थे।

'मज़ा आ रहा है ?'

हैरी ने ख़ुद को हवा में उठता महसूस किया। गर्मी का दिन उसके चारों तरफ़ से ग़ायब हो गया। वह बर्फ़ीले कालेपन में ऊपर की तरफ़ उठ रहा था। स्नेप का हाथ अब भी उसे कसकर पकड़े हुए था। फिर उसे लगा, जैसे वह बीच हवा में उल्टा हो गया हो। उसके पैर स्नेप के तहख़ाने के फ़र्श पर पड़े

और वह एक बार फिर ऑफ़िस में स्नेप की डेस्क पर रखे स्मृतिपात्र के पास खड़ा हुआ था।

'तो,' स्नेप ने हैरी की बाँह इतनी कसकर पकड़ी कि उसका हाथ सुन्न होने लगा। '*तो* ... मज़ा आया, पॉटर?'

'न-नहीं,' हैरी ने अपनी बाँह छुड़ाने की कोशिश करते हुए कहा।

यह बहुत डरावना था : स्नेप के होंठ काँप रहे थे। उनका चेहरा सफ़ेद था। उनके दाँत किटकिटा रहे थे।

'तुम्हारे डैडी बहुत मज़ेदार आदमी थे, है ना?' स्नेप ने कहा और हैरी को इतनी कसकर हिलाया कि उसका चश्मा नाक से फिसल गया।

'मैं – नहीं –'

स्नेप ने हैरी को पूरी ताक़त से दूर फेंका। हैरी तहख़ाने के फ़र्श पर तेज़ी से गिरा।

स्नेप ने गरजते हुए कहा, 'तुमने जो देखा है, वह किसी को मत बताना!'

'नहीं,' हैरी ने कहा और उठकर स्नेप से ज़्यादा से ज़्यादा दूर पहुँच गया। 'नहीं, ज़ाहिर है, मैं –'

'बाहर निकल जाओ, बाहर निकल जाओ। मैं दोबारा इस ऑफ़िस में तुम्हारी शक्ल भी नहीं देखना चाहता!'

जब हैरी दरवाज़े की तरफ़ भागा, तो मरे हुए कॉकरोचों का एक डिब्बा उसके सिर से टकराया। उसने झटके से दरवाज़ा खोला और गलियारे में तेज़ी से भागने लगा। स्नेप से तीन मंज़िल दूर पहुँचने के बाद ही वह रुका। वहाँ वह दीवार से टिक गया और हाँफते हुए अपनी घायल बाँह को मलने लगा।

इतनी जल्दी गरुड़द्वार टॉवर लौटने की उसकी कोई इच्छा नहीं थी। उसने अभी-अभी जो देखा था, उसे वह रॉन और हर्माइनी को भी नहीं बताना चाहता था। हैरी को इतनी दहशत और दुख इसलिए नहीं हो रहा था क्योंकि स्नेप ने उसे डाँटा था या उस पर डिब्बा फेंका था, बल्कि इसलिए हो रहा था क्योंकि वह अच्छी तरह जानता था कि भीड़ के सामने अपमानित होना कैसा लगता है। वह अच्छी तरह जानता था कि जब उसके डैडी ने स्नेप का अपमान किया था, तो स्नेप को कैसा महसूस हुआ होगा। और अभी-अभी उसने जो देखा था, उसके हिसाब से उसके डैडी उतने ही दंभी थे, जितना कि स्नेप हमेशा कहा करते थे।

अध्याय उनतीस

कैरियर संबंधी सलाह

'तुम अब गुप्तविद्या सीखने क्यों नहीं जाते हो?' हर्माइनी ने त्योरियाँ चढ़ाकर हैरी से पूछा।

हैरी बुदबुदाया, 'मैंने तुम्हें *बताया* था ना, स्नेप को लगता है कि अब मुझे मूलभूत बातें पता चल गई हैं, इसलिए आगे का काम मैं ख़ुद कर सकता हूँ।'

हर्माइनी ने शक भरी आवाज़ में कहा, 'तो अब तुम्हें अजीब से सपने दिखाई नहीं देते हैं?'

'काफ़ी हद तक,' हैरी ने उससे नज़रें चुराते हुए कहा।

हर्माइनी ग़ुस्से से बोली, 'देखो, मुझे नहीं लगता कि स्नेप को गुप्तविद्या पढ़ाना छोड़ देना चाहिए, जब तक कि तुम्हें पक्का यक़ीन न हो जाए कि तुम अपने सपनों को नियंत्रित कर सकते हो! हैरी, मुझे लगता है कि तुम्हें उनसे यह कहना चाहिए –'

हैरी ने ज़ोर देकर कहा, 'नहीं। इस बात को रहने दो, हर्माइनी, **ठीक** है?'

यह ईस्टर की छुट्टियों का पहला दिन था। जैसी हर्माइनी की आदत थी, उसने उन तीनों के लिए रिवीज़न का टाइमटेबल बनाने में अपने दिन का ज़्यादातर समय बिताया था। हैरी और रॉन ने उसे ऐसा करने दिया। उसके साथ बहस करने से यह ज़्यादा आसान था और शायद टाइमटेबल बाद में काम आ सकता था।

रॉन यह जानकर हैरान रह गया कि परीक्षा में सिर्फ़ छह हफ़्ते बचे थे।

'इसमें हैरानी की क्या बात है?' हर्माइनी ने पूछा, जब उसने रॉन के टाइमटेबल के हर चौखाने को अपनी छड़ी से ठोंका, ताकि हर विषय का रंग अलग दिखने लगे।

रॉन ने कहा, 'पता ही नहीं चला! इतना कुछ हो रहा था।'

हर्माइनी ने उसे उसका टाइमटेबल थमाते हुए कहा, 'यह लो! अगर तुम इसके हिसाब से चलोगे, तो तुम्हें कोई दिक़्क़त नहीं होगी।'

रॉन ने टाइमटेबल की तरफ़ उदासी से देखा, फिर उसका चेहरा चमकने लगा।

'तुमने मुझे हर हफ़्ते एक शाम की छुट्टी दी है!'

हर्माइनी बोली, 'वह क्विडिच प्रैक्टिस के लिए है!'

रॉन के चेहरे से मुस्कराहट ग़ायब हो गई।

उसने नीरस अंदाज़ में कहा, 'उससे क्या फ़ायदा होगा? हमारे पास इस साल क्विडिच कप जीतने का उतना ही मौक़ा है, जितना कि डैडी के पास जादू मंत्री बनने का।'

हर्माइनी कुछ नहीं बोली। वह हैरी की तरफ़ देख रही थी, जो हॉल के सामने वाली दीवार को सूनेपन से घूर रहा था। उधर क्रुकशैंक्स हैरी के हाथ पर पंजा रखने की कोशिश कर रही थी, ताकि वह उसके कान के पीछे सहला दे।

'क्या गड़बड़ है, हैरी?'

'क्या?' उसने जल्दी से पूछा। 'कुछ नहीं।'

उसने *रक्षात्मक जादुई सिद्धांत* की पुस्तक पकड़ी और विषय-सूची में किसी चीज़ को देखने का नाटक करने लगा। क्रुकशैंक्स ने अपनी कोशिश छोड़ दी और हर्माइनी की कुर्सी के नीचे दुबक गई।

'मुझे चो दिखी थी,' हर्माइनी ने कहा। 'वह सचमुच दुखी दिख रही थी ... क्या तुम दोनों की फिर से लड़ाई हो गई?'

'क्या – ओह हाँ,' हैरी ने कहा और कृतज्ञता से इस बहाने को जकड़ लिया।

'किस बारे में?'

हैरी बोला, 'उसकी मुख़बिर सहेली मैरीटा के बारे में।'

रॉन ने अपने रिवीज़न टाइमटेबल को नीचे रखते हुए ग़ुस्से से कहा, 'मैं तुम्हें दोष नहीं देता हूँ! अगर वह नहीं होती ...'

रॉन मैरीटा एजकॉम्ब को भला-बुरा कहने लगा, जिससे हैरी को बहुत मदद मिली। रॉन जब भी साँस लेने के लिए रुकता था, तो हैरी को बस ग़ुस्सा दिखाना था, सिर हिलाना था और 'हाँ' तथा 'सही है' जैसी बात कहनी थी। इस तरह से हैरी का दिमाग़ उस घटना के बारे में सोच सकता था, जो उसने

स्मृतिपात्र में देखी थी।

उसे लगा कि वह याद उसे भीतर ही भीतर खाए जा रही थी। इसे देखने से पहले उसे यक़ीन था कि उसके मम्मी-डैडी बहुत अच्छे थे। इसी कारण स्नेप जब भी उसके डैडी के बारे में ताने मारते थे, तो उसे उन पर विश्वास नहीं होता था और उनके तानों से ज़रा भी दिक्क़त नहीं होती थी। हैग्रिड और सिरियस जैसे लोगों ने उससे हमेशा *कहा था* कि उसके डैडी बहुत बढ़िया आदमी थे। (*हैरी के दिमाग़ के भीतर एक चिढ़ाने वाली आवाज़ आई, 'और देखो तो सही, सिरियस ख़ुद कैसा था! वह ख़ुद भी तो बुरा था, है ना?*) हालाँकि उसने एक बार प्रोफ़ेसर मैक्गॉनेगल को यह कहते सुना था कि उसके डैडी और सिरियस स्कूल में मुश्किलें पैदा करते थे, लेकिन उन्होंने उनका ज़िक्र वीज़्ली बंधुओं के अग्रजों के रूप में किया था और हैरी यह कल्पना नहीं कर सकता था कि फ़्रेड और जॉर्ज सिर्फ़ मज़े के लिए किसी को उल्टा लटका सकते हैं ... जब तक कि वे उससे सचमुच नफ़रत न करते हों ... शायद मैल्फ़ॉय या किसी और को, जो इस क़ाबिल हो ...

हैरी ने यह दलील देने की कोशिश की कि स्नेप जेम्स के हाथों जलील होने क़ाबिल थे। लेकिन लिली ने यह पूछा था, 'उसने तुम्हारा क्या बिगाड़ा है?' और जेम्स ने यह जवाब दिया था, 'असल बात यह है कि वह *ज़िंदा* है, अगर तुम मेरी बात का मतलब समझ सको।' क्या जेम्स ने यह सब सिर्फ़ सिरियस की बोरियत दूर करने के लिए शुरू नहीं किया था? हैरी को याद आया, ल्यूपिन ने ग्रिमॉल्ड चौक में कहा था कि डम्बलडोर ने उन्हें इस उम्मीद में प्रिफ़ेक्ट बनाया था कि वे जेम्स और सिरियस पर थोड़ा क़ाबू रख पाएँगे ... लेकिन स्मृतिपात्र में वे चुपचाप बैठे थे और सब कुछ होने दे रहे थे ...

हैरी ख़ुद को याद दिलाता रहा कि लिली ने तो बीच-बचाव किया था। उसकी मम्मी अच्छी थीं। बहरहाल, जेम्स पर चिल्लाते समय उनके चेहरे के भाव से वह विचलित हो गया। साफ़ नज़र आ रहा था कि वे जेम्स से नफ़रत करती थीं और हैरी यह नहीं समझ पाया कि उन दोनों ने शादी कैसे कर ली। एक-दो बार तो उसके मन में यह भी आया कि कहीं जेम्स ने उन्हें इसके लिए मजबूर तो नहीं किया था ...

पिछले पाँच सालों से अपने डैडी का विचार हैरी के लिए सांत्वना और प्रेरणा का स्रोत था। जब भी कोई उससे कहता था कि वह जेम्स जैसा दिखता है, तो उसका मन गर्व से फूल जाता था। लेकिन अब ... अब यह सोचकर ही वह सिहर जाता था और दुखी हो जाता था।

ईस्टर की छुट्टियों में मौसम ज़्यादा हवादार, धूप भरा और गर्म हो गया।

लेकिन हैरी फ़िफ़्थ और सेवन्थ ईयर के विद्यार्थियों के साथ अंदर ही क़ैद था और रिवीज़न करते हुए बार-बार लाइब्रेरी आ-जा रहा था। हैरी ने नाटक किया कि उसके ख़राब मूड का कारण और कुछ नहीं, बल्कि आने वाली परीक्षा थी। चूँकि गरुड़द्वार के उसके साथी विद्यार्थी पढ़-पढ़कर ख़ुद हैरान हो रहे थे, इसलिए किसी ने उसके बहाने को चुनौती नहीं दी।

'हैरी, मैं तुमसे बात कर रही हूँ। क्या तुम मेरी बात सुन सकते हो?'

'ओह?'

उसने मुड़कर देखा। बिखरे बालों वाली जिनी वीज़्ली लाइब्रेरी की टेबल पर उसके पास बैठ गई थी, जहाँ वह अकेला बैठा हुआ था। यह रविवार शाम की बात थी। हर्माइनी पुरातन लिपियों का रिवीज़न करने के लिए गरुड़द्वार टॉवर गई थी और रॉन क्विडिच की प्रैक्टिस करने गया था।

'ओह हाय,' हैरी ने अपनी पुस्तकें अपनी ओर खींचते हुए कहा। 'तुम प्रैक्टिस करने क्यों नहीं गईं?'

जिनी बोली, 'प्रैक्टिस ख़त्म हो गई। रॉन जैक स्लोपर को अस्पताल लेकर गया है।'

'क्यों?'

'पक्का तो नहीं मालूम, लेकिन *लगता* है कि उसने अपने ही बल्ले से ख़ुद को मार लिया है।' उसने ज़ोर से आह भरते हुए कहा। 'ख़ैर ... अभी-अभी एक पैकेट आया है। यह अंबरिज की नई जाँच प्रक्रिया से गुज़र चुका है।'

जिनी ने टेबल पर भूरे काग़ज़ में लिपटा एक बॉक्स रख दिया। साफ़ दिख रहा था कि इसे खोलकर फूहड़ता से दोबारा लपेटा गया था। लाल स्याही में उस पर एक लाइन लिखी थी : *हॉगवर्ट्स सर्वोच्च प्रशासक द्वारा जाँचा और प्रमाणित किया गया।*

'मम्मी ने ईस्टर एग्स भेजे हैं,' जिनी ने कहा। 'एक तुम्हारे लिए है ... यह लो।'

उसने उसे एक चॉकलेट एग दिया, जो छोटी, बर्फ़ वाली सुनहरी गेंदों से सज़ा हुआ था। पैकेट पर लिखी जानकारी के अनुसार उसमें फ़िज़िंग व्हिज़बीज़ का बैग था। हैरी ने एक पल के लिए उसकी तरफ़ देखा और फिर उसे हैरानी हुई कि उसका गला रुँध गया था।

जिनी ने धीरे से पूछा, 'तुम **ठीक** तो हो, हैरी?'

'हाँ, मैं ठीक हूँ,' हैरी ने कहा। उसके गले में दर्द होने लगा था। वह यह नहीं समझ पाया कि ईस्टर एग से उसे ऐसी चुभन क्यों हुई थी।

'तुम कुछ समय से काफ़ी उदास दिख रहे हो,' जिनी ने कहा। 'मुझे लगता है कि अगर तुम चो से *बात* कर लो ...'

हैरी ने तेज़ी से कहा, 'मैं उससे बात नहीं करना चाहता।'

'तो फिर किससे करना चाहते हो?' जिनी ने उसे ग़ौर से देखते हुए पूछा।

'मैं ...'

उसने मुड़कर चारों तरफ़ देखा कि कहीं कोई सुन तो नहीं रहा था। मैडम पिन्स कई शेल्फ़ दूर थीं और पगलाई दिख रही हान्ना एबॉट की पुस्तकों के ढेर पर सील लगा रही थीं।

वह बुदबुदाया, 'काश मैं सिरियस से बात कर पाता! लेकिन मैं जानता हूँ कि मैं ऐसा नहीं कर सकता।'

जिनी कुछ सोचती हुई उसे देखती रही। हैरी ईस्टर एग के कवर को खोलने लगा। वह ऐसा इसलिए नहीं कर रहा था, क्योंकि वह खाना चाहता था, बल्कि इसलिए कर रहा था, क्योंकि वह कुछ करना चाहता था। उसने उसका एक बड़ा टुकड़ा तोड़कर अपने मुँह में रख लिया।

'देखो,' जिनी ने धीरे से कहा और उसने भी थोड़ा ईस्टर एग खाया। 'अगर तुम सचमुच सिरियस से बात करना चाहते हो, तो मुझे उम्मीद है कि हम कोई न कोई तरीक़ा खोज ही लेंगे।'

हैरी ने नीरसता से कहा, 'छोड़ो भी! जब अंबरिज सभी अँगीठियों पर नज़र रख रही हैं और हमारी सभी चिट्ठियाँ पढ़ रही हैं, तो ऐसा कैसे हो सकता है?'

'फ्रेड और जॉर्ज के साथ बड़े होने का यही फ़ायदा है,' जिनी सोचते हुए बोली, 'कि आप यह सोचने लगते हैं कि अगर आपमें दिलेरी हो, तो सब कुछ संभव है।'

हैरी ने उसकी तरफ़ देखा। शायद यह चॉकलेट का असर था - ल्यूपिन ने दमपिशाचों के साथ मुठभेड़ों के बाद हमेशा चॉकलेट खाने की सलाह दी थी - या सिर्फ़ इसलिए क्योंकि उसने ज़ोर से एक ऐसी इच्छा बता दी थी, जो उसके भीतर एक हफ़्ते से धधक रही थी। बहरहाल, कारण चाहे जो भी हो, उसके मन में थोड़ी उम्मीद जाग गई।

'तुम लोग क्या कर रहे हो?'

'ओह,' जिनी फुसफुसाई और उछलकर खड़ी हो गई। 'मैं तो भूल ही गई थी

मैडम पिन्स उनकी तरफ़ धड़धड़ाती हुई आईं और उनका सिकुड़ा हुआ

चेहरा ग़ुस्से के मारे और तन गया।

'लाइब्रेरी में चॉकलेट!' वे चिल्लाईं। 'बाहर - *बाहर* - **बाहर!'**

अपनी छड़ी लहराते हुए उन्होंने हैरी की पुस्तकों, बैग और स्याही की दवातों को लाइब्रेरी से जिनी और हैरी के पीछे भेज दिया। उनके भागते समय वे उन पर लगातार अपनी छड़ी मारती रहीं।

*

छुट्टियों के ख़त्म होने से कुछ समय पहले गरुड़द्वार टॉवर की टेबलों पर बहुत सारे पैंफ़लेट और नोटिस आ गए, जिनमें आने वाली परीक्षा का महत्व बताया गया था। इनमें जादूगरी के कई कैरियरों के बारे में बताया गया था। बोर्ड पर एक और नोटिस लग चुका था, जिस पर लिखा था :

कैरियर संबंधी सलाह

फ़िफ़्थ ईयर के सभी विद्यार्थी समर टर्म के पहले सप्ताह में
अपने हाउस प्रमुख से कैरियर संबंधी चर्चा के लिए मिलेंगे।
नीचे हर विद्यार्थी के मिलने का समय दिया गया है।

हैरी ने सूची देखी और पाया कि उसे सोमवार को ढाई बजे प्रोफ़ेसर मैक्गॉनेगल के ऑफ़िस में पहुँचना है, जिसका यह मतलब था कि उसकी ज्योतिष की क्लास का ज़्यादातर समय निकल जाएगा। उसने और फ़िफ़्थ ईयर के बाक़ी विद्यार्थियों ने ईस्टर की छुट्टियों के आख़िरी वीकएंड में उन सभी कैरियरों की जानकारी पढ़ी, जो पढ़ने के लिए भेजी गई थी।

'मुझे उपचारक बनना ज़्यादा पसंद नहीं है,' रॉन ने छुट्टियों की आख़िरी शाम को कहा। वह एक पैंफ़लेट में खोया हुआ था, जिसके सामने सेंट मंगोज़ का हड्डी और छड़ी के क्रॉस का प्रतीक-चिन्ह बना था। 'इसमें लिखा है कि इसके लिए काढ़े, जड़ी-बूटी विज्ञान, रूपांतरण, सम्मोहन और गुप्त कलाओं से रक्षा में **एन.ई.डब्ल्यू.टी.** स्तर पर कम से कम **"ई"** की ज़रूरत होगी। मेरा मतलब है ... वे कितनी ज़्यादा उम्मीदें कर रहे हैं, है ना?'

हर्माइनी ने कहा, 'देखो, यह बहुत ज़िम्मेदारी का काम है, समझे?' वह एक गुलाबी और नारंगी पैंफ़लेट पढ़ रही थी, जिसका शीर्षक था, '**तो आप सोचते हैं कि आप मगलू संपर्क विभाग में काम करना चाहेंगे?**' हर्माइनी आगे बोली, 'मगलुओं से संबंधित काम करने में ज़्यादा योग्यताओं की ज़रूरत नहीं है। इसके लिए तो उन्हें बस मगलू अध्ययन विषय में **ओ.डब्ल्यू.एल.**

चाहिए : *"इससे ज़्यादा महत्वपूर्ण आपका उत्साह, धैर्य और अच्छा हास्यबोध है!"'*

हैरी ने कहा, 'मेरे अंकल से संपर्क करते समय तुम्हें हास्यबोध से ज़्यादा ज़रूरत इस बोध की होगी कि कब झुका जाए!' वह जादूगर बैंकिंग के पैंफ़लेट को आधा पढ़ चुका था। 'ज़रा यह सुनो : *क्या आप एक चुनौतीपूर्ण कैरियर की तलाश में हैं, जिसमें यात्रा, रोमांच और ख़तरों से संबंधित ख़ज़ाने का बोनस हो? अगर ऐसा है, तो आप ग्रिनगॉट जादूगर बैंक में नौकरी करने के बारे में सोचें, जो इस समय विदेशों में रोमांचक अवसरों के लिए शाप-तोड़क नियुक्त कर रही है ...* उन्हें अंकों का जादुई महत्व चाहिए। हर्माइनी तुम यह कैरियर चुन सकती हो!'

'मुझे बैंक में काम करना ज़्यादा अच्छा नहीं लगता है,' हर्माइनी ने कहा, जो अब इस पैंफ़लेट में डूबी हुई थी : '**क्या आपमें सुरक्षा दैत्यों को प्रशिक्षित करने का माद्दा है?**'

'सुनो,' हैरी के कान में एक आवाज़ आई। फ्रेड और जॉर्ज उनके पास आ गए थे। फ्रेड ने उनके सामने वाली टेबल पर अपने पैर फैलाए, जिससे जादू मंत्रालय में कैरियर बनाने की कई बुकलेटें फ़र्श पर गिर गईं। फिर वह बोला, 'जिनी ने हमसे तुम्हारे बारे में बात की थी। वह कहती है कि तुम्हें सिरियस से बात करनी है?'

'क्या?' हर्माइनी ने तीखी आवाज़ में कहा और उसका हाथ बीच हवा में रुक गया, जब वह '**जादुई दुर्घटना और विपत्ति विभाग में धमाका करें**' उठाने जा रही थी।

'हाँ ...' हैरी ने अपनी आवाज़ सामान्य रखने की कोशिश करते हुए कहा, 'हाँ, मैंने सोचा था कि यह अच्छा रहेगा –'

'बेवकूफ़ मत बनो,' हर्माइनी ने तनकर उसे देखा, जैसे उसे अपनी आँखों पर यक़ीन नहीं हो रहा हो। 'जब अंबरिज सभी अँगीठियों पर पहरा दे रही हैं और उल्लुओं की तलाशी ले रही हैं?'

'हमें लगता है कि हम उसका तोड़ खोज सकते हैं,' जॉर्ज ने मुस्कराते हुए कहा। 'बस थोड़ा सा ध्यान भटकाने की ज़रूरत पड़ेगी। देखो, तुमने इस बात पर ग़ौर किया होगा कि ईस्टर की छुट्टियों के दौरान हमने हंगामा नहीं किया?'

फ्रेड ने आगे कहा, 'हमने ख़ुद से पूछा कि आख़िर छुट्टियों में हंगामा करने से क्या फ़ायदा? फिर हमने ख़ुद को जवाब दिया, कोई फ़ायदा नहीं है। और ज़ाहिर है, इससे लोगों के रिवीज़न में भी खलल पड़ता, जो हम किसी सूरत में नहीं चाहते थे।'

उसने हर्माइनी की तरफ़ देखकर सिर झुका दिया। उन्हें दूसरों की इतनी परवाह है, यह सुनकर हर्माइनी थोड़ी हैरान दिख रही थी।

'लेकिन हम कल से हंगामा शुरू करने वाले हैं,' फ्रेड ने तेज़ी से कहा। 'और अगर हम हंगामा करने ही वाले हैं, तो फिर क्यों न हम इसे इस तरीक़े से करें, ताकि हैरी सिरियस से बातचीत कर सके?'

'हाँ, लेकिन *फिर भी,*' हर्माइनी ने इस तरह कहा, जैसे कोई किसी मंदबुद्धि व्यक्ति को बहुत आसान चीज़ समझा रहा हो, 'अगर तुम हंगामा कर *भी* दो, तो भी हैरी सिरियस से बात कैसे कर सकता है?'

हैरी ने धीरे से कहा, 'अंबरिज के ऑफ़िस से!'

वह इसके बारे में पिछले पंद्रह दिनों से सोच रहा था और उसे इसका कोई विकल्प समझ में नहीं आ रहा था। अंबरिज ने ख़ुद उसे बताया था कि सिर्फ़ उन्हीं की अँगीठी की निगरानी नहीं हो रही थी।

हर्माइनी ने धीरे से कहा, 'क्या - तुम - पागल - हो - गए - हो?'

रॉन ने मशरूम व्यवसाय में अवसर की बुकलेट नीची कर ली और उन्हें देखने लगा।

हैरी ने कंधे उचकाते हुए कहा, 'मुझे ऐसा नहीं लगता!'

'और तुम वहाँ पहुँचोगे कैसे?'

हैरी इस सवाल के लिए तैयार था।

उसने कहा, 'सिरियस के चाकू से।'

'क्या कहा?'

हैरी ने कहा, 'दो साल पहले सिरियस ने मुझे क्रिसमस पर एक चाकू दिया था, जिससे कोई भी ताला खुल सकता है। अगर उन्होंने दरवाज़े पर जादू कर दिया हो, जिससे *अलोहोमोरा* मंत्र काम न करे, तो भी मैं अंदर पहुँच सकता हूँ। वैसे मैं शर्त लगाता हूँ कि उन्होंने जादू किया होगा -'

'तुम इसके बारे में क्या सोचते हो?' हर्माइनी ने रॉन से पूछा। इससे हैरी को मिसेज़ वीज़्ली की याद आ गई, जो ग्रिमॉल्ड चौक में हैरी के पहले डिनर के वक़्त अपने पति से समर्थन माँग रही थीं।

राय पूछे जाने पर दहशत में आते हुए रॉन बोला, 'क्या पता? अगर हैरी यह काम करना चाहता है, तो यह उसका मामला है, है ना?'

'सच्चे दोस्त और वीज़्ली की तरह कहा,' फ्रेड ने रॉन की पीठ ठोंकते हुए कहा। 'तो फिर ठीक है। हम लोग कल क्लास के बाद यह काम करने की सोच

रहे हैं, क्योंकि अगर सभी लोग गलियारों में होंगे, तो इसका प्रभाव सबसे ज़्यादा पड़ेगा – हैरी, हम लोग यह काम पूर्वी खंड में करेंगे, उन्हें उनके ऑफ़िस से दूर खींच लेंगे – मुझे लगता है कि हम तुम्हें बीस मिनट की गारंटी दे सकते हैं?' उसने जॉर्ज की तरफ़ देखते हुए कहा।

'आराम से,' जॉर्ज बोला।

रॉन ने पूछा, 'तुम लोग ध्यान कैसे भटकाओगे?'

फ़्रेड और जॉर्ज उठकर खड़े हो गए। फिर फ़्रेड ने इस बात का जवाब देते हुए कहा, 'तुम ख़ुद देख लेना, छोटे भाई। कल शाम को पाँच बजे ग्रेगरी द स्मार्मी के गलियारे में आकर ख़ुद ही देख लेना।'

हैरी अगले दिन बहुत जल्दी जाग गया। वह उतना ही चिंतित था, जितना कि जादू मंत्रालय में अनुशासनात्मक सुनवाई वाली सुबह था। यह सिर्फ़ अंबरिज के ऑफ़िस में चोरी से घुसने की बात ही नहीं थी। यह सिर्फ़ उनकी अँगीठी का इस्तेमाल करके सिरियस से चर्चा करने की बात ही नहीं थी, हालाँकि ये बातें भी बहुत घबराहट पैदा करने वाली थीं। आज हैरी और स्नेप का आमना-सामना भी होना था। जब स्नेप ने हैरी को अपने ऑफ़िस से बाहर निकाला था, उसके बाद आज पहली बार हैरी स्नेप के सामने पड़ने वाला था।

बिस्तर पर लेटे-लेटे उसने कुछ देर तक आने वाले दिन के बारे में सोचा। फिर वह बहुत ख़ामोशी से खड़ा हुआ और नेविल के पलंग के पास वाली खिड़की तक जाकर बाहर झाँकने लगा। सुबह सुहानी थी। आसमान साफ़, धुंध भरा और नीला था। हैरी को सामने वह ऊँचा पेड़ दिख रहा था, जिसके नीचे उसके डैडी ने स्नेप को सताया था। उसे पता नहीं था कि सिरियस स्मृतिपात्र वाली घटना के बारे में उसे क्या तसल्ली या तर्क दे सकता है, लेकिन वह उस घटना के बारे में सिरियस का दृष्टिकोण सुनने के लिए बेताब था, ताकि उसके डैडी का व्यवहार कम बुरा दिखे, चाहे कोई भी बहाना हो ...

हैरी का ध्यान किसी चीज़ की तरफ़ गया : अँधेरे जंगल के किनारे पर हलचल दिख रही थी। सूरज की किरण के कारण हैरी ने आँखें सिकोड़कर देखा कि हैग्रिड पेड़ों के बीच से निकल रहा था। वह लँगड़ाकर चल रहा था। हैरी के देखते ही देखते हैग्रिड लँगड़ाता हुआ अपने केबिन के दरवाज़े में घुसकर ओझल हो गया। हैरी कई मिनट तक केबिन की तरफ़ देखता रहा। हैग्रिड दोबारा बाहर नहीं निकला, लेकिन चिमनी से धुआँ निकलने लगा। इसका मतलब यह था कि हैग्रिड इतनी बुरी तरह घायल नहीं था कि वह आग न जला सके।

हैरी खिड़की से दूर हटकर अपने संदूक के पास गया और कपड़े पहनने लगा।

अंबरिज के ऑफ़िस में जबरन घुसने की आशंका के चलते हैरी को उम्मीद नहीं थी कि उस दिन वह चैन से रह पाएगा, लेकिन उसे यह अंदाज़ा नहीं था कि वह पाँच बजे जो काम करने की योजना बना रहा था, हर्माइनी बार-बार उसे उससे डिगाने की कोशिश करेगी। प्रोफ़ेसर बिन्स की जादू का इतिहास की क्लास में पहली बार हर्माइनी भी हैरी और रॉन जितना कम ध्यान दे रही थी। वह लगातार फुसफुसाकर उसे चेतावनी दे रही थी, जिसे हैरी नज़रअंदाज़ करने की बहुत कोशिश कर रहा था।

'... और अगर वे तुम्हें पकड़ लेंगी, तो तुम्हें स्कूल से निकाल दिया जाएगा। इसके अलावा, वे यह अंदाज़ा भी लगा लेंगी कि तुम स्नफ़ल्स से बात कर रहे हो! इस बार वे तुम्हें *ज़बर्दस्ती* सत्यद्रव पिला देंगी और सच्चाई का पता लगा लेंगी ...'

रॉन ने धीमी और ग़ुस्से भरी आवाज़ में कहा, 'हर्माइनी, हैरी को चेतावनी देना छोड़ो और बिन्स की बात सुनो, वरना क्या मैं अपने नोट्स ख़ुद लिखूँ ?'

'कभी-कभार ख़ुद लिख लोगे, तो तुम मर नहीं जाओगे!'

जब तक वे तहख़ाने में पहुँचे, हैरी और रॉन दोनों ही हर्माइनी से बातचीत नहीं कर रहे थे। इससे हर्माइनी को कोई फ़र्क़ नहीं पड़ा। वह तो उनकी चुप्पी का लाभ उठाकर उन्हें लगातार गंभीर चेतावनियाँ देती जा रही थी। वह इतने ख़तरनाक तरीक़े से साँस छोड़ रही थी कि सीमस पाँच मिनट तक जाँच करता रहा कि कहीं उसकी कड़ाही से काढ़ा तो नहीं रिस रहा है।

इस दौरान स्नेप ने इस तरह व्यवहार करने का फ़ैसला कर लिया था, जैसे हैरी अदृश्य हो। ज़ाहिर है, हैरी को इस तकनीक से निबटने की बहुत अच्छी आदत थी, क्योंकि यह वरनॉन अंकल की प्रिय रणनीति थी। कुल मिलाकर, वह कृतज्ञ हुआ कि उसे इससे ज़्यादा बुरी चीज़ नहीं झेलनी पड़ी। सच तो यह था कि स्नेप के तानों और व्यंग्यात्मक टिप्पणियों के कारण आम तौर पर उसे जो कष्ट होता था, उससे तो यह नई नीति लाख गुनी अच्छी थी। उसे यह जानकर ख़ुशी हुई कि जब स्नेप ने उसे तंग नहीं किया, तो उसने बड़ी आसानी से स्फूर्तिदायक काढ़ा बना लिया। क्लास के अंत में उसने थोड़ा सा काढ़ा शीशी में भरा और ढक्कन लगाकर उसे स्नेप की डेस्क पर रख दिया। उसे महसूस हुआ कि उसे कम से कम '**ई**' तो मिल ही जाएगा।

वह अभी मुड़ा ही था कि किसी चीज़ के टूटने की आवाज़ आई। मैल्फ़ॉय

हँस पड़ा। हैरी ने मुड़कर देखा। उसके काढ़े की शीशी फ़र्श पर गिरकर टूट चुकी थी और स्नेप बड़े ख़ुश होकर उसकी तरफ़ देख रहे थे।

उन्होंने धीरे से कहा, 'ओह पॉटर, एक और ज़ीरो।'

हैरी इतना नाराज़ था कि उसके मुँह से एक शब्द भी नहीं निकला। वह वापस अपनी कड़ाही के पास आया। वह एक और शीशी भरकर स्नेप से ज़बर्दस्ती उसका परीक्षण करवाना चाहता था, लेकिन यह देखकर उसके होश उड़ गए कि सारा काढ़ा ग़ायब हो चुका था।

'मुझे माफ़ करना!' हर्माइनी ने अपने मुँह पर हाथ रखते हुए कहा। 'मुझे सचमुच अफ़सोस है, हैरी। मुझे लगा कि तुम्हारा काम पूरा हो गया है, इसलिए मैंने उसे साफ़ कर दिया!'

हैरी कुछ नहीं बोल पाया। घंटी बजने पर वह पीछे देखे बिना जल्दी से तहख़ाने से बाहर निकला। लंच करते समय वह नेविल और सीमस के बीच में बैठ गया, ताकि हर्माइनी उसे फिर से अंबरिज के ऑफ़िस में न घुसने की चेतावनी न देने लगे।

जब तक वह ज्योतिष की क्लास में पहुँचा, तब तक उसका मूड इतना ख़राब हो चुका था कि वह यह भूल ही गया कि उसे कैरियर संबंधी सलाह के लिए प्रोफ़ेसर मैक्गॉनेगल के पास जाना है। उसे यह बात तब याद आई, जब रॉन ने उससे पूछा कि वह प्रोफ़ेसर मैक्गॉनेगल के ऑफ़िस में क्यों नहीं गया। वह तेज़ी से सीढ़ियाँ चढ़ने लगा और कुछ मिनट बाद हाँफता हुआ वहाँ पहुँच गया।

दरवाज़ा बंद करते हुए उसने हाँफते हुए कहा, 'माफ़ कीजिए, प्रोफ़ेसर! मैं भूल गया था।'

'कोई बात नहीं, पॉटर,' उन्होंने तेज़ी से कहा, लेकिन उनके बोलते समय कोने से सूँ-सूँ जैसी आवाज़ आई। हैरी ने चारों तरफ़ देखा।

प्रोफ़ेसर अंबरिज एक तरफ़ बैठी हुई थीं। उनके घुटने पर एक क्लिपबोर्ड था, उनके गले के चारों तरफ़ एक छोटी झालर थी और उनके चेहरे पर एक भयंकर घमंडी मुस्कान थी।

'बैठ जाओ, पॉटर,' प्रोफ़ेसर मैक्गॉनेगल बोलीं। डेस्क पर रखे पैंफ़लेट सही करते समय उनके हाथ थोड़े काँप रहे थे।

हैरी अंबरिज की तरफ़ पीठ करके बैठ गया और उसने यह नाटक करने की पूरी कोशिश की कि उसे क्लिपबोर्ड पर चलने वाली उनकी क़लम की आवाज़ सुनाई नहीं दे रही है।

प्रोफ़ेसर मैक्गॉनेगल ने कहा, 'अच्छा पॉटर, यह मीटिंग कैरियर के बारे में

है! तुम्हारे दिमाग़ में जो भी कैरियर है, हम उसके बारे में बातचीत करेंगे और यह फ़ैसला करेंगे कि तुम्हें सिक्स्थ और सेवन्थ ईयर में कौन से विषय चुनने चाहिए? क्या तुमने कभी सोचा है कि हॉगवर्ट्स छोड़ने के बाद तुम क्या करना चाहोगे?'

'अर –' हैरी बोला।

उसे पीछे से क़लम घिसटने की तीखी आवाज़ आ रही थी, जिससे उसका ध्यान भटक रहा था।

'हाँ?' प्रोफ़ेसर मैक्गॉनेगल ने हैरी को प्रेरित किया।

हैरी बुदबुदाया, 'देखिए, मैंने सोचा था, शायद ऑरर बनने का!,'

'उसके लिए तुम्हें बहुत अच्छे ग्रेड चाहिए,' प्रोफ़ेसर मैक्गॉनेगल ने कहा और अपनी डेस्क पर रखे ढेर सारे पैंफ़लेटों में से एक छोटा, गहरे रंग का पैंफ़लेट उठाकर खोला। 'उसके लिए कम से कम पाँच **एन.ई.डब्ल्यू.टी.** चाहिए और कोई भी ग्रेड "एक्सीड्स एक्सपेक्टेशन्स" यानी **ई** से कम नहीं होना चाहिए। इसके बाद तुम्हें ऑरर ऑफ़िस में चारित्रिक और निपुणता परीक्षणों से गुज़रना होगा। पॉटर, यह कैरियर की बहुत मुश्किल राह है। इसमें सिर्फ़ सर्वश्रेष्ठ लोगों को ही लिया जाता है। दरअसल, मुझे लगता है कि उन्होंने पिछले तीन सालों में किसी को ऑरर नहीं बनाया है!'

इसी पल प्रोफ़ेसर अंबरिज बहुत धीरे से खाँसीं, जैसे वे यह देखने की कोशिश कर रही हों कि वे यह काम कितनी ख़ामोशी से कर सकती हैं। प्रोफ़ेसर मैक्गॉनेगल ने उन्हें नज़रअंदाज़ कर दिया।

'मुझे लगता है, अब तुम यह जानना चाहोगे कि तुम्हें कौन से विषय लेने चाहिए?' प्रोफ़ेसर मैक्गॉनेगल ने आगे कहा और अब उनकी आवाज़ पहले से ज़्यादा ऊँची थी।

हैरी ने कहा, 'हाँ, मुझे लगता है, गुप्त कलाओं से रक्षा?'

'ज़ाहिर है,' प्रोफ़ेसर मैक्गॉनेगल ने कहा। 'मैं –'

प्रोफ़ेसर अंबरिज एक बार फिर खाँसीं। इस बार उनकी खाँसी थोड़ी ज़्यादा तेज़ थी। प्रोफ़ेसर मैक्गॉनेगल ने एक पल के लिए अपनी आँखें बंद कर लीं और फिर उन्हें दोबारा खोल लिया, जैसे कुछ हुआ ही न हो।

'मैं रूपांतरण की सलाह भी दूँगी, क्योंकि ऑरर्स को अक्सर अपने काम में रूप बदलने की ज़रूरत पड़ती है। पॉटर, इसके अलावा मैं तुम्हें यह भी बता दूँ कि मैं अपनी **एन.ई.डब्ल्यू.टी.** क्लास में विद्यार्थियों को तब तक नहीं लेती हूँ, जब तक कि वे **ओ.डब्ल्यू.एल.** में कम से कम "एक्सीड्स एक्सपेक्टेशन्स" ग्रेड हासिल न कर लें। मुझे लगता है कि इस वक़्त तुम "एक्सेप्टेबल" के स्तर पर

हो, इसलिए तुम्हें परीक्षा से पहले कड़ी मेहनत करनी होगी, ताकि तुम आगे भी यही विषय पढ़ सको। फिर तुम्हें सम्मोहन भी सीखना चाहिए, यह हमेशा उपयोगी रहता है, और जादुई काढ़े। हाँ पॉटर, काढ़े,' उन्होंने हल्की मुस्कान के साथ आगे कहा। 'ऑरर बनने के लिए ज़हर और प्रतिकारक औषधियों का ज्ञान अनिवार्य है। और मुझे तुम्हें बताना होगा कि प्रोफ़ेसर स्नेप उन विद्यार्थियों को लेने से बिलकुल इंकार कर देते हैं, जिन्हें उनके **ओ.डब्ल्यू.एल.** में "आउटस्टैंडिंग" से कम ग्रेड मिला हो, इसलिए –'

प्रोफ़ेसर अंबरिज ने अब तक की सबसे तेज़ खाँसी निकाली।

'क्या मैं आपको खाँसी की गोली दूँ, डोलोरेस?' प्रोफ़ेसर मैक्गॉनेगल ने प्रोफ़ेसर अंबरिज की तरफ़ देखे बिना रूखेपन से पूछा।

'ओह नहीं, बहुत-बहुत धन्यवाद,' अंबरिज ने कहा। वे उसी मीठे अंदाज़ में हँस रही थीं, जिससे हैरी को सख़्त नफ़रत थी। 'मिनर्वा, मैं तो सोच रही थी कि क्या मैं बीच में कुछ कहूँ?'

प्रोफ़ेसर मैक्गॉनेगल दाँत भींचकर बोलीं, 'मुझे लगता है कि आप कहकर ही मानेंगी।'

प्रोफ़ेसर अंबरिज ने मीठे अंदाज में कहा, 'मैं सोच रही थी कि क्या मिस्टर पॉटर में ऑरर बनने का स्वभाव है?'

'अच्छा?' प्रोफ़ेसर मैक्गॉनेगल ने गर्मी से कहा। फिर वे इस तरह आगे बोलने लगीं, जैसे कोई व्यवधान ही न हुआ हो, 'देखो पॉटर, अगर तुम इस महत्वाकांक्षा के बारे में गंभीर हो, तो मैं तुम्हें सलाह दूँगी कि तुम रूपांतरण और काढ़े में अपेक्षित स्तर तक आ जाओ। मैंने देखा है कि प्रोफ़ेसर फ़्लिटविक पिछले दो साल से तुम्हें "एक्सेप्टेबल" और "एक्सीड्स एक्सपेक्टेशन्स" के बीच के ग्रेड दे रहे हैं, इसलिए तुम्हारा सम्मोहन संतोषजनक लगता है। जहाँ तक गुप्त कलाओं से रक्षा का सवाल है, तुम्हारे नंबर आम तौर पर ऊँचे रहते हैं। ख़ास तौर पर प्रोफ़ेसर ल्यूपिन यह सोचते थे – *क्या आपको पूरा यक़ीन है कि आपको खाँसी की गोली नहीं चाहिए, डोलोरेस?*'

'ओह नहीं, धन्यवाद मिनर्वा, उसकी ज़रूरत नहीं है!' प्रोफ़ेसर अंबरिज ने कहा, जो पहले से भी ज़्यादा ज़ोर से खाँसी थीं। 'मैं तो बस यह चिंता कर रही थी कि आपने शायद हैरी के गुप्त कलाओं से रक्षा विषय के हाल के अंक नहीं देखे होंगे। मुझे यक़ीन है कि मैंने आपको एक पर्ची में लिखकर बताया था।'

'अच्छा, यह चीज़?' प्रोफ़ेसर मैक्गॉनेगल ने हिक़ारत भरे अंदाज़ में कहा, जब उन्होंने हैरी के फ़ोल्डर में से एक गुलाबी चर्मपत्र बाहर निकाला। उन्होंने भौंहें उठाकर इसकी तरफ़ देखा और फिर कोई टिप्पणी किए बिना उसे वापस फ़ोल्डर

में रख दिया।

'हाँ, तो जैसा मैं कह रही थी, पॉटर, प्रोफ़ेसर ल्यूपिन का मानना था कि तुम इस विषय में बहुत ज़्यादा कुशल हो और ज़ाहिर है, तुममें ऑरर बनने की योग्यता है –'

'क्या आपने मेरी टिप्पणी का मतलब नहीं समझा, मिनर्वा?' प्रोफ़ेसर अंबरिज ने शहद भरे अंदाज़ में कहा और वे खाँसना भूल गईं।

'ज़ाहिर है, मैंने समझ लिया है,' प्रोफ़ेसर मैक्गॉनेगल ने कहा। उनके दाँत इतनी कसकर भिंचे हुए थे कि शब्द थोड़े अस्पष्ट हो गए।

'तो फिर मैं दुविधा में हूँ ... मैं यह नहीं समझ पा रही हूँ कि आप मिस्टर पॉटर को यह झूठी उम्मीद कैसे बँधा सकती हैं कि –'

'झूठी उम्मीद?' प्रोफ़ेसर मैक्गॉनेगल ने दोहराया। प्रोफ़ेसर अंबरिज की तरफ़ देखे बिना उन्होंने आगे कहा, 'उसे गुप्त कलाओं से रक्षा के सभी टेस्टों में अच्छे नंबर मिले हैं –'

'मिनर्वा, मुझे तुम्हारी बात काटते हुए अफ़सोस हो रहा है, लेकिन जैसा तुम मेरे नोट में देखोगी, हैरी को मेरी क्लासों में बहुत ख़राब नंबर मिल रहे हैं –'

'मुझे अपना मतलब ज़्यादा स्पष्ट कर देना चाहिए था,' प्रोफ़ेसर मैक्गॉनेगल ने कहा और आख़िर अंबरिज की तरफ़ सीधे देखने लगीं। 'उसे गुप्त कलाओं से रक्षा के अपने उन सभी टेस्टों में अच्छे नंबर मिले हैं, जो किसी योग्य टीचर ने लिए हैं।'

प्रोफ़ेसर अंबरिज की मुस्कान उसी तरह अचानक ग़ायब हो गई, जिस तरह बिजली का बल्ब फ़्यूज़ होने पर उससे रोशनी ग़ायब हो जाती है। वे अपनी कुर्सी पर टिक गईं, क्लिपबोर्ड पर एक शीट पलटी और बहुत तेज़ी से लिखने लगीं। उनकी बाहर निकली आँखें इधर से उधर घूम रही थीं। प्रोफ़ेसर मैक्गॉनेगल हैरी की ओर मुड़ीं, उनके नथुने फूल रहे थे और आँखें जल रही थीं।

'कोई सवाल, पॉटर?'

'हाँ,' हैरी ने कहा। 'अगर पर्याप्त **एन.ई.डब्ल्यू.टी.** हों, तो मंत्रालय चरित्र और योग्यता संबंधी कैसी जाँच करेगा?'

'देखो, दबाव झेलने का माद्दा होना चाहिए,' प्रोफ़ेसर मैक्गॉनेगल ने कहा, 'और इसके अलावा लगन और समर्पण की ज़रूरत होगी, क्योंकि ऑरर का प्रशिक्षण तीन साल तक चलता है। इसके अलावा व्यावहारिक रक्षा में निपुणता की भी ज़रूरत होगी। इसका मतलब है कि स्कूल छोड़ने के बाद भी तुम्हें बहुत अध्ययन करना पड़ेगा। अगर तुम इस सबके लिए तैयार नहीं हो –'

'मुझे लगता है,' अंबरिज ने कहा, जिनकी आवाज़ अब बहुत ठंडी हो चुकी थी, 'कि मंत्रालय ऑररर्स बनने वाले सभी लोगों के रिकॉर्ड भी देखेगा। ख़ास तौर पर उनके आपराधिक रिकॉर्ड।'

'– अगर तुम हॉगवर्ट्स की पढ़ाई ख़त्म करने के बाद परीक्षाओं का सामना करने के लिए तैयार न हो, तो तुम्हें किसी दूसरे कैरियर के बारे में सोचना चाहिए –'

'इस लड़के के ऑरर बनने की उतनी ही संभावना है, जितनी कि डम्बलडोर के इस स्कूल में लौटने की।'

'तब तो बहुत ज़्यादा संभावना है,' प्रोफ़ेसर मैक्गॉनेगल ने कहा।

अंबरिज ने ज़ोर से कहा, 'पॉटर का आपराधिक रिकॉर्ड है।'

'पॉटर को सभी आरोपों से बरी कर दिया गया है,' मैक्गॉनेगल ने उनसे भी ज़ोर से कहा।

प्रोफ़ेसर अंबरिज खड़ी हो गईं। वे इतनी नाटी थीं कि इससे ज़्यादा फ़र्क़ नहीं पड़ा। बहरहाल, उनके चेहरे पर चाशनी भरी मुस्कराहट के बजाय अब ग़ुस्सा दिख रहा था, जिससे उनका मोटा और चौड़ा चेहरा अजीब तरीक़े से ख़तरनाक लग रहा था।

'पॉटर किसी सूरत में ऑरर नहीं बन सकता!'

प्रोफ़ेसर मैक्गॉनेगल भी खड़ी हो गईं और इससे ज़्यादा प्रभाव पड़ा। वे प्रोफ़ेसर अंबरिज से ऊँची हो गईं।

उन्होंने ज़ोर से कहा, 'पॉटर, मैं ऑरर बनने में तुम्हारी मदद करूँगी, भले ही यह मेरा आख़िरी काम हो! अगर मुझे तुम्हें रात को भी पढ़ाना पड़े, तो भी मैं अच्छे ग्रेड हासिल करने में तुम्हारी मदद करूँगी!'

'जादू मंत्रालय हैरी पॉटर को कभी नौकरी नहीं देगा!' अंबरिज ने कहा और उनकी आवाज़ आवेश के कारण ऊँची हो गई थी।

प्रोफ़ेसर मैक्गॉनेगल चिल्लाईं, 'जब तक पॉटर मंत्रालय में ऑरर बनने के लिए तैयार होगा, तब तक कोई नया जादू मंत्री आ जाएगा!'

'ओहो!' प्रोफ़ेसर अंबरिज चिल्लाईं और उन्होंने मैक्गॉनेगल की तरफ़ एक गाँठदार उँगली लहराई। 'हाँ! हाँ, हाँ, हाँ! ज़ाहिर है! तुम यही तो चाहती हो, है ना, मिनर्वा मैक्गॉनेगल? तुम चाहती हो कि कॉर्नेलियस फ़ज की जगह पर एल्बस डम्बलडोर आ जाएँ! तुम सोचती हो कि तुम मेरी जगह पर आ जाओ, है ना : मंत्रीजी की सीनियर अंडरसेक्रेटरी और हेडमिस्ट्रेस बन जाओ!'

'आप बकवास कर रही हैं,' प्रोफ़ेसर मैक्गॉनेगल ने बड़ी हिक़ारत से

कहा। 'पॉटर, हमारी कैरियर संबंधी चर्चा ख़त्म हो चुकी है।'

हैरी ने अपना बैग कंधे पर डाला और तेज़ी से कमरे से बाहर निकल गया। उसकी प्रोफ़ेसर अंबरिज की तरफ़ देखने की हिम्मत भी नहीं हुई। गलियारे में जाते समय पूरे रास्ते उसे अंबरिज और प्रोफ़ेसर मैक्गॉनेगल के एक-दूसरे पर चिल्लाने की आवाज़ें आती रहीं।

प्रोफ़ेसर अंबरिज जब उस दोपहर को गुप्त कलाओं से रक्षा की क्लास लेने आईं, तब भी वे हाँफ रही थीं, जैसे अभी-अभी दौड़कर आ रही हों।

जिस पल उन्होंने अपनी पुस्तकों में 'अध्याय चौंतीस, नॉन-रिटैलिएशन एंड नेगोसिएशन' खोला, हर्माइनी फुसफुसाने लगी, 'मुझे उम्मीद है हैरी कि तुम जो काम करने की योजना बना रहे हो, उसे तुमने छोड़ दिया होगा। अंबरिज को देखकर लगता है कि उनका मूड बहुत ख़राब है ...'

बीच-बीच में अंबरिज हैरी की तरफ़ ग़ुस्से से देख रही थीं, लेकिन हैरी अपना सिर नीचे झुकाकर *रक्षात्मक जादुई सिद्धांत* की पुस्तक को घूरता रहा, हालाँकि वह उसे पढ़ नहीं रहा था, बल्कि सोच रहा था ...

वह प्रोफ़ेसर मैक्गॉनेगल की प्रतिक्रिया की बस कल्पना ही कर सकता था, अगर वह उनकी तरफ़दारी के कुछ घंटे बाद ही प्रोफ़ेसर अंबरिज के ऑफ़िस में चोरी से घुसते वक़्त पकड़ा गया ... अगर वह यह ख़तरनाक काम न करे, तो वह बिना किसी दिक़्क़त के गरुड़द्वार टॉवर लौट सकता है और अगली गर्मी की छुट्टियों में सिरियस से उस घटना के बारे में पूछ सकता है। दिक़्क़त सिर्फ़ इतनी थी कि समझदारी भरे रास्ते पर चलने के विचार से उसे ऐसा महसूस हुआ, जैसे कोई भारी बोझ उसके पेट में पहुँच गया हो ... और फिर फ्रेड तथा जॉर्ज का मामला भी था, जो अपने हंगामे की योजना पहले ही बना चुके थे। इसके अलावा सिरियस का चाकू भी था, जो इस वक़्त उसके स्कूलबैग में उसके डैडी के पुराने अदृश्य चोगे के साथ रखा हुआ था।

लेकिन सच्चाई तो यह थी कि अगर वह पकड़ा गया तो ...

'हैरी, तुम्हें स्कूल में रखने के लिए डम्बलडोर ने क़ुर्बानी दी है!' हर्माइनी ने फुसफुसाकर कहा और पुस्तक को उठाकर अपना चेहरा अंबरिज से छिपा लिया। 'और अगर तुम्हें आज यहाँ से निकाल दिया गया, तो वह क़ुर्बानी बेकार चली जाएगी!'

वह योजना छोड़ सकता था और इस याद के साथ जीना सीख सकता था कि उसके डैडी ने बीस साल से भी ज़्यादा समय पहले गर्मी के एक दिन क्या किया था ...

और फिर उसे गरुड़द्वार के हॉल की आग में सिरियस की बात याद

आई ...

तुम अपने डैडी जैसे नहीं हो, जैसा मैंने सोचा था ... जेम्स को तो इस जोखिम में मज़ा आता ...

लेकिन क्या वह अब भी अपने डैडी जैसा बनना चाहता था?

जब क्लास ख़त्म होने की घंटी बजी, तो हर्माइनी दुख भरी आवाज़ में बोली, 'हैरी, यह काम मत करो, मेहरबानी करके मत करो!'

उसने जवाब नहीं दिया। वह नहीं जानता था कि क्या करे।

रॉन ने जैसे संकल्प कर लिया था कि वह अपनी राय या सलाह नहीं देगा। वह हैरी की तरफ़ देख तक नहीं रहा था, हालाँकि जब हर्माइनी ने हैरी को मना करने की कोशिश के लिए एक बार फिर अपना मुँह खोला, तो उसने धीरे से कहा, 'अब रहने दो, **ठीक** है? वह खुद फ़ैसला कर सकता है।'

क्लासरूम से बाहर निकलते समय हैरी का दिल बहुत तेज़ी से धड़क रहा था। वह बाहर के गलियारे में आधी दूर ही पहुँचा था कि तभी उसे दूर कहीं पर हंगामा शुरू होने की आवाज़ आई। ऊपर से चीख़ने-चिल्लाने की आवाज़ें आ रही थीं। क्लासरूमों से निकल रहे विद्यार्थी हैरी के चारों तरफ़ रुक गए और डरकर छत की तरफ़ देखने लगे -

अंबरिज अपने क्लासरूम से उतनी तेज़ी से निकलकर आईं, जितनी उनके छोटे पैर इजाज़त दे सकते थे। उन्होंने अपनी छड़ी बाहर निकाली और तेज़ी से दूसरी दिशा में चली गईं। अब *अभी या कभी नहीं* वाला मामला था।

'हैरी - प्लीज़!' हर्माइनी ने कमज़ोर आग्रह किया।

लेकिन उसने फ़ैसला कर लिया था। अपने बैग को कंधे पर ज़्यादा सुरक्षित टाँगकर वह दौड़ने लगा और विपरीत दिशा में जल्दी जा रहे विद्यार्थियों के बीच से निकला, जो यह देखने जा रहे थे कि पूर्वी खंड में कैसा शोर हो रहा था।

हैरी अंबरिज के ऑफ़िस के गलियारे तक पहुँच गया। वह वीरान था। वह एक बड़े सूट ऑफ़ आर्मर के पीछे भागा, जो उसे देखने के लिए मुड़ा। उसके हेलमेट से चूँ-चूँ की आवाज़ हुई। हैरी ने अपना बैग खोला, सिरियस का चाकू निकाला और अदृश्य चोगा पहन लिया। फिर वह धीरे-धीरे सावधानी से सूट ऑफ़ आर्मर के पीछे से निकला और गलियारे में आगे बढ़ने लगा, जब तक कि वह अंबरिज के दरवाज़े तक नहीं पहुँच गया।

उसने जादुई चाकू की ब्लेड ताले की दरार में डाली और उसे धीरे से ऊपर-नीचे करके खींचा। एक हल्की सी क्लिक हुई और दरवाज़ा खुल गया।

ऑफ़िस के अंदर घुसकर उसने जल्दी से दरवाज़ा बंद कर लिया और चारों तरफ़ देखने लगा।

कोई भी चीज़ नहीं हिल रही थी, सिवाय बिल्ली के उन बच्चों के, जो अब भी ज़ब्त झाड़ुओं के ऊपर वाली दीवार की प्लेटों पर मस्ती कर रहे थे।

हैरी अपना चोगा उतारकर अँगीठी की तरफ़ गया। उसे जिस चीज़ की तलाश थी, वह उसे कुछ ही सेकंड में दिख गई : छू पाउडर का छोटा सा डिब्बा।

जब वह ख़ाली अँगीठी के सामने झुका, तो उसके हाथ काँप रहे थे। उसने यह काम पहले कभी नहीं किया था, हालाँकि वह जानता था कि इसे कैसे करना है। अपने सिर को अँगीठी में डालते हुए उसने पाउडर की बड़ी चुटकी ली और उन लट्ठों पर डाल दी, जो उसके नीचे जमे हुए थे। तत्काल हरी लपटें उठने लगीं।

हैरी ने ज़ोर से और स्पष्टता से कहा, 'बारह नंबर, ग्रिमॉल्ड चौक!'

उसे बहुत ही अजीब अनुभूति हुई। ऐसी अनुभूति उसे पहले कभी नहीं हुई थी। ज़ाहिर है, वह पहले भी छू पाउडर से यात्रा कर चुका था, लेकिन तब उसका पूरा शरीर लपटों में घूमा था और बहुत सी जादुई अँगीठियों के नेटवर्क से गुज़रा था। इस बार उसके घुटने अंबरिज के ऑफ़िस के ठंडे फ़र्श पर जमे हुए थे और सिर्फ़ उसका सिर ही हरी आग में घूम रहा था ...

और फिर, जितनी जल्दी यह सब शुरू हुआ था, उतनी ही जल्दी रुक भी गया। हैरी को लग रहा था, जैसे उसने अपने सिर पर बहुत गर्म मफ़लर लपेट रखा हो। थोड़ा बीमार महसूस करते हुए उसने अपनी आँखें खोलीं और देखा कि वह किचन की अँगीठी में था और सामने लकड़ी की एक लंबी टेबल पर एक आदमी चर्मपत्र पढ़ रहा था।

'सिरियस ?'

वह आदमी उछला और चारों तरफ़ देखने लगा। वे सिरियस नहीं, बल्कि ल्यूपिन थे।

'हैरी!' उन्होंने सदमे में आते हुए कहा। 'तुम क्या – क्या हुआ, सब ठीक तो है ?'

'हाँ,' हैरी ने कहा। 'मैं तो बस सोच रहा था – मेरा मतलब है, मैं तो बस – सिरियस से बात करना चाहता था।'

'मैं उसे बुला लाता हूँ,' ल्यूपिन ने उठते हुए कहा, हालाँकि वे अब भी हैरान दिख रहे थे, 'वह क्रीचर को ढूँढ़ने ऊपर गया है। लगता है, वह एक बार फिर अटारी में छिप गया है ...'

हैरी ने ल्यूपिन को तेज़ी से किचन से बाहर जाते देखा। अब उसके पास देखने के लिए सिर्फ़ कुर्सियाँ और टेबलें ही बची थीं। वह सोचने लगा कि सिरियस ने यह पहले क्यों नहीं बताया कि आग में सिर रखकर बातें करना कितना मुश्किल होता है। उसके घुटने अंबरिज के ऑफ़िस के सख़्त फ़र्श से लंबे संपर्क के कारण दुखने लगे थे।

कुछ पल बाद ही ल्यूपिन सिरियस को साथ लेकर तेज़ी से आ गए।

'क्या हुआ ?' सिरियस ने तेज़ी से कहा। उसने अपनी आँखों के सामने से अपने लंबे काले बाल हटाए और आग के सामने ज़मीन पर बैठ गया, ताकि उसका और हैरी का सिर एक स्तर पर आ जाए। ल्यूपिन भी झुक गए और चिंतित दिखने लगे। 'तुम ठीक तो हो ? क्या तुम्हें मदद की ज़रूरत है ?'

'नहीं,' हैरी ने कहा, 'ऐसी कोई बात नहीं है ... मैं तो तुमसे ... अपने डैडी के बारे में बात करना चाहता था।'

सिरियस और ल्यूपिन ने एक-दूसरे की तरफ़ हैरानी से देखा, लेकिन हैरी के पास उलझन महसूस करने का समय नहीं था। उसके घुटने हर पल ज़्यादा दर्द करते जा रहे थे। इसके अलावा उसे यह अंदाज़ा भी था कि हंगामा शुरू हुए पाँच मिनट गुज़र चुके हैं और जॉर्ज ने उसे सिर्फ़ बीस मिनट की गारंटी दी थी। इसलिए वह तत्काल वह घटना बताने लगा, जो उसने स्मृतिपात्र में देखी थी।

जब उसने बात पूरी की, तो सिरियस और ल्यूपिन दोनों ही एक पल तक कुछ नहीं बोले। फिर ल्यूपिन ने धीरे से कहा, 'हैरी, मैं नहीं चाहूँगा कि तुम उस घटना के आधार पर अपने डैडी का मूल्यांकन करो। तब उनकी उम्र सिर्फ़ पंद्रह साल थी –'

हैरी ने गर्मी से कहा, 'मैं भी तो पंद्रह साल का हूँ!'

'देखो हैरी,' सिरियस ने तसल्ली देते हुए कहा, 'जेम्स और स्नेप ने जब एक-दूसरे को पहली बार देखा था, उसी पल से वे एक-दूसरे से नफ़रत करने लगे थे। समझ गए ? मुझे लगता है कि स्नेप जो कुछ बनना चाहता था, वह सब कुछ जेम्स के पास था – वह लोकप्रिय था, वह क्विडिच में निपुण था – लगभग हर चीज़ में अच्छा था। और स्नेप बस एक अटपटा सा लड़का था, जो गुप्त कलाओं में खोया रहता था और हैरी, याद रखना कि जेम्स तुम्हें चाहे जैसा भी नज़र आए, वह हमेशा गुप्त कलाओं से नफ़रत करता था।'

हैरी ने कहा, 'वह तो ठीक है, लेकिन उन्होंने अकारण ही स्नेप पर हमला कर दिया था, सिर्फ़ इसलिए – हाँ, सिर्फ़ इसलिए क्योंकि तुम बोर हो रहे थे,' उसने माफ़ी के अंदाज़ में अपनी बात पूरी की।

सिरियस ने जल्दी से कहा, 'मुझे उस घटना पर गर्व नहीं है।'

ल्यूपिन ने सिरियस को कनखियों से देखकर कहा, 'देखो हैरी, तुम्हें यह समझ लेना चाहिए कि तुम्हारे डैडी और सिरियस स्कूल में हर मामले में सर्वश्रेष्ट थे - सभी उन्हें बहुत शानदार मानते थे - अगर वे कभी-कभार सीमाएँ लाँघ गए -'

सिरियस बोला, 'अगर हम कभी-कभार घमंडी और शरारती हो गए, तो उससे क्या ?'

ल्यूपिन मुस्कराए।

हैरी ने दर्द भरी आवाज़ में कहा, 'वे अपने बालों पर हाथ फेरते रहते थे।'

सिरियस और ल्यूपिन हँस पड़े।

सिरियस ने प्यार से कहा, 'मैं तो भूल ही गया था कि वह ऐसा करता था।'

ल्यूपिन ने उत्सुकता से पूछा, 'क्या वह सुनहरी गेंद से खेल रहा था ?'

'हाँ,' हैरी ने कहा और बिना समझे देखा कि सिरियस और ल्यूपिन पुरानी यादों को ताज़ा करते हुए मुस्करा रहे थे। 'देखिए ... मुझे वे थोड़े मूर्ख लगे।'

'ज़ाहिर है वह थोड़ा मूर्ख था!' सिरियस ने हौसला बढ़ाते हुए कहा, 'हम सभी मूर्ख थे! शायद मूनी उतना मूर्ख नहीं था,' उसने ल्यूपिन की तरफ़ देखते हुए न्यायपूर्ण आवाज़ में कहा।

लेकिन ल्यूपिन अपना सिर हिलाकर बोले, 'क्या मैंने तुम्हें स्नेप पर हमला करने से रोका ? क्या मेरी कभी तुमसे कहने की हिम्मत हुई कि मेरे हिसाब से तुम लोग ग़लत काम कर रहे थे ?'

सिरियस ने कहा, 'लेकिन कई बार तुम्हारे कारण हम शर्मिंदा महसूस करने लगते थे ... यह भी कोई कम बात नहीं थी ...'

हैरी ने ठान लिया था कि आज वह अपने दिल की हर बात कह देगा। उसने आगे कहा, 'वे झील के पास लड़कियों की तरफ़ देखते रहते थे और उम्मीद करते थे कि वे उन्हें देखें!'

सिरियस ने कंधे उचकाते हुए कहा, 'ओह देखो, लिली के आस-पास होने पर वह हमेशा इसी तरह की मूर्खता करता था। जब भी वह उसके आस-पास होता था, तो शान झाड़ने का कोई मौक़ा नहीं छोड़ता था।'

'तो फिर मेरी माँ ने उनसे शादी क्यों की ?' हैरी ने दुखी मन से पूछा। 'वे तो उनसे नफ़रत करती थीं!'

सिरियस ने कहा, 'नहीं, वे नफ़रत नहीं करती थीं।'

ल्यूपिन बोले, 'लिली ने उसके साथ सेवन्थ ईयर में घूमना शुरू किया था।'

'जब जेम्स ने ख़ुद पर थोड़ा क़ाबू कर लिया,' सिरियस ने कहा।

'और सिर्फ़ अपने मज़े के लिए लोगों पर जादू करना छोड़ दिया,' ल्यूपिन ने कहा।

हैरी ने पूछा, 'स्नेप पर भी?'

ल्यूपिन ने धीरे से कहा, 'देखो, स्नेप एक ख़ास मामला था। मेरा मतलब है, वह कभी जेम्स को शाप देने का कोई मौक़ा नहीं छोड़ता था, इसलिए तुम जेम्स से इसे बर्दाश्त करने की उम्मीद नहीं कर सकते, है ना?'

'और मेरी मम्मी को उससे **कोई दिक्क़त नहीं** हुई?'

'सच कहूँ, तो उन्हें इसके बारे में ज़्यादा कुछ पता ही नहीं चल पाया,' सिरियस ने कहा। 'मेरा मतलब है, जेम्स जब लिली को डेटिंग पर ले जाता था, तो स्नेप को साथ लेकर तो जाता नहीं था। वह इतनी सावधानी बरतता था कि लिली के सामने स्नेप पर मंत्र न पढ़े।'

सिरियस ने हैरी की तरफ़ त्योरियाँ चढ़ा लीं, जिसे अब भी यक़ीन नहीं हुआ था।

उसने कहा, 'देखो, तुम्हारे डैडी मेरे सबसे अच्छे दोस्त और बहुत अच्छे इंसान थे। पंद्रह साल की उम्र में बहुत से लोग मूर्खताएँ करते हैं। बाद में उन्होंने ऐसा करना छोड़ दिया।'

'**ठीक है**,' हैरी ने भारीपन से कहा। 'मैंने कभी सोचा भी नहीं था कि मुझे स्नेप के लिए अफ़सोस होगा।'

'अब तुमने यह बात छेड़ ही दी है,' ल्यूपिन ने कहा और उनकी भौंहों के बीच में एक हल्की सी लकीर पड़ गई, 'तो यह बताओ कि जब उसे पता चला कि तुमने यह सब देखा है, तो उसकी प्रतिक्रिया क्या थी?'

'उन्होंने मुझसे कह दिया कि वे मुझे फिर कभी गुप्तविद्या नहीं सिखाएँगे,' हैरी ने उदासीनता से कहा, 'जैसे यह कोई बड़ी निराशा की बात हो –'

'उसने **क्या** किया?' सिरियस चिल्लाया, जिससे हैरी उछल पड़ा और उसके मुँह में राख भर गई।

ल्यूपिन ने जल्दी से कहा, 'क्या तुम सच कह रहे हो, हैरी? उसने तुम्हें गुप्तविद्या सिखाना छोड़ दिया है?'

'हाँ,' हैरी ने उनकी अति-प्रतिक्रिया पर हैरान होते हुए कहा। 'लेकिन यह

ठीक है, मुझे कोई परवाह नहीं है। सच कहूँ तो इससे मुझे थोड़ी राहत मिली है –'

'मैं वहाँ आकर स्नेप से बात करता हूँ!' सिरियस ने ज़ोर देकर कहा और सचमुच उठने लगा, लेकिन ल्यूपिन ने उसका हाथ पकड़कर उसे बैठा दिया।

'अगर कोई स्नेप से बात करेगा, तो मैं करूँगा!' उन्होंने दृढ़ता से कहा। 'लेकिन हैरी, सबसे पहले तो तुम स्नेप से कहना कि उन्हें किसी भी हालत में सिखाना नहीं छोड़ना चाहिए – जब डम्बलडोर यह सुनेंगे –'

'मैं उनसे यह नहीं कह सकता, वे मुझे जान से मार डालेंगे!' हैरी ने हैरानी से कहा। 'जब हम स्मृतिपात्र से बाहर निकले थे, तो आपने उनका चेहरा नहीं देखा था।'

'हैरी, गुप्तविद्या सीखना तुम्हारे लिए जितना महत्वपूर्ण है, उतनी कोई और चीज़ नहीं है!' ल्यूपिन ने सख़्ती से कहा। 'तुम मेरी बात समझ गए। उसके अलावा कुछ भी महत्वपूर्ण नहीं है ?'

'**ठीक है, ठीक है**,' हैरी ने कहा, जो अब थोड़ा अशांत हो गया था और चिढ़ भी गया था। 'मैं ... मैं उनसे बात करने की कोशिश करूँगा ... लेकिन यह हो नहीं –'

वह ख़ामोश हो गया। उसे दूरी से क़दमों की आवाज़ सुनाई दे रही थी।

'क्या क्रीचर आ रहा है ?'

'नहीं,' सिरियस ने अपने पीछे देखते हुए कहा। 'तुम्हारी तरफ़ कोई होगा।'

हैरी का दिल धड़कना बंद हो गया।

'अच्छा तो अब मैं चलता हूँ!' उसने जल्दी से कहा और अपने सिर को ग्रिमॉल्ड चौक की आग में से पीछे की तरफ़ खींचा। एक पल के लिए उसका सिर उसके कंधों पर घूमता लगा, फिर उसने पाया कि वह अंबरिज की आग के सामने झुका हुआ है और हरी लपटों को बुझते देख रहा है।

'जल्दी, जल्दी!' उसे ऑफ़िस के दरवाज़े के बाहर एक घरघराती आवाज़ सुनाई दी। 'ओह, उन्होंने दरवाज़ा खुला छोड़ दिया है –'

हैरी अपने अदृश्य चोगे की तरफ़ लपका और वह उसे ख़ुद पर डालने में कामयाब हुआ ही था कि तभी फ़िल्च ऑफ़िस में घुस आया। वह किसी बात पर बहुत ख़ुश था और कमरे में चलते समय तेज़ी से ख़ुद से बातें कर रहा था। उसने अंबरिज की डेस्क की एक दराज़ खोली और उसके भीतर के काग़ज़ों को उलट-पलट करने लगा।

'कोड़े मारने की अनुमति ... कोड़े मारने की अनुमति ... अब मैं यह काम

कर सकता हूँ ... उन्हें बरसों से इसकी ज़रूरत थी ...'

उसने एक चर्मपत्र बाहर निकाला और उसे चूमकर सीने से लगा लिया। फिर वह तेज़ी से दरवाज़े के बाहर निकल गया।

हैरी उछलकर खड़ा हुआ। उसने यह सुनिश्चित किया कि उसका बैग उसके पास था और अदृश्य चोगा उसे पूरी तरह से ढँके हुए था। उसने दरवाज़ा खोला और फ़िल्च के पीछे ऑफ़िस से बाहर निकल गया, जो अब इतनी तेज़ी से चल रहा था, जितनी तेज़ी से हैरी ने पहले कभी उसे चलते हुए नहीं देखा था।

अंबरिज के ऑफ़िस से एक मंज़िल नीचे पहुँचकर हैरी ने सोचा कि अब वह सुरक्षित है और उसे अदृश्य रहने की ज़रूरत नहीं है। उसने चोगा उतारकर अपने बैग में रख लिया और तेज़ी से आगे बढ़ा। प्रवेश हॉल से काफ़ी चिल्लानें और शोर-शराबे की आवाज़ें आ रही थीं। वह संगमरमर की सीढ़ियों पर नीचे की तरफ़ भागा और उसने देखा कि स्कूल के ज़्यादातर विद्यार्थी वहाँ पर जमा थे।

यह उसी रात जैसा माहौल था, जब ट्रिलोनी को निकाला गया था। हैरी ने देखा कि विद्यार्थी एक बड़ा गोला बनाकर दीवारों के पास खड़े थे (उनमें से कुछ तो दुर्गंधद्रव जैसे किसी पदार्थ में सने हुए थे)। भीड़ में टीचर्स और भूत भी शामिल थे। प्रशासकीय दस्ते के सदस्य दर्शकों में सबसे प्रमुख थे, जो बहुत ख़ुश दिख रहे थे। पीव्ज़ ऊपर मँडरा रहा था और फ्रेड तथा जॉर्ज को देख रहा था, जो बीचोबीच इस तरह खड़े थे, जैसे फँस चुके हों।

'तो!' अंबरिज ने विजयी भाव से कहा। हैरी को एहसास हुआ कि वे उससे कुछ सीढ़ियाँ दूर खड़ी थीं और एक बार फिर अपने शिकारों को देख रही थीं। 'तो - तुमने सोचा कि स्कूल के गलियारे को कचराघर बनाना बड़ा मज़ेदार होगा, है ना?'

'बहुत मज़ेदार, हाँ,' फ्रेड ने निडरता से उनकी तरफ़ देखते हुए कहा।

फ़िल्च अंबरिज के क़रीब पहुँच गया। उसकी शक्ल देखकर ऐसा लग रहा था, जैसे वह ख़ुशी के मारे रोने वाला हो।

'मैं फ़ॉर्म ले आया हूँ, हेडमिस्ट्रेस,' उसने भर्राई आवाज़ में कहा और उस चर्मपत्र को लहराया, जिसे हैरी ने उसे डेस्क से निकालते देखा था। 'मैं फ़ॉर्म ले आया हूँ और मेरे कोड़े इंतज़ार कर रहे हैं ... ओह, अब मुझे यह काम करने का मौक़ा दें ...'

उन्होंने कहा, 'बहुत अच्छा, आर्गस।' फिर उन्होंने फ्रेड और जॉर्ज की तरफ़ देखते हुए आगे कहा, 'तुम दोनों अब यह सीखोगे कि मेरे स्कूल में ग़लत काम करने वालों के साथ क्या होता है।'

फ्रेड ने कहा, 'हमें नहीं लगता कि हम यह सीखेंगे।'

वह अपने जुडवाँ भाई की तरफ़ मुड़ा।

फ्रेड ने कहा, 'जॉर्ज, मुझे लगता है कि हम अब स्कूल की पढ़ाई से आगे निकल चुके हैं।'

'हाँ, मुझे भी ऐसा ही लगता है,' जॉर्ज ने हल्के से कहा।

'अब असली दुनिया में अपनी प्रतिभग दिखाने का वक़्त आ चुका है, तुम्हें क्या लगता है?' फ्रेड ने पूछा।

'निश्चित रूप से,' जॉर्ज ने कहा।

और इससे पहले कि अंबरिज एक शब्द भी कह पाएँ, उन्होंने अपनी छड़ियाँ उठा लीं और एक साथ चिल्लाए :

'आगमनो झाड़ू!'

हैरी को दूर कहीं पर ज़ोरदार धमाके की आवाज़ आई। बाईं तरफ़ देखने पर वह समय रहते झुक गया। फ्रेड और जॉर्ज की झाड़ुएँ गलियारे में से अपने मालिकों के पास आ रही थीं। उनमें से एक में तो अब भी वह भारी जंज़ीर और लोहे की खूँटी बँधी थी, जिससे अंबरिज ने उन्हें दीवार से बाँधा था। झाड़ुएँ बाईं तरफ़ मुड़कर सीढ़ियों से नीचे आईं और जुड़वाँ भाइयों के सामने रुक गईं। जंज़ीर पत्थर के फ़र्श से टकराकर आवाज़ करने लगी।

'हम आपको नहीं मिलेंगे,' फ्रेड ने प्रोफ़ेसर अंबरिज से कहा और अपनी झाड़ू पर पैर डाला।

'हाँ, हमसे संपर्क करने का कष्ट मत करना,' जॉर्ज ने भी अपनी झाड़ू पर चढ़ते हुए कहा।

फ्रेड ने जमा विद्यार्थियों की भीड़ की तरफ़ देखा।

उसने तेज़ आवाज़ में कहा, 'अगर किसी को चलित कूड़ाघर ख़रीदना हो, जैसा ऊपर की मंज़िल पर दिख रहा है, तो वह छूमंतर गली में तेरानवे नंबर की दुकान में आ जाए - हमारी दुकान का नाम है वीज़्ली जादूगरी दुकान।'

'हॉगवर्ट्स के उन विद्यार्थियों को विशेष डिस्काउंट, जो यह वादा करेंगे कि वे हमारे प्रॉडक्ट्स का इस्तेमाल इस खूसट बुढ़िया से छुटकारा पाने के लिए करेंगे,' जॉर्ज ने प्रोफ़ेसर अंबरिज की तरफ़ इशारा करते हुए कहा।

'उन्हें रोको!' अंबरिज चीख़ीं, लेकिन तब तक बहुत देर हो चुकी थी। जब प्रशासकीय दस्ते के सदस्य क़रीब आने लगे, जो फ्रेड और जॉर्ज ने फ़र्श पर लात मारी और हवा में पंद्रह फ़ुट ऊपर पहुँच गए। लोहे की खूँटी ख़तरनाक

तरीक़े से नीचे लहरा रही थी। फ़्रेड ने भीड़ के ऊपर अपने पास मँडरा रहे भूत की तरफ़ देखा।

'हमारी तरफ़ से उनकी ज़िंदगी नर्क बना देना, पीव्ज़।'

हैरी ने पहले कभी पीव्ज़ को किसी विद्यार्थी का आदेश मानते नहीं देखा था, लेकिन इस बार उसने अपना हैट सिर से उतारकर वीज़्ली भाइयों को सलाम किया। जब फ़्रेड और जॉर्ज मुड़े, तो नीचे विद्यार्थियों ने जमकर तालियाँ बजाईं और दोनों भाई सामने वाले दरवाज़े से बाहर निकलकर बेहतरीन सूर्यास्त में पहुँच गए।

अध्याय तीस

ग्रॉप

फ्रेड और जॉर्ज के आज़ाद होकर भागने की कहानी अगले कुछ दिनों तक बार-बार सुनाई गई। हैरी समझ गया कि यह जल्दी ही हॉगवर्ट्स की दंतकथाओं में शामिल हो जाएगी। एक सप्ताह के भीतर प्रत्यक्षदर्शियों को भी आधा यक़ीन हो चुका था कि जुड़वाँ भाइयों ने बाहर निकलने से पहले अपनी झाड़ुओं से अंबरिज को घायल किया था और उन पर गोबरबम फेंके थे। उनके जाने के तत्काल बाद उनकी नक़ल करने की लहर सी दौड़ गई थी। हैरी ने बार-बार विद्यार्थियों को इस तरह की बातें करते सुना - 'सच कहूँ, तो मुझे भी ऐसा लगता है कि किसी दिन अपनी झाड़ू पर बैठकर यहाँ से बाहर निकल जाऊँ,' या फिर, 'इस तरह की एक और क्लास हुई, तो मैं वीज़्ली भाइयों के पदचिन्हों पर चल सकता हूँ।'

फ्रेड और जॉर्ज ने यह पक्का कर लिया था कि कोई भी उन्हें जल्दी न भूल पाए। एक बात तो यह थी कि उन्होंने उस कचरे को हटाने का तरीक़ा नहीं बताया था, जो पाँचवीं मंज़िल के पूर्वी खंड के गलियारे में भरा हुआ था। अंबरिज और फ़िल्च ने उसे हटाने के कई तरीक़े आज़माए, लेकिन उन्हें कोई सफलता नहीं मिली। अंततः उस इलाक़े पर रस्सियाँ लगा दी गईं और ग़ुस्से से दाँत किटकिटाते हुए फ़िल्च को विद्यार्थियों को उसके पार पहुँचाने का काम सौंपा गया। हैरी को यक़ीन था कि मैक्गॉनेगल या फ़्लिटविक जैसे टीचर उस कचरे को एक पल में हटा सकते थे, लेकिन फ्रेड और जॉर्ज के पटाख़ों के मामले की तरह ही इस बार भी उन्हें अंबरिज को परेशान देखना अच्छा लग रहा था।

अंबरिज के ऑफ़िस के दरवाज़े पर झाड़ू की आकृति के दो बड़े-बड़े छेद हो गए थे। फ्रेड और जॉर्ज की क्लीनस्वीप झाड़ुएँ अपने मालिकों के पास पहुँचने के लिए दरवाज़े को फोड़कर निकली थीं। फ़िल्च ने एक नया दरवाज़ा लगा दिया और हैरी की फ़ायरबोल्ट को तहख़ाने में पहुँचा दिया। हॉगवर्ट्स में यह अफ़वाह

फैल गई कि इसकी रखवाली के लिए अंबरिज ने एक हथियारबंद सुरक्षा दैत्य को तैनात कर दिया था। बहरहाल, अंबरिज की मुश्किलें अभी ख़त्म नहीं हुई थीं।

फ्रेड और जॉर्ज के उदाहरण से प्रेरित होकर बहुत से विद्यार्थी अब सबसे ख़ुराफ़ाती विद्यार्थी के ख़ाली पद पर आसीन होने के लिए संघर्ष कर रहे थे। नए दरवाज़े के बावजूद कोई विद्यार्थी अंबरिज के ऑफ़िस में एक स्वर्णखोजी पहुँचाने में कामयाब हो गया। बालों भरी थूथन वाले इस स्वर्णखोजी ने चमकदार चीज़ों की खोज में पूरी जगह को तहस-नहस कर दिया। जब अंबरिज अंदर घुसीं, तो इसने उन पर भी छलाँग लगा दी और उनकी गाँठदार उँगलियों से अँगूठियों को कुतरने की कोशिश करने लगा। अब गलियारों में गोबरबम और दुर्गंधबम अक्सर फूटते रहते थे। ये ख़ुराफ़ातें इतनी ज़्यादा बढ़ गईं कि विद्यार्थी अपनी क्लासों से निकलते समय बुलबुला-मस्तक सम्मोहन कर लेते थे, ताकि ताज़ी हवा मिलती रहे। हालाँकि इससे वे बड़े अजीब दिखते थे और ऐसा लगता था, जैसे उन्होंने अपने सिरों पर गोल्डफ़िश के प्याले उल्टे लगा रखे हों।

फ़िल्च अपने हाथ में चाबुक लेकर घूमता रहता था और शैतान विद्यार्थियों को पकड़ने की ताक में रहता था। समस्या यह थी कि शैतान विद्यार्थी इतने सारे थे कि उसे पता ही नहीं रहता था कि किस तरफ़ जाए। प्रशासकीय दस्ता उसकी मदद करने की कोशिश कर रहा था, लेकिन इसके सदस्यों के साथ अजीब दुर्घटनाएँ हो रही थीं। नागशक्ति की क्विडिच टीम का वॉरिंगटन अस्पताल में भर्ती हो गया, क्योंकि उसे भयंकर चर्मरोग हो गया था। ऐसा लग रहा था, जैसे किसी ने उसकी चमड़ी पर कॉर्नफ़्लेक्स की परत चढ़ा दी थी। हर्माइनी को यह देखकर ख़ुशी हुई कि पैन्सी पार्किन्सन को अगले दिन अपनी सभी क्लासें छोड़नी पड़ीं, क्योंकि उसके सींग उग आए थे।

इस दौरान यह स्पष्ट हो गया कि हॉगवर्ट्स छोड़ने से पहले फ्रेड और जॉर्ज ने बहुत सारी गोतामार टॉफ़ियाँ बेच डाली थीं। अंबरिज के क्लासरूम में घुसते ही वहाँ जमा विद्यार्थी उल्टी करने लगते थे, बेहोश हो जाते थे, उन्हें तेज़ बुखार चढ़ जाता था या वे दोनों नथुनों से ख़ून बहाने लगते थे। ग़ुस्से और कुंठा से चिल्लाती अंबरिज ने इन रहस्यमय लक्षणों का कारण पता करने की कोशिश की, लेकिन विद्यार्थियों ने उन्हें साफ़ बता दिया कि वे 'अंबरिजाइटिस' रोग से पीड़ित हैं। पूरी क्लास को चार बार लगातार सज़ा देने के बावजूद जब उन्हें उनका राज़ मालूम नहीं चल पाया, तो उन्हें मजबूरन हार माननी पड़ी। आख़िर मन मारकर उन्हें ख़ून बहाते, बेहोश होते, पसीना-पसीना होते और उल्टी करते विद्यार्थियों को अपनी क्लास से बड़ी संख्या में बाहर जाने की अनुमति देनी पड़ी।

लेकिन गोतामार टॉफ़ियों का प्रयोग करने वाले विद्यार्थी भी हंगामा मचाने में उस्ताद पीव्ज़ से मुक़ाबला नहीं कर पाए, जिसने फ्रेड के आख़िरी शब्दों

को दिल पर ले लिया था। पागलों की तरह खी-खी करता हुआ वह स्कूल भर में उड़ता रहता था, टेबलें पलटाता था, ब्लैकबोर्डों में से निकल पड़ता था तथा मूर्तियों और गुलदानों को गिरा देता था। दो बार उसने मिसेज़ नॉरिस को सूट ऑफ़ आर्मर में बंद कर दिया। जब मिसेज़ नॉरिस वहाँ पर ज़ोर-ज़ोर से रोने लगी, तो नाराज़ चौकीदार को उसे निकालने आना पड़ा। पीव्ज़ ने लालटेनें तोड़ दीं और मोमबत्तियाँ बुझा दीं। उसने चीख़ते हुए विद्यार्थियों के सिर के ऊपर जलती हुई मशालें फेंकीं, जिससे चर्मपत्र जल गए या खिड़की से बाहर चले गए। पीव्ज़ ने दूसरी मंज़िल के बाथरूमों के सभी नल खोल दिए, जिससे वहाँ बाढ़ आ गई। उसने नाश्ते के दौरान बड़े हॉल के बीच में टारनटुला का बैग गिरा दिया। जब भी वह आराम करने के मूड में होता था, तो वह अंबरिज के पीछे-पीछे तैरता था और उनके कुछ बोलते समय उनके मुँह पर रास्पबेरीज़ फेंकने लगता था।

फ़िल्च को छोड़कर स्टाफ़ का कोई भी सदस्य अंबरिज की मदद करने की कोशिश नहीं कर रहा था। दरअसल, फ्रेड और जॉर्ज के भाग निकलने के एक सप्ताह बाद हैरी ने देखा कि पीव्ज़ काँच के एक फ़ानूस को ढीला कर रहा था। तभी वहाँ से प्रोफ़ेसर मैक्गॉनेगल निकलीं। हैरी क़सम खा सकता था कि मैक्गॉनेगल ने पीव्ज़ से धीरे से कहा था, 'यह दूसरी तरफ़ खुलता है।'

इससे भी बड़ी बात यह थी कि मॉन्टेग्यू अब भी टॉयलेट की यात्रा से नहीं उबर पाया था। वह दुविधा और असमंजस में था। एक दिन मंगलवार की सुबह उसके माता-पिता स्कूल आ गए। वे बहुत नाराज़ दिख रहे थे।

'क्या हमें उन्हें कुछ बताना चाहिए?' हर्माइनी ने चिंता भरी आवाज़ में कहा और अपने गाल को सम्मोहन की खिड़की पर दबाया, ताकि वह मिस्टर और मिसेज़ मॉन्टेग्यू को अंदर जाते देख सके। 'क्या हमें बताना चाहिए कि उसके साथ क्या हुआ था? शायद इससे मैडम पॉमफ्री को उसके इलाज में मदद मिल जाए?'

रॉन ने बिना किसी चिंता के कहा, 'नहीं, वह ठीक हो जाएगा।'

हैरी ने संतोष भरी आवाज़ में कहा, 'वैसे भी, यह अंबरिज के लिए एक और दिक्क़त है, है ना?'

उसने और रॉन ने अपने चाय के कप को ठोंका, जिस पर उन्हें अपनी छड़ियों से जादू करना था। हैरी के कप में चार पैर उग गए, हालाँकि बहुत छोटे होने के कारण वे डेस्क तक नहीं पहुँच पाए और हवा में ही कसमसाते रहे। रॉन के कप में बहुत पतले कमज़ोर पैर उगे, जो कप को डेस्क पर गिरने से बड़ी मुश्किल से रोक पा रहे थे। कुछ देर तक काँपने के बाद वे मुड़ गए, जिसकी वजह से कप के दो टुकड़े हो गए।

'*मरम्मतो*,' हर्माइनी ने जल्दी से कहा और अपनी छड़ी लहराकर रॉन का कप जोड़ दिया। 'वह तो ठीक है, लेकिन अगर मॉन्टेग्यू कभी ठीक न हो पाए तो?'

'किसे परवाह है?' रॉन ने चिढ़कर कहा, जब उसका कप दोबारा लड़खड़ाने लगा और कप के घुटने बुरी तरह से काँपने लगे। 'मॉन्टेग्यू को गरुड़द्वार के पॉइंट कम करने की कोशिश नहीं करनी चाहिए थी, है ना? हर्माइनी, अगर तुम किसी के बारे में चिंता करना ही चाहती हो, तो मेरे बारे में चिंता करो!'

'तुम्हारे बारे में?' हर्माइनी ने अपने कप को पकड़ते हुए कहा, जब यह अपने चार मज़बूत लकड़ी के पैरों के सहारे डेस्क पर भागने लगा। हर्माइनी ने उसे अपने सामने रखते हुए कहा, 'मैं तुम्हारे बारे में चिंता क्यों करूँ?'

रॉन अब भी अपने कप को पकड़े हुए था, क्योंकि इसके कमज़ोर पैर इसका वज़न नहीं सँभाल पा रहे थे। उसने कटुता से कहा, 'जब अंबरिज की निगरानी के बाद मम्मी की अगली चिट्ठी आएगी, तो मैं बहुत गंभीर मुश्किल में फँस जाऊँगा। अगर वे फिर से भोंपू भेज दें, तो भी मुझे हैरानी नहीं होगी।'

'लेकिन –'

रॉन बुझे स्वर में बोला, 'वे कहेंगी कि फ़्रेड और जॉर्ज मेरी ग़लती की वजह से चले गए। वे कहेंगी कि मुझे उन्हें रोकना चाहिए था, मुझे उनकी झाड़ुओं की पूँछ पकड़कर लटक जाना चाहिए था ... हाँ, यह सब मेरी ग़लती होगी।'

'देखो, अगर वे *ऐसा* कहती हैं, तो यह सरासर अन्याय है, क्योंकि तुम कुछ भी नहीं कर सकते थे! लेकिन मुझे यक़ीन है कि वे ऐसा नहीं करेंगी। मेरा मतलब है, अगर उन्होंने छूमंतर गली में दुकान ले ली है, तो वे बरसों से इसकी योजना बना रहे होंगे।'

'हाँ, लेकिन एक बात तो यह है कि उन्होंने दुकान ली कैसे?' रॉन ने कहा और कप पर छड़ी इतनी कसकर ठोंकी कि इसके पैर दोबारा गिर गए और यह उसके सामने काँपता हुआ पड़ा रहा। 'मामला थोड़ा संदिग्ध है, है ना? छूमंतर गली में किराए की दुकान लेने के लिए उन्हें बहुत से गैलियनों की ज़रूरत पड़ी होगी। मम्मी यह ज़रूर जानना चाहेंगी कि आख़िर मेरे भाइयों ने ऐसा क्या काम किया है, जिससे उनके पास इतना सारा पैसा आ गया।'

'हाँ, यह मेरे मन में भी आया था,' हर्माइनी ने अपने कप को हैरी के कप के चारों तरफ़ चक्कर लगाने की छूट देते हुए कहा। हैरी के कप के छोटे पैर अब भी डेस्क तक नहीं पहुँच पा रहे थे। 'मैं सोच रही थी कि क्या मंडंगस ने उन्हें चोरी का सामान बेचने या कोई और ग़ैर-क़ानूनी काम करने के लिए राज़ी कर लिया है।'

हैरी बोला, 'ऐसा कुछ भी नहीं है।'

रॉन और हर्माइनी ने एक साथ पूछा, 'तुम्हें कैसे मालूम ?'

'क्योंकि –' हैरी झिझका, लेकिन आख़िर स्वीकार करने का वक़्त आ चुका था। अब ख़ामोश रहने से कोई फ़ायदा नहीं था, वरना लोग यह शक करेंगे कि फ्रेड और जॉर्ज ने कोई ग़लत काम करके रक़म हासिल की थी। 'क्योंकि उन्हें गैलियन मैंने दिए थे। मैंने पिछले जून में त्रिकोणीय टूर्नामेंट में जीती हुई रक़म उन्हें दे दी थी।'

सदमे भरी ख़ामोशी छा गई। फिर हर्माइनी का कप डेस्क के किनारे तक गया और नीचे गिरकर टूट गया।

उसने कहा, 'ओह हैरी, तुमने *ऐसा किया ?*'

'हाँ, मैंने किया,' हैरी ने बग़ावत के अंदाज़ में कहा। 'और मुझे इसका कोई पछतावा नहीं है। मुझे उस पैसे की ज़रूरत नहीं थी और उनकी जोक शॉप बहुत अच्छी चलेगी।'

'यह तो बहुत बढ़िया है!' रॉन ने रोमांचित दिखते हुए कहा। 'यह सब तुम्हारी ग़लती है, हैरी – अब मम्मी मुझे दोष नहीं दे सकतीं! क्या मैं उन्हें यह बात बता सकता हूँ ?'

हैरी ने नीरसता से कहा, 'हाँ, मुझे लगता है कि यही अच्छा रहेगा, वरना वे सोच सकती हैं कि फ्रेड और जॉर्ज चोरी की कड़ाहियाँ बेचने लगे हैं या कोई और ग़ैर-क़ानूनी काम करने लगे हैं।'

हर्माइनी बाक़ी की क्लास में कुछ नहीं बोली, लेकिन हैरी को लग रहा था कि उसका आत्म-नियंत्रण जल्दी ही ख़त्म हो जाएगा। और यही हुआ भी। जब वे ब्रेक में महल की तरफ़ लौट रहे थे और मई की हल्की धूप में खड़े थे, तो उसने हैरी पर अपनी नज़रें जमाईं और संकल्प के भाव से अपना मुँह खोला।

उसके कुछ बोलने से पहले ही हैरी बोल पड़ा।

वह दृढ़ता से बोला, 'अब मुझे परेशान करने से कोई फ़ायदा नहीं है। यह काम हो चुका है! फ्रेड और जॉर्ज को सोना मिल चुका है – और ऐसा लगता है कि उन्होंने उसमें से ज़्यादातर ख़र्च भी कर दिया है – मैं उनसे सोना वापस नहीं ले सकता और लेना भी नहीं चाहता हूँ। इसलिए बोलने का कष्ट मत करो, हर्माइनी।'

हर्माइनी ने आहत आवाज़ में कहा, 'मैं फ्रेड और जॉर्ज के बारे में नहीं बोलने वाली थी!'

रॉन हैरान होकर हँस दिया और हर्माइनी ने उसे बहुत ग़ुस्से से देखा।

'नहीं, मैं ऐसा नहीं करने वाली थी!' हर्माइनी ने नाराज़ होते हुए कहा। 'सच तो यह है कि मैं हैरी से यह पूछने वाली थी कि वह स्नेप के पास जाकर गुप्तविद्या सीखने का आग्रह कब करेगा!'

हैरी का दिल डूब गया। फ्रेड और जॉर्ज के नाटकीय कारनामे पर कई घंटे की बातचीत के बाद यह विषय ख़त्म हो चुका था। अब रॉन और हर्माइनी सिरियस की ख़बर सुनना चाहते थे। चूँकि हैरी ने उन्हें सिरियस से बातचीत करने का कारण नहीं बताया था, इसलिए यह बहुत मुश्किल था कि वह उन्हें क्या बताए। आख़िर उसने यह सच्चाई ज़रूर बता दी कि सिरियस चाहता था कि हैरी दोबारा गुप्तविद्या का अभ्यास शुरू कर दे। वह तभी से इस बात पर पछता रहा था। हर्माइनी इस विषय को छोड़ ही नहीं रही थी और हैरी को जब बिलकुल भी उम्मीद नहीं होती थी, तब वह यह विषय छेड़ देती थी।

हर्माइनी ने उससे कहा, 'तुम यह नहीं कह सकते कि अब तुम्हें अजीब सपने नहीं आ रहे हैं। रॉन ने मुझे बताया है कि तुम कल रात को नींद में एक बार फिर बड़बड़ा रहे थे।'

हैरी ने रॉन को ग़ुस्से से देखा। रॉन ने शर्मिंदा होने का नाटक किया।

'तुम सिर्फ़ बुदबुदा रहे थे,' उसने माफ़ी माँगने के अंदाज़ में कहा। 'तुम बस कह रहे थे, "थोड़ी और दूर"।'

'मैं सपने में तुम लोगों को क्विडिच खेलते देख रहा था,' हैरी ने क्रूरता से झूठ बोल दिया। 'मैं तुमसे यह कह रहा था कि तूफ़ान को पकड़ने के लिए तुम्हें थोड़ी और दूर जाना चाहिए।'

रॉन के कान लाल हो गए। हैरी को प्रतिशोध का आनंद महसूस हुआ। ज़ाहिर है, उसने सपने में इस तरह की कोई चीज़ नहीं देखी थी।

पिछली रात को उसने सपने में एक बार फिर रहस्य विभाग के गलियारे की यात्रा की थी। वह गोलाकार कमरे से गुज़रते हुए नाचती रोशनी से भरे कमरे में पहुँचा था। इसके बाद वह एक बार फिर उस गुफा जैसे कमरे में पहुँच गया था, जिसमें शेल्फ़ों पर काँच के धूल खाए गोले रखे थे।

वह तेज़ी से लाइन क्रमांक सन्तानवे की तरफ़ गया था, बाईं ओर मुड़ा था ... शायद यहीं पर उसने ज़ोर से बोला होगा ... *बस थोड़ी और* दूर ... क्योंकि उसने महसूस किया था कि उसका चेतन मन जागने के लिए छटपटा रहा था ... और इससे पहले कि वह लाइन के सिरे तक पहुँच पाता, उसने पाया कि वह बिस्तर पर लेटा हुआ है और अपने पलंग के ऊपर की मसहरी को देख रहा है।

'तुम अपने दिमाग़ को सुरक्षित रखने की *कोशिश* कर रहे हो, है ना?'

हर्माइनी ने हैरी की तरफ़ कनखियों से देखते हुए कहा। 'तुम गुप्तविद्या का अभ्यास ठीक से कर रहे हो?'

'ज़ाहिर है, मैं कर रहा हूँ,' हैरी ने इस तरह कहने की कोशिश की, जैसे यह सवाल अपमानजनक हो, लेकिन उससे आँख नहीं मिलाई। सच तो यह था कि वह बहुत जिज्ञासु हो गया था। वह यह जानना चाहता था कि धूल खाए गोलों वाले उस कमरे में क्या था, इसलिए वह चाहता था कि सपनों का सिलसिला चलता रहे।

समस्या यह थी कि परीक्षा में अब बस एक महीना बचा था। सारा ख़ाली समय रिवीज़न में लग रहा था। बिस्तर पर पहुँचने तक उसके दिमाग़ में इतनी सारी चीज़ें रहती थीं कि उसे सोने में भी बड़ी मुश्किल आती थी। नींद में उसका थका हुआ दिमाग़ ज़्यादातर रातों को परीक्षाओं के बारे में मूर्खतापूर्ण सपने दिखाता था। उसे यह भी शक था कि उसके दिमाग़ का एक हिस्सा – वह हिस्सा जो अक्सर हर्माइनी की आवाज़ में बोलता था – गलियारे वाले सपने देखने पर अपराधबोध से ग्रस्त हो जाता था। जब हैरी काले दरवाज़े पर ख़त्म होने वाले गलियारे में चलता था, तो दिमाग़ का यही हिस्सा उसकी यात्रा पूरी होने से पहले उसे जगाने की कोशिश करता था।

'तुम जानते हो,' रॉन ने कहा, जिसके कान अब भी लाल थे, 'अगर मॉन्टेग्यू नागशक्ति और मेहनतकश वाले मैच से पहले ठीक नहीं होता है, तो हम अब भी कप जीत सकते हैं।'

बातचीत का विषय बदलने से हैरी ख़ुश हो गया और उसने कह दिया, 'हाँ, मुझे भी ऐसा ही लगता है।'

'मेरा मतलब है, हम एक मैच जीत गए हैं, एक हार गए हैं – अगर नागशक्ति अगले शनिवार को मेहनतकश से हार जाए –'

'हाँ, यह सही है,' हैरी ने कहा, हालाँकि उसे यह पता ही नहीं था कि वह किस बात पर हाँ कर रहा है। चो चैंग उसी समय अहाते के पास आई थी और ऐसा लग रहा था, जैसे वह उसकी तरफ़ न देखने का संकल्प कर चुकी थी।

क्विडिच का आख़िरी मैच गरुड़द्वार और चीलघात के बीच था। यह मई के आख़िरी वीकएंड में होने वाला था। इससे पहले वाले मैच में मेहनतकश टीम ने नागशक्ति टीम को बहुत कम अंतर से हरा दिया था, लेकिन इसके बावजूद गरुड़द्वार को जीत की उम्मीद नहीं थी। इसका कारण यह था कि रॉन की गोलकीपिंग का रिकॉर्ड बहुत ख़राब था। बहरहाल, अब रॉन में एक नया

आशावाद और जोश दिखने लगा।

मैच वाली सुबह नाश्ता करते समय रॉन ने हैरी और हर्माइनी से कहा, 'मेरा मतलब है, अब मेरा प्रदर्शन इससे बुरा तो हो नहीं सकता। अब खोने के लिए कुछ नहीं है, है ना?'

जब कुछ समय बाद हर्माइनी और हैरी बहुत ही रोमांचित भीड़ के साथ पिच की तरफ़ जाने लगे, तो हर्माइनी बोली, 'मुझे लगता है कि फ्रेड और जॉर्ज के नहीं रहने पर रॉन अच्छा खेल सकता है। वे लोग उसके आत्मविश्वास को कमज़ोर करते रहते थे।'

तभी लूना लवगुड उनके पास से निकल गई। उसके सिर के ऊपर एक ज़िंदा चील बैठी थी।

नागशक्ति के विद्यार्थी लूना को देखकर हँस रहे थे और इशारे कर रहे थे। चील के फड़फड़ाते पंख देखकर हर्माइनी ने कहा, 'ओह, मैं तो भूल ही गई थी! चो भी तो खेल रही होगी, है ना?'

हैरी यह बात नहीं भूला था, इसलिए उसने चुपचाप हाँ कर दी।

उन्हें दर्शकदीर्घा के सबसे ऊपर जगह मिली। आसमान साफ़ था और दिन सुहाना था। रॉन इससे बेहतर मौसम की उम्मीद नहीं कर सकता था। हैरी ने सोचा कि काश रॉन नागशक्ति वालों को 'वीज़्ली हमारा राजा है' वाला उत्तेजक गाना गाने का मौक़ा नहीं दे।

ली जॉर्डन हमेशा की तरह कमेंट्री कर रहा था, हालाँकि फ्रेड और जॉर्ज के जाने के बाद से वह काफ़ी हताश लग रहा था। जब टीमें पिच पर आईं, तो उसने खिलाड़ियों का परिचय हमेशा से थोड़े कम उत्साह से दिया।

उसने कहा, '... ब्रेडली ... डेवीज़ ... चैंग!' हैरी को लगा, जैसे उसका पेट हल्का सा उलट गया, जब चो पिच पर चलकर आई और उसके चमकते काले बाल हल्की हवा में उड़ने लगे। उसे यक़ीन नहीं था कि वह अब क्या चाहता था, सिवाय इसके कि अब वह और लड़ाइयाँ नहीं झेल सकता था। यहाँ तक कि जब उसने झाड़ुओं पर चढ़ते समय चो को रॉजर डेवीज़ से जोश से बातें करते देखा, तब भी उसे सिर्फ़ हल्की सी ईर्ष्या ही हुई।

'और वे उड़ चले हैं!' ली ने कहा। 'और डेवीज़ ने तत्काल तूफ़ान ले ली है। तूफ़ान चीलघात के कप्तान डेवीज़ के पास है। उसने जॉनसन को चकमा दिया, बेल को चकमा दिया और स्पिनेट को भी चकमा दे दिया ... अब वह सीधे गोल की तरफ़ बढ़ रहा है! वह मारने वाला है – और – और' ली ने ज़ोर से कहा। 'और उसने गोल कर दिया।'

हैरी और हर्माइनी भी बाक़ी गरुड़द्वार वालों के साथ कराहने लगे। जैसी आशंका थी, दूसरी तरफ़ की दर्शकदीर्घा में बैठे नागशक्ति वाले भयंकर तरीक़े से गाने लगे :

'वीज़्ली एक भी गोल नहीं बचा सकता,
वह एक भी रिंग सुरक्षित नहीं रख सकता ...'

'हैरी,' हैरी के कान में एक भर्राई हुई आवाज़ आई। 'हर्माइनी ...'

हैरी ने मुड़कर देखा। सीटों के बीच में हैग्रिड का विशाल चेहरा दिख रहा था। स्पष्ट रूप से वह पीछे वाली क़तार से जगह बनाकर आया होगा, क्योंकि वह फ़र्स्ट और सेकंड ईयर के जिन विद्यार्थियों के बीच से आया था, उनके चेहरे पर अजीब से भाव थे। किसी कारण से हैग्रिड झुका हुआ था, जैसे वह किसी को दिखना नहीं चाहता हो, हालाँकि वह अब भी विद्यार्थियों से कम से कम चार फ़ुट ऊँचा होगा।

उसने फुसफुसाकर कहा, 'सुनो, क्या तुम हमारे साथ चल सकते हो? अभी? जब बाक़ी सभी मैच देख रहे हैं?'

'अर ... क्या बाद में नहीं चल सकते, हैग्रिड?' हैरी ने पूछा। 'मैच ख़त्म होने के बाद?'

हैग्रिड बोला, 'नहीं हैरी, अभी चलना होगा ... जब बाक़ी लोगों का ध्यान दूसरी तरफ़ है ... प्लीज़?'

हैग्रिड की नाक से ख़ून टपक रहा था। उसकी दोनों आँखें काली थीं। स्कूल लौटने के बाद से हैरी ने पहली बार उसे इतने क़रीब से देखा था। उसकी हालत बहुत ही ख़राब दिख रही थी।

'ज़ाहिर है,' हैरी ने तत्काल कहा, 'ज़ाहिर है, हम चलेंगे।'

वह और हर्माइनी अपनी क़तार से धीरे-धीरे निकलने लगे। कुछ विद्यार्थी बड़बड़ाने लगे, जिन्हें उन्हें रास्ता देने के लिए खड़े होना पड़ा। हैग्रिड की क़तार के विद्यार्थी शिकायत नहीं कर रहे थे। वे तो ख़ुद को छोटे से छोटा बनाने की कोशिश कर रहे थे।

'हमें तुम दोनों की यह बात अच्छी लगी, सचमुच अच्छी लगी,' हैग्रिड ने कहा, जब वे सीढ़ियों तक पहुँचे। ढलान पर उतरते समय वह घबराकर चारों तरफ़ देखता रहा। 'हम बस यही उम्मीद करते हैं कि वे हमें जाते हुए देख न लें।'

'तुम्हारा मतलब अंबरिज से है?' हैरी ने कहा। 'वे नहीं देखेंगी। क्या तुम्हें दिख नहीं रहा है कि उनका पूरा प्रशासकीय दस्ता उनके साथ बैठा है? उन्हें

तो मैच में किसी हंगामे की आशंका होगी।'

'हाँ, अच्छा है, थोड़े-बहुत हंगामे से कोई नुक़सान नहीं होगा,' हैग्रिड ने कहा और दर्शकदीर्घा के कोने से झाँककर यह सुनिश्चित किया कि उसके केबिन तक का रास्ता ख़ाली था। 'उससे हमें ज़्यादा समय मिल जाएगा।'

'आख़िर बात क्या है, हैग्रिड?' हर्माइनी ने पूछा और चिंता से उसकी तरफ़ देखा, जब वे घास पर तेज़ी से चलते हुए जंगल के कोने की तरफ़ जाने लगे।

'तुम लोगों को एक मिनट में पता चल जाएगा,' हैग्रिड ने पीछे देखते हुए कहा, जब उन्हें पीछे दर्शकदीर्घा से तेज़ गर्जना सुनाई दी। 'सुनो – लगता है, किसी ने गोल कर दिया!'

'चीलघात ने किया होगा,' हैरी ने भारीपन से कहा।

'अच्छी बात है ... अच्छी बात है ...' हैग्रिड ने अनमने ढंग से कहा। 'अच्छी बात है ...'

उन्हें उसकी बराबरी पर चलने के लिए धीरे-धीरे दौड़ना पड़ रहा था, हालाँकि वह हर दूसरे क़दम पर मुड़-मुड़कर पीछे देख रहा था। जब वे उसके केबिन तक पहुँच गए, तो हर्माइनी के क़दम सामने वाले दरवाज़े की तरफ़ मुड़ गए। लेकिन हैग्रिड केबिन की तरफ़ नहीं गया। वह उसे पार करता हुआ जंगल के कोने वाले पेड़ों की छाया में पहुँच गया, जहाँ उसने एक पेड़ से टिका धनुष उठाया। जब उसे एहसास हुआ कि वे लोग उसके साथ नहीं हैं, तो वह मुड़ा।

उसने अपना खिचड़ी बालों वाला सिर हिलाते हुए कहा, 'हम लोग जंगल में जा रहे हैं।'

'जंगल में?' हर्माइनी ने परेशान दिखते हुए कहा।

'हाँ,' हैग्रिड ने कहा। 'जल्दी करो, वरना कोई देख लेगा!'

हैरी और हर्माइनी ने एक-दूसरे की तरफ़ देखा, फिर भागकर हैग्रिड के पीछे-पीछे पेड़ों में पहुँच गए, ताकि कोई उन्हें देख न पाए। हैग्रिड हरे पेड़ों के अँधेरे के बीच पहले ही जा चुका था और उसका धनुष उसकी बाँह पर था। हैरी और हर्माइनी को उसके नज़दीक पहुँचने के लिए भागना पड़ा।

हैरी ने पूछा, 'हैग्रिड, तुम हथियारबंद क्यों हो?'

हैग्रिड ने अपने विशाल कंधे उचकाते हुए कहा, 'बस सावधानी की ख़ातिर!'

'जब तुमने हमें थेस्ट्रॉल्स दिखाए थे, तब तो तुम अपना धनुष साथ नहीं लाए थे,' हर्माइनी ने कातरता से कहा।

'नहीं, देखो, तब हम इतनी दूर नहीं जा रहे थे,' हैग्रिड ने कहा। 'और वैसे भी, उस समय तक फ़िरेंज ने जंगल नहीं छोड़ा था, है ना?'

हर्माइनी ने जिज्ञासा से पूछा, 'फ़िरेंज के जंगल छोड़ने से इसका क्या संबंध है?'

'क्योंकि दूसरे सेनटॉर्स हमसे बहुत ग़ुस्सा हैं,' हैग्रिड ने धीरे से कहा और मुड़कर देखा। 'इससे पहले वे लोग – देखो, तुम उन्हें दोस्ताना तो नहीं कह सकते – लेकिन हमारी पटरी ठीक बैठती थी। वे अपने काम से काम रखते थे, लेकिन अगर हमें उनसे बात करनी होती थी, तो वे हमेशा आ जाते थे। अब ऐसा नहीं है।'

उसने गहरी आह भरी।

'फ़िरेंज ने कहा था कि वे इसलिए ग़ुस्सा हैं, क्योंकि वह डम्बलडोर के लिए काम करने चला गया,' हैरी ने कहा और एक बाहर निकलती जड़ में पैर उलझने के कारण गिरते-गिरते बचा, क्योंकि वह हैग्रिड की तरफ़ देख रहा था।

'हाँ,' हैग्रिड ने भारी आवाज़ में कहा। 'ग़ुस्सा थोड़ा कम शक्तिशाली शब्द है। वे लोग तो आगबबूला हैं। अगर हम बीच में नहीं आए होते, तो हमें लगता है कि उन्होंने लातें मार-मारकर फ़िरेंज की जान ले ली होती –'

हर्माइनी ने सदमे में आते हुए पूछा, 'उन्होंने उस पर हमला किया?'

'हाँ,' हैग्रिड ने रूखेपन से कहा और नीचे लटकती कई शाखाओं के बीच से रास्ता बनाया। 'उसके पीछे आधा झुंड पड़ गया था।'

'और तुमने उन्हें रोक दिया?' हैरी ने आश्चर्यचकित और प्रभावित होते हुए कहा। 'अकेले?'

हैग्रिड ने कहा, 'और क्या? हम उसे मरते हुए तो नहीं देख सकते थे, है ना? क़िस्मत अच्छी थी, जो हम वहीं से गुज़र रहे थे ... हमने सोचा था कि फ़िरेंज को यह बात याद रहेगी, लेकिन वह हमें मूर्खतापूर्ण चेतावनियाँ भेजने लगा!' उसने अप्रत्याशित गर्मजोशी से कहा।

हैरी और हर्माइनी ने हैरान होकर एक-दूसरे की तरफ़ देखा, लेकिन हैग्रिड ने त्योरियाँ चढ़ा लीं और आगे कुछ नहीं बोला।

सामान्य से थोड़ी ज़्यादा गहरी साँसें लेते हुए उसने कहा, 'तभी से सेनटॉर्स हमसे ग़ुस्सा हैं और दिक़्क़त यह है कि जंगल में उनका काफ़ी दबदबा है ... वे यहाँ रहने वाले सबसे चतुर प्राणी हैं।'

'क्या हम इसीलिए यहाँ आए हैं, हैग्रिड?' हर्माइनी ने कहा। 'सेनटॉर्स के कारण?'

'ओह नहीं,' हैग्रिड ने अपना सिर हिलाते हुए कहा, 'नहीं, उनके कारण नहीं आए हैं। ज़ाहिर है, वे समस्या को ज़्यादा जटिल बना सकते हैं ... लेकिन तुम लोग एक मिनट में हमारी बात का मतलब समझ जाओगे।'

इस अस्पष्ट बात के बाद वह ख़ामोश हो गया और थोड़ा आगे निकल गया। उसका एक क़दम उनके तीन क़दमों के बराबर था, जिस वजह से उन्हें बराबरी पर चलने में काफ़ी मुश्किल आ रही थी।

जब वे जंगल की गहराई में पहुँच गए, तो रास्ता बहुत सँकरा हो गया। यहाँ पेड़ इतने पास-पास थे कि शाम जैसा अँधेरा हो गया था। जल्दी ही वे लोग उस ख़ाली जगह से काफ़ी दूर पहुँच गए, जहाँ हैग्रिड ने उन्हें थेस्ट्रॉल्स दिखाए थे। हैरी को तब तक कोई परेशानी नहीं हुई, जब तक कि हैग्रिड अप्रत्याशित रूप से रास्ते से दूर नहीं गया और जंगल के अँधेरे में पेड़ों के बीच से रास्ता नहीं बनाने लगा।

'हैग्रिड!' हैरी ने मोटी झाड़ियों से जूझते हुए कहा, जिनके ऊपर हैग्रिड बड़ी आसानी से पैर रखकर निकल गया था। हैरी को याद आया कि जब वह पिछली बार जंगल के रास्ते से दूर गया था, तो उसके साथ क्या हुआ था। 'हम कहाँ जा रहे हैं ?'

'थोड़ी आगे,' हैग्रिड ने पीछे मुड़ते हुए कहा। 'चलो हैरी ... हमें अब एक साथ रहना चाहिए।'

हैग्रिड के साथ-साथ चलना बहुत कठिन काम था। शाखाओं और काँटेदार झाड़ियों के बीच से चलना बहुत मुश्किल था, हालाँकि हैग्रिड उनके बीच से उतनी ही आसानी से निकल जाता था, जैसे वे मकड़ी के जाले हों। बहरहाल, हैरी और हर्माइनी के दुशाले इन झाड़ियों में इतनी बुरी तरह उलझ रहे थे कि उन्हें छुड़ाने में कई मिनट लग जाते थे। हैरी के हाथ-पैर जल्दी ही छिल गए और कई जगह से कट-पिट गए। वे लोग अब जंगल में इतनी अंदर तक आ चुके थे कि हैरी को कई बार अँधेरे में सिर्फ़ अपने आगे हैग्रिड की विशाल आकृति ही दिख पाती थी। इस स्तब्ध ख़ामोशी में कोई भी आवाज़ डरावनी लगती थी। टहनी के टूटने की गूँज भी बहुत ज़ोर की होती थी। अगर कोई हल्के से भी हिलता था, जैसे कोई मासूम गौरैया, तो हैरी चौंककर अँधेरे में अपराधी की तलाश में देखने लगता था। उसने सोचा कि जंगल में अब तक उसे कोई प्राणी क्यों नहीं दिखा। बिना किसी से टकराए वह पहले कभी जंगल में इतनी दूर तक नहीं आया था। उनकी अनुपस्थिति उसे थोड़ी डरावनी लग रही थी।

हर्माइनी ने धीरे से कहा, 'हैग्रिड, क्या यह ठीक रहेगा, अगर हम अपनी छड़ी से रोशनी कर लें ?'

'अर ... ठीक है,' हैग्रिड ने फुसफुसाकर जवाब दिया। 'दरअसल –'

वह अचानक रुक गया और घूमा। हर्माइनी उससे टकराकर पीछे की तरफ़ गिर गई। हैरी ने उसे ज़मीन पर गिरने से पहले ही पकड़ लिया।

हैग्रिड ने कहा, 'शायद अच्छा यही रहेगा कि हम यहाँ पर एक मिनट रुक जाएँ, ताकि हम तुम्हें ... पूरी जानकारी दे सकें ... वहाँ चलने से पहले।'

'अच्छी बात है!' हर्माइनी ने कहा, जब हैरी ने उसे दोबारा उसके पैरों पर खड़ा किया। उन दोनों ने *'प्रकाशित भव!'* मंत्र पढ़ दिया था, जिससे उनकी छड़ी की नोक पर रोशनी हो गई। हैग्रिड का चेहरा छड़ियों की हिलती रोशनी में तैरता हुआ नज़र आ रहा था। हैरी ने दोबारा देखा कि वह घबराया हुआ और दुखी नज़र आ रहा था।

'ठीक है,' हैग्रिड ने कहा। 'अच्छा ... देखो ... बात यह है ...'

उसने एक गहरी साँस खींची।

उसने कहा, 'देखो, इस बात की काफ़ी संभावना है कि अब हमें किसी भी दिन नौकरी से निकाला जा सकता है!'

हैरी और हर्माइनी एक-दूसरे की ओर देखने के बाद उसकी तरफ़ देखने लगे।

'लेकिन तुम इतनी देर तक यहाँ रुक गए हो –' हर्माइनी ने यूँ ही कह दिया। 'तुम्हें ऐसा क्यों लगता है –'

'अंबरिज को लगता है कि हमने ही उनके ऑफ़िस में वह स्वर्णखोजी छोड़ा था।'

हैरी ख़ुद को रोक पाता, इससे पहले ही उसके मुँह से निकल गया, 'क्या तुमने ऐसा किया था?'

'नहीं, ऐसा हमने कभी नहीं किया!' हैग्रिड ने ग़ुस्से से कहा। 'हमारा जादुई प्राणियों के साथ संबंध है, इसलिए वे सोचती हैं कि यह हमने ही किया होगा। तुम जानते हो, वे हमारे लौटने के बाद से हमें निकालने का बहाना खोज रही हैं। ज़ाहिर है, हम नहीं जाना चाहते हैं, लेकिन अगर यह ख़ास कारण नहीं होता ... हम तुम्हें जो ख़ास परिस्थितियाँ बताने जा रहे हैं, अगर वे नहीं होतीं, तो हम इसी समय छोड़कर चले जाते, इससे पहले कि उन्हें सारे स्कूल के सामने वह तमाशा करने का मौक़ा मिले, जो उन्होंने ट्रिलोनी के साथ किया था।'

हैरी और हर्माइनी ने प्रतिरोध की आवाज़ें निकालीं, लेकिन हैग्रिड ने अपना लंबा हाथ बढ़ाकर उन्हें रोक दिया।

'यहीं पर दुनिया ख़त्म नहीं हो जाती है। यहाँ से बाहर निकलने के बाद

हम डम्बलडोर की मदद कर सकते हैं। हम मायापंछी के समूह के लिए उपयोगी साबित हो सकते हैं। और तुम लोगों को ग्रबली-प्लैंक पढ़ा देंगी। तुम लोग – तुम लोग परीक्षा में अच्छी तरह पास हो जाओगे ...'

उसकी आवाज़ काँपी और टूट गई।

'हमारे बारे में चिंता मत करो,' हैग्रिड ने जल्दी से कहा, जब हर्माइनी ने उसकी बाँह थपथपाने की कोशिश की। उसने कुरते की जेब से बड़ा धारीदार रूमाल निकालकर आँखें पोंछीं। 'देखो, अगर मजबूरी नहीं होती, तो हम तुम लोगों को यह बात कभी नहीं बताते। लेकिन अगर हम चले गए ... तो हम किसी को यह बात बताए बिना कैसे जा सकते हैं ... क्योंकि हमें – हमें तुम दोनों की मदद की ज़रूरत होगी। और रॉन की भी, अगर वह भी इच्छुक हो।'

'ज़ाहिर है, हम तुम्हारी मदद करेंगे,' हैरी ने तत्काल कहा। 'तुम हमसे क्या चाहते हो?'

हैग्रिड मुस्कराया और उसने बिना कुछ कहे हैरी का कंधा इतनी ज़ोर से थपथपाया कि वह लहराकर पेड़ से टकरा गया।

'हम जानते थे कि तुम हाँ कर दोगे,' हैग्रिड ने अपने रूमाल में कहा, 'हम ... कभी ... नहीं ... भूलेंगे ... चलो ... बस यहाँ से थोड़ी ही दूर है ... अब अपना ध्यान रखना, काँटे हैं ...'

वे पंद्रह मिनट तक ख़ामोशी से चलते रहे। हैरी ने अपना मुँह यह पूछने के लिए खोला ही था कि अभी उन्हें और कितनी दूर जाना है, तभी हैग्रिड ने अपना दायाँ हाथ बढ़ाकर रुकने का इशारा किया।

'बहुत आराम से,' उसने धीरे से कहा। 'बिलकुल चुपचाप ...'

थोड़ी आगे चलने पर हैरी ने देखा कि सामने मिट्टी का एक बड़ा, चिकना टीला था, जो हैग्रिड जितना ही ऊँचा होगा। उसने दहशत के साथ सोचा कि यह यक़ीनन किसी विशाल जानवर की माँद होगी। उस टीले के चारों तरफ़ के पेड़ों की जड़ें उखड़ गई थीं, जिससे यह ख़ाली ज़मीन पर खड़ा हुआ था। इसके चारों तरफ़ तनों और शाखाओं के ढेर लगे थे, जो एक तरह की बागड़ बना चुके थे। हैरी, हर्माइनी और हैग्रिड इसी ढेर के पीछे खड़े थे।

'सो रहा है,' हैग्रिड ने कहा।

निश्चित रूप से, हैरी को दूर से लय भरी आवाज़ आ रही थी, जैसे दो विशाल फेफड़े काम कर रहे हों। उसने कनखियों से हर्माइनी को देखा, जो अपना मुँह खोलकर उस टीले को बड़ी दहशत से देख रही थी।

'हैग्रिड,' वह इतनी धीरे से फुसफुसाकर बोली कि उसकी आवाज़ सोते

हुए प्राणी की आवाज़ के कारण बड़ी मुश्किल सें सुनाई दी, 'वह कौन है ?'

हैरी को यह सवाल अजीब लगा ... वह तो यह पूछना चाहता था, 'यह क्या है ?'

'हैग्रिड, तुमने तो हमें बताया था –' हर्माइनी ने कहा, उसकी छड़ी अब उसके हाथ में काँप रही थी, 'तुमने तो हमें बताया था कि उनमें से कोई भी आना नहीं चाहता था!'

हैरी ने हर्माइनी को, तो कभी हैग्रिड को देखा और फिर जब उसे सच्चाई का एहसास हुआ, तो उसने दहशत से उस टीले की तरफ़ देखा।

मिट्टी का वह विशाल टीला, जिस पर हैरी, हर्माइनी और हैग्रिड आसानी से खड़े हो सकते थे, धीरे-धीरे ऊपर-नीचे हो रहा था तथा गहरी साँसें ले रहा था। यह टीला नहीं था। यह तो मुड़ी हुई पीठ थी, जो स्पष्ट रूप से एक -

'नहीं - वह आना नहीं चाहता था,' हैग्रिड ने हताशा से कहा। 'लेकिन हर्माइनी, हमें उसे लाना ही था, लाना ही था!'

'लेकिन क्यों ?' हर्माइनी ने पूछा, जिसकी आवाज़ से ऐसा लग रहा था, जैसे वह रोना चाहती हो। 'क्यों - ओह, *हैग्रिड!*'

'हम जानते थे कि अगर हम उसे ले आएँ,' हैग्रिड ने कहा, जो ख़ुद आँसुओं के क़रीब लग रहा था, 'और - और उसे थोड़ी तहज़ीब सिखा दें - तो हम उसे बाहर ले जाकर सबको दिखा सकते हैं कि वह हानिरहित है!'

'हानिरहित!' हर्माइनी ने तीखी आवाज़ में कहा। उसी समय हैग्रिड ने अपना हाथ उठाकर चुप रहने का इशारा किया, क्योंकि उनके सामने के विशाल प्राणी ने ज़ोर से हुँकार भरी थी और नींद में करवट भी बदली थी। 'वही तुम्हें घायल कर रहा था, है ना ? इसीलिए तुम्हें इतनी सारी चोटें लगी हैं!'

'वह अपनी ताक़त नहीं जानता है,' हैग्रिड ने गंभीरता से कहा। 'लेकिन वह सुधर रहा है। अब वह पहले जितना नहीं लड़ रहा है –'

'तो इसीलिए तुम्हें लौटने में दो महीने लग गए!' हर्माइनी ने कहा। 'ओह हैग्रिड, अगर वह नहीं आना चाहता था, तो तुम उसे लेकर क्यों आए ? क्या वह अपने जैसे लोगों के साथ ज़्यादा ख़ुश नहीं रहता ?'

हैग्रिड बोला, 'हर्माइनी, वे सभी लोग उसे तंग करते थे, क्योंकि वह बहुत छोटा है!'

'छोटा ?' हर्माइनी ने कहा। '*छोटा ?*'

'हर्माइनी, हम उसे छोड़कर नहीं आ सकते थे,' हैग्रिड ने कहा, जिसके घायल चेहरे पर आँसू बहकर उसकी दाढ़ी पर गिर रहे थे। 'देखो - वह हमारा

भाई है!'

हर्माइनी मुँह खोलकर हैग्रिड को देखती रही।

हैरी ने धीरे से पूछा, 'हैग्रिड, "भाई" यानी ?'

'सौतेला भाई,' हैग्रिड ने अपनी बात सुधारते हुए कहा। 'हमारी माँ ने डैडी को छोड़ने के बाद एक और दानव से शादी कर ली, जिससे ग्रॉप पैदा हुआ –'

'ग्रॉप ?' हैरी ने कहा।

'हाँ ... जब वह अपना नाम लेता है, तो यह ऐसा ही सुनाई देता है,' हैग्रिड ने चिंता से कहा। 'वह ज़्यादा अँग्रेजी नहीं बोल पाता है ... हम उसे सिखाने की कोशिश कर रहे हैं ... वैसे भी हमारी माँ उसे हमसे ज़्यादा प्यार नहीं कर सकती थीं। देखो, दानवियों के लिए बड़े बच्चे पैदा करना महत्त्वपूर्ण होता है और दानवों के लिहाज़ से वह हमेशा थोड़ा बौना था – सिर्फ़ सोलह फ़ुट का –'

'ओह हाँ, बिलकुल नन्हा-मुन्ना!' हर्माइनी ने ताना मारते हुए कहा। 'बहुत ही छोटा!'

'सभी लोग उसे लातें मारते थे – हम उसे वहाँ कैसे छोड़ सकते थे –'

हैरी ने पूछा, 'क्या मैडम मैक्सिम उसे लाना चाहती थीं ?'

'वह – देखो, वह देख सकती थी कि यह हमारे लिए महत्वपूर्ण है,' हैग्रिड ने अपने विशाल हाथों को मरोड़ते हुए कहा। 'लेकिन – लेकिन हमें स्वीकार करना होगा कि कुछ समय बाद ही वह उससे तंग आ गई ... इसलिए वापस आते समय हम अलग-अलग हो गए ... वैसे उसने वादा किया था कि वह यह बात किसी को भी नहीं बताएगी ...'

हैरी ने कहा, 'तुम उसे सबसे छिपाकर यहाँ तक कैसे ले आए ?'

'इसी में तो इतना ज़्यादा समय लग गया,' हैग्रिड ने कहा। 'सिर्फ़ रात को ही यात्रा कर सकते थे और वह भी जंगलों के बीच से। ज़ाहिर है, जब वह चाहता है तो काफ़ी तेज़ी से चल सकता है, लेकिन वह वापस लौटना चाहता था।'

'ओह हैग्रिड, तुमने उसे लौटने क्यों नहीं दिया!' हर्माइनी ने कहा और एक उखड़े हुए पेड़ पर बैठकर अपना चेहरा हाथों में छिपा लिया। 'तुम एक ख़ूँख़ार दानव के साथ क्या करोगे, जो यहाँ रहना भी नहीं चाहता है!'

'देखो – उसे "ख़ूँख़ार" कहना तो ज़्यादती है,' हैग्रिड ने कहा, जो अब भी तनाव में अपने हाथ मरोड़ रहा था। 'हमें मानना होगा कि ख़राब मूड में वह हम पर दो-चार हाथ चला देता है, लेकिन वह सुधर रहा है, बहुत सुधर रहा है, अच्छी तरह रहने लगा है।'

हैरी ने पूछा, 'तो फिर ये रस्सियाँ किसलिए हैं?'

उसने अभी-अभी देखा था कि टहनियों जितनी मोटी रस्सियाँ क़रीब के सबसे बड़े पेड़ों से उस तरफ़ को जा रही थीं, जहाँ ग्रॉप उनकी तरफ़ पीठ करके लेटा था।

हर्माइनी ने धीरे से पूछा, 'तुम्हें उसे बाँधकर रखना पड़ रहा है?'

'हाँ ...' हैग्रिड ने चिंता में दिखते हुए कहा। 'देखो - जैसा हमने कहा - उसे अपनी शक्ति का अंदाज़ा नहीं है।'

हैरी अब समझ गया कि जंगल के इस हिस्से में किसी और प्राणी के न होने का क्या कारण था।

हर्माइनी ने थोड़ा डरते हुए पूछा, 'तो तुम हैरी, रॉन और मुझसे क्या करवाना चाहते हो?'

हैग्रिड ने टूटी आवाज़ में कहा, 'हमारे जाने के बाद उसकी देखभाल करना।'

हैरी और हर्माइनी ने दुखी निगाहों से एक-दूसरे की तरफ़ देखा। हैरी को इस बात से बहुत तकलीफ़ हो रही थी कि उसने पहले ही हैग्रिड से उसके कहे काम को करने का वादा कर लिया था।

हर्माइनी ने पूछा, 'इसमें - इसमें हमें क्या करना होगा?'

'खाने-पीने की कोई दिक्क़त नहीं है!' हैग्रिड ने उत्साह से कहा। 'वह अपना खाना ख़ुद जुटा लेता है, कोई दिक्क़त नहीं होती। चिड़िया और हिरण और ऐसे ही जानवर ... नहीं, उसे तो मिलने-जुलने की ज़रूरत है। अगर हमें पता हो कि कोई उसकी थोड़ी मदद करने की कोशिश कर रहा है ... उसे सिखा रहा है।'

हैरी कुछ नहीं बोला, बल्कि पलटकर उस दैत्याकार आकृति को देखता रहा, जो उनके सामने ज़मीन पर सो रही थी। हैग्रिड सिर्फ़ बड़े आकार का इंसान लगता था, लेकिन ग्रॉप तो अजीब तरीक़े से विकृत लगता था। हैरी मिट्टी के बड़े टीले के बाईं तरफ़ की जिस चीज़ को एक बड़ी काईदार चट्टान समझा था, अब उसे समझ में आ गया कि यह ग्रॉप का सिर था। इंसान के सिर की तुलना में यह शरीर के लिहाज़ से बहुत ज़्यादा बड़ा था। यह बिलकुल गोल था और चिपके हुए घुँघराले बालों से ढँका था। उसके सिर के ऊपर मांस भरे बड़े कान की गोलाई दिख रही थी। उसका सिर वरनॉन अंकल की तरह सीधे कंधे पर टिका हुआ था। बीच की गर्दन दिख ही नहीं रही थी। पीठ बहुत चौड़ी थी, जिसके नीचे एक भूरा सा गंदा अंगोछा था, जिसे देखकर लग रहा था जैसे कई

जानवरों की खालें सिल दी गई हों। जब ग्रॉप सो रहा था, तो उसके पैर शरीर के नीचे थे। हैरी को उसके विशाल गंदे पैर दिख रहे थे, जो स्लेज जितने बड़े थे और जंगल की मिट्टी पर एक-दूसरे के ऊपर आराम कर रहे थे।

हैरी ने खोखली आवाज़ में कहा, 'तुम चाहते हो कि हम उसे सिखाएँ।' अब वह फ़िरेंज की चेतावनी का मतलब समझ गया। *उसकी कोशिश कामयाब नहीं हो रही है। अच्छा यही रहेगा कि वह इसे छोड़ दे।* ज़ाहिर है, जब हैग्रिड ग्रॉप को अँग्रेजी सिखाने की असफल कोशिश कर रहा होगा, तो जंगल में रहने वाले दूसरे प्राणियों को पता चल गया होगा।

हैग्रिड ने उम्मीद से कहा, 'बस तुम - तुम उससे थोड़ी बात कर लेना। क्योंकि हमें लगता है कि अगर वह लोगों से बात कर सके, तो वह समझ जाएगा कि हम सभी उसे सचमुच पसंद करते हैं और चाहते हैं कि वह यहीं रहे।'

हैरी ने हर्माइनी की तरफ़ देखा, जो अपने चेहरे पर रखी उँगलियों के बीच से देख रही थी।

हैरी बोला, 'लगता है, तुम चाहते हो कि नॉरबर्ट वापस आ जाता, है ना?' यह सुनकर हर्माइनी दहशत में हँस दी।

'तो तुम लोग यह काम करोगे?' हैग्रिड ने कहा, जिसे हैरी की बात का इशारा समझ में नहीं आया था।

'हम लोग ...' हैरी ने कहा, जो अपने वादे से बँधा था। 'हम लोग कोशिश करेंगे, हैग्रिड।'

हैग्रिड ने कहा, 'हैरी, हम जानते थे कि हम तुम पर भरोसा कर सकते हैं।' वह हल्के से मुस्कराया और रूमाल से चेहरा पोंछने के बाद आगे बोला, 'और हम यह नहीं चाहते कि तुम लोग इस काम में अपना ज़्यादा वक़्त दो ... हम जानते हैं कि तुम्हारी परीक्षाएँ क़रीब हैं ... अगर तुम लोग अपने अदृश्य चोगे में यहाँ सप्ताह में एक बार आकर उससे बातें कर लो, तो अच्छा रहेगा। अब हम उसे जगा देते हैं - तुम्हारा परिचय करा देते हैं -'

'क्या - नहीं!' हर्माइनी ने उछलते हुए कहा। 'हैग्रिड, नहीं, उसे मत जगाओ, इसकी कोई ज़रूरत नहीं है -'

लेकिन तब तक हैग्रिड उनके सामने के विशाल पेड़ के तने को लाँघ चुका था और ग्रॉप की तरफ़ बढ़ रहा था। लगभग दस फ़ुट दूर रहने पर उसने ज़मीन से एक लंबी, टूटी टहनी उठाई। उसने मुस्कराकर हैरी और हर्माइनी को तसल्ली दी, फिर टहनी के सिरे से ग्रॉप की पीठ के बीच में कसकर कुरेदा।

दानव इतनी ज़ोर से गरजा कि उसकी आवाज़ ख़ामोश जंगल में गूँजने

लगी। पेड़ों के ऊपर बैठे पक्षी चहचहाते हुए अपने घोंसलों से उड़े और दूर चले गए। इस दौरान दैत्याकार ग्रॉप हैरी और हर्माइनी के सामने ज़मीन से उठा। जब उसने उठने के लिए अपना एक हाथ ज़मीन पर रखा, तो ज़मीन काँपने लगी। उसने अपना सिर मोड़कर देखा कि उसकी नींद किसने ख़राब की थी।

'ठीक हो, ग्रॉपी ?' हैग्रिड ने ख़ुशी भरी आवाज़ में कहा। वह लंबी टहनी से ग्रॉप को एक बार फिर कुरेदने की तैयारी करते हुए बोला, 'अच्छी नींद आई, है ना ?'

हैरी और हर्माइनी उतनी पीछे चले गए, जितनी पीछे वे जा सकते थे। ग्रॉप दो पेड़ों के बीच झुका, जिन्हें उसने अब तक नहीं उखाड़ा था। उन लोगों ने उसके आश्चर्यजनक रूप से विशाल मुँह को देखा, जो मैदान के अँधेरे में भूरे चाँद जैसा लग रहा था। ऐसा लग रहा था, जैसे उसके चेहरे को किसी पत्थर की चट्टान से बनाया गया हो। नाक अजीब आकार की थी, मुँह एक तरफ़ को झुका हुआ था, विकृत पीले दाँत आधी ईंटों के आकार के थे और आँखें, जो दानवों के हिसाब से छोटी थीं, कीचड़ जैसी हरी-भूरी थीं और अब भी नींद से आधी चिपकी हुई थीं। ग्रॉप ने अपनी उँगलियों की गंदी गाँठें उठाईं, जिनमें से हर एक क्रिकेट की गेंद जितनी बड़ी थी। उसने अपनी आँखें तेज़ी से मलीं और बिना किसी चेतावनी के आश्चर्यजनक गति से उठकर खड़ा हो गया।

'ओह!' हैरी ने हर्माइनी की चीख़ सुनी।

ग्रॉप की कलाइयाँ और टखने जिन पेड़ों के सिरों से बँधे थे, वे ख़तरनाक तरीक़े से चरमराने लगे। जैसा हैग्रिड ने कहा था, वह कम से कम सोलह फ़ुट ऊँचा होगा। चारों तरफ़ धुँधली दृष्टि से देखते हुए ग्रॉप ने छाते के आकार का हाथ बढ़ाया और चीड़ के एक ऊँचे वृक्ष की ऊपरी शाखाओं से एक चिड़िया का घोंसला उठाकर उलट दिया। उसमें कोई पक्षी नहीं था और वह इस बात से नाराज़ होकर गरजा। बहरहाल, उसमें अंडे थे, जो बम की तरह ज़मीन पर गिरे और हैग्रिड ने सुरक्षा के लिए अपने हाथ सिर के ऊपर रख लिए।

'ग्रॉपी,' हैग्रिड चिल्लाया और दहशत से ऊपर देखने लगा कि कहीं और अंडे तो नहीं गिर रहे हैं, 'हम तुमसे मिलवाने के लिए कुछ दोस्त लाए हैं। याद है ना, हमने तुमसे कहा था कि हम ऐसा करेंगे? याद है, हमने कहा था कि हमें शायद एक यात्रा करनी पड़ेगी? उस दौरान वे तुम्हारी देखभाल करेंगे। याद है, ग्रॉपी ?'

लेकिन ग्रॉपी एक बार फिर धीमे से गरजा। यह कहना मुश्किल था कि वह हैग्रिड के शब्द सुन रहा था या फिर उसकी आवाज़ों का मतलब नहीं समझ पा रहा था। अब वह चीड़ के पेड़ के ऊपरी हिस्से को पकड़कर अपनी तरफ़

खींचने लगा। वह यह देखकर ख़ुश होना चाहता था कि उसे छोड़ने पर वह कितनी दूर तक जाएगा।

'ग्रॉपी, ऐसा मत करो!' हैग्रिड चिल्लाया। 'इसी कारण तुमने इतने सारे पेड़ उखाड़ डाले हैं –'

हैरी ने देखा कि पेड़ की जड़ों के पास की ज़मीन चटकने लगी थी।

'हम तुमसे लोगों को मिलवाने लाए हैं!' हैग्रिड चिल्लाया। 'दोस्त, देखो! नीचे देखो, मूर्ख कहीं के, हम कुछ दोस्तों को लेकर आए हैं!'

'ओह हैग्रिड, रहने दो,' हर्माइनी कराही, लेकिन हैग्रिड ने एक बार फिर टहनी उठा ली और ग्रॉप के घुटने में ज़ोर से घुसा दी।

दानव ने पेड़ के ऊपरी हिस्से को छोड़ दिया, जो ख़तरनाक तरीक़े से लहराया और हैग्रिड पर चीड़ की पत्तियों की बारिश हो गई। फिर दानव ने नीचे देखा।

'यह,' हैग्रिड ने उस तरफ़ बढ़ते हुए कहा, जहाँ हैरी और हर्माइनी खड़े थे, 'हैरी है, ग्रॉप! हैरी पॉटर। जब हमें बाहर जाना पड़ेगा, तो वह तुमसे मिलने आएगा, समझ गए?'

दानव को अभी-अभी एहसास हुआ था कि हैरी और हर्माइनी भी वहाँ थे। जब उसने अपना चट्टान जैसा सिर झुकाया और आँखें मिचमिचाकर उनकी तरफ़ देखा, तो वे दोनों डर गए।

'और यह हर्माइनी है, देखा?' हैग्रिड झिझका। फिर हर्माइनी की तरफ़ मुड़ते हुए उसने कहा, 'अगर वह तुम्हें हर्मी कहे, तो तुम्हें बुरा तो नहीं लगेगा, हर्माइनी? उसके लिए पूरा नाम याद रखना मुश्किल होगा।'

'बिलकुल नहीं,' हर्माइनी चिल्लाई।

'ग्रॉप, यह हर्मी है! और वह भी यहाँ आएगी! कितना अच्छा है? है ना? तुम्हारे दो दोस्त – **ग्रॉपी, नहीं!'**

ग्रॉप के हाथ अचानक हर्माइनी की तरफ़ आ गए थे। हैरी ने हर्माइनी को पकड़कर पेड़ के पीछे खींच लिया, जिससे ग्रॉप की मुट्ठी तने को छूती रही, लेकिन हर्माइनी उसकी पकड़ में नहीं आई।

'**गंदा लड़का, ग्रॉपी!'** उन्होंने हैग्रिड के चिल्लाने की आवाज़ सुनी, जब हर्माइनी पेड़ के पीछे काँपती और बिसूरती हुई हैरी से चिपकी रही। '**बहुत गंदा लड़का! तुम उसे मत पकड़ो – आउच!'**

हैरी ने अपना सिर तने के पीछे से बाहर निकाला और देखा कि हैग्रिड अपनी पीठ के बल ज़मीन पर पड़ा हुआ था। उसका हाथ उसकी नाक पर था।

ऐसा लगता था कि अब ग्रॉप की दिलचस्पी ख़त्म हो गई थी और वह खड़े-खड़े एक बार फिर चीड़ के पेड़ को खींचने लगा था, ताकि यह देख सके कि वह कितनी दूर तक खिंच सकता है।

'ठीक है,' हैग्रिड ने भारी आवाज़ में कहा। उसका एक हाथ ख़ून बहाती नाक पर था और दूसरे हाथ से उसने धनुष पकड़ रखा था। वह आगे बोला, 'अच्छा ... तो देखो ... तुम उससे मिल लिए हो - और अब जब तुम वापस आओगे, तो वह तुम्हें पहचान लेगा। हाँ ... अच्छा ...'

उसने ग्रॉप की तरफ़ देखा, जो अब अपने चट्टान जैसे चेहरे पर विरक्त ख़ुशी के भाव लेकर चीड़ के पेड़ को खींचने में जुटा हुआ था। जब उसने ज़ोर से खींचा, तो जड़ें चरमराने लगीं।

'अच्छा, हम जानते हैं कि यह एक दिन के लिए काफ़ी है,' हैग्रिड ने कहा। 'हम - अर - हम अब वापस चलते हैं, ठीक है?'

हैरी और हर्माइनी ने सिर हिला दिया। हैग्रिड ने अपने धनुष को एक बार फिर कंधे पर टाँगा और नाक दबाकर पेड़ों के बीच में चलने लगा।

थोड़ी देर तक कोई कुछ नहीं बोला, तब भी नहीं, जब उन्होंने दूर से आता एक धमाका सुना, जिसका मतलब था कि ग्रॉप ने आख़िरकार चीड़ के पेड़ को उखाड़ दिया था। हर्माइनी का चेहरा पीला और सख़्त था। हैरी को कहने के लिए कोई बात नहीं सूझ रही थी। अगर किसी को पता चल गया कि हैग्रिड ने अँधेरे जंगल में ग्रॉप को छिपा रखा था, तो क्या होगा? और उसने तो यह वादा भी कर लिया था कि वह, रॉन और हर्माइनी इस दानव को सभ्य बनाने की हैग्रिड की मूर्खतापूर्ण कोशिश को जारी रखेंगे। हालाँकि हैग्रिड में ख़ुद को मूर्ख बनाने की बहुत क्षमता थी कि दानव हानिरहित प्राणी हो सकते हैं, लेकिन इसके बावजूद वह यह विश्वास कैसे कर सकता था कि ग्रॉप इंसानों के साथ घुल-मिल सकता है?

'रुको,' हैग्रिड ने अचानक कहा, जब हैरी और हर्माइनी उसके पीछे लंबी घास से जूझ रहे थे। उसने अपने कंधे के ऊपर रखे तरकश से एक तीर निकालकर अपने धनुष पर चढ़ा लिया। हैरी और हर्माइनी ने अपनी छड़ियाँ तान लीं। रुकने के बाद उन्हें भी पास से हलचल सुनाई दे रही थी।

'ओह,' हैग्रिड ने धीरे से कहा।

एक गहरी पुरुष आवाज़ आई, 'हैग्रिड, हमने तुम्हें बता दिया था कि अब यहाँ पर तुम्हारा स्वागत नहीं होगा?'

एक नग्न धड़ एक पल के लिए हरी रोशनी के बीच उनकी तरफ़ तैरता नज़र आया। फिर उन्होंने देखा कि उसकी कमर एक बादामी घोड़े के शरीर से

जुड़ी हुई थी। इस सेनटॉर का चेहरा गर्वीला था और उसके गालों की हड्डियाँ उभरी थीं। उसके बाल लंबे और काले थे। हैग्रिड की तरह ही वह भी हथियारबंद था। उसके कंधे पर तीर-कमान थे।

हैग्रिड ने सावधानी से पूछा, 'कैसे हो, मैगोरियन?'

सेनटॉर के पीछे पेड़ों के सरसराने की आवाज़ सुनाई दी। वहाँ चार-पाँच और सेनटॉर्स प्रकट हो गए। हैरी ने काले शरीर और दाढ़ी वाले बेन को पहचान लिया, जिससे वह लगभग चार साल पहले उसी रात को मिला था, जिस रात को वह फ़िरेंज से मिला था। बेन के चेहरे पर ऐसा कोई भाव नहीं था, जिससे यह पता चले कि वह हैरी को पहले भी देख चुका है।

'तो,' उसने मैगोरियन की तरफ़ मुड़ने से पहले बुरे अंदाज़ में कहा, 'मैंने कहा था ना कि अगर यह इंसान कभी इस जंगल में दोबारा अपना चेहरा दिखाता है, तो हम क्या करेंगे?'

'अब हम "यह इंसान" हो गए, है ना?' हैग्रिड ने ताना मारते हुए कहा। 'सिर्फ़ इसलिए क्योंकि हमने तुम लोगों को हत्या करने से रोका?'

'हैग्रिड, तुम्हें बीच में दख़ल नहीं देना चाहिए था,' मैगोरियन ने कहा। 'तुम्हारे तरीक़े हमारे तरीक़े से अलग हैं और हमारे क़ानून भी। फ़िरेंज ने हमें धोखा दिया है और अपमानित किया है।'

हैग्रिड ने अधीरता से कहा, 'हमें नहीं पता कि तुम्हें ऐसा क्यों लगता है? उसने तो एल्बस डम्बलडोर की मदद करने के अलावा कुछ नहीं किया है -'

'फ़िरेंज इंसानों की ग़ुलामी करने लगा है,' एक भूरे सेनटॉर ने कहा, जिसका चेहरा सख़्त और गहरी लकीरों वाला था।

'*ग़ुलामी!*' हैग्रिड ने तीखी आवाज़ में कहा। 'वह डम्बलडोर पर एक एहसान कर रहा है, बस -'

मैगोरियन ने धीरे से कहा, 'वह हमारा ज्ञान और रहस्य इंसानों को सिखा रहा है। हमारा इससे बड़ा अपमान नहीं हो सकता।'

हैग्रिड ने कंधे उचकाते हुए कहा, 'हो सकता है तुम्हें ऐसा लगता हो, लेकिन व्यक्तिगत रूप में हमें लगता है कि तुम बहुत बड़ी ग़लती कर रहे हो -'

'तुम भी यही कर रहे हो, इंसान,' बेन ने कहा, 'जो हमारी चेतावनी के बावजूद हमारे जंगल में आ गए -'

हैग्रिड ने ग़ुस्से से कहा, 'अब हमारी बात सुनो। अगर तुम लोगों को बुरा न लगे, तो "हमारा" जंगल कहना छोड़ दो। यह देखना तुम्हारा काम नहीं है कि यहाँ कौन आता है और कौन जाता है -'

'न ही यह तुम्हारा काम है, हैग्रिड,' मैगोरियन ने धीरे से कहा। 'हम आज तो तुम्हें यहाँ से जाने देते हैं, क्योंकि तुम अपने बच्चों के साथ हो –'

बेन ने हिक़ारत से कहा, 'ये उसके बच्चे नहीं हैं! मैगोरियन, ये तो स्कूल के विद्यार्थी हैं! उन्हें शायद गद्दार फ़िरेंज ने पढ़ाया होगा।'

मैगोरियन ने शांति से कहा, 'चाहे जो हो, शावकों की हत्या एक भयंकर अपराध है – हम मासूमों को छूते तक नहीं हैं। हैग्रिड, आज तो तुम जा सकते हो। बहरहाल, आज के बाद इस जगह से दूर रहना। जब तुमने उस गद्दार फ़िरेंज की हमसे दूर भागने में मदद की थी, उसी दिन से सेनटॉर्स से तुम्हारी दोस्ती ख़त्म हो गई।'

हैग्रिड ने ज़ोर से कहा, 'तुम जैसे खच्चरों के झुंड के कारण हम जंगल से दूर नहीं रहेंगे!'

'हैग्रिड,' हर्माइनी ने तीखी और दहशत भरी आवाज़ में कहा, जब बेन और भूरे सेनटॉर ने ज़मीन पर खुर पटके, 'चलो, यहाँ से चलते हैं!'

हैग्रिड आगे की तरफ़ बढ़ा, लेकिन उसका धनुष अब भी उठा हुआ था और उसकी निगाह अब भी मैगोरियन पर ख़तरनाक तरीक़े से जमी हुई थी।

'हैग्रिड, हम जानते हैं कि तुमने जंगल में क्या छिपा रखा है!' मैगोरियन ने उनके पीछे से कहा, जब सेनटॉर्स ओझल होने लगे। 'और हमारी सहनशक्ति ख़त्म होती जा रही है!'

हैग्रिड मुड़ा और ऐसा लग रहा था कि वह मैगोरियन के पास जाना चाहता था।

उसने चिल्लाकर कहा, 'वह जब तक यहाँ रहेगा, तुम्हें उसे झेलना पड़ेगा। यह जितना तुम्हारा जंगल है, उतना ही उसका भी है!' इस बीच हैरी और हर्माइनी अपनी पूरी ताक़त से हैग्रिड के छछूँदर की खाल के ओवरकोट को खींचते रहे, ताकि उसे आगे बढ़ने से रोक सकें। अब भी त्योरियाँ चढ़ाते हुए उसने नीचे देखा। उसे यह देखकर हैरानी हुई कि वे उसे खींच रहे हैं। उसे तो कुछ महसूस ही नहीं हुआ था।

हैग्रिड चलने लगा और वे दोनों भी हाँफते हुए उसके पीछे-पीछे चलने लगे। फिर हैग्रिड ने कहा, 'तुम दोनों शांत रहो। मूर्ख खच्चर हैं ?'

'हैग्रिड,' हर्माइनी ने हाँफते हुए कँटीली झाड़ियों के पास से घूमते हुए कहा, जिन्हें उन्होंने वहाँ आते समय पार किया था, 'अगर सेनटॉर्स जंगल में इंसानों को पसंद नहीं करते हैं, तो ऐसा लगता है कि हैरी और मैं तो वहाँ जा –'

'ओह, तुमने सुना नहीं, उन्होंने क्या कहा था,' हैग्रिड ने उसकी आपत्ति

को हवा में उड़ाते हुए कहा, 'वे शावकों को – मेरा मतलब है, बच्चों को चोट नहीं पहुँचाते हैं। वैसे भी, हम उन लोगों के कारण कोई काम करना क्यों छोड़ें?'

'बढ़िया कोशिश थी,' हैरी ने हर्माइनी से बुदबुदाकर कहा, जो निराश दिख रही थी।

आख़िर वे रास्ते पर आ गए और दस मिनट बाद पेड़ कम घने होने लगे। उन्हें बीच-बीच में साफ़ नीले आसमान की झलक दिख रही थी और दूर उन्हें खुशी मनाने तथा चिल्लाने की आवाज़ें सुनाई दे रही थीं।

जब क्विडिच स्टेडियम दिखने लगा, तो हैग्रिड पेड़ों के बीच में रुककर बोला, 'क्या एक और गोल हो गया? या तुम्हें लगता है कि मैच ख़त्म हो गया है?'

हर्माइनी ने दुख से कहा, 'क्या पता?' हैरी ने देखा कि थकान के कारण हर्माइनी की हालत थोड़ी ख़राब दिख रही थी। उसके बालों में टहनियाँ और पत्तियाँ भरी थीं। उसके दुशाले कई जगह फट गए थे और चेहरे तथा हाथों पर बहुत सी खरोंचें थीं। हैरी जानता था कि उसकी हालत भी हर्माइनी से ज़्यादा अच्छी नहीं होगी।

'लगता है कि मैच ख़त्म हो गया है!' हैग्रिड ने कहा, जो अब भी स्टेडियम की तरफ़ देख रहा था। 'देखो – विद्यार्थी बाहर निकल रहे हैं – अगर तुम दोनों जल्दी करो, तो भीड़ में शामिल हो सकते हो और किसी को पता भी नहीं चलेगा कि तुम वहाँ नहीं थे!'

'अच्छा सुझाव है,' हैरी ने कहा। 'अच्छा ... तो बाद में मिलते हैं, हैग्रिड।'

जैसे ही वे हैग्रिड से इतनी दूर पहुँचे कि वह उनकी बात न सुन सके, हर्माइनी बहुत काँपती आवाज़ में बोली, 'मुझे इस बात पर यक़ीन नहीं है। मुझे इस पर यक़ीन नहीं है। मुझे *सचमुच* यक़ीन नहीं है।'

हैरी ने कहा, 'शांत रहो।'

'शांत रहो!' उसने उत्तेजित होकर कहा। 'दानव! जंगल में दानव! और हमें उसे अँग्रेजी सिखानी है! बशर्ते रास्ते में मिलने वाले ख़ूनी सेनटॉर्स के झुंड हमें वहाँ आने-जाने दें! मुझे – इस – पर – *यक़ीन* – नहीं – है!'

'हमें अभी तो कुछ नहीं करना है!' हैरी ने शांत आवाज़ में उसे तसल्ली देने की कोशिश करते हुए कहा, जब वे मेहनतकश के बतियाते विद्यार्थियों के साथ महल की तरफ़ वापस लौटने लगे। 'हमें तब तक कुछ नहीं करना है, जब तक कि उसे निकाला नहीं जाता है और हो सकता है कि ऐसा कभी न हो।'

'ओह, छोड़ो भी, हैरी!' हर्माइनी ने ग़ुस्से से कहा और एकदम रुक गई,

जिससे उसके पीछे चलने वाले लोगों को तत्काल दिशा बदलनी पड़ी, ताकि वे उससे टकरा न जाएँ। 'ज़ाहिर है, उसे नौकरी से निकाला जाने वाला है और सच कहा जाए, तो हमने अभी जो देखा है, उसके बाद अंबरिज को कौन दोष दे सकता है?'

ख़ामोशी छा गई, जिसमें हैरी ने उसकी तरफ़ घूरा। हर्माइनी की आँखों में आँसू भर आए।

हैरी ने धीरे से कहा, 'तुम कहीं सचमुच तो ऐसा नहीं सोच रही हो?'

'नहीं ... देखो ... ठीक है ... मैं नहीं,' उसने अपनी आँखों को ग़ुस्से से पोंछते हुए कहा। 'लेकिन वह अपने लिए ज़िंदगी इतनी मुश्किल क्यों बना रहा है – और *हमारे लिए* भी?'

'क्या पता –'

'वीज़्ली हमारा राजा है,
वीज़्ली हमारा राजा है,
उसने तूफ़ान को अंदर नहीं जाने दिया,
वीज़्ली हमारा राजा है ...'

'काश अब वे उस मूर्खतापूर्ण गाने को छोड़ दें,' हर्माइनी ने दुख से कहा, 'क्या वे पहले ही काफ़ी ख़ुश नहीं हो चुके हैं?'

विद्यार्थियों का एक बड़ा रेला पिच से ढलवाँ घास पर ऊपर की तरफ़ आ रहा था।

हर्माइनी बोली, 'ओह, चलो, नागशक्ति वालों के आने से पहले चले चलते हैं।'

'वीज़्ली हर चीज़ बचा सकता है,
वह एक भी रिंग ख़ाली नहीं छोड़ता है,
इसीलिए गरुड़द्वार वाले सभी गाते हैं :
वीज़्ली हमारा राजा है।'

'हर्माइनी ...' हैरी ने धीरे से कहा।

गाना अब ज़्यादा तेज़ होता जा रहा था, लेकिन इसे हरे और चाँदी जैसे रंग के दुशालों वाली नागशक्ति की भीड़ नहीं गा रही थी, बल्कि लाल और सुनहरी भीड़ गा रही थी, जो धीरे-धीरे महल की ओर बढ़ रही थी और अपने

कंधों पर एक विद्यार्थी को लादे हुए थी।

'वीज़्ली हमारा राजा है,
वीज़्ली हमारा राजा है,
उसने तूफ़ान को अंदर नहीं जाने दिया,
वीज़्ली हमारा राजा है ...'

'नहीं ?' हर्माइनी ने धीमी आवाज़ में कहा।

'हाँ!' हैरी ने ज़ोर से कहा।

'हैरी! हर्माइनी!' रॉन चिल्लाया और चाँदी के क्विडिच कप को हवा में लहराया। वह ख़ुशी से फूला नहीं समा रहा था। **'हमने यह कर दिया! हम जीत गए!'**

रॉन के पास से गुज़रते समय उन्होंने उसकी तरफ़ मुस्कराकर देखा। महल के दरवाज़े पर रॉन का सिर ऊपर वाली छड़ से बुरी तरह टकरा गया, लेकिन कोई भी उसे नीचे नहीं उतारना चाहता था। भीड़ अब भी गाना गाती हुई प्रवेश हॉल में घुसी और ओझल हो गई। हैरी और हर्माइनी मुस्कराते हुए विद्यार्थियों को जाते देखते रहे, जब तक कि 'वीज़्ली हमारा राजा है' सुनाई देना बंद नहीं हो गया। फिर वे एक-दूसरे की ओर मुड़े और उनकी मुस्कान अब फीकी पड़ गई थी।

हैरी ने कहा, 'हम अपनी ख़बर कल तक के लिए बचाकर रखते हैं, ठीक है ?'

'हाँ, ठीक है,' हर्माइनी ने थके अंदाज़ में कहा। 'मुझे भी कोई ख़ास जल्दी नहीं है।'

वे एक साथ सीढ़ियाँ चढ़े। सामने वाले दरवाज़े पर पहुँचकर दोनों ने अँधेरे जंगल की ओर पलटकर देखा। हैरी को यक़ीन नहीं था कि यह उसकी कल्पना थी या हक़ीक़त, लेकिन उसे लगा था कि दूरी पर पेड़ों की फुनगियों के ऊपर से कुछ पक्षी तेज़ी से उड़े थे, जैसे जिस पेड़ पर उनका घोंसला था, उसे अभी-अभी जड़ों से उखाड़कर गिरा दिया गया हो।

अध्याय इकतीस

परीक्षा

गरुड़द्वार को क्विडिच कप जितवाने में अपने कमाल को लेकर रॉन इतना उत्साहित था कि वह अगले दिन भी ख़ुशी के मारे बौरा रहा था। वह तो मैच के बारे में ही बातें करना चाहता था, इसलिए हैरी और हर्माइनी को ग्रॉप का ज़िक्र छेड़ने में काफ़ी मुश्किल आई। दोनों में से किसी ने कोई ख़ास कोशिश भी नहीं की। वे दोनों ही इस क्रूर तरीक़े से रॉन को हक़ीक़त के धरातल पर नहीं लाना चाहते थे। दिन सुहाना और गर्म था, इसलिए वे रॉन को मनाकर झील किनारे लगे पेड़ के नीचे ले आए। हॉल की तुलना में यहाँ पर कम ख़तरा था कि कोई उनकी बात सुन पाएगा। रॉन पहले तो यहाँ नहीं आना चाहता था। वह तो इस बात से बहुत ख़ुश था कि गरुड़द्वार का हर विद्यार्थी हॉल में उसकी कुर्सी के पास से गुज़रते समय उसकी पीठ थपथपा देता था। इसके अलावा बीच-बीच में वे 'वीज़्ली हमारा राजा है' की धुन भी छेड़ देते थे, जिससे उसे और अच्छा लगता था। लेकिन कुछ समय बाद वह राज़ी हो गया कि ताज़ी हवा में बैठना अच्छा रहेगा।

पेड़ की छाया में अपनी पुस्तकें फैलाकर वे बैठ गए। रॉन उन्हें शायद बारहवीं बार बता रहा था कि उसने मैच का पहला गोल कैसे बचाया था।

'देखो, मेरा मतलब है, मैं डेवीज़ की एक गेंद पहले ही छोड़ चुका था, इसलिए मुझमें ज़्यादा आत्मविश्वास नहीं था, लेकिन जब ब्रेडली अचानक मेरी तरफ़ आया, तो मैंने सोचा - *तुम यह काम कर सकते हो!* और मेरे पास एक सेकंड का समय था, जिसमें मुझे यह फ़ैसला करना था कि किस तरफ़ जाऊँ, क्योंकि उसे देखकर ऐसा लग रहा था कि वह दाईं तरफ़ के रिंग पर निशाना साध रहा था - मेरी दाहिनी तरफ़, यानी उसकी बाईं तरफ़ - लेकिन तभी मुझे यह अजीब एहसास हुआ कि वह चकमा दे रहा है और इसलिए मैंने जोखिम लेकर बाईं तरफ़ छलाँग लगा दी - मेरा मतलब है, उसकी दाईं तरफ़ - और -

बाक़ी तो तुमने देखा ही था,' उसने अपने बालों को अनावश्यक रूप से पीछे की तरफ़ झटका दिया, जिससे वे हवा में उड़ते हुए लगने लगे। वह चारों तरफ़ देखने लगा कि क़रीबी विद्यार्थियों – जो थर्ड ईयर के बतियाते मेहनतकश वाले थे – ने उसकी बात सुनी है या नहीं। 'और फिर, जब चैंबर्स पाँच मिनट बाद मेरी तरफ़ आया – क्या हुआ ?' रॉन ने हैरी के चेहरे की तरफ़ देखकर बीच वाक्य में रुकते हुए पूछा। 'तुम हँस क्यों रहे हो ?'

'मैं हँस नहीं रहा हूँ,' हैरी ने जल्दी से कहा। फिर वह रूपांतरण के नोट्स की तरफ़ देखने लगा और चेहरे को संजीदा करने की कोशिश करने लगा। सच्चाई तो यह थी कि रॉन को देखकर उसे गरुड़द्वार के एक और क्विडिच खिलाड़ी की याद आ गई थी, जो उसी पेड़ के नीचे बैठकर अपने बाल बिखरा रहा था। 'मैं बहुत ख़ुश हूँ कि हम जीत गए।'

'हाँ,' रॉन ने धीरे से कहा और शब्दों का आनंद लिया, '*हम जीत गए।* जब जिनी ने चो चैंग की नाक के नीचे से सुनहरी गेंद पकड़ ली थी, तब क्या तुमने चो का चेहरा देखा था ?'

हैरी ने कटुता से कहा, 'मुझे लगता है कि वह रोई होगी, है ना ?'

'हाँ – लेकिन ग़ुस्से के कारण ...' रॉन ने थोड़ी त्योरी चढ़ाकर कहा। 'जब वह ज़मीन पर उतरी थी, तो तुमने उसे अपनी झाड़ू दूर फेंकते देखा था, है ना ?'

'अर–' हैरी ने कहा।

'नहीं, दरअसल ... नहीं, रॉन,' हर्माइनी ने गहरी आह भरते हुए पुस्तक नीचे रखी और उसकी तरफ़ माफ़ी माँगने के अंदाज़ में देखा। 'सच तो यह है कि हैरी और मैंने सिर्फ़ तभी तक मैच देखा था, जब डेवीज़ ने पहला गोल किया था।'

रॉन के सावधानी से तितर-बितर बाल निराशा में शिथिल दिखने लगे। 'तुमने नहीं देखा ?' उसने धीरे से पूछा और उन दोनों की तरफ़ बारी-बारी से देखा। 'तुम लोगों ने मुझे एक भी गोल बचाते हुए नहीं देखा ?'

'नहीं,' हर्माइनी ने उसकी तरफ़ शांति का हाथ फैलाते हुए कहा। 'लेकिन रॉन, हम जाना नहीं चाहते थे – हमें जाना पड़ा।'

'अच्छा ?' रॉन ने कहा, जिसका चेहरा अब लाल होने लगा था। 'क्या हुआ था ?'

'हैग्रिड के कारण,' हैरी ने कहा। 'उसने हमें यह बताने का फ़ैसला किया कि जब से वह दानवों के पास से लौटा था, तब से उसे चोटें क्यों लग रही थीं। वह हमें जंगल में ले जाना चाहता था। हमारे पास कोई विकल्प नहीं था। तुम तो उसे जानते ही हो। ख़ैर ...'

उन्होंने पाँच मिनट में पूरी कहानी बता दी। उनकी बात सुनने के बाद रॉन के चेहरे पर ग़ुस्से की जगह हैरानी का भाव आ गया।

'उसने एक दानव को जंगल में छिपा रखा है?'

'हाँ,' हैरी ने गंभीरता से कहा।

'नहीं,' रॉन बोला, जैसे उसके कहने से यह ग़लत हो जाएगा। 'नहीं, वह ऐसा नहीं कर सकता।'

हर्माइनी ने दृढ़ता से कहा, 'उसने ऐसा ही किया है। ग्रॉप लगभग सोलह फ़ुट ऊँचा है, चीड़ के बीस फ़ुट ऊँचे पेड़ों को उखाड़ने में उसे मज़ा आता है और,' उसने हँसकर कहा, 'मुझे *हर्मी* के नाम से जानता है।'

रॉन के मुँह से घबराहट भरी हँसी निकली।

'और हैग्रिड चाहता है कि हम ...'

'उसे अँग्रेजी सिखाएँ,' हैरी ने कहा।

रॉन ने लगभग सहमी हुई आवाज़ में कहा, 'वह पगला गया है।'

'हाँ,' हर्माइनी ने चिढ़कर कहा और *मध्यवर्ती रूपांतरण* का एक पन्ना पलटकर उन चित्रों की शृँखला की तरफ़ देखा, जिनमें एक उल्लू दूरबीन में बदल रहा था। 'हाँ, मैं सोच रही हूँ कि वह पागल हो गया है। लेकिन दुर्भाग्य से उसने हैरी और मुझसे वादा ले लिया है।'

'तब तो तुम लोगों को अपना वादा तोड़ना होगा, बस इतनी सी बात है,' रॉन ने दृढ़ता से कहा। 'मेरा मतलब है, देखो ... हमारी परीक्षाएँ हैं और हम लोग –' उसने अपना हाथ दिखाया, जिसमें अँगूठा और उसके बग़ल वाली उँगली लगभग छू रहे थे, '– वैसे ही स्कूल से निकाले जाने से बाल-बाल बचे हैं। और ... नॉरबर्ट को भूल गए? अरागॉग को भूल गए? हैग्रिड के भयंकर साथियों के साथ रहने से हमें हमेशा बुरे परिणाम ही मिले हैं, है ना?'

'मैं जानती हूँ, लेकिन बात यह है कि – हमने वादा कर लिया है,' हर्माइनी ने धीरे से कहा।

रॉन ने अपने बालों पर दोबारा हाथ फेरकर उन्हें सही किया और सोचने लगा।

'अच्छा' उसने आह भरी, 'हैग्रिड को अब तक तो नहीं निकाला गया है, है ना? वह इतने लंबे समय तक टिक गया है। हो सकता है वह टर्म के अंत तक टिक जाए और हमें ग्रॉप के पास जाना ही न पड़े।'

*

मैदान धूप में चमक रहा था, जैसे उस पर ताज़ा पेंट किया गया हो। बादलविहीन आसमान चमकती हुई झील पर मुस्करा रहा था। रेशमी हरी घास हल्की हवा में कभी-कभार लहराने लगती थी। जून आ चुका था, लेकिन फ़िफ़्थ ईयर के विद्यार्थियों के लिए इसका एक ही मतलब था : उनके **ओ.डब्ल्यू.एल.** की परीक्षा अब सिर पर आ चुकी थी।

उनके टीचर्स अब होमवर्क नहीं दे रहे थे। क्लासों में रिवीज़न चल रहा था और टीचर्स उन सवालों को दोहरा रहे थे, जिनके परीक्षाओं में आने की सबसे ज़्यादा संभावना थी। पढ़ाई के इस लगातार माहौल ने हैरी के दिमाग़ से **ओ.डब्ल्यू.एल.** के अलावा हर चीज़ को निकाल दिया, हालाँकि वह काढ़े की क्लास के दौरान कभी-कभार यह सोचता था कि क्या ल्यूपिन ने स्नेप से कहा होगा कि उन्हें हैरी को गुप्तविद्या सिखानी चाहिए। अगर उन्होंने ऐसा किया भी था, तो भी स्नेप ने ल्यूपिन को नज़रअंदाज़ कर दिया होगा, जैसे इस समय वे हैरी को कर रहे थे। यह हैरी को बहुत अच्छा लग रहा था। स्नेप के अतिरिक्त प्रशिक्षण के बिना ही वह काफ़ी व्यस्त और तनाव में था। उसे यह देखकर राहत मिली कि हर्माइनी भी इन दिनों इतनी व्यस्त थी कि अब उसे गुप्तविद्या सीखने के बारे में तंग नहीं करती थी। वह धीरे-धीरे बुदबुदाने में बहुत सा समय लगाती थी और कई दिनों तक उसने घरेलू जिन्नों के लिए कपड़े भी नहीं रखे।

ओ.डब्ल्यू.एल. के क़रीब आने पर वह अकेली ही अजीब व्यवहार नहीं कर रही थी। अर्नी मैकमिलन को एक चिढ़ाने वाली आदत पड़ गई थी। वह हर एक से पूछता रहता था कि वे लोग कितनी पढ़ाई कर रहे हैं।

एक दिन जड़ी-बूटी विज्ञान की क्लास के बाहर लाइन में खड़े-खड़े उसने हैरी और रॉन से पूछा, 'तुम लोग दिन में कितने घंटे पढ़ते हो ?' उसकी आँखों में आवेश भरी चमक थी।

'क्या पता,' रॉन बोला, 'कुछ घंटे।'

'आठ घंटे से कम या ज़्यादा ?'

रॉन ने थोड़ी दहशत में आते हुए कहा, 'कम।'

'मैं आठ घंटे पढ़ता हूँ,' अर्नी ने अपना सीना फुलाते हुए कहा। 'आठ या नौ। हर दिन नाश्ते से पहले एक घंटे पढ़ता हूँ। आठ मेरा औसत है। अच्छे वीकएंड पर नौ घंटे पढ़ लेता हूँ। सोमवार को मैंने साढ़े नौ घंटे पढ़ा था। मंगलवार को इतना अच्छा नहीं रहा - सिर्फ़ सवा सात घंटे। फिर बुधवार को -'

हैरी बहुत कृतज्ञ हुआ कि प्रोफ़ेसर स्प्राउट ने उसी समय उन लोगों को

ग्रीनहाउस थ्री में अंदर बुला लिया और अर्नी की बातों का सिलसिला थम गया।

इस दौरान ड्रेको मैल्फ़ॉय ने दहशत फैलाने का एक नया तरीक़ा खोज लिया।

परीक्षाओं से कुछ दिन पहले एक दिन मैल्फ़ॉय काढ़े की क्लास के बाहर क्रैब और गॉइल को ज़ोर-ज़ोर से बता रहा था, 'देखो, इससे कोई फ़र्क़ नहीं पड़ता है कि आप क्या जानते हैं, फ़र्क़ तो इस बात से पड़ता है कि आप किसे जानते हैं। देखो, डैडी और जादूगरी परीक्षा संस्थान की प्रमुख ग्रीसेल्डा मार्चबैंक्स पुराने परिचित हैं। वे हमारे यहाँ डिनर पर आई थीं ...'

हर्माइनी ने दहशत में हैरी और रॉन से फुसफुसाकर पूछा, 'क्या तुम्हें लगता है कि यह सच है?'

रॉन उदासी से बोला, 'अगर यह सच हो, तो भी हम इसके बारे में कुछ नहीं कर सकते!'

'मुझे नहीं लगता कि यह सच है,' नेविल ने उनके पीछे से धीरे से कहा। 'क्योंकि ग्रीसेल्डा मार्चबैंक्स मेरी दादी की सहेली हैं और उन्होंने कभी मैल्फ़ॉय परिवार का ज़िक्र नहीं किया है।'

'वे कैसी हैं, नेविल?' हर्माइनी ने एकदम पूछा। 'क्या वे कठोर हैं?'

नेविल ने थोड़ी दबी आवाज़ में कहा, 'सच कहूँ तो थोड़ी दादी जैसी हैं।'

रॉन ने उसका उत्साह बढ़ाते हुए कहा, 'वैसे उनसे जान-पहचान होने से तो तुम्हें फ़ायदा ही होगा, है ना?'

'ओह, मुझे नहीं लगता कि इससे कोई फ़र्क़ पड़ेगा,' नेविल ने थोड़ी और उदासी से कहा। 'दादी हमेशा प्रोफ़ेसर मार्चबैंक्स से कहती रहती हैं कि मैं अपने डैडी जितना अच्छा नहीं हूँ ... अच्छा ... तुमने तो सेंट मंगोज़ में देखा ही था कि दादी कैसी हैं ...'

नेविल फ़र्श की तरफ़ देख रहा था। हैरी, रॉन और हर्माइनी ने एक-दूसरे की तरफ़ देखा, लेकिन उन्हें समझ में नहीं आ रहा था कि वे क्या कहें। नेविल ने पहली बार उनके सामने इस बात का ज़िक्र किया था कि वे लोग जादूगरों के अस्पताल में मिले थे।

इस दौरान, फ़िफ़्थ और सेवन्थ ईयर के विद्यार्थियों के बीच एकाग्रता, मानसिक तीव्रता तथा नींद भगाने वाली चीज़ों का काला बाज़ार तेज़ी से लोकप्रिय हो रहा था। हैरी और रॉन बैरुफ़ियो के मस्तिष्क-अमृत से बहुत ललचाए थे, जो उन्हें चीलघात के सिक्स्थ ईयर के एडी कार्मिकेल ने देने का प्रस्ताव रखा था। उसने क़सम खाकर कहा था कि इसी कारण उसे पिछली गर्मी में नौ 'आउटस्टैंडिंग' **ओ.डब्ल्यू.एल.** मिले थे। वह सिर्फ़ बारह गैलियन में एक

पिंट देने का प्रस्ताव रख रहा था। रॉन ने हैरी को आश्वस्त किया कि हॉगवर्ट्स से निकलने के बाद जैसे ही उसकी नौकरी लगेगी, वह उसे आधी क़ीमत लौटा देगा, लेकिन इससे पहले कि वे सौदा पक्का कर पाते, हर्माइनी ने कार्मिकेल की बोतल को ज़ब्त करके उसे एक टॉयलेट में उड़ेल दिया।

रॉन चिल्लाया, 'हर्माइनी, हम उसे ख़रीदना चाहते थे!'

'मूर्ख मत बनो,' वह गुर्राई। 'इसके बजाय तो तुम हैरॉल्ड डिंगल का ड्रैगन का नाख़ून-चूर्ण ले लो।'

रॉन ने उत्साह से पूछा, 'डिंगल के पास ड्रैगन का नाख़ून-चूर्ण है?'

'अब नहीं है,' हर्माइनी ने कहा। 'मैंने उसे भी ज़ब्त कर लिया है। इनमें से कोई भी चीज़ दरअसल काम नहीं करती है।'

रॉन बोला, 'ड्रैगन का नाख़ून काम करता है! उसमें अविश्वसनीय गुण होते हैं। उससे दिमाग़ को ताक़त मिलती है, कुछ घंटों के लिए दिमाग़ तेज़ हो जाता है - हर्माइनी, मुझे थोड़ा सा ले लेने दो, चलो, उससे कोई नुक़सान नहीं होगा -'

'उससे हो सकता है,' हर्माइनी ने गंभीरता से कहा। 'मैंने उसकी जाँच की है। वह दरअसल नन्हे पिशाचों की लीद है।'

इस जानकारी के बाद हैरी और रॉन के मन से मस्तिष्क को तेज़ करने वाली चीज़ें ख़रीदने की इच्छा ख़त्म हो गई।

रूपांतरण की अगली क्लास में उन्हें **ओ.डब्ल्यू.एल.** परीक्षा का टाइमटेबल और बाक़ी जानकारी मिल गई।

जब विद्यार्थी ब्लैकबोर्ड से अपनी परीक्षा की तारीख़ें और समय उतार रहे थे, तो प्रोफ़ेसर मैक्गॉनेगल ने उन्हें बताया, 'जैसा तुम लोग देख सकते हो, तुम्हारे **ओ.डब्ल्यू.एल.** दो सप्ताह तक चलेंगे। तुम लोग सुबह सैद्धांतिक परीक्षा दोगे और दोपहर में प्रायोगिक परीक्षा। ज़ाहिर है, खगोलशास्त्र की प्रायोगिक परीक्षा रात को होगी।

'अब मैं तुम लोगों को यह चेतावनी दे दूँ कि परीक्षाओं में बहुत सख़्त नक़लविरोधी सम्मोहन का इस्तेमाल किया जाएगा। परीक्षा हॉल में खुद-ब-खुद जवाब लिखने वाली क़लमों पर प्रतिबंध रहेगा। इसी तरह भूल-न-जाना और आत्म-सुधार स्याही पर भी प्रतिबंध रहेगा। बड़े दुख की बात है कि हर साल कम से कम एक विद्यार्थी सोचता है कि वह जादूगरी परीक्षा संस्थान के नियमों को तोड़ सकता है। मुझे उम्मीद है कि गरुड़द्वार का कोई विद्यार्थी ऐसी कोशिश नहीं करेगा। हमारी नई - हेडमिस्ट्रेस -' प्रोफ़ेसर मैक्गॉनेगल इस शब्द पर ज़ोर देते

समय चेहरे पर ऐसा भाव लाईं, जैसा पेटूनिया आंटी किसी गंदे दाग़ को देखते समय लाती थीं '– ने सभी हाउस प्रमुखों से कहा है कि वे विद्यार्थियों को चेतावनी दे दें कि नक़ल करने पर बहुत गंभीर सज़ा दी जाएगी – क्योंकि, ज़ाहिर है, तुम्हारे परीक्षा परिणामों के आधार पर हेडमिस्ट्रेस के नए प्रशासन का मूल्यांकन होगा –'

प्रोफ़ेसर मैक्गॉनेगल ने हल्की सी आह भरी। हैरी ने देखा कि उनकी नुकीली नाक के नथुने फूल गए थे।

'– बहरहाल, यह कोई कारण नहीं है कि तुम लोग अपना सर्वश्रेष्ठ प्रदर्शन न करो। तुम्हें अपने भविष्य के बारे में सोचना है।'

'प्रोफ़ेसर,' हर्माइनी ने अपना हाथ हवा में उठाते हुए कहा। 'हमें अपने रिज़ल्ट कब पता चलेंगे?'

प्रोफ़ेसर मैक्गॉनेगल ने जवाब दिया, 'जुलाई में तुम्हारे पास एक उल्लू भेज दिया जाएगा।'

डीन थॉमस ने फुसफुसाकर कहा, 'बहुत बढ़िया, तो छुट्टियों तक हमें इसकी चिंता नहीं करनी होगी।'

हैरी ने कल्पना की कि वह छह सप्ताह के समय में प्रिविट ड्राइव में होगा और अपने बेडरूम में बैठकर **ओ.डब्ल्यू.एल.** परिणामों का इंतज़ार कर रहा होगा। उसने नीरसता से सोचा, कम से कम गर्मियों में उसके पास एक चिट्ठी तो आएगी।

पहली परीक्षा सम्मोहन की सैद्धांतिक परीक्षा थी, जो सोमवार सुबह होने वाली थी। हैरी रविवार को लंच के बाद हर्माइनी से सवाल पूछने के लिए तैयार हो गया, लेकिन तत्काल ही उसे इस पर अफ़सोस हुआ। वह बहुत विचलित थी और उससे यह जाँच करने के लिए पुस्तक खींचती रही थी कि उसने पूरी तरह सही जवाब दिया था या नहीं। आख़िर *सम्मोहन की उपलब्धियाँ* नामक पुस्तक को छीनते समय उसका नुकीला कोना हैरी की नाक से तेज़ी से टकराया।

हैरी की आँखों में आँसू आ गए। उसने हर्माइनी को किताब थमाते हुए दृढ़ता से कहा, 'तुम ख़ुद ही यह काम क्यों नहीं कर लेतीं?'

इस दौरान रॉन अपनी उँगलियाँ कानों में डालकर सम्मोहन के नोट्स पढ़ रहा था और उसके होंठ बिना आवाज़ किए हिल रहे थे। सीमस फ़िनिगन पीठ के बल फ़र्श पर लेटा था और सम्मोहन की एक महत्वपूर्ण परिभाषा दोहरा रहा था, जबकि डीन *मंत्रों की मानक पुस्तक, ग्रेड 5* से उसके जवाब की जाँच रहा था। पार्वती और लैवेंडर मूलभूत चलित सम्मोहन का अभ्यास कर रही थीं और

अपनी पेंसिलों को टेबल के किनारे के चारों तरफ़ दौड़ाकर होड़ कर रही थीं।

उस रात का डिनर काफ़ी ख़ामोशी में हुआ। हैरी और रॉन ने ज़्यादा बातचीत नहीं की, लेकिन जमकर खाया, क्योंकि उन्होंने सारे दिन ज़ोरदार पढ़ाई की थी। दूसरी तरफ़, हर्माइनी बार-बार अपना छुरी-काँटा नीचे रखकर टेबल के नीचे रखे बैग से किताब निकालती रही और किसी तथ्य या आँकड़े की जाँच करती रही। रॉन उसे बता ही रहा था कि उसे अच्छे से खाना खा लेना चाहिए, वरना उसे रात को नींद नहीं आएगी, तभी हर्माइनी का काँटा उसकी बेजान उँगलियों से छूटकर प्लेट पर ज़ोर से गिरा।

वह प्रवेश हॉल में देखते हुए धीरे से बोली, 'हे भगवान! क्या वे लोग आ गए? क्या यही परीक्षक हैं?'

हैरी और रॉन अपनी बेंच पर घूमे। बड़े हॉल के दरवाज़े से उन्हें दिखाई दिया कि अंबरिज बहुत बूढ़ी जादूगरनियों और जादूगरों के एक छोटे समूह के साथ खड़ी हुई हैं। हैरी को यह देखकर ख़ुशी हुई कि अंबरिज थोड़ी घबराई हुई लग रही थीं।

रॉन ने कहा, 'चलकर क़रीब से देखें?'

हैरी और हर्माइनी ने सिर हिला दिया। वे जल्दी से दरवाज़े से निकलकर प्रवेश हॉल में पहुँचे और चौखट पर पहुँचकर धीमे चलने लगे, ताकि परीक्षकों की बातें सुन सकें। हैरी ने सोचा कि प्रोफ़ेसर मार्चबैंक्स नाटी जादूगरनी होंगी, जिनकी कमर झुकी हुई थी और चेहरे पर इतनी लकीरें थीं, जैसे मकड़ी का जाला लगा हो। अंबरिज उनसे बहुत विनम्रता से बातें कर रही थीं। प्रोफ़ेसर मार्चबैंक्स थोड़ा ऊँचा सुनती होंगी, क्योंकि वे प्रोफ़ेसर अंबरिज को बहुत ज़ोर से जवाब दे रही थीं, हालाँकि वे सिर्फ़ एक फ़ुट दूर खड़ी थीं।

'यात्रा अच्छी रही, यात्रा अच्छी रही, हम यहाँ पहले भी कई बार आ चुके हैं!' उन्होंने अधीरता से कहा। 'देखो, काफ़ी दिनों से डम्बलडोर की कोई चिट्ठी नहीं आई है!' उन्होंने हॉल में देखते हुए कहा, जैसे उन्हें उम्मीद हो कि वे अचानक किसी झाड़ू की अलमारी के पीछे से प्रकट हो जाएँगे, 'मुझे लगता है, उनका पता-ठिकाना मालूम नहीं चला होगा?'

'बिलकुल नहीं,' अंबरिज ने हैरी, रॉन और हर्माइनी की ओर बुरी निगाह डालते हुए कहा, जो अब सीढ़ियों के नीचे मँडरा रहे थे तथा रॉन अपने जूते का लैस बाँधने का नाटक कर रहा था। 'लेकिन मुझे उम्मीद है कि जादू मंत्रालय उन्हें जल्दी ही पकड़ लेगा।'

'मुझे नहीं लगता,' नाटी प्रोफ़ेसर मार्चबैंक्स चिल्लाईं, 'जब तक कि डम्बलडोर ख़ुद सामने न आना चाहें! मैं जानती हूँ ... जब वे **एन.ई.डब्ल्यू.टी.** में

पढ़ते थे, तो मैंने रूपांतरण और सम्मोहन में उनकी परीक्षा ली थी ... वे छड़ी से ऐसे काम कर लेते थे, जो मैंने पहले कभी नहीं देखे थे।'

'अच्छा ...' प्रोफ़ेसर अंबरिज ने कहा। हैरी, रॉन और हर्माइनी संगमरमर की सीढ़ियों पर इतनी धीरे चल रहे थे, जितनी वे हिम्मत कर सकते थे। वे आगे बोलीं, 'मैं आप लोगों को स्टाफ़ रूम दिखा देती हूँ। मुझे लगता है कि आप लोग सफ़र के बाद चाय पीना पसंद करेंगे।'

यह एक बेचैन सी शाम थी। सभी विद्यार्थी आख़िरी रिवीज़न करने की कोशिश कर रहे थे, लेकिन कोई भी ज़्यादा कामयाब नहीं हो रहा था। हैरी जल्दी ही बिस्तर पर चला गया, लेकिन कई घंटे तक जागता रहा। उसे अपनी कैरियर संबंधी मुलाक़ात याद आई, जिसमें मैक्गॉनेगल ने आवेश में यह ऐलान किया था कि वे ऑरर बनने में उसकी हरसंभव मदद करेंगी, भले ही यह उनकी ज़िंदगी का आख़िरी काम हो। परीक्षा का समय क़रीब आने पर वह सोच रहा था कि उसे कोई छोटी महत्त्वाकांक्षा बतानी चाहिए थी। वह जानता था कि वह अकेला ही नहीं जाग रहा था, लेकिन कमरे में कोई भी नहीं बोला और आख़िर एक-एक करके वे सो गए।

अगले दिन नाश्ते के समय फ़िफ़्थ ईयर के विद्यार्थियों में से किसी ने भी ज़्यादा बातचीत नहीं की। पार्वती धीरे-धीरे मंत्रों का अभ्यास कर रही थी और उसके सामने की नमकदानी हिल रही थी। हर्माइनी *सम्मोहन की उपलब्धियाँ* इतनी तेज़ी से दोबारा पढ़ रही थी कि उसकी आँखें धुँधली नज़र आ रही थीं। उधर नेविल छुरी-काँटे गिरा रहा था और मुरब्बा फैला रहा था।

नाश्ता ख़त्म होने के बाद फ़िफ़्थ और सेवन्थ ईयर के विद्यार्थी प्रवेश हॉल के क़रीब ही रहे, जबकि बाक़ी विद्यार्थी क्लासों में चले गए। फिर साढ़े नौ बजे हर क्लास को बड़े हॉल में दोबारा दाख़िल होने के लिए पुकारा गया। बड़ा हॉल ठीक उसी तरह जमा हुआ था, जैसा हैरी ने स्मृतिपात्र में तब देखा था, जब उसके डैडी, सिरियस और स्नेप अपने **ओ.डब्ल्यू.एल.** की परीक्षा दे रहे थे। चारों हाउसों की टेबलें अब हट चुकी थीं और उनकी जगह बहुत सी छोटी टेबलें आ गई थीं। ये टेबलें हॉल के सिरे पर लगी स्टाफ़ टेबल के सामने थीं, जहाँ प्रोफ़ेसर मैक्गॉनेगल उनके सामने खड़ी थीं। जब सभी बैठ गए और ख़ामोश हो गए, तो वे बोलीं, 'तुम लोग शुरू कर सकते हो,' और उन्होंने अपने पास वाली डेस्क पर एक विशाल घड़ी का बटन दबा दिया। उस डेस्क पर अतिरिक्त क़लमें, दवातें और चर्मपत्र भी रखे थे।

हैरी अपने पेपर की ओर मुड़ा। उसका दिल तेज़ी से धड़क रहा था - उसके दाहिनी तरफ़ तीन क़तार छोड़कर और चार सीट आगे हर्माइनी लिखना

शुरू कर चुकी थी। हैरी ने पहले सवाल पर नज़र डाली : *(अ) वस्तुओं को उड़ाने के लिए आवश्यक मंत्र तथा (ब) छड़ी की गतिविधियों का वर्णन करें।*

हैरी को हवा में ऊँचे उड़ने वाले एक मुद्‌गर की याद आई, जो एक दैत्य की मोटी खोपड़ी पर ज़ोर से पड़ा था ... धीरे से मुस्कराते हुए वह झुका और लिखने लगा।

'पेपर इतना बुरा नहीं था, है ना?' हर्माइनी ने दो घंटे बाद प्रवेश हॉल में चिंता से कहा। वह अब भी पेपर पकड़े थी। 'मुझे लगता है कि मैं ख़ुशनुमा सम्मोहनों के साथ न्याय नहीं कर पाई। मेरा समय ही ख़त्म हो गया था। क्या तुमने हिचकी-रोधक सम्मोहन लिखा? मुझे यक़ीन नहीं था कि मुझे यह करना चाहिए, यह बहुत बड़ा लग रहा था - और सवाल तेईस -'

'हर्माइनी,' रॉन ने सख़्ती से कहा, 'हम यह सज़ा एक बार पहले ही झेल चुके हैं... हम हर परीक्षा दोबारा नहीं देंगे, एक बार करना ही पर्याप्त बुरा है।'

फ़िफ़्थ ईयर के विद्यार्थियों ने स्कूल के बाक़ी विद्यार्थियों के साथ लंच किया (चारों हाउसों की टेबलें लंच के वक़्त दोबारा अपनी पुरानी जगह पर आ गई थीं), फिर वे बड़े हॉल के पास वाले छोटे कमरे की तरफ़ चल दिए, जहाँ उन्हें तब तक इंतज़ार करना था, जब तक कि उन्हें प्रायोगिक परीक्षा के लिए न बुलाया जाए। जब विद्यार्थियों के छोटे समूहों को उनके सरनेम के वर्णमाला क्रम से बुलाया गया, तो पीछे रह गए विद्यार्थी मंत्र बुदबुदाकर छड़ी हिलाने का अभ्यास करने लगे, हालाँकि कभी-कभार छड़ी ग़लती से किसी की आँख या पीठ में भी घुस जाती थी।

हर्माइनी का नाम पुकारा गया। वह काँपती हुई एंथनी गोल्डस्टीन, ग्रेगरी गॉइल और डैफ़्ने ग्रीनग्रास के साथ कमरे से चली गई। जिन विद्यार्थियों की परीक्षा हो चुकी थी, वे बाद में वापस नहीं आए, इसलिए हैरी और रॉन को पता नहीं चल पाया कि हर्माइनी का प्रदर्शन कैसा रहा।

रॉन ने कहा, 'उसका प्रदर्शन अच्छा ही रहेगा। याद है, उसे सम्मोहन के एक टेस्ट में एक सौ बारह प्रतिशत अंक मिले थे?'

दस मिनट बाद प्रोफ़ेसर फ़्लिटविक ने पुकारा, 'पार्किन्सन, पैन्सी - पाटिल, पद्मा - पाटिल, पार्वती - पॉटर, हैरी।'

'शुभकामनाएँ,' रॉन ने धीरे से कहा। हैरी बड़े हॉल में गया। उसने छड़ी इतनी कसकर पकड़ रखी थी कि उसका हाथ काँपने लगा।

'प्रोफ़ेसर टॉफ़्टी ख़ाली हैं, पॉटर,' प्रोफ़ेसर फ़्लिटविक ने चूँ-चूँ करती आवाज़ में कहा, जो दरवाज़े के ज़रा सा भीतर खड़े हुए थे। उन्होंने हैरी को बहुत बूढ़े और गंजे परीक्षक की तरफ़ भेजते हुए कहा, जो दूर वाले कोने में एक छोटी टेबल के पीछे बैठे थे। थोड़ी दूरी पर प्रोफ़ेसर मार्चबैंक्स ड्रेको मैल्फ़ॉय की आधी परीक्षा ले चुकी थीं।

'पॉटर, हैं?' प्रोफ़ेसर टॉफ़्टी ने अपने नोट्स की तरफ़ देखा और हैरी के आते समय अपने चश्मे से उसे घूरा। 'मशहूर पॉटर?'

अपनी आँख के कोने से हैरी ने साफ़ देखा कि मैल्फ़ॉय ने उस पर एक ग़ुस्से भरी निगाह डाली। जिस शराब के गिलास को मैल्फ़ॉय हवा में उठा रहा था, वह फ़र्श पर गिरकर टूट गया। हैरी अपनी मुस्कराहट दबा नहीं पाया। प्रोफ़ेसर टॉफ़्टी ने मुस्कराकर उसका हौसला बढ़ाया।

'कोई बात नहीं,' उन्होंने अपनी काँपती हुई बूढ़ी आवाज़ में कहा, 'घबराने की कोई ज़रूरत नहीं है। अब तुम इस अंडे के कप को लो और इससे कुछ गुलाँटियाँ लगवाओ।'

कुल मिलाकर, हैरी ने सोचा कि यह अच्छा हुआ। उसका आकाशगामी सम्मोहन मैल्फ़ॉय से तो बहुत अच्छा था, हालाँकि वह सोच रहा था कि काश उसने रंग परिवर्तन और वृद्धि सम्मोहन के मंत्रों में गड़बड़ी नहीं की होती, जिससे उसका चूहा, जिसे नारंगी रंग का होना था, फूल गया और बिज्जू के आकार का हो गया, हालाँकि हैरी ने तत्काल अपनी ग़लती सुधार ली। उसे ख़ुशी थी कि उस वक़्त हर्माइनी हॉल में नहीं थी और उसने बाद में जान-बूझकर उसे यह बात नहीं बताई। उसे रॉन को यह बात बताने में कोई दिक्क़त नहीं थी, क्योंकि रॉन ने एक डिनर प्लेट को एक बड़े मशरूम में बदल दिया था और उसे ज़रा भी पता नहीं था कि यह कैसे हुआ था।

उस रात को आराम करने का ज़रा भी समय नहीं था। वे लोग डिनर के बाद सीधे अपने हाउस के हॉल में गए और अगले दिन रूपांतरण की परीक्षा के लिए रिवीज़न करने लगे। हैरी जब बिस्तर पर गया, तो उसके दिमाग़ में जटिल मंत्र और सिद्धांत गूँज रहे थे।

अगली सुबह लिखित परीक्षा में वह एक परिवर्तनकारी मंत्र की परिभाषा भूल गया, लेकिन उसने सोचा कि उसका प्रैक्टिकल उम्मीद से ज़्यादा अच्छा हुआ था। कम से कम वह अपने जानवर को पूरा ओझल करने में कामयाब हो गया था, जबकि अगली टेबल पर बेचारी हान्ना एबॉट का दिमाग़ पूरी तरह घूम गया था और उसने अपने नेवले को पक्षियों में बदल दिया था, जिन्हें हॉल से बाहर निकालने के लिए परीक्षा दस मिनट तक रोकनी पड़ी।

बुधवार को उनकी जड़ी-बूटी विज्ञान की परीक्षा थी (इसमें दाँतों वाले एक जेरेनियम पौधे ने उसे काट लिया, इसके अलावा हैरी ने अच्छा प्रदर्शन किया)। और फिर गुरुवार को गुप्त कलाओं से रक्षा की परीक्षा थी। पहली बार हैरी को यक़ीन था कि वह पास हो गया है। उसे किसी भी लिखित सवाल में कोई दिक़्क़त नहीं आई और प्रैक्टिकल परीक्षा के दौरान उसे अंबरिज के सामने मंत्रों के तोड़ और रक्षात्मक मंत्र प्रदर्शित करने में ख़ास मज़ा आया। अंबरिज प्रवेश हॉल के दरवाज़े के पास खड़ी होकर देख रही थीं।

जब हैरी ने बहुरूपिया ओझलीकरण मंत्र का बेहतरीन प्रदर्शन किया, तो प्रोफ़ेसर टॉफ़्टी चिल्लाए, जो एक बार फिर हैरी की परीक्षा ले रहे थे, 'ओह, शाबाश! बहुत बढ़िया! अच्छा, मुझे लगता है कि बस हो गया, पॉटर ... जब तक कि ...'

वह थोड़ा आगे झुका।

'मैंने अपने दोस्त टाइबेरियस ऑग्डेन से सुना है कि तुम पितृदेव उत्पन्न कर सकते हो? बोनस पॉइंट के लिए ...?'

हैरी ने अपनी छड़ी उठाई, सीधे अंबरिज की तरफ़ देखा और मन में यह ख़ुशी भरा विचार सोचा कि उन्हें बर्ख़ास्त किया जा रहा है।

'*पितृदेव संरक्षणम्!*'

उसकी छड़ी के सिरे से चाँदी जैसा मृग बाहर निकला और हॉल में दौड़ने लगा। सभी परीक्षक मुड़-मुड़कर उस मृग को देखने लगे और जब यह सफ़ेद धुंध में खो गया, तो प्रोफ़ेसर टॉफ़्टी ने उत्साह से तालियाँ बजाईं।

'बहुत बढ़िया!' उन्होंने कहा। 'बहुत बढ़िया, पॉटर, अब तुम जा सकते हो!'

जब हैरी दरवाज़े से अंबरिज के पास से निकला, तो उनकी नज़रें मिलीं। उनके चौड़े, पोपले मुँह के चारों तरफ़ एक बुरी सी मुस्कान थी, लेकिन उसे परवाह नहीं थी। अगर वह बहुत ज़्यादा ग़लत नहीं था (और इसी डर से वह यह बात किसी को नहीं बताने वाला था), तो उसे अभी-अभी एक 'आउटस्टैंडिंग' **ओ.डब्ल्यू.एल.** मिला था।

शुक्रवार को हैरी और रॉन की एक दिन की छुट्टी थी, जबकि हर्माइनी पुरातन लिपियों की परीक्षा दे रही थी। चूँकि उनके सामने पूरे वीकएंड की छुट्टियाँ थीं, इसलिए उन्होंने रिवीज़न छोड़कर कुछ देर आराम करने का फ़ैसला किया। वे जम्हाई लेते हुए खुली खिड़की के पास पसर गए और जादूगरों की शतरंज खेलने लगे। खिड़की से गर्मी की गर्म हवा अंदर आ रही थी। दूरी पर हैरी को हैग्रिड दिखाई दे रहा था, जो जंगल के किनारे पर एक क्लास को पढ़ा

रहा था। वह यह अनुमान लगाने की कोशिश कर रहा था कि किन प्राणियों की परीक्षा चल रही होगी – उसने सोचा शायद यूनिकॉर्न होंगे, क्योंकि लड़के थोड़े पीछे खड़े थे। तभी तस्वीर का छेद खुला और हर्माइनी अंदर आई। वह बहुत बुरे मूड में लग रही थी।

'परीक्षा कैसी रही?' रॉन ने जम्हाई और अँगड़ाई लेते हुए कहा।

'मैंने *एहवाज़* का ग़लत अनुवाद कर दिया,' हर्माइनी ग़ुस्से में बोली। 'इसका मतलब *रक्षा* नहीं, *साझेदारी* होता है। मैंने इसे *ऐहवाज़* से गड़बड़ा दिया।'

'ओह,' रॉन ने आलस से कहा, 'यह तो सिर्फ़ एक ही ग़लती है, है ना, तुम्हें तो फिर भी बहुत अंक मिल –'

'ओह, चुप रहो!' हर्माइनी ने ग़ुस्से से कहा। 'एक ग़लती से पास और फ़ेल के बीच अंतर हो सकता है। और इतना ही नहीं, किसी ने अंबरिज के ऑफ़िस में एक और स्वर्णखोजी छोड़ दिया है। मुझे नहीं पता कि उन्होंने इसे नए दरवाज़े से भीतर कैसे भेजा, लेकिन जब मैं वहाँ से निकल रही थी, तो अंबरिज ज़ोर-ज़ोर से चिल्ला रही थीं – ऐसा लगता था कि उसने उनका पैर काटने की कोशिश की थी –'

'अच्छा,' हैरी और रॉन ने एक साथ कहा।

'यह अच्छा *नहीं* है!' हर्माइनी ने गर्मी से कहा। 'भूल गए, वे सोचती हैं कि यह काम हैग्रिड करता है? और हम *नहीं* चाहते कि हैग्रिड को नौकरी से निकाला जाए!'

हैरी ने खिड़की के बाहर इशारा करते हुए कहा, 'वह इस समय पढ़ा रहा है। वे उसे दोष नहीं दे सकतीं।'

'ओह हैरी, तुम भी कितने *नादान* हो! क्या तुम्हें लगता है कि अंबरिज सबूत का इंतज़ार करेंगी?' हर्माइनी ने कहा, जो नाराज़ रहने पर तुली हुई थी। फिर वह अपने पीछे दरवाज़ा धड़ाम से बंद करती हुई लड़कियों के कमरों की तरफ़ चली गई।

'कितने अच्छे स्वभाव की प्यारी लड़की है,' रॉन ने बहुत धीरे से कहा और हैरी के एक घोड़े को पीटने के लिए अपने वज़ीर को आगे बढ़ाया।

हर्माइनी का बुरा मूड ज़्यादातर वीकएंड तक चला, हालाँकि हैरी और रॉन को इसे नज़रअंदाज़ करने में कोई दिक्क़त नहीं हुई। उन्होंने शनिवार और रविवार का ज़्यादातर समय सोमवार को होने वाली काढ़े की परीक्षा के रिवीज़न में बिताया। काढ़े की परीक्षा को लेकर हैरी सबसे कम उत्साहित था – और उसे यक़ीन था कि यह ऑरर बनने की उसकी महत्वाकांक्षा का पतन साबित होगा।

उसे लिखित पेपर मुश्किल लगा, हालाँकि उसे लगा कि उसे भेसबदल काढ़े वाले सवाल में पूरे नंबर मिल सकते हैं। वह इसके प्रभावों को सटीकता से इसलिए बता सकता था, क्योंकि उसने सेकंड ईयर में इसे ग़ैर-क़ानूनी ढंग से पिया था।

दोपहर को होने वाला प्रैक्टिकल उतना भयंकर नहीं था, जितनी उसे आशंका थी। चूँकि स्नेप वहाँ मौजूद नहीं थे, इसलिए वह काढ़ा बनाते समय आम तौर से ज़्यादा आरामदेह महसूस कर रहा था। नेविल हैरी के बहुत पास बैठा था। वह काढ़े की क्लास के दौरान बहुत दुखी दिखता था, लेकिन आज वह ज़्यादा ख़ुश दिख रहा था। जब प्रोफ़ेसर मार्चबैंक्स ने कहा, 'अब अपनी कड़ाहियों से दूर हट जाएँ, परीक्षा ख़त्म हो गई है,' तो हैरी ने अपने सैंपल फ़्लास्क के कॉर्क को इस एहसास के साथ लगाया कि भले ही उसे अच्छा ग्रेड न मिल पाए, लेकिन क़िस्मत अच्छी रही, तो वह फ़ेल नहीं होगा।

'सिर्फ़ चार पेपर बचे हैं,' पार्वती पाटिल ने थके अंदाज़ में कहा, जब वे गरुड़द्वार के हॉल की तरफ़ वापस लौटे।

'सिर्फ़!' हर्माइनी ने तेज़ी से कहा। '*मुझे* अंकों के जादुई महत्व की परीक्षा भी देनी है और यह शायद सबसे मुश्किल विषय है!'

किसी ने भी उसकी बात काटने की मूर्खता नहीं की, इसलिए वह अपना ग़ुस्सा किसी पर भी नहीं उतार पाई और उसने हॉल में ज़्यादा ज़ोर से खी-खी कर रहे फ़र्स्ट ईयर के विद्यार्थियों को डाँटकर अपनी भड़ास निकाली।

हैरी ने तय कर लिया था कि वह मंगलवार को जादुई प्राणियों की देखभाल की परीक्षा में अच्छा प्रदर्शन करेगा, ताकि हैग्रिड का सिर नीचा न हो। प्रैक्टिकल परीक्षा दोपहर को अँधेरे जंगल के किनारे वाले लॉन पर हुई, जहाँ विद्यार्थियों को एक दर्जन हेजहॉग्स के बीच छिपे एक नार्ल को पहचानने के लिए कहा गया (तरकीब यह थी कि सभी को बारी-बारी से दूध दिया जाए। नार्ल्स की क़लमों में कई जादुई गुण होते हैं, लेकिन वे आम तौर पर बहुत ही शक्की होते हैं और दूध पिलाने की कोशिश पर नाराज़ हो जाते हैं, क्योंकि उन्हें लगता है कि उन्हें ज़हर देने की कोशिश की जा रही है)। फिर उन्हें काष्ठजीव को सही तरीक़े से सँभालने का प्रदर्शन करना था। एक अग्नि-कर्कट को खिलाना था और बिना गंभीर रूप से जले उसकी सफ़ाई करनी थी। इसके अलावा बीमार यूनिकॉर्न को देने के लिए खाने-पीने की बहुत सारी चीज़ों में से सही आहार चुनना था।

हैरी ने देखा कि हैग्रिड अपने केबिन की खिड़की से चिंता से देख रहा था। जब हैरी की परीक्षक मोटी नाटी जादूगरनी ने उससे मुस्कराकर कहा कि अब वह जा सकता है, तो हैरी ने महल की तरफ़ लौटने से पहले हैग्रिड को अँगूठा ऊँचा करके दिखाया।

बुधवार की सुबह खगोलशास्त्र का पेपर पर्याप्त अच्छा रहा। हैरी को यक़ीन नहीं था कि उसने बृहस्पति के सभी उपग्रहों के नाम ठीक से लिखे हैं, लेकिन उसे विश्वास था कि उनमें से किसी पर भी चूहे नहीं रहते थे। उन्हें खगोलशास्त्र के प्रैक्टिकल के लिए शाम तक इंतज़ार करना था, इसलिए दोपहर को ज्योतिष की परीक्षा हुई।

हालाँकि हैरी ज्योतिष में कमज़ोर था, लेकिन उसकी परीक्षा बहुत ख़राब साबित हुई। इसके बजाय तो वह सूने काँच के गोले में हिलने वाली तस्वीरें देखने की कोशिश कर सकता था। चाय की पत्तियों को पढ़ने के दौरान तो उसका सिर घूम गया। उसने कहा कि प्रोफ़ेसर मार्चबैंक्स जल्दी ही एक मोटे, साँवले, भीगे हुए अजनबी से मिलेंगी। उसने इस पूरे घपले को ख़त्म करते हुए उनकी हथेली की जीवन और मस्तिष्क रेखाओं को गड़बड़ा दिया और उन्हें बताया कि उन्हें तो पिछले मंगलवार को ही मर जाना चाहिए था।

संगमरमर की सीढ़ियाँ चढ़ते समय रॉन ने उदासी से कहा, 'देखो, हमें इसमें पास होने की कोई उम्मीद नहीं थी।' यह सुनकर हैरी थोड़ा ज़्यादा ठीक महसूस करने लगा। रॉन ने तो अपने परीक्षक को विस्तार से यह बता डाला कि उसे अपने भाग्य दर्पण में एक बदसूरत आदमी दिख रहा है, जिसकी नाक पर एक मस्सा है। तभी उसने ऊपर देखा और उसे यह भयंकर एहसास हुआ कि वह अपने परीक्षक के प्रतिबिंब का वर्णन कर रहा था।

हैरी ने कहा, 'हमें उस मूर्खतापूर्ण विषय को लेना ही नहीं चाहिए था।'

'फिर भी, कम से कम हम उसे अब छोड़ सकते हैं।'

हैरी ने कहा, 'हाँ, अब हमें यह नाटक करने की ज़रूरत नहीं है कि बृहस्पति और यूरेनस जब ज़्यादा दोस्ताना हो जाते हैं, तो क्या होता है।'

'और आगे से, मुझे इस बात की परवाह भी नहीं रहेगी कि मेरी चाय की पत्तियाँ *मौत* का संकेत कर रही हैं। मैं उन्हें उठाकर कूड़ेदान में डाल दूँगा, जो उनकी सही जगह है।'

हैरी हँसने लगा। तभी हर्माइनी उनके पीछे से भागती हुई आई। उसने एकदम अपनी हँसी रोक दी। उसे डर था कि कहीं वह बुरा न मान जाए।

उसने कहा, 'देखो, मुझे लगता है कि मैंने अंकों के जादुई महत्त्व की परीक्षा ठीक से दी है।' यह सुनकर हैरी और रॉन दोनों ने ही राहत की साँस ली। 'बस जल्दी से डिनर से पहले सितारों के चार्ट पर नज़र डालने का समय है ...'

जब वे रात ग्यारह बजे खगोलशास्त्र की मीनार के ऊपर पहुँचे, तो उन्हें सितारों को देखने के लिए आदर्श रात मिली, क्योंकि आसमान में एक भी बादल

नहीं था। मैदान चाँदनी में नहा रहा था और हवा में थोड़ी सी ठंडक थी। सभी विद्यार्थियों ने अपना-अपना टेलीस्कोप जमाया और प्रोफ़ेसर मार्चबैंक्स के इशारे पर सितारों के ख़ाली चार्ट को भरने लगे।

जब उन्होंने सितारों और ग्रहों की सटीक स्थितियाँ लिखीं, तो प्रोफ़ेसर मार्चबैंक्स और टॉफ़्टी उनके बीच घूमते रहे। चर्मपत्रों के सरकने की आवाज़ के अलावा कोई आवाज़ नहीं आ रही थी। कभी-कभार टेलीस्कोप के चरमराने की आवाज़ आ जाती थी, जब उसे स्टैंड पर संतुलित किया जाता था। इसके अलावा चर्मपत्रों पर क़लम घिसटने की आवाज़ भी आ रही थी। आधा घंटा गुज़र गया, फिर एक घंटा। जब महल की खिड़कियों की बत्तियाँ बुझने लगीं, तो ज़मीन पर सुनहरी रोशनी के छोटे-छोटे चौखाने ओझल होने लगे।

बहरहाल, जब हैरी ने अपने चार्ट पर ओरियन की स्थिति लिख ली, तो महल का सामने वाला दरवाज़ा खुल गया। दरवाज़ा उस मुँडेर के ठीक नीचे था, जहाँ वह खड़ा था। दरवाज़ा खुलने से पत्थर की सीढ़ियों से थोड़ी दूर की घास पर रोशनी पड़ी। हैरी ने अपने टेलीस्कोप की स्थिति बदली और नीचे झाँकने लगा। चमकती घास पर पाँच-छह आकृतियाँ चल रही थीं। फिर दरवाज़ा बंद हो गया और घास पर एक बार फिर अँधेरा छा गया।

हैरी ने अपनी आँख दोबारा टेलीस्कोप पर लगाई और शुक्र की स्थिति देखने लगा। उसने नीचे के चार्ट को देखा, जहाँ उसे ग्रह की स्थिति लिखनी थी, लेकिन किसी चीज़ से उसका ध्यान भंग हो गया। उसने अँधेरे मैदान की तरफ़ देखा। वहाँ छह आकृतियाँ चली जा रही थीं। अगर वे हिल नहीं रही होतीं और चाँदनी उनके सिर पर नहीं पड़ रही होती, तो वे अँधेरे मैदान में नज़र ही नहीं आतीं। इतनी दूर से भी हैरी उन आकृतियों में सबसे मोटी आकृति की चाल को पहचान गया, जो सबसे आगे चल रही थी।

वह यह नहीं सोच पाया कि अंबरिज आधी रात के बाद बाहर क्यों टहल रही हैं। और उसे यह तो बिलकुल भी समझ में नहीं आया कि वे पाँच लोगों के साथ कहाँ जा रही हैं। फिर कोई उसके पीछे खाँसा और उसे याद आया कि अभी आधी परीक्षा बची है। वह शुक्र की स्थिति बिलकुल भूल गया था। उसने अपनी आँख टेलीस्कोप पर फिर से जमाई और शुक्र को दोबारा खोजा। वह चार्ट पर उसकी स्थिति लिखने ही वाला था, तभी उसे दूरी पर एक दस्तक सुनाई दी, जिसकी आवाज़ वीरान मैदान में गूँजने लगी। तत्काल किसी कुत्ते के भौंकने की दबी हुई आवाज़ आई।

उसने धड़कते दिल से ऊपर देखा। हैग्रिड के केबिन की खिड़कियों पर रोशनी थी और जिन लोगों को उसने लॉन पार करते देखा था, अब उनकी

आकृतियाँ उन खिड़कियों के सामने दिख रही थीं। दरवाज़ा खुला और उसने छहों आकृतियों को चौखट लाँघकर अंदर जाते देखा। दरवाज़ा दोबारा बंद हो गया और ख़ामोशी छा गई।

हैरी बहुत परेशान हो गया। उसने मुड़कर देखा कि जो उसने देखा था, वह रॉन या हर्माइनी ने देखा था या नहीं, लेकिन उसी पल प्रोफ़ेसर मार्चबैंक्स उसके पीछे आ गईं। वह उनके सामने इधर-उधर ताका-झाँकी नहीं करना चाहता था, वरना वे यह सोचने लगतीं कि वह किसी की नक़ल करने की कोशिश कर रहा है। इसलिए वह तेज़ी से सितारों के चार्ट पर झुका और उसमें नोट्स लिखने का नाटक करने लगा। दरअसल वह मुंडेर के ऊपर से हैग्रिड के केबिन की तरफ़ देख रहा था। अब केबिन की खिड़कियों के पार आकृतियाँ हिल रही थीं, जिससे रोशनी कुछ समय के लिए ओझल हो जाती थी।

उसे अपनी गर्दन पर प्रोफ़ेसर मार्चबैंक्स की नज़रें महसूस हो रही थीं। उसने एक बार फिर अपनी आँख टेलीस्कोप पर लगाई और चंद्रमा की तरफ़ देखने लगा, हालाँकि वह एक घंटे पहले ही उसकी स्थिति लिख चुका था। जैसे ही प्रोफ़ेसर मार्चबैंक्स हिलीं, उसे दूर वाले केबिन से एक गर्जना सुनाई दी, जो अँधेरे में गूँजती हुई खगोलशास्त्र की मीनार तक पहुँच गई। हैरी के चारों तरफ़ के कुछ विद्यार्थी अपने टेलीस्कोप से नज़रें हटाकर हैग्रिड के केबिन की तरफ़ देखने लगे।

प्रोफ़ेसर टॉफ़्टी एक बार फिर खाँसे।

उन्होंने धीरे से कहा, 'ध्यान केंद्रित करने की कोशिश करो।'

ज़्यादातर विद्यार्थी अपने टेलीस्कोप की तरफ़ लौट गए। हैरी ने अपनी बाईं तरफ़ देखा। हर्माइनी हैग्रिड के केबिन की तरफ़ एकटक देख रही थी।

प्रोफ़ेसर टॉफ़्टी बोले, 'उहूँ - बीस मिनट बचे हैं।'

हर्माइनी चौंक गई और तत्काल अपने सितारों के चार्ट को भरने लगी। हैरी ने अपने चार्ट की तरफ़ देखा और उसका ध्यान इस तरफ़ गया कि उसने शुक्र की जगह पर मंगल लिख दिया था। वह अपनी ग़लती सुधारने के लिए झुका।

तभी मैदान की तरफ़ से एक ज़ोरदार **धमाका** सुनाई दिया। टेलीस्कोप के सिरे से मुँह टकराने के कारण कई विद्यार्थी 'आउच' चिल्लाए और जल्दी से देखने लगे कि नीचे क्या हो रहा था।

हैग्रिड का दरवाज़ा खुल चुका था और केबिन से बाहर निकलती रोशनी में उन लोगों को वह साफ़ नज़र आ रहा था। विशालकाय हैग्रिड गरज रहा था

और अपनी मुट्ठियाँ लहरा रहा था। उसे छह लोग घेरे हुए थे और उसकी दिशा में लाल रोशनी फेंककर उसे स्तब्ध करने की कोशिश कर रहे थे।

'नहीं!' हर्माइनी चीख़ी।

'ओह!' प्रोफ़ेसर टॉफ़्टी ने विचलित होते हुए कहा। 'यह परीक्षा है!'

लेकिन कोई भी अब अपने सितारों के चार्ट पर ध्यान नहीं दे रहा था। लाल रोशनी की किरणें अब भी हैग्रिड के केबिन के आस-पास उड़ रही थीं। लेकिन वे उससे टकराकर उछल रही थीं। वह अब भी तनकर खड़ा था और संघर्ष कर रहा था। चीख़ें और चिल्लाहटें मैदान में गूँज रही थीं। एक आदमी चिल्लाया, 'समझदारी से काम लो, हैग्रिड!'

हैग्रिड गरजा, 'समझदारी गई भाड़ में। डॉलिश, तुम लोग हमें इस तरह से नहीं ले जा सकते!'

हैरी को फ़ैंग की छोटी आकृति दिख रही थी, जो हैग्रिड को बचाने की कोशिश कर रहा था। फ़ैंग बार-बार हैग्रिड को घेरने वाले जादूगरों पर उछल रहा था, जब तक कि उस पर एक स्तब्धीकरण मंत्र नहीं पड़ा और वह ज़मीन पर गिर नहीं गया। हैग्रिड आवेश से गरजा और अपराधी को उठाकर फेंक दिया। वह आदमी हवा में दस फ़ुट उड़ा और दोबारा नहीं उठा। हर्माइनी की आह निकल गई और उसके दोनों हाथ मुँह पर पहुँच गए। हैरी ने रॉन की तरफ़ मुड़कर देखा। वह भी घबराया हुआ दिख रहा था। उनमें से किसी ने हैग्रिड को कभी इतने ग़ुस्से में नहीं देखा था।

'देखो!' पार्वती चीख़ी, जो मुँडेर पर झुककर महल के नीचे की तरफ़ इशारा कर रही थी, जहाँ सामने वाला दरवाज़ा एक बार फिर खुल गया था। अँधेरी घास पर एक बार फिर रोशनी हुई। इस बार एक लंबी छाया घास पर तेज़ी से जाती नज़र आई।

प्रोफ़ेसर टॉफ़्टी चिंता से बोले, 'देखो, अब सिर्फ़ सोलह मिनट बचे हैं!'

लेकिन किसी ने भी उनकी बात पर ध्यान नहीं दिया। वे तो अब उस आकृति को देख रहे थे, जो भागकर हैग्रिड के केबिन के पास हो रहे युद्ध की तरफ़ जा रही थी।

'तुम्हारी हिम्मत कैसे हुई!' वह आकृति भागते हुए चिल्ला रही थी। 'तुम्हारी *हिम्मत* कैसे हुई!'

हर्माइनी फुसफुसाकर बोली, 'वे मैक्गॉनेगल हैं!'

अँधेरे में प्रोफ़ेसर मैक्गॉनेगल की आवाज़ आई, 'उसे छोड़ दो! मैंने कहा, *छोड़ दो!* तुम किस कारण उस पर हमला कर रहे हो? उसने कुछ नहीं किया है,

जो उसे इस तरह -'

हर्माइनी, पार्वती और लैवेंडर चीख़ पड़ीं। केबिन के चारों तरफ़ की आकृतियों ने प्रोफ़ेसर मैक्गॉनेगल पर चार स्तब्धीकरण मंत्र मार दिए। केबिन और महल के बीच में लाल रोशनी की किरणें उनसे टकराईं। एक पल के लिए तो उनका शरीर लाल रोशनी में चमकता रहा। फिर वे धड़ाम से पीठ के बल गिर पड़ीं और हिली तक नहीं।

'बेड़ा गर्क हो!' प्रोफ़ेसर टॉफ़्टी चिल्लाए। वे भी अब परीक्षा को पूरी तरह से भूल गए थे। 'चेतावनी तक नहीं दी! बहुत ही बुरा व्यवहार है!'

'कायरो!' हैग्रिड गरजा। उसकी आवाज़ मीनार के ऊपर साफ़ सुनाई दे रही थी और महल के भीतर कई जगह रोशनी हो गई थी। **'डरपोक कहीं के! यह लो - और यह भी -'**

'ओह -' हर्माइनी ने आह भरते हुए कहा।

हैग्रिड ने अपने सबसे क़रीब के हमलावरों की तरफ़ दो विशाल हाथ लहराए। उनके तत्काल गिरने से यह पता चला कि वे बेहोश हो गए थे। हैरी ने हैग्रिड को झुकते हुए देखा। उसे लगा कि आख़िर किसी मंत्र ने उसे स्तब्ध कर दिया है। लेकिन हैग्रिड दोबारा खड़ा हो गया। ऐसा लग रहा था कि उसने अपनी पीठ पर एक बोरा लाद रखा था - फिर हैरी को एहसास हुआ कि उसके कंधे पर फ़ैंग का बेजान शरीर लटका था।

'उसे पकड़ लो, उसे पकड़ लो!' अंबरिज चीख़ीं, लेकिन उनका इकलौता बचा सहायक हैग्रिड के क़रीब जाने की हिम्मत नहीं जुटा पा रहा था। दरअसल वह इतनी तेज़ी से पीछे हो रहा था कि वह अपने एक बेहोश सहयोगी से टकराकर गिर गया। हैग्रिड मुड़ा और फ़ैंग को पीठ पर लटकाकर तेज़ी से भागने लगा। अंबरिज ने उस पर आख़िरी स्तब्धीकरण मंत्र मारा, लेकिन उनका निशाना चूक गया और हैग्रिड दूर वाले गेट की तरफ़ तेज़ी से भागते हुए अँधेरे में ओझल हो गया।

एक मिनट तक ख़ामोशी छाई रही। सभी मुँह खोलकर मैदान की तरफ़ देखते रहे। फिर प्रोफ़ेसर टॉफ़्टी की धीमी आवाज़ आई। 'सब लोग सुन लो, अब पाँच मिनट बचे हैं।'

हालाँकि उसका दो-तिहाई चार्ट ही भरा था, लेकिन हैरी बुरी तरह चाहता था कि परीक्षा ख़त्म हो जाए। जब परीक्षा ख़त्म हो गई, तो हैरी, रॉन और हर्माइनी टेलीस्कोप उनके होल्डरों में जैसे-तैसे रखकर घुमावदार सीढ़ियों की तरफ़ भागे। कोई भी विद्यार्थी सोने के मूड में नहीं था। सभी रोमांचित होकर देखी हुई घटना के बारे में सीढ़ियों के मुहाने पर ज़ोर-ज़ोर से बातें कर रहे थे।

'घटिया औरत!' हर्माइनी ने आह भरी, जो अब इतने ग़ुस्से में थी कि उसके मुँह से शब्द नहीं निकल पा रहे थे। 'रात के अँधेरे में हैग्रिड को चोरी से पकड़ना चाहती थी!'

अर्नी मैकमिलन ने समझदारी से कहा, जो उनके पास आ गया था, 'वह स्पष्ट रूप से नहीं चाहती थी कि ट्रिलोनी जैसी घटना दोबारा हो।'

'हैग्रिड ने अच्छा किया, है ना?' रॉन ने कहा, जो प्रभावित कम, चिंतित ज्यादा लग रहा था। 'मंत्र उससे टकराकर दूर क्यों छिटक गए?'

'उसके दानव रक्त के कारण ऐसा हुआ होगा,' हर्माइनी ने काँपती आवाज़ में कहा। 'दानवों को स्तब्ध करना बहुत मुश्किल होता है। वे दैत्यों की तरह होते हैं, सचमुच सख़्त ... लेकिन बेचारी प्रोफ़ेसर मैक्गॉनेगल ... चार स्तब्धीकरण मंत्र सीधे उनकी छाती पर पड़े और वे बहुत जवान नहीं हैं, है ना?'

'भयंकर, भयंकर,' अर्नी ने अपना सिर आडम्बर से हिलाते हुए कहा। 'अच्छा, मैं सोने जा रहा हूँ। सभी को गुड नाइट।'

उनके चारों तरफ़ के विद्यार्थी अब जा रहे थे। वे अब भी रोमांचित होकर उसी घटना के बारे में बात कर रहे थे, जो उन्होंने अभी-अभी देखी थी।

रॉन ने कहा, 'कम से कम वे हैग्रिड को अज़्काबान तो नहीं ले जा पाए। मुझे लगता है कि वह डम्बलडोर के पास गया होगा, है ना?'

'मुझे भी ऐसा ही लगता है,' हर्माइनी ने कहा, जिसकी आँखें आँसुओं के क़रीब लग रही थीं। 'ओह, यह बहुत बुरा हुआ। मैं सचमुच सोच रही थी कि डम्बलडोर जल्दी ही लौट आएँगे, लेकिन अब तो हैग्रिड भी चला गया।'

वे लोग गरुड़द्वार के हॉल की तरफ़ लौटे। यह पूरा भरा था। मैदान में हुए हंगामे के कारण कई विद्यार्थी जाग गए थे और उन्होंने जल्दी से अपने दोस्तों को भी जगा दिया था। सीमस और डीन हैरी, रॉन और हर्माइनी से पहले ही गरुड़द्वार के हॉल में पहुँच गए थे। वे सभी को बता रहे थे कि उन्होंने खगोलशास्त्र की मीनार के ऊपर से क्या देखा और सुना था।

'लेकिन हैग्रिड को अब क्यों निकालना?' एंजेलिना जॉनस्न ने पूछा और अपना सिर हिलाया। 'यह ट्रिलोनी जैसा नहीं है। वह तो इस साल पहले से ज़्यादा अच्छा पढ़ा रहा था!'

'अंबरिज अर्ध-मानवों से नफ़रत करती है,' हर्माइनी ने कटुता से कहा और एक कुर्सी पर लुढ़क गई। 'वह हमेशा से हैग्रिड को बाहर निकालना चाहती थी।'

केटी बेल ने कहा, 'और वह सोच रही होगी कि हैग्रिड उसके ऑफ़िस में

स्वर्णखोजी छोड़ रहा था।'

'धत तेरे की,' ली जॉर्डन ने अपना मुँह ढँकते हुए कहा। 'उसके ऑफ़िस में स्वर्णखोजी तो मैं छोड़ रहा था। फ्रेड और जॉर्ज मुझे दो स्वर्णखोजी देकर गए थे। मैं खिड़की से उन्हें ऊपर पहुँचा रहा था।

डीन बोला, 'उसे तो हैग्रिड को निकालने का बहाना चाहिए था। हैग्रिड डम्बलडोर के बहुत ज़्यादा क़रीब था।'

'यह सच है,' हैरी ने कहा और वह भी हर्माइनी के पास एक कुर्सी में लुढ़क गया।

लैवेंडर ने आँसू भरते हुए कहा, 'मैं तो बस यही सोच रही हूँ कि प्रोफ़ेसर मैक्गॉनेगल ठीक हो जाएँ।'

कॉलिन क्रीवी बोला, 'हमने अपने कमरे की खिड़की से देखा था कि कुछ प्रोफ़ेसर उन्हें महल तक ला रहे थे। उनकी हालत बहुत अच्छी नहीं दिख रही थी।'

एलिसिया स्पिनेट ने दृढ़ता से कहा, 'मैडम पॉमफ़्री उन्हें ठीक कर देंगी। वे आज तक नाकामयाब नहीं हुई हैं।'

सुबह लगभग चार बजे हॉल ख़ाली हुआ। हैरी की आँखों में नींद का नामोनिशान नहीं था। हैग्रिड के अँधेरे में भागने का दृश्य उसे सता रहा था। वह अंबरिज पर इतना ग़ुस्सा था कि यह नहीं सोच पा रहा था कि इस औरत के लिए कौन सी सज़ा सबसे बुरी होगी, हालाँकि रॉन ने सुझाव दिया कि उसे भूख से तड़प रहे विस्फोटक अग्निडंकों के आगे डाल देना चाहिए। भयंकर प्रतिशोध की कल्पना करते-करते वह सो गया। तीन घंटे बाद जब वह जागा, तो उसे महसूस हुआ कि उसकी नींद अभी पूरी नहीं हुई थी।

उनकी आख़िरी परीक्षा जादू का इतिहास थी, जो दोपहर से पहले नहीं होनी थी। हैरी का बहुत मन हुआ कि नाश्ता करने के बाद दोबारा सो जाए। लेकिन वह रिवीज़न करना चाहता था, इसलिए वह अपने हाथों में सिर को थामकर हॉल की खिड़की के पास बैठा। जब वह हर्माइनी के दिए साढ़े तीन फ़ुट ऊँचे नोट्स के ढेर को पढ़ने लगा, तो उसे बहुत कोशिश करनी पड़ी कि उसे नींद न आ जाए।

फ़िफ़्थ ईयर के विद्यार्थी दो बजे बड़े हॉल में दाख़िल हुए और अपनी जगह पर बैठ गए। परीक्षा के पेपर उनके सामने उल्टे रखे थे। हैरी बुरी तरह थका हुआ था। वह चाहता था कि यह परीक्षा जल्दी से ख़त्म हो जाए और वह चैन से सो जाए। फिर कल वह और रॉन क्विडिच पिच पर जाएँगे - वह रॉन की झाड़ू पर उड़ेगा - और रिवीज़न से मुक्ति का आनंद लेगा।

'अपने पेपर सीधे कर लो,' प्रोफ़ेसर मार्चबैंक्स ने हॉल के सामने से कहा और विशाल घड़ी को चालू कर दिया। 'तुम लोग शुरू कर सकते हो।'

हैरी ने पहले सवाल की तरफ़ घूरा। कुछ सेकंड बाद उसे ध्यान आया कि उसे इसका एक भी शब्द समझ में नहीं आया था। एक ऊँची खिड़की पर एक मधुमक्खी भनभना रही थी। धीरे-धीरे, काफ़ी कष्ट से वह जवाब लिखने लगा।

उसे नाम याद करने में बहुत मुश्किल आ रही थी और वह तारीख़ें भी गड़बड़ कर रहा था। उसने सवाल नंबर चार बिलकुल ही छोड़ दिया (*आपकी राय में क्या छड़ी क़ानून ने अठारहवीं सदी के पिशाच विद्रोहों को बेहतर तरीक़े से नियंत्रित करने में योगदान दिया?*) उसने सोचा कि अगर उसके पास अंत में समय बचा, तो वह इसे कर लेगा। उसने सवाल नंबर पाँच करने की कोशिश की (*1749 में गोपनीयता अधिनियम किस तरह तोड़ा गया और इसकी पुनरावृत्ति रोकने के लिए कौन से क़दम उठाए गए?*) उसने जवाब तो लिख लिया, लेकिन उसे लग रहा था कि उसने कई महत्वपूर्ण बिंदु छोड़ दिए थे। उसे यह एहसास था कि इस क़हानी में कहीं पर ख़ूनी पिशाचों का ज़िक्र भी आया था।

उसने आगे की तरफ़ ऐसे सवाल की तलाश की, जिसका वह सही जवाब दे सके। सवाल नंबर दस को देखकर उसकी आँखें चमक गईं : *उन परिस्थितियों का वर्णन करें, जिनमें अंतर्राष्ट्रीय जादूगर महासंघ की स्थापना हुई और यह स्पष्ट करें कि लेकटेनस्टीन के जादूगरों ने उसमें शामिल होने से इंकार क्यों किया।*

'मुझे यह *आता है,*' हैरी ने सोचा, हालाँकि उसका दिमाग़ थका हुआ और शिथिल महसूस कर रहा था। उसे हर्माइनी की लिखाई में एक हेडिंग दिखाई दे रहा था : *अंतर्राष्ट्रीय जादूगर महासंघ की स्थापना* ... उसने उसके नोट्स आज सुबह ही पढ़े थे।

वह लिखने लगा। बीच-बीच में वह प्रोफ़ेसर मार्चबैंक्स के पास डेस्क पर रखी घड़ी की तरफ़ देखता जा रहा था। वह पार्वती पाटिल के ठीक पीछे बैठा था, जिसके लंबे काले बाल उसकी कुर्सी की पीठ पर झूल रहे थे। जब वह अपना सिर हिलाती थी, तो हैरी की आँखें थोड़ी चौंधिया जाती थीं और साफ़ देखने के लिए उसे अपना सिर थोड़ा सा हिलाना पड़ता था।

... *अंतर्राष्ट्रीय जादूगर महासंघ के पहले प्रमुख पियरे बोनाकोर्ड थे, लेकिन लेकटेनस्टीन के जादूगर समुदाय ने उनकी नियुक्ति का विरोध किया था, क्योंकि* –

हैरी के चारों तरफ़ कलमें चर्मपत्रों पर भाग रही थीं और चूहों की तरह घिसट रही थीं। धूप उसके सिर को गर्म कर रही थी। बोनाकोर्ड ने लेकटेनस्टीन

के जादूगरों को आहत करने के लिए क्या किया था ? हैरी को लगा कि इसका दैत्यों से कोई संबंध था ... उसने दोबारा पार्वती के सिर के पिछले हिस्से की तरफ़ सूनेपन से घूरा। काश वह गुप्त-घुसपैठ कर सके और उसके सिर के पीछे की खिड़की खोलकर देख सके कि दैत्यों के बारे में ऐसा क्या था, जिस कारण पियरे बोनाकोर्ड और लेकटेनस्टीन के जादूगरों के बीच टकराव हो गया था ...

हैरी ने अपनी आँखें बंद कर लीं और अपना चेहरा हाथों में छिपा लिया, ताकि उसकी आँखों की पुतलियाँ ठंडी हो जाएँ। बोनाकोर्ड दैत्यों का शिकार रोकना चाहता था और दैत्यों को अधिकार देना चाहता था ... लेकिन लेकटेनस्टीन को दुष्ट पहाड़ी दैत्यों की प्रजाति के साथ दिक़्क़तें आ रही थीं ... हाँ यही बात थी।

उसने अपनी आँखें खोलीं। वे दुख रही थीं। चमकते सफ़ेद चर्मपत्र को देखते ही उनमें पानी भर गया। धीरे से उसने दैत्यों के बारे में दो लाइनें लिखीं। फिर उसने अब तक की अपनी लिखी हुई बातें पढ़ीं। वह बहुत कम लिख पाया था, हालाँकि उसे पता था कि महासंघ पर हर्माइनी के नोट्स कई पन्ने लंबे थे।

उसने अपनी आँखें दोबारा मूँद लीं और उन्हें याद करने की कोशिश की ... महासंघ की पहली मीटिंग फ़्रांस में हुई थी, हाँ, वह यह पहले ही लिख चुका था ...

पिशाचों ने इस सभा में शामिल होने की कोशिश की थी, लेकिन उन्हें बाहर निकाल दिया गया था। वह यह भी पहले ही लिख चुका था।

और लेकटेनस्टीन से कोई भी नहीं आना चाहता था ...

सोचो, उसने ख़ुद से कहा, उसका चेहरा हाथों में था, जबकि उसके चारों तरफ़ क़लमें लगातार जवाब लिख रही थीं और विशाल घड़ी में बालू गिरती जा रही थी ...

वह एक बार फिर रहस्य विभाग की तरफ़ जाने वाले ठंडे, अँधेरे गलियारे में जा रहा था। वह दृढ़ और पक्के इरादे वाली चाल से जा रहा था। वह बीच-बीच में दौड़ भी रहा था और आख़िरकार अपनी मंज़िल तक पहुँचने के लिए संकल्पवान था ... काला दरवाज़ा हमेशा की तरह उसके लिए खुल गया और वह एक गोलाकार कमरे में पहुँच गया, जिसमें कई दरवाज़े थे ...

पत्थर के फ़र्श के पार और दूसरे दरवाज़े से ... दीवारों और फ़र्श पर रोशनी नाच रही थी और मशीनी आवाज़ होती रही, लेकिन खोजबीन करने का समय नहीं था, उसे जल्दी थी ...

वह आख़िरी कुछ फ़ुट दौड़कर तीसरे दरवाज़े तक पहुँचा, जो बाक़ी दरवाज़ों की तरह खुल गया ...

एक बार फिर वह चर्च जैसे कमरे में पहुँच गया, जो शेल्फ़ों और काँच के गोलों से भरा हुआ था ... उसका दिल अब बहुत तेज़ी से धड़क रहा था ... वह इस बार वहाँ पहुँचने वाला है ... सन्तानवे नंबर तक पहुँचकर वह बाईं तरफ़ मुड़ा और दो क़तारों के बीच जल्दी से चला ...

दूर फ़र्श पर एक आकृति दिख रही थी। एक काली आकृति फ़र्श पर किसी घायल जानवर की तरह हिल रही थी ... हैरी का पेट डर से ... रोमांच से ... सिकुड़ने लगा।

उसके मुँह से एक आवाज़ निकली, एक ऊँची, ठंडी आवाज़, जिसमें दया का नामोनिशान नहीं था ...

'तुम इसे उठाकर मुझे दे दो ... इसे उठा लो, अभी ... मैं इसे नहीं छू सकता ... लेकिन तुम छू सकते हो ...'

फ़र्श की काली आकृति थोड़ी हिली। हैरी ने देखा कि लंबी उँगलियों वाले उसके सफ़ेद हाथ में एक छड़ी थी ... उसने अपनी ऊँची, ठंडी आवाज़ में कहा, '*पीड़ितो!*'

फ़र्श वाला आदमी दर्द से चीख़ने लगा। उसने खड़े होने की कोशिश की, लेकिन गिरकर छटपटाने लगा। हैरी हँसने लगा। उसने अपनी छड़ी उठाई, जिससे शाप उठ गया और आकृति कराहने लगी तथा स्थिर हो गई।

'लॉर्ड वोल्डेमॉर्ट इंतज़ार कर रहे हैं ...'

ज़मीन पर गिरा आदमी धीरे-धीरे अपने काँपते हुए हाथों के बल कुछ इंच उठा और अपना सिर हिलाने लगा। उसका चेहरा ख़ून से लथपथ था। वह दर्द के मारे काँप रहा था, लेकिन ग़ुस्से के कारण उसका शरीर सख़्त था ...

सिरियस फुसफुसाया, 'इससे पहले मैं अपनी जान दे दूँगा।'

'ज़ाहिर है, आख़िर में तो मैं तुम्हारी जान ले ही लूँगा,' ठंडी आवाज़ आई। 'लेकिन उससे पहले तुम्हें मुझे वह चीज़ उठाकर देनी होगी, ब्लैक ... तुम सोचते हो कि तुम दर्द झेल सकते हो ? इस बारे में दोबारा सोच लो ... हमारे पास बहुत समय है और किसी को भी तुम्हारी चीख़ सुनाई नहीं देगी ...'

लेकिन जब वोल्डेमॉर्ट ने दोबारा अपनी छड़ी नीचे की, तो कोई चीख़ा और गर्म डेस्क से पत्थर के ठंडे फ़र्श पर गिर गया। ज़मीन से टकराते ही हैरी हड़बड़ाकर जाग गया, हालाँकि वह अब भी चीख़ रहा था। जब उसकी आँखें खुलीं, तो उसे महसूस हुआ कि वह बड़े हॉल में था और उसके निशान में बहुत तेज़ दर्द हो रहा था।

अध्याय बत्तीस

अंगीठी में

'मैं अस्पताल नहीं जाऊँगा ... मुझे वहाँ जाने की ज़रूरत नहीं है ... मैं वहाँ नहीं जाना चाहता ...'

हैरी ये बातें बड़बड़ाता जा रहा था और प्रोफ़ेसर टॉफ़्टी से अपना हाथ छुड़ाने की कोशिश कर रहा था। प्रोफ़ेसर टॉफ़्टी हैरी को प्रवेश हॉल में ले जाते समय उसे चिंतित होकर देख रहे थे और चारों तरफ़ के विद्यार्थी उन दोनों को घूर रहे थे।

हैरी अपने चेहरे से पसीना पोंछते हुए बुदबुदाया, 'मैं – मैं ठीक हूँ, सर। दरअसल ... मुझे नींद आ गई थी ... बुरा सपना देखा था ...'

'परीक्षा का तनाव!' बूढ़े जादूगर ने सहानुभूति से हैरी का कंधा थपथपाते हुए कहा। 'होता है बेटा, होता है! अब जाकर ठंडा पानी पी लो और दोबारा बड़े हॉल में चलकर लिखने लगो? समय ख़त्म होने वाला है, लेकिन तुम शायद अपना आख़िरी जवाब पूरा कर सकते हो?'

हैरी बोला, 'मेरा मतलब है ... नहीं ... मैंने लिख लिया है – मुझे लगता है कि मैं जितना लिख सकता था, उतना मैंने लिख लिया है ...'

'बहुत बढ़िया, बहुत बढ़िया,' बूढ़े जादूगर ने धीरे से कहा। 'मैं तुम्हारा चर्मपत्र जमा कर लेता हूँ। मेरी सलाह मानो तो जाकर सो लो।'

हैरी ने तेज़ी से सिर हिलाते हुए कहा, 'मैं ऐसा ही करूँगा। बहुत-बहुत धन्यवाद।'

जिस पल प्रोफ़ेसर टॉफ़्टी बड़े हॉल की चौखट पर ओझल हुए, हैरी ने संगमरमर की सीढ़ियों पर दौड़ लगा दी। वह गलियारों से इतनी तेज़ी से गुज़रा कि पास वाली तस्वीरें उसे बुरा-भला कहने लगीं। वह तूफ़ानी रफ़्तार से सीढ़ियाँ चढ़ा और अस्पताल के दरवाज़े की झिरी से झाँकने लगा। मैडम पॉमफ़्री

मॉन्टेग्यू के खुले मुँह में चम्मच भर चमकदार नीला काढ़ा डाल रही थीं। हैरी को इस तरह झाँकते देखकर वे दहशत से चिल्लाने लगीं।

'पॉटर, तुम यहाँ क्या कर रहे हो ?'

'मुझे प्रोफ़ेसर मैक्गॉनेगल से मिलना है,' हैरी ने हाँफते हुए कहा। साँस उसके फेफड़ों को चीर रही थी। 'बहुत ज़रूरी है!'

'वे यहाँ नहीं हैं,' मैडम पॉमफ्री ने अफ़सोस के साथ कहा। 'उन्हें आज सुबह सेंट मंगोज़ अस्पताल पहुँचा दिया गया है। इस उम्र में चार स्तब्धीकरण मंत्र छाती पर पड़ना ? यही क्या कम हैरानी की बात है कि वे ज़िंदा हैं ?'

हैरी ने सदमे में आते हुए पूछा, 'वे ... यहाँ नहीं हैं ?'

तभी कमरे के बाहर घंटी बजी। हैरी को विद्यार्थियों के गलियारे में आने की आवाज़ सुनाई दी। वह किसी मूर्ति की तरह खड़ा-खड़ा मैडम पॉमफ्री की ओर देखता रहा। वह दहशत में आ गया था।

अब वह किसी को नहीं बता सकता था। डम्बलडोर चले गए थे, हैग्रिड चला गया था, लेकिन उसे हमेशा उम्मीद थी कि प्रोफ़ेसर मैक्गॉनेगल वहाँ पर रहेंगी, शायद चिड़चिड़ी और कठोर, लेकिन उन पर भरोसा किया जा सकता था ...

मैडम पॉमफ्री अपने चेहरे पर सहानुभूति का भाव लाते हुए बोलीं, 'मुझे कोई हैरानी नहीं है कि तुम्हें इस बात से सदमा पहुँचा है। उनमें से कोई भी दिन के उजाले में मिनर्वा मैक्गॉनेगल से मुक़ाबला नहीं कर सकता था! कायरता ... भयंकर कायरता ... अगर मुझे इस बात की चिंता नहीं होती कि मेरे बिना तुम विद्यार्थियों का क्या होगा, तो मैं इसके विरोध में इस्तीफ़ा दे देती।'

'हाँ,' हैरी ने सूनेपन से कहा।

वह मुड़ा और अंधों की तरह अस्पताल से निकलकर गलियारे में पहुँच गया, जहाँ विद्यार्थियों की भीड़ उसे धक्के मार रही थी। उसके भीतर दहशत किसी ज़हरीली गैस की तरह फैल रही थी, जिससे उसका सिर घूमने लगा और वह यह नहीं सोच पाया कि क्या करे ...

तभी उसके दिमाग़ में एक आवाज़ आई, *रॉन और हर्माइनी*।

वह एक बार फिर भागने लगा। वह बीच में आने वाले विद्यार्थियों को धक्का दे रहा था और उनके विरोध को नज़रअंदाज़ कर रहा था। संगमरमर की सीढ़ियों पर उसने रॉन और हर्माइनी को तेज़ी से अपनी तरफ़ आते देखा।

हर्माइनी सहमकर बोली, 'हैरी, क्या हुआ ? तुम ठीक तो हो ? बीमार तो नहीं हो ?'

रॉन ने पूछा, 'तुम कहाँ थे?'

'मेरे साथ आओ,' हैरी ने जल्दी से कहा। 'मैं तुम्हें कुछ बताना चाहता हूँ।'

वह उन्हें पहली मंज़िल के गलियारे में ले गया। वह दरवाज़ों के भीतर झाँक-झाँककर देखता रहा। आख़िर उसे एक ख़ाली क्लासरूम दिख गया, जिसमें वह तेज़ी से घुस गया। रॉन और हर्माइनी के अंदर आने के बाद उसने दरवाज़ा लगा लिया और उससे टिककर खड़ा हो गया।

'वोल्डेमॉर्ट ने सिरियस को पकड़ लिया है।'

'*क्या?*'

'तुम्हें कैसे – ?'

'देखा है। अभी-अभी। जब मैं परीक्षा में सो गया था।'

'लेकिन – लेकिन कहाँ? कैसे?' हर्माइनी ने पूछा, जिसका चेहरा अब फ़क़ हो गया था।

'मुझे नहीं पता कैसे,' हैरी ने कहा। 'लेकिन मैं जानता हूँ कि वह कहाँ है। रहस्य विभाग में एक कमरा है, जिसमें बहुत सारे शेल्फ़ हैं। उन शेल्फ़ों पर काँच के छोटे गोले रखे हैं और वे लोग सन्तानवे नंबर की लाइन के सिरे पर हैं ... वह सिरियस से उस चीज़ को निकलवाना चाहता है, जो उसे वहाँ से चाहिए ... वह उसे यातना दे रहा है ... कहता है कि वह अंत में उसे मार डालेगा!'

हैरी ने पाया कि उसकी आवाज़ काँप रही थी और उसके घुटने भी। वह जाकर एक डेस्क पर बैठ गया और ख़ुद को सँभालने की कोशिश करने लगा।

उसने उनसे पूछा, 'हम वहाँ कैसे चलेंगे?'

एक पल के लिए ख़ामोशी छा गई। फिर रॉन बोला, 'कहाँ चलेंगे?'

हैरी ने ज़ोर से कहा, 'रहस्य विभाग, सिरियस को बचाने के लिए!'

'लेकिन – हैरी ...' रॉन धीरे से बोला।

हैरी बोला, 'क्या? *क्या?*'

वह यह नहीं समझ पाया कि वे दोनों उसकी तरफ़ ऐसे क्यों देख रहे थे, जैसे वह उनसे कोई मूर्खतापूर्ण काम करने को कह रहा हो।

'हैरी,' हर्माइनी ने थोड़ी डरी हुई आवाज़ में कहा, 'अर ... वोल्डेमॉर्ट ... वोल्डेमॉर्ट जादू मंत्रालय में बिना किसी को दिखे कैसे घुसा होगा?'

हैरी गरजा, 'मुझे क्या मालूम? सवाल यह है कि हम लोग वहाँ कैसे *चलेंगे!*'

हर्माइनी ने उसकी तरफ़ एक क़दम बढ़ाते हुए कहा, 'लेकिन ... हैरी, ज़रा सोचो, शाम के पाँच बजे हैं ... जादू मंत्रालय में बहुत से कर्मचारी होंगे ... वोल्डेमॉर्ट और सिरियस वहाँ बिना किसी को दिखे कैसे घुस सकते हैं? हैरी ... दुनिया में मंत्रालय इन्हीं दोनों को पकड़ने के लिए सबसे ज़्यादा व्याकुल है ... तुम्हें लगता है कि वे ऑरर्स से भरी इमारत में बिना किसी के पता चले घुस सकते हैं?'

हैरी चिल्लाया, 'मुझे नहीं पता! शायद वोल्डेमॉर्ट ने अदृश्य चोगे जैसी किसी चीज़ का इस्तेमाल किया होगा! चाहे जो हो, जब भी मैंने देखा है, मुझे रहस्य विभाग हमेशा बिलकुल ख़ाली मिला है –'

हर्माइनी धीरे से बोली, 'तुम वहाँ कभी नहीं गए हो, हैरी! तुमने तो उस जगह का सपना देखा है। सिर्फ़ सपना।'

'मेरे सपने साधारण नहीं होते हैं!' हैरी चिल्लाया और उसकी तरफ़ एक क़दम आगे बढ़ाते हुए बोला। वह उसे झकझोरना चाहता था। 'तुम रॉन के डैडी वाले सपने के बारे में क्या कहोगी? वह कैसे सच हो गया था? ऐसा कैसे हो गया कि उनके साथ हुई घटना मुझे पता चल गई?'

'इसकी बात में दम है,' रॉन ने हर्माइनी की तरफ़ देखते हुए धीरे से कहा।

'लेकिन यह तो – यह तो बड़ी *असंभव* सी बात है!' हर्माइनी ने हताशा में कहा। 'हैरी, जब सिरियस हमेशा ग्रिमॉल्ड चौक में रहता है, तो वोल्डेमॉर्ट सिरियस को कैसे पकड़ सकता था?'

रॉन ने चिंतित दिखते हुए कहा, 'हो सकता है सिरियस का संयम जवाब दे गया हो और वह ताज़ी हवा में साँस लेने के लिए बाहर आ गया हो। वह तो बाहर निकलने के लिए सदियों से छटपटा रहा था –'

'लेकिन क्यों,' हर्माइनी ने ज़ोर देते हुए कहा, 'आख़िर वोल्डेमॉर्ट हथियार पाने के लिए *सिरियस* का इस्तेमाल क्यों करना चाहता है?'

'मुझे नहीं पता, लेकिन बहुत सारे कारण हो सकते हैं!' हैरी उस पर चिल्लाया। 'शायद वोल्डेमॉर्ट को सिरियस के चोट पहुँचने से कोई परवाह नहीं होगी –'

'देखो, मेरे मन में अभी-अभी एक ख़्याल आया है,' रॉन ने बहुत धीमी आवाज़ में कहा। 'सिरियस का भाई प्राणभक्षी था, है ना! शायद उसने सिरियस को हथियार निकालने का तरीक़ा बता दिया होगा!'

हैरी बोला, 'हाँ – और इसीलिए डम्बलडोर सिरियस को हमेशा घर में रखने के लिए इतने व्याकुल होंगे!'

'देखो, मुझे अफ़सोस है,' हर्माइनी चिल्लाई, 'लेकिन तुम दोनों की ही बातों में समझदारी नहीं दिख रही है और हमारे पास इस बात का कोई सबूत नहीं है। एक भी सबूत नहीं है कि वोल्डेमॉर्ट और सिरियस रहस्य विभाग में हैं –'

रॉन ने उसकी तरफ़ मुड़ते हुए कहा, 'हर्माइनी, हैरी ने उन्हें देखा है!'

हर्माइनी ने भयभीत लेकिन संकल्पवान आवाज़ में कहा, '**ठीक है**, मुझे सिर्फ़ इतना कहना है –'

'क्या ?'

उसने कहा, 'हैरी, मैं बुराई नहीं कर रही हूँ! लेकिन तुम ... एक तरह से ... मेरा मतलब है – क्या तुम्हें नहीं लगता है कि तुममें लोगों का *तारणहार बनने की प्रवृत्ति है ?*'

हैरी ने उसकी तरफ़ ग़ुस्से से घूरा।

'और "तारणहार बनने की प्रवृत्ति" से तुम्हारा क्या मतलब है ?'

'देखो ... तुम ...' वह अब पहले से ज़्यादा डरी हुई दिखने लगी। 'मेरा मतलब है ... उदाहरण के लिए पिछले साल ... झील में ... टूर्नामेंट के दौरान ... तुम्हें ... मेरा मतलब है, तुम्हें उस डेलाकोर लड़की को बचाने की ज़रूरत नहीं थी ... लेकिन तुम थोड़े ... जोश में आ गए थे ...'

हैरी के मन में ग़ुस्से की तेज़ लहर दौड़ गई। वह इस वक़्त उसे उस ग़लती की याद कैसे दिला सकती थी ?

'मेरा मतलब है, यह यक़ीनन बहुत बहादुरी का काम था,' हर्माइनी ने तत्काल कहा, जो हैरी के चेहरे पर आए भाव को देखकर सचमुच दहशत में आ गई थी, 'सभी को यह काम बहुत बढ़िया लगा था –'

'बड़ी अजीब बात है,' हैरी ने भिंचे दाँतों के बीच से कहा, 'क्योंकि मुझे याद है, रॉन भी बोला था कि मैंने *हीरो बनने में* समय बर्बाद किया था ... क्या तुम सोचती हो कि इस बार भी ऐसा ही है ? तुम्हें लगता है कि मैं एक बार फिर हीरो बनने की कोशिश कर रहा हूँ ?'

'नहीं, नहीं, नहीं!' हर्माइनी ने आतंकित होकर कहा। 'मेरा यह मतलब क़तई नहीं है!'

हैरी चिल्लाया, 'अच्छा, तो फिर जो कहना चाहती हो, वह जल्दी से कह दो, क्योंकि हम यहाँ पर समय बर्बाद कर रहे हैं!'

'मैं यह कहने की कोशिश कर रही हूँ – वोल्डेमॉर्ट तुम्हें जानता है, हैरी! वह तुम्हें ललचाने के लिए जिनी को रहस्यमय तहख़ाने में ले गया था। वह इसी तरह के काम करता है। वह जानता है कि तुम – सिरियस की मदद करने के लिए

जाओगे! यह भी तो हो सकता है कि वह बस तुम्हें रहस्य विभाग में बुलाने की कोशिश कर रहा हो –'

'हर्माइनी, इससे कोई फ़र्क़ नहीं पड़ता है कि उसने मुझे वहाँ ले जाने के लिए यह काम किया है या नहीं – मैक्गॉनेगल सेंट मंगोज़ अस्पताल में भर्ती हैं। अब हॉगवर्ट्स में मायापंछी के समूह का कोई भी व्यक्ति नहीं बचा है, जिसे हम बता सकें और अगर हम नहीं गए, तो सिरियस की मौत तय है!'

'लेकिन हैरी – अगर तुम्हारा सपना सिर्फ़ सपना ही हो?'

हैरी कुंठा में गरजा। हर्माइनी दहशत में आकर एक क़दम पीछे हट गई।

'तुम बात को समझ ही नहीं रही हो!' हैरी उस पर चिल्लाया। 'मुझे बुरे सपने नहीं आ रहे हैं। मैं सिर्फ़ सपने नहीं देख रहा हूँ! तुम्हें क्या लगता है, गुप्तविद्या का यह झमेला क्यों हो रहा था? तुम्हें क्या लगता है, डम्बलडोर इन सारी चीज़ों को देखने से मुझे क्यों रोकना चाहते थे? क्योंकि वे **सच** हैं, हर्माइनी – सिरियस फँस चुका है, मैंने उसे देखा था। वोल्डेमॉर्ट ने उसे अपने क़ब्ज़े में कर लिया है और यह बात किसी को पता नहीं है। इसका मतलब है कि सिर्फ़ हम लोग ही उसे बचा सकते हैं और अगर तुम यह काम नहीं करना चाहती हो, तो ठीक है, लेकिन मैं जा रहा हूँ, समझ गईं? और अगर तुम्हारी याददाश्त सही हो, तो तुम्हें मेरे तारणहार बनने की प्रवृत्ति से तब तकलीफ़ नहीं हुई थी, जब मैं तुम्हें दमपिशाचों से बचा रहा था, या –' वह रॉन की तरफ़ मुड़ा '– जब मैं तुम्हारी बहन को कालदृष्टि से बचा रहा था –'

रॉन ने गर्मी से कहा, 'मैंने कभी नहीं कहा कि मुझे कोई तकलीफ़ है!'

'लेकिन हैरी,' हर्माइनी ने आवेश में कहा, 'डम्बलडोर चाहते हैं कि तुम इन चीज़ों को अपने दिमाग़ से बाहर रखना सीख लो। अगर तुमने सही तरीक़े से गुप्तविद्या का अभ्यास किया होता, तो इस तरह का सपना तुम्हें कभी नहीं दिखता –'

'तो मैं यह नाटक करूँ, जैसे मैंने इसे देखा ही नहीं है –'

'सिरियस ने तुमसे कहा था कि दिमाग़ को बंद करना सीखना तुम्हारे लिए सबसे ज़्यादा महत्वपूर्ण है!'

'देखो, अगर उसे पता होता कि मैं क्या देखने वाला हूँ, तो वह शायद ऐसा कभी नहीं कहता –'

क्लासरूम का दरवाज़ा खुल गया। हैरी, रॉन और हर्माइनी ने मुड़कर देखा। जिनी अंदर आ गई। वह थोड़ी उत्सुक दिख रही थी। उसके पीछे लूना थी, जो हमेशा की तरह ऐसी दिख रही थी, जैसे संयोग से वहाँ आ गई हो।

'हाय,' जिनी ने कहा। 'हमने हैरी की आवाज़ सुन ली थी। तुम क्यों चिल्ला रहे हो?'

'तुमसे मतलब?' हैरी ने रूखेपन से कहा।

जिनी ने अपनी भौंहें उठाईं।

उसने शांति से कहा, 'मुझसे इस तरह बात करने की ज़रूरत नहीं है। मैं तो बस सोच रही थी कि क्या मैं कोई मदद कर सकती हूँ?'

'नहीं, तुम कोई मदद नहीं कर सकतीं,' हैरी ने कहा।

लूना ठंडे लहज़े में बोली, 'देखो, तुम बदतमीज़ी कर रहे हो।'

हैरी ने मन ही मन उसे गाली दी और मुड़ गया। वह इस वक़्त लूना लवगुड के साथ बातचीत करने के मूड में नहीं था।

'ठहरो,' हर्माइनी ने अचानक कहा। 'ठहरो ... हैरी, वे लोग मदद कर *सकते* हैं।'

हैरी और रॉन ने उसकी तरफ़ देखा।

'सुनो,' उसने व्यग्रता से कहा, 'हैरी, हमें यह पता लगाना होगा कि सिरियस सचमुच मुख्यालय से ग़ायब है।'

'मैंने तुमसे कहा ना, मैंने देखा था –'

'हैरी, मैं तुमसे विनती कर रही हूँ!' हर्माइनी ने हताशा में कहा। 'मेहरबानी करके लंदन जाने से पहले यह जाँच तो कर लो कि सिरियस घर पर है या नहीं। अगर हमें यह पता चलता है कि वह वहाँ नहीं है, तो फिर मैं क़सम खाती हूँ कि मैं तुम्हें रोकने की कोई कोशिश नहीं करूँगी। मैं भी चलूँगी। मैं वह सब करूँगी, जो उसे बचाने के लिए करना होगा।'

हैरी चिल्लाया, 'सिरियस को **इस वक़्त** यातना दी जा रही है! हमारे पास बर्बाद करने के लिए समय नहीं है।'

'लेकिन अगर यह वोल्डेमॉर्ट की चाल हुई, हैरी! हमें जाँच तो करनी चाहिए, करनी ही चाहिए।'

'कैसे?' हैरी ने पूछा। 'हम यह जाँच कैसे करेंगे?'

'हमें अंबरिज की अँगीठी का इस्तेमाल करके उससे संपर्क करने की कोशिश करनी होगी,' हर्माइनी ने कहा, जो यह सोचकर ही काँपने लगी थी। 'हम एक बार फिर अंबरिज को वहाँ से कहीं निकलवा लेंगे, लेकिन हमें पहरा देने वालों की ज़रूरत होगी। इस काम में जिनी और लूना हमारी मदद कर सकती हैं।'

हालाँकि जिनी मामले को ठीक से नहीं समझ पाई थी, लेकिन उसने

तत्काल कहा, 'हाँ, हम यह काम कर देंगे।' दूसरी तरफ़ लूना बोली, '"सिरियस" से तुम्हारा मतलब स्टबी बोर्डमैन से है, है ना ?'

किसी ने उसकी बात का जवाब नहीं दिया।

'**ठीक है**,' हैरी ने हर्माइनी से आक्रामक अंदाज़ में कहा, '**ठीक है**, अगर तुम यह काम जल्दी से करने का कोई तरीक़ा सोच सकती हो, तो मैं तुम्हारे साथ हूँ, वरना मैं इसी समय रहस्य विभाग जा रहा हूँ।'

'रहस्य विभाग!' लूना ने थोड़ी हैरान दिखते हुए कहा। 'लेकिन तुम वहाँ जाओगे कैसे ?'

एक बार फिर हैरी ने उसकी बात को नज़रअंदाज़ कर दिया।

'ठीक है,' हर्माइनी ने अपने हाथ बाँधते हुए और डेस्कों के बीच चहलक़दमी करते हुए कहा, 'ठीक है ... देखो ... हममें से एक अंबरिज के पास जाकर उन्हें ग़लत दिशा में भेज देगा और उन्हें उनके ऑफ़िस से दूर रखेगा। वह उन्हें बता सकता है – मैं नहीं जानती – कि पीव्ज़ ने हमेशा की तरह इस बार भी कोई भयंकर काम कर दिया है ...'

'मैं यह काम कर दूँगा,' रॉन ने तत्काल कहा। 'मैं उनसे कह दूँगा कि पीव्ज़ रूपांतरण विभाग में तोड़-फोड़ कर रहा है। यह उनके ऑफ़िस से मीलों दूर है। वैसे अगर मुझे पीव्ज़ रास्ते में मिल गया, तो मैं उससे ऐसा करने का अनुरोध भी कर दूँगा।'

स्थिति इतनी गंभीर थी कि हर्माइनी ने रूपांतरण विभाग में तोड़-फोड़ करने की बात पर कोई आपत्ति नहीं की।

उसने भौंहें उठाकर चहलक़दमी करते हुए कहा, '**ठीक है**। वहाँ घुसते समय हमें विद्यार्थियों को उनके ऑफ़िस से दूर रखना होगा, वरना नागशक्ति का कोई विद्यार्थी जाकर उन्हें ज़रूर ख़बर कर देगा।'

'लूना और मैं गलियारे के दोनों सिरों पर खड़े हो जाएँगे,' जिनी ने तत्काल कहा, 'और विद्यार्थियों को वहाँ नहीं जाने की चेतावनी देंगे। हम यह बहाना बना देंगे कि वहाँ दम घोंटने वाली गैस भरी हुई है।' हर्माइनी इस बात पर काफ़ी हैरान दिख रही थी कि जिनी ने इतना बड़ा झूठ इतनी जल्दी कैसे सोच लिया। जिनी कंधे उचकाकर बोली, 'फ्रेड और जॉर्ज जाने से पहले ऐसा करने की योजना बना रहे थे।'

'**ठीक है**,' हर्माइनी बोली। 'अच्छा तो हैरी, तुम और मैं अदृश्य चोगे के नीचे रहेंगे। हम चोरी-छिपे ऑफ़िस में घुस जाएँगे और अँगीठी से तुम सिरियस से बात कर सकते हो –'

'वह वहाँ नहीं है, हर्माइनी!'

'मेरा मतलब है, तुम – तुम इस बात की जाँच कर सकते हो कि सिरियस घर पर है या नहीं। मैं नज़र रखूँगी। मुझे नहीं लगता कि तुम्हें वहाँ अकेले जाना चाहिए। ली स्वर्णखोजी भेजकर यह पहले ही साबित कर चुका है कि खिड़की एक कमज़ोर जगह है।'

हालाँकि हैरी नाराज़ और बेसब्र था, लेकिन उसे लगा कि अंबरिज के ऑफ़िस में जाने का हर्माइनी का प्रस्ताव एकजुटता और वफ़ादारी की निशानी है।

वह बुदबुदाया, 'मैं ... **ठीक है**, धन्यवाद।'

हर्माइनी बहुत राहत में दिख रही थी कि हैरी ने उसकी योजना मान ली थी। वह बोली, 'तो ठीक है, अगर हम यह सब कर भी लें, तो भी मुझे नहीं लगता कि हमें पाँच मिनट से ज़्यादा मिलेंगे, क्योंकि फ़िल्च और घटिया प्रशासकीय दस्ते के लोग घूम रहे होंगे।'

'पाँच मिनट बहुत हैं,' हैरी ने कहा। 'चलो, अब चलते हैं –'

हर्माइनी ने दहशत में दिखते हुए कहा, "*इस वक़्त?*"

'और क्या?' हैरी ग़ुस्से से बोला। 'तुम्हें क्या लगता है, हम डिनर के बाद तक इंतज़ार करेंगे? हर्माइनी, सिरियस को *इस समय भी* यातना दी जा रही है!'

'मैं – ओह, तो फिर ठीक है,' उसने हताशा से कहा। 'तुम जाकर अदृश्य चोगा ले आओ। हम तुम्हें अंबरिज के गलियारे के कोने पर मिलेंगे, **ठीक है?**'

हैरी ने कोई जवाब नहीं दिया, बल्कि कमरे से लपककर भागा और भीड़ के बीच से रास्ता बनाने लगा। दो मंज़िल ऊपर उसे सीमस और डीन दिखे। उन्होंने उसे बताया कि वे परीक्षा ख़त्म होने की ख़ुशी में हॉल में शाम-से-सुबह तक के जश्न की योजना बना रहे हैं। हैरी ने उनकी बात अनसुनी कर दी। वह तस्वीर के छेद से अंदर गया, जब वे लोग इस बात पर बहस कर रहे थे कि उन्हें काले बाज़ार से कितनी बटरबियर ख़रीदनी होगी। उनकी बहस ख़त्म होने से पहले ही हैरी तस्वीर के छेद में से बाहर निकल गया। उसके बैग में अदृश्य चोगा और सिरियस का चाकू रखे थे। सीमस और डीन को उसके जाने का पता भी नहीं चला था।

'हैरी, क्या तुम दो गैलियन का चंदा देना चाहोगे? हैरॉल्ड डिंगल हमें थोड़ी फ़ायरव्हिस्की बेच सकता है –'

लेकिन तब तक हैरी गलियारे में दौड़ लगा चुका था और दो मिनट बाद ही वह सीढ़ियाँ कूद रहा था। रॉन, हर्माइनी, जिनी और लूना अंबरिज के गलियारे के सिरे पर एक साथ खड़े हुए थे।

'ले आया,' उसने हाँफते हुए कहा। 'तो चलने को तैयार हो?'

'ठीक है,' हर्माइनी ने फुसफुसाकर कहा, जब सिक्स्थ ईयर के ज़ोर-ज़ोर से बोलते हुए विद्यार्थियों का समूह उनके पास से गुज़रा। 'तो रॉन – तुम जाकर अंबरिज को वहाँ से हटाओ ... जिनी, लूना, तुम दोनों गलियारे में विद्यार्थियों को आने से रोको ... हैरी और मैं चोगा निकालकर रास्ता ख़ाली होने का इंतज़ार करते हैं ...'

रॉन तेज़ी से चला गया और उसके चमकते लाल बाल गलियारे के दूसरे छोर तक चमकते रहे। इस दौरान जिनी का उतने ही लाल बालों वाला सिर दूसरी दिशा में विद्यार्थियों के बीच जाता दिख रहा था, जिसके पीछे लूना का सुनहरे बालों वाला सिर था।

'वहाँ चलो,' हर्माइनी ने हैरी की कलाई पकड़कर उसे एक ख़ाली जगह पर खींचा, जहाँ एक मध्ययुगीन जादूगर का पत्थर का बदसूरत सिर एक खंभे पर बड़बड़ा रहा था। हर्माइनी बोली, 'क्या – क्या तुम्हें यक़ीन है कि तुम **ठीक** हो, हैरी? तुम्हारा चेहरा अब भी बहुत पीला दिख रहा है।'

'मैं ठीक हूँ,' उसने कहा और अपने बैग में से अदृश्य चोगा निकाल लिया। सच तो यह था कि उसका निशान दुख रहा था, लेकिन इतनी ज़ोर से नहीं कि वह यह समझ ले कि वोल्डेमॉर्ट ने सिरियस को मार डाला है। जब वोल्डेमॉर्ट एवरी को यातना दे रहा था, तब यह निशान इससे ज़्यादा तेज़ी से दुख रहा था ...

'यह लो,' उसने कहा और दोनों पर अदृश्य चोगा डाल दिया। ऊपर से मूर्ति के लैटिन भाषा में बड़बड़ाने की आवाज़ सुनाई दे रही थी।

उधर जिनी भीड़ से कह रही थी, 'तुम वहाँ नहीं जा सकते! नहीं, अफ़सोस है, तुम्हें दूसरी तरफ़ वाली घुमावदार सीढ़ी से जाना होगा। किसी ने यहाँ पर दम घोंटने वाली गैस छोड़ दी है –'

उन्हें विद्यार्थियों की शिकायतें सुनाई दे रही थीं। एक चिड़चिड़ी आवाज़ आई, 'मुझे तो कोई गैस नहीं दिख रही है।'

'ऐसा इसलिए है क्योंकि यह रंगहीन है,' जिनी ने थोड़ा चिढ़कर कहा, ताकि उसे इस बात पर यक़ीन हो जाए, 'लेकिन अगर तुम इसके बाद भी वहाँ जाना चाहते हो, तो शौक से जाओ। फिर तुम्हारी लाश देखकर अगले मूर्ख को हमारी बात पर यक़ीन हो जाएगा।'

धीरे-धीरे उधर आने वाले विद्यार्थियों की संख्या कम होने लगी। ऐसा लग रहा था कि दम घोंटने वाली गैस की ख़बर सब तरफ़ फैल गई थी। अब विद्यार्थी उस तरफ़ नहीं आ रहे थे। जब आख़िरकार पास का इलाक़ा काफ़ी

ख़ाली हो गया, तो हर्माइनी धीरे से बोली, 'मुझे लगता है कि रास्ता इससे ज़्यादा ख़ाली नहीं होगा। हैरी - चलो, अब यह काम कर देते हैं।'

वे अदृश्य चोगे को ओढ़कर आगे चल दिए। लूना गलियारे के दूर वाले सिरे पर उनकी तरफ़ पीठ करके खड़ी थी। जिनी के पास से गुज़रते समय हर्माइनी फुसफुसाकर बोली, 'बहुत बढ़िया ... इशारा मत भूलना।'

'इशारा क्या है ?' हैरी बुदबुदाया, जब वे अंबरिज के दरवाज़े के पास पहुँचे।

'अंबरिज को आते देखकर वे ज़ोर-ज़ोर से "वीज़्ली हमारा राजा है" गाने लगेंगी,' हर्माइनी ने जवाब दिया। हैरी ने सिरियस के चाकू को दरवाज़े और दीवार के बीच की दरार में फँसाया। ताला खुल गया और वे ऑफ़िस में दाख़िल हो गए।

बिल्ली के बच्चे शाम की धूप सेंक रहे थे, जो उनकी प्लेटों को गर्म कर रही थी, लेकिन इसके अलावा ऑफ़िस अब भी पिछली बार की तरह ही ख़ाली था। हर्माइनी ने राहत की साँस ली।

'मुझे लग रहा था कि दूसरे स्वर्णखोजी के घुसने के बाद उन्होंने सुरक्षा कड़ी कर दी होगी।'

उन्होंने चोगा उतार दिया। हर्माइनी जल्दी से खिड़की के पास पहुँच गई और अपनी छड़ी बाहर निकालकर मैदान में नज़रें दौड़ाने लगी। हैरी अँगीठी में झाँकने लगा। उसने छू पाउडर का डिब्बा उठाया और एक चुटकी पाउडर अँगीठी में डाल दिया, जिससे हरी लपटें उठने लगीं। वह तेज़ी से झुका और अपना सिर लपटों में डालकर चिल्लाया, 'बारह नंबर, ग्रिमॉल्ड चौक!'

उसका सिर घूमने लगा, जैसे वह अभी-अभी किसी झूले से उतरा हो, हालाँकि उसके घुटने ऑफ़िस के ठंडे फ़र्श पर सख़्ती से जमे हुए थे। घुमड़ती राख से बचने के लिए उसने अपनी आँखें बंद कर लीं। जब उसका सिर घूमना बंद हो गया, तो उसने आँखें खोलकर देखा कि वह बारह नंबर, ग्रिमॉल्ड चौक के लंबे, ठंडे किचन को देख रहा था।

वहाँ कोई नहीं था। उसे इसी बात की उम्मीद थी, लेकिन ख़ाली किचन को देखकर उसके पेट में जो उथल-पुथल हुई और दहशत की जो लहर उठी, उसके लिए वह तैयार नहीं था।

'सिरियस ?' वह चिल्लाया। 'सिरियस, तुम कहाँ हो ?'

उसकी आवाज़ कमरे में गूँजी, लेकिन कोई जवाब नहीं मिला। सिर्फ़ आग की दाहिनी तरफ़ से चीं-चीं जैसी आवाज़ सुनाई दी।

'वहाँ कौन है ?' हैरी ने पूछा। उसे लगा कि शायद कोई चूहा होगा।

क्रीचर नाम का घरेलू जिन्न उछलकर सामने आ गया। वह बहुत ख़ुश दिख रहा था, हालाँकि उसके दोनों हाथों में हाल ही में चोट लगी थी और उन पर भारी पट्टियाँ बँधी हुई थीं।

'आग में पॉटर लड़के का सिर है,' क्रीचर ने ख़ाली किचन को बताया और हैरी को अजीब सी ख़ुफ़िया, विजयी निगाहों से देखा। 'क्रीचर सोच रहा है कि वह यहाँ क्यों आया है ?'

हैरी ने पूछा, 'क्रीचर, सिरियस कहाँ है ?'

घरेलू जिन्न ने घरघराती हँसी के साथ जवाब दिया।

'मालिक बाहर गए हैं, हैरी पॉटर।'

'वह कहाँ गया है ? *वह कहाँ गया है, क्रीचर ?*'

क्रीचर बस हँसता रहा।

हैरी ने कहा, 'मैं तुम्हें चेतावनी दे रहा हूँ!' वह अच्छी तरह से जानता था कि इस तरह की स्थिति में क्रीचर को सज़ा देना उसके वश में नहीं था। 'ल्यूपिन कहाँ हैं ? बावरे-नैन ? उनमें से कोई भी, क्या यहाँ कोई है ?'

'यहाँ क्रीचर के अलावा कोई नहीं है!' घरेलू जिन्न ने ख़ुशी से कहा और हैरी से दूर मुड़ गया। वह धीरे-धीरे किचन के दरवाज़े की तरफ़ जा रहा था। 'क्रीचर सोचता है कि अब वह अपनी मालकिन के साथ थोड़ी बातचीत कर ले। हाँ, उसे काफ़ी लंबे समय से यह मौक़ा नहीं मिला है। क्रीचर के मालिक उसे उनसे दूर रख रहे थे -'

'सिरियस कहाँ गया है ?' हैरी ने घरेलू जिन्न से चिल्लाकर पूछा। '*क्रीचर, क्या वह रहस्य विभाग गया है ?*'

क्रीचर के क़दम रुक गए। हैरी को उसके सामने की कुर्सियों के पायों के बीच से उसके गंजे सिर के पिछले हिस्से की झलक भर दिख रही थी।

घरेलू जिन्न ने शांति से कहा, 'मालिक बेचारे क्रीचर को बताकर नहीं जाते हैं कि वे कहाँ जा रहे हैं!'

'लेकिन तुम जानते हो!' हैरी चिल्लाया। 'तुम जानते हो, है ना ? तुम जानते हो कि वह कहाँ है!'

एक पल के लिए ख़ामोशी छाई रही, फिर घरेलू जिन्न बहुत जमकर हँसा।

उसने ख़ुशी-ख़ुशी कहा, 'मालिक रहस्य विभाग से वापिस नहीं लौटेंगे!

क्रीचर और उसकी मालकिन एक बार फिर अकेले रहेंगे!'

इसके बाद वह तेज़ी से आगे गया और हॉल तक जाने वाले दरवाज़े में घुसकर ग़ायब हो गया।

'तुम -!'

लेकिन इससे पहले कि वह कोई गाली दे पाता या अपमानजनक बात कह पाता, हैरी को अपने सिर के ऊपरी हिस्से में तेज़ दर्द हुआ। उसके मुँह में बहुत सी राख चली गई और उसका दम घुटने लगा। कोई उसे लपटों में पीछे की तरफ़ खींच रहा था। फिर उसे अपने सामने प्रोफ़ेसर अंबरिज का चौड़ा, पीला चेहरा दिखा, जो उसके बाल पकड़कर आग से अपनी तरफ़ खींच रही थीं और अब उसकी गर्दन इस तरह झुका रही थीं, जैसे वे उसका गला काटने वाली हों।

उन्होंने हैरी की गर्दन को और ऊपर उठाया, जिससे उसका मुँह छत की तरफ़ हो गया। फिर वे फुसफुसाकर बोलीं, 'तुम्हें क्या लगा था कि ऑफ़िस में दो स्वर्णखोजियों के घुसने के बाद मैं तीसरे स्वर्णखोजी को बिना जानकारी के घुसने दूँगी? मूर्ख लड़के, उसके बाद मैंने दरवाज़े के चारों तरफ़ गुप्त चेतावनी यंत्र लगवा दिए थे। उसकी छड़ी ले लो,' उन्होंने किसी से कहा, जिसे वह नहीं देख पाया। उसे महसूस हुआ कि किसी ने उसके दुशाले की सीने की जेब के भीतर हाथ डालकर छड़ी निकाल ली। 'उसकी भी।'

हैरी को दरवाज़े के पास से झूमाझटकी की आवाज़ आई और वह समझ गया कि हर्माइनी की छड़ी भी छुड़ा ली गई थी।

'मैं जानना चाहती हूँ कि तुम मेरे ऑफ़िस में क्यों घुसे थे,' अंबरिज ने कहा और उसके बालों को पकड़कर ज़ोर से हिलाया, जिससे वह लड़खड़ा गया।

हैरी ने कहा, 'मैं - मैं अपनी फ़ायरबोल्ट लेने की कोशिश कर रहा था!'

'झूठे!' उन्होंने उसका सिर दोबारा हिलाया। 'तुम अच्छी तरह जानते हो पॉटर कि तुम्हारी फ़ायरबोल्ट कड़ी निगरानी में तहख़ाने में रखी है। तुम्हारा सिर मेरी अँगीठी में था। तुम किससे बात कर रहे थे?'

'किसी से भी नहीं -' हैरी ने उनसे छूटने की कोशिश करते हुए कहा। उसे महसूस हुआ कि उसके कुछ बाल उसकी खोपड़ी से उखड़ गए।

'झूठे!' अंबरिज चिल्लाईं। उन्होंने उसे दूर फेंक दिया, जिससे वह जाकर डेस्क से टकराया। अब उसे दिख रहा था कि हर्माइनी को मिलिसेंट बुलस्ट्रोड ने दीवार से टिका रखा था। मैल्फ़ॉय खिड़की की चौखट से टिककर मुस्करा रहा था और हैरी की छड़ी हवा में उछालकर उसे कैच कर रहा था।

बाहर हलचल सुनाई दी और नागशक्ति के कुछ लंबे-तगड़े विद्यार्थी

अंदर आए, जिन्होंने रॉन, जिनी, लूना और – हैरी को यह देखकर आश्चर्य हुआ – नेविल को पकड़ रखा था। क्रैब नेविल की गर्दन पकड़े था और ऐसा लग रहा था कि उसका दम घुटने वाला था। उन चारों के मुँह में कपड़े ठुँसे थे।

'इन सबको पकड़ लिया,' वॉरिंगटन बोला, जिसने रॉन को कमरे में आगे धक्का दिया। 'इसने,' उसने नेविल की तरफ़ अपनी मोटी उँगली दिखाते हुए कहा, 'इसने मुझे उसे पकड़ने से रोका था,' उसने जिनी की तरफ़ इशारा किया, जो अपने को पकड़ने वाली नागशक्ति की बड़ी लड़की के पैरों पर लात मारने की कोशिश कर रही थी, 'इसलिए मैं इसे भी ले आया।'

'अच्छा किया, अच्छा किया,' अंबरिज ने जिनी को संघर्ष करते देखकर कहा। 'ऐसा लगता है कि अब हॉगवर्ट्स में एक भी वीज़्ली नहीं बचेगा, है ना!'

मैल्फ़ॉय चमचागिरी करते हुए ज़ोर से हँसा। अंबरिज आत्म-संतुष्टि से मुस्कराईं और छींट वाले कवर से ढँकी कुर्सी पर बैठ गईं। किसी फूलों की क्यारी में बैठी मेंढकी की तरह वे अपने क़ैदियों को देखकर पलकें मिचमिचाती रहीं।

उन्होंने कहा, 'तो पॉटर, तुमने अपने जासूस मेरे ऑफ़िस के चारों तरफ़ तैनात कर दिए और इस मूर्ख को,' उन्होंने रॉन की तरफ़ इशारा किया – मैल्फ़ॉय बहुत ज़ोर से हँस पड़ा – 'मुझे यह बताने भेजा कि पीव्ज़ रूपांतरण विभाग में हंगामा मचा रहा है, जबकि मैं अच्छी तरह जानती थी कि उस वक़्त वह स्कूल के टेलीस्कोप्स के काँच पर स्याही फैला रहा था – मिस्टर फ़िल्च ने मुझे उसी समय यह जानकारी दी थी।

'मैं समझ गई कि तुम किसी से बातें करना चाहते थे? एल्बस डम्बलडोर से या फिर अर्ध-मानव हैग्रिड से? या फिर मिनर्वा मैक्गॉनेगल से? हालाँकि मैंने सुना है कि वे अब भी इतनी बीमार हैं कि किसी से बात नहीं कर सकतीं।'

मैल्फ़ॉय और प्रशासकीय दस्ते के कुछ अन्य सदस्य इस पर और हँसे। हैरी के मन में इतना ग़ुस्सा और नफ़रत भरी थी कि वह काँपने लगा।

उसने गुर्राते हुए कहा, 'मैं किससे बात कर रहा था, इससे आपको क्या लेना-देना?'

अंबरिज का ढीला चेहरा थोड़ा सख़्त दिखने लगा।

'बहुत अच्छा,' उन्होंने अपनी सबसे ख़तरनाक और नक़ली मीठी आवाज़ में कहा। 'बहुत अच्छा, मिस्टर पॉटर ... मैंने तुम्हें खुलकर सारी बात बताने का मौक़ा दिया था। तुमने बताने से इंकार कर दिया। अब मेरे पास तुम्हें मजबूर करने के अलावा कोई चारा नहीं है। ड्रेको – प्रोफ़ेसर स्नेप को बुलाकर लाओ।'

मैल्फ़ॉय ने हैरी की छड़ी अपने दुशाले में डाली और मुस्कराता हुआ बाहर

चला गया, लेकिन हैरी का ध्यान उसकी तरफ़ नहीं था। उसे अभी-अभी एक बात का एहसास हुआ था। उसे यक़ीन नहीं हो रहा था कि वह इतना मूर्ख था, जो यह बात भूल गया था। उसने सोचा था कि मायापंछी के समूह के सभी सदस्य, वे सभी जो सिरियस को बचाने में उसकी मदद कर सकते थे, चले गए थे - लेकिन वह ग़लत था। हॉगवर्ट्स में अब भी मायापंछी के समूह का एक सदस्य मौजूद था - स्नेप।

ऑफ़िस में ख़ामोशी थी। सिर्फ़ रॉन और बाक़ी बंधकों को क़ाबू में रखने के लिए नागशक्ति के विद्यार्थी थोड़ी-बहुत धक्का-मुक्की कर रहे थे। वॉरिंगटन के प्रहार के कारण रॉन के होंठ से अंबरिज के गलीचे पर ख़ून टपक रहा था। जिनी अब भी सिक्स्थ ईयर की उस लड़की के पैर पर कूदने की कोशिश कर रही थी, जिसने उसके दोनों हाथ कसकर पकड़ रखे थे। क्रैब से आज़ाद होने के लिए छटपटाते नेविल का चेहरा लगातार ज़्यादा बैंगनी होता जा रहा था। हर्माइनी मिलिसेंट बुलस्ट्रोड की पकड़ से छूटने की असफल कोशिश कर रही थी। बहरहाल, लूना अपने को क़ैद करने वाले की बग़ल में चुपचाप खड़ी थी और खिड़की से बाहर निहार रही थी, मानो इन बातों से थोड़ी ऊब रही हो।

हैरी ने अंबरिज की तरफ़ देखा, जो उसे ग़ौर से देख रही थीं। उसने अपने चेहरे को भावहीन रखने की कोशिश की। तभी बाहर के गलियारे में क़दमों की आहट सुनाई दी और ड्रेको मैल्फ़ॉय ऑफ़िस में दाख़िल हुआ। उसके पीछे स्नेप थे।

स्नेप ने चारों तरफ़ संघर्ष करते विद्यार्थियों को उदासीनता से देखते हुए पूछा, 'आपने मुझे बुलाया, हेडमिस्ट्रेस ?'

'आह, प्रोफ़ेसर स्नेप,' अंबरिज ने अपनी चौड़ी मुस्कान के साथ खड़े होते हुए कहा। 'हाँ, मुझे सत्य-द्रव की एक और शीशी चाहिए। तत्काल!'

स्नेप काले बालों के चिपचिपे पर्दे से अंबरिज को देखते हुए शांति से बोले, 'पिछली बार पॉटर से पूछताछ के लिए आपने मेरी आख़िरी शीशी ले ली थी। निश्चित रूप से आपने पूरी शीशी का इस्तेमाल तो नहीं किया होगा ? मैंने आपसे कहा था कि तीन बूँदें काफ़ी होंगी।'

अंबरिज का चेहरा लाल हो गया।

'आप थोड़ा और सत्य-द्रव बना सकते हैं, है ना ?' उन्होंने कहा और उनकी आवाज़ में लड़कियों जैसा अंदाज़ आ गया, जो इस बात की निशानी थी कि वे आगबबूला थीं।

'क्यों नहीं,' स्नेप ने कहा और उनका होंठ सिकुड़ गया। 'इसे पकने में चंद्रमा का एक चक्र लगता है, इसलिए इसे तैयार करने में लगभग एक महीना

लग जाएगा।'

'एक महीना ?' अंबरिज बोलीं और मेंढकी की तरह फूलने लगीं। 'एक महीना ? लेकिन मुझे तो यह अभी चाहिए, स्नेप! अभी-अभी मुझे पता चला है कि पॉटर किसी व्यक्ति या व्यक्तियों से बात करने के लिए मेरी अँगीठी का इस्तेमाल कर रहा था!'

'सचमुच ?' स्नेप ने दिलचस्पी का पहला हल्का सा चिन्ह दिखाते हुए कहा और हैरी को मुड़कर देखा। 'अच्छा, वैसे इससे मुझे कोई हैरानी नहीं हुई। पॉटर ने कभी भी स्कूल के नियमों का पालन करने में ज़्यादा रुचि नहीं दिखाई है।'

उनकी ठंडी, काली आँखें पैनी दृष्टि से हैरी की आँखों में देख रही थीं। हैरी उनकी तरफ़ बिना पलक झपकाए देखता रहा। उसने सपने में जो देखा था, उस पर अपना पूरा ध्यान केंद्रित कर लिया। वह चाहता था कि स्नेप उसके दिमाग़ की बात पढ़ लें, समझ लें ...

'मैं उससे पूछताछ करना चाहती हूँ!' अंबरिज ने ग़ुस्से से दोहराया और स्नेप हैरी से अपनी निगाह हटाकर अंबरिज के आवेश से काँपते चेहरे को देखने लगे। 'मैं चाहती हूँ कि आप मुझे कोई ऐसा काढ़ा दे दें, जिससे मैं उससे ज़बर्दस्ती सच्चाई उगलवा लूँ!'

स्नेप ने रेशमी अंदाज़ में कहा, 'मैं आपको पहले ही बता चुका हूँ कि अब मेरे पास सत्य-द्रव नहीं बचा है। जब तक कि आप पॉटर को ज़हर न देना चाहें - और मैं आपको बता देना चाहता हूँ कि अगर आप ऐसा करती हैं, तो मुझे आपसे बहुत ज़्यादा सहानुभूति होगी - तब तक मैं आपकी मदद नहीं कर सकता। दिक़्क़त यह है कि ज़्यादातर ज़हर इतनी तेज़ी से असर करते हैं कि वे अपने शिकार को सच बताने का समय भी नहीं देते हैं।'

स्नेप ने हैरी की तरफ़ देखा, जो उन्हें लगातार देखे जा रहा था। वह शब्दों के बिना अपनी बात उन तक पहुँचाने के लिए बेहद व्यग्र था।

उसने हताशा से सोचा, वोल्डेमॉर्ट सिरियस को रहस्य विभाग में ले गया है, वोल्डेमॉर्ट सिरियस को ले गया है –

'तुम प्रोबेशन पर हो!' प्रोफ़ेसर अंबरिज चिल्लाईं और स्नेप ने अपनी भौंहें उठाकर उनकी तरफ़ देखा। 'तुम जान-बूझकर मदद करने से इंकार कर रहे हो! मुझे इससे बेहतर उम्मीद थी। लूसियस मैल्फ़ॉय हमेशा तुम्हारी तारीफ़ करते रहते हैं! मेरे ऑफ़िस से बाहर निकल जाओ!'

स्नेप ने व्यंग्यात्मक तरीक़े से सिर झुकाया और चलने के लिए मुड़े। हैरी जानता था कि यह मायापंछी के समूह के किसी सदस्य को बताने का आख़िरी

मौक़ा था और वह मौक़ा दरवाज़े से बाहर निकल रहा था।

वह चिल्लाया, 'वह पैडफ़ुट को ले गया है! वह पैडफ़ुट को उस जगह ले गया है, जहाँ वह चीज़ छिपी है!'

स्नेप ने अंबरिज के दरवाज़े के हैंडल की तरफ़ बढ़ते हाथ को रोक लिया।

'पैडफ़ुट,' प्रोफ़ेसर अंबरिज चिल्लाईं और उत्सुकता से कभी हैरी को, तो कभी स्नेप को देखने लगीं। 'पैडफ़ुट कौन है ? कौन सी चीज़ कहाँ छिपी है ? स्नेप, उसकी बात का क्या मतलब है ?'

स्नेप ने पलटकर हैरी की तरफ़ देखा। उनके चेहरे पर कोई भाव नहीं था। हैरी यह नहीं समझ पाया कि वे बात को समझ पाए हैं या नहीं, लेकिन वह अंबरिज के सामने इससे ज़्यादा स्पष्टता से बोलने की हिम्मत नहीं कर सकता था।

'मुझे कुछ समझ में नहीं आया है,' स्नेप ने भावहीन तरीक़े से कहा। 'पॉटर, अगर मुझे बकवास सुननी होगी, तो मैं तुम्हें बकवास काढ़ा पिला दूँगा। और क्रैब, अपनी पकड़ थोड़ी ढीली कर दो। अगर दम घुटने के कारण लॉंगबॉटम मर गया, तो बहुत सी फ़ालतू काग़ज़ी कार्यवाही करनी पड़ेगी और अगर तुम कहीं नौकरी के लिए आवेदन दोगे, तो मुझे इस बात का ज़िक्र करना होगा।'

उन्होंने बाहर निकलने के बाद झटके से दरवाज़ा बंद कर दिया। अब हैरी पहले से भी ज़्यादा बुरी हालत में था। स्नेप आख़िरी उम्मीद थे। उसने अंबरिज की तरफ़ देखा। वे भी कुछ ऐसा ही महसूस कर रही थीं। उनकी छाती ग़ुस्से और कुंठा की वजह से फूल रही थी।

'बहुत अच्छा,' उन्होंने कहा और अपनी छड़ी बाहर निकाल ली। 'बहुत बढ़िया ... अब मेरे पास कोई विकल्प नहीं बचा है ... यह स्कूल के अनुशासन से ज़्यादा बड़ा मामला है ... यह मंत्रालय की सुरक्षा का मामला है ... हाँ ... हाँ ...'

ऐसा लग रहा था कि वे कोई बड़ा निर्णय ले रही थीं। वे अपने वज़न को एक पैर से दूसरे पैर पर डाल रही थीं, हैरी को घूरते समय अपनी ख़ाली हथेली पर छड़ी ठोंक रही थीं और तेज़-तेज़ साँसें ले रही थीं। उन्हें देखते समय हैरी छड़ी के बिना बहुत शक्तिहीन महसूस करने लगा।

'तुम मुझे मजबूर कर रहे हो, पॉटर ... मैं ऐसा नहीं करना चाहती,' अंबरिज ने कहा, जो अब भी उसी जगह पैर ऊपर-नीचे करती रहीं, 'लेकिन कई बार परिस्थितियाँ इसके प्रयोग को उचित सिद्ध करती हैं ... मुझे यक़ीन है, मंत्रीजी समझ जाएँगे कि मेरे पास और कोई चारा नहीं था ...'

मैल्फ़ॉय अपने चेहरे पर भूखे भाव लेकर उन्हें देख रहा था।

अंबरिज ने धीरे से कहा, 'पीड़ीकृत शाप से शायद तुम्हारी ज़ुबान थोड़ी ढीली हो जाए।'

'नहीं!' हर्माइनी चीख़ी। 'प्रोफ़ेसर अंबरिज़ - यह ग़ैर-क़ानूनी है।'

लेकिन अंबरिज ने हर्माइनी की तरफ़ ज़रा भी ध्यान नहीं दिया। उनके चेहरे पर एक बुरा सा, उत्सुक, रोमांचित भाव था, जिसे हैरी ने पहले कभी नहीं देखा था। उन्होंने अपनी छड़ी उठाई।

हर्माइनी ने चिल्लाकर कहा, 'प्रोफ़ेसर अंबरिज, मंत्रीजी यह नहीं चाहेंगे कि आप क़ानून तोड़ें!'

'कॉर्नेलियस को जो बात पता नहीं चलेगी, उससे उन्हें कोई दिक्क़त भी नहीं होगी,' अंबरिज ने कहा, जो अब थोड़ी हाँफ रही थीं और हैरी के शरीर के अलग-अलग अंगों की तरफ़ अपनी छड़ी करके यह फ़ैसला करने की कोशिश कर रही थीं कि इस मंत्र से सबसे ज़्यादा कष्ट कहाँ पहुँचेगा। 'उन्हें कभी इस बात का पता नहीं चला कि पिछली गर्मियों में मैंने पॉटर पर दमपिशाचों से हमला करवाया था, लेकिन पॉटर को बाहर निकालने का मौक़ा पाकर वे ख़ुश हुए थे।'

'तो वह काम *आपने* किया था?' हैरी ने कहा। '*आपने* मेरे पीछे दमपिशाच भेजे थे?'

'*किसी न किसी* को तो कुछ करना ही था,' अंबरिज ने कहा, जब उनकी छड़ी हैरी के माथे की तरफ़ इशारा करके ठहर गई। 'वे सभी लोग तुम्हें किसी न किसी तरह ख़ामोश करने के बारे में - तुम्हें अविश्वसनीय बनाने के बारे में - बातें कर रहे थे, लेकिन मैं ही अकेली ऐसी थी, जिसने इसके बारे में सचमुच कुछ *किया* ... लेकिन तुम उससे बच निकले, है ना, पॉटर? लेकिन आज नहीं, अब नहीं -' और वे एक गहरी साँस खींचकर चिल्लाईं, '*पी* -'

'**नहीं!**' हर्माइनी मिलिसेंट बुलस्ट्रोड के पीछे से ज़ोर से चिल्लाई। 'नहीं - हैरी - हमें उन्हें बताना होगा!'

'कभी नहीं!' हैरी चिल्लाया और उसने हर्माइनी के उतने हिस्से को देखा, जितना उसे दिख सकता था।

'हैरी, हमें ऐसा करना ही होगा। वे तुम्हें वैसे भी मजबूर कर देंगी। इससे क्या ... इससे क्या फ़ायदा होना है?'

हर्माइनी मिलिसेंट बुलस्ट्रोड के दुशाले के पिछले हिस्से में मुँह छिपाकर फूट-फूटकर रोने लगी। मिलिसेंट ने अब उसे दीवार से टिकाना छोड़ दिया और उसे हिक़ारत से देखती हुई उससे दूर हट गई।

'वाह, वाह!' अंबरिज ने विजयी दिखते हुए कहा। 'हमेशा सवाल पूछने वाली लड़की आज जवाब दे रही है! चलो लड़की, बताओ!'

'अर - माइ - नी - नहीं!' रॉन अपने मुँह में ठुँसे कपड़े के बीच से बोल पड़ा।

जिनी हर्माइनी को ऐसे घूर रही थी, जैसे उसने उसे पहले कभी नहीं देखा हो। नेविल का दम घुटा जा रहा था, लेकिन वह भी उसी की तरफ़ देख रहा था। बहरहाल, हैरी ने देखा कि बुरी तरह सुबकने के बावजूद हर्माइनी की आँखों में आँसुओं का नामोनिशान तक नहीं था।

'तुम लोग मुझे - मुझे माफ़ करना,' हर्माइनी ने कहा, 'लेकिन - अब यह मुझसे बर्दाश्त नहीं हो रहा है -'

'सही कहा, सही कहा, लड़की!' अंबरिज ने हर्माइनी का कंधा पकड़कर उसे अपनी ख़ाली की हुई कुर्सी पर बैठा दिया और झुककर उससे पूछने लगीं, 'तो फिर बताओ ... पॉटर अभी-अभी किससे बातें कर रहा था?'

'देखिए,' हर्माइनी ने अपने हाथों में सुबकते हुए कहा, 'देखिए, वह प्रोफ़ेसर डम्बलडोर से बात करने की *कोशिश* कर रहा था।'

रॉन स्तब्ध रह गया और उसकी आँखें बाहर को निकल पड़ीं। जिनी ने नागशक्ति की लड़की के पंजों पर पैर पटकने की कोशिश छोड़ दी। यहाँ तक कि लूना भी थोड़ी हैरान दिखने लगी। सौभाग्य से, अंबरिज और उनके चेलों का ध्यान पूरी तरह से हर्माइनी पर केंद्रित था, इसलिए वे संदेह के इन लक्षणों को नहीं देख पाए।

'डम्बलडोर?' अंबरिज ने उत्सुकता से पूछा। 'तो फिर तुम लोग जानते हो कि डम्बलडोर कहाँ हैं?'

'नहीं ...!' हर्माइनी ने सुबकते हुए कहा। 'हमने छूमंतर गली की रिसती कड़ाही में कोशिश की और थ्री ब्रूमस्टिक्स तथा हॉग्स हेड में भी -'

'मूर्ख लड़की - जब पूरा मंत्रालय डम्बलडोर की खोज में जुटा है, तो वे किसी शराबख़ाने में कैसे बैठ सकते हैं?' अंबरिज चिल्लाईं और उनके चेहरे की हर ढीली लकीर में निराशा स्पष्ट दिख रही थी।

'लेकिन - लेकिन हमें उन्हें एक महत्वपूर्ण बात बतानी थी!' हर्माइनी चिल्लाई और उसने चेहरे पर हाथ रख लिए। हैरी जानता था कि वह ऐसा दुख के कारण नहीं कर रही थी, बल्कि आँसुओं की कमी को छिपाने के लिए कर रही थी।

'हाँ?' अंबरिज ने दोबारा रोमांचित होते हुए पूछा। 'तुम लोग उन्हें क्या

बताना चाहते थे?'

हर्माइनी बोली, 'हम ... हम उन्हें बताना चाहते थे कि यह – यह तैयार हो गया है!'

'क्या तैयार हो गया?' अंबरिज ने पूछा और उन्होंने दोबारा हर्माइनी के कंधे पकड़कर उसे झकझोर दिया। 'लड़की, क्या तैयार हो गया?'

'हथियार,' हर्माइनी बोली।

'हथियार?' अंबरिज बोलीं और उनकी आँखें रोमांच से बाहर निकल पड़ीं। 'तुम लोग किसी तरह का हथियार बना रहे थे? ऐसा हथियार, जिसका उपयोग मंत्रालय के ख़िलाफ़ कर सको? ज़ाहिर है, प्रोफ़ेसर डम्बलडोर के आदेश पर?'

'ह – ह – हाँ,' हर्माइनी ने आह भरते हुए कहा, 'लेकिन इसके पूरा होने से पहले ही उन्हें जाना पड़ा और अ – अ – अब हमने इसे पूरा बना लिया है। हम उन्हें यह बात बताना चाहते थे, लेकिन वे ह – ह – हमें मिल ही नहीं पाए।'

'यह कैसा हथियार है?' अंबरिज ने रूखेपन से पूछा। उनके हाथों ने अब भी हर्माइनी के कंधे कसकर पकड़ रखे थे।

'हम दर – दर दरअसल नहीं जानते हैं कि यह कैसा है,' हर्माइनी ने ज़ोर से सुबकते हुए कहा। 'हमने तो व – व वही किया, जो प्रो – प्रो प्रोफ़ेसर डम्बलडोर ने हमसे करने को क – क – कहा था।'

अंबरिज बहुत ख़ुश होकर सीधी खड़ी हो गईं।

उन्होंने कहा, 'मुझे हथियार के पास तक ले चलो।'

'मैं ... इन लोगों को नहीं दिखाऊँगी,' हर्माइनी ने तीखी आवाज़ में अपनी उँगलियों से नागशक्ति के विद्यार्थियों को देखते हुए कहा।

प्रोफ़ेसर अंबरिज रूखेपन से बोलीं, 'तुम शर्त रखने की स्थिति में नहीं हो!'

'ठीक है,' हर्माइनी एक बार फिर अपने हाथों में सुबकते हुए बोली, 'ठीक है ... तो फिर उन्हें भी देख लेने दें। मुझे उम्मीद है कि वे उसका इस्तेमाल आप पर करेंगे! दरअसल मैं चाहती हूँ कि आप बहुत से लोगों को वहाँ पर ले चलें! ताकि आपको उसका परिणाम भुगतना पड़े – ओह, मुझे बहुत अच्छा लगेगा जब पू – पूरा स्कूल जान जाएगा कि हथियार कहाँ है और इसका इस्तेमाल कैसे किया जाता है। फिर अगर कोई आपसे नाराज़ होगा, तो वह आपको ठि – ठिकाने लगा सकता है!'

इन शब्दों का अंबरिज पर बहुत ज़्यादा असर हुआ। उन्होंने जल्दी से संदेह के भाव से अपने प्रशासकीय दस्ते की तरफ़ देखा। उनकी बाहर निकलती

आँखें एक पल के लिए मैल्फ़ॉय पर पड़ीं, जिसके चेहरे पर उत्सुकता तथा लोभ के भाव आ गए थे और वह समय रहते उन्हें नहीं छिपा पाया था।

अंबरिज ने हर्माइनी को पल भर घूरा। फिर उन्होंने कोमल आवाज़ में कहा।

'ठीक है बेटा, तो फिर सिर्फ़ तुम और मैं ही चलते हैं ... और हम पॉटर को भी ले चलते हैं, ठीक है ना? चलो अब उठो।'

मैल्फ़ॉय उत्सुकता से बोला, 'प्रोफ़ेसर - प्रोफ़ेसर अंबरिज, मुझे लगता है कि आपकी हिफ़ाज़त के लिए दस्ते के कुछ सदस्यों को भी साथ चलना चाहिए -'

'मैं मंत्रालय की अधिकारी हूँ, मैल्फ़ॉय। क्या तुम्हें लगता है कि मैं बिना छड़ी वाले दो किशोरों को अकेले नहीं सँभाल सकती?' अंबरिज ने तीखी आवाज़ में कहा। 'वैसे भी, मुझे लगता है कि स्कूल के बच्चों को यह हथियार नहीं देखना चाहिए। तुम लोग मेरे लौटने तक यहीं रुकना और ध्यान रखना कि इनमें से कोई भी -' उन्होंने रॉन, जिनी, नेविल और लूना की तरफ़ इशारा किया '- भाग न पाए।'

मैल्फ़ॉय ने थोड़ा चिढ़कर निराशा से कहा, 'ठीक है।'

'और तुम दोनों मेरे आगे चलकर मुझे रास्ता दिखाओ,' अंबरिज ने अपनी छड़ी हिलाकर हैरी और हर्माइनी को इशारा किया। 'चलो।'

अध्याय तैंतीस

लड़ाई और उड़ान

हैरी को ज़रा भी अंदाज़ा नहीं था कि हर्माइनी की योजना क्या थी। वह तो इतना भी नहीं जानता था कि उसकी कोई योजना थी भी या नहीं। जब वे अंबरिज के ऑफ़िस के बाहर निकलकर गलियारे में पहुँचे, तो हैरी हर्माइनी के थोड़ा पीछे-पीछे चलने लगा। वह जानता था कि अगर अंबरिज को ऐसा लगा कि हैरी को रास्ता नहीं पता है, तो उन्हें शक हो जाएगा। हर्माइनी से कुछ पूछने की उसकी हिम्मत नहीं थी। अंबरिज पीछे इतनी क़रीब थीं कि उसे उनके साँस लेने की आवाज़ आ रही थी।

हर्माइनी सीढ़ियाँ उतरकर प्रवेश हॉल में पहुँच गई। बड़े हॉल से विद्यार्थियों की तेज़-तेज़ आवाज़ों के साथ प्लेटों पर छुरी-काँटों की खटपट का शोर हो रहा था। हैरी को यक़ीन नहीं हो रहा था कि बीस फ़ुट दूर ऐसे लोग भी थे, जो डिनर का आनंद ले रहे थे, परीक्षा ख़त्म होने का जश्न मना रहे थे और जिन्हें दुनिया में एक भी चिंता नहीं थी ...

हर्माइनी बलूत की लकड़ी के सामने वाले दरवाज़े से बाहर निकली और पत्थर की सीढ़ियाँ उतरकर शाम की सुहानी हवा में पहुँच गई। सूरज अब अँधेरे जंगल में लगे पेड़ों के पीछे ढल रहा था। हर्माइनी घास के मैदान में तेज़ी से चल रही थी। अंबरिज को उनकी बराबरी करने के लिए थोड़ा भागना पड़ रहा था। उनकी लंबी छायाएँ उनके पीछे घास पर चोगों की तरह लहरा रही थीं।

अंबरिज ने हैरी के कान में उत्सुकता से पूछा, 'यह हैग्रिड की झोपड़ी में छिपा होगा, है ना?'

'नहीं,' हर्माइनी ने तीखी आवाज़ में जवाब दिया। 'हैग्रिड इसे ग़लती से चला सकता था।'

अंबरिज ने रोमांचित होकर कहा, 'ज़ाहिर है, वह ऐसा कर सकता था। वह अर्ध-मानव मूर्ख है।'

वे हँस दीं। हैरी का मन हुआ कि एक हाथ घुमाकर उनका गला दबोच ले, लेकिन उसने ख़ुद को रोक लिया। उसका निशान शाम की सुहानी हवा में फड़क रहा था, लेकिन यह अब तक गर्म और सुर्ख़ नहीं हुआ था, इसलिए वह जानता था कि वोल्डेमॉर्ट ने अब तक किसी को नहीं मारा है।

जब हर्माइनी जंगल की तरफ़ जाने लगी, तो अंबरिज ने अनिश्चितता से पूछा, 'तो ... फिर यह कहाँ है ?'

हर्माइनी ने अँधेरे में डूबे पेड़ों की तरफ़ इशारा करते हुए कहा, 'जंगल में। हमें इसे ऐसी जगह पर रखना था, ताकि कोई विद्यार्थी ग़लती से वहाँ न पहुँच जाए, है ना ?'

'और क्या,' अंबरिज ने कहा, जो अब थोड़ी घबराने लगी थीं। 'और क्या ... तो फिर ठीक है ... तुम दोनों मेरे आगे-आगे चलो।'

हैरी ने उनसे पूछा, 'अगर हमें आगे चलना है, तो क्या आप हमें अपनी छड़ी दे सकती हैं ?'

'नहीं मिस्टर पॉटर, मुझे ऐसा नहीं लगता,' अंबरिज उसकी पीठ में अपनी छड़ी चुभाते हुए मीठी आवाज़ में बोलीं। 'मुझे लगता है कि मंत्रालय की नज़र में मेरी जान तुम्हारी जान से ज़्यादा क़ीमती है।'

जब वे जंगल के पेड़ों की ठंडी छाया में पहुँच गए, तो हैरी ने हर्माइनी से नज़रें मिलाने की कोशिश की। जंगल में बिना छड़ियों के चलना उसे बहुत मूर्खतापूर्ण लग रहा था। उसे लग रहा था कि उस शाम को उसने इससे मूर्खतापूर्ण काम नहीं किया था। बहरहाल, हर्माइनी ने अंबरिज पर हिक़ारत भरी नज़र डाली और पेड़ों के बीच में आगे बढ़ने लगी। वह इतनी तेज़ी से चल रही थी कि अंबरिज को अपने छोटे-छोटे पैरों से बराबरी करने में मुश्किल आ रही थी।

जब अंबरिज का दुशाला एक काँटेदार झाड़ी से फट गया, तो उन्होंने पूछा, 'क्या यह बहुत अंदर है ?'

हर्माइनी ने कहा, 'ओह हाँ, यह अच्छी तरह से छिपा हुआ है।'

हैरी का डर बढ़ गया। हर्माइनी उस रास्ते पर नहीं जा रही थी, जिस पर चलकर वे ग्रॉप से मिलने गए थे। वह तो उस रास्ते पर जा रही थी, जिस पर चलकर वह तीन साल पहले अरागॉग नाम के भयंकर प्राणी की माँद में पहुँचा था। उस वक़्त हर्माइनी उसके साथ नहीं थी। हैरी को लग रहा था कि हर्माइनी को तो यह पता भी नहीं होगा कि आगे कौन सा ख़तरा है।

उसने हर्माइनी से पूछा, 'अर - क्या तुम्हें पूरा यक़ीन है कि यही सही

रास्ता है ?'

'ओह हाँ,' हर्माइनी ने फ़ौलादी आवाज़ में कहा और झाड़ियों पर ज़ोर से पैर पटका। हैरी को लगा कि वह ख़ामख़्वाह आवाज़ कर रही थी। उनके पीछे अंबरिज एक गिरे हुए पेड़ से उलझकर गिर गईं। उनमें से कोई भी उन्हें उठाने के लिए नहीं रुका। हर्माइनी आगे बढ़ती रही और ज़ोर से बोली, 'बस थोड़ी ही दूर है!'

'हर्माइनी, अपनी आवाज़ नीची रखो,' हैरी ने उसके पास पहुँचने के लिए तेज़ी से क़दम बढ़ाते हुए कहा। 'कोई तुम्हारी आवाज़ सुन लेगा –'

'मैं यही तो चाहती हूँ कि कोई हमारी आवाज़ सुन ले,' उसने धीरे से जवाब दिया, जब अंबरिज भागती हुईं उनके पीछे आईं। 'तुम देखो तो सही ...'

वे लोग काफ़ी देर तक चलते रहे। आख़िर वे इतने गहरे जंगल में पहुँच गए कि घने पेड़ों के कारण रोशनी ग़ायब हो गई। हैरी को एक बार फिर यह एहसास हुआ कि अदृश्य आँखें उसे देख रही थीं।

अंबरिज ने उसके पीछे से ग़ुस्से से कहा, 'और कितनी दूर है ?'

'ज़्यादा दूर नहीं है!' हर्माइनी चिल्लाई, जब वे एक धुँधली, नम और साफ़ जगह पर पहुँचे। 'बस थोड़ी सी दूर –'

एक तीर हवा में सनसनाता हुआ आया और हर्माइनी के सिर के ठीक ऊपर से गुज़रता हुआ ख़तरनाक आवाज़ के साथ पेड़ में धँस गया। हवा में अचानक टापों की आवाज़ गूँजने लगी। हैरी को ज़मीन काँपती महसूस हुई। अंबरिज हल्के से चीख़ीं और हैरी को ढाल की तरह अपने सामने कर लिया –

वह उनकी पकड़ से आज़ाद होकर मुड़ा। लगभग पचास सेनटॉर्स चारों तरफ़ से प्रकट हो रहे थे। उनके धनुष तने हुए थे और उनमें तीर चढ़े हुए थे। सभी का निशाना हैरी, हर्माइनी और अंबरिज की तरफ़ था। वे धीरे-धीरे साफ़ जगह के बीच में पहुँच गए। अंबरिज ने दहशत भरी आवाज़ें निकालीं। हैरी ने हर्माइनी को कनखियों से देखा। वह विजयी अंदाज़ में मुस्करा रही थी।

'तुम कौन हो ?' एक आवाज़ आई।

हैरी ने बाईं तरफ़ देखा। मैगोरियन नाम का बादामी सेनटॉर घेरे से बाहर निकलकर उनकी तरफ़ आ रहा था। बाक़ी सेनटॉर्स की तरह उसका धनुष भी तना हुआ था। हैरी की दाहिनी तरफ़ अंबरिज अब भी बिसूर रही थीं। उनकी छड़ी बुरी तरह काँप रही थी, जब उन्होंने इसे आगे बढ़ते सेनटॉर की तरफ़ ताना।

मैगोरियन ने झल्लाकर कहा, 'मैंने तुमसे पूछा कि तुम कौन हो, इंसान ?'

'मैं डोलोरेस अंबरिज हूँ!' अंबरिज ने दहशत भरी तीखी आवाज़ में कहा।

'जादू मंत्री की सीनियर अंडरसेक्रेटरी और हॉगवर्ट्स की सर्वोच्च प्रशासक!'

घेरे में खड़े कई सेनटॉर्स बेचैनी से पहलू बदलने लगे। मैगोरियन बोला, 'तुम जादू मंत्रालय से आई हो।'

'हाँ, यह सही है!' अंबरिज ने थोड़ी ज़्यादा तीखी आवाज़ में कहा, 'इसलिए बहुत सावधान रहना! जादुई प्राणी नियमन एवं नियंत्रण विभाग द्वारा बनाए गए नियमों के अनुसार तुम जैसे अर्ध-मानव प्रजाति के लोगों द्वारा किसी इंसान पर हमला करना -'

'तुमने हमें *क्या* कहा ?' एक ख़तरनाक दिखने वाले काले सेनटॉर ने पूछा, जिसे हैरी पहचान गया था। वह बेन था। चारों तरफ़ से ग़ुस्से की बुदबुदाहटें सुनाई दीं और धनुषों की डोरियाँ तन गईं।

'उन्हें इस नाम से न पुकारें!' हर्माइनी ने आवेश में कहा, लेकिन ऐसा लगा कि अंबरिज ने उसकी बात नहीं सुनी थी। अब भी वे अपनी काँपती छड़ी मैगोरियन की तरफ़ ताने हुए थीं। उन्होंने कहा, 'पंद्रह "**बी**" क़ानून में स्पष्ट लिखा हुआ है कि "इंसानों से मिलती-जुलती बुद्धि वाले किसी भी जादुई प्राणी द्वारा हमला, जो अपने कार्यों के लिए ज़िम्मेदार समझा जाता है -"'

'इंसानों से मिलती-जुलती बुद्धि ?' मैगोरियन ने दोहराया, जब बेन और कई अन्य सेनटॉर्स ग़ुस्से से दहाड़े और ज़मीन पर खुर पटकने लगे। 'इंसान, हम इसे अपना बहुत बड़ा अपमान मानते हैं! सौभाग्य से हमारी बुद्धि तुमसे बहुत ज़्यादा है।'

'तुम हमारे जंगल में क्या कर रही हो ?' सख़्त चेहरे वाले भूरे सेनटॉर ने पूछा, जिसे हैरी और हर्माइनी ने जंगल की पिछली यात्रा में देखा था। 'तुम यहाँ क्यों आई हो ?'

'*तुम्हारा* जंगल ?' अंबरिज ने कहा, जो अब सिर्फ़ डर के कारण नहीं, बल्कि ग़ुस्से के कारण भी काँप रही थीं। 'मैं तुम्हें याद दिला दूँ कि तुम यहाँ सिर्फ़ इसलिए रहते हो, क्योंकि जादू मंत्रालय ने तुम्हें रहने के लिए निश्चित इलाक़े दे रखे हैं -'

एक तीर उनके सिर के इतने क़रीब से गुजरा कि उसने उनके चुहिया जैसे बालों को हिला दिया। वे ज़ोर से चीख़ीं और अपने हाथ सिर के ऊपर रख लिए। कुछ सेनटॉर्स ने किलकारी भरी और बाक़ी ज़ोर-ज़ोर से हँसने लगे। उनकी वहशी हँसी उस धुँधली रोशनी वाली ख़ाली जगह में गूँज रही थी और उनकी टापों की आवाज़ बहुत दहशत भरी लग रही थी।

बेन गरजा, 'अब यह जंगल किसका है, इंसान ?'

'गंदे अर्ध-प्रजाति के!' अंबरिज चीख़ीं और उनके हाथ अब भी उनके सिर के ऊपर रखे थे। 'जानवरो! वहशी दरिंदो!'

'चुप रहिए!' हर्माइनी चिल्लाई, लेकिन तब तक बहुत देर हो चुकी थी। अंबरिज मैगोरियन की तरफ़ अपनी छड़ी तानकर चीख़ चुकी थीं, '*रस्सी-बंधन!*'

रस्सियाँ मोटे साँपों की तरह हवा से उत्पन्न हुईं और सेनटॉर के धड़ तथा हाथों में कसकर बँध गईं। वह ग़ुस्से से चिल्लाता हुआ अपने पिछले पैरों पर खड़ा हो गया और ख़ुद को आज़ाद करने की कोशिश करने लगा, जबकि बाक़ी सेनटॉर्स तेज़ी से आगे आए।

हैरी ने हर्माइनी को पकड़कर ज़मीन पर गिरा दिया। वे चेहरे के बल ज़मीन पर लेट गए। उसे दहशत का एहसास हुआ, जब उसे चारों तरफ़ से खुरों की आवाज़ें आईं, लेकिन सेनटॉर्स उसे लाँघ गए और ग़ुस्से से चीख़ने लगे।

'नहींहींहींहीं!' उसे अंबरिज के चिल्लाने की आवाज़ सुनाई दी। 'नहींहींहींहीं ... मैं सीनियर अंडरसेक्रेटरी हूँ ... तुम मेरे साथ ऐसा नहीं कर सकते - मेरे हाथ छोड़ो, जंगली जानवरो ... नहींहींहींहीं!'

हैरी ने लाल रोशनी की एक चमक देखी और वह समझ गया कि उन्होंने किसी सेनटॉर को स्तब्ध करने की कोशिश की है। फिर वे बहुत ज़ोर से चीख़ीं। अपना सिर कुछ इंच उठाकर हैरी ने देखा कि बेन ने अंबरिज को पकड़कर हवा में ऊपर उठा दिया था और वे दहशत से छटपटा तथा चिल्ला रही थीं। उनकी छड़ी उनके हाथ से छूटकर ज़मीन पर गिर गई, जिससे हैरी का दिल बल्लियों उछल पड़ा। काश वह उस तक पहुँच पाए -

लेकिन जैसे ही उसने छड़ी की तरफ़ एक हाथ बढ़ाया, एक सेनटॉर का खुर उस छड़ी पर पड़ा और उसके दो टुकड़े हो गए।

हैरी के कानों में एक आवाज़ आई, 'अब!' तभी बालों भरे एक मोटे हाथ ने उसे उठाकर खड़ा कर दिया। हर्माइनी को भी खड़ा कर दिया गया। दूरी पर कई रंग वाली पीठों और सिरों वाले सेनटॉर्स दिख रहे थे। उनके आगे-आगे बेन अंबरिज को पेड़ों के बीच से उठाकर ले जा रहा था। वे लगातार चीख़ती जा रही थीं, लेकिन उनकी आवाज़ अब दूर होती जा रही थी और कुछ समय बाद सुनाई देना बंद हो गई।

'और इनका क्या करें?' सख़्त चेहरे वाले भूरे सेनटॉर ने पूछा, जो हर्माइनी को पकड़े हुए था।

'ये बच्चे हैं,' हैरी के पीछे से एक धीमी, उदास आवाज़ आई। 'हम शावकों पर हमला नहीं करते हैं।'

'रॉनन, वे उसे यहाँ लाए थे,' हैरी को कसकर पकड़ने वाले सेनटॉर ने जवाब दिया। 'और वे इतने छोटे भी नहीं हैं ... यह वाला तो जवान होने वाला है।'

उसने हैरी को उसके दुशाले की गर्दन पकड़कर हिला दिया।

हर्माइनी ने हाँफते हुए कहा, 'प्लीज़, हम पर हमला न करें। हम उनकी तरह नहीं सोचते हैं! हम जादू मंत्रालय के कर्मचारी नहीं हैं! हम तो यहाँ सिर्फ़ इसलिए आए थे, क्योंकि हमें उम्मीद थी कि आप लोग हमें उनसे छुटकारा दिलवा देंगे।'

जिस भूरे सेनटॉर ने हर्माइनी को पकड़ रखा था, उसके चेहरे के भाव से हैरी तत्काल समझ गया कि हर्माइनी ने यह कहकर बहुत भयंकर ग़लती कर दी थी। भूरे सेनटॉर ने अपना सिर पीछे की तरफ़ उछाला और अपने पिछले पैर ज़मीन पर पटकते हुए गरजा, 'देखा, रॉनन? उनमें पहले से ही अपनी जाति के लोगों का घमंड है! तो तुम हम लोगों से अपना गंदा काम करवाना चाहती थीं, है ना, इंसानी लड़की? तुमने हमें अपना नौकर समझा है, जो वफ़ादार कुत्तों की तरह तुम्हारे दुश्मनों को दूर भगा दें?'

'नहीं!' हर्माइनी ने दहशत में चीख़ते हुए कहा। 'प्लीज़ – मेरा यह मतलब नहीं था! मुझे तो बस उम्मीद थी कि आप लोग – हमारी मदद कर सकेंगे –'

लेकिन इससे हालत और भी ख़राब हो गई।

'हम इंसानों की मदद नहीं करते हैं!' हैरी को पकड़ने वाले सेनटॉर ने गुर्राकर कहा। उसने हैरी पर अपनी पकड़ और मज़बूत कर दी। उसी पल वह थोड़ा चिंघाड़ा, जिससे हैरी के पैर पल भर के लिए ज़मीन से ऊपर उठ गए। 'हम अलग प्रजाति के हैं और हमें ऐसा होने पर गर्व है। हम तुम्हें यहाँ से जाकर ये डींगें नहीं हाँकने देंगे कि तुमने हमसे नौकरों की तरह अपना काम करवाया है!'

'हम इस तरह की कोई बात नहीं कहेंगे!' हैरी चिल्लाया। 'हम जानते हैं कि आपने यह काम इसलिए नहीं किया है क्योंकि हम आपसे यह काम करवाना चाहते थे –'

लेकिन कोई उसकी बात नहीं सुन रहा था।

भीड़ के पीछे की तरफ़ खड़ा एक दाढ़ी वाला सेनटॉर चिल्लाया, 'वे यहाँ पर बिना बुलाए आए हैं, उन्हें इसका परिणाम तो भुगतना ही पड़ेगा!'

इन शब्दों पर सहमति का कोलाहल हुआ और एक सेनटॉर चिल्लाया, 'उन्हें भी उस औरत के पास ले चलते हैं!'

'आपने तो कहा था कि आप मासूमों को चोट नहीं पहुँचाते हैं!' हर्माइनी

चिल्लाई और अब उसके चेहरे पर असली आँसू बह रहे थे। 'हमने आपको कोई नुक़सान नहीं पहुँचाया है। हमने छड़ियों या धमकियों का इस्तेमाल नहीं किया है। हम तो बस स्कूल लौटना चाहते हैं। मेहरबानी करके हमें जाने दें –'

'हम उस गद्दार फ़िरेंज की तरह नहीं हैं, लड़की!' भूरे सेनटॉर ने कहा, जिस पर उसके साथियों ने एक बार फिर सहमति जताई। 'शायद तुम हमें बोलने वाले सुंदर घोड़े समझती हो? हम बहुत प्राचीन जाति के हैं। हम जादूगरों के हमलों और अपमानों को सहन नहीं करते हैं! हम तुम्हारे क़ानून नहीं मानते हैं, तुम्हारी श्रेष्ठता नहीं मानते हैं, हम लोग तो –'

लेकिन वे यह नहीं सुन पाए कि सेनटॉर्स और क्या नहीं करते थे, क्योंकि उसी पल ख़ाली जगह के कोने से इतनी ज़ोर की आवाज़ आई कि हैरी, हर्माइनी और लगभग पचास सेनटॉर्स मुड़कर देखने लगे। हैरी के सेनटॉर ने उसे छोड़ दिया, जब उसके हाथ अपने धनुष और तरकश की तरफ़ उठ गए। हर्माइनी को भी छोड़ दिया गया था और हैरी जल्दी से उसके पास पहुँच गया। उसी समय दो मोटे पेड़ों के तने ख़तरनाक तरीक़े से अलग हुए और वहाँ पर ग्रॉप नामक दानव का भीमकाय शरीर नज़र आया।

उसके सबसे क़रीब खड़े सेनटॉर्स पीछे होने लगे। साफ़ जगह में अब तीरों के चलने की पूरी तैयारी थी और सभी तीर उस विशाल चेहरे की तरफ़ इशारा कर रहे थे, जो अब मोटी-मोटी शाखाओं की छत से उनकी तरफ़ देख रहा था। ग्रॉप का विशाल मुँह मूर्खतापूर्ण ढंग से लटका हुआ था। उन्हें उसके ईंट जैसे पीले दाँत आधी रोशनी में चमकते दिख रहे थे। उसकी स्लेज के रंग की बेजान आँखें सिकुड़ीं और उसने अपने पैरों के पास के प्राणियों की तरफ़ देखा। टूटी हुई रस्सियाँ उसके टखनों के पीछे-पीछे आ रही थीं।

उसने अपना मुँह थोड़ा और चौड़ा किया।

'हैगर।'

हैरी नहीं जानता था कि 'हैगर' का क्या मतलब था या यह किस भाषा का शब्द था। उसे इस बात की ज़्यादा परवाह भी नहीं थी। वह तो ग्रॉप के पैरों को देख रहा था, जो हैरी के पूरे शरीर के बराबर दिख रहे थे। हर्माइनी ने हैरी की बाँह कसकर पकड़ ली। सेनटॉर्स अब बिलकुल ख़ामोश थे और दानव को घूर रहे थे। दानव का विशाल, गोल सिर इधर से उधर घूमा, जब उसने उनकी तरफ़ ऐसे देखा, जैसे किसी ग़ुमी चीज़ की तलाश कर रहा हो।

'*हैगर!*' उसने एक बार फिर शिद्दत से पुकारा।

'दानव, यहाँ से चले जाओ!' मैगोरियन ने कहा। 'हमारे बीच में तुम्हारा स्वागत नहीं होगा!'

इन शब्दों का ग्रॉप पर कोई असर नहीं हुआ। वह थोड़ा झुका (सेनटॉर्स के हाथ उनके धनुषों पर तन गए), फिर गरजकर बोला, '*हैगर!*'

कुछ सेनटॉर्स अब चिंतित दिख रहे थे। बहरहाल, हर्माइनी के मुँह से अचानक आह निकल गई।

उसने फुसफुसाकर कहा, 'हैरी! मुझे लगता है कि वह "हैग्रिड" कहने की कोशिश कर रहा है!'

ठीक उसी पल गॉप की नज़र उन पर पड़ी, जो सेनटॉर्स के झुंड में अकेले इंसान थे। उसने अपना सिर एकाध फ़ुट नीचे किया और उन्हें घूरने लगा। हैरी महसूस कर सकता था कि हर्माइनी अपना सिर हिला रही है, जब ग्रॉप ने अपना चौड़ा मुँह एक बार फिर खोला और एक गहरी, गूँजती आवाज़ में बोला, 'हर्मी।'

'हे भगवान,' हर्माइनी ने कहा और इतनी कसकर हैरी का हाथ पकड़ लिया कि यह सुन्न पड़ गया। हर्माइनी को देखकर लग रहा था, जैसे वह बेहोश होने वाली हो, 'उसे – उसे याद है!'

'**हर्मी!**' ग्रॉप गरजा। '**हैगर कहाँ ?**'

'मुझे नहीं मालूम!' हर्माइनी दहशत में चीख़ी। 'मुझे अफ़सोस है ग्रॉप, लेकिन मुझे नहीं मालूम!'

'**ग्रॉप हैगर चाहिए!**'

दानव का एक विशाल हाथ नीचे आया। हर्माइनी ज़ोर से चीख़ती हुई कुछ क़दम पीछे भागी, लेकिन वह गिर पड़ी। बिना छड़ी के हैरी ने ख़ुद को तैयार किया कि वह मुक्का मारेगा, लात चलाएगा, काटेगा या जो समझ में आएगा वह करेगा, जब दानव का हाथ उसकी तरफ़ बढ़ा और उसने एक सफ़ेद सेनटॉर को गिरा दिया।

सेनटॉर्स इसी बात का इंतज़ार कर रहे थे – ग्रॉप की खुली हुई उँगलियाँ हैरी से एक फ़ुट की दूरी पर थीं, तभी पचास तीर दानव की तरफ़ उड़े और उसके विशाल चेहरे में धँस गए, जिससे वह दर्द और ग़ुस्से से बिलबिला उठा। वह तनकर खड़ा हुआ और उसने अपने विशाल हाथों से अपना चेहरा मलकर तीर तोड़ दिए, लेकिन इससे तीरों की नोक और अंदर धँस गई।

वह चीख़ा और अपने विशाल पैर पटकने लगा। सेनटॉर्स उसके रास्ते से दूर हटकर तितर-बितर हो गए। ग्रॉप के ख़ून की कंकड़ के आकार की बूँदें हैरी पर पड़ीं, जब उसने हर्माइनी को उठाकर खड़ा किया। इसके बाद वे दोनों पेड़ों की शरण में पहुँचने के लिए पूरी तेज़ी से भागने लगे। वहाँ पहुँचकर उन्होंने मुड़कर देखा। ग्रॉप अंधों की तरह सेनटॉर्स को पकड़ने की कोशिश कर रहा था और

उसके चेहरे पर ख़ून बह रहा था। सेनटॉर्स पीछे हट रहे थे और तितर-बितर हो रहे थे। वे दूसरी तरफ़ के पेड़ों की ओर भाग रहे थे। हैरी और हर्माइनी ने देखा कि ग्रॉप ग़ुस्से से एक बार फिर गरजकर उनके पीछे जाने लगा। चलते-चलते वह पेड़ गिराता जा रहा था।

'ओह नहीं,' हर्माइनी ने कहा, जो इतनी बुरी तरह काँप रही थी कि उसके घुटने झुक गए। 'ओह, यह भयंकर था। वह उन सबको मार डालेगा।'

हैरी ने कटुता से कहा, 'सच कहूँ, तो मुझे इस बात की ज़्यादा चिंता नहीं है।'

सेनटॉर्स की टापें और गरजते दानव की आवाज़ें धीरे-धीरे धीमी होने लगीं। जब हैरी उन्हें सुनने की कोशिश कर रहा था, तो उसका निशान एक बार फिर ज़ोर से धड़का और वह दहशत में आ गया।

बहुत समय बर्बाद हो गया था - जब उसने सपना देखा था, तब वह सिरियस को बचाने से जितना दूर था, अब वह उससे भी ज़्यादा दूर था। न सिर्फ़ हैरी की छड़ी जा चुकी थी, बल्कि वे अँधेरे जंगल के बीच में फँसे हुए थे, जहाँ से जाने का कोई साधन नहीं था।

'बड़ी चतुराई भरी योजना थी,' उसने हर्माइनी से ग़ुस्से से कहा, क्योंकि वह अपनी भड़ास निकालना चाहता था। 'सचमुच बहुत चतुराई भरी योजना थी। अब हम कहाँ जाएँगे?'

हर्माइनी ने धीरे से कहा, 'हमें महल जाना होगा।'

'जब तक हम ऐसा करेंगे, तब तक शायद सिरियस मर चुका होगा!' हैरी ने कहा और पास के एक पेड़ पर ग़ुस्से से लात मारी। उसे सिर के ऊपर एक तीखी चटर-पटर सुनाई दी और उसने देखा कि एक नाराज़ काष्ठजीव उसकी तरफ़ अपनी लंबी टहनी जैसी उँगलियाँ घुमा रहा था।

'देखो, हम छड़ियों के बिना कुछ नहीं कर सकते,' हर्माइनी ने निराशा से कहा और ख़ुद को उठाकर खड़ा किया। 'वैसे भी हैरी, तुम लंदन तक किस तरह जाने की योजना बना रहे थे?'

उसके पीछे से एक जानी-पहचानी आवाज़ आई, 'हाँ, हम भी यही सोच रहे थे।'

हैरी और हर्माइनी तत्काल उछल पड़े तथा पेड़ों के बीच से देखने लगे।

उन्हें रॉन दिखाई दिया, जिसके ठीक पीछे जिनी, नेविल और लूना थे। वे सभी थोड़े अस्त-व्यस्त दिख रहे थे - जिनी के गाल पर लंबी खरोंचें थीं। नेविल की दाईं आँख के ऊपर बैंगनी रंग की बड़ी सूजन थी। रॉन के होंठ से बुरी तरह

ख़ून बह रहा था। लेकिन वे बहुत ख़ुश दिख रहे थे।

'तो,' रॉन ने नीचे लटक रही एक शाखा को दूर हटाते हुए और हैरी की छड़ी आगे बढ़ाते हुए कहा, 'कोई विचार सूझा?'

'तुम लोग बचकर कैसे आ गए?' हैरी ने आश्चर्य से कहा और अपनी छड़ी रॉन से ले ली।

'दो स्तब्धीकरण मंत्र, एक निरस्त्रीकरण मंत्र, नेविल ने एक बहुत बढ़िया बाधा मंत्र पढ़ा,' रॉन ने शान झाड़ते हुए कहा और हर्माइनी की छड़ी भी उसे दे दी। 'लेकिन जिनी सबसे बढ़िया थीं। उसने मैल्फ़ॉय पर बैट बोगी हेक्स मारा। यह बहुत बढ़िया था। उसका पूरा चेहरा पंख जैसी बड़ी-ब्रड़ी चीज़ों से ढँक गया। हमने खिड़की से देख लिया था कि तुम लोग जंगल में जा रहे हो, इसलिए हम इधर ही आ गए। अंबरिज कहाँ हैं?'

हैरी बोला, 'उन्हें सेनटॉर्स का झुंड उठाकर ले गया।'

जिनी ने हैरान दिखते हुए पूछा, 'और उन्होंने तुम्हें छोड़ दिया?'

'नहीं, उन्हें ग्रॉप ने भगा दिया,' हैरी ने कहा।

लूना ने दिलचस्पी से पूछा, 'ग्रॉप कौन है?'

'हैग्रिड का छोटा भाई,' रॉन ने तत्काल जवाब दिया। 'ख़ैर, इस वक़्त उसकी फ़िक्र मत करो। हैरी, तुम्हें आग में क्या पता चला? क्या सिरियस तुम-जानते-हो-कौन के पास है या -?'

'हाँ,' हैरी ने कहा, जब उसका निशान एक बार फिर दुखा, 'और मुझे यक़ीन है कि सिरियस अब भी ज़िंदा है, लेकिन मुझे यह समझ में नहीं आ रहा है कि हम उसकी मदद कैसे कर पाएँगे।'

वे सभी ख़ामोश हो गए। उन्हें थोड़ा डर भी लग रहा था। सामने जो समस्या थी, उसे सुलझाना असंभव दिख रहा था।

'हमें उड़कर जाना होगा, है ना?' लूना बोली। इस समय उसकी आवाज़ सपनीली नहीं, बल्कि सामान्य थी।

'**ठीक है**,' हैरी ने चिढ़कर उसकी तरफ़ मुड़ते हुए कहा। 'पहली बात तो यह है कि "हम" कुछ नहीं कर रहे हैं, क्योंकि तुम इसमें शामिल नहीं हो और दूसरी बात यह है कि सिर्फ़ रॉन के पास झाड़ू है, जिसकी रक्षा सुरक्षा दैत्य नहीं कर रहा है, इसलिए -'

जिनी बोली, 'मेरे पास भी झाड़ू है!'

रॉन ग़ुस्से से बोला, 'हाँ, लेकिन तुम नहीं चल रही हो।'

'माफ़ करना, लेकिन मुझे भी सिरियस की उतनी ही परवाह है, जितनी कि तुम्हें!' जिनी बोली। उसके सख़्त जबड़े से साफ़ दिख रहा था कि वह फ्रेड और जॉर्ज की बहन थी।

'तुम अभी बहुत छोटी –' हैरी ने कहना शुरू किया, लेकिन जिनी ग़ुस्से में उसकी बात काटते हुए बोली, 'जब तुम पारस पत्थर को बचाने के लिए तुम-जानते-हो-कौन से लड़े थे, तब तुम्हारी उम्र जितनी थी, मैं उससे तीन साल बड़ी हूँ। इसके अलावा मैं तुम्हें यह बता दूँ कि मेरे ही कारण मैल्फ़ॉय अंबरिज के ऑफ़िस में फँसा हुआ है और उड़ने वाले विशाल चमगादड़ उस पर हमला कर रहे हैं –'

'हाँ, लेकिन –'

'हम सभी **डीए** में एक साथ थे,' नेविल ने धीरे से कहा। 'हमने इसे तुम-जानते-हो-कौन से लड़ने के लिए बनाया था, है ना? और हमें पहली बार सचमुच कुछ करने का मौक़ा मिल रहा है – या फिर वह सिर्फ़ खेल था?'

'नहीं – वह खेल नहीं था –' हैरी ने उतावलेपन से कहा।

'तो फिर हम भी चलेंगे,' नेविल ने कहा। 'हम मदद करना चाहते हैं।'

'सही है,' लूना ने मुस्कराते हुए कहा।

हैरी की नज़रें रॉन से मिलीं। वह जानता था कि रॉन भी उसी की तरह सोच रहा था : अगर उसे सिरियस को बचाने के लिए रॉन और हर्माइनी के अलावा किसी और को चुनना होता, तो वह जिनी, नेविल या लूना को कभी नहीं चुनता।

'ख़ैर, इससे कोई फ़र्क़ नहीं पड़ता है,' हैरी ने दाँत भींचकर कहा। 'क्योंकि हम अब भी यह नहीं जानते हैं कि वहाँ कैसे पहुँचा जा सकता है –'

'मुझे लगा था कि हम उसके बारे में सहमत हो चुके हैं,' लूना ने चिढ़ाती हुई आवाज़ में कहा। 'हम उड़कर चलेंगे!'

'देखो,' रॉन ने अपने ग़ुस्से पर बड़ी मुश्किल से क़ाबू पाते हुए कहा, 'देखो, शायद तुम झाड़ू के बिना उड़ सकती हो, लेकिन हममें से बाक़ी लोगों के अचानक पंख नहीं उग सकते –'

लूना ने शांति से कहा, 'झाड़ुओं के अलावा भी उड़ने के कई रास्ते होते हैं।'

रॉन ने पूछा, 'मुझे लगता है कि हमें कैकी स्नोर्गल या ऐसी ही किसी चीज़ की पीठ पर सवारी करनी होगी?'

'क्रम्पल-हॉर्न्ड स्नोरकैक उड़ नहीं सकता,' लूना ने गरिमापूर्ण आवाज़ में कहा, 'लेकिन *ये* प्राणी ऐसा कर सकते हैं और हैग्रिड कहता है कि इनके सवार

जिस जगह जाना चाहते हैं, ये उस जगह तक पहुँचने में बहुत निपुण होते हैं।'

हैरी पलटा। दो पेड़ों के बीच में दो थेस्ट्रॉल खड़े थे और उनकी सफ़ेद आँखें अजीब तरीक़े से चमक रही थीं। वे इस बातचीत को ऐसे देख रहे थे, जैसे उन्हें हर शब्द का मतलब समझ में आ रहा हो।

'हाँ!' उसने फुसफुसाकर उनकी तरफ़ बढ़ते हुए कहा। उन्होंने अपने सिर उठाए और गर्दन के लंबे काले बालों को झटका दिया। हैरी ने उत्साह से हाथ बढ़ाकर सबसे क़रीब वाले की चमकती गर्दन सहलाई। उसने उन्हें पहले बदसूरत क्यों माना था?

'पागल घोड़े जैसी चीज़ें हैं क्या?' रॉन ने अनिश्चितता से कहा और उस थेस्ट्रॉल के थोड़ी बाईं तरफ़ घूरा, जिसे हैरी थपथपा रहा था। 'वे चीज़ें, जिन्हें तुम तब तक नहीं देख सकते, जब तक कि किसी की मौत न देख लो?'

'हाँ,' हैरी ने कहा।

'कितने हैं?'

'बस दो।'

'देखो, हमें तीन की ज़रूरत है,' हर्माइनी ने कहा, जो अब भी थोड़ी हिली हुई नज़र आ रही थी, लेकिन इसके बावजूद संकल्पवान दिख रही थी।

जिनी ने त्योरियाँ चढ़ाकर कहा, 'चार, हर्माइनी।'

लूना ने शांति से गिनते हुए कहा, 'मुझे लगता है कि हम लोग दरअसल छह हैं!'

'मूर्ख मत बनो, हम सब नहीं चल सकते!' हैरी ने ग़ुस्से से कहा। 'देखो, तुम तीनों –' उसने नेविल, जिनी और लूना की तरफ़ इशारा किया, 'तुम लोग इसमें शामिल नहीं हो, तुम तीनों –'

वे जमकर विरोध करने लगे। उसका निशान एक बार फिर ज़्यादा ज़ोर से दुखने लगा। एक-एक पल की देर महँगी पड़ सकती थी। उसके पास बहस करने का वक़्त नहीं था।

'ठीक है, यह तुम्हारा चुनाव है,' उसने कहा, 'लेकिन जब तक हमारे पास और थेस्ट्रॉल नहीं आ जाते, तुम लोग नहीं चल पाओगे –'

'ओह, और आ जाएँगे,' जिनी ने विश्वास से कहा, जो रॉन की ही तरह बिलकुल ग़लत दिशा में देख रही थी, हालाँकि उसे ऐसा लग रहा था कि वह घोड़ों की तरफ़ ही देख रही थी।

'तुम्हें ऐसा क्यों लगता है?'

'क्योंकि, अगर तुम्हारा ध्यान इस तरफ़ न गया हो, तो तुम और हर्माइनी ख़ून में लथपथ हो,' उसने शांति से कहा। 'हम जानते हैं कि हैग्रिड थेस्ट्रॉल्स को कच्चे गोश्त से ललचाता था। शायद तुम्हारे ख़ून की गंध सूँघकर ही ये दोनों यहाँ आए हैं।'

हैरी को उसी पल अपने दुशालों में एक हल्का झटका महसूस हुआ। उसने देखा कि सबसे पास वाला थेस्ट्रॉल उसकी आस्तीन चाट रहा था, जो ग्रॉप के ख़ून से गीली हो चुकी थी।

'तो फिर **ठीक है**,' उसने कहा और उसके मन में एक बढ़िया विचार आया, 'रॉन और मैं इन दोनों पर सवार होकर आगे-आगे चलते हैं। हर्माइनी तुम तीनों के साथ रहेगी। उसके ख़ून की गंध से और थेस्ट्रॉल्स आ जाएँगे –'

हर्माइनी ग़ुस्से से बोली, 'मैं पीछे नहीं रहूँगी!'

'उसकी कोई ज़रूरत नहीं है,' लूना ने मुस्कराते हुए कहा। 'देखो, और आ गए ... तुम दोनों के पास से ख़ून की बहुत ज़्यादा गंध आ रही होगी ...

हैरी मुड़ा : छह-सात थेस्ट्रॉल्स पेड़ों के बीच से रास्ता बनाकर आ रहे थे। उनके बड़े पंख उनके शरीर से सटे हुए थे। उनकी आँखें अँधेरे में चमक रही थीं। अब हैरी कोई बहाना नहीं बना सकता था।

'ठीक है,' उसने ग़ुस्से से कहा, 'तो फिर अपने थेस्ट्रॉल को चुन लो और उस पर सवार हो जाओ।'

अध्याय चौंतीस

रहस्य विभाग

हैरी ने सबसे पास वाले थेस्ट्रॉल की गर्दन में हाथ डाला और पास वाले एक पेड़ के ठूँठ पर पैर रखकर उसकी रेशमी पीठ पर अजीब तरीक़े से बैठ गया। थेस्ट्रॉल ने कोई आनाकानी नहीं की, बल्कि अपना सिर घुमाया, जिससे उसके दाँत साफ़ दिखने लगे। वह हैरी के दुशाले को चाटने की कोशिश कर रहा था।

हैरी ने पंख के जोड़ों के पीछे घुटने टिकाने का तरीक़ा खोज लिया, जिससे वह ज़्यादा सुरक्षित महसूस करने लगा। फिर उसने बाक़ी लोगों की तरफ़ देखा। नेविल भी उछलकर अगले थेस्ट्रॉल पर सवार होने और उसकी पीठ पर अपना पैर डालने की कोशिश कर रहा था। लूना पहले ही सवार हो चुकी थी। वह बैठकर अपने दुशाले ऐसे ठीक कर रही थी, जैसे रोज़ थेस्ट्रॉल की सवारी करती हो। बहरहाल, रॉन, हर्माइनी और जिनी अब भी उसी जगह पर स्थिर खड़े थे और मुँह खोलकर घूरे जा रहे थे।

हैरी ने पूछा, 'क्या हुआ ?'

रॉन ने धीरे से कहा, 'हमें कुछ दिख ही नहीं रहा है। हम चढ़ेंगे कैसे ?'

लूना अपने थेस्ट्रॉल से नीचे उतरी और रॉन, हर्माइनी तथा जिनी की तरफ़ बढ़ते हुए बोली, 'ओह, यह आसान है। यहाँ आओ ...'

उसने उन्हें चारों तरफ़ खड़े थेस्ट्रॉल्स की तरफ़ खींचा और एक-एक करके उनकी पीठ पर सवार करवा दिया। वे तीनों बहुत घबराए हुए दिख रहे थे, जब उसने उनके हाथ थेस्ट्रॉल की गर्दन में डाले और कसकर पकड़ने को कहा। फिर लूना दोबारा अपने थेस्ट्रॉल पर चढ़ गई।

'यह पागलपन है,' रॉन बुदबुदाया, जिसने अपने घोड़े की गर्दन पर सकुचाते हुए हाथ फेरा। 'पागलपन ... काश मैं इसे देख सकता –'

'शुक्र मनाओ कि यह अदृश्य है,' हैरी ने कड़वे लहज़े में कहा। 'सब तैयार हैं ?'

सभी ने अपना सिर हिला दिया। हैरी ने पाँच जोड़ी घुटनों को दुशालों के नीचे कसते देखा।

'**ठीक है** ...'

उसने अपने थेस्ट्रॉल के चमकदार काले सिर के पिछले हिस्से को देखा और थूक निगला।

'जादू मंत्रालय, आगंतुक प्रवेश द्वार, लंदन,' उसने अनिश्चितता से कहा। 'अर ... अगर तुम्हें मालूम हो कि वहाँ कैसे जाना है ... तो चलो।'

एक पल के लिए तो हैरी के थेस्ट्रॉल ने कुछ नहीं किया। फिर वह तेज़ी से हिला, जिससे हैरी गिरते-गिरते बचा। दोनों तरफ़ के पंख खुल गए। घोड़ा धीरे से झुका, फिर इतनी तेज़ी से और सीधे ऊपर की तरफ़ उड़ा कि हैरी को उसकी पीठ पर अपने हाथ-पैर कसकर दबाने पड़े, ताकि वह उसकी पीठ से पीछे की तरफ़ न फिसल जाए। उसने अपनी आँखें बंद कर लीं और घोड़े के रेशमी बालों में अपना चेहरा दबा लिया। वे पेड़ों की सबसे ऊँची शाखाओं के बीच से उड़ने लगे और ख़ून जैसे लाल सूर्यास्त की तरफ़ चल दिए।

हैरी को लगा कि वह पहले कभी इतनी तेज़ी से नहीं उड़ा था : थेस्ट्रॉल महल के ऊपर पहुँचा, लेकिन इसके चौड़े पंख जैसे फड़फड़ा ही नहीं रहे थे। ठंडी हवा हैरी के चेहरे पर तेज़ी से पड़ रही थी। तेज़ हवा के कारण अपनी आँखों को ज़रा सा खोलते हुए उसने मुड़कर देखा। उसके पाँचों साथी पीछे उड़ते हुए आ रहे थे। पीछे फिसलने के डर से वे सभी अपने थेस्ट्रॉल की गर्दन की तरफ़ जितनी नीचे झुक सकते थे, झुके हुए थे।

अब वे हॉगवर्ट्स के मैदान के ऊपर थे। वे हॉग्समीड पार कर गए। हैरी को नीचे पहाड़ और सड़कें दिखाई दीं। दिन का उजाला कम होने पर हैरी को रोशनियों का छोटा समूह दिखा। इसका मतलब यह था कि वे किसी गाँव के ऊपर से गुज़र रहे थे। फिर उसे एक घुमावदार सड़क दिखी, जिस पर पहाड़ियों के बीच से एक कार जा रही थी ...

'यह अजीब है!' हैरी को अपने पीछे रॉन की चीख़ सुनाई दी और उसने कल्पना की कि इतनी ऊँचाई पर तेज़ी से उड़ने में कैसा लगता होगा, जबकि कोई सहारा न दिख रहा हो।

धुँधलका हो गया। आसमान में सितारे दिखने लगे। कुछ समय बाद सिर्फ़ मगलू शहरों की रोशनियों से ही उन्हें यह पता चल रहा था कि वे ज़मीन से कितनी ऊपर थे या कितनी तेज़ी से उड़े जा रहे थे। हैरी की बाँहें घोड़े की गर्दन के चारों तरफ़ लिपटी हुई थीं और वह सोच रहा था कि काश यह थोड़ी ज़्यादा तेज़ी से उड़े। जब उसने सिरियस को रहस्य विभाग के फ़र्श पर पड़े देखा था, तब

से कितना ज़्यादा समय बीत गया था? सिरियस और कितनी देर तक वोल्डेमॉर्ट का प्रतिरोध कर पाएगा? हैरी को तो बस इसी बात का यक़ीन था कि उसके गॉडफ़ादर ने न तो वोल्डेमॉर्ट की इच्छा पूरी की थी, न ही वह मरा था, क्योंकि वह जानता था कि अगर इनमें से कुछ भी होता, तो वोल्डेमॉर्ट बहुत ख़ुश या उत्तेजित हो गया होता। ऐसा होने पर हैरी को निश्चित रूप से पता चल जाता, क्योंकि उसका निशान उतनी ही ज़ोर से दुखता, जितना मिस्टर वीज़्ली पर हुए हमले की रात दुखा था।

वे लोग अँधेरे में उड़ते रहे। हैरी का चेहरा सख़्त और ठंडा हो गया। उसके पैर थेस्ट्रॉल के दोनों तरफ़ कसकर सटने के कारण सुन्न हो चुके थे। लेकिन वह ज़रा भी हिलने की हिम्मत नहीं कर सकता था। उसे डर था कि कहीं वह फिसलकर गिर न जाए ... उसके कानों पर हवा के थपेड़े इतनी तेज़ी से पड़ रहे थे कि उसे कुछ सुनाई नहीं दे रहा था। रात की ठंडी हवा के कारण उसका मुँह सूख चुका था। उसे इस बात का ज़रा भी एहसास नहीं था कि वे कितनी दूर आ चुके हैं। अपने नीचे के जानवर पर उसे भरोसा था, जो अब भी अपने गंतव्य की ओर अँधेरे में उड़ा जा रहा था और आगे बढ़ते समय अपने पंख बहुत कम फड़फड़ा रहा था।

अगर उन्हें देर हो गई ...

वह अब भी ज़िंदा है, वह अब भी संघर्ष कर रहा है, मैं इस बात को महसूस कर सकता हूँ ...

अगर वोल्डेमॉर्ट ने फ़ैसला कर लिया कि सिरियस नहीं मानेगा ...

मुझे पता चल जाएगा ...

हैरी के पेट में एक झटका लगा। थेस्ट्रॉल का सिर अचानक ज़मीन की तरफ़ झुक रहा था। हैरी उसकी गर्दन पर कुछ इंच आगे फिसल गया। वे आख़िर नीचे उतर रहे थे ... उसे अपने पीछे से एक चीख़ सुनाई दी। हैरी ने ख़तरा मोल लेकर पीछे देखा, लेकिन उसे किसी का गिरता हुआ शरीर नहीं दिखा ... शायद दिशा बदलने के कारण उन्हें भी उसी जैसा झटका लगा होगा।

अब चमकदार नारंगी रोशनियाँ बड़ी और गोल होती जा रही थीं। उसे इमारतों के ऊपरी हिस्से दिख रहे थे। हेडलाइटों की क़तारें कीड़े-मकोड़ों की चमकती आँखों जैसी लग रही थीं। पीले चौखाने दिख रहे थे, जो खिड़कियाँ थीं। वे लोग फ़ुटपाथ के क़रीब पहुँच रहे थे। हैरी ने पूरी ताक़त से थेस्ट्रॉल को कसकर पकड़ लिया और झटके के लिए ख़ुद को तैयार कर लिया, लेकिन घोड़ा अँधेरी ज़मीन पर छाया जितने हल्केपन से उतरा और हैरी उसकी पीठ से नीचे कूद गया। उसने सड़क पर चारों तरफ़ देखा, जहाँ लबालब भरा कूड़ेदान अब भी

टूटे-फूटे टेलीफ़ोन बूथ से थोड़ी दूर पर था। दोनों का ही रंग उड़ चुका था और वे सड़क की नारंगी रोशनी में साफ़ दिख रहे थे।

रॉन थोड़ी दूर उतरा और अपने थेस्ट्रॉल से उलझकर फ़ुटपाथ पर गिर गया।

'अब कभी नहीं करूँगा,' वह खड़े होते हुए बड़बड़ाया। नीचे उतरने की कोशिश करते समय उसके पैर थेस्ट्रॉल के पुट्ठे से टकरा गए थे, जिससे वह धड़ाम से गिर गया था। 'अब यह काम कभी नहीं करूँगा ... हाँ, मैं क़सम खाता हूँ –'

हर्माइनी और जिनी उसके आस-पास उतरीं। दोनों अपने घोड़ों से रॉन के मुक़ाबले थोड़ी ज़्यादा गरिमा से उतरीं, हालाँकि सख़्त ज़मीन पर उतरने के बाद उनके चेहरे पर काफ़ी राहत का भाव आ गया। नेविल काँपता हुआ कूदा, जबकि लूना आराम से उतर गई।

'हम यहाँ से कहाँ जाएँगे?' उसने हैरी से थोड़ी दिलचस्प आवाज़ में पूछा, जैसे यह सिर्फ़ एक रोचक सैर हो।

'यहाँ,' उसने कहा। उसने अपने थेस्ट्रॉल को जल्दी से कृतज्ञता से थपथपाया, फिर उसने टूटे-फूटे टेलीफ़ोन बूथ की तरफ़ जाकर उसका दरवाज़ा खोल दिया। जब बाक़ी लोग झिझकने लगे, तो वह बोला, '*आओ!*'

कहना मानते हुए रॉन और जिनी अंदर आ गए। हर्माइनी, नेविल और लूना भी जैसे-तैसे उनके पीछे घुस गए। हैरी ने थेस्ट्रॉल्स पर आख़िरी निगाह डाली, जो कूड़ेदान के भीतर खाने-पीने की बासी चीज़ों की तलाश कर रहे थे। फिर वह लूना के पीछे बूथ में घुस गया।

उसने कहा, 'जो भी रिसीवर के पास हो, वह ज़रा छह दो चार चार दो डायल कर देना!'

रॉन ने यह काम कर दिया। उसका हाथ डायल तक पहुँचने के लिए अजीब तरीक़े से झुका। जब यह वापस अपनी जगह पर आया, तो बूथ के भीतर महिला की आवाज़ आई।

'जादू मंत्रालय में आपका स्वागत है। कृपया अपना नाम और काम बताएँ।'

'हैरी पॉटर, रॉन वीज़्ली, हर्माइनी ग्रेंजर,' हैरी ने जल्दी से कहा, 'जिनी वीज़्ली, नेविल लाँगबॉटम, लूना लवगुड ... हम यहाँ किसी को बचाने आए हैं, बशर्ते आपका मंत्रालय हमसे पहले ही यह काम न कर दे!'

'धन्यवाद,' महिला की शांत आवाज़ ने कहा। 'आगंतुको? कृपया अपने

बैज उठाकर अपने दुशालों के सामने लगा लें।'

आधा दर्जन बैज धातु की उस दरार से निकले, जहाँ से आम तौर पर सिक्के लौटते थे। हर्माइनी ने उन्हें उठाकर जिनी के सिर के ऊपर से हैरी की तरफ़ बढ़ा दिया। उसने सबसे ऊपर के बैज को देखा, *हैरी पॉटर, बचाव दल।*

'मंत्रालय के आगंतुकों, आपको सुरक्षा डेस्क पर तलाशी देनी होगी और अपनी छड़ियों का रजिस्ट्रेशन करवाना होगा। सुरक्षा डेस्क एट्रियम के दूर वाले छोर पर है।'

'ठीक है!' हैरी ने ज़ोर से कहा, जब उसका निशान एक बार फिर धड़का। 'अब *चलो* भी!'

टेलीफ़ोन बूथ का फ़र्श हिलने लगा और काँच की खिड़कियों के बाहर फ़ुटपाथ ऊपर उठती नज़र आने लगी। खाना तलाशते थेस्ट्रॉल्स नज़रों से ओझल होने लगे। उनके सिरों के ऊपर अँधेरा छाने लगा और एक हल्की खड़खड़ाती आवाज़ के साथ वे जादू मंत्रालय की गहराइयों में नीचे धँसने लगे।

सुनहरी रोशनी की हल्की लकीर उनके पैरों पर पड़ी और चौड़ी होती हुई उनके शरीरों तक आ गई। हैरी ने अपने घुटने मोड़े और अपनी छड़ी निकालकर तैयार कर ली, जितनी अच्छी तरह वह इस फँसी हुई स्थिति में कर सकता था। उसने काँच में से झाँककर देखा कि कोई एट्रियम में उनका इंतज़ार तो नहीं कर रहा था, लेकिन यह बिलकुल ख़ाली नज़र आ रहा था। वह पहले भी यहाँ दिन में आ चुका था, लेकिन इस वक़्त दिन की तुलना में रोशनी कम थी। दीवारों में लगी अँगीठियों में आग नहीं जल रही थी, लेकिन लिफ़्ट रुकते ही उसने देखा कि गहरी नीली छत पर सुनहरे प्रतीक घूम रहे थे।

महिला की आवाज़ आई, 'जादू मंत्रालय की ओर से गुड ईवनिंग!'

टेलीफ़ोन बूथ का दरवाज़ा खुल गया। हैरी बाहर निकल गया। नेविल और लूना उसके ठीक पीछे थे। एट्रियम में सिर्फ़ सुनहरे फव्वारे में बहते पानी की आवाज़ ही आ रही थी, जहाँ जादूगर और जादूगरनी की छड़ियों, सेनटॉर के तीर, पिशाच के हैट की नोक और घरेलू जिन्न के कानों से पानी लगातार चारों तरफ़ के कुंड में बह रहा था।

'चलो,' हैरी ने धीरे से कहा। वे छहों हॉल में भागने लगे। हैरी सबसे आगे था। वे लोग फव्वारे के पार उस डेस्क की तरफ़ गए, जहाँ पिछली बार वह सुरक्षा जादूगर बैठा था, जिसने हैरी की छड़ी तौली थी। अब वह डेस्क ख़ाली थी।

हैरी को लगा कि वहाँ कोई न कोई सुरक्षा जादूगर ज़रूर होना चाहिए था और उसका नहीं होना ख़तरे की निशानी है। सुनहरे दरवाज़े से लिफ़्ट की तरफ़ बढ़ते समय उसकी अनिष्ट की आशंका और बढ़ गई। उसने सबसे क़रीब वाली

लिफ़्ट का 'नीचे' बटन दबाया और एक लिफ़्ट लगभग तत्काल खड़खड़ाती हुई आ गई। इसकी सुनहरी जाली ज़ोरदार गूँज के साथ खुल गई और वे फ़ौरन अंदर घुस गए। हैरी ने नौ नंबर का बटन दबा दिया। जालीदार दरवाज़ा धमाके के साथ बंद हो गया और लिफ़्ट खड़खड़ की आवाज़ के साथ नीचे उतरने लगी। हैरी जब मिस्टर वीज़्ली के साथ दिन में आया था, तो उसे यह एहसास नहीं हुआ था कि लिफ़्ट इतना ज़्यादा शोर करती है। उसे यक़ीन था कि इस शोर से इमारत के भीतर मौजूद हर सुरक्षाकर्मी सावधान हो जाएगा, लेकिन लिफ़्ट रुकने पर उसी महिला की आवाज़ आई, 'रहस्य विभाग।' जालीदार दरवाज़ा सरककर खुल गया। वे लोग उस गलियारे में बाहर निकले, जहाँ सबसे पास वाली मशालों के अलावा कुछ भी नहीं हिल रहा था, जो लिफ़्ट से आती हवा के झोंके से लहरा रही थीं।

हैरी काले दरवाज़े की तरफ़ मुड़ा। महीनों तक इसके बारे में सपने देखने के बाद आख़िर अब वह वहाँ पहुँच चुका था।

'चलो,' उसने फुसफुसाकर कहा और गलियारे में सबसे आगे चलने लगा। लूना उसके ठीक पीछे चल रही थी और अपने मुँह को थोड़ा खोलकर चारों तरफ़ देख रही थी।

'**ठीक है**, सुनो,' हैरी ने दरवाज़े से छह फ़ुट दूर रुकते हुए कहा। 'शायद ... शायद दो लोगों को यहाँ पर रुकना चाहिए – पहरा देने के लिए, और –'

'और हम तुम्हें कैसे बताएँगे कि कोई आ रहा है?' जिनी ने अपनी भौंहें उठाते हुए पूछा। 'हो सकता है तुम कोसों दूर हो।'

नेविल ने कहा, 'हम भी तुम्हारे साथ चलेंगे, हैरी।'

'अब जल्दी चलो,' रॉन दृढ़ता से बोला।

हैरी अब भी सभी लोगों को अपने साथ नहीं ले जाना चाहता था, लेकिन ऐसा लग रहा था कि उसके पास कोई विकल्प नहीं था। वह मुड़कर दरवाज़े की तरफ़ चल दिया ... जिस तरह उसने सपने में देखा था, यह खुल गया और वह सबके आगे चलता हुआ चौखट के पार निकल गया।

वे लोग एक बड़े, गोलाकार कमरे में खड़े थे। यहाँ की हर चीज़ काली थी, फ़र्श और छत भी। काली दीवारों पर कई एक जैसे काले दरवाज़े लगे हुए थे, जिन पर कोई निशान या हैंडल नहीं था। वहाँ पर मोमबत्तियों के टुकड़े जल रहे थे, जो नीली रोशनी फेंक रहे थे। उनकी ठंडी, झिलमिलाती रोशनी चमकते संगमरमर के फ़र्श पर प्रतिबिंबित हो रही थी और ऐसा लग रहा था, जैसे उनके पैरों के नीचे गहरे नीले रंग का पानी हो।

हैरी ने धीरे से कहा, 'दरवाज़ा बंद कर दो।'

लेकिन जिस पल नेविल ने उसके आदेश का पालन किया, हैरी अफ़सोस करने लगा कि उसने यह आदेश क्यों दिया। मशालों वाले गलियारे से आने वाली रोशनी जैसे ही ग़ायब हुई, कमरे में इतना अँधेरा छा गया कि एक पल के लिए तो उन्हें सिर्फ़ दीवार पर काँपती नीली लपटें और फ़र्श पर उनके भुतहा प्रतिबिंब ही नज़र आ रहे थे।

सपने में हैरी हमेशा इस कमरे के पार ठीक सामने वाले दरवाज़े तक जाता था और आगे बढ़ता रहता था। लेकिन अब वहाँ पर चारों तरफ़ एक दर्जन दरवाज़े थे। जब वह अपने सामने वाले दरवाज़ों की तरफ़ देख रहा था और यह फ़ैसला करने की कोशिश कर रहा था कि सही दरवाज़ा कौन सा था, तभी एक ज़ोरदार गड़गड़ाहट हुई और मोमबत्तियाँ एक तरफ़ को हिलने लगीं। गोलाकार दीवार घूम रही थी।

हर्माइनी ने हैरी का हाथ पकड़ लिया, जैसे उसे डर लग रहा हो कि फ़र्श भी हिल सकता है, लेकिन ऐसा नहीं हुआ। दीवार के घूमते समय कुछ पल के लिए उनके चारों तरफ़ की नीली लपटें धुँधली हो गईं और नियॉन लैंपों की क़तारों की तरह लगने लगीं। फिर गड़गड़ाहट जितनी अचानक शुरू हुई थी, उतनी ही अचानक रुक गई और हर चीज़ एक बार फिर से स्थिर हो गई।

हैरी की आँखों में नीली रोशनी का प्रतिबिंब था और उसे सिर्फ़ इतना ही दिखाई दे रहा था।

रॉन ने डरते हुए पूछा, 'ऐसा क्यों हुआ ?'

जिनी ने धीमी आवाज़ में कहा, 'शायद इसलिए, ताकि हमें यह पता न चल पाए कि हम किस दरवाज़े से अंदर आए थे।'

हैरी को तत्काल समझ में आ गया कि जिनी सही कह रही थी। अब वह बाहर जाने वाले दरवाज़े को बिलकुल नहीं पहचान सकता था, जिस तरह वह काले फ़र्श पर चलती चींटी को नहीं पहचान सकता था। जिस दरवाज़े से उन्हें भीतर जाना था, वह चारों तरफ़ के बारह दरवाज़ों में से कोई भी हो सकता था।

नेविल ने परेशान होते हुए पूछा, 'हम लोग वापस कैसे जाएँगे ?'

'देखो, इस समय यह महत्वपूर्ण नहीं है,' हैरी ने ज़ोर देकर कहा और उसने अपनी पलकें झपकाकर नीली लकीरों को मिटाने की कोशिश की तथा छड़ी को कसकर पकड़ लिया, 'जब तक हमें सिरियस नहीं मिल जाता, तब तक हमें बाहर निकलने की ज़रूरत नहीं पड़ेगी –'

हर्माइनी ने व्यग्रता से कहा, 'वैसे उसे आवाज़ मत लगाने लगना!' लेकिन हैरी को उसकी सलाह की ज़रूरत नहीं थी। वह तो ज़्यादा से ज़्यादा ख़ामोश रहना चाहता था।

रॉन ने पूछा, 'हम कहाँ चलें, हैरी?'

'मुझे नहीं –' हैरी ने कहना शुरू किया। उसने थूक गटका। 'सपनों में मैं लिफ़्ट से निकलकर गलियारे के सिरे वाले दरवाज़े तक जाता था और एक अँधेरे कमरे में पहुँच जाता था – यानी इस वाले कमरे में – फिर मैं एक और दरवाज़े से होकर एक कमरे में जाता था, जो एक तरह से ... चमकता था। हमें कुछ दरवाज़े खोलकर झाँकना पड़ेगा,' उसने जल्दी से कहा, 'मैं देखते ही समझ जाऊँगा कि सही रास्ता कौन सा है। चलो।'

वह सीधे अपने सामने वाले दरवाज़े तक गया। बाक़ी सब उसके ठीक पीछे थे। हैरी ने अपने दाएँ हाथ में छड़ी उठा ली, ताकि दरवाज़े के खुलते ही तत्काल कुछ कर सके। फिर उसने अपना बायाँ हाथ दरवाज़े की ठंडी, चमकदार सतह पर रखा और उसे धका दिया।

यह आसानी से खुल गया।

पहले कमरे में अँधेरा था, लेकिन इस कमरे की छत से सुनहरी जंज़ीरों वाले लैंप लटक रहे थे। इससे ऐसा लग रहा था जैसे इस लंबे आयताकार कमरे में ज़्यादा रोशनी थी, हालाँकि वहाँ पर वैसी चमकती, झिलमिलाती रोशनी नहीं थी, जैसी हैरी ने अपने सपनों में देखी थीं। अंदर सिर्फ़ कुछ डेस्कें रखी थीं। इसके अलावा, कमरे के बीचोबीच काँच का एक बहुत बड़ा टैंक रखा था, जिसमें गहरा हरा द्रव भरा हुआ था। यह टैंक इतना बड़ा था कि वे सभी लोग उसमें तैर सकते थे। उसमें सफ़ेद मोती जैसी चीज़ें धीरे-धीरे तैर रही थीं।

रॉन ने फुसफुसाकर पूछा, 'इसमें क्या है?'

हैरी बोला, 'पता नहीं।'

'क्या मछलियाँ हैं?' जिनी ने पूछा।

'जलचर मैगॉट्स!' लूना ने रोमांचित होकर कहा। 'डैडी ने कहा था कि मंत्रालय उन्हें पैदा कर रहा है –'

'नहीं,' हर्माइनी ने कहा। उसकी आवाज़ अजीब लग रही थी। वह टैंक को क़रीब से देखने के लिए आगे बढ़ी। 'ये मस्तिष्क हैं।'

'मस्तिष्क?'

'हाँ ... क्या पता वे लोग उनका क्या कर रहे हैं?'

हैरी भी हर्माइनी की तरफ़ क़दम बढ़ाकर टैंक के पास आ गया। क़रीब से देखने पर ग़लती की कोई गुंजाइश नहीं थी। अजीब तरीक़े से चमकते हुए मस्तिष्क हरे द्रव की गहराइयों में डूबते-उतराते हुए लसलसी फूलगोभियों की तरह लग रहे थे।

हैरी ने कहा, 'चलो यहाँ से बाहर चलते हैं। यह सही कमरा नहीं है। हमें दूसरे कमरे में देखना होगा।'

'यहाँ भी तो दरवाज़े हैं,' रॉन ने दीवारों की तरफ़ इशारा करते हुए कहा। हैरी का दिल डूब गया। आख़िर यह जगह कितनी बड़ी है?

'सपने में मैं हमेशा उस अँधेरे कमरे से दूसरे कमरे में पहुँच जाता था,' उसने कहा। 'मुझे लगता है कि हमें लौटकर वहीं कोशिश करनी चाहिए।'

वे जल्दी से अँधेरे गोल कमरे में लौट आए। हैरी की आँखों के सामने नीली मोमबत्ती की लपटों के बजाय मस्तिष्कों के भुतहा आकार अब भी तैर रहे थे।

'ठहरो!' हर्माइनी ने तीखी आवाज़ में कहा, जब लूना बाहर निकलने के बाद मस्तिष्क वाले कमरे का दरवाज़ा बंद करने लगी। '*अग्निसंकेत!*'

उसने अपनी छड़ी हवा में हिलाई। दरवाज़े पर तत्काल आग का '**एक्स**' बन गया। जैसे ही दरवाज़ा उनके पीछे बंद हुआ, एक बार फिर गड़गड़ाहट हुई। दीवार फिर से बहुत तेज़ी से घूमने लगी, लेकिन अब हल्के नीले रंग के साथ लाल-सुनहरी लपट भी दिख रही थी। जब सब कुछ स्थिर हो गया, तो आग का क्रॉस अब भी जल रहा था और उस दरवाज़े को दिखा रहा था, जिसके अंदर वे पहले देख चुके थे।

'बढ़िया विचार था,' हैरी ने कहा। '**चलो**, अब इस वाले को देखते हैं -'

एक बार फिर वह अपने ठीक सामने वाले दरवाज़े तक गया और उसे धकाकर खोला। उसकी छड़ी अब भी उठी हुई थी और बाक़ी लोग उसके ठीक पीछे थे।

यह कमरा पिछले वाले कमरे से ज़्यादा बड़ा था। इस आयताकार कमरे में धीमी रोशनी थी। इसके बीच की जगह धँसी हुई थी और वहाँ पत्थर का लगभग बीस फ़ुट गहरा गड्ढा था। वे लोग उस कमरे में चारों तरफ़ बनी पत्थर की बेंचों की सबसे ऊपरी सीढ़ी पर खड़े हुए थे। ये ढलवाँ सीढ़ियाँ किसी स्टेडियम जैसी थीं या उस अदालत के कमरे की तरह, जिसमें न्यायसभा ने हैरी के मुकदमे की सुनवाई की थी। बहरहाल, यहाँ पर बीच में जंज़ीरों वाली कुर्सी नहीं रखी थी। इसके बजाय गड्ढे के बीच में पत्थर का एक मंच बना था, जिस पर पत्थर का ही एक तोरणद्वार था। यह तोरणद्वार इतना पुराना, कमज़ोर और तड़का हुआ लग रहा था कि हैरी को हैरानी हुई कि यह अब भी कैसे खड़ा है। आस-पास कोई दीवार न होने के बावजूद तोरणद्वार पर एक फटा हुआ काला पर्दा लगा था, जो हवा न चलने के बाद भी हल्के से फड़फड़ा रहा था, जैसे किसी ने उसे अभी हाल छुआ हो।

'वहाँ कौन है?' हैरी ने नीचे की सीढ़ी पर कूदते हुए पूछा। जवाब में कोई आवाज़ नहीं आई, लेकिन पर्दा फड़फड़ाता और हिलता रहा।

'ध्यान से!' हर्माइनी फुसफुसाई।

हैरी एक-एक करके सीढ़ियाँ उतरता गया, जब तक कि वह गड्ढे की तह तक नहीं पहुँच गया। जब वह धीरे से मंच की तरफ़ बढ़ा, तो उसकी पदचाप ज़ोर से गूँजने लगी। नुकीला तोरणद्वार ऊपर के बजाय यहाँ से ज़्यादा ऊँचा दिख रहा था। अब भी पर्दा धीरे-धीरे हिलता रहा, जैसे कोई उसमें से अभी हाल निकला हो।

'सिरियस?' हैरी ने एक बार फिर पूछा, लेकिन इस बार ज़्यादा धीरे से, क्योंकि वह पास था।

उसे यह बहुत अजीब एहसास हुआ कि कोई तोरणद्वार की दूसरी तरफ़ उस पर्दे के ठीक पीछे खड़ा था। अपनी छड़ी को कसकर पकड़ते हुए वह मंच के चारों तरफ़ घूमा, लेकिन वहाँ कोई नहीं था। वहाँ बस फटे हुए काले पर्दे का दूसरा सिरा ही दिखाई दे रहा था।

'चलो,' हर्माइनी ने पत्थर की सीढ़ियों पर आधे रास्ते से कहा। 'यह सही नहीं है, हैरी। चलो, लौट चलते हैं।'

वह डरी हुई दिख रही थी। वह उस कमरे में इतनी नहीं डरी थी, जहाँ मस्तिष्क तैर रहे थे। बहरहाल, हैरी ने सोचा कि तोरणद्वार एक तरह से सुंदर था, हालाँकि यह बहुत पुराना था। पर्दे के हिलने के कारण वह चकरा रहा था, लेकिन उसकी बहुत प्रबल इच्छा थी कि वह मंच पर चढ़ जाए और उस पर्दे को हटाकर अंदर चला जाए।

हर्माइनी ने थोड़ी ज़्यादा प्रबलता से कहा, 'हैरी, चलो, **ठीक है?**'

'**ठीक है**,' उसने कहा, लेकिन वह हिला तक नहीं। उसे अभी-अभी कुछ सुनाई दिया था। पर्दे की दूसरी तरफ़ से फुसफुसाने की आवाज़ें आ रही थीं।

'तुम क्या कह रहे हो?' उसने बहुत ज़ोर से कहा, जिससे उसके शब्द चारों तरफ़ की पत्थर की सीढ़ियों से टकराकर गूँजने लगे।

'कोई भी नहीं बोल रहा है, हैरी!' हर्माइनी ने कहा, जो अब उसके क़रीब आ रही थी।

'कोई पर्दे के पीछे फुसफुसा रहा है,' हैरी ने उसकी पकड़ से दूर हटते हुए कहा और पर्दे को घूरता रहा। 'क्या तुम हो, रॉन?'

रॉन तोरणद्वार के बग़ल से निकलते हुए बोला, 'मैं तो यहाँ हूँ।'

'क्या किसी और को कुछ सुनाई नहीं दे रहा है?' हैरी ने पूछा, क्योंकि

फुसफुसाने और बुदबुदाने की आवाज़ें अब ज़्यादा तेज़ होती जा रही थीं। बिना सोचे-समझे उसके पैर मंच पर पहुँच गए थे।

'मुझे भी वे आवाज़ें सुनाई दे रही हैं,' लूना ने कहा, जो तोरणद्वार के पास से निकलकर उनके पास आ गई थी और हिलते पर्दे को निहार रही थी। 'उसके अंदर लोग हैं!'

'"*अंदर*" से तुम्हारा क्या मतलब है?' हर्माइनी ने पूछा, जो नीचे वाली सीढ़ी से कूद गई थी और ज़रूरत से ज़्यादा ग़ुस्से में दिख रही थी, 'यहाँ पर "*अंदर*" जैसी कोई चीज़ नहीं है। यह तो सिर्फ़ एक तोरणद्वार है। यहाँ पर किसी के अंदर रहने की जगह ही नहीं है। हैरी, इसे छोड़ो, चलो हटो –'

उसने हैरी का हाथ पकड़कर खींचा, लेकिन उसने विरोध किया।

उसने ऊँची, तनावपूर्ण आवाज़ में कहा,' 'हैरी, हम यहाँ सिरियस की तलाश करने आए हैं!'

'सिरियस,' हैरी ने दोहराया और वह अब भी मंत्रमुग्ध होकर लहराते पर्दे को एकटक देखे जा रहा था। 'हाँ ...'

कोई चीज़ आख़िरकार उसके दिमाग़ में घुस गई। *सिरियस* कष्ट में होगा और यातना भुगत रहा होगा, जबकि वह इस तोरणद्वार को घूर रहा था ...

वह मंच से कुछ क़दम दूर हुआ और उसने पर्दे से अपनी निगाह हटा ली।

'चलो,' उसने कहा।

'यही तो मैं भी कहने की कोशिश कर रही थी – चलो!' हर्माइनी ने कहा और वह मंच की बग़ल से वापस लौटने लगी। दूसरी तरफ़, जिनी और नेविल मंत्रमुग्ध होकर पर्दे को घूरे जा रहे थे। बिना कुछ कहे हर्माइनी ने जिनी का हाथ पकड़ा, रॉन ने नेविल का हाथ पकड़ा और वे उन्हें दृढ़ता से सबसे नीचे वाली पत्थर की बेंच तक ले आए तथा दरवाज़े तक पूरे रास्ते अटपटे ढंग से चढ़ते रहे।

वापस अँधेरे गोल कमरे में आने के बाद हैरी ने हर्माइनी से पूछा, 'तुम्हें क्या लगता है, वह तोरणद्वार क्या था?'

'मुझे नहीं पता, लेकिन जो भी था, ख़तरनाक था,' उसने दृढ़ता से कहा और एक बार फिर दरवाज़े पर आग का क्रॉस बना दिया।

एक बार फिर दीवार घूमी और स्थिर हो गई। हैरी यूँ ही एक दरवाज़े के पास गया और उसे धकाया। वह हिला तक नहीं।

'क्या हुआ?' हर्माइनी ने पूछा।

'इस पर ... ताला लगा है ...' हैरी ने दरवाज़े पर अपनी पूरी ताक़त लगाई, लेकिन वह हिला तक नहीं।

'तो फिर यही वाला होगा, है ना?' रॉन ने रोमांच से कहा और दरवाज़े पर धक्का मारने के लिए हैरी के पास आ गया। 'यही होना चाहिए!'

'रास्ते से हट जाओ!' हर्माइनी ने तीखी आवाज़ में कहा। उसने अपनी छड़ी उस जगह की तरफ़ की, जहाँ सामान्य दरवाज़े पर ताला रहता था। फिर वह चिल्लाई, '*अलोहोमोरा!*'

कुछ नहीं हुआ।

हैरी बोला, 'सिरियस का चाकू!' उसने अपने दुशाले से चाकू बाहर निकाला और दरवाज़े तथा दीवार के बीच के छेद में डाला। बाक़ी लोगों ने उसे उत्सुकता से देखा, जब वह इसे ऊपर से नीचे तक लाया। फिर उसने चाकू निकालकर कंधे से दरवाज़ा धकाया। दरवाज़ा पहले जितनी ही मज़बूती से खड़ा रहा। यही नहीं, जब हैरी ने अपने चाकू की तरफ़ देखा, तो पाया कि उसकी ब्लेड पिघल गई थी।

हर्माइनी ने निर्णायक स्वर में कहा, 'ठीक है, हम इस कमरे को छोड़ देते हैं।'

रॉन ने दरवाज़े की तरफ़ डर और हसरत से देखते हुए पूछा, 'लेकिन अगर यही हुआ?'

'यह नहीं हो सकता। हैरी अपने सपने में सभी दरवाज़ों के भीतर चला जाता था,' हर्माइनी ने दरवाज़े पर आग का एक और क्रॉस लगाते हुए कहा। हैरी ने सिरियस के बेकार हो चुके चाकू को अपनी जेब में रख लिया।

'इसके भीतर क्या हो सकता है?' लूना ने उत्सुकता से पूछा, जब दीवार दोबारा घूमने लगी।

हर्माइनी धीरे से बोली, 'कोई बड़बड़ कर रहा होगा।' यह सुनकर नेविल घबराहट में हँस दिया।

दीवार ठहर गई और हैरी ने हताशा के साथ अगला दरवाज़ा धकाकर खोल दिया।

'*यही है!*'

हीरे जैसी सुंदर, नाचती, चमकती रोशनी को वह फ़ौरन पहचान गया। जैसे ही हैरी की आँखें तेज़ चमक की आदी हुईं, उसने देखा कि हर तरफ़ घड़ियाँ चमक रही थीं। वहाँ छोटी-बड़ी, पुरानी और जेबी घड़ियाँ लटक रही थीं। घड़ियाँ डेस्कों पर रखी थीं या बुककेसों के बीच की जगहों में लटक रही थीं, जिससे टिकटिक की हज़ारों आवाज़ें एक साथ सुनाई दे रही थीं। हीरे जैसी चमकती रोशनी एक ऊँचे क्रिस्टल बेल जार में से आ रही थी, जो कमरे के दूर वाले सिरे

पर था।

'इस तरफ़!'

हैरी का दिल अब बहुत तेज़ी से धड़कने लगा था, क्योंकि अब वह जान गया था कि वे सही रास्ते पर थे। वह डेस्कों के बीच की सँकरी जगह से सबसे आगे जा रहा था। जैसा वह सपने में करता था, वह सीधे रोशनी के स्रोत की तरफ़ जा रहा था। वह उस क्रिस्टल बेल जार की तरफ़ जा रहा था, जो उतना ही ऊँचा था, जितना कि वह डेस्क पर खड़े होने के बाद होता। ऐसा लग रहा था, जैसे उसमें घुमड़ती हवा भरी हो।

'ओह, देखो!' जिनी ने कहा, जब वे क़रीब पहुँचे और बेल जार के ठीक बीच में इशारा किया।

अंदर एक छोटा सा अंडा था। जार में ऊपर उठते समय यह खुल जाता था और इसमें से एक हमिंग बर्ड बाहर निकलकर जार के सबसे ऊपर पहुँच जाती थी, लेकिन जब यह नीचे गिरती थी, तो इसके पंख एक बार फिर अस्त-व्यस्त और नम हो जाते थे तथा जार की तली में पहुँचने के बाद यह एक बार फिर अंडे में बंद हो जाती थी।

'आगे चलो!' हैरी ने तीखी आवाज़ में कहा, क्योंकि जिनी रुकने के मूड में लग रही थी और अंडे को पक्षी बनते हुए देख रही थी।

'तुम भी तो उस पुराने तोरणद्वार के पास काफ़ी देर रुके थे!' उसने चिढ़कर कहा, लेकिन वह बेल जार के पास से निकलकर उसके पीछे आ गई। अब वे उसके पीछे के एकमात्र दरवाज़े की तरफ़ जा रहे थे।

'यही है,' हैरी ने एक बार फिर कहा और उसका दिल अब बहुत तेज़ी से धड़क रहा था। 'यहीं से चलना है -'

उसने उन सभी की तरफ़ देखा। सभी की छड़ियाँ बाहर निकली हुई थीं और वे अचानक गंभीर तथा तनावग्रस्त नज़र आ रहे थे। उसने दरवाज़े की तरफ़ देखा और धक्का मारा। यह खुल गया।

वे वहाँ पहुँच चुके थे। उन्हें जगह मिल गई थी : चर्च जितने ऊँचे इस कमरे में ऊँचे-ऊँचे शेल्फ़ों के सिवाय कुछ नहीं था, जिन पर छोटी-छोटी, धूल खाती काँच की गेंदें रखी थीं। गेंदें शेल्फ़ों पर बीच-बीच में रखे मशालदानों से आती रोशनी में हल्के से चमक रही थीं। पीछे के गोल कमरे की तरह ही मशालों की लपटें भी नीली थीं। कमरा बहुत ठंडा था।

हैरी आगे बढ़ा और शेल्फ़ों की दो लाइनों के बीच के छायादार गलियारे में से एक में झाँका। उसे कुछ सुनाई नहीं दिया, कोई हलचल दिखाई नहीं दी।

हर्माइनी ने फुसफुसाकर कहा, 'तुमने सन्तानवे नंबर की लाइन बताई थी?'

'हाँ,' हैरी ने कहा और सबसे क़रीबी लाइन के आख़िरी सिरे को देखा। नीली चमकती मोमबत्तियों की शाखा के नीचे चाँदी जैसे रंग में तिरेपन चमक रहा था।

'मुझे लगता है, हमें दाईं तरफ़ चलना होगा,' हर्माइनी फुसफुसाई और अगली लाइन की तरफ़ देखने लगी। 'हाँ ... यह चौवन है ...'

हैरी ने धीरे से कहा, 'अपनी छड़ियाँ तैयार रखो।'

वे लोग आगे बढ़े और पीछे देखते रहे। वे शेल्फ़ों के लंबे गलियारे के बीच से गुज़रे, जिनके दूर वाले सिरे अँधेरे में डूबे थे। शेल्फ़ों पर रखी हर काँच की गेंद के नीचे छोटे-छोटे, पीले होते हुए लेबल लगे थे। उनमें से कुछ में विचित्र चमक थी, बाक़ियों के भीतर अँधेरा था, जैसे बिजली के बल्ब फ़्यूज़ हो गए हों।

वे लाइन क्रमांक चौरासी ... पिच्यासी ... के पार गए ... हैरी अब कान लगाकर सुन रहा था, लेकिन हो सकता है कि सिरियस के मुँह में कपड़ा ठूँस दिया गया हो या फिर वह बेहोश हो गया हो ... फिर उसके दिमाग़ में एक अनचाही आवाज़ गूँजी, या फिर *वह अब तक मर चुका हो ...*

मुझे पता चल गया होता, उसने खुद से कहा और उसका दिल अब गले तक आ गया, मुझे पता चल गया होता ...

'सन्तानवे!' हर्माइनी फुसफुसाई।

वे लोग एक साथ लाइन के आख़िर में खड़े थे और उसके पास वाले गलियारे को देख रहे थे। वहाँ कोई नहीं था।

'वह आख़िर में है,' हैरी ने कहा, जिसका मुँह अब थोड़ा सूख गया था। 'तुम्हें यहाँ से ठीक से नहीं दिख सकता।'

और वह काँच की गेंदों की ऊँची-ऊँची लाइनों के बीच से सबसे आगे निकला, जिनमें से कुछ उनके गुज़रने पर धीरे-धीरे चमकीं ...

'वह यहाँ आस-पास ही होगा,' हैरी फुसफुसाया, जिसे यक़ीन था कि किसी भी क़दम पर अँधेरे फ़र्श पर सिरियस का शरीर नज़र आ जाएगा। 'यहीं-कहीं पर ... सचमुच क़रीब ...'

'हैरी?' हर्माइनी ने धीरे से कहा, लेकिन वह जवाब नहीं देना चाहता था। उसका मुँह बहुत सूख चुका था।

'यहीं ... कहीं पर ....' उसने कहा।

वे अब लाइन के आख़िर में पहुँच चुके थे और वहाँ पर मोमबत्ती की

हल्की सी रोशनी थी। वहाँ कोई नहीं था। सिर्फ़ गूँजती, धूल भरी ख़ामोशी थी।

'हो सकता है ...' हैरी भर्राए गले से अगले गलियारे में घूरते हुए बोला। 'या फिर शायद ...' उसने जल्दी से उसके पार वाले गलियारे को देखा।

'हैरी ?' हर्माइनी ने एक बार फिर कहा।

'क्या ?' वह गुर्राया।

'मुझे ... मुझे नहीं लगता कि सिरियस यहाँ है।'

कोई भी कुछ नहीं बोला। हैरी उनमें से किसी की तरफ़ भी नहीं देखना चाहता था। उसे मतली सी आने लगी। वह यह नहीं समझ पाया कि सिरियस यहाँ क्यों नहीं था। उसे यहाँ होना चाहिए था। यहीं पर तो हैरी ने उसे देखा था ...

वह लाइनों के आख़िर वाली जगह पर भागा और उनमें देखने लगा। हर गलियारा ख़ाली नज़र आ रहा था। अपने घूरते साथियों को पार करते हुए वह दूसरी तरफ़ भागा। वहाँ भी सिरियस का नामोनिशान नहीं था, न ही किसी तरह के संघर्ष का कोई चिन्ह था।

'हैरी ?' रॉन ने कहा।

'क्या ?'

वह रॉन की बात नहीं सुनना चाहता था। उसे मालूम था कि रॉन कहेगा कि उसे ग़लतफ़हमी हुई थी या यह सुझाव देगा कि उन्हें हॉगवर्ट्स लौट चलना चाहिए। लेकिन उसका चेहरा गर्म होने लगा और उसे महसूस हुआ कि वह एट्रियम में दूसरों की दोषारोपण से भरी नज़रों का सामना करने के बजाय अँधेरे में यहीं पर काफ़ी देर तक रुकना चाहेगा ...

रॉन ने पूछा, 'क्या तुमने इसे देखा है ?'

'क्या ?' हैरी ने इस बार उत्सुकता से पूछा – यह कोई निशानी होगी कि सिरियस वहाँ पर था, कोई सुराग़। वह वहाँ भागा, जहाँ वे सभी खड़े थे। वे लोग लाइन क्रमांक सन्तानवे में थोड़ी दूरी पर थे, लेकिन उसे वहाँ पर कुछ नहीं दिखा। बस रॉन शेल्फ़ पर धूल भरी काँच की एक गेंद को घूर रहा था।

'क्या ?' हैरी ने उदासी से दोहराया।

रॉन बोला, 'इस पर – इस पर तुम्हारा नाम लिखा है!'

हैरी पास पहुँचा। रॉन काँच की एक छोटी सी गेंद की तरफ़ इशारा कर रहा था, जिसके भीतर से चमक आ रही थी, हालाँकि इस पर बहुत धूल लगी थी और ऐसा लगता था कि इसे बरसों से किसी ने नहीं छुआ था।

'मेरा नाम ?' हैरी ने सूनेपन से कहा।

वह आगे बढ़ गया। वह रॉन जितना लंबा नहीं था, इसलिए उसे अपनी गर्दन ऊँची करनी पड़ी, ताकि उस पीले होते लेबल को पढ़ सके, जो धूल खाती काँच की गेंद के नीचे शेल्फ़ पर लगा था। मकड़ी जैसी लिखाई में सोलह साल पहले की एक तारीख़ लिखी थी और उसके नीचे लिखा था :

एस.पी.टी. *द्वारा* ***ए.पी.डब्ल्यू.बी.डी.*** *को*
शैतानी शहंशाह
और (?) हैरी पॉटर

हैरी उसकी तरफ़ घूरता रहा।

'यह क्या है ?' रॉन ने घबराई हुई आवाज़ में पूछा। 'तुम्हारा नाम यहाँ क्यों लिखा है ?'

उसने उस शेल्फ़ पर लगे बाक़ी लेबलों को देखा।

'मेरा नाम यहाँ नहीं है,' उसने परेशान होते हुए पूछा। 'हममें से बाक़ी किसी का नाम नहीं है।'

जैसे ही उसने गेंद को उठाने के लिए अपना हाथ बढ़ाया, हर्माइनी तीखी आवाज़ में बोली, 'हैरी, मुझे नहीं लगता कि तुम्हें इसे छूना चाहिए।'

'क्यों नहीं ?' हैरी ने कहा। 'इस पर मेरा नाम लिखा है, है ना ?'

'मत करो, हैरी,' नेविल ने अचानक कहा। हैरी ने उसकी तरफ़ देखा। नेविल का गोल चेहरा अब पसीने से चमक रहा था। उसे देखकर ऐसा लग रहा था, जैसे उससे इतना रोमांच सहन नहीं हो रहा था।

हैरी ने कहा, 'इस पर मेरा नाम लिखा है।'

निडरता से उसने अपनी उँगलियाँ धूल भरी गेंद पर जमा दीं। उसे उम्मीद थी कि यह ठंडी होगी, लेकिन ऐसा नहीं था। इसके विपरीत ऐसा महसूस हुआ कि यह घंटों से धूप में पड़ी हुई थी, जैसे अंदर की रोशनी इसे गर्म कर रही थी। इस उम्मीद से, इस आशा से कि कोई नाटकीय चीज़ होगी, कोई रोमांचक चीज़ होगी, जिससे उनकी लंबी और ख़तरनाक यात्रा आख़िरकार सार्थक साबित हो जाएगी, हैरी ने काँच की गेंद को शेल्फ़ से उठा लिया और उसकी तरफ़ देखने लगा।

कुछ भी नहीं हुआ। जब उसने इस पर लगी धूल हटाई, तो बाक़ी साथी हैरी के पास आ गए और उसे निहारने लगे।

और फिर, उनके ठीक पीछे से एक धीमी आवाज़ आई।

'बहुत बढ़िया, पॉटर। अब मुड़कर वह गेंद मुझे दे दो।'

अध्याय पैंतीस

पर्दे के पार

उनके चारों तरफ़ काली आकृतियाँ प्रकट हो गई थीं। उन्होंने हर तरफ़ से उनका रास्ता रोक लिया था। आकृतियों के नक़ाबों के छेद में से आँखें चमक रही थीं। एक दर्जन छड़ियाँ प्रकाशित थीं और सीधे उनके सीने की तरफ़ तनी हुई थीं। जिनी ने दहशत की साँस खींची।

'लाओ, मुझे दे दो, पॉटर,' लूसियस मैल्फ़ॉय की धीमी आवाज़ आई और उसने अपनी हथेली खोलकर हैरी की तरफ़ बढ़ा दी।

हैरी का दिल डूब गया। वे फँस चुके थे और हमलावरों की संख्या उनसे दोगुनी थी।

मैल्फ़ॉय ने एक बार फिर कहा, 'यह मुझे दे दो।'

हैरी ने पूछा, 'सिरियस कहाँ है ?'

कई प्राणभक्षी हँस पड़े। हैरी की बाईं तरफ़ की अँधेरी आकृतियों के बीच से किसी औरत की तीखी आवाज़ आई, जो विजयी अंदाज़ में बोली, 'शैतानी शहंशाह हमेशा जानते हैं!'

'हमेशा,' मैल्फ़ॉय ने धीरे से दोहराया। 'अब भविष्यवाणी मुझे दे दो, पॉटर।'

'मैं यह जानना चाहता हूँ कि सिरियस कहाँ है!'

'मैं यह जानना चाहता हूँ कि सिरियस कहाँ है!' बाईं तरफ़ खड़ी औरत ने उसकी नक़ल उतारते हुए कहा।

वह और उसके साथी प्राणभक्षी अब इतने क़रीब आ चुके थे कि उनके और हैरी के साथियों के बीच सिर्फ़ कुछ फ़ुट की दूरी रह गई थी। उनकी छड़ियों की रोशनी से हैरी की आँखें चौंधिया रही थीं।

सन्तानवे नंबर की लाइन में आने के बाद जिस भयंकर अनिष्ट की आशंका से वह जूझ रहा था, वह अब उभर आई। उसने अपने सीने में उठती दहशत को नज़रअंदाज़ करते हुए कहा, 'तुम लोगों ने उसे पकड़ लिया है। वह यहीं कहीं है। मैं जानता हूँ कि वह यहीं है।'

औरत ने बच्चे जैसी नक़ली आवाज़ में कहा, '*छोटा बच्चा डरकर जाग गया और सोचने लगा कि उसका देखा हुआ सपना सच है।*' हैरी को बग़ल में खड़ा रॉन हिलता हुआ दिखा।

'कुछ मत करो,' हैरी बुदबुदाया। 'अभी नहीं –'

जिस औरत ने उसकी नक़ल उतारी थी, उसने अब ज़ोर से अट्टहास किया।

'तुमने उसकी बात सुनी? *तुमने उसकी बात सुनी?* बाक़ी बच्चों को आदेश दे रहा है, जैसे वह हमसे लड़ने की सोच रहा हो!'

'ओह बेलाट्रिक्स, तुम पॉटर को उतना नहीं जानती हो, जितना मैं जानता हूँ,' मैल्फ़ॉय ने धीरे से कहा। 'हीरोगिरी उसकी कमज़ोरी है। शैतानी शहंशाह उसकी इस कमज़ोरी को जानते हैं। *पॉटर, अब भविष्यवाणी मेरे हवाले कर दो।*'

'मैं जानता हूँ कि सिरियस यहाँ है,' हैरी ने कहा, हालाँकि दहशत के कारण उसका सीना सिकुड़ रहा था और उसे महसूस हो रहा था कि वह सही तरीक़े से साँस नहीं ले सकता था। 'मैं जानता हूँ कि तुमने उसे पकड़ लिया है!'

कई और प्राणभक्षी हँसने लगे, लेकिन वह औरत सबसे ज़ोर से हँसी।

'अब वक़्त आ चुका है पॉटर कि तुम हक़ीक़त और सपनों के बीच के अंतर को समझ जाओ,' मैल्फ़ॉय ने कहा। 'अब भविष्यवाणी मुझे दे दो, वरना हमें छड़ियों का इस्तेमाल करना होगा।'

'तो फिर कर दो,' हैरी ने अपनी छड़ी सीने की ऊँचाई तक उठाते हुए कहा। जैसे ही उसने ऐसा किया, रॉन, हर्माइनी, नेविल, जिनी और लूना की छड़ियाँ भी तन गईं। हैरी के पेट की गाँठ और कस गई। अगर सिरियस सचमुच यहाँ नहीं है, तो वह अपने दोस्तों को बेवजह मौत के मुँह में ले आया है ...

लेकिन प्राणभक्षियों ने हमला नहीं किया।

मैल्फ़ॉय ने शांति से कहा, 'भविष्यवाणी मेरे हवाले कर दोगे, तो किसी को कोई नुक़सान नहीं होगा।'

अब हँसने की बारी हैरी की थी।

'हाँ, बिलकुल सही कहा!' उसने कहा। 'मैं अगर तुम्हें यह – भविष्यवाणी

दे दूँगा, तो इसके बाद तुम लोग हमें चुपचाप घर चले जाने दोगे, है ना?'

अभी उसके मुँह से ये शब्द निकले ही थे कि तभी महिला प्राणभक्षी चीख़ी : '*आगमनो भविष्य –*'

हैरी इसके लिए तैयार था। महिला प्राणभक्षी के मंत्र के पूरा होने से पहले ही वह चिल्ला उठा, 'रक्षाकवच!' हालाँकि काँच की गेंद उसकी उँगलियों से थोड़ी सी फिसली, लेकिन वह उसे पकड़े रखने में कामयाब हो गया।

'ओह, नन्हा-मुन्ना पॉटर तो खेलना जानता है,' महिला ने कहा और उसकी आँखें नक़ाब के छेदों में से ग़ुस्से से घूरने लगीं। 'बहुत बढ़िया –'

'**मैंने तुमसे कहा, नहीं!**' लूसियस मैल्फ़ॉय महिला प्राणभक्षी पर गरजा। 'कहीं वह टूट न जाए –!'

हैरी का दिमाग़ सरपट भाग रहा था। प्राणभक्षियों को यह धूल भरी काँच की गेंद चाहिए थी। उसकी इसमें कोई दिलचस्पी नहीं थी। वह तो अपने सभी दोस्तों को इस झमेले में से ज़िंदा बचाकर ले जाना चाहता था और यह सुनिश्चित करना चाहता था कि उसके दोस्त उसकी मूर्खता की कोई भयंकर क़ीमत न चुकाएँ ...

महिला प्राणभक्षी अपने साथियों से दूर होकर आगे बढ़ी और उसने अपना नक़ाब उतार दिया। अज़्काबान ने बेलाट्रिक्स लेस्ट्रेंज के चेहरे को खोखला कर दिया था। अब उसका मुँह पतला और कंकाल जैसा हो चुका था, लेकिन उस पर अब भी एक दीवानी चमक दिख रही थी।

'लगता है, तुम्हें मनाने की कोशिश करनी पड़ेगी?' बेलाट्रिक्स ने कहा और उसका सीना तेज़ी से ऊपर-नीचे होने लगा। 'बहुत बढ़िया – सबसे छोटी वाली को लेते हैं,' उसने अपने क़रीब खड़े प्राणभक्षी को आदेश दिया। 'हम अब उस छोटी लड़की को यातना देते हैं। यह काम मैं करूँगी।'

हैरी को महसूस हुआ कि बाक़ी प्राणभक्षी जिनी के क़रीब पहुँचने वाले हैं। वह थोड़ी एक तरफ़ को हो गया, ताकि वह सीधा उसके सामने रहे। उसने भविष्यवाणी अपने सीने से चिपका रखी थी।

वह बेलाट्रिक्स से बोला, 'हममें से किसी पर भी हमला करने से पहले तुम्हें इसे तोड़ना होगा। मुझे लगता है कि अगर तुम ख़ाली हाथ अपने बॉस के पास जाओगी, तो वह ज़्यादा ख़ुश नहीं होगा, है ना?'

वह स्थिर खड़ी रही और बस हैरी को घूरती रही। उसकी जीभ का सिरा उसके पतले मुँह को गीला करने लगा।

हैरी ने कहा, 'वैसे तुम लोग किस तरह की भविष्यवाणी के बारे में बात

कर रहे हो?'

उसके दिमाग़ में आया कि उसे बोलते रहना चाहिए, ताकि उसे ज़्यादा से ज़्यादा समय मिल जाए। नेविल की बाँह उससे सटी हुई थी। उसे नेविल के काँपने का एहसास हो रहा था। इसके अलावा उसे अपने सिर के पिछले हिस्से पर किसी के तेज़-तेज़ साँस छोड़ने का एहसास भी हो रहा था। उसे उम्मीद थी कि उसके सभी साथी इस मुश्किल से बाहर निकलने के तरीक़ों के बारे में पूरी ताक़त से सोच रहे होंगे, क्योंकि उसका दिमाग़ तो जैसे सुन्न हो चुका था।

'किस तरह की भविष्यवाणी?' बेलाट्रिक्स ने दोहराया और उसके चेहरे से मुस्कान ओझल हो गई। 'तुम मज़ाक़ कर रहे हो, हैरी पॉटर!'

हैरी ने कहा, 'नहीं, मैं मज़ाक़ नहीं कर रहा हूँ।' प्राणभक्षियों में कमज़ोर कड़ी खोजने की तलाश में उसने एक-एक करके उन सभी को देखा, ताकि वह बचकर भागने का रास्ता खोज सके। फिर उसने आगे कहा, 'वोल्डेमॉर्ट इस बारे में कैसे जानता है?'

कुछ प्राणभक्षियों की सिसकारी निकल गई।

बेलाट्रिक्स ने फुसफुसाकर कहा, 'तुम्हारी यह ज़ुर्रत कि तुम उनका नाम लो?'

'हाँ,' हैरी ने कहा और काँच की गेंद को मज़बूती से पकड़े रहा। उसे आशंका थी कि कोई न कोई इसे एक बार फिर छीनने की कोशिश करेगा। 'हाँ, मुझे वोल्डेमॉर्ट का नाम लेने में कोई दिक्क़त नहीं है -'

'अपना मुँह बंद रखो!' बेलाट्रिक्स चीख़ी। 'तुम अपने गंदे होंठों से उनका नाम लेने की ज़ुर्रत कर रहे हो! तुम अपनी आधी मगलू ज़बान से उनके नाम को कलंकित करने की हिमाक़त कर रहे हो -'

'क्या तुम्हें पता नहीं है कि वह भी आधा मगलू है?' हैरी ने निडरता से कहा। हर्माइनी उसके कान में धीरे से कराही। 'वोल्डेमॉर्ट? हाँ, उसकी माँ जादूगरनी थी, लेकिन उसका पिता मगलू था - या वह तुम लोगों को यह बता रहा है कि वह शुद्ध ख़ून का है?'

'स्तब-'

'नहीं!'

बेलाट्रिक्स लेस्ट्रेंज की छड़ी की नोक से लाल रोशनी की एक लहर निकली, लेकिन मैल्फ़ॉय ने उसे दूसरी तरफ़ कर दिया। मैल्फ़ॉय के मंत्र के कारण बेलाट्रिक्स का मंत्र मुड़कर हैरी से एक फ़ुट दूर वाले शेल्फ़ पर पड़ा, जिससे काँच की कई गेंदें टूट गईं।

फ़र्श पर टूटे पड़े काँच के टुकड़ों से भूतों जैसी सफ़ेद और धुएँ जितनी पारदर्शी दो सफ़ेद आकृतियाँ उठीं और बोलने लगीं। वे एक साथ बोल रही थीं, इसलिए उनके कुछ शब्द ही मैल्फ़ॉय और बेलाट्रिक्स की चिल्लाहटों के ऊपर सुनाई दे पाए।

एक दाढ़ी वाले बूढ़े आदमी की आकृति बोली, '*... संक्रांति पर एक नया ...*'

'हमला मत करो! हमें भविष्यवाणी चाहिए!'

'उसकी यह ज़ुर्रत – उसकी यह ज़ुर्रत –' बेलाट्रिक्स अस्पष्टता से बुदबुदाई, 'वह वहाँ पर खड़ा-खड़ा – गंदा आधा मगलू –'

मैल्फ़ॉय गरजा, **'भविष्यवाणी मिलने तक तो ठहरो!'**

'*... और उसके बाद कोई भी नहीं ...*' एक युवती की आवाज़ आई।

टूटी गेंदों से निकली दोनों आकृतियाँ हवा में घुल गईं। उनका कोई भी अंश नहीं बचा। काँच की गेंदों की जगह अब फ़र्श पर सिर्फ़ काँच के टुकड़े बिखरे पड़े थे। बहरहाल, इससे हैरी के मन में एक विचार आया। समस्या यह थी कि इसे दूसरों तक कैसे पहुँचाया जाए।

उसने वक़्त काटने के लिए कहा, 'तुमने मुझे यह नहीं बताया कि इस भविष्यवाणी में ऐसी क्या ख़ास बात है, जिसके कारण तुम्हें इसकी ज़रूरत है।' उसने अपना पैर धीरे से सरकाया और किसी दूसरे के पैर की तलाश करने लगा।

मैल्फ़ॉय ने कहा, 'पॉटर, हमारे साथ खेल मत खेलो।'

हैरी बोला, 'मैं खेल नहीं खेल रहा हूँ।' उसका आधा दिमाग़ बातचीत पर था और आधा अपने भटक रहे पैर की तरफ़ था। तभी उसे किसी के पैर का अँगूठा मिल गया और उसने उसे दबा दिया। पीछे से साँस खींचने की आवाज़ आई, जिससे उसे पता चला कि वह हर्माइनी का अँगूठा था।

'क्या ?' हर्माइनी ने फुसफुसाकर पूछा।

'क्या डम्बलडोर ने तुम्हें कभी नहीं बताया कि तुम्हारे निशान का कारण रहस्य विभाग में छिपा हुआ है ?' मैल्फ़ॉय ने व्यंग्य से पूछा।

'मैं – क्या ?' हैरी ने पूछा। और एक पल के लिए तो वह अपनी योजना ही भूल गया। 'मेरे निशान का क्या ?'

'*क्या ?*' हर्माइनी ने थोड़ी ज़्यादा व्यग्रता से फुसफुसाकर पूछा।

'क्या ऐसा हो सकता है ?' मैल्फ़ॉय ने दुष्टता से हँसते हुए कहा। कुछ

प्राणभक्षी दोबारा हँसने लगे। इस मौक़े का फ़ायदा उठाकर हैरी ने अपने होंठ कम से कम हिलाते हुए हर्माइनी से फुसफुसाकर कहा, 'शेल्फ़ तोड़ देना –'

'डम्बलडोर ने तुम्हें कभी नहीं बताया?' मैल्फ़ॉय ने दोहराया। 'अच्छा पॉटर, इससे यह समझ में आता है कि तुम पहले क्यों नहीं आए? शैतानी शहंशाह सोच रहे थे कि –'

'जब मैं कहूँ *अभी* –'

'– जब उन्होंने तुम्हें सपनों में वह जगह दिखाई, जहाँ वह चीज़ छिपी हुई थी, तो तुम फ़ौरन क्यों नहीं आए। उन्हें लग रहा था कि स्वाभाविक जिज्ञासा के कारण तुम पूरी बात सुनना चाहोगे ...'

'ऐसा?' हैरी ने कहा। उसे महसूस हुआ कि हर्माइनी उसका संदेश दूसरों को दे रही थी। वह प्राणभक्षियों का ध्यान दूसरी तरफ़ भटकाने के लिए बोलते रहना चाहता था। 'तो इसीलिए वह चाहता था कि मैं यहाँ आऊँ और उसे ले लूँ। लेकिन क्यों?'

'*क्यों*,' मैल्फ़ॉय अविश्वसनीय रूप से ख़ुश हो गया। 'क्योंकि रहस्य विभाग से वही लोग भविष्यवाणी ले जा सकते हैं, जिनके बारे में यह होती है। शैतानी शहंशाह को यह बात तब पता चली, जब उन्होंने इसे चुराने के लिए दूसरों का इस्तेमाल करने की कोशिश की।'

'और वह मेरे बारे में भविष्यवाणी क्यों चुराना चाहता है?'

'तुम दोनों के बारे में, पॉटर, तुम दोनों के बारे में ... क्या तुमने यह कभी नहीं सोचा कि शैतानी शहंशाह ने तुम्हें बचपन में ही मारने की कोशिश क्यों की थी?'

हैरी ने उन छेदों में घूरा, जिनमें से मैल्फ़ॉय की भूरी आँखें चमक रही थीं। क्या इस भविष्यवाणी की वजह से ही हैरी के माता-पिता की मौत हुई थी? क्या इसी की वजह से उसके माथे पर बिजली गिरने जैसा निशान बना था? क्या इन सब बातों का जवाब उसके हाथ में था?

उसने धीरे से पूछा, 'किसी ने मेरे और वोल्डेमॉर्ट के बारे में भविष्यवाणी की थी?' वह लूसियस मैल्फ़ॉय को घूरकर देख रहा था। उसने अपने हाथ की काँच की गर्म गेंद पर उँगलियों की पकड़ और मज़बूत कर ली। यह सुनहरी गेंद से ज़्यादा बड़ी नहीं थी और इस पर धूल जमी हुई थी। 'और वह चाहता था कि मैं इसे यहाँ से उठा लूँ, ताकि वह इसे मुझसे छीन ले? वह यहाँ आकर ख़ुद क्यों नहीं ले जा सकता था?'

'ख़ुद ले जा सकते थे?' बेलाट्रिक्स ज़ोरदार ठहाका लगाकर चीख़ी। शैतानी

शहंशाह जादू मंत्रालय में ख़ुद चलकर आते, जबकि जादू मंत्रालय उनकी वापसी को नज़रअंदाज़ कर रहा है? शैतानी शहंशाह ऑररर्स के सामने ख़ुद को प्रकट करते, जबकि इस पल वे लोग मेरे प्यारे कज़िन को खोजने में अपना समय बर्बाद कर रहे हैं?'

हैरी ने कहा, 'तो वह अपना गंदा काम तुम लोगों से करवा रहा हैं, है ना? जिस तरह उसने इसे चुराने के लिए पहले स्टर्गिस – और फिर बोड का इस्तेमाल करने की कोशिश की?'

'बहुत बढ़िया, पॉटर, बहुत बढ़िया ...' मैल्फ़ॉय ने धीरे-धीरे कहा। 'लेकिन शैतानी शहंशाह जानते हैं कि तुम मूर्ख नहीं हो –'

'अभी!' हैरी चिल्लाया।

उसके पीछे पाँच अलग-अलग आवाज़ें गरजीं, ***'लघुतो!'*** पाँच शाप पाँच अलग-अलग दिशाओं में उड़े और सामने वाली शेल्फ़ों से टकराए, जिससे वे फट पड़ीं। काँच की लगभग सौ गेंदें फूट गईं और सफ़ेद आकृतियाँ हवा में प्रकट होकर तैरने लगीं। उनकी आवाज़ें गूँज रही थीं। काँच टूटने और लकड़ी चटकने से फ़र्श पर बारिश सी हो रही थी –

'भागो!' हैरी चिल्लाया, जब शेल्फ़ ख़तरनाक तरीक़े से झूले तथा ऊपर से काँच की और गेंदें गिरने लगीं। उसने हर्माइनी का दुशाला खींचा और उसे आगे खींचकर ले गया। उसने अपना एक हाथ अपने सिर पर रख लिया था, क्योंकि शेल्फ़ और काँच के टुकड़े उन पर गिर रहे थे। एक प्राणभक्षी धूल के बादल के बीच से उनकी तरफ़ आया, लेकिन हैरी ने उसके नक़ाब वाले चेहरे पर कसकर कोहनी मार दी। दर्द से चीख़ने-चिल्लाने की आवाज़ें आ रही थीं। शेल्फ़ों के भड़ाभड़ गिरने से ज़ोरदार धमाके हो रहे थे और गेंदों में से भविष्यवक्ताओं की आवाज़ें गूँज रही थीं –

हैरी को सामने का रास्ता ख़ाली दिखा। उसने देखा कि रॉन, जिनी और लूना भी अपने सिर पर हाथ रखकर उसके पास से निकल गए। कोई भारी चीज़ उसके चेहरे से टकराई, लेकिन वह अपना सिर झुकाकर आगे दौड़ने लगा। किसी ने उसका कंधा पकड़ लिया। उसे हर्माइनी की आवाज़ सुनाई दी, *'स्तब्धो!'* हाथ ने उसे तत्काल छोड़ दिया –

वे लोग सन्तानवे नंबर की लाइन के सिरे पर थे। हैरी दाईं तरफ़ मुड़कर तेज़ी से दौड़ने लगा। उसे अपने ठीक पीछे क़दमों की आवाज़ सुनाई दे रही थी और हर्माइनी नेविल को आगे बढ़ने के लिए प्रेरित कर रही थी। ठीक सामने वह दरवाज़ा थोड़ा खुला था, जिससे वे आए थे। हैरी को बेल जार की चमकती रोशनी दिखाई दे रही थी। वह दरवाज़े से भागा। भविष्यवाणी उसके हाथ में अब

भी सुरक्षित थी। उसने दूसरों के चौखट पार करने का इंतज़ार किया और फिर धड़ाम से दरवाज़ा बंद कर दिया –

'कोलोपोर्टस!' हर्माइनी चिल्लाई और दरवाज़ा एक अजीब सी आवाज़ करते हुए सील हो गया।

हैरी ने हाँफते हुए पूछा, 'बाक़ी लोग कहाँ हैं?'

उसने सोचा था कि रॉन, लूना और जिनी उनके आगे होंगे। उसने सोचा था कि वे लोग इस कमरे में इंतज़ार कर रहे होंगे, लेकिन वहाँ कोई नहीं था।

'वे लोग ग़लत रास्ते पर चले गए होंगे!' हर्माइनी फुसफुसाई और उसके चेहरे पर दहशत के भाव थे।

'सुनो!' नेविल फुसफुसाया।

जिस दरवाज़े को उन्होंने अभी-अभी बंद किया था, उसके पीछे से क़दमों की आहटें और चिल्लाने की आवाज़ें आ रही थीं। हैरी ने सुनने के लिए अपना कान दरवाज़े से लगाया। उसे लूसियस मैल्फ़ॉय के गरजने की आवाज़ आई, 'नॉट को छोड़ दो, *मैंने कहा, उसे छोड़ दो* – उसकी चोटें शैतानी शहंशाह के लिए महत्वपूर्ण नहीं हैं, उस भविष्यवाणी का निकल जाना महत्वपूर्ण है। जगसन, यहाँ वापस आओ, हमें योजना बनानी होगी! हम लोग समूहों में बँटकर खोज करते हैं। और यह मत भूलना, भविष्यवाणी मिलने तक पॉटर के साथ नरमी से पेश आना। अगर ज़रूरत पड़े, तो बाक़ी लोगों को मार डालना – बेलाट्रिक्स, रोडोल्फ़स, तुम लोग बाईं तरफ़ जाओ। क्रैब, रेबेस्टन, तुम लोग दाईं तरफ़ जाओ – जगसन, डोलोहोव, सामने वाले दरवाज़े से जाओ – मैकनेअर और एवरी, यहाँ से जाओ – रुकवुड, उधर से जाओ – मल्सिबर, मेरे साथ आओ!'

हर्माइनी ने सिर से पैर तक काँपते हुए हैरी से पूछा, 'हम क्या करें?'

हैरी बोला, 'पहली बात तो यह कि हम यहाँ खड़े होकर उनके आने का इंतज़ार नहीं करेंगे। हम इस दरवाज़े से भाग चलते हैं।'

वे चुपचाप भागने लगे। वे चमकते बेल जार के पास से गुज़रे, जहाँ छोटा अंडा बार-बार खुल रहा था और बंद हो रहा था। वे कमरे के उस सिरे की तरफ़ भागे, जहाँ गोल कमरे में जाने का रास्ता था। वे लोग उस रास्ते के क़रीब ही पहुँचे थे लेकिन तभी कोई बड़ी और भारी चीज़ उस दरवाज़े से टकराई, जिसे हर्माइनी ने जादू से बंद किया था।

'दूर हट जाओ!' एक रूखी आवाज़ आई। *'अलोहोमोरा!'*

दरवाज़ा खुलते ही हैरी, हर्माइनी और नेविल ने डेस्कों के नीचे गोता लगा दिया। उन्हें दो प्राणभक्षियों के दुशाले के निचले हिस्से क़रीब आते दिख रहे थे,

जिनके पैर तेज़ी से चल रहे थे।

रूखी आवाज़ ने कहा, 'हो सकता है, वे भागकर हॉल में पहुँच गए हों!'

दूसरे ने कहा, 'डेस्कों के नीचे देखो।'

हैरी ने प्राणभक्षियों के घुटनों को मुड़ते देखा और डेस्क के नीचे से अपनी छड़ी निकालते हुए चिल्लाया, ***'स्तब्धो!'***

लाल रोशनी की एक लहर सबसे क़रीब वाले प्राणभक्षी से टकराई। वह पीठ के बल एक पुरानी घड़ी पर गिर गया, जिससे घड़ी भी गिर गई। बहरहाल, दूसरा प्राणभक्षी हैरी के मंत्र से बचने के लिए उछलकर एक तरफ़ को हो गया था और इस वक़्त अपनी छड़ी हर्माइनी पर तान रहा था, जो बेहतर निशाना साधने के लिए डेस्क के नीचे से रेंगकर उठ रही थी।

'मृत्युदं-'

हैरी ने उछलकर प्राणभक्षी के घुटने पकड़ लिए, जिससे वह धड़ाम से गिरा और उसका निशाना चूककर दूसरी तरफ़ चला गया। नेविल ने मदद करने के लिए एक डेस्क उलट दी और अपनी छड़ी उन दोनों की तरफ़ तानकर चिल्लाया :

'निरस्त्र भव!'

हैरी और प्राणभक्षी की छड़ियाँ उनके हाथों से उड़ गईं। छड़ियाँ भविष्यवाणियों के हॉल के दरवाज़े की तरफ़ जाने लगीं। दोनों खड़े होकर छड़ियों के पीछे भागे। प्राणभक्षी आगे था, हैरी ठीक उसके पीछे था। सबसे पीछे नेविल था, जो अपने कारनामे पर दहशत में था।

'रास्ते से हटो, हैरी!' नेविल चिल्लाया और साफ़ दिख रहा था कि वह नुक़सान की भरपाई करने के लिए कृतसंकल्प था।

हैरी ने एक तरफ़ को छलाँग लगा दी, जब नेविल ने निशाना साधा और चिल्लाया :

'स्तब्धो!'

लाल रोशनी की लहर प्राणभक्षी के कंधे के ऊपर से निकली और दीवार पर लगी एक काँच की अलमारी से टकराई, जिसमें कई आकारों की घड़ियाँ भरी थीं। अलमारी फ़र्श पर गिरकर टूट गई। हर तरफ़ काँच की बारिश होने लगी। लेकिन कुछ समय बाद अलमारी दोबारा सुधरकर दीवार पर पहुँच गई। अलमारी फिर से नीचे गिरकर टूट गई -

प्राणभक्षी ने अपनी छड़ी पकड़ ली, जो चमकते बेल जार के पास फ़र्श पर पड़ी हुई थी। प्राणभक्षी के मुड़ते समय हैरी एक डेस्क के नीचे छिप गया।

प्राणभक्षी का नक़ाब थोड़ा नीचे फिसल गया था, जिस वजह से उसे कुछ दिखाई नहीं दे रहा था। उसने अपने दूसरे हाथ से नक़ाब उतारा और चिल्लाया : ***'स्तब्-'***

'स्तब्धो!' हर्माइनी चिल्लाई, जो अभी-अभी उनके पास आ चुकी थी। लाल रोशनी की लहर प्राणभक्षी के सीने से टकराई। वह स्तब्ध हो गया। उसका हाथ अब भी उठा हुआ था। उसकी छड़ी खट्ट की आवाज़ के साथ फ़र्श पर गिरी और वह बेल जार की तरफ़ पीछे गिर गया। हैरी को लग रहा था कि काँच के तड़कने की आवाज़ सुनाई देगी, क्योंकि वह आदमी ठोस काँच से टकराया था और जार से टकराने के बाद उसे फ़र्श पर गिर जाना चाहिए था, लेकिन ऐसा नहीं हुआ। इसके बजाय़ उसका सिर बेल जार की सतह के भीतर इस तरह चला गया, जैसे यह साबुन का बुलबुला हो। अब वह टेबल पर सीधा पसरा हुआ था और उसका सिर हवा से भरे चमकते जार के भीतर पड़ा था।

'आगमनो छड़ी!' हर्माइनी चिल्लाई। हैरी की छड़ी एक अँधेरे कोने से उछलकर हर्माइनी के हाथ में आ गई और उसने उसे हैरी की तरफ़ उछाल दिया।

'धन्यवाद,' वह बोला। 'ठीक है, अब हम यहाँ से बाहर निकलते –'

'देखो!' नेविल ने दहशत से कहा। वह बेल जार में प्राणभक्षी के सिर की तरफ़ घूर रहा था।

उन तीनों ने अपनी छड़ियाँ एक बार फिर उठा लीं, लेकिन उनमें से किसी ने भी वार नहीं किया। वे मुँह खोलकर दहशत से उस आदमी के सिर को देख रहे थे।

सिर बहुत तेज़ी से सिकुड़ रहा था। यह गंजा होता जा रहा था। काले बाल वापस उसकी खोपड़ी के अंदर जा रहे थे। उसके गाल चिकने हो रहे थे, उसकी खोपड़ी गोल और कीचड़ जैसी चीज़ से ढँक रही थी ...

उठने के लिए छटपटाते प्राणभक्षी की मांसपेशियों से भरी मोटी गर्दन के ऊपर अब बच्चे का सिर आ गया। लेकिन उनके देखते ही देखते सिर फूलकर पहले जैसा होने लगा। काले मोटे बाल सिर और ठुड्डी से निकलने लगे ...

'यह समय है,' हर्माइनी ने हैरान आवाज़ में कहा। '*समय* ...'

प्राणभक्षी ने अपना बदसूरत सिर दोबारा उठाया, उसे साफ़ करने की कोशिश की, लेकिन इससे पहले कि वह सँभल पाता, उसका सिर दोबारा बचपन की तरफ़ सिकुड़ने लगा ...

पास वाले कमरे से किसी के चिल्लाने की आवाज़ सुनाई दी। फिर एक धमाके और चीख़ की आवाज़ सुनाई दी।

'रॉन ?' हैरी ज़ोर से चिल्लाया और उसने अपने सामने हो रहे वीभत्स

रूपांतरण से अपनी निगाहें हटा लीं। **'जिनी ? लूना ?'**

'हैरी!' हर्माइनी चीख़ी।

प्राणभक्षी ने अपना सिर बेल जार में से बाहर खींच लिया था। उसका हुलिया बड़ा ही विचित्र था। उसका छोटे बच्चे का सिर तेज़ी से इधर-उधर हो रहा था, जबकि उसके मोटे हाथ ख़तरनाक तरीक़े से सभी दिशाओं में लहरा रहे थे। उसके हाथ हैरी से टकराते-टकराते बचे, लेकिन उसने अपना सिर झुकाकर अपने आप को बचा लिया। हैरी ने अपनी छड़ी उठाई, लेकिन उसे हैरानी हुई कि हर्माइनी ने उसका हाथ पकड़ लिया।

'बच्चे पर वार मत करो!'

इस मुद्दे पर बहस करने का समय नहीं था। हैरी को भविष्यवाणियों के हॉल की तरफ़ से तेज़ क़दमों की आवाज़ आ रही थी। वह अब इस बात पर पछता रहा था कि उसने चिल्लाकर अपने छिपने की जगह बता दी थी।

उसने कहा, 'चलो!' वे लोग बदसूरत बच्चे के सिर वाले प्राणभक्षी को पीछे छोड़कर दरवाज़े की तरफ़ भागे, जो अँधेरे कमरे में खुलता था।

वे लोग आधी दूर तक ही पहुँच पाए थे, तभी हैरी ने देखा कि खुले दरवाज़े से होकर दो प्राणभक्षी उनकी तरफ़ आ रहे थे। वह बाईं तरफ़ मुड़ गया और एक छोटे, अँधेरे, सामान से भरे ऑफ़िस में घुसकर उसने दरवाज़ा बंद कर लिया।

'कोलो-' हर्माइनी ने मंत्र बोलना शुरू किया, लेकिन मंत्र पूरा होने से पहले ही दरवाज़ा खुल गया और दो प्राणभक्षी धड़धड़ाते हुए अंदर आ गए।

विजय के एहसास के साथ वे दोनों चिल्लाए :

'बाधितो!'

हैरी, हर्माइनी और नेविल पीछे की तरफ़ फिंका गए। नेविल डेस्क के पीछे गिरकर ओझल हो गया। हर्माइनी एक बुककेस से टकराई और उस पर भारी पुस्तकें गिर पड़ीं। हैरी का सिर पत्थर की दीवार से टकराया, उसकी आँखों के सामने सितारे नाचने लगे और एक पल के लिए वह पूरी तरह चकरा गया।

'हमने उसे पकड़ लिया!' हैरी के सबसे क़रीब वाला प्राणभक्षी चिल्लाया। **'उस ऑफ़िस में है, जो -'**

'चुप्पो!' हर्माइनी चिल्लाई और उस आदमी की आवाज़ चली गई। उसने अपने नक़ाब के छेद में से बोलने की कोशिश की, लेकिन कोई आवाज़ नहीं निकली। उसके साथी प्राणभक्षी ने उसे एक तरफ़ कर दिया।

जब दूसरे प्राणभक्षी ने अपनी छड़ी उठाई, तो हैरी चिल्लाया, *'पूर्ण*

शरीर-बंधन!' उसके हाथ-पैर बँध गए और वह आगे की तरफ़ गिर गया। वह हैरी के क़दमों के पास दरी पर मुँह के बल गिरा। उसका शरीर तख़्ते की तरह सख़्त हो गया था और अब वह हिल नहीं सकता था।

'शाबाश, है-'

लेकिन जिस प्राणभक्षी को हर्माइनी ने अभी-अभी गूँगा किया था, उसने अचानक अपनी छड़ी हिलाई। बैंगनी लपट जैसी चीज़ हर्माइनी की छाती पर पड़ी। उसने हल्के से 'ओह' कहा, जैसे इस बात पर हैरान हुई हो और फ़र्श पर गिरकर बेजान हो गई।

'हर्माइनी!'

हैरी उसके पास घुटनों के बल बैठ गया। नेविल तेज़ी से डेस्क के नीचे से निकलकर उसकी तरफ़ रेंगा। उसकी छड़ी उसके सामने तनी थी। नेविल के बाहर निकलते ही प्राणभक्षी ने उसके मुँह पर कसकर लात मारी। नेविल की छड़ी के दो टुकड़े करता हुआ पैर उसके चेहरे पर पड़ा। नेविल बिलबिला गया और मुँह तथा नाक पर हाथ रखकर पीछे हट गया। हैरी मुड़ गया। उसने अपनी छड़ी ऊँची करके देखा कि प्राणभक्षी ने अपना नक़ाब उतार दिया था और वह अपनी छड़ी सीधे हैरी की तरफ़ ताने हुए था। इस लंबे, पीले, विकृत चेहरे को हैरी ने *दैनिक जादूगर* में छपी तस्वीर से पहचान लिया : एंटोनिन डोलोहोव, जिसने प्रुएट परिवार की हत्या की थी।

डोलोहोव मुस्कराया। उसने अपने ख़ाली हाथ से उस भविष्यवाणी की तरफ़ इशारा किया, जो हैरी के हाथ में थी, फिर उसने अपनी और हर्माइनी की तरफ़ इशारा किया। हालाँकि वह बोल नहीं सकता था, लेकिन उसका मतलब बहुत स्पष्ट था। मुझे भविष्यवाणी दे दो, वरना तुम्हारा हाल भी उसी जैसा हो जाएगा ...

हैरी बोला, 'मैं जानता हूँ कि जैसे ही तुम्हें यह भविष्यवाणी मिलेगी, तुम हम सबको जान से मार डालोगे!'

उसके दिमाग़ में भरी दहशत उसे सही तरीक़े से सोचने नहीं दे रही थी। उसका एक हाथ हर्माइनी के कंधे पर था, जो अब भी गर्म था, हालाँकि वह उसकी तरफ़ देखने की हिम्मत नहीं कर पा रहा था। *काश वह ज़िंदा हो, काश वह ज़िंदा हो! अगर वह मर गई, तो यह मेरी ग़लती होगी ...*

नेविल ने डेस्क के नीचे से ग़ुस्से में कहा, 'हैरी, तुब चाहे जो करो, उसे वत देना!' हैरी को उसकी टूटी हुई नाक और उसके मुँह तथा ठुड्डी पर बहता ख़ून दिखने लगा। वह समझ गया कि नेविल के मुँह पर लात पड़ने के कारण वह ठीक से नहीं बोल पा रहा था।

फिर दरवाज़े पर धमाके की आवाज़ हुई और डोलोहोव ने पीछे मुड़कर देखा - बच्चे के सिर वाला प्राणभक्षी दरवाज़े पर प्रकट हो गया था, उसका सिर लहरा रहा था और उसकी बड़ी-बड़ी मुट्ठियाँ बेक़ाबू होकर चारों तरफ़ लहरा रही थीं। हैरी ने इस मौक़े का फ़ायदा उठाया :

'*पूर्ण शरीर-बंधन!*'

डोलोहोव के रोकने से पहले ही यह मंत्र उस पर पड़ा और वह अपने साथी पर गिर गया। वे दोनों ही तख़्तों की तरह सख़्त थे और एक इंच भी नहीं हिल सकते थे।

जब बच्चे के सिर वाला प्राणभक्षी दूसरी तरफ़ चला गया, तो हैरी ने तत्काल हर्माइनी को हिलाते हुए कहा, 'हर्माइनी, हर्माइनी, उठो ...'

'उसने हर्बाइनी को क्या किया?' नेविल ने पूछा, जो डेस्क के नीचे से बाहर रेंगकर हर्माइनी की दूसरी तरफ़ घुटने के बल बैठ गया था। उसकी तेज़ी से फूलती नाक से ख़ून बह रहा था।

'मुझे नहीं मालूम ...'

नेविल ने हर्माइनी की नब्ज़ तलाशी।

'नाड़ी तो चल वही है, हैरी, वुझे यक़ीन है कि चल वही है।'

हैरी को इतनी ज़्यादा राहत मिली कि एक पल के लिए तो वह बहुत हल्का महसूस करने लगा।

'वह ज़िंदा है?'

'हाँ, वुझे तो ऐसा ही वगता है।'

एक पल के लिए ख़ामोशी छा गई, जिस दौरान हैरी ने कान लगाकर क़दमों की आहट सुनी, लेकिन उसे अगले कमरे में बच्चे के सिर वाले प्राणभक्षी के बिसूरने और टकराने की आवाज़ें ही सुनाई दीं।

'नेविल, हम लोग बाहर निकलने वाले दरवाज़े से ज़्यादा दूर नहीं हैं,' हैरी फुसफुसाया, 'हम लोग उस गोल कमरे के ठीक पास हैं ... अगर हम किसी प्राणभक्षी के आने से पहले वहाँ पहुँच जाएँ और सही दरवाज़ा खोज लें, तो तुम हर्माइनी को गलियारे तक और फिर लिफ़्ट में ले जा सकते हो ... फिर तुम किसी को खोज लेना ... शोर मचा देना ...'

'और तुव क्या करने वावे हो?' नेविल ने पूछा और आस्तीन से अपनी ख़ून से सनी नाक पोंछते हुए हैरी को त्योरियाँ चढ़ाकर देखा।

हैरी ने जवाब दिया, 'मैं बाक़ी लोगों को खोजूँगा।'

नेविल ने दृढ़ता से कहा, 'तो फिर वैं भी तुव्हारे साथ चलकर उन्हें खोजूँगा।'

'लेकिन हर्माइनी -'

'उसे हव अपने साथ वे जा सकते हैं -'

वह खड़ा हुआ और उसने हैरी को घूरते हुए हर्माइनी का एक हाथ पकड़ लिया। हैरी ने झिझकने के बाद हर्माइनी का दूसरा हाथ पकड़ लिया और उसका निढाल शरीर नेविल के कंधों पर लटकाने में मदद की।

'ठहरो,' हैरी ने कहा और फ़र्श से हर्माइनी की छड़ी उठाते हुए नेविल के हाथ में पकड़ा दी, 'अच्छा रहेगा कि तुम इसे भी ले जाओ।'

जब वे धीरे-धीरे दरवाज़े की तरफ़ बढ़ने लगे, तो नेविल ने अपनी छड़ी के टूटे हुए टुकड़ों पर लात मारी।

'वेरी दादी वुझे वार डालेंगी,' नेविल ने कहा और यह बोलते समय उसकी नाक से ख़ून बह रहा था, 'यह वेरे डैडी की पुरानी छड़ी थी।'

हैरी ने अपना सिर दरवाज़े से बाहर निकाला और सावधानी से चारों तरफ़ देखा। बच्चे के सिर वाला प्राणभक्षी चीख़ रहा था और चीज़ों से टकरा रहा था, बड़ी-बड़ी घड़ियाँ गिरा रहा था, डेस्कें पलटा रहा था, शोर मचा रहा था और हड़बड़ा रहा था, जबकि काँच की अलमारी, जिसे देखकर हैरी को लगा कि उसमें समय-परिवर्तक होंगे, गिरने, टूटने और पीछे की दीवार पर फिर से जुड़ने लगी।

हैरी फुसफुसाकर बोला, 'वह हमारी तरफ़ ध्यान नहीं देगा। चलो ... मेरे ठीक पीछे चलना ...'

वे लोग ऑफ़िस से निकले और अँधेरे कमरे वाले दरवाज़े की तरफ़ चलने लगे, जो अब पूरी तरह से ख़ाली दिख रहा था। वे कुछ क़दम आगे बढ़े। हर्माइनी के वज़न के कारण नेविल थोड़ा झुका हुआ था। समय कक्ष का दरवाज़ा उनके पीछे बंद हो गया और दीवार एक बार फिर घूमने लगी। हैरी के सिर के पीछे अभी-अभी जो चोट लगी थी, उससे उसका संतुलन गड़बड़ा गया था। उसने अपनी आँखें सिकोड़ीं और थोड़ा सा लहराने लगा, जब तक कि दीवारें घूमना बंद नहीं हो गईं। डूबते दिल के साथ हैरी ने देखा कि हर्माइनी के आग के क्रॉस दरवाज़ों से मिट गए थे।

'तो तुम्हें क्या लगता है कि किस- ?'

लेकिन इससे पहले कि वे यह फ़ैसला कर पाते कि किस दरवाज़े से बाहर निकलने की कोशिश करनी है, उनकी दाहिनी तरफ़ का दरवाज़ा खुला और

उसमें से तीन लोग बाहर निकले।

'रॉन!' हैरी उनकी तरफ़ भागते हुए बोला। 'जिनी – तुम लोग ठीक – ?'

'हैरी,' रॉन ने हल्के से हँसकर आगे बढ़ते हुए हैरी के दुशाले का सामने वाला हिस्सा पकड़ लिया। फिर वह सूनी आँखों से उसकी तरफ़ देखते हुए बोला, 'यह लो ... हा हा हा ... हैरी, तुम अजीब दिख रहे हो ... तुम तो सन गए हो ...'

रॉन का चेहरा बहुत सफ़ेद था और उसके मुँह के कोने से कोई काली चीज़ बह रही थी। अगले ही पल उसके घुटने जवाब दे गए, लेकिन वह अब भी हैरी का दुशाला पकड़े था, इसलिए हैरी भी झुक गया।

'जिनी ?' हैरी ने डरकर पूछा। 'क्या हुआ ?'

लेकिन जिनी ने अपना सिर हिलाया और दीवार के बल फिसलकर फ़र्श पर बैठ गई। वह हाँफती हुई अपना टखना पकड़कर बैठी थी।

जिनी की तरफ़ झुकते हुए लूना ने फुसफुसाकर कहा, 'मुझे लगता है कि उसका टखना टूट गया है। मैंने किसी चीज़ के चटकने की आवाज़ सुनी थी।' उनमें से सिर्फ़ लूना ही घायल नहीं हुई थी। 'उन चारों ने हमें ग्रहों से भरे अँधेरे कमरे तक भगाया। वह बहुत अजीब जगह थी। कुछ देर तक तो हम जैसे अँधेरे में तैर रहे थे –'

'हैरी, हमने यूरेनस को बहुत क़रीब से देखा था!' रॉन ने कहा, जो अब भी लचर तरीक़े से हँस रहा था। 'समझे हैरी ? हमने यूरेनस को देखा था – हा हा हा –'

ख़ून का एक बुलबुला रॉन के मुँह के कोने से निकला और फूट गया।

'– ख़ैर, एक प्राणभक्षी ने जिनी का पैर पकड़ लिया, मैंने लघुकारक शाप का इस्तेमाल किया और प्लूटो में विस्फोट करके उसके चेहरे पर दे मारा, लेकिन ...'

लूना ने जिनी की तरफ़ असहाय तरीक़े से इशारा किया, जो बहुत मरियल तरीक़े से साँस ले रही थी और जिसकी आँखें अब भी बंद थीं।

'और रॉन के साथ क्या हुआ ?' हैरी ने डरते हुए पूछा, जब रॉन हँसने लगा। वह अब भी हैरी के दुशाले के सामने वाले हिस्से से लटका हुआ था।

'मुझे नहीं पता कि उसे कौन सा मंत्र पड़ा है,' लूना ने दुख से कहा, 'लेकिन वह थोड़ा अजीब हो गया है। मैं बड़ी मुश्किल से उसे साथ ला पाई हूँ।'

'हैरी,' रॉन ने हैरी के कान को अपने मुँह के पास लाते हुए कहा, 'हैरी, तुम जानते हो यह लड़की कौन है? यह लूनी है ... लूनी लवगुड ... हा हा हा ...'

'हमें यहाँ से बाहर निकलना है,' हैरी ने दृढ़ता से कहा। 'लूना, क्या तुम जिनी की मदद कर सकती हो?'

'हाँ,' लूना ने कहा और अपनी छड़ी सुरक्षित रखने के लिए उसे अपने कान के पीछे रख लिया। फिर उसने जिनी की कमर में हाथ डालकर उसे ऊपर खींचा।

'सिर्फ़ मेरे टखने में ही चोट लगी है, मैं ख़ुद खड़ी हो सकती हूँ!' जिनी ने अधीरता से कहा, लेकिन अगले ही पल वह एक तरफ़ को गिरने लगी और उसे सहारे के लिए लूना को पकड़ना पड़ा। हैरी ने रॉन की बाँह अपने कंधे पर उसी तरह डाल ली, जिस तरह कई महीने पहले उसने डडली की बाँह डाली थी। उसने चारों तरफ़ देखा : पहली बार में सही दरवाज़े से बाहर निकलने की संभावना बारह में से एक थी –

वह रॉन को एक दरवाज़े की तरफ़ ले गया। वे उससे कुछ फ़ुट दूर थे कि तभी एक और दरवाज़ा खुल गया। तीन प्राणभक्षी तेज़ी से आए, जिनमें सबसे आगे बेलाट्रिक्स लेस्ट्रेंज थी।

'वे रहे!' वह चिल्लाई।

स्तब्धीकरण मंत्र कमरे में उड़ने लगे। हैरी सामने वाले दरवाज़े को तोड़ते हुए निकला, रॉन को पटका और हर्माइनी को अंदर रखने में नेविल की मदद करने के लिए गोता लगा दिया। वे लोग अभी चौखट पर ही थे और उनके पास बस इतना समय था कि बेलाट्रिक्स के अंदर आने से पहले दरवाज़ा लगा लें।

'कोलोपोर्टस!' हैरी चिल्लाया और उसे दूसरी तरफ़ तीन शरीरों के दरवाज़े से टकराने की आवाज़ आई।

'उससे कोई फ़र्क़ नहीं पड़ता है!' एक आदमी की आवाज़ आई। 'अंदर जाने के दूसरे तरीक़े भी हैं – **वे हमें मिल गए हैं, वे यहाँ हैं!**'

हैरी पलटा। वे लोग मस्तिष्क कक्ष में थे और निश्चित रूप से दीवारों के चारों तरफ़ दरवाज़े थे। उसे पीछे हॉल में क़दमों की आहट सुनाई दे रही थी, जिसका मतलब था कि दूसरे प्राणभक्षी भी आ रहे थे।

'लूना – नेविल – मेरी मदद करो!'

वे तीनों कमरे में भागकर अपने पास वाले दरवाज़े बंद करने लगे। अगले दरवाज़े तक पहुँचने की जल्दी में हैरी एक टेबल से टकराकर गिर गया।

'कोलोपोर्टस!'

दरवाज़ों के पीछे से भागते हुए क़दमों की आवाज़ आ रही थी। बीच-बीच में कोई भारी शरीर दरवाज़े से टकराता था, जिससे यह चरमराने

और हिलने लगता था। लूना और नेविल अब दूसरी तरफ़ के दरवाज़ों पर जादू कर रहे थे। जैसे ही हैरी कमरे के सबसे ऊपरी हिस्से में पहुँचा, उसे लूना के चिल्लाने की आवाज़ सुनाई दी :

'कोलो-आआआआआआआह ...'

हैरी ने मुड़कर देखा कि लूना हवा में उड़ रही थी। लूना समय रहते जिस दरवाज़े तक नहीं पहुँच पाई थी, उसमें से पाँच प्राणभक्षी कमरे में आ रहे थे। लूना एक डेस्क से टकराई, इसकी सतह पर फिसली और फिर दूसरी तरफ़ फ़र्श पर गिर गई, जहाँ वह हर्माइनी की तरह बेजान हो गई।

'पॉटर को पकड़ लो!' बेलाट्रिक्स उसकी तरफ़ दौड़ते हुए चिल्लाई। हैरी उसे चकमा देकर कमरे में भागा। वह तब तक सुरक्षित था, जब तक कि उन्हें यह अंदेशा था कि उसके चक्कर में भविष्यवाणी को नुक़सान हो सकता है –

'सुनो!' रॉन ने कहा, जो अब खड़ा हो गया था और मतवालों की तरह हँसता हुआ हैरी की तरफ़ आ रहा था। 'सुनो हैरी, यहाँ पर *मस्तिष्क* हैं, हा हा हा, कितनी अजीब बात है ? है ना, हैरी ?'

'रॉन, हट जाओ, छड़ी नीचे कर लो –'

लेकिन रॉन तब तक अपनी छड़ी एक टैंक की तरफ़ तान चुका था।

'सच्ची हैरी, ये तो मस्तिष्क ही हैं – देखो – *आगमनो मस्तिष्क!*'

दृश्य एक पल के लिए ठहर गया। हैरी, जिनी, नेविल और सभी प्राणभक्षी न चाहते हुए भी मुड़कर देखने लगे। सबने देखा कि टैंक के ऊपरी हिस्से से एक मस्तिष्क हरे द्रव से किसी उछलती मछली की तरह निकला। एक पल के लिए बीच हवा में ठहरने के बाद यह रॉन की तरफ़ उड़ने लगा। यह घूम रहा था और इससे घूमती तस्वीरों के फीते किसी फ़िल्म के रोल की तरह खुल रहे थे –

'हा हा हा, हैरी, इसकी तरफ़ देखो –' रॉन ने कहा, जो इसके फीतों को अंदर से निकलते देख रहा था, 'हैरी, आओ और इसे छूकर देखो। यह बहुत अजीब है –'

'रॉन, नहीं!'

हैरी नहीं जानता था कि अगर रॉन ने मस्तिष्क के पीछे उड़ते विचारों के फीतों को छुआ, तो क्या होगा, लेकिन उसे यक़ीन था कि जो भी होगा, अच्छा नहीं होगा। वह आगे की तरफ़ बढ़ा, लेकिन तब तक रॉन मस्तिष्क को अपनी खुली हथेली में पकड़ चुका था।

जिस पल फीतों ने उसकी चमड़ी को छुआ, वे रॉन के हाथों पर रस्सियों

की तरह लिपटने लगे।

'हैरी, देखो तो सही, क्या हो - नहीं - नहीं - यह मुझे पसंद नहीं है - नहीं, रुको - *रुको* -'

लेकिन पतले फीते अब रॉन के सीने पर लिपट रहे थे। उसने खींचकर उन्हें हटाने की कोशिश की, लेकिन मस्तिष्क किसी ओक्टोपस की तरह उससे चिपक गया।

'लघुतो!' हैरी चिल्लाया और उसने रॉन पर लिपट रहे फीतों को अलग करने की कोशिश की, लेकिन वे नहीं टूटे। रॉन गिर गया और फीतों से छुटकारा पाने के लिए छटपटाने लगा।

'हैरी, ये उसका दम घोंट देंगे!' जिनी चीख़ी, जो अपने टूटे हुए टखने के कारण फ़र्श पर स्थिर थी। तभी एक प्राणभक्षी की छड़ी से निकली लाल रोशनी की लहर जिनी के चेहरे पर पड़ी। वह एक तरफ़ को लहराई और बेहोश होकर गिर गई।

'स्वब्धो!' नेविल चिल्लाया और हर्माइनी की छड़ी प्राणभक्षियों की तरफ़ लहराई, ***'स्वब्धो, स्वब्धो!'***

लेकिन कुछ नहीं हुआ।

एक प्राणभक्षी ने अपना स्तब्धीकरण मंत्र नेविल पर मारा, लेकिन वह कुछ इंच दूर से निकल गया। अब सिर्फ़ हैरी और नेविल ही बचे थे, जो पाँच प्राणभक्षियों से लड़ रहे थे। दो प्राणभक्षियों ने सफ़ेद रोशनी की तीर जैसी धाराएँ छोड़ीं, जो उनके पास से निकलकर पीछे की दीवार से टकराईं। दीवार पर गहरे गड्ढे हो गए। हैरी दीवार की तरफ़ भागा, लेकिन बेलाट्रिक्स लेस्ट्रेंज उसकी तरफ़ आ गई। वह भविष्यवाणी को अब भी अपने सिर के ऊपर पकड़े था। वह भागकर वापस कमरे में गया। वह ऐसा कुछ करने के बारे में सोच रहा था, जिससे प्राणभक्षी उसके दोस्तों से दूर हो जाएँ।

इससे काम बन गया। वे लोग कुर्सियों और टेबलों को लात मारते हुए उसके पीछे भागे, लेकिन वे उस पर मंत्र मारने की हिम्मत इसलिए नहीं कर सकते थे, ताकि कहीं भविष्यवाणी को नुक़सान न हो जाए। वह उस इकलौते खुले दरवाज़े से भागा, जिससे प्राणभक्षी अंदर आए थे। मन ही मन वह प्रार्थना कर रहा था कि नेविल रॉन के साथ रहेगा और उसे किसी तरह मुक्त कर लेगा। वह नए कमरे में कुछ फ़ुट दूर भागा, लेकिन तभी उसे महसूस हुआ कि फ़र्श ग़ायब हो गया था -

वह पत्थर की सीढ़ियों पर फिसलने लगा। वह हर सीढ़ी पर उछलता

रहा और आख़िर एक धमाके के साथ गिर गया, जिससे उसकी हवा निकल गई। वह उस गहरे गड्ढे में पीठ के बल पड़ा था, जहाँ मंच पर पत्थर का तोरणद्वार था। पूरे कमरे में प्राणभक्षियों की हँसी गूँज रही थी। उसने ऊपर देखा। मस्तिष्क कक्ष में जो पाँच प्राणभक्षी थे, वे सीढ़ियाँ उतरकर उसकी तरफ़ आ रहे थे। बाक़ी प्राणभक्षी दूसरे दरवाज़ों से आ गए थे और एक-एक सीढ़ी उतरकर उसके क़रीब आ रहे थे। हैरी उठकर खड़ा हो गया, हालाँकि उसके पैर इतनी बुरी तरह काँप रहे थे कि खड़े होना मुश्किल था। हैरानी की बात यह थी कि भविष्यवाणी अब भी सही-सलामत थी और उसके बाएँ हाथ में थी। छड़ी उसके दाएँ हाथ में थी। उसने पीछे हटकर चारों तरफ़ देखा और सभी प्राणभक्षियों को अपनी नज़रों के दायरे में रखने की कोशिश की। उसके पैरों का पिछला हिस्सा किसी ठोस चीज़ से टकराया। वह उस मंच तक पहुँच गया था, जहाँ तोरणद्वार खड़ा था। वह उस पर पीछे की तरफ़ चढ़ गया।

सभी प्राणभक्षी रुककर उसे देखने लगे। कुछ तो उसी की तरह जमकर हाँफ रहे थे। उनमें से एक के शरीर से जमकर ख़ून निकल रहा था। डोलोहोव पूर्ण शरीर-बंधन शाप से मुक्त हो चुका था। वह अब मुस्करा रहा था और उसने अपनी छड़ी हैरी के चेहरे की तरफ़ तान रखी थी।

लूसियस मैल्फ़ॉय ने अपना नक़ाब उतारते हुए कहा, 'पॉटर, तुम्हारा खेल ख़त्म हो गया। अब अच्छे बच्चे की तरह भविष्यवाणी मुझे दे दो।'

'मेरे दोस्तों को चले जाने दो, मैं तुम्हें भविष्यवाणी दे दूँगा!'

कुछ प्राणभक्षी हँसने लगे।

'तुम शर्त रखने की स्थिति में नहीं हो, पॉटर,' लूसियस मैल्फ़ॉय ने कहा और उसका पीला चेहरा ख़ुशी से लाल हो रहा था। 'देखो, हम दस हैं और तुम अकेले हो ... या फिर डम्बलडोर ने तुम्हें गिनती भी नहीं सिखाई है?'

'वह वकेला नहीं है!' ऊपर से एक आवाज़ आई। 'वैं अब भी उसके साथ वूँ!'

हैरी का दिल डूब गया। नेविल पत्थर की सीढ़ियों पर लड़खड़ाता हुआ उसकी तरफ़ आ रहा था। हर्माइनी की छड़ी अब भी उसके काँपते हाथ में थी।

'नेविल - नहीं - रॉन के पास जाओ -'

'स्वब्धो!' नेविल दोबारा चिल्लाया और बारी-बारी से अपनी छड़ी हर प्राणभक्षी की तरफ़ तानी, लेकिन मंत्र का उच्चारण ग़लत होने के कारण कोई असर नहीं हुआ। ***'स्वब्धो! स्वब-'***

एक बड़े प्राणभक्षी ने नेविल को पीछे से पकड़ लिया और उसके हाथ बाँध

दिए। वह छटपटाने और लात मारने लगा। कई प्राणभक्षी हँसने लगे।

'यह लाँगबॉटम है, है ना?' लूसियस मैल्फ़ॉय ने व्यंग्य से कहा। 'देखो, तुम्हारी दादी को हमारे कारण परिवार के सदस्यों को खोने की आदत पड़ चुकी है ... तुम्हारी मौत से उन्हें ज़्यादा सदमा नहीं लगेगा।'

'लाँगबॉटम?' बेलाट्रिक्स ने दोहराया और उसके दुबले-पतले चेहरे पर बहुत बुरी मुस्कान आ गई। 'लड़के, मुझे तुम्हारे माता-पिता से मिलने का सौभाग्य हासिल हो चुका है।'

'मैं वानता हूँ!' नेविल गरजा। वह अपने को पकड़ने वाले प्राणभक्षी की पकड़ से छूटने के लिए इतनी जमकर संघर्ष कर रहा था कि वह चिल्लाया, 'कोई उसे स्तब्ध कर दो!'

'नहीं, नहीं, नहीं,' बेलाट्रिक्स बोली। जब उसने हैरी और फिर नेविल की तरफ़ देखा, तो वह रोमांचित और सातवें आसमान में दिख रही थी। वह आगे बोली, 'नहीं, हम देखते हैं कि लाँगबॉटम कितनी देर तक बचता है। हो सकता है कि उसका हाल भी उसके माता-पिता की तरह हो जाए ... जब तक कि पॉटर हमें भविष्यवाणी नहीं देना चाहे।'

'उसे वत देना!' नेविल गरजा, जो अब आवेश में लातें मार रहा था और छटपटा रहा था। जब बेलाट्रिक्स अपनी छड़ी उठाकर उसके और उसे पकड़ने वाले के क़रीब आई, तो वह दोबारा बोला, **'उसे भविष्यवाणी वत देना हैरी।'**

बेलाट्रिक्स ने अपनी छड़ी उठाई। *'पीड़ितो!'*

नेविल चीख़ा, उसके पैर उसके सीने तक उठ गए, जिससे उसे पकड़े रखने वाले प्राणभक्षी पर एक पल के लिए उसका पूरा भार आ गया। प्राणभक्षी ने उसे छोड़ दिया, जिससे नेविल फ़र्श पर गिर गया और दर्द में छटपटाता तथा चीख़ता रहा।

'यह तो सिर्फ़ एक छोटी सी झलक थी!' बेलाट्रिक्स ने अपनी छड़ी हटाते हुए कहा, जिससे नेविल की चीख़ें रुक गईं और वह उसके पैरों के पास सुबकता हुआ पड़ा रहा। फिर बेलाट्रिक्स ने मुड़कर हैरी की तरफ़ देखा। 'अब पॉटर, या तो तुम हमें भविष्यवाणी दे दो, वरना तुम अपने दोस्त को मरते हुए देखोगे!'

हैरी को सोचने की ज़रूरत नहीं थी। उसके पास कोई विकल्प नहीं बचा था। भविष्यवाणी उसके हाथ की गर्मी से गर्म थी और उसने उसे आगे बढ़ा दिया। मैल्फ़ॉय उसे लेने के लिए आगे की तरफ़ उछला।

तभी उनके ऊपर दो और दरवाज़े खुल गए तथा पाँच लोग तेज़ी से

कमरे में आ गए : सिरियस, ल्यूपिन, मूडी, टौंक्स और किंग्सले।

मैल्फ़ॉय ने घूमकर अपनी छड़ी ऊपर उठाई, लेकिन तब तक टौंक्स उस पर स्तब्धीकरण मंत्र मार चुकी थी। हैरी ने यह देखने का इंतज़ार नहीं किया कि वह मंत्र मैल्फ़ॉय को लगा या नहीं। वह तो मंच से गोता लगाकर रास्ते से हट गया। मायापंछी के समूह के सदस्यों के आने से प्राणभक्षी बुरी तरह बौखला गए थे। समूह के सदस्य उन पर मंत्रों की बौछार कर रहे थे और सीढ़ियों पर कूदते हुए नीचे की तरफ़ आ रहे थे। धराशायी शरीरों और रोशनी के धमाकों के बीच हैरी को नेविल का रेंगता हुआ शरीर दिख गया। वह लाल रोशनी की एक लहर से बचा और नेविल तक पहुँचने के लिए ज़मीन पर फिसलने लगा।

'तुम **ठीक** हो?' उसने चीख़कर पूछा, जब एक और मंत्र उनके सिर के कुछ इंच ऊपर से निकल गया।

'हाँ,' नेविल ने खड़े होने की कोशिश करते हुए कहा।

'और रॉन?'

'मुझे वगता है वह भी ठीव है - जब वैंने उसे छोड़ा था, तव भी वह वस्तिष्क से लड़ रहा था -'

एक मंत्र उनके बीच के फ़र्श पर पड़ा, जिससे विस्फोट हो गया। जहाँ कुछ सेकंड पहले नेविल का हाथ था, वहाँ एक गहरा गड्ढा हो गया था। वे दोनों उस जगह से दूर जाने लगे। तभी एक मोटा हाथ जाने कहाँ से आया और इसने हैरी का गला पकड़कर उसे ऊपर उठा लिया। अब उसके अँगूठे फ़र्श को बमुश्किल छू रहे थे।

'भविष्यवाणी मुझे दे दो,' उसके कान में एक आवाज़ आई, 'मुझे भविष्यवाणी दे दो -'

वह प्राणभक्षी हैरी की साँस की नली पर इतना ज़्यादा दबाव डाल रहा था कि वह साँस तक नहीं ले सकता था। पानी भरी आँखों से उसने देखा कि दस फ़ुट दूर सिरियस एक प्राणभक्षी से लड़ रहा था। किंग्सले एक साथ दो प्राणभक्षियों से लड़ रहा था। टौंक्स अब भी सीढ़ियों के बीच में थी और बेलाट्रिक्स पर मंत्रों की बौछार कर रही थी। किसी को भी इस बात का एहसास तक नहीं था कि हैरी का दम निकलने वाला था। उसने अपनी छड़ी पीछे करके उस आदमी की तरफ़ की, लेकिन वह मंत्र नहीं बोल सकता था और आदमी का ख़ाली हाथ हैरी के उस हाथ की तरफ़ बढ़ रहा था, जिसमें भविष्यवाणी थी -

'आआह!'

नेविल जाने कहाँ से आ गया था और चूँकि वह मंत्र ठीक से नहीं बोल सकता था, इसलिए उसने हर्माइनी की छड़ी प्राणभक्षी के नक़ाब के आँख वाले छेद में घुसा दी थी। उस आदमी ने दर्द से बिलबिलाते हुए हैरी को तत्काल छोड़ दिया। हैरी पलटा और चिल्लाया :

'स्तब्धो!'

प्राणभक्षी पीछे की तरफ़ हट गया और उसका नक़ाब फिसल गया : यह मैकनेअर था, जो बकबीक को मारने आया था। उसकी एक आँख अब सूज चुकी थी और उसमें ख़ून तैर रहा था।

'धन्यवाद!' हैरी ने नेविल से कहा और उसे एक तरफ़ किया, जब सिरियस और एक प्राणभक्षी पास से गुज़रे। वे दोनों इतनी जमकर लड़ रहे थे कि उनकी छड़ियों की बस झलक दिख रही थी। फिर हैरी का पैर किसी गोल तथा सख़्त चीज़ से टकराया और वह फिसल गया। एक पल के लिए तो उसे लगा कि शायद भविष्यवाणी गिर गई होगी। लेकिन फिर उसने देखा कि मूडी की जादुई आँख फ़र्श पर घूम रही थी।

आँख का मालिक थोड़ी दूरी पर फ़र्श पर पड़ा था। उसके सिर से ख़ून बह रहा था और उसका हमलावर अब हैरी तथा नेविल की तरफ़ आ रहा था। यह डोलोहोव था, जिसका लंबा पीला चेहरा ख़ुशी से विकृत हो रहा था।

'तीव्रनर्तन!' उसने चिल्लाते हुए नेविल की तरफ़ छड़ी कर दी, जिसके पैर अचानक तेज़ी से नाचने लगे और वह असंतुलित होकर फ़र्श पर गिर गया। 'अब, पॉटर –'

उसने अपनी छड़ी उसी तरह लहराई, जिस तरह उसने हर्माइनी पर लहराई थी, लेकिन तभी हैरी चिल्ला उठा *'रक्षाकवच!'*

हैरी को भौंथरे चाकू जैसी कोई चीज़ अपने चेहरे के पास से निकलती महसूस हुई, जिसकी शक्ति से वह एक तरफ़ लहराया और नेविल के हिलते पैरों पर गिर गया, लेकिन कवच सम्मोहन ने मंत्र के सबसे बुरे प्रभाव को रोक दिया था।

डोलोहोव ने अपनी छड़ी दोबारा उठाई। *'आगमनो भविष्य-'*

तभी अचानक सिरियस आ गया और अपने कंधे से डोलोहोव को टक्कर मारकर उसे रास्ते से हटा दिया। भविष्यवाणी एक बार फिर हैरी की उँगलियों तक पहुँच गई थी, लेकिन वह उसे पकड़े रखने में कामयाब हो गया। अब सिरियस और डोलोहोव लड़ने लगे थे। उनकी छड़ियाँ तलवारों की तरह लहरा रही थीं और उनकी नोकों से चिंगारियाँ उड़ रही थीं –

डोलोहोव ने अपनी छड़ी पीछे की, ताकि वह उसी लहराने वाले मंत्र का इस्तेमाल कर सके, जो उसने हैरी और हर्माइनी पर किया था। उछलकर खड़े होते हुए हैरी चिल्लाया, *'पूर्ण शरीर-बंधन!'* एक बार फिर डोलोहोव के हाथ-पैर कसकर बँध गए और वह पीछे को गिर गया।

'बहुत बढ़िया!' सिरियस चिल्लाया और उसने हैरी का सिर नीचे झुकाया, क्योंकि दो स्तब्धीकरण मंत्र उड़ते हुए उनकी तरफ़ आ रहे थे। 'अब मैं चाहता हूँ कि तुम यहाँ से बाहर –'

वे दोनों एक बार फिर नीचे झुक गए। हरी रोशनी की एक लहर सिरियस के बिलकुल पास से निकली थी। हैरी ने देखा कि टौंक्स पत्थर की सीढ़ियों से गिर गई थी और उसका निढाल शरीर नीचे लुढ़क रहा था, जबकि बेलाट्रिक्स विजयी अंदाज़ में लड़ाई के मैदान में आ रही थी।

'हैरी, भविष्यवाणी लो, नेविल को पकड़ो और भाग जाओ!' सिरियस चिल्लाया और बेलाट्रिक्स से लड़ने के लिए भागा। हैरी ने यह नहीं देखा कि इसके बाद क्या हुआ। उसकी आँखों के सामने किंग्सले आ गया। वह रुकवुड से लड़ रहा था, जिसके चेहरे पर अब नक़ाब नहीं था और उसके चेचक के निशान साफ़ दिख रहे थे। जब वह नेविल की तरफ़ बढ़ने लगा, तो हरी रोशनी की एक और तेज़ लहर हैरी के सिर के ऊपर से उड़कर निकली –

'क्या तुम खड़े हो सकते हो?' उसने नेविल के कान में चिल्लाकर पूछा, जब नेविल के पैर बेक़ाबू होकर थिरकते रहे। 'अपना हाथ मेरी गर्दन में डाल लो –'

नेविल ने ऐसा ही किया – हैरी ने उसे उठाया – नेविल के पैर अब भी हर दिशा में लहरा रहे थे और उसका वज़न नहीं सँभाल पा रहे थे। तभी अचानक एक प्राणभक्षी ने उन पर छलाँग लगा दी। दोनों पीछे की तरफ़ गिर पड़े। नेविल के पैर हवा में किसी पागल पक्षी की तरह फड़फड़ा रहे थे। हैरी की बाईं बाँह हवा में उठी हुई थी, ताकि वह काँच की छोटी गेंद को टूटने से बचा सके।

'भविष्यवाणी मुझे दे दो, पॉटर!' लूसियस मैल्फ़ॉय की आवाज़ उसके कान में गुर्राई और हैरी को अपनी पसलियों के बीच मैल्फ़ॉय की छड़ी की नोक का दबाव महसूस हुआ।

'नहीं – दूर – हटो ... नेविल – इसे पकड़ लो!'

हैरी ने भविष्यवाणी फ़र्श पर लुढ़का दी। नेविल लेटे-लेटे ही घूमा और गेंद को अपने सीने से रोक लिया। मैल्फ़ॉय ने अपनी छड़ी नेविल की तरफ़ घुमाई, लेकिन हैरी अपनी छड़ी अपने कंधे के ऊपर से निकालकर चिल्लाया, *'बाधितो!'*

मैल्फ़ॉय उसकी पीठ से दूर हट गया। दोबारा खड़े होकर हैरी ने घूमकर देखा। मैल्फ़ॉय उस मंच से टकरा गया था, जिस पर सिरियस और बेलाट्रिक्स अब भी लड़ रहे थे। मैल्फ़ॉय ने अपनी छड़ी का निशाना हैरी और नेविल की तरफ़ साधा, लेकिन इससे पहले कि वह मंत्र बोल पाता, ल्यूपिन बीच में आ गए।

'हैरी, बाक़ी साथियों को लेकर यहाँ से **चले जाओ!**'

हैरी ने नेविल के दुशाले का कंधा पकड़ा और उसे उठाकर पत्थर की सीढ़ियों तक ले गया। नेविल के पैर थिरक रहे थे और उसका वज़न नहीं सँभाल पा रहे थे। हैरी ने अपनी पूरी ताक़त बटोरी और उसे एक सीढ़ी पार करवाई –

तभी एक मंत्र हैरी के पैरों के पास वाली पत्थर की सीढ़ी से टकराया। यह टूट गई और वह नीचे वाली सीढ़ी पर गिर गया। नेविल ज़मीन पर गिर गया। उसके पैर अब भी थिरक रहे थे। उसने भविष्यवाणी अपनी जेब में रख ली।

'चलो!' हैरी ने नेविल के दुशाले को पकड़ते हुए हताशा से कहा। 'अपने पैरों से धक्का देने की कोशिश करो –'

उसने कसकर धक्का दिया। नेविल का दुशाला बाईं तरफ़ से फट गया। काँच की छोटी गेंद उसकी जेब से गिर गई और इससे पहले कि उनमें से कोई भी उसे पकड़ पाता, नेविल का बेक़ाबू पैर इस पर कसकर पड़ा। गेंद उनकी दाहिनी तरफ़ दस फ़ुट दूर उड़ी और नीचे की सीढ़ी पर टकराकर चूर-चूर हो गई। जब दोनों ही उस जगह की तरफ़ स्तब्ध होकर देखते रहे, तो बड़ी-बड़ी आँखों वाली एक सफ़ेद आकृति हवा में उठी, जो उनके अलावा किसी को नहीं दिखी। हैरी को इसका मुँह हिलता दिखा, लेकिन चारों तरफ़ के धमाकों, चीख़ों और चिल्लाहटों के बीच वह भविष्यवाणी का एक शब्द भी नहीं सुन पाया। आकृति ने बोलना बंद कर दिया और हवा में घुल गई।

'हैरी, वुझे अफ़सोस है!' नेविल चिल्लाया और उसका चेहरा दर्द से भर गया, लेकिन उसके पैर थिरकते रहे। 'वुझे अफ़सोस है, हैरी, वैं ऐसा नहीं करना चाहता था –'

'कोई बात नहीं!' हैरी चिल्लाया। 'बस खड़े होने की कोशिश करो, हम यहाँ से बाहर –'

'डबलडोर!' नेविल बोला। उसका पसीने भरा चेहरा अचानक ख़ुशी से भर गया था और वह हैरी के कंधे के ऊपर से देख रहा था।

'क्या?'

'डबलडोर!'

हैरी ने उधर देखा, जिधर नेविल घूर रहा था। उनके ठीक ऊपर मस्तिष्क कक्ष वाले दरवाज़े की चौखट पर एल्बस डम्बलडोर खड़े थे। उनकी छड़ी उठी हुई थी और उनका चेहरा ग़ुस्से से सफ़ेद था। हैरी को शरीर के कण-कण में बिजली सी दौड़ती महसूस हुई - *वे बच गए थे।*

डम्बलडोर नेविल और हैरी के पास से सीढ़ियों पर उतरे, जिसके मन में अब वहाँ से जाने का कोई इरादा नहीं था। डम्बलडोर सीढ़ियों के नीचे पहुँच गए, तब कहीं जाकर सबसे क़रीबी प्राणभक्षियों को उनके आने का एहसास हुआ और उसने चिल्लाकर अपने साथियों को यह बात बता दी। एक प्राणभक्षी भागा और बंदर की तरह उछलता हुआ दूसरी तरफ़ की पत्थर की सीढ़ियों पर चढ़ने लगा। डम्बलडोर के मंत्र ने उसे उतनी ही आसानी से वापस खींच लिया, जैसे किसी अदृश्य तार से खींच रहे हों -

सिर्फ़ एक ही जोड़ी अब भी लड़ रही थी, जिसे डम्बलडोर के आने का एहसास नहीं था। हैरी ने देखा कि सिरियस बेलाट्रिक्स की लाल रोशनी की लहर से बच गया था और उसकी हँसी उड़ा रहा था।

'चलो, क्या तुम्हें इससे अच्छा मंत्र नहीं आता है?' वह चिल्लाया और उसकी आवाज़ गुफा जैसे कमरे में गूँजने लगी।

रोशनी की दूसरी लहर उसके सीने से टकराई।

हँसी उसके चेहरे पर ख़त्म नहीं हुई थी, लेकिन उसकी आँखें सदमे से फैल गईं।

हैरी ने नेविल को छोड़ दिया, हालाँकि उसे इस बात का एहसास भी नहीं था। वह सीढ़ियों पर नीचे कूदा और उसने अपनी छड़ी बाहर निकाल ली। डम्बलडोर भी मंच की तरफ़ जाने लगे।

सिरियस को गिरने में जैसे काफ़ी वक़्त लग गया : उसका शरीर मुड़ा और धीरे-धीरे तोरणद्वार पर लटके फटे हुए पर्दे में पीछे की तरफ़ गिर गया।

हैरी ने अपने गॉडफ़ादर के आकर्षक चेहरे पर डर और हैरानी का मिला-जुला भाव देखा, जब वह पुराने दरवाज़े से होकर पर्दे के पीछे ग़ायब हुआ, जो एक पल के लिए इस तरह फड़फड़ाया, जैसे हवा चली हो, लेकिन फिर वापस अपनी जगह पर आ गया।

हैरी को बेलाट्रिक्स लेस्ट्रेंज की विजयी चीख़ सुनाई दी, लेकिन वह जानता था कि इसका कोई मतलब नहीं था - सिरियस तोरणद्वार के भीतर ही तो गया था, वह किसी भी पल दूसरी तरफ़ से प्रकट हो जाएगा ...

लेकिन सिरियस दोबारा प्रकट नहीं हुआ।

'**सिरियस!**' हैरी चिल्लाया। '**सिरियस!**'

वह फ़र्श पर पहुँच गया था। उसकी साँस उखड़ रही थी। सिरियस उस पर्दे के पीछे होगा। वह उसे खींचकर बाहर निकाल लेगा ...

लेकिन जब वह ज़मीन पर पहुँचा और मंच की तरफ़ भागने लगा, तो ल्यूपिन ने हैरी को सीने से पकड़कर पीछे खींच लिया।

'हैरी, तुम कुछ नहीं कर सकते –'

'उसे बचा लो, वह सिर्फ़ अंदर ही तो गया है!'

'– अब बहुत देर हो चुकी है, हैरी।'

'हम अब भी उसके पास पहुँच सकते हैं –' हैरी जमकर छटपटाया, लेकिन ल्यूपिन ने उसे नहीं छोड़ा ...

'हैरी, तुम कुछ नहीं कर सकते ... कुछ भी नहीं ... वह चला गया है।'

अध्याय छत्तीस

वही हुआ जिसका डर था

'वह कहीं नहीं गया है!' हैरी चिल्लाया।

उसे इस बात पर यक़ीन नहीं था। वह इस बात पर यक़ीन नहीं करना चाहता था। वह पूरी ताक़त से ल्यूपिन से जूझता रहा। ल्यूपिन नहीं समझते थे। उस पर्दे के पीछे लोग छिपे हुए थे। हैरी जब पहली बार उस कमरे में दाख़िल हुआ था, तो उसे उनके फुसफुसाने की आवाज़ें सुनाई दी थीं। सिरियस तो बस छिपा हुआ था और नज़र नहीं आ रहा था –

'सिरियस!' वह गरजा। **'सिरियस!'**

'वह वापस नहीं लौट सकता, हैरी,' ल्यूपिन ने टूटती आवाज़ में कहा और हैरी को रोकने की कोशिश करने लगे। 'वह वापस नहीं लौट सकता, क्योंकि वह म –'

'वह – नहीं – मरा – है!' हैरी गरजा। **'सिरियस!'**

उनके चारों तरफ़ हलचल जारी थी। मंत्रों की चमक लगातार दिख रही थी। हैरी के लिए ये आवाज़ें बेमतलब थीं। उसे पास से गुज़रते मंत्रों की परवाह नहीं थी। उसे किसी बात की परवाह नहीं थी, सिवाय इसके कि ल्यूपिन यह नाटक करना बंद कर दें कि सिरियस – जो उस पुराने पर्दे के पीछे उनसे कुछ फ़ुट दूर खड़ा था – कभी नहीं लौटेगा और अपने काले बालों को पीछे करते हुए लड़ाई में दोबारा जोश से नहीं कूदेगा।

ल्यूपिन हैरी को मंच से दूर ले गए। हैरी अब भी तोरणद्वार को घूरे जा रहा था। उसे इस बात पर ग़ुस्सा आ रहा था कि सिरियस उसे कितना इंतज़ार करवा रहा था –

लेकिन जब वह ल्यूपिन की पकड़ से छूटने के लिए छटपटा रहा था, तो उसके दिल के एक हिस्से को यह एहसास हो गया कि सिरियस ने इससे पहले उसे

कभी इंतज़ार नहीं करवाया था ... सिरियस ने उसकी मदद करने के लिए हमेशा जोखिम लिया था ... अगर हैरी के शिद्दत से पुकारने के बावजूद सिरियस उस तोरणद्वार से नहीं आ रहा था, तो इसका एक ही मतलब था कि वह नहीं आ सकता था ... कि वह सचमुच म-

डम्बलडोर ने बचे हुए प्राणभक्षियों में से ज़्यादातर को कमरे के बीच में घेर लिया था, जो अदृश्य रस्सियों से बँधे लग रहे थे। बावरे-नैन मूडी कमरे में रेंगते हुए बेहोश टौंक्स के पास पहुँच गए और उसे होश में लाने की कोशिश करने लगे। मंच के पीछे रोशनी हो रही थी और हुंकारने तथा चिल्लाने की आवाज़ें अब भी आ रही थीं - सिरियस की जगह किंग्सले बेलाट्रिक्स से लड़ने लगा था।

'हैरी ?'

नेविल एक-एक करके पत्थर की सीढ़ियों पर फिसलकर हैरी के पास आ गया। हैरी अब ल्यूपिन से नहीं जूझ रहा था, लेकिन इसके बावजूद वे उसे सावधानी के तौर पर पकड़े हुए थे।

'हैरी ... वुझे सचवुच अफ़सोस है ...' नेविल ने कहा। उसके पैर अब भी बेक़ाबू होकर थिरक रहे थे। 'क्या वह आदवी-वह सिरियस ब्लैक-तुव्हारा दोस्त था?'

हैरी ने सिर हिलाया।

'रुको,' ल्यूपिन ने धीरे से कहा और अपनी छड़ी नेविल के पैरों की तरफ़ करके बोले, *'पूर्ववत्।'* मंत्र उठ गया। नेविल के पैर फ़र्श पर स्थिर हो गए। ल्यूपिन का चेहरा पीला था। 'चलो - चलकर बाक़ी साथियों को खोजते हैं। तुम्हारे बाक़ी दोस्त कहाँ हैं, नेविल ?'

यह बोलते समय ल्यूपिन तोरणद्वार से दूर मुड़े। ऐसा लग रहा था, जैसे हर शब्द बोलने में उन्हें कष्ट हो रहा था।

'वे सब वहाँ हैं,' नेविल ने कहा। 'एक मस्तिष्क ने रॉन पर हवला कर दिया, लेकिन वुझे लगता है वह ठीक है - और हर्वाइनी बेहोश है, लेकिन उसकी नब्ज़ चल रही है-'

एक ज़ोरदार धमाका हुआ और मंच के पीछे से चिल्लाने की आवाज़ सुनाई दी। हैरी ने देखा कि किंग्सले दर्द से तड़पता हुआ ज़मीन पर गिर रहा था : बेलाट्रिक्स लेस्ट्रेंज ने जैसे ही डम्बलडोर को मुड़ते देखा, वह भाग खड़ी हुई। डम्बलडोर ने उसे एक मंत्र मारा, लेकिन बेलाट्रिक्स ने उसे मोड़ दिया। वह अब आधी सीढ़ियाँ पार कर चुकी थी -

'हैरी - नहीं!' ल्यूपिन चिल्लाए, लेकिन हैरी तब तक अपनी बाँह को

ल्यूपिन की ढीली पकड़ से छुड़ा चुका था।

'उसने सिरियस को मार डाला!' हैरी गरजा। **'उसने उसे मार डाला – मैं उसे मार डालूँगा!'**

फिर वह पत्थर की सीढ़ियों पर लड़खड़ाता हुआ चल दिया। पीछे से लोग चिल्ला रहे थे, लेकिन उसे परवाह नहीं थी। बेलाट्रिक्स के दुशाले का सिरा सामने ओझल हुआ और वह उस कमरे में पहुँच गया, जहाँ मस्तिष्क तैर रहे थे ...

बेलाट्रिक्स ने अपने कंधे के ऊपर से एक शाप दिया। टैंक हवा में उठा और धड़ाम से नीचे आ गया। हैरी उसके बदबूदार काढ़े में नहा गया : मस्तिष्क उसके ऊपर आ गए और अपने लंबे रंगीन फीते लहराने लगे, लेकिन वह चिल्लाया, *'विंगार्डियम लेवियोसा!'* वे फ़ौरन दूर होकर हवा में उड़ने लगे। फिसलते हुए वह दरवाज़े की तरफ़ भागा। वह फ़र्श पर कराहती लूना को लाँघकर निकला। फिर वह जिनी के पास से गुज़रा, जिसने पूछा, 'हैरी – क्या – ?' वह रॉन के पास से गुज़रा, जो धीरे-धीरे हँस रहा था और हर्माइनी के पास से, जो अब तक बेहोश थी। उसने गोलाकार काले हॉल में लगा दरवाज़ा खोला और देखा कि बेलाट्रिक्स कमरे की दूसरी तरफ़ वाले एक दरवाज़े से निकल रही थी। उसके पार लिफ़्ट तक जाने वाला गलियारा था।

वह दौड़ा, लेकिन उसने अपने पीछे दरवाज़ा बंद कर दिया था, जिस वजह से दीवारें घूमने लगीं। एक बार फिर उसके चारों तरफ़ घूमती हुई मोमबत्तियों की नीली रोशनी की धारियाँ दिखाई देने लगीं।

'बाहर निकलने का रास्ता कहाँ है ?' वह हताशा से चिल्लाया। उसी समय दीवार दोबारा रुक गई। 'बाहर निकलने का रास्ता कहाँ है ?'

कमरा जैसे उसके पूछने का ही इंतज़ार कर रहा था। उसके ठीक पीछे वाला दरवाज़ा खुल गया और लिफ़्ट की तरफ़ जाने वाला गलियारा सामने दिखने लगा। वह मशालों से रोशन और ख़ाली था। वह दौड़ने लगा ...

उसे सामने एक लिफ़्ट की खटर-पटर की आवाज़ें सुनाई दीं। वह गलियारे में भागा, कोने पर मुड़ा और दूसरी लिफ़्ट को बुलाने वाले बटन पर तेज़ी से मुक्का मारा। लिफ़्ट नीचे आ गई। जाली सरककर खुल गई और हैरी तेज़ी से अंदर चला गया। उसने 'एट्रियम' पहुँचाने वाले बटन पर मुक्का मारा। दरवाज़े सरककर बंद हो गए और वह ऊपर उठने लगा ...

जाली के पूरी तरह खुलने से पहले ही वह लिफ़्ट से बाहर निकल चुका था। उसने चारों तरफ़ देखा। बेलाट्रिक्स हॉल के दूसरे सिरे वाली टेलीफ़ोन बूथ लिफ़्ट तक पहुँच चुकी थी, लेकिन जब हैरी उसकी तरफ़ भागने लगा, तो उसने पलटकर हैरी पर एक मंत्र मारा। हैरी फव्वारे के पीछे छिप गया। मंत्र उसके पास

से निकल गया और एट्रियम के दूसरे सिरे पर सुनहरे दरवाज़ों से टकराया, जिससे वे घंटियों की तरह बजने लगे। अब क़दमों की आवाज़ें नहीं आ रही थीं। बेलाट्रिक्स ने भागना बंद कर दिया था। हैरी मूर्तियों के पीछे झुककर सुनता रहा।

बेलाट्रिक्स ने बच्चों जैसी आवाज़ में कहा, जो चमकती लकड़ी के फ़र्श से टकराकर गूँजने लगी। 'तो तुम मेरे पीछे क्यों आए थे ? मुझे लगा था कि तुम यहाँ मेरे प्यारे कज़िन की मौत का बदला लेने आए थे!'

'मैं इसीलिए आया हूँ!' हैरी चिल्लाया और उसकी आवाज़ की बहुत सारी गूँजें पूरे कमरे में फैल गईं, *आया हूँ! आया हूँ! आया हूँ!*

'आआआह ... क्या तुम उससे प्यार करते थे, छोटे पॉटर बच्चे ?'

हैरी के मन में इतनी नफ़रत उमड़ी, जितनी पहले कभी नहीं उमड़ी थी, जब वह फव्वारे के पीछे से बाहर उछला और चिल्लाया, '*पीड़ितो!*'

बेलाट्रिक्स चीख़ उठी : मंत्र के कारण वह गिर गई थी, लेकिन वह दर्द से उस तरह छटपटा और चीख़ नहीं रही थी, जैसा नेविल के साथ हुआ था – वह दोबारा खड़ी हो गई और हाँफने लगी, लेकिन अब वह हँस नहीं रही थी। हैरी दोबारा सुनहरे फव्वारे के पीछे छिप गया। बेलाट्रिक्स का प्रतिकारक मंत्र सुंदर जादूगर के सिर से टकराया, जो उड़कर बीस फ़ुट दूर जा गिरा और लकड़ी के फ़र्श पर लंबे निशान छोड़ गया।

'कभी अक्षम्य शाप नहीं दिया, है ना लड़के ?' वह चिल्लाई। उसने अब अपनी बच्चे जैसी आवाज़ छोड़ दी थी। 'पॉटर, उसके लिए क्रूर होना पड़ता है! उसके लिए सचमुच दर्द पहुँचाने की इच्छा होनी चाहिए – इसका मज़ा लेने की इच्छा होनी चाहिए – न्यायपूर्ण ग़ुस्सा मुझे ज़्यादा देर तक नुक़सान नहीं पहुँचा सकता – मैं तुम्हें दिखाती हूँ कि यह काम कैसे किया जाता है, ठीक है ? मैं तुम्हें एक सबक़ सिखाती हूँ –'

हैरी झुककर फव्वारे की दूसरी तरफ़ चल दिया। तभी वह चीख़ी, '*पीड़ितो!*' हैरी को एक बार फिर झुकने के लिए मजबूर होना पड़ा, जब सेनटॉर का धनुष वाला हाथ उड़कर फ़र्श पर सुनहरे जादूगर के सिर के पास पहुँच गया।

वह चिल्लाई, 'पॉटर, तुम मुझसे नहीं जीत सकते!'

उसे बेलाट्रिक्स के दाईं तरफ़ चलने की आवाज़ आ रही थी और यह स्पष्ट था कि वह निशाना साधने के लिए उसे ठीक से देखने की कोशिश कर रही थी। वह उसकी तरफ़ वाली मूर्ति से दूर हट गया और अपने सिर को घरेलू जिन्न के बराबर लाते हुए सेनटॉर के पैरों के पास उकड़ूँ बैठ गया।

'मैं शैतानी शहंशाह की सबसे वफ़ादार सेवक थी और हूँ। मैंने उनसे गुप्त

कलाएँ सीखी हैं और मैं ऐसे शक्तिशाली मंत्र जानती हूँ कि तुम जैसा छोटा कमज़ोर लड़का मुझसे मुक़ाबला करने की उम्मीद भी नहीं कर सकता –'

'स्तब्धो!' हैरी चिल्लाया। वह वहाँ आ गया था, जहाँ पिशाच सिरकटे जादूगर की तरफ़ मुस्कराकर देख रहा था। उसने तब मंत्र मारा था, जब बेलाट्रिक्स फव्वारे के चारों तरफ़ झाँक रही थी और उसकी पीठ हैरी की तरफ़ थी। बेलाट्रिक्स ने इतनी तेज़ प्रतिक्रिया की कि हैरी समय रहते बड़ी मुश्किल से झुक पाया।

'रक्षाकवच!'

लाल रोशनी की लहर के साथ उसका स्तब्ध मंत्र पलटकर उसी की तरफ़ लौट आया। हैरी फव्वारे के पीछे सरक गया और पिशाच का एक कान हवा में उड़ता हुआ चला गया।

'पॉटर, मैं तुम्हें आख़िरी मौक़ा दे रही हूँ!' बेलाट्रिक्स चिल्लाई। 'मुझे भविष्यवाणी दे दो – इसे इसी समय मेरी तरफ़ लुढ़का दो – मैं तुम्हारी जान बख़्श सकती हूँ!'

हैरी ने गरजकर कहा, 'तब तो तुम्हें मुझे मारना ही पड़ेगा, क्योंकि गेंद तो फूट गई है!' जैसे ही उसने यह बात कही, उसके माथे में तेज़ दर्द होने लगा। उसका निशान एक बार फिर जल रहा था और उसमें आवेश का एक ऐसा तूफ़ान उठा, जिसका उसके ग़ुस्से से कोई संबंध नहीं था। 'और वह जानता है!' हैरी ने बेलाट्रिक्स जैसी पागल हँसी हँसते हुए कहा। 'तुम्हारा दोस्त वोल्डेमॉर्ट जान चुका है कि गेंद टूट चुकी है! वह तुमसे ख़ुश नहीं होगा, है ना?'

'क्या? तुम्हारा क्या मतलब है?' वह चिल्लाई और पहली बार उसकी आवाज़ में डर झलक रहा था।

'जब मैं नेविल को सीढ़ियों पर उठाकर ले जाने की कोशिश कर रहा था, तो भविष्यवाणी टूट गई! तुम्हें क्या लगता है, वोल्डेमॉर्ट इसके बारे में क्या कहेगा?'

उसका निशान दुखने लगा और जलने लगा ... दर्द के कारण उसकी आँखों में आँसू आ रहे थे ...

'झूठे!' वह चीख़ी, लेकिन उसके ग़ुस्से के पीछे अब दहशत का पुट भी था। **'पॉटर, यह तुम्हारे पास है और तुम इसे मुझे दोगे!** *आगमनो भविष्यवाणी!* ***आगमनो भविष्यवाणी!'***

हैरी दोबारा हँसने लगा, क्योंकि वह जानता था कि इससे वह आगबबूला हो जाएगी। उसके सिर में इतनी तेज़ी से दर्द हो रहा था, जैसे उसकी खोपड़ी फट

जाएगी। उसने एक कान वाले पिशाच के पीछे से हाथ हिलाया और तत्काल खींच लिया, क्योंकि बेलाट्रिक्स ने उस पर हरी रोशनी की एक लहर छोड़ दी थी।

'वहाँ कुछ नहीं है! जब कोई चीज़ है ही नहीं, तो आगमनो कहने से कैसे आ जाएगी! वह टूट गई और कोई भी उसकी बात नहीं सुन पाया, तुम जाकर अपने बॉस को यह बात बता देना!'

'नहीं!' वह चीख़ी। 'यह सच नहीं है, तुम झूठ बोल रहे हो! **मालिक, मैंने कोशिश की थी, मैंने कोशिश की थी – मुझे सज़ा मत देना –'**

'अपनी साँस बर्बाद मत करो!' हैरी चिल्लाया। उसकी आँखें बंद हो गई थीं, क्योंकि उसके निशान में अब बहुत भयंकर दर्द होने लगा था। 'वह यहाँ से तुम्हारी आवाज़ नहीं सुन सकता!'

'क्या सचमुच, पॉटर ?' एक तीखी, ठंडी आवाज़ आई।

हैरी ने अपनी आँखें खोल लीं।

दुबला-पतला और लंबा लॉर्ड वोल्डेमॉर्ट हॉल के बीच में प्रकट हो गया था। उसने अपने साँप जैसे भयंकर चेहरे पर नक़ाब लगा रखा था। उसकी लाल छेद जैसी पुतलियों वाली आँखें घूर रही थीं ... उसकी छड़ी हैरी की तरफ़ तनी थी, जो मूर्ति बना खड़ा था। वह हिल भी नहीं सकता था।

'तो तुमने मेरी भविष्यवाणी तोड़ दी ?' वोल्डेमॉर्ट ने धीरे से कहा और अपनी बेरहम लाल आँखों से हैरी को घूरा। 'नहीं बेला, वह झूठ नहीं बोल रहा है ... मुझे उसके घटिया दिमाग़ के भीतर सच्चाई की झलक दिख रही है ... महीनों की तैयारी, महीनों की मेहनत ... और मेरे प्राणभक्षियों ने एक बार फिर हैरी पॉटर को मेरे मंसूबे नाकामयाब करने दिए ...'

जब वोल्डेमॉर्ट धीरे-धीरे क़रीब आया, तो बेलाट्रिक्स सुबकती हुई वोल्डेमॉर्ट के क़दमों पर गिर गई और बोली, 'मालिक, मुझे बहुत अफ़सोस है। मैं यह बात नहीं जानती थी। मैं तो नरपशु ब्लैक से लड़ रही थी! मालिक, आपको पता होना चाहिए –'

'चुप रहो, बेला,' वोल्डेमॉर्ट ने ख़तरनाक तरीक़े से कहा। 'मैं तुमसे बाद में निबटूँगा। क्या तुम्हें लगता है कि मैं जादू मंत्रालय में तुम्हारी दया की भीख सुनने आया हूँ ?'

'लेकिन मालिक – वो यहीं हैं – वो नीचे हैं –'

वोल्डेमॉर्ट ने उसकी बात पर ज़रा भी ध्यान नहीं दिया।

'मुझे अब तुमसे कुछ नहीं कहना है, पॉटर,' उसने धीरे से कहा। 'तुमने मुझे बहुत चिढ़ाया है, बहुत समय तक चिढ़ाया है। ***मृत्युदंशम्!'***

हैरी ने बचने के लिए अपना मुँह तक नहीं खोला। उसका दिमाग़ सुन्न हो चुका था और उसकी छड़ी फ़र्श की तरफ़ थी।

लेकिन फव्वारे में लगी सिरकटे जादूगर की सुनहरी मूर्ति जीवित हो गई और अपने खंभे से उछलकर हैरी तथा वोल्डेमॉर्ट के बीच धम्म से फ़र्श पर आ गिरी। मूर्ति ने हैरी को बचाने के लिए अपने हाथ फैला लिए और मंत्र अपने सीने पर झेल लिया।

'क्या- ?' वोल्डेमॉर्ट चिल्लाया और चारों तरफ़ देखने लगा। और फिर वह बोला, *'डम्बलडोर!'*

हैरी ने जब पीछे पलटकर देखा, तो उसका दिल धड़कने लगा। सुनहरे दरवाज़े के सामने डम्बलडोर खड़े थे।

वोल्डेमॉर्ट ने अपनी छड़ी तान ली। फिर उसने डम्बलडोर की तरफ़ हरी रोशनी की एक और लहर छोड़ी, जो मुड़े तथा ओझल हो गए। अगले ही पल वे वोल्डेमॉर्ट के पीछे प्रकट हो गए और उन्होंने अपनी छड़ी फव्वारे की तरफ़ कर दी। बाक़ी मूर्तियाँ भी सजीव हो गईं। जादूगरनी वाली मूर्ति बेलाट्रिक्स की तरफ़ भागी, जो चीख़कर इसके सीने पर मंत्रों की बेकार बौछार करने लगी। मंत्र मूर्ति के सीने पर पड़े, लेकिन मूर्ति ने उस पर छलाँग लगा दी और उसे फ़र्श पर गिराकर दबोच लिया। इस दौरान पिशाच और घरेलू जिन्न दीवार पर लगी अँगीठियों की तरफ़ गए। एक हाथ वाला सेनटॉर वोल्डेमॉर्ट की तरफ़ भागा, जो वहाँ से ग़ायब होकर फव्वारे के पास प्रकट हो गया। सिरकटी मूर्ति ने हैरी को दोबारा अपने पीछे करके संघर्ष से दूर कर लिया। डम्बलडोर वोल्डेमॉर्ट की तरफ़ बढ़े और सुनहरा सेनटॉर उन दोनों के चारों तरफ़ घूमने लगा।

'टॉम, आज रात को यहाँ आना मूर्खता थी,' डम्बलडोर ने शांति से कहा। 'ऑरर्स आने ही वाले हैं -'

वोल्डेमॉर्ट ग़ुस्से से बोला, 'उनके आने से पहले ही मैं यहाँ से निकल जाऊँगा और आप मर जाएँगे!' उसने डम्बलडोर पर एक और मारक शाप मारा, लेकिन चूक गया। शाप सुरक्षा जादूगर की डेस्क पर पड़ा, जो लपटों में जलने लगी।

डम्बलडोर ने अपनी छड़ी लहराई। इससे निकलने वाले मंत्र की शक्ति इतनी प्रबल थी कि सुनहरे जादूगर की मूर्ति के पीछे खड़े हैरी के पास से जब यह गुज़रा, तो उसके सिर के बाल खड़े हो गए। इसे मोड़ने के लिए वोल्डेमॉर्ट को चाँदी की चमकती ढाल उत्पन्न करने के लिए विवश होना पड़ा। मंत्र से ढाल को कोई नुक़सान नहीं पहुँचा, हालाँकि इससे घंटी बजने जैसी गहरी आवाज़ आई, जो अजीब थी।

'डम्बलडोर, आप मुझे मारना नहीं चाहते?' वोल्डेमॉर्ट ने कहा और उसकी लाल आँखें सिकुड़ गईं। 'आप इस तरह की क्रूरता से ऊपर हैं, है ना?'

'हम दोनों ही जानते हैं टॉम कि इंसान को नष्ट करने के दूसरे तरीक़े भी होते हैं,' डम्बलडोर ने शांति से कहा और वोल्डेमॉर्ट की तरफ़ बढ़ते रहे, जैसे उन्हें दुनिया में कोई भी डर न हो, जैसे हॉल में उनके चलते समय कोई भी व्यवधान न आया हो। 'मैं मानता हूँ कि सिर्फ़ तुम्हारी जान लेने से मुझे संतोष नहीं मिलेगा –'

वोल्डेमॉर्ट गुर्राया, 'डम्बलडोर, मौत से बुरा कुछ नहीं है!'

'तुम ग़लत सोचते हो,' डम्बलडोर ने कहा, जो अब वोल्डेमॉर्ट के क़रीब पहुँच रहे थे और इतने हल्केपन से बोल रहे थे, जैसे ड्रिंक्स पार्टी में बातचीत कर रहे हों। हैरी को डर लग रहा था कि वे वोल्डेमॉर्ट की तरफ़ अकेले, बिना कवच के, बिना सुरक्षा के बढ़े चले जा रहे हैं। वह चेतावनी देने के लिए चिल्लाना चाहता था, लेकिन उसके सिरकटे रक्षक ने उसे दीवार की तरफ़ पीछे धकेल दिया और उसे वहाँ से बाहर नहीं निकलने दिया। 'मौत से भी ज़्यादा बुरी चीज़ें होती हैं, इस बात को न समझ पाना तुम्हारी सबसे बड़ी कमज़ोरी है –'

चाँदी की ढाल के पीछे से हरी रोशनी की एक और लहर निकली। इस बार एक हाथ वाला सेनटॉर डम्बलडोर के सामने कूदकर आ गया। उसने वार झेल लिया और सौ टुकड़ों में बिखर गया, लेकिन इससे पहले कि टुकड़े फ़र्श पर गिर पाते, डम्बलडोर ने अपनी छड़ी निकालकर इस तरह लहराई, जैसे चाबुक लहरा रहे हों। इसकी नोक से एक लंबी पतली लपट निकली, जो वोल्डेमॉर्ट और ढाल के चारों तरफ़ बँध गई। एक पल के लिए तो लगा कि डम्बलडोर जीत गए थे, लेकिन तभी आग की रस्सी साँप में बदल गई, जिसने वोल्डेमॉर्ट पर तत्काल अपनी पकड़ ढीली कर दी और यह ग़ुस्से से फुफकारता हुआ डम्बलडोर के सामने आ गया।

वोल्डेमॉर्ट ग़ायब हो गया। साँप ने फ़र्श से अपना फ़न उठा लिया और वार करने के लिए तैयार हो गया –

डम्बलडोर के ऊपर हवा में एक लपट दिखी। वोल्डेमॉर्ट दोबारा प्रकट हो गया। वह फव्वारे के बीच में उस जगह पर खड़ा हुआ था, जहाँ कुछ समय पहले पाँच मूर्तियाँ खड़ी थीं।

'*देखिए!*' हैरी चिल्लाया।

लेकिन उसके चिल्लाते समय वोल्डेमॉर्ट की छड़ी से डम्बलडोर की तरफ़ हरी रोशनी की लहर निकली और साँप ने फ़न से वार कर दिया –

ज्वाला डम्बलडोर के सामने आ गया और उसने अपनी चोंच खोलकर हरी रोशनी की लहर को निगल लिया। वह जलकर फ़र्श पर गिर गया : छोटा,

झुर्रीदार और बेजान। उसी पल डम्बलडोर ने अपनी छड़ी लहराई – जो साँप अगले ही पल उन्हें डँसने वाला था, वह हवा में उड़ा और काले धुएँ में ग़ायब हो गया। फव्वारे का पानी उछला और उसने वोल्डेमॉर्ट को पिघले काँच में रखे शोपीस की तरह ढँक लिया।

एक पल के लिए वोल्डेमॉर्ट काली, बहती, बिना चेहरे की धुँधली आकृति की तरह नज़र आया, जो इस दमघोंटू आवरण से मुक्ति पाने के लिए छटपटा रहा था।

फिर वह चला गया और पानी धमाके के साथ फव्वारे में गिर गया। पानी छलकने के कारण चमचमाता फ़र्श गीला हो गया था।

'मालिक!' बेलाट्रिक्स चीख़ी।

निश्चित रूप से यह ख़त्म हो चुका था। निश्चित रूप से वोल्डेमॉर्ट ने भागने का फ़ैसला कर लिया था। हैरी मूर्ति वाले रक्षक के पीछे से बाहर निकलना चाहता था, लेकिन डम्बलडोर चिल्लाकर बोले : 'हैरी, जहाँ हो, वहीं रुके रहो!'

पहली बार डम्बलडोर की आवाज़ में डर की झलक थी। हैरी को इसका कोई कारण समझ में नहीं आया : हॉल अब बिलकुल ख़ाली था। वहाँ उनके अलावा कोई नहीं था। सुबकती बेलाट्रिक्स अब भी जादूगरनी की मूर्ति के नीचे क़ैद थी और नन्हा फ़ीनिक्स ज्वाला अब फ़र्श पर धीरे-धीरे बोल रहा था –

फिर हैरी के निशान में दर्द का विस्फोट हो गया। उसे लगा कि वह मर जाएगा : इतना दर्द कल्पना से परे था, सहनशक्ति से परे था –

हैरी लाल आँखों वाले एक प्राणी की कुंडलियों में इतनी कसकर जकड़ गया था कि उसे यह पता ही नहीं था कि उसका ख़ुद का शरीर कहाँ ख़त्म होता है और उस प्राणी का शरीर कहाँ शुरू होता है : वे एक हो गए थे, दर्द से जुड़ गए थे और बचने का कोई रास्ता नहीं था –

और उस प्राणी ने अपनी बात कहने के लिए हैरी के मुँह का इस्तेमाल किया, जिससे इस भीषण दर्द में उसे अपना जबड़ा हिलता महसूस हुआ ...

'डम्बलडोर, अब मुझे मारकर दिखाओ ...'

अंधे जैसी हालत में और ख़ुद को मौत की कगार पर महसूस करते हुए उसका हर हिस्सा मुक्ति के लिए छटपटा रहा था। हैरी को एक बार फिर एहसास हुआ कि वह प्राणी उसका इस्तेमाल कर रहा था ...

'डम्बलडोर, अगर मौत कुछ नहीं है, तो इस लड़के को मार डालो ...'

हैरी ने सोचा, दर्द को रोक दो ... मुझे मार डालो ... इस पीड़ा को ख़त्म

करो, डम्बलडोर ... इसकी तुलना में मौत कुछ भी नहीं है ...

और मैं सिरियस से दोबारा मिल पाऊँगा ...

जब हैरी का दिल भावनाओं से सराबोर हो गया, तो प्राणी की कुंडलियाँ ढीली हो गईं और दर्द ग़ायब हो गया। हैरी मुँह के बल फ़र्श पर पड़ा था। उसका चश्मा गिर गया था। वह इस तरह काँप रहा था, जैसे लकड़ी पर नहीं, बल्कि बर्फ़ पर लेटा हो ...

हॉल से आवाज़ों की गूँज आ रही थी। बहुत सी आवाज़ें थीं, जो वहाँ नहीं होनी चाहिए थीं ... हैरी ने अपनी आँखें खोलीं। उसने देखा कि उसका चश्मा सिरकटी मूर्ति के पैर के पास पड़ा था। उस सिरकटी मूर्ति ने उसकी रक्षा की थी, लेकिन अब यह तड़की हुई और स्थिर थी। हैरी ने चश्मा लगा लिया और अपना सिर थोड़ा उठाया। डम्बलडोर की मुड़ी हुई नाक उसकी नाक से कुछ ही दूरी पर थी।

'तुम ठीक हो, हैरी?'

'हाँ,' हैरी ने कहा। वह इतनी बुरी तरह काँप रहा था कि अपने सिर को भी नहीं सँभाल पा रहा था। 'हाँ, मैं ठीक हूँ - वोल्डेमॉर्ट कहाँ है - ये लोग कौन हैं - क्या -'

एंट्रियम लोगों से भर गया था। फ़र्श पर उन हरी लपटों का प्रतिबिंब दिख रहा था, जो सजीव हो गई थीं। दीवार की अँगीठियों में से जादूगर और जादूगरनियाँ लगातार निकल रहे थे। जैसे ही डम्बलडोर ने उसे उठाकर खड़ा किया, हैरी ने घरेलू जिन्न और पिशाच की सुनहरी मूर्तियों को देखा, जो स्तब्ध दिख रहे कॉर्नेलियस फ़ज को आगे ला रहे थे।

'वह वहाँ है!' पोनीटेल बाँधे लाल दुशाले वाले एक जादूगर ने चिल्लाकर कहा। वह हॉल की दूसरी ओर सुनहरे मलबे की तरफ़ इशारा कर रहा था, जहाँ बेलाट्रिक्स कुछ पल पहले ही क़ैद थी। 'मैंने उसे देखा था, मिस्टर फ़ज! मैं क़सम खाकर कहता हूँ, वह तुम-जानते-हो-कौन ही था। उसने एक औरत को पकड़ा और अदृश्य हो गया!'

'मैं जानता हूँ, विलियमसन, मैं जानता हूँ, मैंने भी उसे देखा था!' फ़ज बोले, जो अपने धारीदार चोगे के नीचे पायजामा पहने थे और इस तरह हाँफ रहे थे, जैसे अभी मीलों दौड़कर आ रहे हों। 'बेड़ा गर्क हो - यहाँ - *यहाँ!* जादू मंत्रालय में! - हे भगवान - यह संभव नहीं लगता है - ओहो - ऐसा कैसे हो सकता है - ?'

डम्बलडोर अब तक यह तसल्ली कर चुके थे कि हैरी ठीक-ठाक है। उन्होंने फज से कहा, 'नीचे रहस्य विभाग में चलें, कॉर्नेलियस!' यह सुनकर उन

लोगों को पहली बार एहसास हुआ कि डम्बलडोर भी वहाँ थे (उनमें से कुछ ने अपनी छड़ियाँ उठा लीं, बाक़ी हैरान दिखने लगे। घरेलू जिन्न और पिशाच की मूर्तियों ने तालियाँ बजाईं। फ़ज उछल पड़े, जिससे उनके स्लिपर्स वाले पैर ज़मीन से उठ गए) – 'वहाँ मृत्यु कक्ष में आपको कई भागे हुए प्राणभक्षी मिलेंगे, जिन्हें अंतर्ध्यान-रोधक मंत्र से बाँधा गया है और वे आपके फ़ैसले का इंतज़ार कर रहे हैं कि उनके साथ क्या सलूक किया जाए।'

'डम्बलडोर!' फ़ज हैरानी के मारे कुछ कह नहीं पा रहे थे। 'तुम – यहाँ – **मैं** – **मैं** –'

उसने ऑररर्स की तरफ़ घूमकर देखा, जिन्हें वे अपने साथ लाए थे। यह स्पष्ट था कि वे चिल्लाकर कहना चाहते थे, 'इस आदमी को पकड़ लो!'

'कॉर्नेलियस, मैं एक बार फिर तुम्हारे आदमियों से लड़ने – और जीतने को तैयार हूँ!' डम्बलडोर ने गरजती हुई आवाज़ में कहा। 'लेकिन कुछ मिनट पहले तुमने अपनी आँखों से ख़ुद ही उस बात का सबूत देख लिया है, जो मैं तुम्हें एक साल से बता रहा हूँ। लॉर्ड वोल्डेमॉर्ट लौट आया है, तुम बारह महीनों से ग़लत आदमी का पीछा कर रहे हो और अब समय आ गया है कि तुम समझदारी भरी बातें सुनो!'

'मैं – नहीं – अच्छा –' फ़ज चकराते हुए बोले और चारों तरफ़ देखने लगे, जैसे उन्हें उम्मीद हो कि कोई उन्हें बता देगा कि क्या करना है। जब किसी ने ऐसा नहीं किया, तो वे बोले, 'बहुत बढ़िया – डॉलिश! विलियमसन! रहस्य विभाग में जाकर देखो ... डम्बलडोर, तुम्हें – तुम्हें मुझे सारी बात बतानी होगी – फ़ाउंटेन ऑफ़ मैजिकल ब्रदरेन – इसे क्या हुआ?' उन्होंने एक तरह की सिसकारी के साथ फ़र्श की तरफ़ देखते हुए पूछा, जहाँ जादूगरनी, जादूगर और सेनटॉर की मूर्तियाँ अब टूटी हुई पड़ी थीं।

डम्बलडोर ने कहा, 'हम इस बारे में बाद में बात करेंगे। पहले मैं हैरी को हॉगवर्ट्स भेज दूँ।'

'हैरी – *हैरी पॉटर?*'

फ़ज मुड़कर हैरी को घूरने लगे, जो अब भी दीवार से टिककर उसी गिरी हुई मूर्ति के पास खड़ा था, जिसने डम्बलडोर और वोल्डेमॉर्ट के युद्ध के दौरान उसकी रक्षा की थी।

'वह – यहाँ?' फ़ज ने हैरी को घूरते हुए कहा। 'क्यों – यह सब क्या हो रहा है?'

डम्बलडोर ने दोबारा कहा, 'हैरी के स्कूल लौटने के बाद मैं हर बात बता दूँगा!'

वे फव्वारे से उस जगह तक गए, जहाँ सुनहरे जादूगर का सिर ज़मीन पर पड़ा था। उन्होंने अपनी छड़ी उसकी तरफ़ तानी और बुदबुदाए, *'आवागमनो।'* सिर नीले रंग में चमकने लगा। यह लकड़ी के फ़र्श पर कुछ सेकंड तक काँपा और फिर स्थिर हो गया।

जब डम्बलडोर उस सिर को उठाकर हैरी के पास ले गए, तो फ़ज बोले, 'देखो डम्बलडोर! तुम्हें इस आवागमन-कुंजी की अनुमति नहीं है! तुम जादू मंत्री के सामने इस तरह के काम नहीं कर सकते। तुम – तुम –'

उनकी आवाज़ टूट गई, जब डम्बलडोर ने उन्हें अपने आधे चाँद के आकार वाले चश्मे से किसी न्यायाधीश की तरह देखा।

'आप डोलोरेस अंबरिज को हॉगवर्ट्स से हटाने का आदेश देंगे,' डम्बलडोर ने कहा। 'आप अपने ऑरर्स को मेरे जादुई प्राणियों की देखभाल के टीचर की तलाश करने से रोकेंगे, ताकि वह काम पर लौट सके। मैं आपको ...' डम्बलडोर ने अपनी जेब से एक घड़ी निकाली, जिसमें बारह काँटे थे और उसे देखा '... आज रात को अपना आधा घंटा देता हूँ, जिसमें मैं यहाँ हुई घटना के महत्वपूर्ण बिंदुओं पर प्रकाश डालूँगा। उसके बाद मुझे अपने स्कूल लौटना होगा। अगर आपको मेरी मदद की ज़रूरत हो, तो ज़ाहिर है, आप हॉगवर्ट्स में मुझसे संपर्क कर सकते हैं। हेडमास्टर के नाम डाली गई चिट्ठियाँ मुझ तक पहुँच जाएँगी।'

फ़ज पहले से भी ज़्यादा चकराए नज़र आ रहे थे। उनका मुँह खुला था और उनका गोल चेहरा उनके बिखरे भूरे बालों के नीचे गुलाबी हो रहा था।

'मैं – आप –'

डम्बलडोर ने उनकी तरफ़ पीठ करते हुए कहा।

'इस आवागमन-कुंजी को पकड़ लो, हैरी।'

उन्होंने मूर्ति के सुनहरे सिर को आगे बढ़ा दिया और हैरी ने उस पर अपना हाथ रख दिया। अब उसे इस बात की कोई चिंता नहीं थी कि वह क्या करता है या कहाँ जाता है।

'मैं तुमसे आधे घंटे में मिलता हूँ,' डम्बलडोर ने धीरे से कहा। 'एक ... दो ... तीन ...'

हैरी को अपनी नाभि के पीछे किसी हुक के खिंचने का जाना-पहचाना एहसास हुआ। लकड़ी का फ़र्श उसके पैरों के नीचे से ग़ायब हो चुका था। एट्रियम, फ़ज और डम्बलडोर ओझल हो चुके थे। वह रंगों तथा आवाज़ों के बवंडर में आगे की तरफ़ उड़ रहा था ...

अध्याय सैंतीस

खोई हुई भविष्यवाणी

हैरी के पैर ठोस ज़मीन से टकराए, जिससे उसके घुटने मुड़ गए। सुनहरे जादूगर का सिर *खन्न* के साथ फ़र्श पर गिर गया। हैरी ने आस-पास देखा। वह डम्बलडोर के ऑफ़िस में पहुँच चुका था।

हेडमास्टर की अनुपस्थिति में हर चीज़ पहले जैसी हो गई थी। चाँदी के नाज़ुक यंत्र एक बार फिर जर्जर पायों वाली टेबलों पर खड़े थे और धीरे-धीरे धुआँ उड़ाते हुए आवाज़ कर रहे थे। भूतपूर्व हेडमास्टर और हेडमिस्ट्रेसेस अपनी तस्वीरों के फ्रेम में ऊँघ रहे थे और उनके सिर कुर्सियों की पीठ या तस्वीर के किनारों से टिके हुए थे। हैरी ने खिड़की में से बाहर देखा। क्षितिज पर पीली हरी लकीर दिख रही थी : भोर होने ही वाली थी।

ख़ामोशी किसी सोती तस्वीर की हुंकार या खर्राटे से ही टूट रही थी। हैरी से ख़ामोशी बर्दाश्त नहीं हो रही थी। अगर उसके चारों तरफ़ का माहौल उसकी भावनाओं को प्रतिबिंबित कर रहा होता, तो तस्वीरें दर्द से चीख़ रही होतीं। वह शांत, सुंदर ऑफ़िस में चारों तरफ़ टहलने लगा, तेज़-तेज़ साँसें लेने लगा और यह कोशिश करने लगा कि कुछ न सोचे। लेकिन उसे सोचना ही था ... इससे बचा नहीं जा सकता था ...

उसी की ग़लती के कारण सिरियस मर गया था। यह सब उसी की ग़लती थी। अगर हैरी वोल्डेमॉर्ट की चाल में फँसने की मूर्खता नहीं करता, अगर उसे इतना विश्वास नहीं होता कि उसका देखा सपना सच था, अगर वह हर्माइनी की सलाह मानकर इस संभावना पर विचार करता कि वोल्डेमॉर्ट हैरी के *हीरो बनने की आदत* का फ़ायदा उठा रहा है ...

यह असहनीय था। वह इसके बारे में नहीं सोचेगा, वह इसे बर्दाश्त नहीं कर सकता ... उसके भीतर एक भयंकर खोखलापन था, जिसे वह महसूस नहीं

करना चाहता था, जिसकी वह जाँच नहीं करना चाहता था ... एक गहरा गड्ढा था, जहाँ सिरियस था, जहाँ सिरियस ग़ायब हुआ था। वह इस बड़ी, ख़ामोश जगह पर अकेला नहीं रहना चाहता था, वह इसे बर्दाश्त नहीं कर सकता था -

उसके पीछे एक तस्वीर ने अचानक ज़ोर से हुंकार भरकर खर्राटा लिया और एक ठंडी आवाज़ आई, 'ओह ... हैरी पॉटर ...'

फ़िनीज़ नाइजेलस ने एक लंबी जम्हाई ली, अपनी बाँहें फैलाई और अपनी चालाक, छोटी आँखों से हैरी को देखा।

'तुम इतनी सुबह यहाँ क्या कर रहे हो?' फ़िनीज़ ने आख़िरकार कहा। 'इस ऑफ़िस ने असली हेडमास्टर के अलावा बाक़ी सबके ख़िलाफ़ ख़ुद को सील कर लिया है। क्या डम्बलडोर ने तुम्हें भेजा है? ओह, मुझे मत बताओ ...' उसने एक और ज़ोरदार जम्हाई ली। 'मेरे घटिया पर-पर-नाती को एक और संदेश भिजवाना है?'

हैरी बोल नहीं पाया। फ़िनीज़ नाइजेलस को पता नहीं था कि सिरियस मर चुका था, लेकिन हैरी उसे नहीं बता सकता था। सिरियस की मौत के बारे में बोलने का मतलब इसे अकाट्य सत्य बनाना होगा।

कुछ और तस्वीरें अब जागने लगी थीं। सवाल पूछे जाने की दहशत में हैरी कमरे के पार गया और दरवाज़े की घुंडी घुमाई।

यह नहीं घूमी। दरवाज़ा अंदर से बंद था।

हेडमास्टर की डेस्क के पीछे वाली दीवार पर लटकती तस्वीर में से लाल नाक वाले एक मोटे जादूगर ने कहा, 'इसका मतलब है कि डम्बलडोर जल्दी ही हमारे बीच लौट आएँगे?'

हैरी घूमा। जादूगर ने उसे बड़ी दिलचस्पी से देखा। हैरी ने हाँ में सिर हिलाया। उसने अपनी पीठ के पीछे एक बार फिर दरवाज़े की घुंडी घुमाई, लेकिन यह हिली तक नहीं।

'ओह, यह अच्छा रहेगा,' जादूगर ने कहा। 'उनके बिना यहाँ बड़ी बोरियत होती है, बहुत ज़्यादा बोरियत।'

वह तस्वीर में बनी अपनी सिंहासन जैसी कुर्सी पर बैठ गया और हैरी की तरफ़ देखकर मुस्कराने लगा।

'मुझे लगता है, तुम्हें पता होगा कि डम्बलडोर तुम्हारे बारे में बहुत अच्छा सोचते हैं,' उसने उत्साह बढ़ाते हुए कहा। 'ओह हाँ! वे तुम्हारा बहुत सम्मान करते हैं।'

हैरी के सीने में अपराधबोध किसी भारी अमरबेल की तरह भरा हुआ

था। अब उसका अपराधबोध कसमसाने लगा। हैरी इसे बर्दाश्त नहीं कर सकता था। वह अब ख़ुद से उकता चुका था ... उसे अपने सिर और शरीर में फँसे रहने का इतना प्रबल एहसास पहले कभी नहीं हुआ था। उसने कभी इतनी गहनता से यह इच्छा नहीं की थी कि वह काश कोई और, कोई भी होता ...

ख़ाली अँगीठी में हरी लपटें नज़र आने लगीं, जिससे हैरी उछल पड़ा और दरवाज़े से दूर हट गया। उसने घूरकर देखा कि एक आदमी की आकृति अँगीठी के अंदर घुमड़ रही थी। जैसे ही डम्बलडोर की लंबी आकृति आग से निकली, पास की दीवारों पर टँगे जादूगर और जादूगरनियाँ हिलकर जाग गए। उनमें से कइयों ने स्वागत ध्वनि निकाली।

'धन्यवाद,' डम्बलडोर ने धीरे से कहा।

उन्होंने हैरी की तरफ़ नहीं देखा, बल्कि चलकर ज्वाला के अड्डे के पास गए, जो दरवाज़े के पास था। उन्होंने अपने दुशाले की भीतरी जेब से नन्हे, बदसूरत, पंखविहीन ज्वाला को निकाला। फिर उन्होंने उसे धीरे से उस सुनहरी जगह के नीचे नर्म राख की ट्रे पर रख दिया, जहाँ आम तौर पर बड़ा ज्वाला बैठता था।

'अच्छा तो हैरी,' डम्बलडोर ने आख़िरकार नन्हे पक्षी से दूर मुड़ते हुए कहा, 'तुम्हें यह जानकर ख़ुशी होगी कि रात की घटनाओं से तुम्हारे किसी भी सहपाठी को स्थायी नुक़सान नहीं हुआ है।'

हैरी ने 'अच्छा' कहने की कोशिश की, लेकिन उसके मुँह से शब्द बाहर नहीं निकला। उसे लगा, डम्बलडोर उसे याद दिला रहे थे कि उसने कितना नुक़सान किया है। हालाँकि डम्बलडोर अब एक बार फिर उसकी तरफ़ देख रहे थे और उनका भाव दोषारोपण का न होकर दयालुतापूर्ण था, लेकिन हैरी उनसे निगाह नहीं मिला पाया।

'मैडम पॉमफ़्री सबका इलाज कर रही हैं,' डम्बलडोर ने कहा। 'निम्फ़ैडोरा टौंक्स को कुछ समय तक सेंट मंगोज़ में रहना पड़ सकता है, लेकिन वह बिलकुल ठीक हो जाएगी।'

हैरी ने गलीचे की तरफ़ देखकर सिर हिलाया, जो अब बाहर के आसमान के ज़्यादा पीले होने के कारण हल्के रंग का दिख रहा था। उसे यक़ीन था कि कमरे की सभी तस्वीरें डम्बलडोर के हर शब्द को ग़ौर से सुन रही थीं। तस्वीरों के सभी जादूगर निश्चित रूप से सोच रहे होंगे कि डम्बलडोर और हैरी कहाँ गए थे तथा लोग घायल क्यों हुए थे।

डम्बलडोर ने बहुत धीरे से कहा, 'मैं जानता हूँ कि तुम कैसा महसूस कर रहे हो, हैरी?'

'नहीं, आप नहीं जानते,' हैरी बोला। उसकी आवाज़ अचानक तेज़ और ऊँची हो गई। उसके भीतर सफ़ेद ग़ुस्सा उबलने लगा। डम्बलडोर उसकी भावनाओं के बारे में *कुछ नहीं* जानते थे।

'देखा डम्बलडोर?' फ़िनीज़ नाइजेलस ने चालाकी से कहा। 'कभी भी विद्यार्थियों की भावनाएँ समझने की कोशिश मत करो। इससे वे चिढ़ जाते हैं। उन्हें तो यही अच्छा लगता है कि उन्हें ग़लत समझा जाए, वे आत्म-करुणा में गोते लगाते रहें, अपने ही बनाए भँवर में –'

'बस बहुत हो गया, फ़िनीज़,' डम्बलडोर बोले।

हैरी ने डम्बलडोर की तरफ़ पीठ कर ली और खिड़की से बाहर घूरने लगा। उसे क्विडिच स्टेडियम दिखाई दे रहा था। हैरी का खेल देखने के लिए सिरियस झबरीले काले कुत्ते के रूप में एक बार वहाँ आया था ... वह शायद यह देखने आया था कि क्या हैरी जेम्स जितना अच्छा खेलता था ... हैरी उससे कभी नहीं पूछ पाया कि क्या सचमुच ऐसा था ...

'हैरी, तुम जो महसूस कर रहे हो, उसमें कोई शर्म की बात नहीं है,' डम्बलडोर की आवाज़ आई। 'इसके विपरीत ... तुम दर्द को इस तरह से महसूस कर सकते हो, यही तुम्हारी सबसे बड़ी शक्ति है।'

हैरी को अपने भीतर ग़ुस्सा बढ़ता महसूस हुआ, जो भयंकर ख़ालीपन में धधक रहा था। उसकी इच्छा हो रही थी कि वह डम्बलडोर की शांति तथा उनके खोखले शब्दों के लिए उन्हें चोट पहुँचाए।

'मेरी सबसे बड़ी शक्ति, है ना?' हैरी ने कहा और उसकी आवाज़ काँपने लगी, जब उसने दोबारा क्विडिच स्टेडियम की तरफ़ घूरा, हालाँकि अब वह उसे देख नहीं रहा था। 'आपको ज़रा भी पता नहीं है ... आप नहीं जानते ...'

'मैं क्या नहीं जानता?' डम्बलडोर ने शांति से पूछा।

यह बहुत ज़्यादा था। हैरी ग़ुस्से से काँपते हुए मुड़ा।

'मैं कैसा महसूस करता हूँ, इसके बारे में बात नहीं करना चाहता, ठीक है?'

'हैरी, इस तरह कष्ट उठाने से यह साबित होता है कि तुम अब भी इंसान हो! यह दर्द इंसान होने का एक हिस्सा है –'

'तो – फिर – मैं – इंसान – नहीं – बनना – चाहता!' हैरी गरजा और उसने अपने पास की जर्जर पायों वाली कुर्सी पर रखे चाँदी के एक नाज़ुक यंत्र को उठाकर दीवार पर दे मारा। दीवार से टकराकर इसके सैकड़ों टुकड़े हो गए। कई तस्वीरों ने ग़ुस्से और डर की चिल्लाहटें निकालीं तथा अरमान्डो डिपेट की

तस्वीर बोली, '*सचमुच!*'

'मुझे परवाह नहीं है!' हैरी ने चिल्लाकर कहा और एक चंद्रदर्शक को उठाकर अँगीठी में फेंक दिया। **'मैंने बहुत सहन कर लिया, मैंने बहुत देख लिया, अब मैं मुक्ति पाना चाहता हूँ, मैं चाहता हूँ कि यह ख़त्म हो जाए, अब मुझे किसी चीज़ की परवाह नहीं है –'**

उसने उस टेबल को पकड़ा, जिस पर चाँदी के यंत्र रखे थे और उसे भी फेंक दिया। वह फ़र्श से टकराकर टूट गई और उसके पाए अलग-अलग दिशा में लुढ़कने लगे।

'तुम्हें परवाह है,' डम्बलडोर ने कहा। वे विचलित नहीं हुए थे। हैरी की तोड़-फोड़ को रोकने के लिए उन्होंने कुछ भी नहीं किया था। उनका भाव शांत, लगभग विरक्त था। 'तुम्हें इतनी ज़्यादा परवाह है कि तुम्हें महसूस होता है, जैसे तुम इसके दर्द के कारण मर जाओगे।'

'मुझे – **नहीं है!'** हैरी इतनी ज़ोर से चीख़ा कि उसे लगा, उसका गला फट जाएगा। एक पल के लिए तो वह डम्बलडोर की तरफ़ भागना चाहता था और उनसे टकराकर उनके बूढ़े शांत चेहरे को अशांत करना चाहता था, उन्हें झकझोर देना चाहता था, उन्हें चोट पहुँचाना चाहता था, उन्हें अपने भीतर की दहशत का थोड़ा सा एहसास दिलाना चाहता था।

'ओह हाँ, तुम्हें है,' डम्बलडोर ने अब और शांति से कहा। 'तुमने अपनी मम्मी को खो दिया है, अपने डैडी को खो दिया है और अभिभावक के रूप में सबसे क़रीबी व्यक्ति को खो दिया है। ज़ाहिर है, तुम्हें परवाह है!'

'आप नहीं जानते कि मैं कैसा महसूस करता हूँ!' हैरी गरजा। **'आप – तो वहाँ इतनी शांति से खड़े हैं – आप –'**

लेकिन शब्द काफ़ी नहीं थे, चीज़ों को तोड़ने से भी मदद नहीं मिल रही थी। वह दौड़ना चाहता था, वह लगातार दौड़ना चाहता था और पलटकर नहीं देखना चाहता था। वह किसी ऐसी जगह चले जाना चाहता था, जहाँ वह इन शांत नीली आँखों को अपनी तरफ़ घूरते न देख पाए, इस बेहूदा शांत बूढ़े चेहरे को न देख पाए। वह मुड़ा और दरवाज़े की तरफ़ भागा। उसने दरवाज़े की घुंडी घुमाई और उसे खोलने की कोशिश की।

लेकिन दरवाज़ा नहीं खुला।

हैरी ने पलटकर डम्बलडोर की तरफ़ देखा।

उसने कहा, 'मुझे बाहर निकालो!' वह सिर से पैर तक काँप रहा था।

'नहीं,' डम्बलडोर ने कहा।

कुछ पल तक वे एक-दूसरे को घूरते रहे।

हैरी ने एक बार फिर कहा, 'मुझे बाहर जाने दें!'

'नहीं,' डम्बलडोर ने दोहराया।

'अगर आप ऐसा नहीं करते हैं - अगर आप मुझे यहीं रखते हैं - अगर आप मुझे बाहर नहीं जाने देते हैं -'

'मेरी चीज़ों को शौक से तोड़ो,' डम्बलडोर ने शांति से कहा। 'मुझे वैसे भी लगता है कि मेरे पास ज़रूरत से ज़्यादा चीज़ें हैं।'

वे अपनी डेस्क तक गए और उसके पीछे बैठकर हैरी को देखने लगे।

'मुझे बाहर जाने दें,' हैरी ने एक बार फिर कहा। अब उसकी आवाज़ ठंडी और डम्बलडोर जितनी ही शांत थी।

'तब तक नहीं, जब तक कि मैं अपनी बात न कह लूँ,' डम्बलडोर ने कहा।

हैरी ने गरजते हुए कहा, 'क्या आपको - क्या आपको लगता है कि मैं सुनना चाहता हूँ - क्या आपको लगता है कि मुझे ज़रा भी - **मुझे ज़रा भी परवाह नहीं है कि आपको क्या कहना है!** मैं आपकी *कोई बात* नहीं सुनना चाहता!'

'तुम्हें सुनना पड़ेगा,' डम्बलडोर ने अविचलित अंदाज़ में कहा। 'क्योंकि तुम मुझसे उतने ग़ुस्सा नहीं हो, जितना तुम्हें होना चाहिए। अगर तुम मुझ पर हमला करते, जैसा मैं जानता हूँ कि तुम करना चाहते हो, तो मैं इसी का हक़दार था।'

'आप यह क्या कह रहे हैं - ?'

'*मेरी* ही ग़लती के कारण सिरियस मरा है,' डम्बलडोर ने स्पष्टता से कहा। 'या शायद मुझे यह कहना चाहिए कि ज़्यादातर ग़लती मेरी थी - मैं इतना घमंडी नहीं हूँ कि पूरी घटना की ज़िम्मेदारी ख़ुद ले लूँ। सिरियस बहादुर, चतुर और ऊर्जावान था। आम तौर पर ऐसे लोगों को घर में छिपकर बैठना पसंद नहीं होता है, ख़ास तौर पर तब, जब दूसरे ख़तरे में हों। बहरहाल, तुम्हें एक पल के लिए भी यह नहीं सोचना चाहिए था कि आज रात को तुम्हारे रहस्य विभाग में जाने की कोई आवश्यकता थी। हैरी, अगर मैं तुम्हारे साथ खुलकर बात करता, जैसा मुझे करना चाहिए था, तो तुम्हें बहुत समय पहले पता चल जाता कि वोल्डेमॉर्ट तुम्हें रहस्य विभाग में ले जाने का लालच दे सकता है। फिर तुम आज रात को वहाँ जाने की उसकी चाल में कभी नहीं फँसते। और सिरियस तुम्हारे पीछे वहाँ नहीं गया होता। दोष मेरा है और सिर्फ़ मेरा है।'

हैरी अब भी दरवाज़े की घुंडी पर अपना हाथ रखे खड़ा था, लेकिन उसे

इसका एहसास नहीं था। वह डम्बलडोर को एकटक देख रहा था, तेज़ी से साँस ले रहा था और सुन रहा था, हालाँकि वह सुनी हुई बातों का मतलब नहीं समझ पा रहा था।

'बैठ जाओ,' डम्बलडोर ने कहा। यह आदेश नहीं, आग्रह था।

हैरी झिझका, फिर वह धीरे-धीरे चलकर कमरे के पार गया, जो चाँदी जैसे यंत्रों और लकड़ी के टुकड़ों के मलबे से भरा था। वह जाकर डम्बलडोर की डेस्क के सामने बैठ गया।

'क्या मैं यह मान लूँ,' फ़िनीज़ नाइजेलस ने हैरी की बाईं तरफ़ से धीरे से पूछा, 'कि मेरा पर-पर-पोता - ब्लैक ख़ानदान का आख़िरी वारिस - मर चुका है?'

'हाँ, फ़िनीज़,' डम्बलडोर ने कहा।

फ़िनीज़ जल्दी से बोला, 'मुझे यक़ीन नहीं है!'

हैरी ने सिर घुमाकर देखा कि फ़िनीज़ अपनी तस्वीर में से जा रहा है। वह जानता था कि वह ग्रिमॉल्ड चौक में लगी अपनी तस्वीर में जा रहा है। शायद वह इस तस्वीर से उस तस्वीर तक भागकर पूरे घर में सिरियस को आवाज़ लगाएगा ...

'हैरी, मैं तुम्हें एक स्पष्टीकरण देना चाहता हूँ,' डम्बलडोर ने कहा। 'एक बूढ़े आदमी की ग़लतियों का स्पष्टीकरण। क्योंकि अब मैं देख सकता हूँ कि तुम्हारे मामले में मैंने जो किया है और जो नहीं किया है, वह बुढ़ापे की निशानी है। जवान लोग कभी नहीं समझ सकते कि बूढ़े कैसा सोचते और महसूस करते हैं। लेकिन बूढ़े लोग दोषी हैं, अगर वे यह भूल जाएँ कि जवानी कैसी होती है ... और कुछ समय से मैं शायद भूल गया था ...'

सूरज अब सही तरीक़े से निकलने लगा था। पहाड़ों के ऊपर चमकती नारंगी किनारी दिख रही थी और उसके ऊपर का आसमान रंगहीन तथा चमकीला था। रोशनी डम्बलडोर की भौंहों और दाढ़ी की सफ़ेदी तथा उनके चेहरे की गहरी लकीरों पर पड़ी।

डम्बलडोर ने कहा, 'पंद्रह साल पहले तुम्हारे माथे के निशान को देखकर मुझे अंदाज़ा हो गया था कि इसका क्या मतलब हो सकता है। मैंने अंदाज़ा लगा लिया था कि यह तुम्हारे और वोल्डेमॉर्ट के बीच के संबंध का चिन्ह हो सकता है।'

'आप यह बात मुझे पहले भी बता चुके हैं, प्रोफ़ेसर,' हैरी ने रूखेपन से कहा। उसे रूखेपन की ज़रा भी परवाह नहीं थी। दरअसल अब उसे किसी भी

चीज़ की ज़्यादा परवाह नहीं थी।

'हाँ,' डम्बलडोर ने माफ़ी माँगने के अंदाज़ में कहा। 'हाँ, लेकिन देखो - तुम्हारे निशान से बात शुरू करना ज़रूरी है। क्योंकि तुम्हारे जादुई दुनिया में क़दम रखने के बाद यह स्पष्ट हो गया कि मैं सही था। जब भी वोल्डेमॉर्ट तुम्हारे क़रीब होता था या प्रबल भाव महसूस करता था, तो तुम्हारा निशान तुम्हें चेतावनी दे देता था।'

'मैं जानता हूँ,' हैरी ने थके अंदाज़ में कहा।

'और वोल्डेमॉर्ट की उपस्थिति को भाँपने की तुम्हारी क्षमता - भले ही वह छिपा हुआ हो - धीरे-धीरे बढ़ती गई। जब वोल्डेमॉर्ट ने अपने शरीर और शक्तियों को दोबारा पा लिया, तो उसकी उत्तेजित भावनाओं को महसूस करने की तुम्हारी क्षमता बहुत ज़्यादा बढ़ गई।'

हैरी ने सिर हिलाने तक की ज़हमत नहीं उठाई। वह ये बातें पहले से ही जानता था।

डम्बलडोर ने कहा, 'हाल ही में मुझे यह चिंता सताने लगी कि वोल्डेमॉर्ट को तुम दोनों के आपसी संबंध का एहसास हो सकता है। बेशक एक ऐसा समय आया, जब तुम उसके मस्तिष्क और विचारों में इतनी दूर तक चले गए कि उसे तुम्हारी उपस्थिति का पता चल गया। ज़ाहिर है, मैं उस रात की बात कर रहा हूँ, जब तुमने मिस्टर वीज़्ली पर हुए हमले को देखा था।'

हैरी बुदबुदाकर बोला, 'हाँ, स्नेप ने मुझे बताया था,'

'हैरी, *प्रोफ़ेसर* स्नेप,' डम्बलडोर ने उसे धीरे से सही किया। 'लेकिन तुमने यह कभी नहीं सोचा कि मैंने तुम्हें यह बात क्यों नहीं बताई? मैंने तुम्हें गुप्तविद्या ख़ुद क्यों नहीं सिखाई? मैंने तुम्हारी तरफ़ महीनों तक क्यों नहीं देखा?'

हैरी ने नज़रें उठाकर देखा। डम्बलडोर दुखी और थके हुए दिख रहे थे।

'हाँ,' हैरी बुदबुदाया। 'हाँ, मैंने सोचा था।'

'देखो,' डम्बलडोर ने आगे कहा, 'मुझे लग रहा था कि वोल्डेमॉर्ट जल्दी ही तुम्हारे मस्तिष्क में घुसपैठ करने और तुम्हारे विचारों को ग़लत दिशा में मोड़ने की कोशिश करेगा। मैं उसे ऐसा करने के लिए और ज़्यादा प्रोत्साहित नहीं करना चाहता था। मुझे यक़ीन था कि अगर उसे यह एहसास हो गया कि हमारे बीच का संबंध हेडमास्टर और विद्यार्थी से ज़्यादा था या है, तो वह इसका फ़ायदा उठाकर तुमसे मेरी जासूसी भी करवा सकता है। मुझे डर था कि वह तुमसे जाने क्या-क्या करवाएगा और मुझे यह डर भी था कि वह तुम पर क़ब्ज़ा कर लेगा। हैरी, मेरा यह विचार सही था कि वोल्डेमॉर्ट तुम्हारा इस्तेमाल कर सकता है। इस

साल जब भी हम क़रीबी संपर्क में आए थे, तब मैंने तुम्हारी आँखों के पीछे उसकी छाया देखी थी ...'

हैरी को याद आया कि जब उसकी और डम्बलडोर की नज़रें मिली थीं, तो उसके भीतर एक सोया हुआ साँप जागने लगा था और हमला करने के लिए तैयार होने लगा था।

'जैसा वोल्डेमॉर्ट ने आज रात को दिखाया था, तुम पर क़ब्ज़ा करके वह मेरा विनाश नहीं करना चाहता था। उसका इरादा तो तुम्हारा विनाश करना था। जब कुछ समय पहले वह तुम पर हावी हुआ, तो वह उम्मीद कर रहा था कि उसे मारने के लिए मैं तुम्हारी बलि चढ़ा दूँगा। तो तुमने देखा हैरी, ख़ुद को तुमसे दूर करके मैं तुम्हारी रक्षा करने की कोशिश कर रहा था। एक बूढ़े आदमी की ग़लती ...'

उन्होंने गहरी आह भरी। हैरी ने इन शब्दों पर ज़्यादा ध्यान नहीं दिया। कुछ महीने पहले ये सारी बातें जानने में वह बहुत ज़्यादा दिलचस्पी लेता, लेकिन अब यह सब बेमानी था, क्योंकि उसके भीतर सिरियस के नुक़सान की गहरी खाई थी। अब किसी चीज़ से फ़र्क़ नहीं पड़ता था ...

'सिरियस ने मुझे बताया था कि जिस रात को तुमने आर्थर वीज़्ली पर हुए हमले का सपना देखा था, उस रात को तुम्हें लगा था कि तुम ही साँप बन गए हो। मैं तत्काल समझ गया कि मेरा सबसे बुरा डर सही था। वोल्डेमॉर्ट को यह एहसास हो गया था कि वह तुम्हारा इस्तेमाल कर सकता है। वोल्डेमॉर्ट के ख़िलाफ़ तुम्हारे दिमाग़ को मज़बूत करने के लिए मैंने प्रोफ़ेसर स्नेप से तुम्हें गुप्तविद्या सिखाने को कहा।'

वे रुक गए। हैरी ने धूप को देखा, जो अब डम्बलडोर की डेस्क की चिकनी सतह के पार धीरे-धीरे फिसलकर चाँदी जैसी दवात और सुंदर लाल क़लम को चमका रही थी। हैरी जानता था कि उनके चारों तरफ़ लगी तस्वीरें जागी हुई थीं और डम्बलडोर के स्पष्टीकरण को बड़े ध्यान से सुन रही थीं। उसे दुशालों के सरकने या किसी के गला खँखारने की धीमी आवाज़ सुनाई दे रही थी। फ़िनीज़ नाइजेलस अब तक नहीं लौटा था ...

डम्बलडोर ने आगे कहा, 'प्रोफ़ेसर स्नेप को पता चला कि तुम महीनों से रहस्य विभाग के दरवाज़े तक पहुँचने के सपने देख रहे हो। ज़ाहिर है, वोल्डेमॉर्ट ने जब से अपने शरीर को दोबारा पाया था, वह भविष्यवाणी सुनने के लिए छटपटा रहा था। इसीलिए जब वह दरवाज़े पर पहुँचकर रुक जाता था, तो तुम भी रुक जाते थे, हालाँकि तुम इसका मतलब नहीं जानते थे।

'और फिर तुमने रुकवुड को देखा, जो अपनी गिरफ़्तारी से पहले रहस्य

विभाग में काम करता था। उसने वोल्डेमॉर्ट को बताया, जो हम शुरू से ही जानते थे, कि जादू मंत्रालय में रखी भविष्यवाणियाँ बहुत कड़ी सुरक्षा में रखी जाती हैं। सिर्फ़ वही लोग उन्हें शेल्फ़ से उठा सकते हैं, जिनके बारे में वे की गई हैं। किसी दूसरे की भविष्यवाणी को उठाने वाला पागल हो सकता है। इस मामले में अब दो ही विकल्प थे : या तो वोल्डेमॉर्ट ख़ुद जादू मंत्रालय में प्रवेश करे और यह जोखिम ले कि उसके बारे में सबको पता चल जाए। या फिर वह यह काम तुमसे करवाए। मेरे लिए अब यह और भी महत्वपूर्ण हो गया था कि तुम गुप्तविद्या में निपुण हो जाओ।'

'लेकिन मैं नहीं हुआ,' हैरी बुदबुदाया। उसने यह बात ज़ोर से कही, ताकि उसके भीतर का अपराधबोध कम हो जाए : अपना अपराध मान लेने से उसके दिल को दबोच रहा भयंकर दबाव निश्चित रूप से कुछ तो कम हो जाएगा। 'मैंने अभ्यास नहीं किया, मैंने कोशिश ही नहीं की। मैं उन सपनों को रोक सकता था। हर्माइनी बार-बार मुझे ऐसा करने के लिए कहती रही। अगर मैंने ऐसा किया होता, तो वह मुझे कभी नहीं दिखा पाता कि कहाँ जाना है, और - सिरियस कभी - सिरियस कभी -'

हैरी के दिमाग़ में कोई चीज़ उबल रही थी : उसे ख़ुद को सही साबित करने की ज़रूरत थी, स्पष्ट करने की ज़रूरत थी -

'मैंने यह जाँच करने की कोशिश की थी कि वह सिरियस को सचमुच ले गया था या नहीं। मैं अंबरिज के ऑफ़िस में गया था, मैंने आग में क्रीचर से बात की थी। उसने कहा था कि सिरियस वहाँ नहीं था, उसने कहा था कि वह चला गया है!'

'क्रीचर ने झूठ बोला था,' डम्बलडोर ने शांति से कहा। 'तुम उसके मालिक नहीं हो, इसलिए वह ख़ुद को सज़ा दिए बिना तुमसे झूठ बोल सकता था। क्रीचर चाहता था कि तुम जादू मंत्रालय जाओ।'

'उसने - उसने मुझे जान-बूझकर वहाँ भेजा था?'

'ओह हाँ! मुझे लगता है कि क्रीचर महीनों से अपने मालिक के अलावा किसी और के आदेश भी मान रहा था।'

'कैसे?' हैरी ने सूनेपन से कहा। 'वह बरसों से ग्रिमॉल्ड चौक से बाहर नहीं निकला है।'

डम्बलडोर बोले, 'जब सिरियस ने क्रिसमस से पहले क्रीचर से चिल्लाकर कहा था, "बाहर जाओ," तो क्रीचर ने इस मौक़े का फ़ायदा उठाकर सिरियस के शब्दों का मनचाहा मतलब निकाल लिया कि यह घर से बाहर निकलने का आदेश है। वह ब्लैक परिवार के उस इकलौते सदस्य के पास पहुँच गया, जिसका

वह सम्मान करता था ... ब्लैक की कज़िन नार्सिसा, जो बेलाट्रिक्स की बहन और लूसियस मैल्फ़ॉय की पत्नी है।'

'आप यह सब कैसे जानते हैं?' हैरी ने पूछा। उसका दिल बहुत तेज़ी से धड़क रहा था। उसका जी मचलने लगा। उसे याद आया कि क्रिसमस पर क्रीचर की अजीब अनुपस्थिति को लेकर वह भी चिंतित था। उसे याद आया कि क्रीचर अटारी में मिला था ...

'क्रीचर ने मुझे कल रात को बताया था,' डम्बलडोर ने कहा। 'देखो, जब तुमने प्रोफ़ेसर स्नेप को सांकेतिक चेतावनी दी, तो उन्हें एहसास हो गया कि तुमने सपने में सिरियस को रहस्य विभाग में फँसे देखा था। तुम्हारी ही तरह उन्होंने भी सिरियस से तत्काल संपर्क करने की कोशिश की। मुझे यह बताना होगा कि मायापंछी के समूह के सदस्यों के पास डोलोरेस अंबरिज के ऑफ़िस की अँगीठी से ज़्यादा विश्वसनीय संप्रेषण साधन हैं। प्रोफ़ेसर स्नेप ने पाया कि सिरियस ज़िंदा है और ग्रिमॉल्ड चौक में सुरक्षित है।

'बहरहाल, जब तुम डोलोरेस अंबरिज के साथ जंगल से वापस नहीं लौटे, तो प्रोफ़ेसर स्नेप चिंतित हो गए। वे जानते थे कि तुम यह मानते थे कि सिरियस को लॉर्ड वोल्डेमॉर्ट ने पकड़ लिया है। उन्होंने फौरन समूह के कुछ सदस्यों को सतर्क कर दिया।'

डम्बलडोर ने एक गहरी आह भरी और आगे बोले, 'जब स्नेप ने संपर्क किया, तो अलैस्टर मूडी, निम्फ़ैडोरा टौंक्स, किंग्सले शैकलबोल्ट और रीमस ल्यूपिन मुख्यालय में ही थे। वे सभी तुम्हारी सहायता के लिए तत्काल जाने को तैयार हो गए। प्रोफ़ेसर स्नेप ने सिरियस से मुख्यालय पर ही रुकने का आग्रह किया था, ताकि वह मुझे सारी बातें बता सके, क्योंकि मैं वहाँ पहुँचने ही वाला था। इस दौरान प्रोफ़ेसर स्नेप जंगल में तुम्हारी खोज करने वाले थे।

'लेकिन सिरियस नहीं चाहता था कि बाक़ी लोग तुम्हारी तलाश में जाएँ और वह मुख्यालय पर ही रुका रहे। उसने मुझे सारी घटना बताने का काम क्रीचर को सौंप दिया। और इस तरह जब मैं कुछ समय बाद ग्रिमॉल्ड चौक पहुँचा, तो वे सभी मंत्रालय जा चुके थे और घरेलू जिन्न ने मुझे हँसते हुए बताया कि सिरियस कहाँ गया था।'

हैरी ने खोखली आवाज़ में पूछा, 'वह हँस रहा था?'

'ओह हाँ,' डम्बलडोर ने कहा। 'देखो, क्रीचर हमें पूरी तरह धोखा नहीं दे पाया था। वह मायापंछी के समूह का गुप्त रक्षक नहीं है, इसलिए वह मैल्फ़ॉय को इसका ठिकाना नहीं बता पाया। वह उसे समूह की वे गोपनीय योजनाएँ भी नहीं बता पाया, जिन्हें बताने के लिए उसे स्पष्ट रूप से मना कर दिया गया था। वह

अपनी प्रजाति के बंधनों से बँधा हुआ था, जिसका मतलब यह है कि वह अपने मालिक सिरियस के किसी सीधे आदेश की अवहेलना नहीं कर सकता। लेकिन उसने नार्सिसा को ऐसी जानकारी दे दी, जो वोल्डेमॉर्ट के लिए बहुत मूल्यवान थी, पर सिरियस को इतनी छोटी लग रही थी कि वह इसके लिए क्रीचर को मना नहीं कर पाया था।'

'जैसे?' हैरी ने कहा।

'जैसे यह कि सिरियस दुनिया में सबसे ज़्यादा तुम्हारी परवाह करता था,' डम्बलडोर ने धीरे से कहा। 'जैसे यह कि तुम सिरियस को पिता और भाई के मिले-जुले रूप में देखते थे। ज़ाहिर है, वोल्डेमॉर्ट यह बात पहले से ही जानता था कि सिरियस समूह में है, और यह भी कि तुम्हें उसका पता-ठिकाना मालूम है - लेकिन क्रीचर की जानकारी से वोल्डेमॉर्ट को यह एहसास हो गया कि अगर तुम किसी को बचाने के लिए किसी भी सीमा तक जा सकते हो, तो वह सिरियस ब्लैक है।'

हैरी के होंठ ठंडे और सुन्न हो गए।

'तो ... जब मैंने कल शाम को क्रीचर से पूछा था कि क्या सिरियस वहाँ था ...'

'निश्चित रूप से वोल्डेमॉर्ट के आदेश पर मैल्फ़ॉय परिवार ने उसे पहले से ही बता दिया था कि तुम सिरियस की प्रताड़ना का सपना देखोगे। उसके बाद क्रीचर को ऐसा कोई इंतज़ाम करना था, ताकि तुम सिरियस से संपर्क न कर पाओ। इस तरह से वह यह पक्का कर लेना चाहता था कि अगर तुम सिरियस के घर पर होने की जाँच करो, तो क्रीचर यह नाटक कर सके कि वह वहाँ नहीं है। क्रीचर ने बकबीक नामक गरुड़अश्व को कल घायल कर दिया था और जिस पल तुम आग में पहुँचे थे, सिरियस ऊपर की मंज़िल पर उसकी देखभाल कर रहा था।'

हैरी के फेफडों में बहुत कम हवा रह गई। उसकी साँस तेज़ और खोखली हो गई।

उसने टूटी हुई आवाज़ में पूछा, 'क्रीचर ने आपको यह सब बता दिया ... और हँसा?'

'वह मुझे बताना तो नहीं चाहता था,' डम्बलडोर ने कहा। 'लेकिन मैं एक क़ाबिल गुप्त-घुसपैठिया हूँ और यह जान जाता हूँ कि मुझसे कब झूठ बोला जा रहा है, इसलिए मैंने - उसे इस बात के लिए तैयार किया - कि वह मुझे पूरी कहानी सच-सच बताए। उसके बाद ही मैं रहस्य विभाग पहुँचा।'

हैरी के हाथ उसके घुटनों पर मुट्ठियों में बँध गए और वह फुसफुसाकर बोला, 'और हर्माइनी हम सबसे कहती थी कि हमें उसके साथ अच्छा व्यवहार करना चाहिए –'

'उसने बिलकुल सही कहा था, हैरी,' डम्बलडोर ने कहा। 'जब हमने ग्रिमॉल्ड चौक के बारह नंबर मकान को अपना मुख्यालय बनाया था, तभी मैंने सिरियस को चेतावनी दी थी कि उसे क्रीचर के साथ दयालुता और सम्मान से पेश आना चाहिए। मैंने उसे यह भी बताया था कि क्रीचर हमारे लिए ख़तरनाक हो सकता है। मुझे नहीं लगता कि सिरियस ने मेरी बात को गंभीरता से लिया था या उसने कभी क्रीचर की भावनाओं का सम्मान किया था –'

'आप – सिरियस को दोष न दें – आप – सिरियस के बारे में – इस तरह बात न करें – जैसे –' हैरी की साँस ख़त्म हो गई थी। वह सही तरीक़े से शब्द नहीं बोल पा रहा था, लेकिन जो ग़ुस्सा कम हो गया था, वह एक बार फिर बढ़ने लगा। वह डम्बलडोर को सिरियस की आलोचना नहीं करने देगा। 'क्रीचर झूठा – दुष्ट – है – वह इसी क़ाबिल था –'

'क्रीचर को जादूगरों ने ही ऐसा बनाया है, हैरी,' डम्बलडोर बोले। 'हाँ, उस पर दया करनी चाहिए। उसका अस्तित्व उतना ही दुखद है, जितना तुम्हारे दोस्त डॉबी का था। उसे सिरियस के आदेशों का मजबूरन पालन करना पड़ता था, क्योंकि सिरियस उस ख़ानदान का आख़िरी वारिस था, लेकिन उसे उसके प्रति सच्ची वफ़ादारी कभी नहीं रही। और क्रीचर की गलतियाँ चाहे जो भी हों, यह तो मानना ही पड़ेगा कि सिरियस ने क्रीचर की मजबूरी को आसान बनाने के लिए कुछ नहीं किया था –'

हैरी चिल्लाया, **'आप सिरियस के बारे में इस तरह न बोलें!'**

वह एक बार फिर खड़ा हो गया था। वह आवेश में था और डम्बलडोर पर हमला करने के लिए तैयार था, जो निश्चित रूप से सिरियस को बिलकुल नहीं समझ पाए थे : वह कितना बहादुर था, उसने कितने कष्ट झेले थे ...

'और स्नेप ?' हैरी ने कहा। 'आप उनके बारे में कुछ नहीं बोल रहे हैं, है ना ? जब मैंने उन्हें बताया था कि वोल्डेमॉर्ट ने सिरियस को पकड़ लिया है, तो उन्होंने हमेशा की तरह मुझ पर ताना मारा था –'

डम्बलडोर ने कहा, 'हैरी, डोलोरेस अंबरिज के सामने प्रोफ़ेसर स्नेप के पास और कोई चारा नहीं था। उस समय उन्हें यह नाटक करना ही था कि वे तुम्हारी बात को गंभीरता से नहीं ले रहे हैं। लेकिन जैसा मैंने बताया, तुमने जो कहा था, उसके बारे में उन्होंने मायापंछी के समूह को फ़ौरन सूचित कर दिया। जब तुम जंगल से नहीं लौटे, तो उन्होंने ही यह अंदाज़ा लगाया कि तुम कहाँ गए

हो। जब प्रोफ़ेसर अंबरिज तुम्हें सिरियस का ठिकाना बताने के लिए मजबूर कर रही थीं, तो उन्होंने ही अंबरिज को नक़ली सत्यद्रव दिया था।'

हैरी ने इसे नज़रअंदाज़ कर दिया। उसे स्नेप को दोष देने में वहशी आनंद आ रहा था। यह उसकी भयंकर ग्लानि को कम कर रहा था और वह डम्बलडोर को अपनी बात से सहमत कराना चाहता था।

'स्नेप - स्नेप - ने सिरियस को घर पर छिपे रहने के बारे में ताने मारे थे - उन्होंने यह तक कहा था कि सिरियस कायर था -'

डम्बलडोर ने कहा, 'सिरियस इतना बड़ा और समझदार था कि इन तानों से उसे चोट नहीं पहुँचनी चाहिए थी!'

'स्नेप ने मुझे गुप्तविद्या सिखाना भी छोड़ दिया!' हैरी गुर्राया। 'उन्होंने मुझे अपने ऑफ़िस से बाहर निकाल दिया!'

'मैं जानता हूँ,' डम्बलडोर ने भारीपन से कहा। 'मैं पहले ही कह चुका हूँ, यह मेरी ग़लती है कि मैंने तुम्हें गुप्तविद्या ख़ुद नहीं सिखाई, हालाँकि मुझे उस वक़्त यक़ीन था कि इससे ज़्यादा ख़तरनाक और कुछ नहीं था कि मैं तुम्हारे दिमाग़ को वोल्डेमॉर्ट के प्रति थोड़ा और खोल दूँ, जबकि मेरी उपस्थिति में -'

'स्नेप ने इसे और बिगाड़ दिया। उनसे सीखकर आने के बाद हर बार मेरा निशान पहले से ज़्यादा दुखने लगता था -' हैरी को इस विषय पर रॉन के विचार याद आए और वह आगे कहने लगा '- आप यह बात कैसे जानते हैं कि वे वोल्डेमॉर्ट के लिए मेरे दिमाग़ को नरम नहीं बना रहे थे, उसके लिए मेरे दिमाग़ में घुसने को ज़्यादा आसान नहीं बना रहे थे -'

'मुझे सीवियरस स्नेप पर भरोसा है,' डम्बलडोर ने कहा। 'लेकिन मैं भूल गया था - बूढ़े आदमी की एक और ग़लती - कि कुछ घाव इतने गहरे होते हैं कि कभी नहीं भरते। मैंने सोचा था कि प्रोफ़ेसर स्नेप तुम्हारे डैडी के बारे में अपनी भावनाओं से उबर सकते हैं - मैं ग़लत था।'

'लेकिन वे **ठीक हैं**, है ना?' हैरी चिल्लाया और उसने दीवारों पर टँगी तस्वीरों के हैरान चेहरों तथा वितृष्णा भरी बुदबुदाहटों को नज़रअंदाज़ कर दिया। 'यह ठीक है कि स्नेप मेरे डैडी से नफ़रत करें, लेकिन यह ठीक नहीं है कि सिरियस क्रीचर से नफ़रत करे?'

'सिरियस क्रीचर से नफ़रत नहीं करता था,' डम्बलडोर ने कहा। 'वह तो उसे एक ऐसा दास मानता था, जिसमें ज़्यादा दिलचस्पी लेने या जिसकी तरफ़ ध्यान देने की ज़रूरत नहीं थी। उदासीनता और उपेक्षा अक्सर स्पष्ट नापसंदगी से ज़्यादा नुक़सान करती हैं ... आज रात को हमने जिस फव्वारे को नष्ट किया,

वह झूठ था। हम जादूगरों ने अपने साथियों से बहुत लंबे समय से ग़लत व्यवहार किया है और उनका शोषण किया है। अब हम उसी का परिणाम भुगत रहे हैं।'

हैरी चिल्लाया, **'तो सिरियस के साथ जो हुआ, वह उसका हक़दार था, है ना?'**

'मैंने यह तो नहीं कहा, न ही तुम मुझे ऐसा कहते सुनोगे,' डम्बलडोर ने धीरे से जवाब दिया। 'सिरियस क्रूर नहीं था। वह आम तौर पर घरेलू जिन्नों के प्रति दयालु था। उसे क्रीचर से प्रेम नहीं था, क्योंकि क्रीचर उस घर की जीवित याद थी, जिससे सिरियस नफ़रत करता था।'

'हाँ, वह उस घर से नफ़रत करता था!' हैरी बोला। उसकी आवाज़ टूट गई, उसने डम्बलडोर की तरफ़ पीठ फेर ली और दूर चल दिया। धूप अब कमरे के भीतर चमक रही थी और सभी तस्वीरों की आँखें उसी पर टिकी थीं। उसे पता नहीं था कि वह क्या कर रहा था। उसे तो ऑफ़िस भी नहीं दिख रहा था। 'आपने उसे उस घर में बंद रखा, जबकि उसे उससे नफ़रत थी, इसीलिए वह कल रात को बाहर निकलना चाहता था -'

डम्बलडोर ने शांति से कहा, 'मैं तो सिरियस को ज़िंदा रखने की कोशिश कर रहा था।'

'लोगों को घर में बंद रहना अच्छा नहीं लगता है!' हैरी ने आवेश में उनकी तरफ़ मुड़ते हुए कहा। 'आपने मेरे साथ भी तो पिछली गर्मियों में यही किया था -'

डम्बलडोर ने अपनी आँखें बंद कर लीं और अपना चेहरा अपनी लंबी उँगलियों वाले हाथों में छिपा लिया। हैरी ने उन्हें देखा, लेकिन डम्बलडोर की थकान या दुख से वह नरम नहीं पड़ा। इसके विपरीत, वह इस बात पर और ग़ुस्सा हुआ कि डम्बलडोर कमज़ोरी के लक्षण दिखा रहे हैं। जब हैरी उन पर अपना ग़ुस्सा और भड़ास निकालना चाहता है, तो उन्हें कमज़ोर नहीं पड़ना चाहिए।

डम्बलडोर ने हाथ नीचे कर लिए और आधे चाँद के आकार के चश्मे से हैरी को देखा।

उन्होंने कहा, 'हैरी, अब समय आ गया है कि मैं तुम्हें वह बात बता दूँ, जो मुझे तुम्हें पाँच साल पहले बता देनी चाहिए थी। मेहरबानी करके बैठ जाओ। मैं तुम्हें सारी बातें बताने वाला हूँ। बस थोड़ा धैर्य रखो। जब मेरी बात ख़त्म हो जाएगी, तो तुम्हें मुझ पर ग़ुस्सा होने - या जो चाहते हो वह करने - का पूरा मौक़ा मिलेगा। मैं तुम्हें नहीं रोकूँगा।'

हैरी ने एक पल के लिए उन्हें ग़ुस्से से घूरा, फिर डम्बलडोर के सामने वाली कुर्सी पर झपटकर बैठ गया और इंतज़ार करने लगा।

डम्बलडोर ने एक पल के लिए खिड़की के बाहर के धूप भरे मैदान को घूरा और फिर हैरी की तरफ़ देखते हुए बोले, 'हैरी, पाँच साल पहले तुम हॉगवर्ट्स आए थे, सुरक्षित और सही-सलामत, जैसी मैंने योजना बनाई थी और जैसा मैं चाहता था, हालाँकि इस दौरान तुमने बहुत कष्ट उठाए थे। जब मैंने तुम्हें तुम्हारे अंकल-आंटी की चौखट पर छोड़ा था, तब मैं जानता था कि तुम कष्ट उठाओगे। मैं जानता था कि मैं तुम्हें दस अंधकारमय और मुश्किल सालों की सज़ा दे रहा हूँ।'

वे रुके। हैरी कुछ नहीं बोला।

'तुम पूछ सकते हो - और तुम्हारे पास यह पूछने का अच्छा कारण है - कि ऐसा क्यों ज़रूरी था। तुम्हें किसी जादूगर परिवार में क्यों नहीं रखा गया? कई जादूगर परिवार ख़ुशी-ख़ुशी इसके लिए तैयार हो जाते। तुम्हें बेटे के रूप में पालना उनके लिए गर्व और आनंद की बात होती।

'मेरा जवाब है कि तुम्हें जीवित रखना मेरी प्राथमिकता थी। तुम कितने ख़तरे में थे, यह बात मेरे अलावा शायद कोई दूसरा नहीं जानता था। वोल्डेमॉर्ट की शक्तियाँ कुछ घंटे पहले ही ख़त्म हुई थीं, लेकिन उसके समर्थक - और उनमें से कई तो उसके जितने ही भयंकर थे - तब भी स्वतंत्र, नाराज़, हताश और हिंसक थे। इसके अलावा मुझे आने वाले वर्षों को ध्यान में रखकर भी निर्णय लेना था। क्या मुझे यक़ीन था कि वोल्डेमॉर्ट हमेशा के लिए चला गया है? नहीं, मैं यह तो नहीं जानता था कि वह दस, बीस या पचास साल बाद लौटेगा, लेकिन मुझे यक़ीन था कि वह ज़रूर लौटेगा और मुझे यह भी यक़ीन था (क्योंकि मैं उसे अच्छी तरह जानता हूँ) कि वह तब तक चैन से नहीं बैठेगा, जब तक वह तुम्हारी जान नहीं ले लेगा।

'मैं जानता था कि वोल्डेमॉर्ट का जादूगरी का ज्ञान शायद किसी भी अन्य जीवित जादूगर से ज़्यादा है। मैं जानता था कि अगर वह दोबारा पूर्ण शक्तिशाली बन गया, तो वह मेरे सबसे जटिल और सशक्त सुरक्षात्मक मंत्रों तथा सम्मोहनों को भी तोड़ सकता है।

'लेकिन मैं वोल्डेमॉर्ट की कमज़ोरी जानता था। इसीलिए मैंने यह निर्णय लिया। तुम पर मैंने एक प्राचीन जादू कर दिया, जिसके बारे में वह जानता है, लेकिन वह इसे निहायत ही घटिया मानता है और इसलिए इसके महत्व को हमेशा कम आँकता है - और उसने इसी का नतीजा भुगता। ज़ाहिर है, मैं उस घटना के बारे में बोल रहा हूँ, जब तुम्हारी माँ ने तुम्हें बचाने के लिए अपनी जान

दी थी। उन्होंने तुम्हें एक स्थायी सुरक्षा दे दी थी, जिसकी उसे उम्मीद नहीं थी, एक ऐसी सुरक्षा, जो आज तक तुम्हारे ख़ून में है। इसलिए मैंने तुम्हारी माँ के ख़ून पर भरोसा किया। मैंने तुम्हें उनकी बहन और एकमात्र जीवित रिश्तेदार के पास पहुँचा दिया।'

'वे मुझसे प्यार नहीं करती हैं,' हैरी ने एकदम कहा। 'उन्हें मेरी ज़रा भी परवाह नहीं –'

'लेकिन उन्होंने तुम्हें रखा तो सही,' डम्बलडोर ने उसकी बात काटते हुए कहा, 'हो सकता है, उन्होंने तुम्हें मन मारकर, ग़ुस्से से, अनिच्छा से, कटुता से रखा हो, लेकिन इसके बावजूद उन्होंने तुम्हें रखा और ऐसा करके उन्होंने उस सम्मोहन को पक्का कर दिया, जो मैंने तुम पर किया था। तुम्हारी माँ के बलिदान ने ख़ून के बंधन को वह सबसे मज़बूत बंधन बना दिया था, जो मैं तुम्हें दे सकता था।'

'मैं अब भी नहीं समझ –'

'जब तक तुम उस जगह को अपना घर कह सकते थे, जहाँ तुम्हारी माँ का ख़ून रहता हो, तब तक वोल्डेमॉर्ट तुम्हें हाथ नहीं लगा सकता था या नुक़सान नहीं पहुँचा सकता था। उसने तुम्हारी माँ का ख़ून बहाया था, लेकिन यह तुममें और उनकी बहन में अब भी जीवित है। उनका ख़ून तुम्हारी ढाल बन गया। तुम्हें हर साल वहाँ एक बार लौटना होगा, लेकिन जब तक तुम उसे घर कह सकते हो, जब तक तुम वहाँ रहते हो, तब तक वह तुम्हें नुक़सान नहीं पहुँचा सकता। तुम्हारी आंटी यह बात जानती हैं। मैंने उस चिट्ठी में उन्हें सारी बात बताई थी, जो मैं तुम्हारे साथ उनकी चौखट पर छोड़कर आया था। वे जानती हैं कि तुम्हें घर में रखने के कारण ही पिछले पंद्रह सालों से तुम ज़िंदा हो।'

हैरी बोला, 'एक पल रुकिए।'

वह अपनी कुर्सी पर तनकर बैठा और डम्बलडोर को घूरने लगा।

'वह भोंपू आपने भेजा था। आपने उन्हें कुछ याद रखने को कहा था – वह आपकी आवाज़ थी –'

डम्बलडोर ने अपना सिर थोड़ा सा झुकाते हुए कहा, 'मैंने सोचा कि उन्हें हमारे बीच हुए उस क़रार की याद दिला देनी चाहिए, जो उन्होंने तुम्हें घर में रखकर पक्का किया था। मुझे शक था कि दमपिशाच के हमले के बाद उन्हें तुम्हें घर पर रखने के ख़तरों की याद आ गई होगी।'

'हाँ, ऐसा ही हुआ था,' हैरी धीरे से बोला। 'देखिए, आंटी से ज़्यादा अंकल को लगा था। वे तो मुझे घर से बाहर निकालना चाहते थे, लेकिन भोंपू के

आने के बाद आंटी ने – आंटी ने मुझे रुकने को कहा।'

उसने एक पल के लिए फ़र्श को घूरा, फिर बोला, 'लेकिन इसका इस बात से क्या लेना-देना –'

वह सिरियस का नाम नहीं ले सकता था।

'तो पाँच साल पहले,' डम्बलडोर ने आगे कहा, जैसे वे अपनी कहानी में बीच में रुके ही न हों, 'तुम हॉगवर्ट्स आ गए। तुम उतने ख़ुश या हट्टे-कट्टे तो नहीं थे, जितना मैं पसंद करता, लेकिन फिर भी जीवित और सही-सलामत थे। तुम लाड़-प्यार में बिगड़े राजकुमार नहीं थे, बल्कि उतने ही सामान्य बच्चे थे, जितना मैं इन परिस्थितियों में उम्मीद कर सकता था। अब तक मेरी योजना अच्छी तरह काम कर रही थी।

'और फिर ... देखो, तुम्हें हॉगवर्ट्स में अपने पहले साल की घटनाएँ उतनी ही अच्छी तरह याद होंगी, जितनी कि मुझे हैं। तुमने अपने सामने आई चुनौती का बहुत अच्छी तरह सामना किया – और मेरी उम्मीद से पहले – बहुत पहले – तुम्हारा वोल्डेमॉर्ट से सामना हो गया। तुम एक बार फिर बच गए। तुमने इससे भी बड़ा काम किया। तुमने उसकी वापसी में देर करा दी। तुम किसी मर्द की तरह लड़े। मुझे तुम पर इतना गर्व हुआ कि मैं बता नहीं सकता।

'लेकिन मेरी इस अद्भुत योजना में एक ख़ामी थी,' डम्बलडोर ने कहा। 'एक ऐसी ख़ामी, जो मेरी पूरी योजना को चौपट कर सकती थी। मैं जानता था कि मेरी योजना की सफलता कितनी महत्वपूर्ण है, इसलिए मैंने सोचा कि मैं इस ख़ामी को अपनी योजना बर्बाद नहीं करने दूँगा। सिर्फ़ मैं ही इसे रोक सकता था, इसलिए सिर्फ़ मुझे ही सशक्त बनना था। और मेरा पहला इम्तहान तब हुआ, जब तुम वोल्डेमॉर्ट के साथ संघर्ष करने के बाद कमज़ोरी की हालत में अस्पताल में पड़े थे।'

हैरी ने कहा, 'मैं समझ नहीं पा रहा हूँ कि आप क्या कह रहे हैं ?'

'तुम्हें याद नहीं है, तुमने अस्पताल में मुझसे पूछा था कि वोल्डेमॉर्ट ने तुम्हें बचपन में मारने की कोशिश क्यों की थी ?'

हैरी ने सिर हिलाया।

'क्या मुझे तुम्हें तभी बता देना चाहिए था ?'

हैरी ने उन नीली आँखों में देखा। हालाँकि वह कुछ नहीं बोला, लेकिन उसका दिल दोबारा सरपट भाग रहा था।

'तुम्हें अब तक योजना की ख़ामी नहीं दिख पाई ? नहीं, शायद नहीं। ख़ैर, जैसा तुम जानते हो, मैंने उस बात का जवाब नहीं दिया। मैंने सोचा कि

ग्यारह साल की उम्र बहुत कम होती है और इस समय बताना ठीक नहीं रहेगा। मैं तुम्हें कभी भी इस उम्र में यह बात नहीं बताना चाहता था। इतनी कम उम्र में इतनी बड़ी बात झेलना आसान नहीं होता।

'मुझे तभी ख़तरे के लक्षणों को पहचान लेना चाहिए था। मुझे ख़ुद से यह पूछना चाहिए था कि जब तुमने मुझसे वह सवाल पूछा था, तो मुझे ज़्यादा विचलित नहीं होना चाहिए था, बल्कि उस सवाल का जवाब तभी दे देना चाहिए था, क्योंकि मैं जानता था कि एक न एक दिन तो मुझे भयंकर जवाब देना ही पड़ेगा। मुझे यह पहचान लेना चाहिए था कि मैं उस दिन जवाब न देने के लिए बहाना बना रहा था और यह कह रहा था कि तुम्हारी उम्र कम है ... तुम छोटे थे, बहुत छोटे।

'और फिर हॉगवर्ट्स में तुम्हारा दूसरा साल शुरू हो गया। एक बार फिर तुमने उन चुनौतियों का सामना किया, जिनका बड़े-बड़े जादूगर भी सामना नहीं कर पाते। एक बार फिर तुम मेरी उम्मीद से ज़्यादा बहादुर निकले। बहरहाल, तुमने मुझसे दोबारा यह नहीं पूछा कि वोल्डेमॉर्ट ने तुम पर वह निशान क्यों छोड़ा था। हमने तुम्हारे निशान के बारे में बातचीत तो की ... हम इस विषय के बहुत, बहुत क़रीब आ गए थे। मैंने तुम्हें तभी सब कुछ क्यों नहीं बता दिया ?

'मुझे लगा कि आख़िर बारह साल की उम्र भी ग्यारह से ज़्यादा बेहतर नहीं होती है, जो इस जानकारी को सहन कर सके। मैंने तुम्हें अपने सामने से ख़ून से सना, थका हुआ, लेकिन ख़ुश लौट जाने दिया। मुझे थोड़ी परेशानी तो हुई कि शायद मुझे तुम्हें सब कुछ बता देना चाहिए था, लेकिन मैंने उसे दबा लिया। तुम अब भी बहुत छोटे थे और मैं उस रात तुम्हारी जीत का मज़ा किरकिरा नहीं करना चाहता था ...

'तुमने देखा, हैरी ? तुमने अब मेरी शानदार योजना की ख़ामी देखी ? मैं उसी जाल में फँस गया था, जिसे मैंने पहले से भाँप लिया था, जिसके बारे में मैंने सोचा था कि मैं उससे बच सकता हूँ, जिससे मुझे बचना ही था।'

'नहीं -'

'मैं तुम्हारी बहुत ज़्यादा परवाह करता था,' डम्बलडोर ने कहा। 'तुम्हें सच्चाई बताने के बजाय मुझे तुम्हारी ख़ुशी की ज़्यादा परवाह थी! अपनी योजना के बजाय मुझे तुम्हारी मानसिक शांति की परवाह थी! मैं जानता था कि मेरी योजना के असफल हो जाने पर कई जानें जा सकती हैं, लेकिन उनके बजाय मुझे तुम्हारी जान की ज़्यादा परवाह थी! दूसरे शब्दों में मैंने ठीक वही काम किया, जिसकी वोल्डेमॉर्ट हम जैसे मूर्खों से उम्मीद करता है।

'क्या कोई बचाव है ? मुझे नहीं लगता कि किसी और ने तुम पर उतनी

क़रीबी नज़र रखी है, जितनी कि मैंने रखी है - तुम तो कल्पना भी नहीं कर सकते कि मैंने तुम पर कितनी क़रीबी नज़र रखी है। तुम जितने कष्ट में थे, मैं तुम्हें उससे ज़्यादा कष्ट नहीं देना चाहता था। मुझे इस बात की क्या परवाह थी कि अनाम और अनजान लोग तथा प्राणी भविष्य में मौत के घाट उतार दिए जाएँगे ? मुझे तो इस बात की परवाह थी कि तुम ज़िंदा, स्वस्थ और ख़ुश रहो। मैंने कभी सपने में भी नहीं सोचा था कि मैं ऐसा कर सकता हूँ।

'तुम थर्ड ईयर में पहुँच गए। मैंने तुम्हें दूर से देखा, जब तुम दमपिशाचों को दूर हटाने के लिए जूझे, जब तुम्हें सिरियस मिला, जब तुम्हें उसकी हक़ीक़त पता चली और जब तुमने उसे बचाया। जब तुमने विजयी अंदाज़ में अपने गॉडफ़ादर को मंत्रालय की गिरफ़्त से बचाया था, क्या मैं तुम्हें उसी पल सब कुछ बता देता ? लेकिन अब, तेरह साल की उम्र में, मेरे बहाने ख़त्म हो रहे थे। तुम छोटे ज़रूर थे, लेकिन तुमने यह साबित कर दिया था कि तुम असाधारण हो। हैरी, मेरी अंतरात्मा परेशान हो रही थी। मैं जानता था कि वह समय जल्दी ही आएगा ...

'लेकिन तुम पिछले साल भूलभुलैया से बाहर निकल आए, तुमने सेडरिक डिगोरी को मरते देखा और ख़ुद बाल-बाल बचे ... फिर भी मैंने तुम्हें नहीं बताया, हालाँकि मैं जानता था कि वोल्डेमॉर्ट के लौटने के बाद मुझे यह काम जल्दी ही करना होगा। और अब, आज रात को, मैं जानता हूँ कि तुम काफ़ी समय से उस जानकारी के लिए तैयार हो, जो मैंने तुम्हें इतने लंबे समय से नहीं दी है, क्योंकि तुम यह साबित कर चुके हो कि मुझे यह बोझ तुम पर इससे पहले ही रख देना चाहिए था। मेरा इकलौता बचाव यह है : मैं जानता था कि तुम पर स्कूल के बाक़ी विद्यार्थियों से ज़्यादा बोझ था, इसलिए मैं एक अतिरिक्त - और सबसे बड़े - बोझ को तुम पर लादना नहीं चाहता था।'

हैरी ने इंतज़ार किया, लेकिन डम्बलडोर कुछ नहीं बोले।

'मैं अब भी नहीं समझा।'

'वोल्डेमॉर्ट ने तुम्हें बचपन में मारने की कोशिश इसलिए की थी, क्योंकि तुम्हारे पैदा होने से पहले एक भविष्यवाणी की गई थी। वह जानता था कि भविष्यवाणी हुई है, लेकिन वह पूरी भविष्यवाणी नहीं जानता था। जब तुम बच्चे थे, तभी वह तुम्हें मारने निकल पड़ा, क्योंकि उसे यक़ीन था कि वह भविष्यवाणी की शर्तों को पूरा कर रहा है। जब तुम्हें मारने वाला शाप उसी को पलटकर लगा, तो उसे पता चल गया कि वह ग़लत था। इसीलिए अपने शरीर को हासिल करने के बाद और ख़ास तौर पर पिछले साल उसके हाथ से तुम्हारे असाधारण रूप से बच निकलने के बाद वह पूरी भविष्यवाणी को सुनने के लिए

बेताब था। यही वह हथियार था, जिसे वह अपनी वापसी के बाद इतनी शिद्दत से तलाश रहा था : यह ज्ञान कि तुम्हें नष्ट कैसे किया जाए।'

सूरज अब पूरी तरह उग चुका था : डम्बलडोर का ऑफ़िस धूप में नहा चुका था। जिस काँच के केस में गौरव गरुड़द्वार की तलवार रखी थी, वह सफ़ेद चमक रहा था और अर्ध-पारदर्शी था। हैरी ने फ़र्श पर जो यंत्र फेंके थे, उनके टुकड़े पानी की बूँदों की तरह चमक रहे थे और उसके पीछे नन्हा ज्वाला राख के अपने घोंसले में हल्की-हल्की आवाज़ें निकाल रहा था।

'भविष्यवाणी फूट गई,' हैरी ने सूनेपन से कहा। 'मैं तोरणद्वार वाले कमरे में नेविल को सीढ़ियों के ऊपर खींच रहा था, तभी नेविल का दुशाला फट गया और यह गिर गई ...'

'जो फूटा था, वह सिर्फ़ रहस्य विभाग द्वारा भविष्यवाणी का रखा गया रिकॉर्ड था। लेकिन वह भविष्यवाणी किसी के सामने की गई थी और उस व्यक्ति को वह भविष्यवाणी बहुत अच्छी तरह से याद है।'

'इसे किसने सुना था?' हैरी ने पूछा, हालाँकि वह जवाब का अंदाज़ा लगा सकता था।

'मैंने?' डम्बलडोर ने कहा। 'सोलह साल पहले एक ठंडी, बारिश भरी रात को हॉग्स हेड सराय के बार के ऊपर वाले एक कमरे में मैंने यह भविष्यवाणी सुनी थी। मैं वहाँ पर ज्योतिष के टीचर की एक आवेदक से मिलने गया था, हालाँकि मैं यह नहीं चाहता था कि हमारे यहाँ ज्योतिष का विषय रहे। बहरहाल, वह आवेदक एक बहुत मशहूर और बहुत प्रतिभाशाली भविष्यवक्ता की पर-पर-पोती थी, इसलिए मैंने सोचा कि सामान्य शिष्टाचारवश उससे मिलने जाना चाहिए। लेकिन उससे मिलकर मुझे निराशा हुई। मुझे लगा कि उसमें ज़रा भी प्रतिभा नहीं है। मैंने उसे बता दिया कि मुझे नहीं लगता कि वह उस पद के लिए उपयुक्त रहेगी। मैं चलने के लिए मुड़ा।'

डम्बलडोर खड़े हो गए और हैरी के पास से होते हुए ज्वाला के अड्डे के पास रखी काली अलमारी तक गए। उन्होंने अलमारी खोलकर उसके भीतर से पत्थर का एक ख़ाली पात्र निकाला। इस पात्र के कोनों पर पुरातन लिपियाँ उकेरी गई थीं और इसी में हैरी ने अपने डैडी को स्नेप को प्रताड़ित करते देखा था। डम्बलडोर वापस डेस्क तक आए, उस पर स्मृतिपात्र रखा और अपनी छड़ी अपने माथे पर लगाई। वहाँ से उन्होंने विचार के बहुत पतले और चाँदी जैसे धागे छड़ी पर निकाले और उन्हें पात्र में डाल दिया। वे अपनी डेस्क के पीछे दोबारा बैठ गए और एक पल के लिए स्मृतिपात्र में अपने विचारों को घुमड़ते देखते रहे। फिर एक आह भरकर उन्होंने अपनी छड़ी उठाई और इसकी नोक से

चाँदी जैसे पदार्थ को हिलाया।

उसमें से एक आकृति बाहर निकली, जो शॉलों में लिपटी हुई थी। चश्मे के पीछे सिबिल ट्रिलोनी की आँखें बहुत बड़ी-बड़ी दिख रही थीं। वे धीरे से घूमीं और उनके पैर पात्र में थे। लेकिन जब वे बोलीं, तो सामान्य रहस्यमयी आवाज़ में नहीं, बल्कि कठोर, भर्राई हुई आवाज़ में बोल रही थीं, जिसे हैरी एक बार पहले भी सुन चुका था :

'शैतानी शहंशाह को परास्त करने की शक्ति वाला व्यक्ति आने वाला है ... वह उन लोगों के घर पैदा होगा, जिन्होंने तीन बार शैतानी शहंशाह का विरोध किया है। वह तब पैदा होगा, जब सातवाँ महीना ख़त्म होने वाला होगा ... और शैतानी शहंशाह उसे अपनी बराबरी का मानेगा, लेकिन उसमें ऐसी शक्तियाँ होंगी, जिनके बारे में शैतानी शहंशाह को पता नहीं होगा ... और इनमें से एक दूसरे के हाथ से मरेगा, क्योंकि एक के रहते दूसरा ज़िंदा नहीं रह सकता ... शैतानी शहंशाह को परास्त करने वाला सातवाँ महीना ख़त्म होते समय पैदा होगा ...'

प्रोफ़ेसर ट्रिलोनी धीरे-धीरे घूमती हुई चाँदी जैसे पदार्थ में जाकर ग़ायब हो गईं।

ऑफ़िस में गहरी ख़ामोशी छा गई। डम्बलडोर, हैरी या किसी तस्वीर ने कोई आवाज़ नहीं की। यहाँ तक कि ज्वाला भी पूरी तरह ख़ामोश था।

'प्रोफ़ेसर डम्बलडोर ?' हैरी ने बहुत धीरे से कहा, क्योंकि डम्बलडोर अब भी स्मृतिपात्र की तरफ़ देख रहे थे और पूरी तरह ख़्यालों में खोए दिख रहे थे। 'यह ... क्या इसका मतलब है ... इसका क्या मतलब है ?'

'इसका मतलब यह था,' डम्बलडोर ने कहा, 'कि लॉर्ड वोल्डेमॉर्ट को जीत सकने वाला इकलौता व्यक्ति लगभग सोलह साल पहले जुलाई के अंत में पैदा होगा। यह लड़का उन माता-पिताओं के घर पैदा होगा, जिन्होंने वोल्डेमॉर्ट का तीन बार विरोध किया था।'

हैरी को महसूस हुआ, जैसे कोई चीज़ उसे जकड़ रही थी। उसे एक बार फिर साँस लेना मुश्किल लगने लगा।

'इसका मतलब है – मैं ?'

डम्बलडोर ने उसे अपने चश्मे के पीछे से एक पल तक देखा।

उन्होंने धीरे से कहा, 'हैरी, भविष्यवाणी में एक अजीब बात है। इसका मतलब पूरी तरह यह नहीं था कि वह लड़के तुम ही हो। सिबिल की भविष्यवाणी दो जादूगर लड़कों पर लागू हो सकती थी। दोनों लड़के उस साल जुलाई के अंत

में पैदा हुए थे, दोनों के माता-पिता मायापंछी के समूह में थे और दोनों के ही माता-पिता वोल्डेमॉर्ट के हाथों तीन बार बाल-बाल बचे थे। ज़ाहिर है, एक तुम थे। और दूसरा नेविल लॉंगबॉटम था।'

'लेकिन फिर ... लेकिन फिर भविष्यवाणी पर मेरा नाम क्यों था, नेविल का क्यों नहीं था?'

डम्बलडोर ने कहा, 'वोल्डेमॉर्ट ने बचपन में तुम पर हमला किया, उसके बाद आधिकारिक रिकॉर्ड पर दोबारा लेबल लगाया गया था। भविष्यवाणी हॉल के प्रबंधक को यह लगा कि वोल्डेमॉर्ट ने तुम्हें मारने की कोशिश इसलिए की थी, क्योंकि वह जानता था कि सिबिल का इशारा तुम्हारी ही तरफ़ था।'

हैरी ने कहा, 'तो फिर - हो सकता है कि वह मैं नहीं हूँ?'

डम्बलडोर ने धीरे से कहा, जैसे हर शब्द बोलने के लिए उन्हें बड़ी मेहनत करनी पड़ रही हो, 'मुझे लगता है, इसमें कोई शक नहीं है कि वह लड़के तुम ही हो।'

'लेकिन जैसा आपने कहा - नेविल भी तो जुलाई के अंत में पैदा हुआ था - और उसके मम्मी-डैडी -'

'तुम भविष्यवाणी के अगले हिस्से को भूल रहे हो, उस लड़के को पहचानने के आख़िरी लक्षण को, जो वोल्डेमॉर्ट को परास्त कर सकता है ... वोल्डेमॉर्ट ख़ुद *उसे अपनी बराबरी का मानेगा*। और उसने ऐसा ही किया, हैरी। उसने नेविल को नहीं, तुम्हें चुना। उसने तुम्हें वह निशान दिया, जो वरदान और अभिशाप दोनों साबित हुआ।'

'लेकिन हो सकता है कि उसने ग़लत चुनाव कर लिया हो!' हैरी ने कहा। 'हो सकता है उसने ग़लत व्यक्ति को चुन लिया हो!'

'उसने उस लड़के को चुना, जो उसके हिसाब से उसके लिए सबसे ज़्यादा ख़तरनाक हो सकता था,' डम्बलडोर ने कहा। 'और हैरी, इस बात पर ध्यान दो : उसने शुद्ध ख़ून वाले को नहीं चुना (जो उसके सिद्धांत के अनुसार असली जादूगर होने का हक़दार था), बल्कि अपनी ही तरह आधे ख़ून वाले को चुना। उसने तुम्हें देखने से पहले ही तुममें अपनी छवि देख ली। तुम्हें वह निशान देते समय वह तुम्हें नहीं मार पाया, जैसा उसका इरादा था, बल्कि उसने तुम्हें ऐसी शक्तियाँ और ऐसा भविष्य दे दिया, जिसकी वजह से तुम उससे एक बार नहीं, बल्कि चार बार बच चुके हो - तुम्हारे या नेविल के माता-पिता भी यह नहीं कर पाए थे।'

'तो फिर उसने ऐसा क्यों किया?' हैरी ने कहा, जो सुन्न और ठंडा

महसूस करने लगा। 'उसने मुझे बचपन में मारने की कोशिश क्यों की? उसे यह देखने का इंतज़ार करना चाहिए था कि बड़े होने पर नेविल या मुझमें कौन ज़्यादा ख़तरनाक लगता है। इसी के बाद उसे हममें से किसी को मारने की कोशिश करनी चाहिए थी –'

'यही ज़्यादा व्यावहारिक क़दम होता,' डम्बलडोर ने कहा, 'लेकिन भविष्यवाणी के बारे में वोल्डेमॉर्ट की जानकारी अधूरी थी। सिबिल ने हॉग्स हेड को सस्ता होने के कारण चुना था। वहाँ थ्री ब्रूमस्टिक्स से ज़्यादा अजीब लोग आते हैं। जैसा तुम्हें और तुम्हारे दोस्तों को बाद में पता चला और जैसा उस रात मुझे पता चला, यह एक ऐसी जगह है, जहाँ कोई भी आपकी बातचीत सुन सकता है। ज़ाहिर है, सिबिल ट्रिलोनी से मिलने जाते वक़्त मैंने सपने में भी नहीं सोचा था कि वहाँ पर ऐसी कोई बात होगी, जिसके दूसरों के सुनने से फ़र्क़ पड़ेगा। ओह – लेकिन ख़ुशक़िस्मती यह रही कि थोड़ी सी भविष्यवाणी सुनने के बाद ही सुनने वाले को पकड़ लिया गया और सराय से बाहर निकाल दिया गया।'

'तो उसने सिर्फ़ – ?'

'उसने सिर्फ़ शुरुआत वाली बात ही सुनी थी। वह हिस्सा जिसमें जुलाई के अंत में पैदा होने वाले लड़के के बारे में बताया गया था, जिसके माता-पिता ने तीन बार वोल्डेमॉर्ट का विरोध किया था। परिणामस्वरूप, वह अपने मालिक को यह चेतावनी नहीं दे सकता था कि तुम पर हमला करने और तुम्हें अपनी बराबरी का मानने का यह मतलब था कि वह तुम्हें अपनी शक्तियाँ दे देगा। तो वोल्डेमॉर्ट कभी नहीं जानता था कि तुम पर हमला करने में ख़तरा हो सकता है या इंतज़ार करने और ज़्यादा जानने में समझदारी हो सकती है। वह नहीं जानता था कि तुममें ऐसी शक्तियाँ होंगी, जिनके बारे में *शैतानी शहंशाह को पता नहीं होगा* –'

'लेकिन मुझमें नहीं हैं!' हैरी ने घुटी हुई आवाज़ में कहा। 'मुझमें ऐसी कोई शक्ति नहीं है, जो उसमें नहीं है। मैं उस तरीक़े से नहीं लड़ सकता, जिस तरीक़े से वह आज रात को लड़ा था। मैं लोगों के शरीर पर क़ब्ज़ा नहीं कर सकता या – या उन्हें मार नहीं सकता –'

'रहस्य विभाग में एक कमरा है,' डम्बलडोर ने बीच में कहा, 'जिस पर हर समय ताला लगा रहता है। इसमें एक ऐसी शक्ति है, जो मौत, इंसानी बुद्धि या प्रकृति की शक्तियों से ज़्यादा अद्भुत और भयंकर है। शायद यह वहाँ रखी अन्य शक्तियों से ज़्यादा महत्वपूर्ण है। उस कमरे में मौजूद शक्ति तुममें बहुत ज़्यादा है और वोल्डेमॉर्ट में बिलकुल नहीं है। वही शक्ति तुम्हें आज रात सिरियस को

बचाने ले गई थी। उसी शक्ति ने तुम्हें वोल्डेमॉर्ट के क़ब्ज़े से बचाया था, क्योंकि वह जिस शक्ति को हिक़ारत की नज़र से देखता है, उससे भरे हुए शरीर में रहना बर्दाश्त नहीं कर सकता। अंत में, इससे कोई फ़र्क़ नहीं पड़ा कि तुम अपना दिमाग़ बंद नहीं कर पाए। तुम्हारे दिल ने तुम्हें बचा लिया।'

हैरी ने अपनी आँखें मूँद लीं। अगर वह सिरियस को बचाने नहीं गया होता, तो सिरियस ज़िंदा होता ... सिरियस के बारे में दोबारा सोचने के पल को टालने के लिए हैरी ने पूछा, हालाँकि उसे जवाब की परवाह नहीं थी, 'भविष्यवाणी के अंत में ... ऐसा कहा गया था ... *एक के रहते ...*'

'... *दूसरा ज़िंदा नहीं रह सकता,*' डम्बलडोर ने कहा।

'तो,' हैरी ने उन शब्दों को निकाला, जो उसे अपने भीतर की निराशा के गहरे कुएँ में से आते महसूस हो रहे थे, 'तो क्या इसका मतलब यह है कि ... कि हममें से एक को दूसरे को मारना होगा ... अंत में?'

'हाँ,' डम्बलडोर ने कहा।

काफ़ी देर तक कोई कुछ नहीं बोला। ऑफ़िस की दीवारों से बहुत दूर हैरी को आवाज़ें सुनाई दे रही थीं। विद्यार्थी नाश्ता करने के लिए बड़े हॉल में जा रहे थे। यह असंभव लग रहा था कि इस दुनिया में ऐसे लोग भी हो सकते हैं, जो भोजन करना चाहते हैं और हँसते हैं, जो न तो जानते हैं, न ही परवाह करते हैं कि सिरियस ब्लैक हमेशा के लिए चला गया है। सिरियस पहले ही लाखों मील दूर लग रहा था, हालाँकि अब भी हैरी के एक हिस्से को यक़ीन था कि अगर वह उस पर्दे को खींच देता, तो उसे सिरियस अपनी तरफ़ देखता और शायद मुस्कराता हुआ मिलता ...

'मुझे तुम्हें एक और स्पष्टीकरण देना है, हैरी,' डम्बलडोर ने झिझकते हुए कहा। 'शायद तुमने सोचा हो कि मैंने तुम्हें प्रिफ़ेक्ट क्यों नहीं बनाया? मुझे लगा था ... कि तुम्हारे पास पहले से ही काफ़ी जिम्मेदारियाँ थीं।'

हैरी ने उनकी तरफ़ देखा। डम्बलडोर के चेहरे पर एक आँसू फिसलता हुआ उनकी लंबी सफ़ेद दाढ़ी में जा रहा था।

अध्याय अड़तीस

दूसरा युद्ध शुरू होता है

तुम-जानते-हो-कौन लौट आया है

'शुक्रवार रात एक संक्षिप्त बयान में जादू मंत्री कॉर्नेलियस फ़ज ने इस बात की पुष्टि की कि तुम-जानते-हो-कौन इस देश में लौट आया है और दोबारा सक्रिय हो चुका है।

'"बड़े अफ़सोस के साथ मुझे यह पुष्टि करनी पड़ रही है कि जो जादूगर ख़ुद को शहंशाह कहता है - आप जानते हैं मेरा इशारा किसकी तरफ़ है - वह एक बार फिर हमारे बीच जीवित और सक्रिय है," थके और परेशान फ़ज ने पत्रकारों को संबोधित करते हुए कहा। "उतने ही अफ़सोस के साथ हमें यह कहना पड़ रहा है कि अज़्काबान के दमपिशाचों ने सामूहिक विद्रोह कर दिया है और वे मंत्रालय के कर्मचारी बने रहने के इच्छुक नहीं हैं। हमारा मानना है कि दमपिशाच इस समय शैतानी शहंशाह के इशारों पर चल रहे हैं।

'"हम जादूगर समुदाय से सतर्क रहने का आग्रह करते हैं। मंत्रालय प्रारंभिक घरेलू और व्यक्तिगत सुरक्षा की मार्गदर्शिकाएँ प्रकाशित कर रहा है, जो अगले महीने सभी जादूगर घरों में मुफ़्त बाँटी जाएँगी।"

'मंत्रीजी के बयान से जादूगर समुदाय में निराशा और दहशत फैल गई, जिसे पिछले बुधवार तक मंत्रालय के इस तरह के आश्वासन मिल रहे थे कि "इन अफ़वाहों में ज़रा भी सच्चाई नहीं है कि तुम-जानते-हो-कौन लौट आया है।"

'मंत्रालय के दृष्टिकोण में बदलाव का कारण अभी स्पष्ट

नहीं है, हालाँकि यह माना जा रहा है कि तुम-जानते-हो-कौन और उसके कई समर्थक (जिन्हें प्राणभक्षियों के नाम से जाना जाता है) गुरुवार की रात को जादू मंत्रालय में घुस गए थे।

'एल्बस डम्बलडोर टिप्पणी के लिए उपलब्ध नहीं हो पाए, जिन्हें अब दोबारा हॉगवर्ट्स जादूगरी और तंत्र विद्यालय का हेडमास्टर, अंतर्राष्ट्रीय जादूगर महासंघ का सदस्य और जादूगर न्यायसभा का चीफ़ वारलॉक बना दिया गया है। वे साल भर से इस बात पर अडिग थे कि तुम-जानते-हो-कौन मरा नहीं है, जैसी कि आशा और विश्वास था, बल्कि सत्ता हथियाने की नई कोशिश में एक बार फिर समर्थकों को नियुक्त कर रहा है। इस दौरान "वह लड़का जो ज़िंदा बच गया" –

'हैरी, मैं जानती थी कि वे तुम्हारा नाम बीच में ज़रूर घसीटेंगे,' हर्माइनी बोली और उसने अख़बार के ऊपर से उसकी तरफ़ देखा।

वे अस्पताल में थे। हैरी रॉन के पलंग के कोने पर बैठा था और वे दोनों सुन रहे थे, जबकि हर्माइनी *रविवारीय जादूगर* के पहले पन्ने में छपी ख़बर पढ़कर सुना रही थी। जिनी, जिसके टखने को मैडम पॉमफ़्री ने एक पल में ठीक कर दिया था, हर्माइनी के पलंग के सिरे पर थी। नेविल, जिसकी नाक सामान्य आकार की हो चुकी थी, दोनों पलंगों के बीच की कुर्सी पर पैठा था और लूना, जो मिलने आई थी, *द क्विबलर* का ताज़ा अंक उल्टा करके पढ़ रही थी और हर्माइनी की बात सुन ही नहीं रही थी।

'हैरी एक बार फिर "वह लड़का जो ज़िंदा बच गया" हो गया, है ना?' रॉन ने कहा। 'अब वह नाटकबाज़ और धोखेबाज़ नहीं रहा, है ना?'

उसने अपने पलंग के पास वाले केबिनेट पर रखे बहुत सारे चॉकलेट मेंढकों में से मुट्ठी भर उठाए। उनमें से कुछ उसने हैरी, जिनी और नेविल की तरफ़ उछाले और दाँतों से अपने मेंढक का रैपर फाड़ा। उसकी बाँहों पर अब भी गहरे निशान थे, जहाँ मस्तिष्क के फीतों ने उसे कसकर लपेटा था। मैडम पॉमफ़्री ने कहा था कि विचार किसी अन्य चीज़ से ज़्यादा गहरे निशान छोड़ सकते हैं, हालाँकि जब से उन्होंने डॉ. अबलीज़ का ओझल मरहम लगाना शुरू किया था, तब से कुछ सुधार दिख रहा था।

'हाँ हैरी, अब वे तुम्हारी बहुत तारीफ़ें कर रहे हैं,' हर्माइनी ने लेख पर नीचे की तरफ़ नज़रें दौड़ाते हुए कहा : *"सत्य की एकमात्र आवाज़ ... असंतुलित समझे जाने के बावजूद कभी अपनी बात से नहीं डिगा ... उसे हँसी और अपमान*

का पात्र समझा गया ..." हूँ,' हर्माइनी ने त्योरियाँ चढ़ाकर कहा, 'उन्होंने इस बात का ज़िक्र तो किया नहीं कि वे खुद *दैनिक जादूगर* में हँसी उड़ा रहे थे और अपमान कर रहे थे ...'

अचानक कराहते हुए उसने अपनी पसलियों पर हाथ रख लिया। डोलोहोव ने हर्माइनी पर जो शाप मारा था, ख़ामोशी से दिए जाने के कारण उसकी शक्ति कम हो गई थी, लेकिन इसके बावजूद मैडम पॉमफ़्री के शब्दों में 'पर्याप्त नुक़सान हो चुका था।' हर्माइनी को रोज़ाना दस अलग-अलग तरह के काढ़े पीने पड़ रहे थे। उसकी हालत काफ़ी सुधर रही थी और अब वह अस्पताल में पड़े-पड़े बोर हो चुकी थी।

'*तुम-जानते-हो-कौन की क़ब्ज़ा जमाने की आख़िरी कोशिश, पृष्ठ दो से चार तक; मंत्रालय को हमें क्या बताना चाहिए था, पृष्ठ पाँच; किसी ने एल्बस डम्बलडोर की बात क्यों नहीं सुनी, पृष्ठ छह से आठ तक; हैरी पॉटर का एक्सक्लूसिव इंटरव्यू, पृष्ठ नौ* ... अरे,' हर्माइनी ने अख़बार मोड़कर एक तरफ़ फेंकते हुए कहा, 'इससे उन्हें लिखने का काफ़ी मसाला मिल गया है। और हैरी के साथ वाला इंटरव्यू एक्सक्लूसिव नहीं है, वह तो *क्विबलर* में महीनों पहले छप चुका है ...'

'डैडी ने उन्हें वह इंटरव्यू बेच दिया है,' लूना ने *क्विबलर* का पन्ना पलटते हुए कहा। 'उन्हें इसकी बहुत अच्छी क़ीमत मिल गई है, इसलिए हम इस गर्मी में स्वीडन की यात्रा पर जा रहे हैं, ताकि हम क्रम्पल-हॉर्न्ड स्नोरकैक को पकड़ सकें।'

ऐसा लगा, जैसे एक पल के लिए हर्माइनी खुद से जूझी। फिर वह बोली, 'यह तो बढ़िया है।'

जिनी की निगाह हैरी की निगाह से टकराई और वह मुस्कराती हुई दूसरी तरफ़ देखने लगी।

'अच्छा,' हर्माइनी ने थोड़ा सीधे बैठते हुए और दोबारा दर्द भरा मुँह बनाते हुए कहा, 'तो स्कूल में क्या हो रहा है?'

'फ़्लिटविक ने फ्रेड और जॉर्ज के कचरे को हटा दिया,' जिनी ने कहा, 'उन्होंने यह काम तीन सेकंड में कर दिया। लेकिन उन्होंने खिड़की के नीचे एक छोटा सा हिस्सा छोड़ दिया है और उसके आस-पास रस्सियाँ बाँध दी हैं –'

'क्यों?' हर्माइनी ने हैरान दिखते हुए पूछा।

जिनी ने कंधे उचकाते हुए कहा, 'ओह, उन्होंने बस इतना कहा कि यह सचमुच अच्छा जादू था।'

रॉन ने चॉकलेट भरे मुँह से कहा, 'मुझे लगता है कि उन्होंने इसे फ्रेड और जॉर्ज की यादगार के रूप में छोड़ा होगा। उन्होंने मुझे ये चॉकलेटें भेजी हैं,' उसने अपने पास के चॉकलेट मेंढकों के छोटे पहाड़ की तरफ़ इशारा करते हुए हैरी से कहा। 'लगता है, उनकी जोक शॉप अच्छी चल रही होगी, है ना?'

हर्माइनी थोड़ी नाराज़ दिखी और बोली, 'तो क्या डम्बलडोर के वापस आने के बाद सारी मुश्किलें ख़त्म हो गई हैं?'

'हाँ,' नेविल ने कहा, 'हर चीज़ दोबारा सामान्य हो गई है।'

'मुझे लगता है, फ़िल्च ख़ुश होगा, है ना?' रॉन ने चॉकलेट मेंढक वाले एक कार्ड को अपने पानी के जग से टिकाया, जिस पर डम्बलडोर की तस्वीर थी।

'बिलकुल नहीं,' जिनी ने कहा। 'दरअसल वह तो बहुत-बहुत दुखी है ...' उसने अपनी आवाज़ नीची की और फुसफुसाकर बोली। 'वह कहता रहता है कि हॉगवर्ट्स में अंबरिज के आने से ज़्यादा अच्छी घटना तो कभी हुई ही नहीं थी ...'

उन छहों ने मुड़कर देखा। प्रोफ़ेसर अंबरिज उनके सामने वाले पलंग पर लेटी-लेटी छत को ताक रही थीं। डम्बलडोर अकेले ही जंगल में जाकर उन्हें सेनटॉर्स से बचा लाए थे। उन्होंने यह काम कैसे किया – वे प्रोफ़ेसर अंबरिज को सहारा देकर पेड़ों के बीच से बिना खरोंच के कैसे निकले – कोई नहीं जानता था और अंबरिज तो निश्चित रूप से नहीं बता रही थीं। जब से वे महल लौटी थीं, तब से जहाँ तक उन्हें मालूम था, वे एक शब्द भी नहीं बोली थीं। कोई भी यह नहीं जानता था कि उनके साथ क्या गड़बड़ थी। उनके आम तौर पर साफ़ रहने वाले चूहे जैसे बाल अब बहुत गंदे थे और उनमें अब भी टहनियों तथा पत्तियों के टुकड़े दिख रहे थे, लेकिन उनके शरीर पर कोई चोट नहीं दिख रही थी।

हर्माइनी ने फुसफुसाकर कहा, 'मैडम पॉमफ्री कहती हैं कि उन्हें सदमा लगा है।'

जिनी बोली, 'इससे ज़्यादा तो वे खीज रही हैं।'

रॉन अपनी जीभ से घोड़े जैसी आवाज़ निकालते हुए बोला, 'हाँ, अगर ऐसी आवाज़ निकालो, तो वे प्रतिक्रिया करेंगी।' अंबरिज तनकर बैठ गईं और घबराकर चारों तरफ़ देखने लगीं।

मैडम पॉमफ्री ने अपने ऑफ़िस के दरवाज़े से झाँकते हुए पूछा, 'कोई दिक्क़त, प्रोफ़ेसर?'

'नहीं ... नहीं ...' अंबरिज ने अपने तकियों पर दोबारा धँसते हुए कहा। 'नहीं, मैं शायद सपना देख रही थी ...'

हर्माइनी और जिनी ने चादर में अपनी हँसी दबा ली।

'सेनटॉर्स की बात आई है तो,' हर्माइनी ने कहा, जिसने अब ख़ुद को थोड़ा सँभाल लिया था, 'अब ज्योतिष कौन पढ़ाएगा? क्या फ़िरेंज रुकेगा?'

'उसे रुकना ही पड़ेगा,' हैरी ने कहा, 'बाक़ी सेनटॉर्स अब उसे अपने समूह में कभी शामिल नहीं करेंगे, है ना?'

जिनी बोली, 'ऐसा लगता है कि वह और ट्रिलोनी दोनों ही पढ़ाएँगे।'

'शर्त लगाता हूँ, डम्बलडोर चाहते होंगे कि वे ट्रिलोनी से मुक्ति पा जाते,' रॉन ने कहा, जो चौदहवाँ चॉकलेट मेंढक खा रहा था। 'वैसे अगर मुझसे पूछा जाए, तो पूरा विषय बकवास है। फ़िरेंज भी कोई ज़्यादा अच्छा नहीं है ...'

'तुम यह बात कैसे कह सकते हो?' हर्माइनी ने पूछा। 'जब तुम्हें पता चल चुका है कि असली भविष्यवाणियाँ होती *हैं?*'

हैरी का दिल सरपट भागने लगा। उसने रॉन, हर्माइनी या किसी को भी नहीं बताया था कि भविष्यवाणी में क्या था। नेविल ने उन्हें बता दिया था कि मृत्यु कक्ष की सीढ़ियों पर जब हैरी उसे खींच रहा था, तो यह टूट गई थी और हैरी ने अब तक उन्हें सही बात नहीं बताई थी। वह उनके चेहरे के भाव देखने को तैयार नहीं था, जब वह उन्हें बताता कि वह या तो ख़ूनी या फिर शिकार बनेगा। और कोई रास्ता नहीं था ...

हर्माइनी ने अपना सिर हिलाते हुए धीरे से कहा, 'अफ़सोस कि वह टूट गई।'

'हाँ,' रॉन बोला। 'लेकिन तुम-जानते-हो-कौन को भी तो पता नहीं चल पाया कि उसमें क्या था – तुम कहाँ जा रहे हो?' उसने हैरी को खड़ा होते देखकर हैरानी और निराशा से पूछा।

'अर – हैग्रिड के यहाँ,' हैरी ने कहा। 'देखो, वह अभी-अभी वापस लौटा है और मैंने उससे वादा किया था कि मैं उसे तुम दोनों के हाल-चाल बताने ज़रूर आऊँगा।'

'ओह, ठीक है,' रॉन ने कमरे की खिड़की से चमकीले नीले आसमान को देखते हुए शिकायत भरी आवाज़ में कहा, 'काश हम भी चल पाते!'

जब हैरी वार्ड में आगे जाने लगा, तो हर्माइनी बोली, 'हमारी तरफ़ से हैलो कह देना! और उससे पूछ लेना कि उसके छोटे दोस्त ... का हाल-चाल कैसा है!'

हैरी ने कमरे से बाहर निकलते समय अपना हाथ हिलाकर बताया कि उसने सुन लिया है और वह समझ गया है।

महल रविवार के हिसाब से भी काफ़ी शांत लग रहा था। यह स्पष्ट था कि सभी विद्यार्थी धूप भरे मैदान में थे और परीक्षा ख़त्म होने का आनंद उठा रहे थे। अब वे सत्र के आख़िरी दिनों के रिवीज़न या होमवर्क की चिंता से कोसों दूर थे। हैरी धीरे-धीरे वीरान गलियारे में चला और चलते समय खिड़कियों में से बाहर देखता गया। उसे क्विडिच पिच के ऊपर मटरगश्ती करते विद्यार्थी दिख रहे थे। कुछ विद्यार्थी झील में तैर रहे थे। दैत्याकार समुद्रफ़ेनी भी उनके साथ तैर रही थी।

उसे यह फ़ैसला करना मुश्किल लग रहा था कि वह लोगों के साथ रहना चाहता है या नहीं। जब भी वह लोगों के साथ होता था, तो वह अकेला रहना चाहता था और जब वह अकेला होता था, तो वह लोगों के साथ रहना चाहता था। उसने सोचा कि उसे हैग्रिड से जाकर ज़रूर मिलना चाहिए, क्योंकि जब से वह लौटा था, तब से वह उससे ठीक से बात नहीं कर पाया था ...

हैरी अभी संगमरमर की आख़िरी सीढ़ी उतरकर प्रवेश हॉल में पहुँचा ही था कि तभी दाहिनी तरफ़ के एक दरवाज़े से मैल्फ़ॉय, क्रैब और गॉइल निकले। हैरी जानता था कि यह दरवाज़ा नागशक्ति के हॉल की तरफ़ जाता है। हैरी रुक गया। मैल्फ़ॉय और उसके दोस्त भी रुक गए। वे सभी एकदम ख़ामोश थे। सिर्फ़ मैदान की तरफ़ से चिल्लाने, हँसने और छपाक की आवाज़ें बाहर के खुले दरवाज़े से होती हुई हॉल में आ रही थीं।

मैल्फ़ॉय ने चारों तरफ़ देखा – हैरी जानता था कि वह जाँच कर रहा है कि आस-पास कोई टीचर तो नहीं है – फिर उसने हैरी की तरफ़ देखा और धीरे से कहा, 'पॉटर, अब तुम्हारी मौत तय है।'

हैरी ने अपनी भौंहें चढ़ाईं।

'अजीब बात है,' उसने कहा, 'तुमने सोचा होगा कि मैं डर जाऊँगा ...'

हैरी ने पहले कभी मैल्फ़ॉय को इतना नाराज़ नहीं देखा था। उसे एक तरह की विरक्त संतुष्टि मिली, जब उसने उसके पीले, नुकीले चेहरे को ग़ुस्से से विकृत होते देखा।

'तुम्हें इसकी क़ीमत चुकानी पड़ेगी,' मैल्फ़ॉय ने फुसफुसाकर कहा। 'तुमने मेरे डैडी के साथ जो किया है, उसकी क़ीमत मैं तुमसे वसूल करूँगा ...'

'अरे, अब तो मैं दहशत में आ गया हूँ,' हैरी ने ताना मारते हुए कहा। 'मुझे लगता है कि तुम तीनों के मुक़ाबले वोल्डेमॉर्ट से जूझना तो बहुत ही आसान था – क्या हुआ?' उसने पूछा, क्योंकि नाम सुनकर मैल्फ़ॉय, क्रैब और गॉइल सिहर गए थे। 'वह तुम्हारे डैडी का दोस्त है, है ना? तुम उसके नाम से तो नहीं डर गए, क्यों?'

'पॉटर, तुम्हें लगता है कि तुम बहुत बड़े आदमी बन गए हो,' मैल्फ़ॉय ने आगे बढ़ते हुए कहा। क्रैब तथा गॉइल उसके आस-पास थे। 'तुम ज़रा ठहरो तो सही! मैं तुम्हें बताऊँगा। तुम मेरे डैडी को जेल नहीं पहुँचा सकते –'

हैरी बोला, 'मुझे लग रहा था कि वे अब तक तो वहाँ पहुँच भी चुके होंगे।'

मैल्फ़ॉय ने धीरे से कहा, 'दमपिशाच अज़्काबान से जा चुके हैं। डैडी और उनके साथी पलक झपकते ही बाहर निकल आएँगे ...'

'हाँ, मुझे लगता है कि वे निकल आएँगे,' हैरी ने कहा। 'फिर भी, कम से कम हर कोई अब यह तो जान गया है कि वे कितने घटिया हैं –'

मैल्फ़ॉय का हाथ अपनी छड़ी की तरफ़ बढ़ा, लेकिन हैरी उससे तेज़ निकला। मैल्फ़ॉय की उँगलियाँ दुशाले की जेब तक पहुँच पातीं, इससे पहले ही उसने अपनी छड़ी निकाल ली।

'पॉटर!'

प्रवेश हॉल में एक आवाज़ गूँजी। स्नेप अपने ऑफ़िस तक जाने वाली सीढ़ियों पर आ चुके थे और उन्हें देखते ही हैरी के मन में नफ़रत का इतना ज़्यादा एहसास हुआ, जितना मैल्फ़ॉय के प्रति नहीं था ... चाहे डम्बलडोर जो भी कहें, वह स्नेप को कभी माफ़ नहीं करेगा ... कभी नहीं ...

उन चारों की तरफ़ धड़धड़ाकर आते हुए स्नेप ने हमेशा जितने ठंडे अंदाज़ में कहा, 'तुम क्या कर रहे हो, पॉटर ?'

'मैं यह फ़ैसला करने की कोशिश कर रहा हूँ कि मैल्फ़ॉय को कौन सा शाप दूँ, सर,' हैरी ने आवेश में कहा।

स्नेप उसे घूरने लगे।

फिर उन्होंने कहा, 'छड़ी तत्काल अंदर रख लो। गरुड़द्वार के दस पॉइंट कम –'

स्नेप ने दीवारों पर लगे दैत्याकार अवर-ग्लासेस की तरफ़ देखा और व्यंग्य से मुस्कराने लगे।

'आह। गरुड़द्वार के पास तो एक भी पॉइंट नहीं बचा है। पॉटर, इस स्थिति में तो हमें –'

'गरुड़द्वार को कुछ और पॉइंट देने होंगे ?'

प्रोफ़ेसर मैक्गॉनेगल अभी-अभी पत्थर की सीढ़ियों पर चढ़कर महल में दाख़िल हुई थीं। उनके एक हाथ में चौकड़ी वाला बैग था और दूसरे हाथ में छड़ी

थी, जिसके सहारे वे चल रही थीं, लेकिन इसके अलावा उनकी हालत काफ़ी अच्छी दिख रही थी।

'प्रोफ़ेसर मैक्गॉनेगल!' स्नेप ने क़दम आगे बढ़ाते हुए कहा। 'आप सेंट मंगोज़ से आ गईं?'

'हाँ, प्रोफ़ेसर स्नेप,' प्रोफ़ेसर मैक्गॉनेगल ने अपना यात्री चोगा उतारते हुए कहा। 'अब मैं बिलकुल नई हो गई हूँ। तुम दोनों - क्रैब - गॉइल -'

उन्होंने शाही अंदाज़ में उन दोनों को अपने पास बुलाया। वे अपने बड़े-बड़े पैर बढ़ाते हुए अजीब तरीक़े से वहाँ पहुँचे।

प्रोफ़ेसर मैक्गॉनेगल ने क्रैब के सीने पर बैग तथा गॉइल के सीने पर चोगा रखते हुए कहा, 'इन्हें मेरे ऑफ़िस में रख आओ।'

वे संगमरमर की सीढ़ियों पर चढ़ने लगे।

'तो फिर ठीक है,' प्रोफ़ेसर मैक्गॉनेगल ने दीवार पर लगे अवर-ग्लासेस की तरफ़ देखते हुए कहा। 'अच्छा तो मुझे लगता है कि पॉटर और उसके दोस्तों में से हर एक को पचास-पचास पॉइंट मिलने चाहिए, क्योंकि उन्होंने तुम-जानते-हो-कौन के आने के बारे में दुनिया को चेतावनी दी! आप क्या कहते हैं, प्रोफ़ेसर स्नेप?'

'क्या?' स्नेप ने कहा, हालाँकि हैरी जानता था कि उन्होंने यह बात अच्छी तरह से सुन ली थी। 'ओह - अच्छा - मुझे लगता है ...'

'तो पॉटर, दोनों वीज़्ली, लाँगबॉटम और मिस ग्रेंजर को पचास-पचास पॉइंट,' प्रोफ़ेसर मैक्गॉनेगल ने कहा और उनके बोलते ही गरुड़द्वार के अवर-ग्लास में माणिकों की बाढ़ आ गई। 'ओह - और मुझे लगता है - पचास पॉइंट मिस लवगुड को भी,' उन्होंने कहा, जिससे चीलघात वाले खंड में कई नीलम गिर गए। 'प्रोफ़ेसर स्नेप, मुझे लगता है कि आप मिस्टर पॉटर के दस पॉइंट कम करना चाहते थे - तो यह लीजिए ...'

कुछ माणिक कम हो गए, लेकिन अब भी काफ़ी बचे थे।

प्रोफ़ेसर मैक्गॉनेगल ने तेज़ी से कहा, 'अच्छा, पॉटर और मैल्फ़ॉय! मुझे लगता है कि इतने सुहाने दिन में तुम लोगों को बाहर रहना चाहिए!'

हैरी को दोबारा यह याद दिलाने की ज़रूरत नहीं थी। उसने अपनी छड़ी वापस दुशाले में रखी और सीधे सामने वाले दरवाज़े की तरफ़ चल दिया। उसने स्नेप और मैल्फ़ॉय की तरफ़ पलटकर देखा तक नहीं।

जब वह घास पर चलकर हैग्रिड के केबिन की तरफ़ जाने लगा, तो उस पर गर्म धूप पड़ी। विद्यार्थी घास पर पसरकर धूप सेंक रहे थे, बातें कर रहे थे,

रविवारीय जादूगर पढ़ रहे थे और चॉकलेट खा रहे थे। उसके वहाँ से गुज़रते समय उन्होंने उसकी तरफ़ देखा। कुछ ने उसे आवाज़ लगाई या हाथ हिलाया। वे यह दिखाने के लिए स्पष्ट रूप से उत्सुक थे कि उन्होंने भी *दैनिक जादूगर* की तरह उसे हीरो मान लिया था। हैरी ने उनमें से किसी से कुछ नहीं कहा। उसे पता नहीं था कि तीन दिन पहले हुई घटना के बारे में वे कितना जानते थे, लेकिन वह अब तक सवाल पूछे जाने से बचा था और वह ऐसा ही चाहता था।

जब उसने हैग्रिड के केबिन का दरवाज़ा खटखटाया, तो उसे लगा कि वह बाहर होगा, लेकिन तभी फ़ैंग कोने से भागता हुआ आया और उसने इतना उत्साह दिखाया कि हैरी गिरते-गिरते बचा। यह पता चला कि हैग्रिड पीछे वाले बगीचे में सब्ज़ी तोड़ रहा था।

जब हैरी फ़ेंस के पास पहुँचा, तो वह मुस्कराकर बोला, 'आओ, हैरी! अंदर आओ, अंदर आओ, हम एक-एक कप डैंडेलियन जूस पीते हैं ...'

'हाल-चाल कैसे हैं ?' हैग्रिड ने उससे पूछा, जब वे लकड़ी की टेबल पर बैठ गए और उनके सामने बर्फ़ से ठंडा एक-एक गिलास जूस आ गया। 'हाँ - अर - ठीक लग रहा है, क्यों ?'

हैग्रिड के चेहरे की चिंता से हैरी समझ गया कि वह हैरी के शरीर के सही-सलामत होने की बात नहीं कर रहा था।

'मैं ठीक हूँ,' हैरी ने जल्दी से कहा, क्योंकि वह उस विषय पर बातचीत नहीं करना चाहता था, जो हैग्रिड के दिमाग़ में था। 'तो तुम कहाँ गए थे ?'

'पहाड़ों में छिपे थे,' हैग्रिड ने कहा। 'एक गुफा में, जैसा सिरियस ने किया था, जब वह -'

हैग्रिड ने वाक्य अधूरा छोड़ दिया, अपना गला साफ़ करके हैरी की तरफ़ देखा और जूस का एक लंबा घूँट लिया।

'जो भी हो, अब वापस लौट आए हैं,' उसने कमज़ोर आवाज़ में कहा।

'तुम - तुम पहले से ज़्यादा अच्छे दिख रहे हो,' हैरी ने कहा, जो बातचीत को सिरियस से दूर रखने के लिए संकल्पवान था।

'क्या ?' हैग्रिड ने एक विशाल हाथ उठाकर अपने चेहरे पर फेरा। 'ओह - ओह हाँ। देखो, ग्रॉपी अब काफ़ी सुधर चुका है। तुम जानते हो, जब हम वापस लौटे, तो वह हमें देखकर बहुत ख़ुश हुआ। वह सचमुच अच्छा लड़का है ... हम सोच रहे हैं कि उसके लिए एक लड़की ढूँढ़ी जाए ...'

हैरी सामान्य स्थिति में हैग्रिड के मन से यह विचार निकालने की कोशिश करता। जंगल में एक और दानवी के आने की आशंका, जो शायद ग्रॉप से भी

जंगली और क्रूर हो, निश्चित रूप से दहशत भरी थी, लेकिन जाने क्यों हैरी इस मुद्दे पर बहस करने के लिए आवश्यक शक्ति नहीं बटोर पाया। वह सोचने लगा कि काश वह अकेला होता। जल्दी लौटने का सोचकर उसने डैंडेलियन जूस के बड़े-बड़े घूँट लिए और गिलास को आधा ख़ाली कर दिया।

'हैरी, अब सभी जान चुके हैं कि तुम सच बोल रहे थे,' हैग्रिड ने धीरे से और अप्रत्याशित रूप से कहा। वह हैरी को ग़ौर से देख रहा था। 'यह अच्छा हुआ, है ना?'

हैरी ने कंधे उचकाए।

'देखो ...' हैग्रिड टेबल के पार से उसकी तरफ़ झुका, 'हम सिरियस को तुमसे पहले से जानते थे ... वह लड़ते-लड़ते मरा था और यही वह तरीक़ा था, जो उसे पसंद आता –'

हैरी ने ग़ुस्से से कहा, 'वह बिलकुल नहीं जाना चाहता था।'

हैग्रिड ने खिचड़ी बालों वाला अपना बड़ा सिर झुकाया।

वह धीरे से बोला, 'नहीं, हमें नहीं लगता कि वह जाना चाहता था। लेकिन फिर भी, हैरी ... वह कभी घर पर बैठकर दूसरों को लड़ने नहीं देना चाहता था। अगर वह मदद करने नहीं जाता, तो ख़ुद को कभी माफ़ नहीं कर पाता –'

हैरी उछलकर खड़ा हो गया।

उसने मशीनी अंदाज़ में कहा, 'मुझे रॉन और हर्माइनी को देखने के लिए अस्पताल जाना है।'

'ओह,' हैग्रिड ने थोड़ा परेशान दिखते हुए कहा। 'ओह ... तो फिर ठीक है, हैरी ... अपना ध्यान रखना और जब भी मौक़ा मिले, आ जाना ...'

'हाँ ... ठीक है ...'

हैरी तेज़ी से दरवाज़े तक गया और उसे खींचकर खोल लिया। जब तक हैग्रिड अलविदा कह पाता, वह दोबारा धूप में पहुँच चुका था और मैदान पार करने लगा था। एक बार फिर, उसके गुज़रते समय विद्यार्थियों ने उसे आवाज़ें दीं। उसने कुछ पल के लिए आँखें बंद कर लीं। वह सोचने लगा कि काश वे सभी ग़ायब हो जाएँ और आँखें खोलने पर वह मैदान में ख़ुद को अकेला पाए ...

परीक्षाएँ ख़त्म होने और वोल्डेमॉर्ट के भेजे सपने को देखने से पहले की बात और थी! तब तो उसकी सबसे बड़ी ख़्वाहिश यही थी कि जादूगर दुनिया यह जान ले कि वह सच्चाई बता रहा है, यह जान ले कि वोल्डेमॉर्ट लौट आया है और यह जान ले कि वह न तो झूठा, न ही पागल है। लेकिन अब ...

वह झील के पास थोड़ी दूर गया। वह इसके किनारे बैठ गया। झुरमुटों के पीछे रहने के कारण वह आने-जाने वालों की निगाह से छिपा हुआ था। वह चमकते हुए पानी की तरफ़ घूरकर सोचता रहा ...

शायद वह इसलिए अकेला रहना चाहता था, क्योंकि डम्बलडोर से हुई बातचीत के बाद वह बाक़ी सबसे अलग-थलग महसूस कर रहा था। एक अदृश्य रस्सी उसे बाक़ी दुनिया से अलग कर रही थी। वह हमेशा से सबसे अलग था। असली बात तो यह थी कि वह कभी इसका मतलब नहीं समझ पाया था ...

झील किनारे बैठते समय दुख का भयंकर बोझ उसे नीचे खींच रहा था। सिरियस के जाने का एहसास इतना ताज़ा था कि उसे बहुत ज़्यादा डर नहीं लगा। धूप खिली हुई थी, मैदान में चारों तरफ़ हँसते हुए विद्यार्थी भरे थे और हालाँकि वह ख़ुद को उनसे उसी तरह अलग महसूस कर रहा था, जैसे वह किसी अलग प्रजाति का हो, लेकिन फिर भी वहाँ बैठते समय यह यक़ीन करना बहुत मुश्किल था कि ज़िंदगी में या तो वह किसी की हत्या करेगा या फिर कोई उसकी हत्या करेगा ...

वह वहाँ बैठकर काफ़ी देर तक पानी को निहारता रहा। वह कोशिश करता रहा कि अपने गॉडफ़ादर के बारे में न सोचे या यह याद न करे कि इसी जगह के ठीक सामने दूसरे किनारे पर सिरियस एक बार सौ दमपिशाचों से बचने की कोशिश में गिर गया था ...

सूरज ढलने के बाद उसे एहसास हुआ कि उसे ठंड लग रही थी। वह उठकर खड़ा हुआ और महल की तरफ़ लौटने लगा। चलते-चलते वह अपनी आस्तीन से अपना चेहरा पोंछता रहा।

*

रॉन और हर्माइनी सत्र ख़त्म होने के तीन दिन पहले अस्पताल से पूरी तरह ठीक होकर लौट आए। हर्माइनी सिरियस के बारे में बात करने में दिलचस्पी ले रही थी, लेकिन जब भी वह उसका नाम लेती थी, तो रॉन धीरे से आवाज़ निकालकर उसे चुप कर देता था। हैरी को अब भी यक़ीन नहीं था कि वह अपने गॉडफ़ादर के बारे में बातें करना चाहता था। उसकी इच्छा उसके मूड के हिसाब से बदलती रहती थी। बहरहाल, वह एक बात जानता था। हालाँकि उस पल वह बहुत दुखी था, लेकिन प्रिविट ड्राइव के मकान नंबर चार में पहुँचने के बाद उसे हॉगवर्ट्स की बहुत याद आएगी। हालाँकि वह अब समझ गया था कि उसे हर गर्मी वहाँ क्यों लौटना पड़ता था, लेकिन इसके बावजूद उसे यह अच्छा नहीं लग रहा था। सच तो यह था कि वहाँ जाने का विचार उसे पहले कभी इतना भयंकर नहीं लगा था।

सत्र ख़त्म होने के एक दिन पहले प्रोफ़ेसर अंबरिज हॉगवर्ट्स से चली गईं। ऐसा लग रहा था कि डिनर के दौरान वे अस्पताल से चुपके से निकल जाना चाहती थीं। शायद उन्हें यह उम्मीद थी कि वे चोरी-छिपे हॉगवर्ट्स से चली जाएँगी, लेकिन दुर्भाग्य से रास्ते में उन्हें पीव्ज़ मिल गया। पीव्ज़ ने फ्रेड के निर्देशों को पूरा करने के इस आख़िरी अवसर का लाभ उठाया और ख़ुशी-ख़ुशी उन्हें हॉगवर्ट्स से भगाया। वह एक छड़ी और चॉक भरे मोज़े से उन्हें भगाता रहा। कई विद्यार्थी दौड़कर प्रवेश हॉल में आ गए और उन्हें भागते हुए देखते रहे। हाउसों के प्रमुखों ने आधे-अधूरे मन से उन्हें रोकने की कोशिश की। कुछ कमज़ोर निर्देश देने के बाद प्रोफ़ेसर मैक्गॉनेगल स्टाफ़ टेबल पर अपनी कुर्सी पर बैठ गईं और अफ़सोस करने लगीं कि वे ख़ुद अंबरिज के पीछे इसलिए नहीं भाग सकीं, क्योंकि पीव्ज़ उनकी छड़ी ले गया था।

स्कूल में उनकी आख़िरी शाम आ गई। ज़्यादातर विद्यार्थी अपनी पैकिंग पूरी करके सत्र के अंत के विदाई जश्न में नीचे जा रहे थे, लेकिन हैरी ने तो पैकिंग का काम अभी शुरू भी नहीं किया था।

'इसे कल कर लेना!' रॉन ने कहा, जो उनके कमरे में दरवाज़े के पास उसका इंतज़ार कर रहा था। 'चलो, मैं भूख से मरा जा रहा हूँ।'

'मैं जल्दी ही आता हूँ ... तुम जाओ ...'

लेकिन जब रॉन के जाने के बाद कमरे का दरवाज़ा बंद हुआ, तो हैरी ने पैकिंग की गति बढ़ाने की कोई कोशिश नहीं की। वह विदाई जश्न में क़तई नहीं जाना चाहता था। उसे इस बात की चिंता थी कि डम्बलडोर अपने भाषण में उसका ज़िक्र ज़रूर करेंगे। वे निश्चित रूप से वोल्डेमॉर्ट की वापसी का ज़िक्र करेंगे। उन्होंने पिछले साल भी उन्हें यह बात बताई थी ...

हैरी ने अपने संदूक के बिलकुल नीचे से कुछ गुड़ी-मुड़ी दुशाले निकाले, ताकि तह किए हुए दुशालों के लिए जगह बन सके। ऐसा करने पर उसे कोने में एक बुरी तरह लिपटा पैकेट दिखा। उसे समझ में नहीं आया कि यह पैकेट वहाँ कैसे आया। वह नीचे झुका और अपने जूतों के नीचे से खींचकर उसकी जाँच की।

कुछ ही सेकंड में उसे पता चल गया कि यह क्या था। सिरियस ने उसे यह बारह नंबर, ग्रिमॉल्ड चौक में दिया था। *'अगर तुम्हें मेरी ज़रूरत पड़े, तो इसका इस्तेमाल करना, ठीक है?'*

हैरी ने पलंग पर बैठकर पैकेट खोला। उसमें से एक छोटा, चौकोर आईना गिरा। यह पुराना दिख रहा था। यह निश्चित रूप से गंदा था। हैरी ने उसे अपने चेहरे तक उठाया। उसे अपना चेहरा नज़र आया।

उसने आईने को पलटाया। दूसरी तरफ़ सिरियस के हाथ से लिखी हुई पर्ची थी।

यह दोतरफ़ा आईना है। मेरे पास इसका जोड़ीदार आईना है। अगर तुम्हें मुझसे बात करने की ज़रूरत पड़े, तो बस इसे सामने करके मेरा नाम ले लेना। तुम तत्काल मेरे आईने में दिखने लगोगे और मैं तुमसे तुम्हारे आईने में बात कर सकूँगा। जेम्स और मैं अलग-अलग सज़ा काटते समय इनका इस्तेमाल करते थे।

हैरी का दिल सरपट भागने लगा। उसे याद था कि उसने चार साल पहले अपने मृत माता-पिता को शहिवाक़ के दर्पण में देखा था। वह जानता था कि वह इसी वक़्त सिरियस से दोबारा बात कर सकेगा -

उसने चारों तरफ़ देखकर यह पक्का किया कि वहाँ कोई नहीं था। कमरा बिलकुल ख़ाली था। उसने आईने के पीछे देखा, उसे काँपते हाथों से चेहरे तक उठाया और ज़ोर से तथा स्पष्टता से कहा, 'सिरियस।'

उसकी साँस से आईने की सतह पर धुंध जम गई। उसने आईने को और क़रीब कर लिया। उसके भीतर रोमांच की बाढ़ आ रही थी, लेकिन जो आँखें कोहरे के बीच से उसकी तरफ़ मिचमिचा रही थीं, वे निश्चित रूप से उसी की थीं।

उसने दोबारा आईने को पोंछकर साफ़ किया और कहा, ताकि हर अक्षर कमरे में स्पष्टता से गूँज जाए :

'सिरियस ब्लैक!'

कुछ नहीं हुआ। आईने में दिखने वाला कुंठित चेहरा निश्चित रूप से अब भी उसी का था ...

हैरी के दिमाग़ में एक आवाज़ गूँजी। जब सिरियस तोरणद्वार में से गया था, तो उसके पास आईना नहीं था। *इसीलिए* यह काम नहीं कर रहा है ...

हैरी एक पल के लिए बिलकुल स्थिर रहा, फिर उसने आईने को वापस संदूक में फेंक दिया, जिससे यह टूट गया। एक मिनट तक तो उसे यह यक़ीन हो चुका था कि वह सिरियस को देख सकता है, उससे बात कर सकता है ...

निराशा उसके गले तक आ रही थी। वह खड़ा हो गया और अपने संदूक में टूटे हुए आईने के ऊपर बेतरतीब ढंग से सामान फेंकने लगा -

लेकिन तभी उसके मन में अचानक एक विचार आया ... आईने से भी

अच्छा विचार ... एक बहुत बड़ा और महत्त्वपूर्ण विचार ... उसने इस बारे में पहले कभी क्यों नहीं सोचा – उसने पहले कभी क्यों नहीं पूछा?

वह कमरे से भागकर घुमावदार सीढ़ियों से नीचे उतरने लगा। भागते समय वह दीवारों से टकरा रहा था, लेकिन उसका ध्यान उधर नहीं था। वह ख़ाली हॉल के पार भागा, तस्वीर के छेद से बाहर निकला और गलियारे में भागने लगा। उसने मोटी औरत को नज़रअंदाज़ कर दिया, जिसने उसके पीछे चिल्लाकर कहा : 'जश्न शुरू होने वाला है और तुम बहुत बढ़िया दिख रहे हो!'

लेकिन हैरी का जश्न में जाने का कोई इरादा नहीं था ...

ऐसा कैसे हो सकता था कि यहाँ पर बहुत सारे भूत मँडराते रहते थे, जब आपको उनकी कोई ज़रूरत नहीं होती थी, लेकिन इस वक़्त ...

वह सीढ़ियों और गलियारों में भागा, लेकिन उसे कहीं कोई ज़िंदा या मुर्दा व्यक्ति नहीं मिला। ज़ाहिर है, वे सभी बड़े हॉल में थे। वह सम्मोहन के क्लासरूम के बाहर रुक गया। वह हाँफते हुए सोचने लगा कि उसे जश्न ख़त्म होने का इंतज़ार करना होगा ...

लेकिन जैसे ही उसने आशा छोड़ी, उसे एक भूत दिख गया – गलियारे के सिरे पर एक पारदर्शी आकृति तैर रही थी।

'सुनो – सुनो, निक! **निक!**'

उस भूत ने अपना सिर दीवार से बाहर निकाला। उसका पंखों वाला भड़कीला हैट नज़र आया और उसके बाद सर निकोलस डे मिम्सी-पॉर्पिंगटन का ख़तरनाक तरीक़े से झूलता हुआ सिर प्रकट हुआ।

उसने 'गुड ईवनिंग,' कहते हुए अपने बाक़ी शरीर को ठोस दीवार में से बाहर निकाला और हैरी की तरफ़ देखकर मुस्कराया। 'यानी सिर्फ़ मुझे ही देर नहीं हुई है?' उसने आह भरते हुए कहा, 'हालाँकि यह एक अलग मामला है ...'

'निक, क्या मैं तुमसे कुछ पूछ सकता हूँ?'

लगभग सिरकटे निक के चेहरे पर एक बहुत अजीब भाव आ गया, जब उसने अपनी उँगली अपने गले के सख़्त गुलूबंद में डालकर उसे थोड़ा सीधा किया। निश्चित रूप से उसने यह काम सोचने का समय निकालने के लिए किया था। उसने यह काम करना तभी बंद किया, जब उसका आंशिक रूप से कटा हुआ सिर पूरी तरह से गिरने वाला था।

'अर – इस समय हैरी?' निक ने परेशान दिखते हुए कहा। 'क्या यह जश्न के बाद नहीं हो सकता?'

'– नहीं – निक – प्लीज़,' हैरी ने कहा। 'मुझे तुमसे सचमुच बात करनी

है। क्या हम यहाँ चल सकते हैं ?'

जब हैरी ने सबसे पास वाले क्लासरूम का दरवाज़ा खोला, तो लगभग सिरकटे निक ने आह भरी।

'ओह, ठीक है,' उसने समर्पण करने के अंदाज़ में कहा। 'सच कहूँ तो मुझे इसी बात की उम्मीद थी।'

हैरी उसके लिए दरवाज़ा खोलकर खड़ा रहा, लेकिन वह दीवार से उड़कर अंदर पहुँच गया।

'किस बात की उम्मीद ?' हैरी ने दरवाज़ा बंद करते समय पूछा।

'यही कि तुम मेरी तलाश करोगे,' निक ने कहा, जो अब हवा में तैरता हुआ खिड़की तक चला गया था और अँधेरे में डूबते मैदान को देख रहा था। 'ऐसा होता है ... कई बार ... जब किसी का कोई चला जाता है।'

'अच्छा,' हैरी ने विचलित हुए बिना कहा। 'तुमने ठीक कहा! मैं – मैं तुम्हें ही खोज रहा था।'

निक कुछ नहीं बोला।

'देखो –' हैरी ने कहा, जिसे यह बात कहना उम्मीद से ज़्यादा मुश्किल लग रहा था, 'देखो – तुम मरे हुए हो। लेकिन इसके बाद भी तुम यहाँ हो, है ना ?'

निक ने आह भरी और मैदान की तरफ़ देखता रहा।

'यह सही है, है ना ?' हैरी ने उसे प्रेरित किया। 'तुम मर चुके हो, लेकिन मैं तुमसे बात कर रहा हूँ ... तुम हॉगवर्ट्स में घूम सकते हो, है ना ?'

'हाँ ?' लगभग सिरकटे निक ने धीरे से कहा। 'हाँ, मैं चल सकता हूँ और बातचीत कर सकता हूँ।'

'तो, तुम वापस लौट आए, है ना ?' हैरी ने व्यग्रता से कहा। 'लोग वापस लौट सकते हैं, है ना ? भूतों के रूप में उन्हें पूरी तरह ग़ायब होने की ज़रूरत नहीं होती। *ठीक है ?*' उसने अधीरता से कहा, जब निक कुछ नहीं बोला।

लगभग सिरकटा निक झिझका, फिर बोला, 'हर कोई भूत बनकर वापस नहीं लौट सकता।'

हैरी ने जल्दी से पूछा, 'तुम्हारा क्या मतलब है ?'

'सिर्फ़ ... सिर्फ़ जादूगर।'

'ओह,' हैरी ने कहा और वह राहत से हँस दिया। 'तो यह **ठीक है**, जिस व्यक्ति के बारे में मैं बात कर रहा हूँ, वह एक जादूगर है। तो वह वापस लौट सकता है, है ना ?'

निक खिड़की से दूर मुड़ा और हैरी की तरफ़ दुख से देखने लगा।

'वह वापस नहीं लौटेगा!'

'कौन?'

'सिरियस ब्लैक,' निक ने कहा।

'लेकिन तुम तो लौट आए थे!' हैरी ने ग़ुस्से से कहा। 'तुम तो लौट आए – मरने के बाद भी तुम ग़ायब नहीं हुए –'

निक दुखी होकर बोला, 'जादूगर जहाँ रहते हैं, वहाँ भूत बनकर रह सकते हैं, बशर्ते वे अपनी निशानी छोड़ दें। लेकिन बहुत कम जादूगर इस रास्ते को चुनते हैं।'

'क्यों नहीं?' हैरी ने कहा। 'वैसे – इससे कोई फ़र्क़ नहीं पड़ता – अगर यह असामान्य बात भी है, तो भी सिरियस को इससे फ़र्क़ नहीं पड़ेगा। वह वापस लौट आएगा। मैं जानता हूँ कि वह वापस लौट आएगा!'

उसका विश्वास इतना दृढ़ था कि हैरी ने अपना सिर घुमाकर दरवाज़े की तरफ़ देखा। एक पल के लिए तो उसे लगा कि वह सिरियस को देखने वाला है, मोती की तरह सफ़ेद और पारदर्शी, लेकिन उसकी तरफ़ मुस्कराकर आता हुआ।

'वह नहीं लौटेगा,' निक ने दोहराया। 'वह ... आगे ... चला गया होगा।'

'तुम्हारा क्या मतलब है, "आगे चला गया होगा"?' हैरी ने जल्दी से पूछा। 'आगे कहाँ चला गया होगा? सुनो – वैसे जब मरते हैं, तो क्या होता है? इंसान कहाँ जाता है? हर इंसान वापस क्यों नहीं लौटता है? यह जगह भूतों से भरी हुई क्यों नहीं है? क्यों –?'

निक बोला, 'मैं जवाब नहीं दे सकता।'

'तुम मर चुके हो, है ना?' हैरी ने चिढ़कर कहा। 'तुमसे ज़्यादा अच्छी तरह जवाब कौन दे सकता है?'

निक धीरे से बोला, 'मैं मौत से डरता था, इसलिए मैंने पीछे रहने का विकल्प चुना। मैं कई बार सोचता हूँ कि मुझे शायद आगे चले जाना चाहिए था ... देखो, यह न तो यहाँ है, न वहाँ है ... दरअसल, *मैं* न तो यहाँ हूँ, न वहाँ हूँ ...' उसने दुख भरी हँसी निकाली। 'हैरी, मैं मौत के रहस्यों के बारे में कुछ नहीं जानता हूँ, क्योंकि मैंने इसके बजाय जीवन की कमज़ोर नक़ल को चुना था। मुझे यक़ीन है कि रहस्य विभाग में विद्वान जादूगर इस मामले का अध्ययन करते हैं –'

हैरी ने तैश में आते हुए कहा, 'मुझसे उस जगह के बारे में बात मत करो!'

'मुझे अफ़सोस है कि मैं ज़्यादा मदद नहीं कर पाया,' निक ने विनम्रता से कहा। 'अच्छा ... अच्छा, अब मुझे माफ़ करना, जश्न में जाना है ...'

और वह कमरे से चला गया। हैरी वहाँ अकेला खड़ा-खड़ा उस दीवार को सूनेपन से घूरता रहा, जहाँ से निक निकलकर ओझल हुआ था।

हैरी को ऐसा लगा, जैसे उसने अपने गॉडफ़ादर को दोबारा खो दिया था, क्योंकि अब उसकी यह उम्मीद चली गई थी कि वह दोबारा उसे देख पाएगा या उससे बात कर पाएगा। वह दुखी मन से धीरे-धीरे ख़ाली महल में चलने लगा और सोचने लगा कि क्या वह दोबारा ख़ुश हो पाएगा।

वह मोटी औरत के गलियारे वाले कोने पर मुड़ा। वहाँ से उसने देखा कि सामने दीवार के बोर्ड पर कोई नोटिस चिपका रहा था। दूसरी नज़र में उसे दिख गया कि वह लूना थी। आस-पास छिपने की कोई अच्छी जगह नहीं थी। लूना को उसके क़दमों की आहट सुनाई दे गई होगी और वैसे भी हैरी में इतनी दम नहीं थी कि वह उस पल किसी से बच पाता।

'हैलो,' लूना ने अस्पष्टता से कहा और नोटिस बोर्ड से दूर हटते हुए उसकी तरफ़ देखा।

'तुम जश्न में क्यों नहीं गईं?' हैरी ने पूछा।

'देखो, मेरी ज़्यादातर चीज़ें खो गई हैं,' लूना धीरे से बोली। 'विद्यार्थी उन्हें छिपा देते हैं। आज आख़िरी रात होने के कारण मुझे अपना सामान वापस चाहिए, इसीलिए नोटिस लगा रही हूँ।'

उसने नोटिसबोर्ड की तरफ़ इशारा किया, जिस पर उसने अपनी सभी ग़ुमी किताबों और कपड़ों की सूची लगाकर लोगों से यह आग्रह किया था कि वे उन्हें लौटा दें।

हैरी के मन में एक अजीब सा भाव आया। यह भाव उस ग़ुस्से और दुख से बिलकुल अलग था, जो सिरियस की मौत के बाद से उसमें भरा हुआ था। कुछ पल बाद उसे एहसास हुआ कि वह लूना के लिए अफ़सोस कर रहा था।

उसने त्योरियाँ चढ़ाकर पूछा, 'लोग तुम्हारा सामान क्यों छिपाते हैं?'

उसने कंधे उचकाकर कहा, 'ओह ... देखो ... उन्हें लगता है कि मैं थोड़ी अजीब हूँ। कुछ लोग तो दरअसल मुझे "पागल" लवगुड कहते हैं।'

हैरी ने उसकी तरफ़ देखा और उसके मन में करुणा का भाव बहुत प्रबल हो गया।

'यह तो कोई कारण नहीं है कि वे तुम्हारा सामान उठा लें,' उसने कहा। 'क्या तुम्हें सामान खोजने में मदद चाहिए?'

उसने हैरी की तरफ़ मुस्कराते हुए कहा, 'ओह नहीं! सामान वापस आ जाएगा, हमेशा आ जाता है। बात सिर्फ़ इतनी थी कि मैं आज रात को सामान

पैक करना चाहती थी। ख़ैर ... *तुम* जश्न में क्यों नहीं गए?'

हैरी ने कंधे उचकाते हुए कहा, 'बस मन नहीं हुआ।'

लूना ने अजीब सी धुंध भरी, बाहर निकलती आँखों से उसे देखते हुए कहा, 'मैं समझ सकती हूँ। जिस आदमी को प्राणभक्षियों ने मारा था, वह तुम्हारा गॉडफ़ादर था, है ना? जिनी ने मुझे बताया था।'

हैरी ने सिर हिलाया, लेकिन उसने पाया कि उसे लूना से सिरियस के बारे में बात करने से कोई दिक्क़त नहीं हो रही थी। उसे अभी-अभी याद आया था कि वह भी थेस्ट्रॉल्स को देख सकती है।

'क्या तुमने ...' उसने कहा। 'मेरा मतलब है ... तुमने किसे मरते देखा था?'

लूना ने कहा, 'अपनी मम्मी को। वे बहुत असाधारण जादूगरनी थीं, लेकिन उन्हें प्रयोग करने का शौक था और उनका एक मंत्र एक दिन बुरी तरह उल्टा पड़ गया। मैं उस वक़्त नौ साल की थी।'

हैरी बुदबुदाया, 'मुझे अफ़सोस है।'

लूना ने कहा, 'हाँ, यह बहुत भयंकर था। मैं कई बार इसके बारे में बहुत दुखी होती हूँ। लेकिन मेरे पास डैडी हैं। और वैसे भी, ऐसा नहीं है कि मैं मम्मी को दोबारा कभी नहीं देख पाऊँगी, है ना?'

'अर - क्या ऐसा है?' हैरी ने अनिश्चितता से पूछा।

उसने अपना सिर अविश्वास में हिलाया।

'ओह, देखो। तुमने भी तो उस पर्दे के पीछे उन लोगों की आवाज़ सुनी थी, है ना?'

'तुम्हारा मतलब है ...'

'तोरणद्वार वाले कमरे में। वे लोग बस नज़रों से दूर मंडरा रहे थे। तुमने उनकी आवाज़ सुनी थी।'

उन्होंने एक-दूसरे को देखा। लूना थोड़ा मुस्करा रही थी। हैरी नहीं जानता था कि क्या कहे या सोचे। लूना बहुत सी असाधारण चीज़ों पर यक़ीन रखती थी ... लेकिन पर्दे के पीछे से आवाज़ें उसे भी सुनाई दी थीं ...

उसने पूछा, 'क्या तुम्हें यक़ीन है कि तुम अपना सामान खोजने में मेरी मदद नहीं चाहती हो?'

'ओह नहीं,' लूना बोली। 'नहीं, मुझे लगता है कि मैं नीचे जाकर कुछ पुडिंग खा लेती हूँ और सामान के लौटने का इंतज़ार करती हूँ ... यह हमेशा

लौट आता है ... हैरी, तुम्हारी छुट्टियाँ अच्छी गुज़रें।'

'हाँ ... तुम्हारी भी।'

वह उससे दूर चली गई और जब वह उसे जाते देखता रहा, तो उसने पाया कि उसके सीने का भयंकर बोझ थोड़ा कम हो गया था।

*

अगले दिन हॉगवर्ट्स एक्सप्रेस से घर की यात्रा कई मायनों में घटनापूर्ण साबित हुई। पहली बात तो यह थी कि मैल्फ़ॉय, क्रैब और गॉइल ने ट्रेन में टॉयलेट से लौटते समय हैरी पर हमला कर दिया। वे लोग पूरे सप्ताह टीचर के बिना उस पर हमला करने का इंतज़ार कर रहे थे। हमला सफल हो गया होता, लेकिन उन्होंने अनजाने में यह हमला उस कम्पार्टमेंट के बाहर किया था, जो **डीए** के सदस्यों से भरा था। सदस्यों ने काँच में से इसे देख लिया। वे एक साथ हैरी की मदद करने के लिए भागे। अर्नी मैकमिलन, हान्ना एबॉट, सूज़न बोन्स, जस्टिन फ़िंच-फ़्लेचली, एंथनी गोल्डस्टीन और टेरी बूट ने हैरी के सिखाए बहुत सारे मंत्र मार दिए। कुछ ही समय में मैल्फ़ॉय, क्रैब और गॉइल तीन दैत्याकार घोंघों में बदल चुके थे, जो हॉगवर्ट्स की यूनिफ़ॉर्म पहने थे। हैरी, अर्नी और जस्टिन ने उन्हें लगेज रैक पर रख दिया, जहाँ उनका ख़ून बहता रहा।

'मैं तो इंतज़ार कर रहा हूँ कि जब मैल्फ़ॉय ट्रेन से उतरेगा, तो उसकी माँ उसका चेहरा देखकर क्या कहेंगी,' अर्नी ने कुछ संतुष्टि से कहा, जब उसने मैल्फ़ॉय को अपने ऊपर कसमसाते देखा। जब मैल्फ़ॉय कुछ समय के लिए प्रशासकीय दस्ते का सदस्य बना था, तब उसने मेहनतकश हाउस के नंबर काटे थे और अर्नी इस बात को नहीं भूला था।

'गॉइल की मम्मी तो सचमुच ख़ुश होंगी,' रॉन ने कहा, जो हलचल की जाँच करने के लिए आ गया था। 'वह अब ज़्यादा अच्छा दिख रहा है ... अच्छा हैरी, अगर तुम्हें कुछ चाहिए, तो खाने की ट्रॉली अभी-अभी आई है ...'

हैरी ने बाक़ी लोगों को धन्यवाद दिया और रॉन के साथ वापस अपने कम्पार्टमेंट में पहुँच गया, जहाँ उसने बहुत सारे कड़ाही केक और कद्दू की पेस्टी ले लीं। हर्माइनी दोबारा *दैनिक जादूगर* पढ़ रही थी, जिनी *द क्विबलर* में एक क्विज़ कर रही थी और नेविल अपने *मिम्बुलस मिम्बलटोनिया* को थपथपा रहा था, जो साल भर में बहुत बड़ा हो गया था और अब छूने पर अजीब सी आवाज़ें निकालने लगा था।

हैरी और रॉन ने ज़्यादातर सफ़र जादूगरों की शतरंज खेलकर काटा, जबकि हर्माइनी ने *दैनिक जादूगर* के अंश पढ़े। अब उसमें इस तरह के लेख थे

कि दमपिशाचों को कैसे भगाया जाए और मंत्रालय प्राणभक्षियों को पकड़ने के लिए क्या कोशिशें कर रहा था। उसमें दहशत भरे पत्र भी थे, जिनमें लेखक या लेखिका ने यह दावा किया था कि उसने लॉर्ड वोल्डेमॉर्ट को उसी सुबह अपने घर के बाहर की सड़क पर जाते देखा था ...

'यह अभी शुरू नहीं हुआ है,' हर्माइनी ने अख़बार को तह करते हुए उदासी से कहा। 'लेकिन अब ज़्यादा देर नहीं है ...'

'सुनो हैरी,' रॉन ने धीरे से कहा और गलियारे की तरफ़ वाली काँच की खिड़की की तरफ़ सिर हिलाया।

हैरी ने बाहर देखा। चो गुज़र रही थी। उसके साथ मैरीटा एजकॉम्ब थी, जो बालाक्लावा पहने थी। उसकी और चो की नज़रें एक पल के लिए मिलीं। चो झेंपकर आगे चली गई। हैरी ने पलटकर शतरंज के बोर्ड की तरफ़ देखा कि रॉन का घोड़ा उसकी एक पिद्दी को उसके चौखाने से भगा रहा था।

रॉन ने धीरे से पूछा, 'तुम्हारे और उसके बीच में अब क्या है?'

'कुछ नहीं,' हैरी ने सच्चाई बता दी।

हर्माइनी ने कहा, 'मैंने - अर - सुना था कि वह अब किसी और के साथ घूमने लगी है।'

हैरी को यह जानकर हैरानी हुई कि इस जानकारी से उसे ज़रा भी चोट नहीं पहुँची थी। चो को प्रभावित करने की इच्छा ऐसे अतीत की थी, जिसका अब उससे कोई संबंध नहीं था। सिरियस की मौत से पहले की उसकी बहुत सी इच्छाएँ अब मर चुकी थीं ... सिरियस के जाने के बाद जो एक हफ़्ता गुज़रा था, वह बहुत ज़्यादा लंबा लग रहा था। यह दो ब्रह्मांडों के पार फैल गया था, एक जिसमें सिरियस था, दूसरा जिसमें वह नहीं था।

'दोस्त, तुमने अच्छा किया, जो इससे बाहर निकल आए,' रॉन ने आवेश में कहा। 'मेरा मतलब है, वह अच्छी दिखती है, लेकिन तुम्हें थोड़ी ज़्यादा ख़ुशनुमा लड़की की ज़रूरत है।'

हैरी ने कंधे उचकाते हुए कहा, 'वह शायद किसी और के साथ ख़ुशनुमा महसूस करती होगी।'

'वैसे वह अब किसके साथ घूम रही है?' रॉन ने हर्माइनी से पूछा, लेकिन जवाब जिनी ने दिया।

उसने कहा, 'माइकल कॉर्नर।'

'माइकल - लेकिन -' रॉन ने अपनी गर्दन घुमाकर उसे घूरा। 'लेकिन उसके साथ तो तुम घूमती थीं!'

'अब नहीं,' जिनी ने दृढ़ता से कहा। 'जब क्विडिच में गरुड़द्वार ने चीलघात को हरा दिया था, तो उसे यह बहुत नागवार गुज़रा। वह बहुत चिढ़ने लगा, इसलिए मैंने उसे छोड़ दिया। वह तत्काल चो को तसल्ली देने चला गया।' जिनी ने अपनी नाक क़लम के सिरे से खुजाई, *द क्विबलर* को उल्टा किया और अपने जवाब लिखने लगी। रॉन बहुत ख़ुश नज़र आने लगा।

'अच्छा, मैं हमेशा सोचता था कि वह मूर्ख है,' उसने अपने वज़ीर को हैरी के काँपते हाथी की तरफ़ उकसाया। 'तुम्हारे लिए अच्छा है। बस अगली बार – किसी – अच्छे को चुनना।'

यह कहते समय उसने हैरी की तरफ़ एक अजीब सी गोपनीय दृष्टि डाली।

जिनी बोली, 'देखो, मैंने डीन थॉमस को चुन लिया है। वह तो अच्छा है ?'

'**क्या ?**' रॉन चिल्लाया और शतरंज के बोर्ड को पलट दिया : क्रुकशैंक्स मोहरों के पीछे भागी और हेडविग तथा पिगविजियन ऊपर से ग़ुस्से से चीख़ने-चिल्लाने लगे।

जब ट्रेन किंग्स क्रॉस स्टेशन के पास आकर धीमी हुई, तो हैरी का उतरने का मन नहीं हो रहा था। उसने तो यहाँ तक सोचा कि क्या होगा, अगर वह उतरे *ही नहीं*, बल्कि पहली सितंबर तक यहीं बैठा रहे, ताकि यह उसे वापस हॉगवर्ट्स ले जाए। बहरहाल, जब आख़िरकार ट्रेन रुक गई, तो उसने हेडविग का पिंजरा उठाया और अपने संदूक को हमेशा की तरह खींचने की तैयारी करने लगा।

जब टिकट चेकर ने हैरी, रॉन और हर्माइनी को इशारा करके बताया कि प्लेटफ़ॉर्म नंबर नौ और दस के बीच के जादुई बैरियर को पार करना सुरक्षित है, तो दूसरी तरफ़ पहुँचकर उसे हैरानी का ज़ोरदार झटका लगा : लोगों का एक समूह वहाँ उसका स्वागत करने के लिए खड़ा हुआ था, जिसकी उसे क़तई उम्मीद नहीं थी।

वहाँ बावरे-नैन मूडी थे, जिन्होंने अपनी जादुई आँख को ढँकने के लिए हैट नीचे खींच रखा था। वे इसके बाद भी उतने ही ख़तरनाक दिख रहे थे, जितने कि इसके बिना दिखते। उनके गाँठदार हाथ में एक लंबी छड़ी थी। उनका शरीर एक बड़े यात्री चोगे में लिपटा था। टौंक्स उनके ठीक पीछे खड़ी थी। उसके चमकीले बबलगम जैसे गुलाबी बाल धूप में चमक रहे थे, जो स्टेशन की छत के गंदे काँच से छनकर आ रही थी। वह बहुत से पैबंदों वाली जीन्स और चमकती बैंगनी टीशर्ट पहने थी, जिस पर लिखा था *द वीयर्ड सिस्टर्स*। टौंक्स के पास ल्यूपिन खड़े थे। उनका चेहरा पीला था और उनके बाल सफ़ेद हो रहे थे। एक लंबा और छना हुआ ओवरकोट एक गंदे स्वेटर तथा पैंट को ढँके था। समूह में

सबसे आगे मिस्टर और मिस्टर वीज़्ली मगलुओं के सबसे अच्छे कपड़ों में थे। इसके अलावा फ्रेड और जॉर्ज भी थे, जिन्होंने किसी भड़कीली हरी खाल से बनी नई जैकेट पहन रखी थी।

'रॉन, जिनी!' मिसेज़ वीज़्ली चिल्लाईं और जल्दी से आगे की तरफ़ आकर अपने बच्चों को कसकर गले लगा लिया। 'और, और हैरी बेटा - तुम कैसे हो?'

'अच्छा हूँ,' हैरी ने झूठ बोल दिया। उन्होंने उसे भी कसकर गले लगा लिया। उनके कंधों के ऊपर से हैरी ने देखा कि रॉन जुड़वाँ भाइयों की नई जैकेटों को हसरत से देख रहा था।

उसने जैकेटों की तरफ़ इशारा करते हुए पूछा, 'ये किसकी खाल की हैं?'

'सबसे अच्छे ड्रैगन की खाल की, छोटे भाई,' फ्रेड ने कहा और अपनी जिप को हल्के से हिलाया। 'बिज़नेस अच्छा चल रहा है, इसलिए हमने सोचा कि हम ख़ुद पर थोड़ा ख़र्च कर लें।'

'हैलो हैरी,' ल्यूपिन ने कहा, जब मिसेज़ वीज़्ली ने हैरी को छोड़ दिया और हर्माइनी का स्वागत करने के लिए मुड़ीं।

'हाय,' हैरी ने कहा। 'मुझे उम्मीद नहीं थी ... आप सब यहाँ क्या कर रहे हैं?'

'देखो,' ल्यूपिन ने हल्की सी मुस्कान के साथ कहा, 'हमने सोचा कि हम तुम्हारे अंकल-आंटी से थोड़ी बातचीत कर लें, इसके बाद ही तुम्हें उनके साथ घर जाने दें।'

हैरी ने तत्काल कहा, 'मुझे लगता है कि यह अच्छा विचार नहीं है।'

'यह अच्छा है,' मूडी गुर्राए, जो लँगड़ाते हुए थोड़े क़रीब आ गए थे। 'ये वही होंगे, है ना, पॉटर?'

उन्होंने अपने अँगूठे से कंधे के पीछे इशारा किया। उनकी जादुई आँख उनके सिर के पिछले हिस्से और हैट के बावजूद पीछे देख रही थी। हैरी ने एकाध इंच बाईं तरफ़ झुककर देखा कि बावरे-नैन किधर इशारा कर रहे थे। निश्चित रूप से डर्स्ली परिवार के तीनों सदस्य वहाँ खड़े थे, जो हैरी के स्वागत दल को देखकर स्पष्ट रूप से दहशत में आ गए थे।

'ओह, हैरी!' मिस्टर वीज़्ली ने हर्माइनी के माता-पिता से उसकी तरफ़ मुड़ते हुए कहा, जिनका उन्होंने उत्साह से स्वागत किया था, और जो अब बारी-बारी से हर्माइनी को गले लगा रहे थे, 'अच्छा - तो हम यह काम कर दें?'

मूडी ने कहा, 'हाँ आर्थर, मुझे भी ऐसा ही लगता है।'

वे और मिस्टर वीज़्ली सबसे आगे चलकर डर्स्ली परिवार की तरफ़ गए, जो फ़र्श पर जम से गए। हर्माइनी ने अपनी माँ से ख़ुद को धीरे से छुड़ाया और समूह में शामिल हो गई।

'गुड आफ़्टरनून,' मिस्टर वीज़्ली ने वरनॉन अंकल से ख़ुशी से कहा, जब वे उनके ठीक सामने जाकर रुके। 'आपको शायद याद होगा कि हम मिल चुके हैं। मेरा नाम आर्थर वीज़्ली है।'

चूँकि मिस्टर वीज़्ली ने दो साल पहले डर्स्ली परिवार के लिविंग रूम के ज़्यादातर हिस्से को तोड़-फोड़ डाला था, इसलिए हैरी को बहुत हैरानी हुई होती अगर वरनॉन अंकल उन्हें भूल गए होते। निश्चित रूप से वरनॉन अंकल के चेहरे पर भूरे-लाल रंग का गहरा भाव आया और उन्होंने मिस्टर वीज़्ली को ग़ुस्से से घूरकर देखा। बहरहाल, वे कुछ बोले नहीं, शायद इसलिए, क्योंकि उन लोगों की संख्या डर्स्ली परिवार के सदस्यों से दोगुनी थी। पेटूनिया आंटी डरी हुई और परेशान दिख रही थीं। वे चारों तरफ़ देख रही थीं, जैसे इस बात पर दहशत में हों कि उनकी जान-पहचान का कोई व्यक्ति उन्हें ऐसे लोगों के साथ देख लेगा। इस दौरान, डडली छोटा दिखने की कोशिश कर रहा था, हालाँकि इस कोशिश में वह बुरी तरह असफल हो रहा था।

मिस्टर वीज़्ली अब भी मुस्कराते हुए बोले, 'हमें लगा कि हम हैरी के बारे में आपसे कुछ बात कर लें।'

'हाँ,' मूडी गुर्राए। 'इस बारे में कि जब वह आपके यहाँ रहेगा, तो उसके साथ कैसा व्यवहार होगा?'

वरनॉन अंकल की मूँछ ग़ुस्से से काँपती नज़र आई। हैट के कारण उन्हें यह ग़लत एहसास हो गया था कि वे अपने जैसे ही किसी व्यक्ति से बात कर रहे हैं, इसी ग़लतफ़हमी के कारण उन्होंने मूडी को संबोधित किया।

'मुझे जानकारी नहीं है कि मेरे घर में क्या होता है, इससे आपको कोई मतलब होना चाहिए -'

मूडी गुर्राकर बोले, 'डर्स्ली, तुम्हें जिन चीज़ों की जानकारी नहीं है, उनसे कई किताबें भर सकती हैं।'

'देखिए, मुद्दा यह नहीं है,' टौंक्स ने बीच में कहा, जिसके गुलाबी बालों से पेटूनिया आंटी को सबसे ज़्यादा दिक़्क़त हो रही थी, क्योंकि उन्होंने उसकी तरफ़ देखने के बजाय अपनी आँखें बंद कर ली थीं। 'मुद्दा यह है कि अगर हमें यह पता चला कि आपने हैरी के साथ बुरा व्यवहार किया है -'

'- और ग़लतफ़हमी में न रहें। हमें इसके बारे में पता चल जाएगा,' ल्यूपिन ने ख़ुशी से कहा।

'हाँ,' मिस्टर वीज़्ली ने कहा, 'अगर आपने हैरी को फ़ेलीटोन का इस्तेमाल नहीं करने दिया, तब भी –'

'टेलीफ़ोन,' हर्माइनी फुसफुसाकर बोली।

'– हाँ, अगर हमें ज़रा भी इशारा मिला कि पॉटर के साथ किसी तरह का दुर्व्यवहार किया गया है, तो आपको जवाब देना पड़ेगा,' मूडी ने कहा।

वरनॉन अंकल ख़तरनाक तरीक़े से फूले। उनका ग़ुस्सा अजीब लोगों के डर से ज़्यादा भारी दिख रहा था।

'क्या आप मुझे धमकी दे रहे हैं, सर?' उन्होंने इतनी ज़ोर से कहा कि आस-पास वाले मुड़कर घूरने लगे।

'हाँ, मैं धमकी दे रहा हूँ,' बावरे-नैन ने कहा, जो इस बात पर ख़ुश नज़र आ रहे थे कि वरनॉन अंकल बात को इतनी जल्दी समझ गए।

वरनॉन अंकल ने चिल्लाकर कहा, 'और क्या मैं इस तरह का इंसान लगता हूँ, जिसे धमकाया जा सकता है?'

'देखो ...' मूडी ने कहा और अपने हैट को पीछे हटाकर अपनी ख़तरनाक तरीक़े से घूमती जादुई आँख को प्रकट किया। वरनॉन अंकल दहशत में पीछे उछल पड़े और एक लगेज ट्रॉली से दर्दनाक तरीक़े से टकरा गए। 'हाँ डर्स्ली, तुम इसी तरह के लगते हो।'

वे वरनॉन अंकल से हैरी की तरफ़ मुड़े।

'तो पॉटर ... अगर तुम्हें हमारी ज़रूरत हो, तो आवाज़ लगा देना। अगर तीन दिन में तुम्हारी चिट्ठी नहीं आएगी, तो हम किसी को भेज देंगे ...'

पेटूनिया आंटी करुण स्वर में कूँ-कूँ करने लगीं। स्पष्ट रूप से वे यह सोच रही थीं कि अगर पड़ोसियों ने बगीचे के रास्ते पर इन लोगों को चलते हुए देख लिया, तो वे क्या कहेंगे।

'तो फिर चलते हैं, पॉटर,' मूडी ने एक पल के लिए अपने गाँठदार हाथ से हैरी का कंधा पकड़ते हुए कहा।

'अपना ध्यान रखना, हैरी,' ल्यूपिन ने धीरे से कहा। 'संपर्क में रहना।'

'हैरी, हम तुम्हें जल्दी से जल्दी उनके यहाँ से बुला लेंगे,' मिसेज़ वीज़्ली ने फुसफुसाकर कहा और उसे दोबारा गले लगा लिया।

'मिलते हैं, दोस्त,' रॉन ने चिंता से हैरी से हाथ मिलाते हुए कहा।

'जल्दी ही मिलते हैं, हैरी,' हर्माइनी ने गंभीरता से कहा। 'हम वादा करते हैं।'

हैरी ने सिर हिलाया। उसे उन लोगों को यह बताने के लिए शब्द नहीं मिल पा रहे थे कि इस सबका क्या मतलब था? उन सभी लोगों को अपने पक्ष में देखने का क्या मतलब था? इसके बजाय वह मुस्कराया, अपना एक हाथ विदा में उठाकर मुड़ा और स्टेशन से सबसे आगे बाहर निकलकर धूप में नहाई सड़क की तरफ़ जाने लगा। वरनॉन अंकल, पेटूनिया आंटी और डडली उसके पीछे-पीछे तेज़ी से चले आ रहे थे।